D1538447

LES OISEAUX DE PROIE

Wilbur Smith

LES OISEAUX
DE PROIE

Roman

PRESSES
DE LA CITÉ

Titre original : *Birds of prey*
Traduit par Thierry Piélat

© Wilbur Smith, 1997
Edition originale 1997 Macmillan London Limited, un département de Pan Macmillan Publishers Limited, 25 Eccleston Place, Londres SW1 9NF. Tous droits réservés
© Presses de la Cité, 1997, pour la traduction française
ISBN 2-258-04750-1

Ce livre est dédié à Danielle Antoinette.

Trente années durant, son amour a été mon bouclier, sa force et son courage, mon épée.

Note de l'auteur

Bien que ce récit se déroule au milieu du xviiᵉ siècle, les galions et les caravelles sur lesquels naviguent mes personnages sont plus communément associés au xviᵉ siècle Bien souvent, les navires du xviiᵉ siècle ressemblent beaucoup à ceux du siècle précédent, mais leurs noms sont en général moins familiers au lecteur, et j'ai donc utilisé ces termes mieux connus, quoique anachroniques, pour évoquer leur apparence. De même, dans un souci de clarté, j'ai simplifié la terminologie se rapportant aux armes à feu et, puisqu'il est couramment employé dans le langage parlé, utilisé à l'occasion le terme générique de « canon ».

Le garçon s'agrippa au rebord du nid-de-pie, nacelle de toile dans laquelle il se tenait accroupi à soixante pieds au-dessus du pont tandis que le navire envoyait vent devant et que le mât s'inclinait fortement. C'était une caravelle, baptisée *Lady Edwina*, en l'honneur de la mère du jeune homme, dont il se souvenait à peine.

Loin en contrebas, dans l'obscurité qui précède l'aube, il entendit les grosses couleuvrines cogner contre leurs cales et tirer avec un bruit mat sur leur brague. Lorsque le bateau vira, la coque gémit et vibra sous la poussée différente puis fila de nouveau vers l'ouest en plongeant dans la lame. Avec un vent arrière de sud-est, l'allure du navire s'était transformée, il était plus léger, plus agile, même avec des ris et trois pieds d'eau dans ses cales.

Hal Courteney était habitué à tout cela. Voilà soixante-cinq jours qu'il accueillait ainsi l'aube en tête de mât. De tous les hommes qui se trouvaient à bord, c'était lui qui avait la vue la plus perçante et on le postait là pour repérer d'éventuels voiliers dans les premières lueurs du jour.

Il s'était même habitué au froid. Il rabattit sur ses oreilles son épais bonnet de laine. Le vent passait à travers son pourpoint de cuir mais il était insensible aux désagréments de ce genre. Il n'y prêta pas attention et plissa les yeux pour tenter de percer les ténèbres. « C'est aujourd'hui que nous allons rencontrer les Hollandais », pensa-t-il tout haut, et il sentit l'excitation et l'appréhension l'envahir.

Là-haut, les astres commençaient à pâlir, la promesse du jour nouveau emplissait le firmament. Tout en bas, il distinguait à présent les silhouettes sur le pont. Il reconnaissait Ned Tyler, le timonier, courbé sur la barre, attentif à garder le cap, et voyait son père, penché sur l'habitacle pour lire la nouvelle route, son visage sombre et émacié éclairé par la lanterne, les longues mèches de sa chevelure fouettées et emmêlées par le vent.

Il faisait maintenant suffisamment clair pour apercevoir la surface de la mer courir le long de la coque. Elle avait l'éclat dur et iridescent du charbon récemment extrait. A présent, il connaissait parfaitement cette mer du Sud, ce puissant courant qui suivait éternellement la côte est de l'Afrique, bleu, chaud, foisonnant de vie. Sous la houlette de son père, il l'avait étudiée et en savait la couleur, l'allure et le goût particuliers, chaque tourbillon, chaque mouvement.

Un jour, lui aussi porterait avec fierté le titre de chevalier nautonier de l'Ordre de Saint-Georges et du Saint-Graal. Comme son père, il serait un navigateur de l'Ordre. Son père était aussi déterminé que lui-même à ce qu'il le devienne et, à dix-sept ans, son but n'était déjà plus un rêve.

Ce courant était la route maritime que devaient emprunter les Hollandais pour naviguer vers l'ouest et arriver en vue de cette côte mystérieuse encore cachée par la nuit. Tous ceux qui cherchaient à doubler le cap sauvage qui sépare l'océan Indien de l'Atlantique sud devaient passer par là.

C'est la raison pour laquelle Sir Francis Courteney, le père de Hal, le navigateur, avait choisi cette position, à 34° 25' de latitude sud, pour les attendre. Voilà soixante-cinq jours qu'ils louvoyaient inlassablement dans les parages, mais aujourd'hui, les Hollandais allaient peut-être enfin apparaître et, la bouche entrouverte, Hal s'efforçait de percer du regard le jour naissant.

Sur tribord, à une encablure de la proue, assez haut dans le ciel pour accrocher les premiers rayons du soleil, il vit étinceler des ailes, un long vol de fous de Bassan venus de la terre, plastrons blancs comme neige, têtes noir et jaune. Il vit l'oiseau de tête rompre la formation en effectuant un virage descendant et tourner la tête pour regarder les eaux sombres. Il entraperçut le bouillonnement de l'océan et le miroitement des écailles au moment où le banc de poissons remontait vers la surface. Il regarda l'oiseau replier ses ailes et plonger vers la mer, ses congénères entamer leur piqué au même point et frapper l'eau dans une gerbe d'écume.

L'impact des oiseaux et la lutte des anchois argentés dont ils se gavaient blanchissaient la surface. Hal détourna le regard et balaya l'horizon.

Il eut un coup au cœur en apercevant le scintillement d'une voile, un grand navire gréé carré, à une lieue seulement à l'est. Il inspira profondément et ouvrit la bouche pour héler le gaillard d'arrière avant de le reconnaître. C'était le *Goéland de Moray*, une frégate et non pas un indiaman hollandais. Le navire était très loin de sa position normale, ce qui avait trompé Hal.

Le *Goéland de Moray* était l'autre bâtiment principal de l'escadre qui formait le blocus. Son capitaine, le Busard, aurait dû se trouver hors de vue, sous la ligne d'horizon orientale. Hal se pencha par-dessus le bord du nid-de-pie et regarda le pont. Les poings sur les hanches, son père avait les yeux fixés sur lui.

Hal cria pour annoncer la présence du navire :

— Le *Goéland* à bâbord !

Le navigateur se détourna brusquement pour regarder vers l'est. Sir Francis repéra la forme du navire, noire sur le fond obscur du ciel et leva sa longue-vue. Hal devinait qu'il était en colère à la façon dont il tenait ses épaules, et à la manière avec laquelle il referma la lunette d'un coup sec et agita sa crinière noire. Avant la fin du jour, des mots seraient échangés entre les deux capitaines. Hal sourit intérieurement. La volonté de fer, la langue aiguisée, les poings et l'épée de Sir Francis frappaient de terreur ceux à qui il s'en prenait — même les autres chevaliers de l'Ordre lui vouaient un respect mêlé de crainte. Hal remerciait Dieu que, ce jour-là, l'irritation de son père soit tournée vers quelqu'un d'autre que lui.

Il regarda par-delà le *Goéland de Moray* et scruta l'horizon qui se dégageait rapidement avec la venue du jour. Hal n'avait nul besoin de longue-vue pour venir en aide à ses jeunes yeux — de plus, il n'y avait à bord qu'un seul de ces instruments coûteux. Il distingua les autres voiliers, à l'endroit exact où ils devaient être, minuscules taches pâles sur la mer sombre.

A quinze lieues de chaque côté du *Lady Edwina*, les deux pinasses conservaient leur position, éléments du filet que son père avait jeté pour prendre les Hollandais au piège.

Les pinasses étaient des bateaux non pontés, avec à bord une douzaine d'hommes armés jusqu'aux dents. Quand elles étaient devenues inutiles, on pouvait les démonter et les arrimer dans la cale du *Lady Edwina*. Sir Francis changeait régulièrement leurs équipes, car ni les hommes rudes du sud-ouest de l'Angleterre, ni les Gallois, ni les anciens esclaves plus rudes encore qui, à eux tous, formaient l'essentiel de son équipage ne pouvaient supporter bien longtemps les conditions de vie à bord de ces petites embarcations tout en restant prêts à combattre.

Lorsque le soleil se leva au-dessus de l'horizon, la lumière métallique du jour envahit le ciel. Hal baissa les yeux vers le chemin ardent qu'il laissait à la surface des eaux. Il perdit courage en ne voyant aucun voilier inconnu sur l'océan. Comme chaque matin depuis plus de deux mois, il n'y avait pas de Hollandais en vue.

Puis, il porta son regard vers la masse de terre tapie à l'horizon, aussi sombre et insondable qu'un grand sphinx de pierre. C'était le cap des Aiguilles, l'extrême pointe méridionale du continent africain.

« L'Afrique ! » Le simple fait de prononcer ce nom mystérieux lui donnait la chair de poule.

« L'Afrique ! » Le pays inexploré des dragons et autres créatures redoutables qui se nourrissent de chair humaine, et des sauvages à la peau sombre qui eux aussi mangent des hommes, se faisant des parures avec leurs os.

« L'Afrique ! » Le pays de l'or, de l'ivoire, des esclaves et d'autres trésors, qui tous attendaient un homme assez courageux pour aller les chercher au péril de sa vie. Hal se sentait à la fois intimidé et fasciné par le nom et ses promesses, la menace et le défi qu'il sous-entendait.

De longues heures durant, il avait attentivement étudié les cartes dans la cabine de son père, au lieu d'apprendre par cœur les tables astronomiques ou de décliner ses conjugaisons latines. Il avait examiné la vaste étendue de terres, emplie de dessins d'éléphants, de lions et de monstres, suivi les contours des montagnes de la Lune, des lacs et des fleuves blasonnés de noms tels que « Khoïkhoï », « Camdeboo », « Sofala » et « royaume du Prêtre-Jean ». Mais Hal savait par son père qu'aucun homme civilisé n'avait jamais pénétré à l'intérieur des terres et se demanda, comme il l'avait fait à maintes reprises, l'effet que cela ferait d'être le premier à s'y aventurer. Le Prêtre-Jean l'intriguait particulièrement. Ce souverain légendaire d'un vaste et puissant empire chrétien dans les profondeurs du continent africain hantait depuis des centaines d'années la mythologie européenne. S'agissait-il d'un individu ou d'une lignée impériale ?

La rêverie de Hal fut interrompue par des ordres criés depuis le gaillard d'arrière, à moitié emportés par le vent et le changement d'allure du navire qui modifiait son cap. Son père voulait intercepter le *Goéland de Moray*. Uniquement avec leurs huniers, et des ris sur toutes les autres voiles, les deux navires convergeaient à présent, tous deux fendant l'eau vers l'ouest, le cap de Bonne-

Espérance et l'Atlantique. Ils avançaient paresseusement — car du fait d'un séjour prolongé dans ces eaux chaudes, leurs membrures étaient infestées de tarets. Aucun bateau ne pouvait survivre long-temps dans ces régions. Les tarets y devenaient gros comme le doigt et longs comme le bras. Ils foraient la coque si près les uns des autres qu'ils la laissaient criblée de trous. De la tête de mât, Hal entendait les pompes fonctionner dans les deux navires pour vider les sentines. Le bruit ne cessait jamais, tel le battement d'un cœur qui permettait de maintenir le vaisseau à flot. C'était là une raison supplémentaire de se mettre à la recherche des Hollandais : ils avaient besoin de changer de navire. Le *Lady Edwina* était peu à peu rongé sous leurs pieds.

Lorsque les deux bâtiments arrivèrent à portée de voix, les équi-pages envahirent le gréement et s'alignèrent au bastingage pour échanger des paillardises.

Le nombre d'hommes embarqués sur chaque navire ne man-quait jamais de stupéfier Hal chaque fois qu'il les voyait ainsi ras-semblés. Le *Lady Edwina* jaugeait cent soixante-dix tonneaux, avec une longueur hors tout d'un peu plus de soixante-dix pieds seulement, mais il avait à son bord un équipage de cent trente hommes si l'on incluait ceux qui occupaient à ce moment-là les deux pinasses. Le *Goéland* n'était guère plus grand mais avec un équipage une fois et demie plus important.

Venir à bout d'un des énormes galions hollandais exigeait de tels effectifs. Sir Francis avait recueilli des renseignements des quatre coins de l'océan auprès des chevaliers de l'Ordre et il savait que cinq au moins de ces grands navires étaient encore en mer. Depuis le début de la saison, vingt et un galions de la Compagnie avaient doublé le cap et fait escale au minuscule poste de ravi-taillement situé au pied de l'impressionnante Tafelberg, comme l'appelaient les Hollandais, la montagne de la Table, à l'extrême sud du continent, avant de prendre la route nord-ouest pour remonter l'Atlantique vers Amsterdam.

Ces cinq retardataires, encore disséminés à travers l'océan Indien, devaient doubler le cap avant que les alizés de sud-ouest ne retombent et que le fort vent de nord-ouest ne se lève, ce qui n'allait pas tarder.

Lorsque le *Goéland de Moray* ne s'adonnait pas à la guerre de course, Angus Cochran, comte de Cumbria, arrondissait sa bourse en pratiquant le commerce des esclaves sur les marchés de Zan-zibar. Une fois que ces pauvres créatures étaient enchaînées aux anneaux fixés dans le pont de la longue et étroite cale, on ne pouvait les libérer avant que le navire n'arrive à quai au terme de son voyage vers les ports de l'Orient. Autrement dit, ceux qui succombaient au cours de la redoutable traversée des eaux tropicales de l'océan Indien pourrissaient avec les vivants dans l'espace restreint des entreponts. Les exhalaisons des cadavres en décomposition, mêlées aux remugles des déjections, dégageaient une puanteur qui signalait les négriers à plusieurs lieues sous le vent. Même une fois récurés, ils conservaient leur odeur caractéristique de transport d'esclaves.

Tandis que le *Goéland* croisait au vent, l'équipage du *Lady Edwina* poussait des cris de dégoût en forçant la note.

— Par Dieu, il pue comme une bouse.

— Vous avez oublié de vous torcher, bande de vermines. On vous sent d'ici, hurla un marin en direction de la jolie petite frégate.

La réplique lancée depuis le *Goéland* fit sourire Hal. Bien sûr les allusions au fonctionnement intestinal étaient pour lui sans mystère, mais il ne saisissait pas grand-chose du reste, n'ayant jamais vu les parties de l'anatomie féminine qu'évoquaient les matelots avec force détails, et il ignorait quel pouvait en être l'usage, mais les entendre ainsi décrites excitait son imagination. Son amusement augmenta quand il songea à la fureur dans laquelle ces gaudrioles devaient plonger son père.

Sir Francis était un homme pieux pour qui le comportement plus ou moins religieux des hommes d'équipage influait sur la fortune des armes.

Il interdisait le jeu, le blasphème et la consommation d'alcools forts. Il dirigeait la prière deux fois par jour et exhortait ses marins à conserver un comportement aimable et digne pendant les escales — Hal n'ignorait cependant pas que ce conseil était rarement suivi. Sir Francis fronçait les sourcils d'un air sinistre en entendant ses hommes échanger des insultes avec ceux du *Goéland*, mais comme il ne pouvait faire donner le fouet à la moitié de l'équipage pour marquer sa désapprobation, il tint sa langue jusqu'au moment où il fut à portée de voix de la frégate.

En attendant, il avait envoyé son serviteur chercher sa longue cape dans sa cabine. Ce qu'il avait à dire au Busard était officiel et il devait se montrer revêtu des insignes de son rang. Quand l'homme revint, Sir Francis glissa la magnifique cape de velours sur ses épaules avant de lever son porte-voix.

— Bonjour, comte !

Le Busard vint au bastingage et le salua de la main. Sur son plaid, il portait une demi-armure qui miroitait dans la lumière du matin, mais il était nu-tête, barbe et cheveux roux en broussaille, ses boucles dansant dans le vent comme des flammes.

— Dieu vous garde, Frankie! beugla-t-il en réponse, sa grosse voix couvrant sans difficulté le bruit du vent.

— Vous deviez garder le flanc est! Pourquoi avez-vous abandonné votre poste?

Sir Francis s'exprimait avec sécheresse du fait du vent et de la colère.

— Il ne me reste presque plus d'eau et je perds patience, répondit le Busard, les mains écartées en un geste d'excuse. Soixante-cinq jours, en voilà assez pour mes hommes et moi. Il y a des esclaves et de l'or sur la côte de Sofala, il suffit de se servir, ajouta-t-il avec son accent qui évoquait un coup de vent en Ecosse.

— Votre mandat ne vous autorise pas à attaquer les navires portugais.

— Hollandais, Portugais ou Espagnols, répliqua Cumbria, leur or brille aussi joliment. Vous savez fort bien qu'il n'y a pas de paix qui tienne au-delà de la Ligne.

— C'est avec justesse que l'on vous a surnommé le Busard, car vous n'avez pas moins d'appétit que ce charognard! gronda Sir Francis offusqué.

Cumbria avait cependant dit vrai: il n'y avait pas de paix au-delà de la ligne de démarcation. Un siècle et demi plus tôt, en vertu de la bulle papale *Inter Cætera*, la Ligne avait été tracée du pôle Nord au pôle Sud au milieu de l'Atlantique pour diviser le monde entre les sphères d'influence portugaise et espagnole. Comment espérer que les nations chrétiennes exclues de ce partage, en proie à l'envie et au ressentiment, respectent cette déclaration? Spontanément, une autre doctrine avait vu le jour: « Pas de paix au-delà de la Ligne! » C'était devenu le mot d'ordre des corsaires. Dans leur esprit, il s'appliquait à toutes les zones inexplorées des océans.

Dans les eaux septentrionales du continent, les actes de piraterie, la rapine et le meurtre — dont l'auteur était auparavant traqué par toutes les marines de l'Europe chrétienne et pendu à ses propres vergues — étaient pardonnés, voire approuvés lorsqu'ils étaient commis une fois la Ligne passée. Tout monarque engagé dans des conflits signait des lettres de marque qui convertissaient ses marchands en corsaires, leurs navires en bâtiments de guerre, et les envoyait en maraude sur les océans récemment découverts du globe en expansion.

17

La lettre de Sir Francis Courteney avait été signée par Edward Hyde, comte de Clarendon, grand chancelier d'Angleterre, au nom de Sa Majesté le roi Charles II. Elle l'autorisait à prendre en chasse les navires de la République hollandaise, contre laquelle l'Angleterre était en guerre.

— En abandonnant votre position, vous perdez votre droit de revendiquer votre part des prises, cria Francis, mais le Busard se détourna pour lancer des ordres à son homme de barre.

Il appela ensuite son cornemuseur qui se tenait prêt :

— Donnez une petite aubade à Sir Francis pour qu'il garde un souvenir de nous !

Les eaux portèrent jusqu'au *Lady Edwina* les accents émouvants de « Farewell to the Isles » tandis que, sur le *Goéland*, les matelots grimpaient comme des singes dans les haubans et larguaient les ris. Ses huniers se gonflèrent. La grand-voile se remplit brusquement avec un fracas de coup de canon, la frégate gîta et fendit les flots avec ardeur, poussée par le vent de sud-est.

Tandis qu'elle s'éloignait rapidement, le Busard s'approcha du bastingage de poupe et sa voix s'éleva au-dessus du son aigu de la cornemuse et des gémissements du vent : « Puisse la paix de notre Seigneur Jésus vous protéger, mon révéré frère en chevalerie », vœu qui, dans la bouche du Busard, ressemblait fort à un blasphème.

Sa cape, divisée en quartiers par la croix pattée écarlate de l'Ordre, flottant sur ses larges épaules, Sir Francis le regarda partir.

Peu à peu, les acclamations ironiques et les plaisanteries grasses moururent au loin. L'humeur des hommes d'équipage ne tarda pas à s'assombrir lorsqu'ils se rendirent compte que leurs forces, déjà maigres, se trouvaient maintenant amputées de plus de la moitié. Ils étaient seuls désormais pour affronter les Hollandais, quels que puissent être leurs effectifs. Les marins agglutinés sur le pont et dans le gréement du *Lady Edwina* restaient silencieux et n'osaient se regarder.

Puis Sir Francis renversa la tête en arrière et se mit à rire :

— Ça en fera d'autant plus à se partager ! cria-t-il.

Tous rirent avec lui et poussèrent des acclamations pendant qu'il regagnait sa cabine dans le gaillard d'arrière. Hal resta une heure encore en tête de mât. Il se demandait combien de temps durerait cette humeur joyeuse, car leur ration d'eau avait été réduite à deux gobelets par jour. Bien que la terre et l'eau douce de ses rivières aient été à moins d'une demi-journée de navigation,

Sir Francis n'avait pas voulu détacher ne serait-ce qu'une des pinasses pour remplir les barriques. Les Hollandais pouvaient apparaître d'une minute à l'autre, et il aurait alors besoin de tous ses hommes.

Un marin monta enfin prendre la relève à la vigie.

— Qu'est-ce qu'il y a à voir, petit ? demanda-t-il en se glissant dans le nid-de-pie à côté de Hal.

— Pas grand-chose, reconnut ce dernier en désignant les voiles minuscules des pinasses à l'horizon. Aucune ne donne le signal. Il faut guetter leur pavillon rouge — ça veut dire qu'ils ont l'ennemi en vue.

— Vous n'allez tout de même pas m'apprendre à péter ? grogna le matelot avec un sourire paternel, car tout l'équipage adorait le garçon.

Hal lui rendit son sourire.

— Vous n'avez en effet rien à apprendre sur ce chapitre, maître Simon. Je vous ai entendu vous servir du seau. Je préfère encore soutenir une bordée des Hollandais. Vous avez failli briser les membrures.

Simon partit d'un gros rire et donna un coup de poing dans l'épaule de Hal.

— Dépêchez-vous de ficher le camp, petit, avant que je vous apprenne à voler comme un albatros.

Hal entreprit de descendre le long des haubans. Au début, il se mouvait avec raideur, ses muscles ankylosés et refroidis par sa longue veille, mais il ne tarda pas à se réchauffer et poursuivit sa descente avec agilité.

Sur le pont, des matelots occupés à armer les pompes ou à raccommoder des voiles suspendirent leur geste un instant pour le regarder. Il était particulièrement robuste et large d'épaules pour son âge, et déjà aussi grand que son père. Il avait cependant encore la peau glabre et fraîche, le visage lisse et l'expression rayonnante des enfants. Ses cheveux noir de jais, retenus en catogan, dépassaient de son bonnet et brillaient dans la lumière du matin. Du fait de sa jeunesse, sa beauté avait conservé quelque chose de féminin, et après plus de quatre mois en mer — six depuis qu'ils n'avaient pas posé les yeux sur une femme —, certains marins le regardaient lascivement.

Il atteignit la barre de cacatois et, faisant fi de la sécurité procurée par le mât, se mit à courir sur la vergue avec l'aisance d'un funambule, à quarante pieds au-dessus du sillage laissé par l'étrave et du pont principal. Tous les yeux étaient à présent fixés sur lui. Rares étaient ceux qui auraient osé s'essayer à cet exploit.

— Il faut être jeune et stupide pour ce genre de bêtises, ron-chonna Ned Tyler, mais il secoua la tête avec affection en se pen-chant contre la barre pour regarder. Mieux vaut que son père ne le prenne pas à faire un tour pareil.

Hal arriva au bout de l'espar et, sans s'arrêter, se lança sur le bras de vergue et glissa jusqu'à trois mètres du pont. De là, il se laissa tomber et atterrit avec légèreté sur ses pieds nus, les genoux fléchis.

Il se redressa, se tourna vers l'arrière et fronça les sourcils en entendant un cri inhumain. C'était un hurlement primitif, la menace de quelque grand prédateur.

Il ne resta qu'un instant cloué sur place puis se retourna d'ins-tinct pour affronter l'assaut d'une haute silhouette. Il perçut le sif-flement avant de voir le sabre et de baisser la tête. L'éclair de l'acier le manqua de peu et son agresseur rugit de nouveau.

Hal entrevit le visage de son adversaire, noir et brillant, ses lèvres épaisses découvrant des dents blanches et régulières. Il se balançait et sautillait pour esquiver les moulinets tandis que l'autre revenait à la charge. La manche de son pourpoint tirée d'un seul coup par la pointe de la lame qui déchirait le cuir, il bascula en arrière.

— Ned, un sabre! cria-t-il par-dessus son épaule à l'homme de barre sans quitter des yeux son assaillant.

Les pupilles étaient noires et brillantes comme de l'obsidienne, l'iris voilé par la fureur, le blanc injecté de sang.

Hal fit un bond de côté pour éviter l'attaque suivante et sentit sur sa joue le courant d'air provoqué par le coup. Il entendit der-rière lui le raclement d'un sabre tiré de son fourreau qui glisse sur le pont. Il se baissa souplement et le ramassa; le manche vint naturellement se loger dans sa main alors qu'il se mettait en garde et visait les yeux de son agresseur.

Face au sabre menaçant du jeune homme, le géant retint son attaque suivante et quand, de la senestre, Hal tira de sa ceinture une dague de dix pouces et la brandit, la lueur de folie s'éteignit dans ses yeux, faisant place à de l'approbation. Les deux combat-tants tournaient l'un autour de l'autre au pied du grand mât, leurs lames se croisaient, se touchaient et se heurtaient légèrement tan-dis que chacun cherchait une ouverture.

Les marins présents sur le pont interrompaient un à un leur tâche — même ceux qui armaient les pompes — et se précipitaient pour former le cercle autour des deux adversaires comme s'ils assistaient à un combat de coqs, la figure rayonnante à la perspective de voir couler le sang. Ils grondaient et poussaient des clameurs à chaque coup et chaque parade, et encourageaient leur favori.

— Coupe-lui les précieuses, Hal.

— Plume la queue de ce coquelet, Aboli.

Mince et souple, sans un atome de graisse, Aboli dépassait Hal de quinze bons centimètres. Il venait de la côte est de l'Afrique, d'une tribu de guerriers extrêmement appréciés par les négriers. Il avait été soigneusement épilé et son crâne miroitait comme du marbre noir ; ses joues étaient ornées de scarifications rituelles, volutes de cicatrices en relief qui lui donnaient une apparence terrifiante. Il se déplaçait avec une grâce particulière sur ses longues jambes musclées en se balançant à partir de la taille comme un énorme cobra noir. Il ne portait qu'un pagne de toile en lambeaux et avait le torse nu. Chaque muscle de son buste et de ses bras semblait posséder une vie propre, comme des serpents ondulant sous sa peau huilée.

Il porta une botte soudaine, et avec un effort désespéré, Hal dévia la lame, mais presque au même instant, Aboli retourna le coup, visant une fois de plus la tête. Il y avait mis une telle force que Hal ne pouvait le parer avec son sabre seul. Il le savait, aussi leva-t-il ses deux armes en les croisant, bloquant celle du Noir audessus de sa tête. L'acier tinta et trembla contre l'acier, la foule hurla, impressionnée par l'habileté et l'élégance de la parade.

Mais, sous la violence de l'attaque, Hal recula d'un pas, puis d'un autre et d'un troisième ; Aboli le pressait rudement et ne lui laissait pas un instant de répit, compensant par sa taille et sa force supérieures les capacités naturelles du jeune garçon.

Le désespoir se lisait sur le visage de Hal. Il cédait plus facilement et ses mouvements manquaient de coordination ; il était fatigué et la peur ralentissait ses réactions. Les cruels spectateurs prirent parti contre lui, réclamant du sang à grands cris, encourageant son implacable adversaire.

— Arrange-lui son beau visage, Aboli.

— Fais-nous voir ses tripes.

La sueur inonda les joues de Hal et sa figure se décomposa quand Aboli l'accula contre le mât. Tout à coup, il paraissait plus jeune et sur le point de fondre en larmes, ses lèvres tremblaient de terreur et d'épuisement. Il ne contre-attaquait plus et ne faisait plus que se défendre. Il luttait pour sa vie.

Impitoyablement, Aboli lança une nouvelle attaque, visant le buste, puis changea d'angle pour faucher les jambes. Hal, à bout de forces, se bornait à parer les coups.

Une fois de plus Aboli changea d'attaque et obligea son adversaire à tendre le bras trop loin en feignant de viser la hanche gauche, puis il déplaça son poids et porta une botte du bras droit. La lame étincelante trompa la garde de Hal et les spectateurs rugirent, ayant enfin le sang qu'ils attendaient avec avidité.

Hal s'écarta du mât en chancelant et resta haletant au soleil, aveuglé par la sueur. Du sang coulait lentement sur son pourpoint, simple entaille ouverte avec une habileté de chirurgien.

— Tu auras droit à une nouvelle cicatrice chaque fois que tu te battras comme une femme, le réprimanda Aboli.

Incrédule et épuisé, Hal leva la main gauche, qui tenait toujours la dague, et essuya le sang qu'il avait sur le menton. L'extrémité du lobe de son oreille était fendue et la quantité de sang versé était sans rapport avec la gravité de la blessure.

Les marins riaient et se moquaient.

— Par Satan, fit l'un des patrons de chaloupe, ce mignon a plus de sang que d'estomac !

La raillerie suscita chez Hal une rapide transformation. Il leva sa dague et se mit en garde, le visage impassible, les lèvres blanches, ignorant le sang qui dégoulinait toujours de son menton. Avec un grondement sourd, il se jeta sur Aboli, si vite que celui-ci, pris par surprise, recula. Lorsqu'ils croisèrent le fer, le grand Noir sentit la puissance nouvelle dont était investi le bras de son jeune adversaire et il plissa les yeux. L'instant d'après, Hal était sur lui comme un chat sauvage blessé s'échappant d'un piège.

La douleur et la rage lui donnaient des ailes. Nulle pitié ne se lisait dans ses yeux et les muscles de son visage, tendus par ses mâchoires serrées, formaient un masque d'où avait disparu toute trace de puérilité. La fureur ne l'avait cependant pas privé de sa raison et de son adresse. Sa maîtrise, acquise au cours de centaines d'heures d'exercice sur le pont, se manifestait soudain.

Les marins hurlèrent en voyant ce miracle s'accomplir sous leurs yeux. C'était comme si, à cet instant, l'adolescent était devenu un homme, avait brusquement grandi au point d'avoir les yeux à la même hauteur que ceux de son adversaire.

« Ça ne durera pas », se dit Aboli en soutenant l'attaque. « Ses forces vont lui manquer. » Mais c'était un homme neuf qu'il affrontait, et il ne s'en était pas encore rendu compte. Il s'aperçut alors qu'il lâchait du terrain — « Il ne va pas tarder à se fatiguer », pensait-il toujours. Les deux lames qui dansaient devant ses yeux étaient aussi aveuglantes et éthérées que les esprits redoutables des forêts obscures où il avait vécu jadis.

Il regarda le visage pâle et les yeux ardents, et ne les reconnut pas. Il se sentit envahi par une crainte superstitieuse qui ralentissait son bras droit. Il avait affaire à un démon, doué de la force surnaturelle des démons, et il savait que sa vie était en danger.

Le coup suivant fut porté à sa poitrine et força sa garde, éclair métallique fulgurant comme un rayon de soleil. Il esquiva mais la lame racla sous son bras gauche levé. Il n'éprouva aucune douleur mais entendit l'acier crisser contre ses côtes et sentit le sang chaud couler sur son flanc.

Il ne prêta pas attention à la dague que Hal tenait dans son poing gauche, aussi à l'aise des deux mains. En lisière de son champ de vision, il vit la lame plus courte et plus rigide du poignard darder vers son cœur et se jeta en arrière pour l'éviter. Son talon se prit dans l'extrémité du bras de vergue enroulée sur le pont et il tomba de tout son long. Le coude de son bras armé heurta violemment le plat-bord et, engourdis par le choc, ses doigts lâchèrent le sabre.

Etendu sur le dos sans pouvoir bouger, Aboli vit la mort qui le surplombait dans ces yeux verts terrifiants. Ce n'était pas le visage de l'enfant dont il avait eu la garde, qu'il chérissait et élevait depuis dix ans, mais celui d'un homme prêt à tuer. La pointe étincelante du sabre s'abattit en direction de sa gorge.

— Henry! lança une voix dure et autoritaire à travers le pont par-dessus le brouhaha des spectateurs assoiffés de sang.

Hal sursauta et s'immobilisa, la pointe de sa lame tout contre le cou d'Aboli. Une expression de stupéfaction envahit son visage, pareille à celle d'un homme qui s'éveille, et il leva les yeux vers son père, debout sur le gaillard d'arrière.

— Baste de ces bouffonneries. Descends dans ma cabine séance tenante.

Hal jeta un coup d'œil circulaire aux visages rouges d'excitation qui l'entouraient. Il secoua la tête avec perplexité et regarda le sabre qu'il avait à la main. Il ouvrit les doigts et le laissa tomber sur le pont. Les jambes flageolantes, il s'écroula sur Aboli et l'étreignit comme un enfant embrasse son père.

— Aboli, je t'ai blessé, murmura-t-il dans la langue des forêts que le Noir lui avait apprise et qui était un secret qu'aucun autre Européen à bord ne partageait avec eux. Du sang! Mon Dieu, j'aurais pu te tuer.

Aboli gloussa doucement et répondit dans la même langue.

— Il était plus que temps. Le guerrier s'est enfin réveillé en toi. Je croyais que ça n'arriverait jamais. Il a fallu que je t'aiguillonne durement.

Il s'assit et repoussa Hal, mais il portait un regard différent sur cet adolescent qui n'en était plus un.

— Va-t'en maintenant, obéis à l'ordre de ton père.

Hal se redressa en tremblant, regarda à nouveau le cercle des spectateurs et lut sur leurs visages une expression qu'il ne connaissait pas : c'était du respect mêlé à une bonne dose de peur.

— Pourquoi restez-vous là à bader ? beugla Ned Tyler. Le spectacle est terminé. Vous n'avez donc rien à faire ? Armez-moi ces pompes, et vite ! Ces perroquets sont en train de lofer. Gare à vous, je pourrais mander tous les oisifs en tête de mât.

Martelant le pont de leurs pieds nus, les marins se hâtèrent de retourner à leur tâche, l'air coupable.

Hal se baissa, ramassa le sabre et le tendit au maître d'équipage en le lui présentant par la garde.

— Merci, Ned. J'en avais grand besoin.

— Et vous en avez fait bon usage. Je n'ai jamais vu personne l'emporter sur ce sauvage, si ce n'est votre père.

Hal déchira un morceau de toile du bas effrangé de ses braies, le tint contre son oreille pour l'empêcher de saigner et se dirigea vers la cabine de poupe.

Sir Francis leva les yeux de son journal de bord, sa plume d'oie suspendue au-dessus de la page.

— Ne prends pas cet air supérieur, freluquet, grogna-t-il. Aboli a joué avec toi comme il le fait toujours. Il aurait pu t'embrocher dix fois avant que tu ne retournes finalement la situation avec ce coup heureux.

Lorsque Sir Francis se leva, c'est tout juste s'il y avait assez de place pour tous les deux dans la minuscule cabine. Les cloisons étaient tapissées de livres de haut en bas, d'autres se trouvaient empilés par terre et des volumes reliés pleine peau s'entassaient dans le cagibi qui servait de couchette à son père. Hal se demanda où il trouvait la place pour dormir.

Son père s'adressait à lui en latin. Quand ils étaient seuls tous deux, il tenait à ce qu'ils parlent la langue des gens instruits.

— Tu mourras avant de devenir une fine lame, à moins que tu ne trouves dans ton cœur le même acier que tu as dans la main. Un balourd de Hollandais te fendrait le crâne au premier échange, railla Sir Francis. Récite-moi la loi de l'épée.

— Un œil fixé sur les siens, marmonna Hal en latin.

— Parle haut et clair, petit !

Les coups de tonnerre des couleuvrines, des centaines de bordées, avaient émoussé l'ouïe de Sir Francis. A la fin d'un engagement, on voyait du sang couler des oreilles des marins qui servaient les canons, et pendant plusieurs jours, même les officiers restés sur le gaillard d'arrière entendaient des cloches tinter dans leur tête.

— Un œil fixé sur les siens, répéta Hal, et son père acquiesça

— Les yeux sont les miroirs de l'âme. Apprends à y lire les intentions de ton adversaire. Tu y verras le coup avant qu'il ne soit porté. Ensuite ?

— L'autre œil fixé sur les pieds, récita Hal derechef.

— Très bien, approuva Sir Francis. Ses pieds bougeront avant ses mains. Ensuite ?

— Garder la pointe haute.

— C'est la règle cardinale. Ne jamais abaisser la pointe. Viser constamment les yeux.

Sir Francis poursuivit sa leçon de catéchisme comme il l'avait déjà fait tant de fois.

— Voici une dernière règle, dit-il pour conclure. Bats-toi dès le début de l'engagement, n'attends pas d'être blessé ou en colère car tu pourrais bien ne pas survivre à cette première blessure.

Il leva les yeux vers le sablier suspendu au plafond.

— Il te reste un peu de temps pour ta lecture avant la prière, ajouta-t-il, toujours en latin. Prends ton Tite-Live et traduis à partir du haut de la page vingt-six.

Pendant une heure, Hal lut à haute voix l'histoire de Rome dans le texte, traduisant au fur et à mesure chaque paragraphe. Lorsqu'il en eut terminé, Sir Francis ferma le livre d'un coup sec.

— C'est mieux. Maintenant, décline le verbe *durare*.

Le choix de ce verbe était une marque d'approbation de la part de son père. Hal le déclina d'une seule traite et ralentit en arrivant au futur de l'indicatif : « *Durabo*, j'endurerai. »

Ce mot était la devise des Courteney et Sir Francis sourit d'un air froid en entendant Hal la formuler.

— Puisse le Seigneur t'accorder cette grâce, dit-il en se levant. Tu peux t'en aller maintenant, mais ne sois pas en retard pour la prière.

Content d'en avoir fini, Hal traversa d'un bond la coursive.

Aboli était accroupi près de la proue, abrité du vent par une des grosses couleuvrines. Hal s'agenouilla à côté de lui.

— Je t'ai blessé.

— Un poulet blesse la terre davantage en la grattant, répondit-il avec un geste de dénégation.

Hal tira la cape de grosse toile qui couvrait les épaules d'Aboli, prit son coude et leva le bras musclé pour examiner la profonde entaille en travers de ses côtes.

— Ce petit poulet ne t'en a pas moins donné un bon coup de bec, fit-il observer d'un ton pince-sans-rire, puis il sourit quand Aboli ouvrit la main pour lui montrer l'aiguille déjà enfilée avec du gros fil pour coudre les voiles.

Il voulut la prendre, mais Aboli l'arrêta.

— Nettoie la blessure comme je te l'ai appris.

— Avec ton long python noir, tu peux le faire toi-même, suggéra Hal.

Aboli partit de son rire grave et doux qui roulait tel un tonnerre lointain.

— Il faudra nous débrouiller avec ton petit asticot blanc.

Hal se leva, défit la cordelette qui retenait ses braies, laissa tomber celles-ci jusqu'à ses genoux, et de la main droite tira sur son prépuce.

— Je te baptise, Aboli, roi des poulets! décréta-t-il en imitant fidèlement le ton que prenait son père pour prêcher, et il dirigea un jet d'urine sur la plaie.

Hal savait que cela brûlait, car Aboli lui avait administré maintes fois le même traitement, mais le grand Noir resta impassible. Hal aspergea la blessure jusqu'à la dernière goutte puis remonta son pantalon. Il connaissait l'efficacité de ce remède indigène. La première fois qu'Aboli l'avait utilisé avec lui, le procédé l'avait rebuté, mais, au cours de toutes ces années, il n'avait jamais vu une plaie ainsi traitée se gangrener.

Il prit l'aiguille et le fil, et pendant qu'Aboli rapprochait les lèvres de la plaie de sa main gauche, la sutura soigneusement en serrant bien les points. Quand il eut fini, il enduisit la blessure refermée d'une épaisse couche de goudron qu'Aboli avait préalablement fait chauffer, puis hocha la tête de satisfaction.

Aboli se redressa et remit son pourpoint de toile.

— Voyons maintenant ton oreille, dit-il en sortant à son tour son pénis.

Hal se recula.

— Ce n'est qu'une égratignure, protesta-t-il, mais Aboli tira impitoyablement sur son catogan pour l'obliger à lever la tête.

Au coup de cloche, les hommes d'équipage se rassemblèrent sur le passavant, silencieux, tête nue sous le plein soleil. Même les Africains étaient là, adressant leurs prières non seulement au Seigneur Jésus mais aussi à d'autres dieux qui demeuraient dans leurs profondes forêts natales.

Lorsque Sir Francis, sa grosse bible reliée de cuir à la main, entonna d'une voix sonore : « Nous te prions, Dieu tout-puissant, de livrer l'ennemi du Christ entre nos mains afin qu'il ne triomphe... » son regard était le seul à être dirigé vers le ciel. Tous les autres étaient tournés vers l'est d'où l'ennemi devait arriver avec sa cargaison d'argent et d'épices.

Au milieu du long service religieux, un grain apparut à l'orient, vent porteur de nuages qui roulèrent en une masse sombre au-dessus de leurs têtes et noyèrent le pont sous des rafales de pluie argentée. Mais les éléments ne purent interrompre le dialogue de Sir Francis avec le Tout-Puissant. Tandis que les marins se serraient dans leurs vestes en toile goudronnée, leurs chapeaux du même matériau attachés sous le menton, et que l'eau en ruisselait comme sur la peau de morses échoués sur la plage, Sir Francis ne ratait pas une strophe de sa prière. « Seigneur de la tempête et du vent, priait-il, aide-nous. Seigneur des batailles, sois notre bouclier... »

Le grain passa rapidement et le soleil éclatant réapparut, faisant étinceler la houle bleue et s'élever de la vapeur sur le pont.

Sir Francis se recoiffa de son chapeau à large bord, et les plumes blanches qui le surmontaient se balancèrent en signe d'approbation.

— Maître Ned, sortez les pièces.

La manœuvre s'imposait, comprit Hal. Le grain avait dû tremper les amorces et les charges de poudre. Plutôt que de se mettre en peine de faire sortir la poudre et de recharger, son père allait faire faire un exercice à l'équipage.

— A vos postes, je vous prie.

Le roulement de tambour résonna à travers le navire, et les hommes d'équipage coururent vers les pièces en riant et plaisantant. Hal plongea l'extrémité d'une corde à feu dans le brasero installé au pied du grand mât. Lorsqu'elle brûla de manière régulière, il sauta dans les haubans et, la corde fumante entre les dents, grimpa jusqu'à son poste de combat en tête de mât.

Il vit quatre hommes sortir précipitamment de la cale avec une barrique vide et traverser le pont en chancelant jusqu'au bastingage. Un ordre fut lancé de l'arrière, et ils balancèrent par-dessus bord le tonneau qui se mit à danser dans le sillage du navire. Pendant ce temps-là, les servants de pièces retiraient les cales et sortaient les couleuvrines en tirant sur leur brague. Elles étaient au nombre de seize, huit par côté, chacune ayant reçu son seau de poudre et son boulet. Les dix semi-couleuvrines du pont supérieur étaient chargées de mitraille.

Après deux ans de navigation, le *Lady Edwina* commençait à être à court de munitions et certaines de ses pièces étaient chargées avec des billes de silex ramassées sur les berges des estuaires par les équipes envoyées à terre pour la corvée d'eau douce. La caravelle vira de bord pesamment et changea de cap, venant de nouveau au lof. La barrique était encore à deux encablures en proue mais l'écart diminuait peu à peu. Les artilleurs passaient d'un canon à l'autre, réglaient les cales de hausse et donnaient l'ordre d'ajuster les bragues. C'était une tâche particulière : seuls cinq hommes à bord savaient charger et pointer une pièce.

Dans le nid-de-pie, Hal fit tourner le fauconneau à canon long sur son pivot et visa un morceau de varech qui dérivait dans le courant. De la pointe de sa dague, il gratta la poudre trempée qui formait une croûte sur le bassinet de l'arme et la remplaça par de la poudre fraîche prélevée dans sa flasque. Après avoir été instruit pendant dix ans par son père, il était aussi versé dans cet art ésotérique que Ned Tyler, le maître-artilleur du navire. Son poste de combat légitime aurait dû être sur le pont, et il avait supplié son père de l'y affecter mais il s'était entendu répliquer sèchement : « Tu iras là où je te dirai. » Il lui fallait donc rester tout là-haut, à l'écart de l'effervescence générale alors que son jeune cœur farouche brûlait d'y participer.

Un coup de canon le fit sursauter. Une longue volute de fumée s'échappa et le navire gîta légèrement sous l'effet de la décharge. Quelques instants plus tard, une haute colonne d'écume jaillissait à la surface de l'océan à cinquante mètres sur bâbord et à une vingtaine de mètres au-delà de la barrique. A pareille distance, ce n'était pas trop mal visé et un concert d'acclamations et de sifflements s'éleva sur le pont.

Ned Tyler se précipita vers la deuxième couleuvrine et, après avoir vérifié rapidement son angle de visée, fit signe aux hommes chargés des bragues de la tourner d'un quart vers la gauche, puis il s'avança d'un pas et porta la corde à feu à l'amorce du canon. Une bouffée de fumée pétillante jaillit de l'orifice, puis de la gueule sortirent une pluie d'étincelles, de la poudre à moitié brûlée et des saletés. Le boulet roula hors du canon et tomba dans la mer à peine à mi-distance de la cible. L'équipage poussa des cris de dérision.

Les deux pièces suivantes firent également long feu. Ned parcourut la rangée des couleuvrines en jurant comme un sapeur et ordonna aux hommes d'extraire les charges avec les longs tire-bouchons de fer.

« Grande dépense de poudre et de balles ! » Hal se récita à lui-même les paroles prononcées par le grand Francis Drake — en mémoire duquel son père portait le prénom — après le premier jour de la bataille épique contre l'armada de Philippe II, roi d'Espagne, commandée par le duc de Medina Sidonia. Au cours de cette longue journée, sous le brouillard de fumée brune, les deux grandes flottes avaient échangé de puissantes bordées, mais aucun navire n'avait été envoyé par le fond.

« Effraie-les avec le canon, lui avait appris son père, mais balaie leurs ponts avec le sabre d'abordage », et il avait exprimé son mépris pour l'artillerie de marine, bruyante mais inefficace. Depuis le pont instable d'un navire, il était impossible de viser un point précis de la coque d'un autre ; la précision était entre les mains du Tout-Puissant plutôt qu'entre celles du maître-artilleur.

Comme pour illustrer ce propos, alors que Ned avait tiré avec toutes les pièces du bord, six avaient fait long feu et le boulet qui était tombé le plus près de la barrique en était à vingt mètres. Hal secoua tristement la tête en songeant que chacun de ces tirs avait été soigneusement ajusté. Au plus fort de la bataille, lorsque la visibilité était réduite par la fumée, la poudre et les boulets bourrés à la hâte dans la gueule des couleuvrines, que les canons chauffaient de manière irrégulière et que la corde à feu était appliquée sur le bassinet par des artilleurs surexcités et terrifiés, le résultat ne pouvait être que plus médiocre encore.

Son père leva enfin les yeux vers lui.

— Tête de mât ! rugit-il.

Hal craignait d'avoir été oublié. Avec soulagement, il souffla sur l'extrémité de la corde à feu qui se mit à rougeoyer.

Du pont, Sir Francis le regardait d'un air sévère. Il ne devait jamais laisser transparaître l'amour qu'il portait à son fils. Il devait toujours faire montre de dureté et de critique, le pousser sans cesse à se surpasser. Pour son bien — non, pour sa vie même — il devait l'obliger à apprendre, à faire des efforts, à supporter les difficultés, à franchir chaque étape du chemin qui l'attendait en y mettant toute sa force, tout son cœur. Il devait le guider avec sagesse, avec habileté vers sa destinée. Il avait attendu pour apostropher Hal jusqu'à ce moment, alors que la barrique flottait non loin des flancs du navire.

S'il parvenait à la fracasser avec son arme légère alors que Ned n'y avait pas réussi avec les grosses pièces, l'équipage ne l'en respecterait que davantage. Les hommes étaient pour la plupart des brutes et des illettrés, mais un jour Hal serait appelé à les commander, eux ou d'autres de leur espèce. Il avait accompli ce jour-là un pas de géant en prenant le dessus sur Aboli sous leurs yeux et il avait à présent l'occasion de consolider ses gains. « Guide sa main et sa balle, ô Dieu des batailles ! » priait Sir Francis en silence, et les hommes d'équipage tendaient le cou pour regarder l'adolescent perché tout là-haut dans les haubans.

Hal fredonnait doucement en se concentrant, conscient d'être observé. Il ne se rendait cependant pas compte de l'importance de l'épreuve et était oublieux des exhortations de son père. Pour lui, ce n'était qu'un jeu, une autre occasion d'exceller. Hal aimait gagner et chaque fois qu'il le faisait, il y prenait goût davantage. L'aiglon commençait à se réjouir du pouvoir de ses ailes.

Saisissant l'extrémité de la longue poignée en cuivre, il tourna le fauconneau vers le bas, regarda par-dessus le canon pour aligner le cran de mire et le guidon.

Il avait appris qu'il était vain de viser directement la cible. Plusieurs secondes sépareraient l'instant où il appliquerait la corde à feu et celui où le coup partirait; entre-temps, le navire et la barrique allaient se déplacer en sens inverse. Il fallait également tenir compte du temps que mettaient les balles pour parvenir à la cible. Il devait estimer où se trouverait la barrique lorsque le projectile l'atteindrait, et ne pas viser l'endroit où elle était au moment où il mettait le feu à la poudre.

Il balança doucement le guidon de son arme en direction de la cible et pressa l'extrémité incandescente de la corde à feu sur le bassinet. Il s'obligea à ne pas se détourner de l'éclat de la poudre ni à reculer dans l'attente de la déflagration, sans cesser de pointer le canon dans l'axe choisi.

Avec un grondement assourdissant, le fauconneau rua sur son pivot et un nuage de fumée grise boucha la vue de Hal. Il tendit désespérément la tête à droite et à gauche, essayant d'apercevoir quelque chose à la frange du nuage, mais son cœur fit un bond quand, malgré ses oreilles bourdonnantes, il entendit les acclamations. Lorsque le vent eut chassé la fumée, il vit les douves de la barrique fracassée tourbillonner à l'arrière dans le sillage du navire. Il poussa un cri de joie et agita son bonnet en direction des hommes assemblés sur le pont.

Aboli était à son poste à l'avant, patron et capitaine d'artillerie pour le premier quart. Il rendit à Hal son sourire béat et se frappa la poitrine du poing tout en brandissant de l'autre main son sabre d'abordage au-dessus de son crâne rasé.

Un roulement de tambour marqua la fin de l'exercice et déconsigna les hommes de leurs postes de combat. Avant de redescendre, Hal rechargea soigneusement le fauconneau et enroula une bande de toile goudronnée autour du bassinet pour le protéger de la rosée, de la pluie et des embruns.

Dès que ses pieds touchèrent le pont, il lança un coup d'œil vers l'arrière, cherchant à croiser le regard de son père et à recueillir son approbation. Sir Francis était en grande conversation avec l'un de ses seconds maîtres. Un moment passa avant qu'il ne regarde Hal froidement par-dessus son épaule.

— Qu'est-ce que tu attends là à bayer aux corneilles, petit? Il faut recharger les canons.

Hal s'éloigna en proie à une cruelle déception, mais les félicitations chahuteuses de l'équipage, les grandes tapes dans le dos et sur les épaules qu'il reçut en traversant la batterie lui rendirent son sourire.

Lorsque Ned Tyler le vit arriver, il s'écarta de la couleuvrine qu'il était occupé à recharger et lui tendit l'écouvillon.

— N'importe quel balourd est capable de tirer, mais il ne faut pas n'importe qui pour recharger, remarqua-t-il d'un ton grondeur avant de reculer pour observer d'un œil critique Hal mesurer une charge dans le seau en cuir empli de poudre.

— Quel poids de poudre devez-vous mettre? demanda-t-il, et Hal lui donna la même réponse que cent fois auparavant:

— Le même poids que le boulet.

La poudre noire est composée de granulé grossier. Il y avait eu un temps où, ballottée par le roulis du navire ou tout autre mouvement répétitif, ses trois composants essentiels — soufre, charbon de bois et salpêtre — se séparaient et la rendaient ainsi inutilisable. Depuis, le procédé de « granulation » avait évolué: la poudre était traitée avec de l'urine ou de l'alcool pour former une sorte de gâteau, qui était ensuite broyé dans un moulin à boulets jusqu'à l'obtention des granules à la dimension désirée. Le résultat n'était cependant pas parfait et un artilleur devait toujours surveiller l'état de sa poudre. L'humidité ou le temps risquait de la dégrader. Hal tâta les grains entre ses doigts et en goûta un petit peu. Ned Tyler lui avait appris à faire ainsi la différence entre la bonne poudre et la poudre dégradée. Il versa ensuite le contenu du seau dans la gueule avant d'y fourrer la bourre d'étoupe.

Puis il la tassa avec le long écouvillon en bois. C'était un autre aspect essentiel du processus : si la charge était trop tassée, la flamme ne pouvait la traverser et la couleuvrine faisait long feu, mais si elle l'était insuffisamment, la poudre brûlait sans avoir la puissance nécessaire pour éjecter le lourd projectile. Seule une longue pratique permettait de maîtriser cet art délicat, mais Ned hocha la tête d'un air approbateur en regardant Hal opérer.

Celui-ci ne réapparut sur le pont principal que bien plus tard. Toutes les couleuvrines étaient rechargées et arrimées derrière leur sabord ; le torse nu de Hal ruisselait de sueur tant il avait eu chaud dans la batterie et avait peiné avec l'écouvillon. Il s'arrêta quelques instants pour s'essuyer la figure, prendre une bonne inspiration et s'étirer après être resté longtemps accroupi dans l'étroit entrepont, mais son père le héla d'un ton ironique :

— Notre position ne semble guère vous intéresser, maître Henry !

Hal sursauta et leva les yeux vers le soleil. Il était haut, la matinée était passée très vite. Il se précipita vers l'escalier des cabines, dégringola l'échelle, entra en trombe dans celle de son père et prit le lourd quadrant dans son coffret. Il fit demi-tour et repartit vers le gaillard d'arrière.

« Faites, mon Dieu, que ce ne soit pas trop tard », se murmura-t-il à lui-même en regardant où se trouvait le soleil. Il était au-dessus du bras de vergue tribord. Il se mit en position en lui tournant le dos de façon à ce que l'ombre portée de la grand-voile ne le cache pas et à avoir une vue dégagée de l'horizon méridional.

Il concentra toute son attention sur le quadrant. Il lui fallait stabiliser le lourd instrument malgré le mouvement du navire. Il devait ensuite lire l'angle selon lequel les rayons solaires tombaient sur le quadrant, ce qui lui donnait l'inclinaison du soleil sur l'horizon. C'était une opération délicate qui exigeait force et dextérité.

Il put finalement observer le passage du soleil à midi apparent et déterminer son angle par rapport à l'horizon au moment précis où il atteignait le zénith. Il baissa l'instrument, les bras et les épaules endoloris, et nota à la hâte son observation sur l'ardoise de point.

Il descendit ensuite quatre à quatre l'échelle de la cabine de poupe, mais la table astronomique n'était pas sur son étagère. Il se retourna alarmé et vit que son père l'avait suivi et l'observait avec une vive attention. Aucune parole ne fut échangée mais Hal savait qu'il le mettait au défi de donner le chiffre de mémoire. Il s'assit sur la malle, qui faisait office de bureau, et ferma les yeux pour repasser la table mentalement en se massant le lobe de l'oreille et en remuant les lèvres. Il devait se souvenir des chiffres de la veille et en extrapoler celui d'aujourd'hui.

Son visage s'éclaira brusquement, il ouvrit les yeux et écrivit sur l'ardoise. Il poursuivit ses calculs encore une minute, traduisit en latitude l'angle du soleil à midi et redressa la tête avec un air de triomphe.

— 34° 42' de latitude sud.

Son père lui prit l'ardoise des mains, vérifia ses chiffres, lui rendit l'ardoise et inclina légèrement la tête en signe d'approbation.

— Cela semble relativement juste, si ta visée était bonne. Trouve maintenant la longitude.

La détermination de la longitude exacte était un casse-tête que personne n'avait encore résolu. Il n'existait aucune horloge, aucun sablier que l'on pût transporter à bord et qui restât assez précis pour suivre avec exactitude les majestueuses révolutions de la planète. Seul le renard de la timonerie, suspendu à côté de l'habitacle du compas, pouvait guider Hal dans ses calculs. Il étudia les fiches que l'homme de barre avait placées dans les trous autour de la rose des vents chaque fois qu'il avait changé de cap au cours du quart précédent. Hal fit le total de ces valeurs et en fit la moyenne, puis les pointa sur la carte. Ce n'était qu'une grossière approximation de la longitude et, comme il fallait s'y attendre, son père éleva des objections :

— J'aurais dit un peu plus à l'ouest, car avec les algues accrochées à la coque et l'eau dans les cales, le bateau abat fortement. Mais note le chiffre que tu as trouvé dans le journal de bord.

Stupéfait, Hal leva les yeux. C'était bel et bien un jour mémorable. Personne d'autre que son père n'avait jusque-là écrit dans le journal de bord relié de peau qui trônait à côté de la bible sur la malle.

Sous le regard de Sir Francis, il ouvrit le livre et pendant quelques instants contempla les pages couvertes de l'écriture élégante de son père et les beaux dessins représentant des hommes, des navires et la côte vue du navire qui en décoraient les marges. Sir Francis était doué pour le dessin. Tout excité, Hal trempa la plume dans l'encrier d'or qui avait appartenu au capitaine du *Heerlycke Nacht*, un galion de la Compagnie hollandaise des Indes orientales saisi par son père. Il l'essuya afin que l'excès d'encre ne vienne pas maculer la page sacro-sainte puis, en tirant la langue pour mieux s'appliquer, il écrivit avec un soin infini : « Au premier coup de cloche du quart de l'après-midi, le 3e jour de septembre de l'an de grâce 1667. Position : 34° 42' sud, 20° 5' est. Le continent africain en vue plein nord. » N'osant rien ajouter et soulagé de ne pas avoir taché la page, il reposa la plume et, fier de ses lettres bien formées, sécha l'encre avec de la poudre. Il savait qu'il avait une belle écriture, bien que peut-être pas aussi belle que celle de son père, concéda-t-il en les comparant.

Sir Francis prit la plume qu'il venait de poser et, penché par-dessus son épaule, écrivit : « Ce matin, l'enseigne Henry Courteney a été gravement blessé au cours d'une rixe malséante », avant de caricaturer rapidement Hal avec son oreille décollée gonflée de manière disproportionnée, le nœud de son point de suture aussi gros qu'un ruban dans une chevelure de jeune fille.

Hal fit effort pour ne pas rire, mais quand il leva le regard, il remarqua un pétillement de malice dans les yeux verts de son père. Sir Francis posa la main sur l'épaule de son fils, ce qui était de sa part une manifestation d'affection peu ordinaire, et, tout en la pressant, il dit :

— Ned Tyler t'attend pour t'instruire dans l'art de gréer et d'orienter les voiles. Ne le fais pas attendre.

Il était tard quand Hal traversa le pont supérieur mais il faisait encore assez jour pour se frayer aisément un chemin au milieu des marins endormis. Le ciel était envahi d'étoiles au point d'éblouir un homme du Nord. Mais, ce soir, Hal ne les voyait pas. Il était si épuisé qu'il chancelait.

Aboli lui avait gardé une place abritée du vent par la pièce de proue. Il avait étalé une paillasse bourrée de paille sur le pont et Hal s'y laissa tomber avec soulagement. Il n'y avait pas de poste d'équipage et les marins se couchaient là où ils trouvaient un espace libre sur le pont supérieur, que tous préféraient au pont couvert, étouffant par ces chaudes nuits du Sud. Ils étaient allongés en rangs, épaule contre épaule, mais Hal était habitué à cette promiscuité, et les ronflements ne l'empêchaient pas de dormir. Il se rapprocha un peu d'Aboli. C'est ainsi qu'il passait toutes ses nuits depuis dix ans, et il trouvait un réconfort près de son gigantesque compagnon.

— Ton père est un grand chef parmi ses pairs, murmura Aboli. C'est un guerrier et il connaît les secrets de la mer et des cieux. Les étoiles sont ses enfants.

— Je sais tout cela, répondit Hal dans la même langue.

— C'est lui qui m'a ordonné de prendre l'épée contre toi aujourd'hui, confessa Aboli.

Hal se souleva sur un coude et regarda la silhouette sombre étendue près de lui.

— Mon père voulait que tu me blesses? demanda-t-il, incrédule.

— Tu n'es pas comme les autres jeunes gens. Tu mènes une vie dure mais une vie plus dure encore t'attend. Tu fais partie des élus. Un jour, tu devras mettre sur tes épaules la noble cape à la croix écarlate et il faudra que tu en sois digne.

Hal se laissa retomber sur sa paillasse et contempla les étoiles.

— Que se passerait-il si je n'en voulais pas? dit-il.

— Elle te revient, tu n'as pas le choix. Chaque chevalier nautonier désigne son successeur. Il en a été ainsi depuis quatre cents ans. Ta seule échappatoire est la mort.

Hal resta silencieux si longtemps qu'Aboli crut qu'il avait sombré dans le sommeil, mais il murmura :

— Comment sais-tu cela?

— Par ton père.

— Tu es toi aussi chevalier de l'Ordre?

Aboli rit doucement.

— Ma peau est trop sombre et j'ai d'autres dieux. Je ne peux pas être choisi.

— Aboli, j'ai peur.

— Tous les hommes connaissent la peur. Il appartient à ceux d'entre nous en qui coule un sang de guerrier de la vaincre.

— Tu ne me quitteras jamais, n'est-ce pas, Aboli?

— Je resterai à tes côtés aussi longtemps que tu auras besoin de moi.

— Alors, j'ai déjà moins peur.

Quelques heures plus tard, Aboli le tira de son sommeil profond et sans rêve en lui posant une main sur l'épaule.

— C'est le huitième coup de cloche du quart intermédiaire, Gundwane, dit-il en appelant comme d'habitude Hal par son surnom, qui, dans sa langue, signifiait « Rat de Brousse » et n'avait rien de péjoratif.

Il l'avait donné au petit garçon de quatre ans confié à ses soins plus de dix ans plus tôt.

Quatre heures du matin. Le jour commencerait à poindre dans une heure. Hal se leva péniblement, se frotta les yeux, et alla se soulager en titubant dans les latrines puantes. Puis, complètement réveillé, il traversa rapidement le pont qu'encombraient toujours les silhouettes allongées.

Le cuistot avait déjà allumé son feu dans la coquerie tapissée de briques et donna à Hal une gamelle de soupe et un biscuit sec. Affamé, celui-ci avala le bouillon brûlant. En croquant le biscuit, il sentit les charançons sauter entre ses dents.

Pendant qu'il se hâtait vers le pied du grand mât, il vit rougeoyer la pipe de son père à l'arrière et huma l'odeur de son tabac, âcre dans l'air frais de la nuit. Hal ne s'arrêta pas mais grimpa directement dans les haubans en remarquant que le navire avait changé d'amures et que la disposition de ses voiles avait été modifiée pendant qu'il dormait.

Quand il eut atteint la tête de mât et relayé la vigie, il s'installa dans le nid-de-pie et jeta un coup d'œil circulaire. C'était une nuit sans lune et, en dehors des étoiles, tout était noir. Il savait toutes les reconnaître, sans exception, de l'énorme Sirius à la minuscule Mintaka dans la ceinture scintillante d'Orion. C'étaient les chiffres du navigateur, les poteaux indicateurs du ciel, et il avait appris leur nom en même temps que l'alphabet. Son œil repéra automatiquement Regulus dans le signe du Lion. Ce n'était pas l'étoile la plus brillante du zodiaque mais c'était la sienne et il éprouvait un plaisir tranquille à l'idée qu'elle ne jetait ses feux que pour lui. C'était l'heure la plus agréable de sa longue journée, l'unique moment où il pouvait être seul sur le navire, laisser son esprit vagabonder parmi les astres et lâcher la bride à son imagination.

Tous ses sens semblaient aiguisés. Par-dessus le gémissement du vent et les craquements du gréement, il entendait même la voix de son père, qui, tout en bas, parlait avec l'homme de barre, et s'il ne saisissait pas ses paroles, il en percevait le ton. Il distinguait son nez busqué et ses sourcils dans la lueur rougeâtre du foyer de sa pipe. Il lui semblait que son père ne dormait jamais.

Il sentait l'odeur iodée de la mer, celle du varech et du sel. Purifié par l'air frais de l'océan qu'il respirait depuis des mois, son odorat était si sensible qu'il pouvait même saisir le parfum léger et chaud de la terre, l'odeur de grillé de l'Afrique, pareille à celle d'un biscuit qu'on sort du four.

Puis il perçut une autre odeur, si faible qu'il crut que ses narines lui avaient joué un tour. Une minute plus tard, il la sentit encore, une simple trace, douce comme le miel, apportée par le vent. Il ne la reconnut pas et tourna la tête d'un côté et de l'autre, humant l'air avec ardeur pour essayer de capter la prochaine bouffée.

Elle revint brusquement, si forte et entêtante qu'il chancela comme un ivrogne et se retint de pousser un cri d'excitation. La tête pleine de ce parfum, il sortit du nid-de-pie et redescendit à toute vitesse sur le pont. Il courut sur ses pieds nus si silencieusement que son père sursauta quand il lui toucha le bras.

— Pourquoi as-tu quitté ton poste?

— Je ne pouvais pas vous héler depuis la tête de mât... ils sont trop près et auraient pu m'entendre.

— Qu'est-ce que tu racontes, petit? lâcha son père avec colère en se levant. Parle distinctement.

— Père, ne sentez-vous pas? fit Hal en lui secouant le bras.

— Quoi donc? Que sens-tu? demanda Sir Francis en ôtant la pipe de sa bouche.

— Les épices, dit Hal. L'air est saturé du parfum des épices.

Ned Tyler, Aboli et Hal parcoururent le pont rapidement pour réveiller les hommes et les envoyer à leurs postes de combat en leur enjoignant de ne pas faire de bruit. Le tambour ne battit pas le branle-bas. Leur excitation était communicative. L'attente était finie. Le Hollandais se trouvait là tout près, au vent dans l'obscurité. Tous sentaient à présent le parfum de la fabuleuse cargaison.

Sir Francis moucha la bougie allumée près de l'habitacle afin qu'aucune lumière ne soit visible, puis confia aux maîtres d'équipage les clés des coffres aux armes. Pour parer au risque toujours possible de mutinerie, les armes étaient gardées sous clés tant que l'ennemi n'était pas en vue. En temps normal, seuls les maîtres et seconds maîtres portaient des sabres d'abordage.

Les coffres furent ouverts à la hâte et les armes passées de main en main. Les sabres étaient en bon acier de Sheffield, avec une poignée en bois massif et une garde en forme de coquille. Les piques avaient une hampe de six pieds en chêne d'Angleterre et un lourd fer hexagonal. Les matelots qui manquaient d'habileté au sabre choisissaient soit ces robustes piques, soit les haches d'abordage, capables de décapiter un homme d'un seul coup.

Les mousquets gardés dans les râteliers du magasin à munitions furent également sortis et Hal aida les artilleurs à les charger avec une poignée de plombs bourrée sur une poignée de poudre. Ces armes manquaient de précision et perdaient toute efficacité au-delà de trente mètres. Lorsque le percuteur était tiré et la mèche appliquée, l'arme déchargeait dans un nuage de fumée. Il fallait alors la recharger et l'opération exigeait deux ou trois minutes décisives au cours desquelles le mousquetaire était à la merci de ses adversaires.

Hal préférait l'arc, le fameux arc grâce auquel les Anglais avaient décimé les chevaliers français à Azincourt. Pendant le temps nécessaire à recharger un mousquet, il pouvait tirer une douzaine de flèches. L'arc portait à cinquante pas avec une précision et une puissance suffisantes pour frapper un homme en pleine poitrine et l'embrocher jusqu'à la colonne vertébrale, même s'il portait un plastron. Hal avait déjà arrimé deux paquets de flèches sur les côtés du nid-de-pie, pour les avoir sous la main.

Sir Francis et quelques-uns de ses maîtres revêtirent leur semi-armure : cuirasse légère de cavalerie et morion d'acier. Le sel les avait rouillés et ils avaient été cabossés au cours d'engagements antérieurs.

Sans délai le navire fut mis en branle-bas de combat et l'équipage, armé. Les sabords n'avaient cependant pas été ouverts ni les semi-couleuvrines sorties. La plupart des hommes furent poussés à l'intérieur par Ned et les autres maîtres d'équipage tandis que les autres recevaient l'ordre de s'allonger sur le pont, cachés par le bastingage. Aucune corde à feu ne fut allumée : l'odeur de la fumée aurait pu alerter l'ennemi. Des braseros avaient pourtant été installés au pied de chaque mât et les cales des sabords de batterie enlevées à coups de maillets enveloppés de tissu afin d'amortir le bruit.

Aboli se fraya un chemin au milieu de l'agitation générale jusqu'au pied du grand mât où se trouvait Hal. Il avait noué un foulard rouge autour de son crâne rasé et glissé un sabre d'abordage dans sa large ceinture d'étoffe. Il tenait sous le bras un rouleau de soie de couleur.

— De la part de ton père, dit-il en le lui jetant. Vous savez quoi en faire ! (Il tira le catogan de Hal.) Ton père dit que tu dois rester en tête de mât quelle que soit l'évolution de la bataille.

Il tourna les talons et se hâta de gagner l'avant. Hal fit une grimace rebelle dans sa direction puis grimpa dans les haubans comme le lui dictait son devoir. Parvenu en tête de mât, il scruta l'obscurité mais ne vit rien encore. Même le parfum des épices s'était évaporé et il craignit de s'être trompé. « C'est seulement que nous ne sommes plus sous le vent par rapport à l'ennemi, se dit-il pour se rassurer. Il est probablement par notre travers. »

Il attacha le pavillon qu'Aboli lui avait donné à la drisse des signaux, prêt à être envoyé sur ordre de son père. Puis il retira le couvercle du bassinet de son fauconneau et vérifia la tension de la corde de son arc avant de le placer dans le support près des faisceaux de longues flèches. Il ne lui restait plus qu'à attendre. En bas, un silence inhabituel régnait sur le navire ; on n'entendait même pas le tintement d'une cloche pour marquer le passage des heures, mais seulement le doux chant des voiles accompagné en sourdine par les grincements du gréement.

Le jour se leva avec cette soudaineté à laquelle il s'était si bien habitué sur ces mers tropicales. Des dernières ombres de la nuit surgit une haute tour, étincelante et translucide comme un pic couvert de glace : un grand vaisseau sous une pyramide de toile blanche, aux mâts si hauts qu'ils semblaient ratisser les dernières étoiles pâlies dans le ciel.

— Voilier par travers tribord ! cria-t-il d'une voix haut perchée afin qu'elle porte jusqu'au pont mais ne soit pas entendue du navire inconnu qui courait à une lieue sur l'eau noire.

— Vigie ! Envoyez les couleurs ! lui répondit son père.

Hal tira sur la drisse des signaux et le rouleau de soie se déploya en tête de mât. La minute d'après, le pavillon tricolore, orange, blanc et bleu, de la République hollandaise flottait au vent de sud-est. Quelques instants plus tard, les autres pavillons et les longues flammes claquèrent en tête du mât de misaine, l'un portant le monogramme VOC de la Verenigde Oostindische Compagnie, la Compagnie des Indes orientales. L'enseigne était authentique, prise quelques mois plus tôt sur le *Heerlycke Nacht*. Même la bannière du Conseil des Dix-Sept était vraie. Le capitaine du galion n'avait vraisemblablement pas entendu parler de la prise de l'autre bâtiment de la Compagnie et n'avait donc aucune raison de mettre en doute l'identité de cette caravelle inconnue.

Les routes des deux navires convergeaient ; même dans l'obscurité, Sir Francis avait correctement situé le point d'interception. Il n'avait pas à modifier son cap et à inquiéter le capitaine hollandais. Après quelques minutes, il devint évident cependant que, malgré sa coque recouverte d'algues, le *Lady Edwina* était plus rapide que le galion. Il n'allait pas tarder à le devancer, ce qu'il fallait éviter à tout prix.

Sir Francis l'observa à la longue-vue et vit tout de suite pourquoi il était si lent et gauche : son grand mât avait un gréement de fortune et ses autres mâts et leur gréement présentaient bien d'autres signes d'avarie. Le galion avait probablement essuyé une terrible tempête sur les mers d'Orient, ce qui expliquait aussi son arrivée tardive au large du cap des Aiguilles. Sir Francis savait qu'il ne pouvait modifier l'arrangement de ses voiles sans alarmer le capitaine hollandais, mais il lui fallait traverser son sillage. Il s'était préparé à cette manœuvre : il fit signe au charpentier qui se tenait près du bastingage et, avec l'aide de son second, leva une énorme ancre flottante en toile et la laissa tomber par-dessus la poupe. Elle s'enfonça profondément dans l'eau et ralentit brusquement le *Lady Edwina*. Sir Francis estima de nouveau les vitesses respectives des navires et hocha la tête avec satisfaction.

Il baissa ensuite les yeux vers le pont de son bâtiment. La plupart des hommes étaient cachés à l'intérieur ou allongés le long du bastingage, là où même les vigies du galion ne pouvaient les apercevoir. Aucune arme n'était visible, toutes les pièces dissimulées derrière leurs sabords. Lorsque Sir Francis l'avait prise, cette caravelle était un négrier hollandais qui cabotait le long des côtes d'Afrique occidentale. En la convertissant en navire de course, il avait fait tout son possible pour lui conserver son aspect innocent et ordinaire. On ne voyait qu'une douzaine d'hommes sur le pont et dans le gréement, chose normale pour un navire de commerce lent.

Lorsqu'il releva les yeux, les bannières de la République et de la Compagnie claquèrent en tête des mâts du Hollandais. Il lui rendait son salut avec un très léger retard.

— Il nous agrée ! Il aime notre peau de mouton, grogna Ned en maintenant imperturbablement le *Lady Edwina* sur sa route.

— C'est possible, répondit Sir Francis. Et pourtant, il commence à faire force de voiles.

Les cacatois et les huniers du galion se déployèrent en effet sur le fond du ciel matinal.

— Regardez ! s'exclama-t-il un moment plus tard. Il modifie sa course et s'éloigne de nous. Ce Hollandais est un gars prudent.

— Par les dents de Satan ! Je viens de le sentir ! murmura Ned tandis qu'un parfum subit d'épices embaumait l'air. C'est doux comme une vierge et deux fois plus beau.

— C'est l'odeur la plus riche qui flattera jamais vos narines, dit Sir Francis, assez fort pour que les hommes sur le pont en contrebas l'entendent. Il y a là cinquante livres de prime par tête, si l'on s'en donne la peine.

Cinquante livres représentaient dix ans de salaire pour un ouvrier anglais, et les marins s'agitaient et grondaient comme une meute de chiens de chasse tenus en laisse.

Sir Francis s'avança vers le bastingage de poupe et redressa le menton pour lancer à voix basse aux hommes dans le gréement :

— Faites comme si ces têtes de lard étaient vos frères. Souhaitez-leur la bienvenue de bon cœur.

Les marins poussèrent des acclamations de joie et agitèrent leur bonnet en direction du grand navire tandis que le *Lady Edwina* se rapprochait par l'arrière.

Katinka Van de Velde se redressa et regarda Zelda, sa vieille suivante, en fronçant les sourcils.

— Pourquoi m'as-tu réveillée si tôt? lui demanda-t-elle avec humeur en écartant de son visage ses lourdes boucles d'or.

Alors qu'elle venait de sortir de son sommeil, elle était rose et angélique. Ses yeux étaient d'un violet surprenant, comme les ailes lustrées de quelque papillon tropical.

— Il y a un autre navire tout près. Un navire de la Compagnie. Le premier que nous voyons après toutes ces semaines de mauvais temps. Je commençais à croire qu'il n'y avait plus une seule autre âme chrétienne au monde, se lamenta Zelda. Vous vous plaignez sans cesse de vous ennuyer. Cela vous divertira un moment.

Zelda était pâle et triste. Ses joues, naguère pleines et illuminées par la bonne vie, étaient creuses. Son gros ventre avait fondu et pendait mollement presque jusqu'aux genoux. Katinka le voyait à travers la fine chemise de nuit.

« Elle a perdu toute sa graisse et toute sa chair à force de vomir », pensa Katinka avec un certain dégoût. Les cyclones qui s'étaient abattus sur le *Standvastigheid* et l'avaient harcelé sans merci depuis leur départ de la côte de Trincomalee avaient plongé Zelda dans un état de prostration.

Katinka repoussa les draps de satin et lança ses longues jambes par-dessus le bord de la couchette dorée. La cabine avait été spécialement meublée et redécorée pour elle, fille de l'un des omnipotents *Zeventien*, les dix-sept directeurs de la Compagnie. Ce n'était qu'or et velours, coussins de soie et vases d'argent. Un portrait de Katinka, exécuté par Pieter de Hoogh, le peintre en vogue d'Amsterdam, était accroché à la cloison opposée au lit, un cadeau de mariage de son père qui l'adorait. L'artiste avait bien rendu son port de tête lascif et s'était donné beaucoup de mal pour reproduire fidèlement la merveilleuse couleur de ses yeux et leur expression, innocente et perverse tout à la fois.

— Ne réveille pas mon mari, avertit-elle en jetant un châle de brocart d'or sur ses épaules et attachant sa ceinture ornée de pierreries autour de sa taille de guêpe.

Zelda acquiesça en baissant les paupières avec des airs de conspiratrice. Sur les instances de Katinka, le gouverneur dormait dans une cabine plus petite, moins magnifiquement décorée, dont la porte de communication était fermée de son côté à elle. Elle avait prétexté qu'il ronflait abominablement et qu'elle était indisposée par le mal de mer. En réalité, condamnée à rester confinée dans sa cabine ces dernières semaines, elle débordait de l'énergie de la jeunesse, était en proie à l'agitation et à l'ennui, enflammée de désirs que son vieux et gros mari ne pourrait jamais satisfaire.

Elle prit Zelda par la main et sortit sur l'étroite galerie de poupe. C'était un balcon particulier, orné d'une profusion d'anges et de chérubins, qui donnait sur le sillage du navire, à l'abri des regards de l'équipage.

Le soleil était éblouissant; elle inspira à pleins poumons l'air de la mer et sentit tous ses nerfs et ses muscles palpiter de vie. Le vent soulevait de longs panaches crémeux sur la crête des lames et jouait avec ses boucles dorées. Il caressait avec la douceur d'un amant la soie de sa chemise de nuit sur ses seins et son ventre. Elle s'étira et cambra les reins avec volupté.

C'est alors qu'elle vit l'autre navire. Il était bien plus petit que le galion, mais de lignes agréables. Les pavillons et les flammes qui flottaient aux mâts contrastaient avec la masse de ses voiles blanches. Il était assez près pour que Katinka pût distinguer les silhouettes des quelques marins qui manœuvraient le navire. Ils faisaient des signes de bienvenue, et elle pouvait voir que certains étaient jeunes et vêtus seulement de courts pourpoints.

Elle s'accouda au bastingage et regarda plus attentivement. Son mari avait ordonné que l'équipage du galion respectât un code vestimentaire strict pendant qu'elle se trouvait à bord, et la tenue des matelots de ce navire inconnu la fascinait. Elle croisa ses bras sur sa poitrine et pressa ses seins aux mamelons durs et gonflés l'un contre l'autre. Elle voulait un homme. Elle brûlait d'envie d'en avoir un, n'importe lequel, pourvu qu'il fût jeune, viril et ardent. Un homme comme ceux qu'elle avait connus à Amsterdam avant que son père ne découvre son goût pour les plaisirs de la chair, ne l'envoie aux Indes et ne la donne à un vieux mari, un homme sûr qui avait une position importante au sein de la Compagnie et des espoirs plus grands encore. Son choix s'était porté sur Petrus Jacobus Van de Velde, qui, maintenant qu'il était marié à Katinka, avait la certitude d'occuper la prochaine place vacante dans le conseil de la Compagnie et de rejoindre ainsi le panthéon des *Zeventien*.

— Rentrez, *Lieveling*, fit Zelda en la tirant par la manche. Ces brutes vous regardent.

Katinka libéra son bras avec brusquerie, mais c'était vrai. Les marins avaient reconnu la femme. Même à cette distance, leur excitation était presque palpable. Leurs singeries étaient devenues frénétiques et, à l'avant, un grand gaillard avait pris son sexe à deux mains et remuait des hanches en un geste obscène.

— C'est révoltant! Entrez donc! insista Zelda. Le gouverneur serait furieux s'il voyait ce que fait cet animal.

— Il serait furieux de ne pouvoir être aussi leste, répondit Katinka d'un air angélique.

Elle serra ses cuisses l'une contre l'autre pour mieux savourer la chaleur humide qu'elle sentait soudain entre elles. La caravelle était à présent beaucoup plus proche, et elle pouvait voir que ce que le marin lui présentait était assez volumineux pour déborder de ses mains. Katinka passa une langue rose sur ses lèvres en faisant la moue.

— Je vous en prie, venez, madame.

— Dans un moment, protesta la jeune femme. Tu avais raison, Zelda, je trouve cela tout à fait divertissant.

Elle leva la main et rendit son salut à l'équipage de l'autre navire. Immédiatement, les hommes redoublèrent leurs efforts pour attirer son attention.

— C'est indigne! gémit Zelda.

— Mais amusant. Nous ne reverrons jamais ces créatures, et conserver toujours sa dignité, cela devient assommant, rétorqua Katinka qui se pencha un peu plus sur le bastingage, laissant le haut de sa chemise de nuit dévoiler son opulente poitrine.

A cet instant, des coups violents furent frappés à la porte mitoyenne. Katinka se précipita à l'intérieur de sa cabine, se jeta sur sa couchette et remonta les draps jusqu'à son menton avant de faire signe à Zelda, qui leva la barre et fit gauchement la révérence tandis que le gouverneur entrait en hâte. Il l'ignora et, tout en nouant la ceinture de sa robe de chambre sur son ventre proéminent, se dandina jusqu'à la couchette de Katinka. Il n'avait pas sa perruque et sa tête était couverte de poils argentés épars.

— Ma chère, êtes-vous assez dispose pour vous lever? Le capitaine a mandé un message pour nous enjoindre de nous habiller et nous lever. Il y a un navire inconnu en vue et il se comporte de manière suspecte.

Katinka réprima un sourire en songeant au « comportement suspect » des marins et prit un air courageux mais pitoyable.

— J'ai un affreux mal de tête et mon estomac...

— Ma pauvre chérie, fit Petrus Van de Velde, gouverneur élu du cap de Bonne-Espérance, penché sur elle.

Même dans la fraîcheur du matin, ses bajoues étaient inondées de sueur et il empestait encore le dîner de la veille, du poisson au curry à la javanaise, l'ail et le rhum aigre. Katinka en eut l'estomac retourné, mais elle lui présenta sa joue avec soumission.

— Je trouverai la force de me lever, si le capitaine l'ordonne, murmura-t-elle.

Zelda se précipita à son chevet et l'aida à s'asseoir, puis à se mettre debout et, un bras autour de sa taille, la conduisit jusqu'au petit paravent chinois dans un coin de la cabine. Assis sur la couchette, son mari ne put qu'entr'apercevoir sa peau blanche cachée par les panneaux de soie peinte bien qu'il tendît le cou pour en voir plus.

— Combien de temps encore va durer cette affreuse traversée? se plaignit Katinka.

— Le capitaine m'a affirmé que si le vent reste favorable, nous jetterons l'ancre dans la baie de la Table avant dix jours.

— Puisse le Seigneur me donner la force de tenir jusque-là.

— Il nous a invités à dîner ce soir avec ses officiers, répondit le gouverneur. C'est dommage, mais je vais lui faire savoir que vous êtes indisposée.

— Vous n'en ferez rien, répliqua Katinka avec brusquerie en passant la tête et les épaules par-dessus le paravent, ses seins ronds et blancs frémissant sous l'effet de l'agitation.

L'un des officiers l'intéressait passablement. C'était le colonel Cornelius Schreuder qui, comme son mari, était en route pour prendre ses fonctions au cap de Bonne-Espérance. Il avait été nommé commandant de la colonie dont Petrus Van de Velde allait être le gouverneur. Il portait des moustaches et une barbe à la Van Dyck, suivant la mode du temps, et s'inclinait très gracieusement chaque fois qu'elle apparaissait sur le pont. Il avait la jambe bien tournée et ses yeux sombres lui donnaient la chair de poule quand il posait sur elle son regard d'aigle. Elle n'y lisait pas uniquement du respect pour sa position et il avait réagi avec une satisfaction évidente au timide regard appréciateur qu'elle lui avait lancé de sous ses longs cils.

Lorsqu'ils arriveraient au Cap, il deviendrait le subordonné de son mari. Il serait également à ses ordres à elle... et elle avait la certitude qu'il pourrait rompre la monotonie de son exil dans cette colonie perdue à l'autre bout du monde où il lui faudrait résider pendant les trois années à venir.

— Je veux dire qu'il serait grossier de notre part de décliner l'invitation du capitaine, n'est-ce pas? s'empressa-t-elle d'ajouter en changeant de ton.

— Votre santé importe davantage, protesta-t-il.

— Je trouverai la force nécessaire.

Zelda fit glisser l'un après l'autre ses jupons par-dessus sa tête, cinq en tout, chacun voletant avec ses rubans. Katinka sortit de derrière le paravent et leva les bras, pour que Zelda lui mette la robe de soie bleue qu'elle fit retomber sur les jupons. Puis elle s'agenouilla et releva avec précaution l'étoffe d'un côté, laissant apparaître les jupons et les chevilles fines, couvertes de leurs bas de soie blancs à la dernière mode. Le gouverneur la contemplait, extasié. « Si seulement les autres parties de son anatomie étaient aussi grosses et actives que ses yeux... » railla Katinka dans son for intérieur tout en se tournant vers le long miroir et en pirouettant devant lui.

Soudain, juste au-dessus d'eux, on entendit le grondement assourdissant d'un coup de canon et elle poussa un cri en étreignant sa poitrine. Le gouverneur cria d'une voix tout aussi aiguë et se jeta sur les tapis d'Orient qui couvraient le plancher de la cabine.

— *De Standvastigheid* ! lança Sir Francis en déchiffrant avec sa longue-vue le nom du galion inscrit sur son haut tableau d'arrière doré à la feuille. *La Résolution*. Nous n'allons pas tarder à voir s'il est bien nommé, ajouta-t-il en abaissant sa lunette.

Une longue volute de fumée s'échappa du pont supérieur du navire, et quelques secondes après, le vent apporta le bruit de tonnerre de la déflagration. A une demi-encablure de leur proue, le lourd boulet plongea dans la mer en soulevant une colonne d'écume. Ils entendaient battre le branle-bas sur le vaisseau hollandais, ses sabords s'ouvrirent brusquement et les longs canons furent sortis.

— Je m'étonne qu'ils aient tant tardé à nous envoyer un coup de semonce, dit Sir Francis d'une voix traînante. (Il referma sa longue-vue et leva les yeux vers les voiles.) Mettez la barre au vent, maître Ned, et amenez-nous sous sa poupe.

En envoyant de fausses couleurs, il avait eu le temps d'échapper à la menace des bordées du galion. Sir Francis se tourna vers le charpentier, qui se tenait prêt au bastingage arrière, une hache d'abordage à la main.

— Coupez l'amarre ! ordonna-t-il.

L'homme leva la hache au-dessus de sa tête et l'abattit sur le bastingage ; la ligne de l'ancre flottante se rompit avec un claquement de fouet et libéra le *Lady Edwina* de son entrave. La caravelle s'élança en avant puis gîta quand Ned mit la barre dessus.

Oliver, le serviteur de Sir Francis, arriva en courant avec la cape à la croix écarlate et le chapeau à plumet des royalistes. Sir Francis les revêtit promptement et cria vers la tête de mât :

— Amène les couleurs de la République et envoie celles de l'Angleterre ! L'équipage poussa des acclamations en voyant l'Union Jack flotter dans le vent.

Les hommes affluaient sur le pont comme des fourmis dont on a piétiné la fourmilière et s'alignaient le long du bastingage en lançant des cris de défi vers l'énorme bâtiment qui se dressait menaçant au-dessus d'eux. Une activité frénétique régnait sur les ponts et dans le gréement du Hollandais.

Les artilleurs tournaient les pièces dans leurs sabords mais la caravelle, cachée par la haute voûte d'arcasse du galion, s'était mise hors de portée de la plupart d'entre elles et courait près du vent.

Une bordée décousue tonna à travers l'étendue d'eau de plus en plus étroite qui séparait les deux navires, mais presque tous les boulets retombèrent à plusieurs centaines de mètres de leur cible ou passèrent en mugissant au-dessus d'eux. Hal se baissa vivement lorsque le souffle de l'un d'eux emporta son bonnet. Un trou venait d'apparaître dans la voile à six pieds au-dessus de sa tête. Il écarta ses cheveux de son visage et scruta le galion du regard.

Le petit groupe d'officiers hollandais réunis sur le gaillard d'arrière semblait en proie au désarroi. Certains étaient en manches de chemise et l'un fourrait sa chemise de nuit dans son pantalon en grimpant quatre à quatre l'escalier des cabines.

Un homme de haute taille à la barbe à la Van Dyck, coiffé d'un casque d'acier, qui rassemblait une compagnie de mousquetaires sur le gaillard d'avant attira son regard. Il portait à l'épaule l'écharpe brodée d'or de colonel, et étant donné la façon dont il jetait ses ordres et dont ses hommes s'exécutaient, il pouvait se révéler un ennemi redoutable qu'il importait de surveiller.

Sur son commandement, les hommes se précipitèrent vers l'arrière, chacun armé d'un mortier, petite pièce d'artillerie spécialement utilisée pour repousser les abordages. Des fentes étaient aménagées dans le bastingage de poupe du galion par lesquelles on pouvait passer le canon de l'arme et viser les ponts du navire ennemi. Quand ils avaient abordé le *Heerlycke Nacht*, Hal avait vu les ravages que les mortiers pouvaient faire de très près. A eux seuls, ils constituaient une menace plus grande que le reste de la batterie du galion.

Il fit pivoter son fauconneau et souffla sur la corde à feu qu'il tenait à la main. Pour gagner la poupe, la file des mousquetaires hollandais devait grimper l'échelle qui menait au gaillard d'arrière. Tandis que l'écart entre les deux navires s'amenuisait rapidement, il visa le sommet de l'échelle. Le colonel y arriva le premier, épée à la main, son casque doré étincelant au soleil. Hal le laissa traverser le pont en courant et attendit que ses hommes le rejoignent.

Le premier trébucha sur le dernier barreau et s'étala sur le pont en lâchant son mortier. Ceux qui le suivaient s'étaient agglutinés derrière lui, incapables de passer tant qu'il ne s'était pas relevé. Hal visa le petit groupe par-dessus les mires grossières de son fauconneau, porta l'extrémité incandescente de sa corde à feu au bassinet et garda son arme braquée sur sa cible pendant que la poudre s'enflammait. Le fauconneau gronda et sauta dans ses mains; quand la fumée se fut dissipée, il vit que cinq des mousquetaires étaient tombés, trois déchiquetés par l'explosion, les autres hurlant et leur sang éclaboussant le pont.

Médusé, Hal contemplait le carnage. Il n'avait jamais tué d'hommes auparavant et fut pris de nausée. Ce n'était pas la même chose que de tirer sur une barrique et il crut un moment qu'il allait vomir.

Le colonel hollandais leva les yeux et pointa son épée vers son visage. Il lui cria quelque chose mais le vent et le bruit des armes à feu couvrirent ses paroles. Hal savait cependant qu'il venait de se faire un ennemi mortel.

Cela le calma. Il n'avait pas le temps de recharger le fauconneau, son travail était accompli. Il savait que le coup avait sauvé la vie à nombre d'hommes de son père. Il avait touché les mousquetaires hollandais avant qu'ils n'aient eu le temps de mettre en place leurs armes et de faucher les rangs des assaillants. Il pouvait en éprouver de la fierté mais n'en ressentait aucune et redoutait le colonel hollandais.

Il prit son arc et dut se redresser de toute sa hauteur pour le manier. Avec sa première flèche, il visa le colonel, banda l'arme à fond, mais le Hollandais ne le regardait plus : il donnait l'ordre aux survivants de sa compagnie de gagner leurs postes à l'arrière du galion et lui tournait le dos.

Hal retint le coup une fraction de seconde, pour tenir compte du vent et des mouvements du navire, puis décocha la flèche et la regarda s'éloigner à toute vitesse. Il pensa un instant qu'elle allait se planter dans le dos du colonel, mais le vent la dévia. Elle manqua son but d'une main et se ficha avec un bruit sec dans le pont où elle resta plantée en vibrant. Le Hollandais le regarda, ses moustaches dressées avec mépris. Il ne tenta pas de se mettre à couvert et se retourna vers ses hommes.

Hal prit frénétiquement une autre flèche, mais à cet instant les deux navires se heurtèrent et il s'en fallut de peu qu'il ne fût éjecté du nid-de-pie.

Il y eut un terrible fracas, des membrures craquèrent et les carreaux des fenêtres des cabines de poupe volèrent en éclats. Hal regarda en bas et vit Aboli à l'avant ; le colosse noir fit tournoyer un grappin au-dessus de sa tête puis le lança en l'air, sa corde serpentant derrière lui.

Le crochet de fer dérapa sur le pont du galion, mais lorsque Aboli le tira d'une secousse, il se prit fermement dans le bastingage. Un marin hollandais se précipita et leva sa hache pour couper la corde. Hal tira l'empennage d'une autre flèche jusqu'à ses lèvres et la laissa partir. Cette fois-ci, il estima parfaitement la dérive due au vent et la flèche vint se planter dans le cou du matelot. Il lâcha sa hache, agrippa la hampe, tituba en arrière et s'écroula.

Aboli avait déjà envoyé un autre grappin à l'arrière du galion, suivi par une vingtaine d'autres, lancés par les maîtres d'équipage. Peu après, les deux navires se retrouvèrent reliés l'un à l'autre par un réseau de cordes de chanvre, trop nombreuses pour que les défenseurs du galion puissent toutes les sectionner avec leurs haches et leurs sabres d'abordage.

Le *Lady Edwina* n'avait pas tiré avec ses couleuvrines, Sir Francis voulant réserver sa bordée pour le moment où elle serait le plus nécessaire. Elle ne pouvait pas grand-chose contre le bordé massif du galion et il n'était nullement dans ses intentions d'endommager gravement sa prise. Mais à présent que les deux bâtiments étaient arrimés l'un à l'autre, le moment était venu.

— Artilleurs ! lança Sir Francis en brandissant son épée au-dessus de sa tête pour attirer l'attention.

Les hommes attendaient près de leur pièce, corde à feu fumante en main, et le regardaient.

— Maintenant ! rugit-il en abaissant sa lame d'un seul coup.

La rangée de couleuvrines tonna à l'unisson. Leurs canons touchaient la poupe du galion et les boiseries sculptées et dorées se volatilisèrent en un nuage de fumée en projetant des éclats de bois blanc et des morceaux de vitraux.

C'était le signal. Aucun ordre ne pouvait être entendu dans le vacarme, aucun geste vu dans l'épaisse fumée qui tourbillonnait au-dessus des deux navires, mais un chœur sauvage de cris de guerre s'éleva et l'équipage du *Lady Edwina* se rua à l'assaut du galion.

Ils abordaient sur la galerie de poupe, comme des furets dans un terrier de lapin, grimpaient avec l'agilité de singes et arrivaient en masse sur le plat-bord, cachés aux yeux des artilleurs hollandais par l'épais nuage de fumée. D'autres couraient le long des vergues de la caravelle et se laissaient tomber sur le pont du galion.

« Franky et saint Georges ! » Leur cri de guerre montait jusqu'à Hal, toujours en tête de mât. Il ne vit que trois ou quatre hommes tomber sous le tir des mortiers avant que les mousquetaires hollandais ne soient eux-mêmes submergés et abattus à coups de hache et de sabre. Les marins qui suivaient grimpaient à l'arrière du galion sans rencontrer d'opposition. Il vit son père monter à son tour avec l'agilité et la rapidité d'un jeune homme.

Aboli se pencha pour le tirer par-dessus le bastingage et tous deux se jetèrent côte à côte dans la mêlée, le grand Noir coiffé de son turban écarlate et le chevalier de son chapeau à plumet, sa cape tournoyant autour de sa cuirasse cabossée.

— Franky et saint Georges ! hurlèrent les hommes en voyant leur capitaine au plus fort de la bataille, et ils le suivirent, balayant le pont de poupe en frappant d'estoc et de taille dans le tintement de l'acier.

Le colonel hollandais essaya de rallier les quelques hommes qui lui restaient, mais ils étaient impitoyablement refoulés et dégringolaient l'échelle menant au gaillard d'arrière. Aboli et Sir Francis descendirent à leur suite, leurs hommes derrière eux poussant des clameurs comme une meute qui sent l'odeur du renard.

Ils rencontrèrent là une opposition plus sérieuse. Le capitaine du galion avait fait s'aligner les marins au pied du grand mât ; ils tirèrent une volée presque à bout portant et chargèrent les matelots du *Lady Edwina* à l'arme blanche.

Hal avait rechargé son fauconneau mais il lui était impossible de tirer. Amis et ennemis se confondaient à tel point qu'il ne pouvait que regarder, impuissant, le flot des combattants aller et venir à travers le pont.

Au bout de quelques minutes, il apparut avec évidence que l'équipage du *Lady Edwina* était très inférieur en nombre. Sir Francis n'avait laissé personne à bord de la caravelle, à l'exception de Hal. Il avait lancé tous ses hommes dans la bataille, misant tout

50

sur l'effet de surprise et sur celui, dévastateur, de cette première charge. Vingt-quatre de ses marins se trouvaient à des lieues de là dans les pinasses et ne pouvaient jouer aucun rôle. Il en avait cruellement besoin à présent, mais quand Hal chercha du regard les deux petits bateaux de reconnaissance, il vit qu'ils étaient encore éloignés de plusieurs milles. Tous deux avaient hissé leur grand-voile goélette, mais ils avançaient comme des escargots contre le vent de sud-est et la forte houle. Le sort de la bataille serait décidé avant qu'ils aient pu atteindre les deux navires et intervenir.

Hal reporta les yeux sur le pont du galion et, à sa consternation, se rendit compte que l'adversaire avait pris l'avantage. Son père et Aboli étaient refoulés vers l'arrière. Le colonel hollandais dirigeait la contre-attaque, mugissant comme un taureau blessé et galvanisant ses hommes par son exemple.

De l'arrière des rangs des attaquants se détacha un petit groupe de marins du *Lady Edwina*, qui étaient restés à l'écart de la mêlée. Ils étaient menés par Sam Bowles, un homme aux allures de fouine et à la langue bien pendue, dont le principal talent consistait à créer la dissension et à faire naître le mécontentement chez ses compagnons.

Sam Bowles se précipita vers l'arrière du galion et se laissa tomber sur le pont de la caravelle, suivi par quatre matelots.

Le vent avait fait tourner les deux navires et le *Lady Edwina* tirait à présent sur les cordes des grappins qui maintenaient les bâtiments l'un à l'autre. Pris de panique, les cinq déserteurs se ruèrent sur les cordes avec leurs haches et leurs sabres; elles se rompaient une à une avec un claquement sec qui parvenait distinctement à Hal en tête de mât.

— Cessez tout de suite! cria-t-il, mais aucun n'interrompit sa manœuvre traîtresse. Père! hurla Hal en direction de l'autre navire. Vous allez rester en plan! Revenez! Revenez!

Sa voix était emportée par le vent, couverte par le bruit de la bataille. Son père ferraillait avec trois Hollandais, tout entier absorbé par la lutte. Hal le vit parer un coup et riposter dans un reflet d'acier. L'un de ses adversaires chancela en arrière en étreignant son bras, la manche de sa chemise soudain rouge de sang.

A cet instant, la dernière corde de grappin lâcha, libérant le *Lady Edwina*. Sa proue se dégagea rapidement, sa toile se gonfla et il laissa porter, abandonnant le galion ballotté par les flots, qui culait gauchement, ses voiles prises à contre claquant dans le vent.

Hal se lança dans les haubans et se laissa glisser, ses paumes brûlées par le frottement des cordages. Il heurta le pont avec une violence telle que ses dents s'entrechoquèrent et qu'il roula au sol. L'instant d'après, il s'était relevé et regardait désespérément autour de lui. Le galion était déjà à une encablure, le vacarme de la bataille se perdait dans le vent. Il jeta ensuite un coup d'œil vers l'arrière et vit Sam Bowles qui se précipitait pour prendre la barre.

Un marin gisait sur le dalot, abattu par un mortier hollandais. Son mousquet était à côté de lui, il n'avait pas encore tiré et la mèche crachotait et fumait dans le percuteur. Hal le ramassa et traversa le pont en courant pour prendre Sam Bowles de vitesse.

Il atteignit la barre une douzaine de pas avant lui, lui fit face et lui enfonça la gueule de son mousquet dans le ventre.

— Arrière, espèce de porc, ou je te sors les tripes!

Sam recula avec les quatre autres marins derrière lui, les yeux fixés sur Hal, leur visage encore pâle de terreur.

— Vous ne pouvez pas abandonner vos compagnons. Nous allons revenir en arrière! cria Hal, ses yeux verts étincelant de fureur.

Il agitait le mousquet dans leur direction, l'index serré sur la détente, la fumée de la mèche tourbillonnant autour de sa tête. Les déserteurs lurent la détermination dans son regard et battirent en retraite.

Hal prit la barre et, en lui obéissant, le navire trembla sous ses pieds. Il jeta un coup d'œil par-dessus son épaule vers le galion et son courage le trahit. Tel que les voiles étaient orientées, il savait que le *Lady Edwina* ne pourrait jamais remonter contre le vent; il s'éloignait de son père et d'Aboli qui luttaient pour leur vie. Au même instant, Bowles et sa bande comprirent la situation.

— Nous ne retournerons pas en arrière et tu n'y pourras rien, petit, gloussa Sam triomphant. Pour revenir vers ton père, il faut changer d'amures et aucun de nous ne t'aidera à la manœuvre. Nous te tenons!

Hal regarda autour de lui, désespéré. Pris d'une résolution subite, il serra les dents. Sam perçut son changement d'attitude et suivit son regard. Avec consternation, il vit une des deux pinasses, à seulement une demi-lieue, pleine de marins en armes.

— Allez les gars, attaquez-le! exhorta-t-il ses compagnons. Il n'a qu'un coup à tirer.

— Un coup et mon épée! rugit Hal en tapotant la poignée du sabre suspendu à sa hanche. Par Dieu, je vais emporter la moitié d'entre vous avec moi, et la gloire en sus.

— Tous ensemble! hurla Bowles. Il n'aura pas le temps de sortir la lame de son fourreau.

— Oui, oui! cria Hal. Venez donc. Laissez-moi étaler vos tripes de couards au grand jour.

Ils l'avaient tous vu se battre contre Aboli et aucun ne voulait charger en première ligne. Ils grognèrent en traînant les pieds, tripotèrent leur sabre et détournèrent le regard.

— Approche, Sam Bowles! lança Hal. Tu as quitté le pont du Hollandais passablement vite. Voyons si tu es aussi rapide pour m'attaquer.

Bowles s'arma de courage et s'avança d'un air résolu, mais lorsque Hal pointa la gueule de son mousquet vers son ventre, il recula précipitamment et essaya de pousser l'un des siens en avant.

— Attaque-le! fit-il d'une voix rauque.

Hal visa le visage de l'autre homme, mais celui-ci se dégagea de l'emprise de Bowles et se mit à couvert derrière son voisin.

La pinasse était à présent tout près, ils entendaient les cris d'impatience de ses marins. Bowles était désespéré. Comme un lapin, il détala par l'échelle qui menait au pont inférieur, suivi immédiatement par les autres, pris de panique.

Hal laissa tomber le mousquet sur le pont et saisit la barre à deux mains. Regardant par-dessus la proue qui plongeait dans la lame, il choisit soigneusement le moment puis poussa de tout son poids sur la barre, amenant l'étrave du navire dans le vent pour mettre en panne.

La pinasse était toute proche, le grand Daniel Fisher, l'un des meilleurs maîtres d'équipage du *Lady Edwina*, se tenait à l'avant. Celui-ci précipita l'embarcation contre le flanc de la caravelle. Ses marins saisirent les cordes des grappins coupées par Bowles et les siens et se ruèrent sur le pont du *Lady Edwina*.

— Daniel! cria Hal. Je vais virer lof pour lof. Paré à la manœuvre! Nous retournons au combat!

Daniel lui sourit, découvrant ses dents irrégulières et cassées comme celles d'un requin, et conduisit ses marins vers les bras de vergue. Douze hommes, frais et pleins d'ardeur, se réjouissait Hal en se préparant à effectuer la périlleuse manœuvre qui consistait à virer par vent arrière. Si elle échouait, il risquait de démâter, mais si elle réussissait, il gagnait de précieuses minutes et reviendrait plus vite sur le galion.

Hal mit brusquement la barre dessous, et tandis qu'il s'évertuait à sentir le vent venir par l'arrière et courait le risque d'empanner, Daniel choquait les bras de vergue. Les voiles se gonflèrent dans un bruit de tonnerre et le navire se retrouva brusquement à contrebord, gagnant dans le vent pour rejoindre la bataille.

Daniel poussa un hourra et leva son bonnet, et tous l'acclamèrent car la manœuvre avait été accomplie avec courage et habileté. C'est tout juste si Hal les regarda, occupé à tenir le *Lady Edwina* au plus près et à remonter vers le Hollandais. Le combat devait toujours faire rage car il entendait des cris affaiblis par la distance et parfois un coup de mousquet. Il vit ensuite une tache blanche côté sous le vent, la voile goélette de la deuxième pinasse dont l'équipage faisait de grands gestes pour attirer son attention. Douze hommes de plus pour rejoindre la mêlée, pensa-t-il. Cela valait-il la peine de perdre un peu de temps pour les prendre à bord ? Douze bonnes lames supplémentaires ! Il laissa le *Lady Edwina* abattre d'un quart pour courir droit sur la petite embarcation.

Daniel se tenait prêt à lancer une ligne et, quelques secondes après, la pinasse avait déversé tous ses hommes et était en remorque derrière la caravelle.

— Daniel, cria Hal. Faites-les taire ! Inutile de nous annoncer auprès de ces têtes de lard.

— Très juste, maître Hal. Nous allons leur faire une petite surprise.

— Condamnez les écoutilles du pont inférieur ! Nous avons une cargaison de pleutres et de traîtres cachée dans les cales. Enfermez-les là-dedans jusqu'à ce que Sir Francis puisse s'occuper d'eux.

Le *Lady Edwina* arriva sans bruit sous la rentrée du galion. Peut-être les Hollandais étaient-ils trop occupés pour le voir venir avec une toile réduite car aucun ne se pencha pour regarder lorsque les deux coques se heurtèrent dans un craquement discordant. Daniel et ses hommes lancèrent des grappins par-dessus le bastingage du galion et se mirent à grimper furieusement.

En un instant, Hal attacha la barre en grand puis traversa le pont à toute vitesse et prit une des cordes. Sur les talons de Daniel, il monta rapidement et marqua une pause en atteignant le bastingage du galion. Accroché d'une main à la corde, les deux pieds calés fermement sur les jambettes de voûte, il tira son sabre et le tint entre ses dents. Il s'élança ensuite par-dessus le bastingage et, une seconde après Daniel, atterrit sur le pont.

Il se retrouva en première ligne du nouveau détachement d'abordage. Avec Daniel à ses côtés, son sabre au poing, il s'arrêta un instant pour jeter un coup d'œil autour de lui. La bataille était presque terminée. Ils n'avaient que quelques secondes pour agir car les hommes de son père, disséminés par petits groupes à travers le pont et encerclés par l'équipage du galion, luttaient pour sauver leur vie. La moitié d'entre eux étaient tombés, quelques-uns de toute évidence morts. Une tête tranchée lorgnait Hal depuis le dalot où elle roulait d'un côté et de l'autre dans une mare de sang. Avec un frisson d'horreur, Hal reconnut le cuistot du *Lady Edwina*.

D'autres, blessés, se tordaient et gémissaient sur le pont rendu glissant par leur sang. D'autres encore étaient assis, désarmés, épuisés et abattus, leurs armes jetées de côté, les mains croisées sur leur tête, se rendant à l'ennemi.

Rares étaient ceux qui poursuivaient la lutte. Sir Francis et Aboli, acculés au grand mât et entourés par une meute hurlante de Hollandais, frappaient de taille et d'estoc. En dehors d'une estafilade au bras gauche, son père semblait indemne — peut-être sa cuirasse lui avait-elle épargné des blessures graves — et il se battait avec sa fougue habituelle. A côté de lui, énorme et invincible, Aboli poussa son cri de guerre dans sa langue en voyant la tête de Hal surgir au-dessus du bastingage.

Sans autre pensée que de voler à leur secours, Hal s'élança vers eux. « Pour Frankie et saint Georges ! » cria-t-il de toutes ses forces et le grand Daniel reprit le cri en courant sur sa gauche. Les hommes des pinasses les suivaient, hurlant comme une horde de fous furieux échappés de l'asile.

L'équipage hollandais semblait lui-même épuisé, une vingtaine étaient tombés et nombre de ceux qui se battaient encore étaient blessés. Ils jetèrent un coup d'œil par-dessus leur épaule à cette dernière phalange d'Anglais assoiffés de sang qui se précipitaient sur eux. La surprise était totale et la consternation se lisait sur tous les visages aux traits tirés et couverts de sueur. La plupart lâchèrent leurs armes et, comme tous les équipages vaincus, coururent se cacher à l'intérieur du navire.

Quelques-uns, à l'âme mieux trempée, ceux qui se trouvaient autour du mât, conduits par le colonel hollandais, firent volte-face pour soutenir la charge. Mais les hurlements des hommes de Hal avaient rallié leurs camarades épuisés et blessés, qui s'élancèrent avec une détermination nouvelle pour se joindre à l'offensive. Les Hollandais étaient encerclés.

Même dans la confusion et le tumulte, le colonel Schreuder reconnut Hal ; ses moustaches hérissées comme celles d'un lion, il se retourna pour l'affronter et visa sa tête, sa lame vrombissant dans sa main. Il était miraculeusement indemne et paraissait aussi fort et frais que les hommes que conduisait Hal. Celui-ci para le coup et contre-attaqua.

Pour faire face à Hal, le colonel avait imprudemment tourné le dos à Aboli. Au moment où il bloquait le coup de Hal et se déplaçait pour se fendre, Aboli se précipita sur lui par derrière. Pendant quelques instants, Hal crut qu'il allait lui passer son sabre à travers le corps, mais il se trompait. Aboli connaissait le prix d'une rançon aussi bien que quiconque à bord : un officier ennemi mort n'était bon qu'à jeter aux requins tandis qu'un captif valait des florins d'or sonnants et trébuchants.

Aboli prit son sabre par la lame et donna un coup sur l'arrière de la tête du colonel avec la coquille d'acier. Le Hollandais écarquilla les yeux sous le choc, ses jambes fléchirent et il tomba tête la première sur le pont.

La dernière résistance de l'équipage du galion s'effondra avec lui. Les marins jetèrent leurs armes tandis que ceux du *Lady Edwina* qui s'étaient rendus se levèrent d'un bond, oubliant leur fatigue et leurs blessures. Ils ramassèrent les armes abandonnées et les tournèrent contre les Hollandais vaincus, les forçant à avancer puis à s'asseoir en rangs sur le pont, leurs mains croisées sur la nuque, désespérés et échevelés.

Aboli serra Hal avec force dans ses bras.

— Lorsque vous vous êtes éloignés, toi et Sam Bowles, j'ai cru qu'on ne vous reverrait jamais, fit-il, hors d'haleine.

Sir Francis se dirigea à grandes enjambées vers son fils en se frayant un chemin à travers la foule en liesse de ses marins.

— Tu as abandonné ton poste en tête de mât! jeta-t-il sur un ton de reproche tout en enroulant un bout de tissu autour de son bras et en le nouant avec ses dents.

— Père, j'ai pensé... bredouilla Hal.

— Et pour une fois, tu as pensé sagement, coupa Sir Francis, son expression sévère s'évanouissant, ses yeux verts pétillant. Nous finirons par faire de toi un guerrier pourvu que tu te souviennes de garder ta pointe haute sur la riposte. Cette tête de lard t'aurait embroché, dit-il en poussant du pied le colonel, si Aboli ne lui avait pas tapé sur la tête. (Sir Francis rengaina son épée.) Nous ne tenons pas encore le navire. Ils sont nombreux dans les entreponts et les cales. Il faut que nous les fassions sortir. Reste auprès d'Aboli et de moi.

— Père, vous êtes blessé, protesta Hal.

— Peut-être l'aurais-je été plus gravement si tu n'étais revenu ne serait-ce qu'une minute plus tard.

— Laissez-moi voir votre blessure.

— Je connais les tours que t'a appris Aboli... oserais-tu pisser sur ton propre père ? (Il rit et tapa sur l'épaule de Hal.) Peut-être te ferai-je ce plaisir un peu plus tard. Daniel, cria-t-il à travers le pont, descendez avec vos hommes et faites-moi sortir les têtes de lard qui se cachent là-dessous. Maître John, postez un garde près des écoutilles des magasins. Veillez à ce qu'il n'y ait point de pillage. Que chacun ait sa part ! Maître Ned, prenez la barre et serrez le vent avant que les voiles ne se déchirent à force de battre.

Puis il cria à la cantonade :

— Je suis fier de vous, bande de coquins ! Vous avez bien travaillé, aujourd'hui. Vous rentrerez au pays avec cinquante guinées d'or en poche. Mais les filles de Plymouth ne vous aimeront jamais autant que je vous aime !

Ils l'acclamèrent avec hystérie, soulagés d'avoir échappé à la défaite et à la mort.

— Allons-y ! lança Sir Francis à Aboli en se dirigeant vers l'échelle qui conduisait au poste des officiers et des passagers, à l'arrière du navire.

Hal courut à leur suite et Aboli grogna par-dessus son épaule :

— Sois sur le qui-vive. Il y en a en bas qui se feraient un plaisir de te planter un poignard entre les côtes.

Hal savait où allait son père et ce qui lui importait au premier chef. Il voulait les cartes, le journal de bord et les instructions de navigation du capitaine hollandais. Il y attachait plus de prix qu'à toutes les épices, les pierres et tous les métaux précieux que pouvait transporter le galion. Avec ces documents en sa possession, il détiendrait la clé permettant d'accéder à tous les ports et les forts hollandais des Indes. Il aurait connaissance de l'ordre de navigation des bâtiments convoyant les épices et du manifeste de leur cargaison. Pour lui, cela valait dix mille livres d'or.

Sir Francis descendit l'échelle en trombe et tenta d'ouvrir la première porte qu'il rencontra. Elle était fermée de l'intérieur. Il se recula et enfonça la porte d'un grand coup de pied.

Penché sur son bureau, sans perruque, ses vêtements trempés de sueur, le capitaine du galion était occupé à fourrer les livres de bord dans un sac de toile lesté. Il leva les yeux, consterné ; du sang coulait de sa joue sur sa chemise de soie aux larges manches à crevés verts.

En voyant Sir Francis, il s'immobilisa un instant avant de ramasser vivement le sac et de se diriger vers les fenêtres béantes de l'arrière. Les châssis et les carreaux en avaient été fracassés par les couleuvrines du *Lady Edwina* et on entendait la mer se briser et tourbillonner sous la voûte d'arcasse. Le capitaine leva le sac pour le lancer par l'ouverture mais Sir Francis le saisit par le bras et le projeta sur sa couchette. Aboli s'empara du sac et Sir Francis fit une petite révérence courtoise.

— Vous parlez anglais ? demanda-t-il.

— Non, pas parler anglais, répondit le capitaine d'un ton hargneux.

Sir Francis passa avec aisance au hollandais. Comme tout chevalier nautonier de l'Ordre, il parlait la langue des grandes nations qui sillonnaient les mers : le français, l'espagnol et le portugais aussi bien que le hollandais.

— Vous êtes mon prisonnier, Mijnheer. Quel est votre nom ?

— Limberger, capitaine de première classe, au service de la VOC. Et vous, Mijnheer, vous êtes un corsaire, répondit le Hollandais.

— Vous faites erreur, monsieur. Je navigue avec des lettres de marque de Sa Majesté le roi Charles II. Votre navire est à présent une prise de guerre.

— Vous avez envoyé de fausses couleurs, accusa l'autre.

Sir Francis sourit d'un air navré.

— Une ruse de guerre légitime, fit-il avec un geste dédaigneux. Vous êtes un homme courageux, Mijnheer, mais la lutte est finie maintenant. Dès que vous m'aurez donné votre parole, vous serez traité comme un hôte de marque, et le jour où votre rançon sera payée, vous serez libre.

Le capitaine essuya le sang et la sueur qu'il avait sur le visage avec la manche de sa chemise de soie et une expression de résignation assombrit ses traits. Il se leva et tendit son épée à Sir Francis en la lui présentant par la garde.

— Vous avez ma parole. Je ne tenterai pas de m'échapper.

— Ni n'encouragerez vos hommes à résister, précisa Sir Francis.

— J'accepte, fit le capitaine en hochant la tête d'un air triste.

— J'ai besoin de votre cabine, Mijnheer, mais je veillerai à vous installer confortablement ailleurs.

Sir Francis tourna son attention avec impatience vers le sac en toile et en renversa le contenu sur le bureau.

Hal savait qu'à partir de cet instant son père allait être absorbé dans la lecture des documents et il lança un coup d'œil à Aboli en faction à la porte. Le grand Noir hocha la tête en signe d'assentiment et Hal se glissa hors de la cabine. Son père ne le vit pas sortir.

Sabre en main, il avança avec précaution le long de l'étroite coursive. Il entendait les cris et les bruits en provenance des autres ponts où les hommes du *Lady Edwina* faisaient sortir les marins hollandais et les conduisaient sur le pont supérieur. L'arrière du bateau, où il se trouvait, était calme et désert. La première porte qu'il tenta d'ouvrir était fermée à clé. Il hésita un instant puis suivit l'exemple de son père. La porte résista à son premier assaut, mais il se recula et chargea de nouveau. Cette fois-ci, elle céda et, déséquilibré, il s'y précipita tête la première, dérapa sur les magnifiques tapis d'Orient et s'étala sur le vaste lit qui semblait occuper la moitié de la cabine.

En s'asseyant et contemplant la magnificence qui l'entourait, il perçut un parfum plus entêtant que toutes les épices qu'il avait jamais senties. C'était l'odeur de boudoir d'une femme gâtée — non seulement les précieuses essences de fleurs, obtenues grâce à l'art du parfumeur, mais aussi les senteurs subtiles de la peau, des cheveux et du corps d'une jeune femme en pleine santé. C'était si exquis, si troublant que, lorsqu'il se releva, ses jambes lui parurent étrangement faibles, et il huma l'air avec ravissement. C'était l'odeur la plus délicieuse qui eût jamais chatouillé ses narines.

Sabre au poing, il regarda autour de lui, apercevant à peine les somptueuses tapisseries et les coupes en argent emplies de sucreries et de fruits secs. La coiffeuse placée contre la cloison bâbord était couverte d'un assortiment de flacons de parfum et de cosmétiques en cristal taillé avec bouchon en argent ciselé. Il s'y dirigea. A côté des flacons se trouvaient une collection de brosses à manche d'argent et un peigne en écaille de tortue. Un cheveu était pris entre les dents du peigne, long comme son bras, fin comme un fil de soie.

Hal leva le peigne jusqu'à son visage comme s'il avait été une sainte relique. Il sentit de nouveau cette odeur enchanteresse, ce parfum de femme enivrant. Il enroula le cheveu autour de son doigt et le tira des dents du peigne, puis le mit avec vénération dans la poche de sa chemise tachée et puant la sueur.

Lui parvint alors un sanglot, léger mais déchirant, de derrière le paravent chinois à l'autre bout de la cabine.

— Qui est là? lança Hal, son sabre levé. Sortez de là ou je touche.

Un nouveau sanglot s'éleva, plus poignant encore que le premier.

— Par tous les saints, je ne plaisante pas! fit Hal en s'approchant du paravent, dont il taillada un panneau d'un coup de sabre.

Sous la force du coup, le paravent bascula et tomba sur le plancher. Il y eut un hurlement de terreur, et Hal resta bouche bée devant la merveilleuse créature tapie dans le coin de la cabine.

Elle avait enfoui son visage dans ses mains, mais le flot de cheveux répandu sur le plancher avait l'éclat de pièces d'or toutes neuves et les jupes qui s'étalaient autour, le bleu des ailes d'hirondelle.

— Je vous en prie, madame! murmura Hal. Je ne veux pas vous faire de mal. Je vous en prie, séchez vos larmes.

Ses paroles restèrent sans effet. De toute évidence, elles n'avaient pas été comprises et, pris d'une inspiration soudaine, Hal employa le latin :

— Vous n'avez pas à avoir peur. Vous ne risquez rien. Je ne vous ferai aucun mal.

La femme leva la tête. Elle avait compris. Il la dévisagea et ce fut comme s'il avait reçu une charge de chevrotine en pleine poitrine. Le choc était si violent qu'il poussa un petit cri. Il n'avait jamais pensé qu'une telle beauté pût exister.

— Grâce! murmura-t-elle pitoyablement en latin. Ne me faites pas de mal.

Ses yeux débordaient de larmes qui les faisaient paraître plus grands et intensifiaient leur teinte violette iridescente. Ses joues avaient pris le lustre translucide de l'albâtre et les larmes y brillaient comme de minuscules perles.

— Comme vous êtes belle! dit Hal, toujours en latin, d'une voix de supplicié, haletante et angoissée.

Il était en proie à une émotion qu'il n'avait jamais connue. Il avait envie de protéger et de chérir cette femme, de la garder pour lui à jamais, de l'aimer et de la vénérer. Tous les mots galants que, jusque-là, il avait lus et prononcés en silence mais sans les comprendre vraiment lui revenaient à l'esprit, mais il ne pouvait que la contempler en silence.

Son attention fut alors attirée par un autre bruit derrière lui. Il se retourna brusquement, sabre levé. De sous les draps de satin en désordre sur le grand lit, sortit à quatre pattes un personnage à l'allure porcine. Son dos et son ventre étaient si gras qu'ils tremblaient à chacun de ses mouvements. La chair formait des plis sur sa nuque et pendait en lourdes bajoues de sa mâchoire.

— Rendez-vous! hurla Hal en le piquant de la pointe de son sabre.

Le gouverneur poussa un cri perçant et s'effondra sur le lit en se tortillant comme un jeune chien.

— Ne me tuez pas. Je suis riche, sanglota-t-il également en latin. Je paierai la rançon que vous voudrez.

— Levez-vous! ordonna Hal en le poussant derechef avec la pointe de son sabre, mais Petrus Van de Velde n'eut que le courage et la force nécessaires pour s'agenouiller en pleurant comme un veau.

— Qui êtes-vous?

— Je suis le gouverneur du cap de Bonne-Espérance, et cette dame est mon épouse.

Ce furent les paroles les plus terribles que Hal eût jamais entendues. Atterré, il regarda l'homme fixement. La dame merveilleuse qu'il aimait déjà passionnément était mariée... et avec cette caricature grotesque qui était devant lui.

— Mon beau-père est un des directeurs de la Compagnie, l'un des marchands les plus riches et les plus puissants d'Amsterdam. Il paiera... il paiera ce qu'il faudra. Je vous en supplie, ne nous tuez pas.

Hal n'entendait pas ces paroles. Son cœur était brisé. En quelques instants, il était passé de l'exultation la plus extrême, des transports de l'amour aux abîmes du désespoir.

Mais les paroles du gouverneur avaient une grande signification pour Sir Francis Courteney, qui se trouvait à présent à l'entrée de la cabine, Aboli derrière lui.

— Veuillez vous calmer, gouverneur, dit-il. Vous et votre épouse êtes en de bonnes mains. Je ferai le nécessaire pour votre rançon avec la plus grande diligence. (Il ôta prestement son chapeau à plumet et s'inclina profondément devant Katinka, n'étant pas lui-même totalement insensible à sa beauté.) Permettez-moi de me présenter, madame. Capitaine Francis Courteney, à vos ordres. Prenez, je vous prie, le temps de retrouver vos esprits. A la quatrième cloche, soit dans une heure, je vous serais reconnaissant de vous joindre à nous sur le gaillard d'arrière, où j'ai l'intention de réunir la compagnie de ce navire.

Les deux bâtiments étaient sous voiles, la petite caravelle sous ses bonnettes et ses huniers seulement, le grand galion, les grand-voiles hissées. Ils naviguaient de conserve vers le nord-est en s'éloignant du Cap et en se rapprochant des côtes orientales du continent africain. Sir Francis regardait d'un air paternel l'équipage rassemblé sur le passavant du galion.

— Je vous ai promis une prime de cinquante guinées chacun, dit-il.

Ils l'acclamèrent frénétiquement. Certains, handicapés par leurs blessures, se tenaient tout raides. Cinq étaient allongés sur des paillasses le long du bastingage, trop affaiblis pour rester debout mais déterminés à ne pas perdre une miette de cette cérémonie. Les morts étaient déjà enveloppés dans leurs linceuls de toile, chacun avec un boulet de canon hollandais à ses pieds, et étendus à l'avant. Seize Anglais et quarante-deux Hollandais, réunis dans la trêve de la mort. Aucun des vivants ne leur accordait plus une pensée.

Sir Francis leva la main. Les marins se turent et s'avancèrent pour mieux entendre la suite.

— Je vous ai menti, annonça-t-il. (Après un instant de stupéfaction, des grognements et des murmures désapprobateurs s'élevèrent.) Il n'y a pas un seul d'entre vous... (il marqua une pause pour ménager son effet) qui ne soit pas plus riche de deux cents livres après cette journée de travail !

Incrédules, ils le dévisagèrent bouche bée avant de laisser éclater leur joie. Ils faisaient des cabrioles, hurlaient et tournoyaient les uns autour des autres en une gigue effrénée. Même les blessés s'asseyaient et se joignaient aux autres.

Sir Francis leur souriait avec bienveillance en les laissant donner libre cours à leur allégresse. Puis il agita une liasse de pages manuscrites au-dessus de sa tête, et le silence se fit à nouveau.

— Voici une partie du manifeste du navire !

— Lisez-le-nous ! supplièrent-ils.

L'énumération dura presque une demi-heure car ils poussaient des acclamations à chaque article du connaissement qu'il traduisait à haute voix du hollandais : poivre, vanille et safran, clous de girofle et cardamome, pour un poids total de quarante-deux tonnes. L'équipage savait que ces épices valaient leur pesant d'or. Ils étaient enroués à force de crier et Sir Francis leva la main une nouvelle fois.

— Est-ce que je vous ennuie avec cette liste interminable ? Vous en avez assez ?

— Non ! rugirent-ils. Lisez encore !

— Soit. Il y a aussi un peu de bois : du balu, du tek et d'autres bois étranges que l'on n'a jamais vus au nord de l'équateur. A peine plus de trois cents tonnes. (Les yeux brillants, ils se régalaient de ses paroles.) Ce n'est pas tout, mais je vois que je vous ennuie. Je m'arrête ?

— Lisez-nous la suite !

— Porcelaine fine de Chine, bleu et blanc, et rouleaux de soie. Voilà qui plaira aux dames !

En entendant ce mot, ils beuglèrent comme une harde d'éléphants mâles. A la prochaine escale, avec deux cents livres dans leur gousset, ils auraient autant de femmes qu'ils en voudraient.

— Il y a aussi de l'or et de l'argent, mais ils ont été rangés à fond de cale dans des coffres scellés, avec trois cents tonnes de bois par-dessus. Nous ne mettrons la main dessus qu'après avoir débarqué le gros de la cargaison.

— Quelle quantité d'or y a-t-il? Dites-nous s'il y a beaucoup d'argent, l'implorèrent-ils.

— Pièces d'argent pour une valeur de cinquante mille florins, soit plus de dix mille bonnes livres anglaises. Trois cents lingots d'or des mines de Kollur sur la rivière Krishna dans la région de Kandy, et Dieu seul sait ce qu'ils nous rapporteront quand nous les vendrons à Londres.

Hal avait grimpé dans les haubans du grand mât, une position avantageuse de laquelle il voyait bien son père sur le gaillard d'arrière. Toute cette énumération ne lui disait pas grand-chose mais il se rendait confusément compte que cela devait être l'une des plus grosses prises effectuées par les Anglais au cours de cette guerre contre la Hollande. Il se sentait tout étourdi, incapable de penser à autre chose qu'au trésor plus grand encore qu'il avait pris avec son sabre, et qui était à présent sagement assis derrière son père, accompagné par sa femme de chambre. Sir Francis avait courtoisement fait installer à son intention sur le gaillard d'arrière un des fauteuils capitonnés en bois sculpté de la cabine du capitaine. Petrus Van de Velde était debout derrière elle, portant perruque, couvert de rubans et magnifiquement vêtu, avec hauts-de-chausses en cuir souple d'Espagne qui lui montaient jusqu'aux cuisses, sa corpulence dissimulée sous les médaillons et les écharpes de son office.

Hal se surprit à haïr férocement cet homme et il regretta amèrement de ne pas l'avoir embroché quand il était sorti du lit en rampant, ce qui aurait fait de son épouse angélique une veuve éplorée.

Il s'imagina consacrant sa vie à jouer les Lancelot avec sa Guenièvre. Il se vit humble et soumis à ses moindres caprices mais accomplissant des actions héroïques par amour pour elle. Sur son ordre, il pourrait même entreprendre la quête du Saint-Graal et déposer la relique sacrée entre ses belles mains blanches. Il frissonna de plaisir à cette pensée et lui jeta un regard ardent.

Pendant que Hal poursuivait sa rêverie dans les haubans, la cérémonie qui avait lieu sur le pont tirait à sa fin. Derrière le gouverneur étaient alignés le capitaine hollandais et les autres officiers capturés. Le colonel Cornelius Schreuder était le seul à être nu-tête, car il avait le crâne pansé. Malgré le coup assené par Aboli, il avait gardé l'œil vif et écoutait Sir Francis faire le détail du butin avec une expression féroce.

— Mais ce n'est pas tout, mes enfants, assura celui-ci. Nous avons la chance d'avoir à bord un invité de marque, le nouveau gouverneur de la colonie hollandaise du cap de Bonne-Espérance.

Avec des courbettes ironiques, il salua Van de Velde, qui lui lançait des regards noirs : à présent que ses ravisseurs avaient compris quelle était sa position et la valeur qu'il représentait, il se sentait plus en sécurité.

Les Anglais poussèrent des acclamations, mais ils n'avaient d'yeux que pour Katinka, et Sir Francis les obligea en la présentant.

— Nous avons aussi le bonheur d'avoir avec nous la charmante épouse du gouverneur...

Il s'interrompit pour laisser l'équipage émettre des appréciations sur sa beauté.

— Bande de gueux, grogna Van de Velde en posant une main protectrice sur l'épaule de Katinka.

Elle examina les hommes de ses grands yeux violets ; sa beauté et son innocence les plongèrent dans un silence embarrassé

— Madame Van de Velde est la fille unique du Burgher Hendrik Coetzee, *stadhouder* de la ville d'Amsterdam, et président du Conseil de direction de la Compagnie des Indes orientales.

Les marins la regardèrent avec un respect mêlé d'admiration. Rares étaient ceux à connaître l'importance d'un personnage de si haut rang, mais la façon dont Sir Francis avait énuméré ses titres les avait impressionnés.

— Le gouverneur et son épouse seront retenus à bord de ce navire jusqu'au paiement de leur rançon. L'un des officiers hollandais capturés sera dépêché au cap de Bonne-Espérance afin de transmettre la demande de rançon au Conseil à Amsterdam par le prochain bâtiment de la Compagnie.

A ces paroles, les matelots regardèrent le couple en roulant de gros yeux ronds.

— A quel prix avez-vous fixé la rançon du gouverneur, Sir Francis ?

— Deux cent mille florins en pièces d'or.

Les marins étaient stupéfaits car une telle somme dépassait leur entendement.

— Un ban pour le capitaine ! braila Daniel, et tous crièrent tant qu'ils eurent de la voix.

Sir Francis remonta lentement les rangs des marins hollandais capturés. Ils étaient quarante-sept, dont dix-huit blessés. Au passage, il examina le visage de chacun : c'étaient des hommes frustes aux traits grossiers et dénués d'intelligence. De toute évidence, on ne pouvait espérer tirer d'eux aucune rançon. Ils représentaient plutôt un handicap car il fallait les nourrir et les surveiller ; il y avait toujours le danger qu'ils reprennent courage et tentent de s'insurger.

— Plus tôt nous serons débarrassés d'eux, mieux ce sera, se murmura-t-il à lui-même avant de s'adresser à eux dans leur langue. Vous avez fait votre devoir. Vous allez être libérés et renvoyés au fort du Cap. Vous pourrez emporter votre nécessaire de marin et je veillerai à ce que vous soient payés les gages qui vous sont dus avant votre départ.

Les visages s'illuminèrent. Ils ne s'étaient pas attendus à cette bonne nouvelle. Cela les fera tenir tranquilles, pensa-t-il en repartant vers l'échelle qui menait à sa nouvelle cabine, où ses prisonniers les plus illustres l'attendaient.

— Messieurs ! salua-t-il en entrant et prenant place derrière le bureau en acajou. Vous prendrez bien un verre de vin des Canaries ?

Le gouverneur Van de Velde acquiesça avec empressement. Il avait la gorge sèche et bien qu'il eût mangé une demi-heure plus tôt, son estomac grondait comme un chien affamé. Le serviteur de Sir Francis versa le vin ambré dans des verres à pied et servit les fruits confits qu'il avait trouvés dans le garde-manger du capitaine. Celui-ci se renfrogna en reconnaissant ses propres provisions, mais but une grande rasade de vin.

Sir Francis consulta la pile de feuilles sur lesquelles il avait pris ses notes, puis jeta un coup d'œil à l'une des lettres qu'il avait trouvées dans le bureau du capitaine. Elle provenait d'une éminente compagnie de banquiers hollandais. Il regarda le capitaine et s'adressa à lui d'un ton sévère :

— Je m'étonne qu'avec votre position et votre ancienneté au sein de la VOC, vous vous permettiez de commercer pour votre propre compte. Nous savons tous deux que c'est formellement interdit par les Dix-Sept. (Le capitaine donna l'impression de vouloir protester, mais lorsque Sir Francis tapota la lettre, il s'en abstint et regarda d'un air coupable le gouverneur assis à côté de lui.) Il semble que vous soyez fort riche, monsieur. Une rançon de vingt mille florins ne vous fera guère défaut. (Le capitaine marmonna et fronça les sourcils lugubrement, mais Sir Francis poursuivit sans sourciller.) Si vous écrivez une lettre à vos banquiers, l'affaire pourra se régler entre gentilshommes dès que j'aurai reçu la somme en or.

Le capitaine inclina la tête en signe d'assentiment.

— Quant aux autres officiers de bord, j'ai examiné votre registre des enrôlements, reprit Sir Francis en tirant vers lui le livre et en l'ouvrant. Apparemment, ce sont tous des hommes sans grandes relations ni fortune personnelle. En est-il bien ainsi ?

— C'est exact, Mijnheer.

— Je les enverrai donc au Cap avec les matelots. Il nous reste maintenant à décider à qui nous confierons le soin de transmettre au Conseil de la Compagnie la demande de rançon du gouverneur Van de Velde et de sa bonne épouse — et naturellement la lettre à vos banquiers.

Sir Francis leva les yeux vers le gouverneur.

— Envoyez Schreuder, répondit celui-ci en prenant un autre fruit confit.

— Schreuder ? fit Sir Francis qui feuilleta les papiers jusqu'à trouver le brevet du colonel. Colonel Cornelius Schreuder, le nouveau commandant militaire du fort de Bonne-Espérance ?

— *Ja*, c'est cela. (Van de Velde prit une troisième sucrerie.) Son grade lui donnera davantage de poids lorsqu'il présentera votre demande de rançon à mon beau-père, précisa-t-il.

Sir Francis étudia le visage de l'homme occupé à mastiquer son fruit confit. Il se demandait pour quelle raison le gouverneur voulait se débarrasser du colonel. C'était apparemment un homme précieux ; il eût été plus judicieux de le garder sous la main. Cependant, ce que disait Van de Velde à propos de sa position était juste. Et Sir Francis sentait que le colonel Schreuder risquait de semer le trouble s'il était gardé captif à bord du galion un certain temps ; de causer plus d'ennuis qu'il n'engendrerait de profit, pensa-t-il.

— Très bien, acquiesça-t-il. C'est lui que j'enverrai.

Les lèvres pleines de sucre, le gouverneur fit une moue de satisfaction. Il savait l'intérêt que sa femme portait à l'impétueux colonel. Il n'était marié avec elle que depuis quelques années et tenait cependant pour certain qu'elle avait eu au moins dix-huit amants durant cette période, certains seulement pour une heure ou un soir.

Zelda, sa femme de chambre, était à la solde de Van de Velde et rendait compte à celui-ci de toutes les aventures de sa maîtresse en prenant indirectement un profond plaisir à lui rapporter tous les détails salaces.

Lorsque Van de Velde avait pris conscience des appétits charnels de Katinka, il s'en était indigné. Ses reproches étaient cependant restés sans effet et il avait vite compris qu'il était incapable de la tenir. Il ne pouvait ni protester avec trop de force ni la répudier car, d'une part, il était entiché d'elle et, d'autre part, son père était riche et puissant. L'avancement de sa propre fortune et de sa position sociale dépendait presque entièrement d'elle. En définitive, sa ligne de conduite avait consisté pour l'essentiel à la soustraire à la tentation et à lui retirer les occasions de le tromper. Au cours de cette traversée, il avait réussi à la garder pratiquement prisonnière dans sa cabine et il était certain que, s'il ne l'avait pas fait, elle eût déjà essayé les « charmes » du colonel, qu'il arborait ostensiblement. Lui parti, le choix des distractions serait considérablement réduit et, après un jeûne prolongé, peut-être même deviendrait-elle sensible à ses avances.

— C'est d'accord, j'enverrai le colonel Schreuder en émissaire, répéta Sir Francis en tournant la page de l'almanach posé devant lui sur le bureau. Avec des vents favorables et la grâce de Dieu, l'aller et retour devrait prendre plus de huit mois. Nous pouvons espérer que vous serez libre de prendre vos fonctions au Cap à Noël.

— Où nous garderez-vous prisonniers jusqu'à réception de la rançon ? Mon épouse est une dame de qualité et de santé délicate.

— En un lieu sûr et confortable, je vous en donne ma garantie, monsieur.

— Où fixerez-vous le rendez-vous avec le navire porteur de l'argent de la rançon ?

— A 33° de latitude sud et 4° 30′ est.

— Mais encore ?

— Eh bien, gouverneur Van de Velde, à l'endroit même où nous sommes en ce moment.

Sir Francis n'était pas homme à se laisser amener par la ruse à révéler les coordonnées de sa base.

Par une aube brumeuse, le galion jeta l'ancre dans des eaux plus tranquilles, à l'abri d'un promontoire rocheux de la côte d'Afrique. Le vent était tombé et avait commencé à tourner. La fin de l'été et l'équinoxe d'automne approchaient. Le *Lady Edwina*, dont les pompes fonctionnaient en permanence, vint se ranger contre son bord et, avec des défenses en étoupe nattée entre les coques, s'amarra au gros navire.

Ils entreprirent immédiatement de le vider. Les palans avaient déjà été installés sur les vergues du galion. Ils commencèrent par sortir les pièces d'artillerie. Les longs canons de bronze sur leur affût s'élevèrent en se balançant dans les airs. Trente hommes tiraient chaque couleuvrine avec le palan, puis la laissaient descendre sur le pont du galion. Lorsque les pièces seraient mises en place, le galion aurait la puissance de feu d'un vaisseau de ligne et serait en mesure d'attaquer n'importe quel galion de la Compagnie en gardant l'avantage.

En assistant à l'embarquement des canons, Sir Francis se rendit compte qu'il disposait à présent de la puissance nécessaire pour lancer un raid sur n'importe quel port de commerce hollandais des Indes. La prise du *Standvastigheid* n'était qu'un début. Il ambitionnait de devenir la terreur des Hollandais dans l'océan Indien, comme Sir Francis Drake avait été le fléau des Espagnols sur leur propre océan au cours du siècle précédent.

Les barils de poudre étaient maintenant hissés hors du magasin de la caravelle. Très peu étaient encore pleins après une si longue campagne et les rudes batailles qu'ils avaient menées. En revanche, il restait presque deux tonnes de poudre à canon d'excellente qualité à bord du galion, assez pour engager une douzaine de combats ou s'emparer d'un riche entrepôt hollandais sur la côte de Java ou de Trincomalee.

Lorsque le mobilier et les provisions furent embarqués, vint le tour des barriques d'eau, des coffres contenant les armes, des barils de viande en saumure et de farine, des sacs de pain et des pinasses, que les charpentiers démontèrent. Ils furent rangés dans la cale principale du galion par-dessus les tas de bois exotiques. Tout cela était si volumineux et le galion déjà si encombré par sa propre cargaison que, pour contenir l'ensemble, les hiloires d'écoutille de la cale durent être enlevées le temps que le navire soit conduit jusqu'à la base secrète de Sir Francis.

Entièrement vide, le *Lady Edwina* était haut sur l'eau lorsque le colonel Schreuder et l'équipage hollandais furent prêts à monter à son bord. Sir Francis convoqua le colonel sur le gaillard d'arrière, lui rendit son épée et lui tendit la lettre adressée au Conseil de la Compagnie des Indes orientales à Amsterdam. Elle était cousue dans une enveloppe en toile, les coutures scellées à la cire rouge, et entourée d'un ruban. Le tout formait un paquet imposant que le colonel prit sous le bras.

— J'espère que nous nous reverrons, Mijnheer, dit Schreuder à Sir Francis d'un ton menaçant.

— Dans huit mois à dater d'aujourd'hui, je serai au rendez-vous, lui assura ce dernier. Je serai alors ravi de vous revoir pourvu que vous me rapportiez les deux cent mille florins d'or.

— Vous n'avez pas saisi ce que je voulais dire, fit Cornelius Schreuder d'un air mécontent.

— Je vous assure que si, répondit Sir Francis calmement.

Le colonel regarda ensuite l'endroit où Katinka Van de Velde se tenait au côté de son mari. La profonde révérence qu'il fit dans leur direction et son regard de regret n'étaient pas uniquement destinés au gouverneur.

— Je reviendrai avec diligence pour mettre un terme à votre épreuve, leur dit-il.

— Que Dieu soit avec vous, répondit le gouverneur. Notre sort est entre vos mains.

— Ayez l'assurance de ma profonde gratitude à votre retour, mon cher colonel, murmura Katinka d'une voix haletante de petite fille.

Le colonel frissonna comme s'il avait reçu un seau d'eau glacée. Il se redressa de toute sa hauteur, la salua puis tourna les talons et se dirigea vers le bastingage du galion.

Hal attendait près de la coupée avec Aboli et le grand Daniel. Le colonel plissa les yeux, s'arrêta devant Hal et se tortilla la moustache. Les rubans de son manteau voltigeaient dans la brise et son écharpe de colonel frémit quand il toucha l'épée à son côté.

— Nous avons été interrompus, jeune homme, dit-il à voix basse en bon anglais et sans accent. Mais l'occasion me sera donnée un jour ou l'autre de finir la leçon.

— Espérons-le, monsieur. Je suis toujours désireux d'apprendre, répondit Hal, que la présence d'Aboli enhardissait.

Pendant quelques instants, ils se regardèrent droit dans les yeux, puis Schreuder descendit sur le pont de la caravelle. Immédiatement les amarres furent jetées et l'équipage hollandais hissa les voiles. Le *Lady Edwina* rua comme un poulain ombrageux et gîta sous la pression de la toile. Il s'écarta avec légèreté de la terre pour prendre le large.

— Appareillons nous aussi, je vous prie, maître Ned! dit Sir Francis. Levez l'ancre!

Le galion laissa porter vers la haute mer et mit le cap au sud. Depuis le nid-de-pie, Hal voyait parfaitement le *Lady Edwina*. La caravelle gagnait le large pour éviter les hauts-fonds traîtres du cap des Aiguilles avant de courir par vent arrière en direction du fort hollandais, au pied de la grande montagne plate qui garde l'extrémité sud-ouest du continent africain.

D'un seul coup, la silhouette des voiles de la caravelle se modifia radicalement. Hal se pencha et cria :

— Le *Lady Edwina* change de cap.

— Dans quelle direction? hurla son père en retour.

— Il court largue. Il semble faire route vers l'ouest.

La caravelle faisait exactement ce que l'on attendait d'elle. Avec le vent de sud-est en plein sur l'arrière du travers, elle filait à présent droit sur Bonne-Espérance.

— Garde-le à l'œil.

La silhouette du navire s'amenuisa jusqu'à ce que ses voiles blanches se confondent à l'horizon avec les crinières des chevaux d'écume emportés par le vent.

— Il a disparu, cria Hal vers le gaillard d'arrière.

Sir Francis avait attendu ce moment pour amener le galion sur sa vraie route. Il ordonna au timonier de virer vers l'est et le vaisseau se mit à courir une longue bordée parallèle à la côte africaine.

— Il semble que ce soit sa meilleure allure, dit-il à Hal lorsque celui-ci fut redescendu sur le pont après avoir été relevé en tête de mât. Même avec son gréement de fortune, il est passablement rapide. Nous devons apprendre à connaître les caprices de notre nouvelle maîtresse. Envoie un coup de loch, s'il te plaît.

Sablier en main, Hal mesura le temps que mettait un bout de bois jeté en proue pour glisser le long de la coque jusqu'à l'arrière. Il effectua un rapide calcul sur l'ardoise puis leva les yeux vers son père :

— Six nœuds.

— Avec un grand mât neuf, il atteindrait dix nœuds. Ned Tyler a trouvé un espar de bon pin de Norvège dans un coin de la cale. Nous le mettrons dans l'emplanture dès que nous arriverons au port. (Sir Francis semblait ravi : Dieu leur souriait.) Rassemble l'équipage. Nous allons demander à Dieu de bénir le navire et le rebaptiser.

Tête nue dans le vent, les marins serraient leur bonnet contre leur poitrine et prenaient l'air aussi pieux qu'ils pouvaient, appréhendant de s'attirer la défaveur de Sir Francis.

— Nous te remercions, Dieu tout-puissant, de nous avoir accordé la victoire sur les hérétiques et les apostats, les disciples plongés dans les ténèbres de l'ignorance du fils de Satan, Martin Luther.

— Amen! crièrent-ils.

Tous étaient de bons anglicans à l'exception des indigènes, mais même les Noirs dirent « Amen! » avec les autres, mot qu'ils avaient appris dès leur premier jour à bord du navire de Sir Francis.

— Nous te remercions aussi d'être intervenu opportunément au plus fort de la bataille et de nous avoir épargné une défaite certaine...

Hal traîna les pieds en signe de désaccord, mais sans lever les yeux. Une partie du mérite lui revenait et son père ne l'avait pas reconnu explicitement.

— Nous te remercions et louons ton nom pour avoir placé ce beau navire entre nos mains. Nous faisons solennellement le serment de nous en servir pour humilier et défaire tes ennemis. Nous te prions de le bénir, de veiller sur lui et de consacrer le nouveau nom que nous allons lui donner. Il s'appellera désormais le *Résolution*.

Son père n'avait fait que traduire en anglais le nom hollandais du galion, et Hal était attristé que ce bateau ne porte pas le nom de sa mère. Il se demanda si le souvenir que son père avait d'elle ne finissait pas par s'estomper ou s'il avait quelque autre raison de ne pas continuer à honorer sa mémoire. Il savait cependant qu'il n'aurait jamais le courage de le lui demander et qu'il devait simplement accepter sa décision.

— Nous te prions de nous accorder sans cesse ton aide pour nous soutenir dans notre lutte interminable contre les impies. Nous te remercions humblement pour la récompense dont tu nous as si généreusement gratifiés. Et nous espérons que si nous

nous montrons dignes de toi, tu récompenseras notre dévotion et notre sacrifice par de nouvelles preuves de l'amour que tu nous portes.

C'était là un sentiment tout à fait légitime, que pouvaient éprouver tous ceux qui étaient à bord, chrétiens ou païens. Tout homme qui se mettait au service de Dieu était fondé à recevoir de lui une récompense, et pas uniquement dans l'au-delà. Les trésors dont regorgeaient les cales du *Résolution* attestaient de manière tangible de son approbation et de sa considération pour eux.

— Et maintenant, un ban pour le *Résolution* et tous ceux qui sont à son bord.

Ils poussèrent des acclamations jusqu'à s'en casser la voix, puis Sir Francis les fit taire. Il remit son chapeau à plumet et leur fit signe de se couvrir. Son expression se fit sévère :

— Il nous reste une dernière tâche à accomplir, dit-il en regardant le grand Daniel. Amenez les prisonniers sur le pont, maître Daniel.

Sam Bowles était en tête du petit groupe d'hommes qui sortirent à la queue leu leu de la cale en clignant des yeux pour se protéger du soleil. On les conduisit à l'arrière et les obligea à se mettre à genoux face à l'équipage.

Sir Francis lut leurs noms sur le parchemin qu'il avait à la main :

— Samuel Bowles, Edward Broom, Peter Law, Peter Miller, John Tate. Vous êtes agenouillés devant vos camarades, accusés de lâcheté, de désertion devant l'ennemi et de manquement à votre devoir.

Les autres hommes grondaient et leur lançaient des regards furieux.

— Qu'avez-vous à répondre à ces accusations ? Etes-vous les lâches et les traîtres que nous vous accusons d'être ?

— Pitié, Votre Grâce. C'était un instant de folie. Nous nous repentons sincèrement. Pardonnez-nous, nous vous en implorons par égard pour nos femmes et nos enfants que nous avons laissés à la maison, plaida Sam Bowles en tant que porte-parole des quatre autres.

— Les seules femmes que vous avez jamais eues étaient les catins des maisons closes de Dock Street, railla le grand Daniel, et l'équipage rit à gorge déployée.

— Pendez-les à la fusée de vergue qu'on les voie danser une gigue en l'honneur du diable.

— Honte à vous ! coupa Sir Francis. Est-ce ainsi que des Anglais rendent justice ? Tout homme, aussi vil soit-il, a droit à un procès équitable. (Les marins se calmèrent et il poursuivit :) Nous règlerons cette affaire en respectant les formes de la procédure. Qui porte ces accusations contre eux ?

— Nous ! rugit l'équipage à l'unisson.

— Qui sont vos témoins ?

— Nous-mêmes ! répondirent-ils d'une seule voix.

— Avez-vous été témoins d'un acte de trahison ou de lâcheté ? Avez-vous vu ces scélérats abandonner le combat et laisser leurs camarades à leur sort ?

— Oui !

— Vous avez entendu les témoignages portés contre vous ? Avez-vous à dire quelque chose pour votre défense ?

— Grâce ! geignait Sam Bowles.

Les autres étaient hébétés. Sir Francis se retourna vers l'équipage.

— Quel est donc votre verdict ?

— Coupables !

— Plutôt deux fois qu'une ! ajouta le grand Daniel.

— Et votre sentence ? demanda derechef Sir Francis.

— Qu'on les pende !

— La pendaison, c'est un trop gentil châtiment pour les porcs. Qu'on leur donne la grande cale !

— Non, non ! Qu'on les écartèle, qu'on leur fasse manger leurs choses.

— Les porcs, ça se fait griller ! Brûlons-les !

Si Francis les fit taire de nouveau.

— Les avis sont partagés, ce me semble. Faites-les redescendre et enfermez-les, dit-il en adressant un signe à Daniel. Laissons-les mijoter dans leur jus puant pendant un jour ou deux. Nous statuerons sur leur sort en arrivant à bon port. Pour l'heure, des tâches plus urgentes nous attendent.

Pour la première fois de sa vie de marin, Hal avait une cabine à lui seul. Il n'était plus obligé de partager chaque instant du jour et de la nuit avec d'autres dans une intimité forcée.

Le galion était spacieux en comparaison de la petite caravelle et son père lui avait trouvé une place à côté de sa magnifique cabine. C'était un simple cagibi qui avait servi de placard au serviteur du capitaine hollandais. « Il te faut un endroit éclairé pour poursuivre tes études, avait déclaré Sir Francis pour justifier son geste. Tu perds beaucoup de temps à dormir alors que tu pourrais travailler. » Il avait ordonné au charpentier du navire d'installer une couchette ainsi qu'une étagère sur laquelle Hal pût poser ses livres et ses papiers.

Une lampe à huile se balançait au-dessus de sa tête ; elle noircissait le plafond mais donnait assez de lumière pour permettre à Hal de lire et d'écrire ce que son père lui avait demandé d'apprendre. Ses yeux lui brûlaient de fatigue et il réprima un bâillement en trempant sa plume dans l'encrier et en contemplant la feuille de parchemin sur laquelle il recopiait une partie des instructions de navigation rédigées par le capitaine hollandais et prises par son père. Tout navigateur avait son propre manuel d'instructions, journal de bord inestimable dans lequel il notait des détails concernant les mers et les océans, les courants, les côtes et les ports, dressait des tableaux indiquant les déviations variables et mystérieuses du compas selon le lieu, des cartes du ciel nocturne, qui changeait avec la latitude. Les navigateurs prenaient beaucoup de peine pour accumuler ces connaissances leur vie durant, à partir de leurs propres observations ou de celles des autres. Son père voulait qu'il achève ce travail avant de prendre son quart en tête de mât à quatre heures du matin.

Il fut distrait par un léger bruit derrière la cloison et leva les yeux, sa plume à la main. C'était un bruit de pas si léger qu'il était presque inaudible et il provenait de la luxueuse cabine de la femme du gouverneur. Il tendit l'oreille, essayant de donner une signification aux sons qui lui parvenaient. Son cœur lui disait que c'était l'adorable Katinka, mais il n'avait aucune certitude. Ce pouvait être aussi sa vieille domestique ou même son grotesque mari. Il se sentit floué à cette pensée.

Il se persuada cependant que c'était bien Katinka et sa proximité le transportait bien qu'il y eût la cloison pour les séparer. Il languissait tant après elle qu'il était incapable de se concentrer sur sa tâche et même de rester assis.

Il se leva, forcé de baisser la tête à cause du manque de hauteur, s'approcha en silence de la cloison, s'y appuya et écouta. Il entendit un léger raclement, comme si quelque chose avait été tiré à travers la cabine, le frou-frou d'un vêtement, d'autres sons qu'il ne put identifier puis le doux murmure d'un liquide coulant dans une cuvette. L'oreille contre le panneau de bois, il imagina ce qui se passait derrière. Il l'entendit s'asperger le visage, pousser de petits gémissements au contact de l'eau froide, puis il entendit l'eau retomber en gouttes dans la cuvette.

En baissant les yeux, il vit qu'un faible rayon lumineux passait par une fente de la cloison, simple trait de lumière jaune qui vacillait au rythme des mouvements du navire. Sans songer aux conséquences de ce qu'il faisait, il se mit à genoux et regarda par la fente. Il ne voyait pas grand-chose car elle était étroite et il avait la lumière de la bougie en plein dans l'œil.

Puis quelque chose passa entre la bougie et lui, un tourbillon de soie et de dentelle. Il eut le souffle coupé en apercevant ensuite l'éclat satiné d'une peau blanche parfaite. Cela n'avait été qu'un éclair, si rapide qu'il avait à peine eu le temps de distinguer la ligne du dos nu, lumineux comme de la nacre à la lueur de la chandelle.

Il appuya son visage avec plus de force contre la cloison, essayant désespérément d'entrevoir une fois encore cette beauté. Par-dessus le bruit normal des membrures qui travaillaient dans le courant, il eut l'impression d'entendre un souffle, aussi léger que le murmure d'un zéphyr tropical. Exalté, il retint sa respiration aussi longtemps qu'il put afin d'écouter.

A cet instant, la bougie fut brusquement retirée, le rayon de lumière à travers la fente avait disparu. Il perçut le bruit léger de pas qui s'éloignaient, puis l'obscurité et le silence retombèrent derrière la cloison.

Il resta à genoux un bon moment, comme un adorateur dans un sanctuaire, puis se redressa lentement et se rassit à sa planche de travail. Il essaya de forcer son cerveau fatigué à mener à bien la tâche assignée par son père, mais son esprit continua de battre la campagne comme un poulain indiscipliné échappé à son entraîneur. L'écriture qui couvrait la page devant lui se dissolvait en images d'une peau d'albâtre et de cheveux d'or. Il avait dans ses narines le souvenir du parfum tentateur qu'il avait senti lorsqu'il avait fait irruption dans la cabine de la jeune femme. Il se couvrit les yeux d'une main pour tenter d'empêcher ces visions d'envahir son cerveau endolori.

En vain : son esprit ne lui obéissait plus. Il prit sa bible, posée près de son journal, et ouvrit la jaquette de cuir. Entre les pages courait un filigrane d'or, le fin cheveu qu'il lui avait volé sur son peigne.

Il le porta à ses lèvres et gémit : il s'imaginait qu'il pourrait encore y déceler une trace de son parfum et ferma les yeux avec force.

C'est peu après qu'il prit conscience de l'action entreprise traîtreusement par sa main droite. Comme une voleuse, elle s'était glissée sous les basques de son ample pourpoint, le seul vêtement qu'il portait dans ce réduit étouffant. Quand il comprit ce qu'il faisait, il était trop tard pour s'arrêter. Il s'abandonna sans résister au mouvement de va-et-vient de sa main. La sueur coulait par tous ses pores et inondait ses jeunes muscles. Le membre qu'il tenait entre ses doigts était dur comme un os et doué d'une vie propre.

Le parfum de la jeune femme lui emplit la tête. Le mouvement de sa main s'accéléra, mais pas autant que le battement de son cœur. Il savait que c'était un péché et une folie. Son père l'avait averti, mais il ne pouvait s'arrêter. Il se tordit sur son tabouret et sentit l'océan de son amour pour elle s'élever avec la force de la marée. Il poussa un petit cri et la semence jaillit et se répandit sur ses cuisses, puis son odeur musquée chassa le parfum sacré de ses narines.

Il resta assis, en nage et haletant doucement, et se laissa envahir par un sentiment de culpabilité et de dégoût de lui-même. Il avait trahi la confiance de son père, la promesse qu'il lui avait faite, et, avec son appétit de luxure, avait entaché l'image pure et charmante d'une sainte.

Il ne pouvait rester dans sa cabine un instant de plus. Il passa précipitamment sa veste de marin en toile, grimpa quatre à quatre l'échelle menant au pont et resta un moment près du bastingage en respirant profondément. L'air du large balaya son sentiment de culpabilité et de dégoût. Apaisé, il jeta un coup d'œil circulaire pour voir se qui se passait autour de lui.

Le navire courait toujours par bâbord amures sur la perpendiculaire du vent. Ses mâts se balançaient d'avant en arrière sous le dais lumineux des étoiles. On apercevait à peine la masse tapie de la terre côté sous le vent. La Grande Ourse se tenait à un doigt de la silhouette sombre du continent. Cela lui rappelait avec nostalgie le pays de sa naissance et son enfance révolue.

Au sud, au-dessus de son épaule droite, le ciel était illuminé par la constellation du Centaure, avec en son centre la puissante Croix du Sud, le symbole de ce nouveau monde au-delà de la Ligne.

Il regarda vers la barre et vit la lueur de la pipe de son père dans un coin abrité du gaillard d'arrière. Il ne voulait pas se retrouver en face de lui pour l'instant, car il était certain que ses traits portaient encore les marques de sa dépravation et que son père saurait à quoi s'en tenir, même dans l'obscurité. Il savait cependant qu'il l'avait vu et qu'il trouverait étrange qu'il ne vienne pas lui présenter ses respects. Il se dirigea donc vers lui à grands pas.

— Soyez indulgent, père. Je suis monté m'aérer un peu pour me rafraîchir les idées, bafouilla-t-il, incapable de soutenir son regard.

— Ne paresse pas trop longtemps ici, l'avertit Sir Francis. Je tiens à ce que tu aies achevé ton travail avant de prendre ton quart.

Hal se dirigea rapidement vers l'avant. Il n'était pas encore habitué aux dimensions du pont. Une grande partie de la cargaison et de l'équipement de la caravelle n'avait pu être rentrée dans les cales déjà encombrées du galion et avait été arrimée sur le pont. Il se fraya un chemin au milieu des barriques, des caisses et des couleuvrines.

Hal était encore trop travaillé par le remords pour avoir bien conscience de ce qui l'entourait, jusqu'au moment où il entendit tout près un murmure de conspirateur. Il reprit immédiatement ses esprits et regarda vers l'avant.

Un petit groupe d'hommes se cachait dans l'ombre portée de la cargaison empilée sous le gaillard d'avant. Leurs mouvements furtifs l'avertissaient qu'il se tramait quelque chose.

Après avoir été jugés par leurs pairs, Sam Bowles et ses hommes avaient été amenés de force à fond de cale et jetés dans un petit local sans lumière et mal ventilé, qui avait dû être le magasin du charpentier. L'odeur forte du poivre et de la sentine était suffocante, et l'espace était si réduit qu'ils ne pouvaient pas s'étendre sur le plancher tous en même temps. Ils s'installèrent le mieux qu'ils purent dans ce cagibi et s'enfermèrent dans un mutisme désespérant.

— Où sommes-nous? Sous la ligne de flottaison, vous croyez? interrogea Ed Broom pitoyablement.

— Aucun de nous n'est capable de se repérer à l'intérieur du galion, marmonna Sam Bowles.

— Vous pensez qu'ils vont nous tuer? demanda Peter Law.

— Tu peux être sûr en tout cas qu'ils ne vont pas nous prendre dans leurs bras et nous embrasser, grogna Bowles.

— La grande cale, murmura Ed. J'ai déjà vu faire ça. Quand ils ont tiré le pauvre bougre sous le bateau et l'ont ressorti de l'autre côté, il était mort noyé, comme un rat dans un tonneau de bière. Il n'y avait plus beaucoup de viande sur sa carcasse — nettoyée par les bernacles accrochées à la coque. On voyait ses os qui pointaient, tout blancs.

Ils restèrent silencieux un moment, puis Peter Law dit :

— Je les ai vus pendre et tirer les régicides sur une claie. Ils leur ont ouvert le ventre comme à des poissons, ils y ont fourré un crochet de fer qu'ils ont tourné jusqu'à ce qu'il leur ait arraché tous les boyaux et ils ont tiré sur leurs intestins comme sur des cordes. Ensuite, ils leur ont coupé l'arbalète et les choses...

— Ferme-la, coupa sèchement Bowles, et ils retombèrent dans le silence.

Une heure plus tard, Ed Bloom murmura :

— Il y a un courant d'air. Je le sens dans mon cou.

Au bout d'un moment, Peter Law dit à son tour :

— Il a raison. Je le sens aussi.

— Qu'est-ce qui peut bien y avoir derrière cette cloison ?

— Nul ne le sait. C'est peut-être la cale principale.

On entendit un grattement.

— Qu'est-ce que vous fichez ? demanda Bowles.

— Il y a un interstice entre les planches. C'est par là que l'air passe.

— Fais voir, fit Sam en s'approchant à quatre pattes. Tu as raison. J'arrive à passer les doigts à travers le trou.

— On pourrait peut-être l'agrandir.

— Si le grand Daniel t'y prend, gare à toi.

— Qu'est-ce qui ferait ? Nous écartèlerait ? C'est de toute façon son intention.

Bowles travailla dans le noir pendant un moment puis grogna :

— Avec un levier, je pourrais écarter les planches.

— Je suis assis sur des madriers.

— Passe-m'en un.

Tous s'activaient à présent et ils réussirent finalement à introduire l'extrémité d'un étrésillon dans le trou de la cloison. S'en servant comme levier, ils pesèrent de tout leur poids. Le bois se déchira avec un craquement sec et Bowles passa une main à travers le trou.

— C'est vide derrière. Pourrait bien être une issue.

Ils poussaient en avant pour tenter d'agrandir l'ouverture et, dans leur hâte, s'arrachaient les ongles et s'enfonçaient des échardes dans les paumes.

— Ecartez-vous ! Ecartez-vous de là ! leur dit Bowles avant de se glisser en se tortillant à travers l'ouverture.

Quand ils l'entendirent s'éloigner à quatre pattes de l'autre côté, ils se précipitèrent à sa suite.

Il se frayait son chemin à tâtons, l'odeur violente du poivre lui brûlait la gorge et le faisait suffoquer. Ils se trouvaient dans la cale qui contenait les barriques d'épices. Il y avait un tout petit peu plus de lumière ; elle passait là où l'hiloire d'écoutille avait été démontée.

Ils distinguaient à peine les énormes barriques, chacune plus haute qu'un homme, empilées les unes sur les autres, et il n'y avait pas de place pour ramper par-dessus, car elles touchaient presque le pont. Ils parvinrent cependant à se faufiler entre elles, non sans risques.

Les lourdes barriques glissaient légèrement avec les mouvements du navire. Elles frottaient et cognaient contre les membrures avec un bruit mat et tiraient sur les cordes qui les maintenaient. Elles pouvaient écraser un homme comme un vulgaire cafard.

Sam Bowles était le plus petit. Il avait pris la tête, suivi des autres. Soudain un cri aigu résonna à travers la cale et les figea sur place.

— Tiens-toi tranquille, imbécile, beugla Bowles, furieux. Tu vas ameuter tout le navire.

— Mon bras! brailla Peter Law. Aidez-moi.

Le roulis de la coque avait soulevé une des barriques, qui était retombée sur le bras de l'homme, le clouant contre le pont. Elle continuait de glisser et de l'écraser, et ils entendaient les os de son avant-bras et de son coude broyés comme du blé sec entre les meules. Law poussait des cris de douleur hystériques et il n'y avait pas moyen de lui faire entendre raison ni de le calmer.

Sam revint en arrière à son côté.

— Ferme-la!

Il empoigna l'épaule de son compagnon et la souleva pour essayer de la dégager. Mais le bras était coincé et Law hurla de plus belle.

— Rien à faire, grogna Bowles.

Il défit le bout de corde qui lui servait de ceinture, en fit une boucle, la passa autour de la tête de l'homme et serra le nœud autour de son cou. Calant ses deux pieds entre les omoplates de Law, il se pencha en arrière et tira de toutes ses forces. Les hurlements s'arrêtèrent d'un seul coup. Bowles garda le nœud serré un moment après que l'autre eut cessé de se débattre, puis il le défit et remit la corde autour de sa taille.

— Je ne pouvais pas faire autrement. Mieux vaut un mort que cinq.

Aucun ne souffla mot et ils suivirent Bowles dans sa reptation, laissant les fûts réduire le cadavre en bouillie.

— Donnez-moi un coup de main, fit Sam.

Les autres le poussèrent sur l'une des barriques empilées sous l'écoutille.

— Il n'y a plus qu'un bout de toile entre nous et le pont, murmura-t-il, triomphant, touchant de la main la bâche tendue.

— Allez, sortons d'ici, chuchota Ed Bloom.

— Il fait encore grand jour, objecta Bowles en l'empêchant de défaire les cordes qui maintenaient en place la toile de protection. Attendons la nuit. Il n'y en a plus pour longtemps.

La lumière qui filtrait par les jours autour de la bâche baissa peu à peu. Ils entendaient la cloche du navire sonner les quarts.

— Fin du dernier quart de jour, fit Bloom. Allons-y.

— Attendons encore un peu, préconisa Bowles. Dans une heure, ça ira. Commençons à défaire la bâche.

— Qu'est-ce qu'on fera quand on sera dehors ? Tu ne songes tout de même pas à essayer de t'emparer du navire ?

— Mais non, espèce d'âne. J'en ai par-dessus la tête de votre fichu capitaine Franky. Faudra essayer de trouver quelque chose qui flotte et hop ! La terre n'est pas loin.

— Et les requins ?

— Les morsures du capitaine Franky sont plus terribles que celles de n'importe quel putain de requin sur lequel tu tomberas.

Nul ne contesta.

Ils détachèrent un coin de la bâche, Bowles le souleva et jeta un coup d'œil à l'extérieur.

— La voie est libre. Il y a des barriques vides au pied du mât de misaine. Elles nous serviront d'embarcations.

Il sortit en se tortillant de dessous la bâche et traversa le pont comme une flèche. Les autres l'imitèrent un à un et l'aidèrent à détacher les cordes avec lesquelles les fûts étaient arrimés. En quelques secondes, ils en avaient détaché deux.

— Tous ensemble, les gars, chuchota Bowles.

Ils firent rouler la première barrique à travers le pont, la soulevèrent, la jetèrent par-dessus le bastingage et revinrent en courant chercher la deuxième.

— Hé ! Qu'est-ce que vous faites là ?

L'interpellation venait de tout près et les fit sursauter. Livides, ils se retournèrent et reconnurent Hal.

— C'est le petit drôle de Franky ! cria l'un.

Ils laissèrent tomber la barrique et galopèrent vers le bastingage. Ed Broom fut le premier à passer par-dessus. Il plongea la tête la première, suivi de près par Peter Miller et John Tate.

Il fallut quelques instants à Hal pour comprendre ce qu'ils faisaient, puis il bondit pour barrer le passage à Sam Bowles. C'était le meneur, le plus coupable de la bande ; Hal le saisit à bras-le-corps au moment où il atteignait le bastingage.

— Père! cria-t-il, assez fort pour que sa voix porte aux quatre coins du pont. Père, à l'aide!

Les deux hommes luttaient, embrassés poitrine contre poitrine. Hal immobilisa la tête de son adversaire, qui la dégagea et lui en donna un coup pour tenter de lui casser le nez. Mais le grand Daniel lui avait appris la lutte et il connaissait la parade : il baissa le menton sur sa poitrine et le crâne de Bowles heurta le sien. Tous deux, à moitié étourdis par le choc, relâchèrent leur étreinte.

Tout de suite, Bowles s'avança en titubant vers le bastingage, mais, à genoux, Hal le saisit aux jambes.

— Père! cria-t-il encore.

Bowles essaya de se libérer d'un coup de pied mais Hal le tenait avec acharnement. Le traître vit alors Sir Francis foncer vers eux depuis le gaillard d'arrière. Il avait tiré son épée, dont la lame miroitait à la lumière des étoiles.

— Tiens bon, Hal! J'arrive!

Bowles n'avait pas le temps de défaire la corde qu'il avait à la ceinture et de la passer autour du cou de Hal. Il se baissa et lui serra la gorge à deux mains. C'était un homme de petite taille, mais ses doigts, renforcés par le travail, étaient durs comme de l'acier. Il trouva la trachée et la bloqua impitoyablement.

La douleur fit suffoquer Hal et il desserra son étreinte autour des jambes de Bowles. Il prit les poignets de l'homme et essaya de leur faire lâcher prise, mais son adversaire posa un pied sur sa poitrine, le poussa en arrière et se précipita vers le bastingage. Sir Francis qui arrivait en courant lui lança un coup d'épée, mais Bowles se baissa pour l'éviter et plongea par-dessus bord.

— Cette vermine va nous échapper! cria Sir Francis. Maître d'équipage, tout le monde sur le pont pour virer de bord. Nous allons rebrousser chemin pour les ramasser.

Sam Bowles s'enfonça profondément dans l'eau et le froid lui coupa le souffle. Il sentit qu'il se noyait, mais lutta et réussit à remonter. Il atteignit enfin la surface, aspira à pleins poumons, l'étourdissement et la faiblesse de ses membres disparurent.

Il leva les yeux vers la coque du navire, qui passait majestueusement à côté de lui, puis se retrouva dans son sillage, lisse et brillant sous les étoiles. C'est en le suivant qu'il pourrait retrouver la barrique, et il devait se hâter, avant que la houle ne l'efface et ne lui retire le moyen de se repérer dans l'obscurité. Il était pieds nus et ne portait qu'une chemise de coton en loques et son pourpoint de toile, qui ne l'entravaient en rien dans ses mouvements. Il se mit à nager à l'indienne; contrairement à la plupart de ses compagnons, il était bon nageur.

Après une douzaine de brasses, il entendit des cris tout proches et reconnut la voix d'Ed Broom.

— Aide-moi, Sam! Donne-moi un coup de main, camarade, ou je suis fichu.

Bowles se mit à faire du surplace et, à la lumière des étoiles, il vit les éclaboussures que faisait Broom en se débattant. Derrière lui, il aperçut quelque chose d'autre, soulevé sur la crête d'une lame, une chose sombre et ronde.

C'était la barrique!

Mais Broom se trouvait entre lui et cette planche de salut. Bowles se remit à nager en ayant soin de contourner son infortuné compagnon. Il est dangereux de s'approcher trop près d'un homme qui se noie: il risque de s'agripper à vous et de vous entraîner au fond avec lui.

— Je t'en supplie, Sam! Ne me laisse pas, lança encore Broom d'une voix plus faible.

Bowles atteignit la barrique et s'accrocha au fausset. Il se reposa un moment puis sortit de sa torpeur en voyant une autre tête danser sur l'eau près de lui.

— Qui est-ce? dit-il en haletant.

— C'est moi, John Tate, jeta le nageur qui toussait et crachait tout en essayant de trouver une prise sur la barrique.

Bowles dénoua la corde qu'il avait à la ceinture, la tourna au fausset et passa son bras dans la boucle. John Tate s'y agrippa lui aussi.

Bowles essaya de le repousser.

— Lâche-la! Elle est à moi.

Mais, pris de panique, Tate s'accrochait désespérément et après une minute, Bowles n'insista plus. Il ne pouvait se permettre de gaspiller ses forces en luttant contre plus fort que lui.

Tous deux étaient suspendus à la corde en une trêve hostile.

— Qu'est-ce qui est arrivé à Peter Miller? demanda Tate.

— Je me fous de Peter Miller! gronda Bowles.

L'eau était froide et sombre, et les deux hommes imaginaient fort bien ce qui pouvait se cacher sous leurs pieds. Une bande de requins tigres suivait toujours les navires sous ces latitudes, à l'affût des déchets et du contenu des latrines vidées par-dessus bord. Bowles en avait vu un aussi long qu'une des pinasses du *Lady Edwina* et le souvenir lui en revint. Il sentit la partie inférieure de son corps se rétracter et il trembla de froid et de terreur à la pensée que ces rangs serrés de dents pourraient se refermer sur lui et le couper en deux comme il pouvait le faire en croquant une pomme.

— Regarde! cria John Tate au moment où une vague l'ayant frappé au visage il buvait la tasse. Bowles leva la tête et vit une forme noire et gigantesque surgir de la nuit, toute proche.

— Ce foutu Franky est revenu nous chercher, grogna-t-il en claquant des dents.

Horrifiés, ils virent le galion courir droit sur eux, devenir de plus en plus gros à chaque seconde jusqu'à masquer toutes les étoiles, et qu'ils puissent entendre les voix des hommes sur le pont.

— Voyez-vous quelque chose, maître Daniel? lança Sir Francis.

— Rien, capitaine, tonna la voix du grand Daniel à l'avant.

Il était quasiment impossible de distinguer le bois sombre de la barrique ou les deux têtes qui dansaient à côté sur l'eau noire et agitée.

La vague soulevée par l'étrave les heurta et, tandis que la lanterne de poupe s'éloignait dans l'obscurité, ils se retrouvèrent ballottés dans le sillage du galion.

A deux reprises au cours de la nuit, ils virent la lueur de la lanterne, mais à chaque fois elle passa plus loin. De longues heures plus tard, tandis que le jour se levait, ils cherchèrent des yeux avec inquiétude le *Résolution*, mais il était hors de vue. Ils avaient dû les donner pour noyés et reprendre leur route. Etourdis par le froid et la fatigue, ils restaient accrochés à leur bouée.

— La terre est là, murmura Bowles d'une voix rauque après qu'une vague l'eut soulevé et lui eut permis d'apercevoir la côte sombre de l'Afrique. Elle est si près que tu pourrais facilement nager jusque-là. (John Tate ne répondit pas mais le regarda d'un air renfrogné de ses yeux rouges et gonflés.) C'est ta meilleure chance de t'en sortir. Un gars jeune et fort comme toi. T'inquiète pas pour moi.

— Tu ne te débarrasseras pas de moi aussi facilement, Sam, grinça Tate.

Bowles se tut, ménageant ses forces minées par le froid. Le soleil s'éleva sur l'horizon et ils le sentirent sur leur tête, chaleur douce qui les revigora, puis fournaise qui leur brûlait la peau, les éblouissait et les aveuglait en se réverbérant sur la mer.

Le soleil monta encore, mais la terre ne se rapprochait pas : inexorablement, le courant les entraînait parallèlement aux promontoires rocheux et aux plages de sable blanc. Bowles remarqua sans y prêter attention l'ombre d'un petit nuage passer près d'eux, tache sombre qui se déplaçait à la surface de l'eau. Puis l'ombre vira et revint en arrière, remontant contre le vent ; Bowles s'agita et leva la tête : pas le moindre nuage sur la voûte bleue du ciel pour projeter une telle ombre. Il baissa les yeux et concentra toute son attention sur cette tache sombre. La houle souleva la barrique assez haut pour qu'il pût regarder au fond de l'eau.

— Doux Jésus ! fit-il d'une voix sourde, ses lèvres craquelées brûlées par le sel.

L'eau était aussi claire qu'un verre de gin et il avait vu une grande forme tachetée se déplacer sous la surface, les zébrures sombres sur son dos. Il poussa un cri.

John Tate leva la tête.

— Qu'est-ce qu'il y a ? Le soleil t'a tapé sur la tête ?

Il vit les yeux fous de Bowles, puis tourna lentement la tête pour suivre son regard. Les deux hommes aperçurent la grande queue fourchue onduler d'un côté et de l'autre, propulsant le long corps en avant. Il montait vers la surface et la pointe de l'aileron dorsal surgit, dépassant l'eau d'un doigt seulement, le reste toujours caché.

— Un requin ! un requin tigre ! siffla John Tate.

Il donnait des coups de pied frénétiques, essayant de faire tourner la barrique pour interposer Bowles entre lui et le squale.

— Tiens-toi tranquille, rugit celui-ci. C'est comme un chat avec une souris. Si tu bouges, il te saute dessus.

Ils voyaient l'œil du monstre, minuscule pour un corps aussi volumineux. Le requin entama le cercle suivant en les fixant d'un regard implacable. Il tournait autour de la barrique, et recommençait, chaque cercle plus petit que le précédent.

— Ce salaud nous traque comme une hermine chasse la perdrix.

— Ferme-la. Ne bouge pas, maugréa Bowles, mais il ne put plus se maîtriser.

Ses intestins se relâchèrent et il sentit la chaleur fétide dans ses braies. Immédiatement, le squale sentit les excréments, ses mouvements devinrent plus frénétiques et sa queue battit l'eau à un rythme plus rapide. L'aileron dorsal émergea complètement, aussi long et incurvé qu'une lame de faux.

La surface était blanche d'écume sous les battements de queue du requin qui vint heurter du museau le côté de la barrique. Bowles vit avec terreur la tête lisse du squale se transformer comme par miracle. Les larges mâchoires s'ouvrirent et la lèvre supérieure se renfla. Les rangées de dents inclinées vers l'avant s'ouvrirent en grand et se refermèrent avec un claquement sec sur la barrique.

Pris de panique, les deux hommes s'agrippaient à leur radeau endommagé en tentant de sortir de l'eau le bas de leur corps. Ils poussaient des hurlements incohérents et s'accrochaient frénétiquement l'un à l'autre et aux douves du tonneau.

Le requin s'éloigna et entama un autre de ses cercles terrifiants. Au-dessous de son œil fixe, sa gueule s'incurvait en un affreux rictus. Les battements de jambes des deux hommes attiraient maintenant son attention; il remonta à la surface et fendit les flots de son large dos.

Le cri aigu de John Tate fut brusquement interrompu, mais il resta bouche bée. Il n'en sortait aucun son à l'exception du léger sifflement de l'air expiré. Il fut ensuite entraîné brusquement sous la surface. Son poignet gauche était toujours entortillé dans la boucle de la corde et la barrique s'enfonça dans l'eau comme un bouchon.

— Lâche, bon sang! hurla Sam Bowles, projeté dans tous les sens, la corde lui coupant profondément le poignet.

La barrique remonta soudain. Le poignet de Tate était toujours pris dans la boucle de la corde. Autour d'eux, un nuage rose foncé s'étendait à la surface de l'eau.

Puis la tête de John Tate resurgit. Il laissa échapper un son rauque, postillonnant de la salive tachée de sang dans les yeux de Bowles. Son visage était blanc comme neige, exsangue. Le requin revint à la charge et, sous la surface, saisit le bas du corps de Tate, le tira et l'agita en tous sens, si bien que la barrique fut une fois de plus entraînée vers le fond. Quand elle resurgit à la surface, Bowles inspira un bon coup et tira sur le poignet de Tate.

— Fichez le camp! Laissez-moi tranquille! cria-t-il à l'homme et au requin.

Avec la force d'un dément, il libéra la boucle de la corde puis, d'un coup de pied dans la poitrine de son infortuné compagnon, le repoussa tout en continuant à hurler :

— Fichez le camp!

John Tate ne résista pas. Ses yeux étaient toujours grands ouverts mais si ses lèvres frémissaient, aucun son n'en sortait. Sous la surface, son corps avait été dévoré jusqu'à la taille, et l'eau avait pris une teinte rouge sombre. Le requin le saisit une nouvelle fois puis s'éloigna en emportant des morceaux de chair.

Endommagée, la barrique avait embarqué de l'eau et elle était à présent beaucoup plus basse sur la surface, mais cela lui donnait une stabilité qu'elle n'avait pas auparavant. A la troisième tentative, Bowles parvint à se hisser dessus. Bras et jambes écartés, il était étendu sur elle. L'équilibre du tonneau était précaire et il craignait même de lever la tête de peur de le rompre et de se retrouver à l'eau. Au bout d'un moment, il vit le grand aileron dorsal passer devant ses yeux : le squale revenait vers la barrique. Il n'osa pas tourner la tête pour suivre les cercles de plus en plus petits décrits par le requin, et ferma les yeux en essayant de ne plus y penser.

Soudain le tonneau fit une embardée et il oublia sa résolution. Les yeux fous, il se mit à hurler. Mais après avoir mordu dans le bois, le requin s'éloigna. A deux reprises il revint, à chaque fois poussant le frêle esquif avec son museau monstrueux. Cependant, ses tentatives se faisaient moins déterminées, peut-être parce qu'il avait assouvi son appétit avec la carcasse de John Tate et que le goût et l'odeur du bois lui déplaisaient. Au bout d'un moment, Bowles le vit faire demi-tour et s'éloigner, son grand aileron agité d'un côté et de l'autre tandis qu'il remontait le courant.

Immobile, l'homme étreignait la barrique, montant et descendant au rythme de la houle comme un amant épuisé. La nuit tomba sur lui ; il aurait été à présent incapable de bouger, même s'il l'avait voulu. Il sombra dans le délire et un état semi-comateux.

Il rêvait que c'était déjà le matin, qu'il avait survécu cette nuit encore. Il rêvait qu'il entendait des voix humaines tout près. Il rêvait que, ouvrant les yeux, il voyait un grand navire mettre en panne. Il savait que c'était un fantasme car, chaque année, moins de deux douzaines de bateaux doublaient ce cap perdu à l'autre bout du monde. Et pourtant, tandis qu'il regardait, une embarcation fut descendue le long du navire et amenée vers lui en quelques coups d'aviron. C'est seulement quand des mains rudes le prirent par les jambes qu'il comprit que ce n'était pas un rêve.

Le *Résolution* s'approcha de la côte avec la toile réduite au minimum, l'équipage attendant l'ordre de l'affaler et de la ferler sur ses vergues.

Sir Francis regardait alternativement les voiles et la terre toute proche. Il écoutait avec une vive attention le sondeur égrener ses chiffres tout en lançant sa ligne en avant de l'étrave. Lorsque le navire passait au-dessus du plomb et que la ligne était verticale, il lisait la profondeur.

— Marée haute dans une heure, dit Hal en levant la tête de son ardoise. Et pleine lune dans trois jours. Ça va faire de vives-eaux.

— Merci, pilote, lança Sir Francis avec une pointe de sarcasme.

Hal ne faisait que son devoir, mais il n'était pas le seul à bord à s'être plongé pendant des heures sur l'almanach et les tables.

— Grimpe sur le nid-de-pie, fiston, fit Sir Francis d'un ton plus amène. Et ouvre l'œil.

Il regarda Hal s'élever rapidement dans les haubans, puis se tourna vers la barre et dit tranquillement :

— Un quart à bâbord, maître Ned.

— Un quart à bâbord, capitaine.

Sans se servir de ses mains, le maître d'équipage fit passer le tuyau de sa pipe en terre vide d'un coin à l'autre de sa bouche. Lui aussi avait vu l'écume soulevée par le récif à l'entrée de la passe. La terre était si proche à présent qu'on distinguait les branches des arbres, de plus en plus grands sur les promontoires rocheux qui gardaient l'entrée.

— Conservez cette allure, ordonna Sir Francis tandis que le *Résolution* se faufilait entre ces imposantes falaises.

Il n'avait vu cette passe sur aucune des cartes qu'il avait eues entre les mains. La côte qui s'étend sur un millier de milles au nord du cap de Bonne-Espérance était toujours décrite comme inhospitalière ou dangereuse, avec peu de mouillages sûrs. Cependant, en s'enfonçant plus profondément dans le chenal d'eau verte, le *Résolution* déboucha sur une superbe lagune entourée de tous côtés par de hautes collines couvertes d'une épaisse forêt.

— La lagune des Eléphants! exulta Hal en tête de mât.

Voilà plus de deux mois qu'ils avaient quitté ce havre secret. Comme pour justifier le nom que Sir Francis avait donné à ce port naturel, un barrissement sonna comme un coup de clairon au pied de la forêt.

Hal rit de plaisir en apercevant quatre énormes formes grises sur la plage. Ils se tenaient épaule contre épaule face au navire, leurs oreilles largement déployées. A l'extrémité de leur trompe dressée, leurs narines cherchaient à percevoir l'odeur de cette étrange apparition qui se dirigeait vers eux. Le mâle leva ses longues défenses jaunes, secoua la tête jusqu'à ce que ses oreilles claquent comme la toile en lambeaux d'une grand-voile déferlée, et barrit de nouveau.

A l'avant du navire, Aboli lui renvoya son salut en levant la main au-dessus de sa tête et en criant dans la langue que seul Hal comprenait : « Je te vois[1], vieux sage. Va en paix, car je suis de ton totem et ne te veux pas de mal. »

Au son de sa voix, les éléphants reculèrent, puis firent volte-face à l'unisson et rentrèrent dans la forêt en courant de leur pas traînant. Hal se remit à rire en entendant Aboli et en voyant les grands animaux fuir et ébranler la forêt de leur lourd piétinement.

Puis il fit appel à toute son attention pour repérer les bancs de sable et les récifs, et crier des indications à son père, debout sur le gaillard d'arrière. Le *Résolution* suivit le chenal sinueux sur toute la longueur de la lagune jusqu'au moment où il parvint à un grand plan d'eau verte. Les derniers bouts de toile furent affalés et ferlés sur leurs vergues, l'ancre jetée avec force éclaboussures. Le galion évita doucement et fit tête sur sa chaîne.

Il était mouillé à une cinquantaine de mètres seulement de la plage, caché derrière un îlot, invisible pour un bateau passant devant l'entrée de la passe. Le navire ne s'était pas plus tôt immobilisé que Sir Francis lança ses ordres :

— Charpentier ! Montez et lancez les pinasses !

Avant midi la première était mise à l'eau et une dizaine d'hommes y descendirent avec leur nécessaire de marin. Le grand Daniel commanda les rameurs, qui les amenèrent à l'autre bout de la lagune et les débarquèrent au pied des promontoires rocheux. Sir Francis les regardait à la longue-vue gravir la piste escarpée des éléphants qui conduisait au sommet. De là-haut, ils feraient le guet et l'avertiraient de l'approche de tout voilier inconnu.

— Demain, nous transporterons les couleuvrines à l'entrée de la passe et nous les installerons sur des rochers pour couvrir le chenal, dit-il à Hal. Pour l'heure, fêtons notre arrivée avec du poisson frais pour le dîner. Sors les hameçons et les lignes. Prends Aboli et quatre hommes avec toi dans l'autre pinasse. Débusquez quelques crabes sur la plage et rapportez-moi une cargaison de poisson pour le carré.

Tandis que la pinasse s'éloignait du galion, debout à la proue, Hal scrutait l'eau. Elle était si claire qu'on voyait le fond sablonneux. Les poissons pullulaient dans la lagune et fuyaient par bancs entiers à l'approche de l'embarcation. Beaucoup étaient longs comme le bras, certains plus encore.

Lorsqu'ils jetèrent l'ancre dans la partie la plus profonde du che-

1. Expression de respect. (*N.d.T.*)

nal, Hal lança une ligne après avoir garni les hameçons avec des crabes ramassés dans des trous sur la plage. Avant d'avoir touché le fond, l'appât fut happé avec une telle vigueur que, le temps de l'arrêter, la ligne lui brûla les doigts. Penché en arrière, il la ramena laborieusement et remonta par-dessus le plat-bord un long corps argenté qui donnait de grands coups de queue.

Tandis que le poisson continuait de frapper le pont et que Hal se démenait pour lui retirer l'hameçon, Aboli poussa une exclamation et tira sur sa ligne. Avant qu'il ait pu remonter sa prise, tous les autres marins riaient et s'évertuaient à remonter à bord de gros poissons.

Une heure après, ils en avaient jusqu'aux genoux et étaient couverts jusqu'aux yeux d'écailles et d'un dépôt gluant. Le frottement des lignes et les nageoires pointues des poissons avaient mis en sang les mains, pourtant calleuses, des marins. Ce n'était plus du sport mais un dur labeur que d'empêcher le flot des corps argentés de s'échapper par-dessus bord.

Juste avant le coucher du soleil, Hal mit fin à la pêche et ils retournèrent au galion. Ils en étaient encore à une centaine de mètres quand, sur une impulsion, Hal se redressa à l'arrière de la pinasse et ôta ses vêtements sales et puants. Nu comme au premier jour, en équilibre sur le banc de nage, il dit à Aboli :

— Ramène-la et remonte la pêche à bord, je continue à la nage.

Il n'avait pas pris de bain depuis deux mois, depuis la dernière fois où ils avaient jeté l'ancre dans la lagune, et il mourait d'envie de sentir l'eau fraîche contre sa peau. Il prit son élan et plongea. Les hommes l'encourageaient depuis le bastingage du galion en lui lançant des paillardises et même Sir Francis s'arrêta pour le contempler avec indulgence.

— Laissez-le faire, capitaine, dit Ned Tyler. C'est encore un gamin insouciant. Il est si grand et fort que nous avons parfois tendance à l'oublier.

Sir Francis naviguait avec Ned depuis tant d'années qu'il pouvait lui pardonner cette familiarité.

— Il n'y a pas de place pour un jeune écervelé dans la guerre de course. C'est une affaire d'hommes et elle exige que l'on ait la tête sur les épaules, même si ce sont celles d'un adolescent, sous peine de voir les Hollandais vous passer la corde au cou.

Mais il ne tenta pas de réprimander Hal et regarda son corps nu fendre l'eau, souple comme un dauphin.

Katinka entendit le vacarme sur le pont au-dessus d'elle et leva les yeux de son livre, un exemplaire de *la Vie inestimable du grand Gargantua*, imprimé confidentiellement à Paris, avec de magnifiques gravures érotiques coloriées à la main. Un jeune homme qu'elle avait connu à Amsterdam avant son mariage précipité le lui avait envoyé. Par expérience directe et intime, il connaissait bien ses goûts. Elle regarda négligemment par la fenêtre et ce qu'elle vit piqua son intérêt. Elle laissa tomber son livre et se leva pour mieux voir.

— *Lieveling*, attention à votre mari, la mit en garde Zelda.

— Au diable mon mari, répondit Katinka qui sortit sur la galerie arrière en se protégeant les yeux des rayons obliques du soleil couchant.

Le jeune Anglais qui l'avait capturée se tenait à l'avant d'une petite chaloupe, à faible distance sur les eaux tranquilles de la lagune. Elle le vit ôter ses vêtements sales et en loques, puis, sans cacher sa nudité, rester quelques instants en équilibre sur le plat-bord.

Quand elle était petite, elle avait accompagné son père en Italie. Elle avait soudoyé Zelda pour qu'elle l'emmène voir les sculptures de Michel-Ange pendant que son père avait un rendez-vous avec ses associés italiens. Elle avait passé presque une heure de cet après-midi étouffant devant la statue de David. Sa beauté avait soulevé en elle une tempête d'émotions. C'était la première représentation de l'anatomie masculine qu'elle avait jamais vue, et sa vie en avait été changée.

A présent, elle avait sous les yeux une autre statue de David, mais celle-ci n'était pas de marbre. Depuis leur première rencontre, elle avait souvent vu le jeune Anglais. Il ne la lâchait pas d'une semelle comme un chien affectueux. Chaque fois qu'elle quittait sa cabine, il apparaissait comme par miracle et, de loin, la couvait des yeux. Cette adoration non déguisée l'amusait à peine, car elle n'était pas habituée à moins de la part de tout homme entre quatorze et quatre-vingts ans. Il n'avait guère mérité plus qu'un coup d'œil, ce joli garçon en haillons. Après leur première entrevue, sa forte odeur avait persisté longtemps dans sa cabine, si âcre qu'elle avait ordonné à Zelda d'asperger du parfum pour la dissiper. Mais, comme elle en avait fait l'amère expérience, elle savait que tous les marins sentaient mauvais, car l'eau embarquée à bord était réservée à la boisson.

Maintenant que l'adolescent s'était dépouillé de ses vêtements nauséabonds, il apparaissait d'une étonnante beauté. Ses bras et son visage étaient bronzés mais son torse et ses jambes avaient conservé une blancheur immaculée. Le soleil bas dorait les courbes et les angles de son corps et ses cheveux sombres tombaient sur ses épaules. Ses dents blanches ressortaient dans son visage hâlé, et son rire était si mélodieux et communicatif qu'un sourire se dessina sur les lèvres de Katinka.

Puis le regard de celle-ci descendit vers les parties plus intimes du corps de Hal et sa bouche s'entrouvrit. Ses yeux violets se plissèrent et prirent une expression d'intense intérêt. Les lignes douces du visage du jeune garçon étaient trompeuses; ce n'était plus un gamin. Dans le bas de son ventre plat et musclé s'élargissait une masse sombre de poils bouclés et ses organes génitaux en imposaient par une plénitude qui faisait défaut au David de Michel-Ange.

Lorsqu'il plongea dans la lagune, elle put suivre ses mouvements dans l'eau transparente. Il remonta à la surface et secoua la tête en riant pour chasser ses cheveux de ses yeux. Les gouttelettes étincelèrent comme une auréole autour d'un visage d'ange.

Il se mit à nager dans sa direction, glissant sur l'eau avec une grâce qu'elle ne lui avait pas remarquée quand il était vêtu de ses hardes. Il passa presque sous elle mais ne la regarda pas et ne vit pas qu'elle l'observait. Elle distinguait sa colonne vertébrale, flanquée de muscles durs et prolongée par le profond sillon de ses fesses rondes et minces qui se durcissaient à chacun de ses battements de pied, comme s'il faisait l'amour avec l'élément liquide.

Elle se pencha pour le suivre des yeux, mais il disparut autour de la poupe. Katinka fit une moue de dépit et rentra pour reprendre son livre. Mais les illustrations qu'il contenait avaient perdu à ses yeux tout leur intérêt.

Elle était là, assise avec le livre ouvert sur ses genoux, et imaginait ce jeune corps sur elle, ces fesses dures labourées par ses ongles. Elle savait d'instinct qu'il était vierge; elle percevait presque l'odeur suave de la chasteté flotter autour de lui et se sentait attirée par elle comme une guêpe par un fruit mûr. Ce serait son premier puceau et cette pensée ajoutait du piment à sa beauté naturelle.

Sa rêverie érotique était encore enflammée par sa longue période d'abstinence forcée. Elle se renversa sur sa chaise et, serrant ses cuisses l'une contre l'autre, se balança doucement d'avant en arrière, se souriant secrètement à elle-même.

Les trois nuits suivantes, Hal campa sur la plage au-dessous des promontoires. Son père l'avait chargé de transporter les canons à terre et de construire les emplacements en pierre pour les recevoir, afin qu'ils commandent l'étroite entrée de la lagune.

Sir Francis s'était bien entendu rendu sur place pour approuver le choix des sites effectué par son fils, mais il n'avait rien trouvé à y redire.

Le quatrième jour, lorsque le travail fut achevé, Hal remarqua en traversant la lagune que les réparations du galion étaient bien avancées. Le charpentier et ses aides avaient élevé un échafaudage autour de la proue et, à partir de cette plate-forme, remplaçaient les panneaux endommagés par les tirs de couleuvrines, pour la plus grande gêne des invités obligés. Le mât de fortune installé par le capitaine hollandais à la place du grand mât arraché par le vent avait été enlevé, et le galion avait une allure bizarre avec un mât en moins.

Cependant, en arrivant à la coupée, Hal vit que Ned Tyler et son équipe sortaient des cales les grosses billes de bois exotique qui constituaient la partie la plus lourde de la cargaison et les mettaient à l'eau pour les faire flotter vers la terre.

Le mât de rechange était arrimé au fond de la cale, près du compartiment où étaient enfermés les pièces et les lingots. Pour les atteindre, il fallait décharger la cargaison.

— Ton père te demande, fit Aboli en accueillant Hal, qui se dirigea à la hâte vers l'arrière.

— Tu as négligé tes études au cours de ces trois jours à terre, lui dit Sir Francis sans préambule.

— Oui, père, répondit Hal.

Il savait qu'il était inutile de lui faire remarquer qu'il n'avait pu en être autrement. A tout le moins, il décida de ne pas s'excuser et soutint son regard sans broncher.

— Après ton dîner, je te ferai réviser ton catéchisme de l'Ordre. Viens dans ma cabine à la huitième cloche du second quart du soir.

Le catéchisme d'initiation à l'Ordre de saint Georges et du Saint-Graal n'avait jamais été couché par écrit, et pendant près de quatre siècles, les deux cents questions ésotériques et leurs réponses avaient été transmises oralement, le maître instruisant le novice dans la stricte observance.

Assis à côté d'Aboli sur le gaillard d'avant, Hal engloutit un biscuit chaud, frit dans la graisse, et du poisson grillé. Grâce à la provision illimitée de bois et d'aliments frais dont ils disposaient à présent, l'ordinaire du bord était substantiel, mais Hal mangeait en silence. Il repassait mentalement son catéchisme, car son père était sévère dans son jugement. La cloche du bateau tinta plus tôt qu'il n'eût voulu et, alors que la dernière note s'évanouissait, Hal frappait doucement à la porte de la cabine de son père.

Tandis que celui-ci était assis à son bureau, Hal restait à genoux à même le plancher. Sir Francis portait sur ses épaules la cape de son office, et sur sa poitrine étincelait le magnifique sceau en or, l'insigne de chevalier nautonier qui était passé par tous les degrés hiérarchiques de l'Ordre. Il représentait le lion rampant d'Angleterre tenant haut la croix pattée et, au-dessus, les étoiles et le croissant de lune de la déesse mère. Les yeux du lion étaient des rubis et les étoiles, des diamants. Au deuxième doigt de sa main droite, il portait un anneau d'or, gravé d'un compas et d'un quadrant, les instruments du navigateur, et au-dessus un lion couronné. L'anneau était fin et discret, contrairement au sceau.

Son père s'exprimait en latin. L'utilisation de cette langue garantissait que seuls des hommes cultivés puissent devenir membres de l'Ordre.

— Qui es-tu ? demanda Sir Francis.

— Henry Courteney, fils de Francis et d'Edwina, répondit Hal à cette première question.

— Dans quelle intention es-tu ici ?

— Je souhaite entrer dans l'Ordre de saint Georges et du Saint-Graal.

— D'où viens-tu ?

— De la mer océane, car c'est d'elle que je suis sorti et en elle que sera mon linceul.

Par cette réponse, Hal reconnaissait la vocation maritime de l'Ordre. Les cinquante questions suivantes permettaient de sonder la connaissance qu'avait le novice de l'histoire de l'Ordre.

— Quels sont ceux qui t'ont précédé ?

— Les chevaliers pauvres du Christ et du Temple de Salomon.

Les chevaliers de l'Ordre de saint Georges et du Saint-Graal étaient les successeurs de l'Ordre du Temple.

Sir Francis demanda ensuite à Hal de brosser un historique de l'Ordre : comment, en 1312, l'Ordre des Templiers avait été dissous par Philippe le Bel en connivence avec le pape fantoche Clément V de Bordeaux, leur immense fortune en or et en terre confisquée par la Couronne, et les Templiers, torturés et brûlés sur le bûcher. Cependant, avertis par leurs alliés, les Templiers marins avaient largué les amarres, quitté subrepticement les ports français et pris la mer en direction de l'Angleterre, où ils avaient sollicité la protection du roi Edouard II. Depuis lors, ils avaient ouvert des loges en Ecosse et en Angleterre sous de nouveaux noms, mais en conservant intacts les principes de l'Ordre.

Sir Francis fit ensuite répéter à son fils les paroles ésotériques de reconnaissance et lui montra la manière de se serrer la main qui permettait aux chevaliers de s'identifier mutuellement.

— *In Arcadia habito*. Je demeure en Arcadie, entonna Sir Francis en se penchant sur Hal pour lui prendre la main.

— *Flumen sacrum bene cognosco !* Je connais bien le fleuve sacré ! répondit Hal avec vénération tout en serrant avec le sien l'index de son père.

— Explique-moi la signification de ces paroles, insista Sir Francis.

— C'est notre alliance avec Dieu et nos semblables. Le Temple est l'Arcadie, nous sommes le fleuve.

La cloche du bateau sonna deux fois le passage des heures avant que Hal ait répondu aux deux cents questions et reçu la permission de se relever.

Lorsqu'il fut de retour dans sa minuscule cabine, il était trop épuisé pour seulement allumer sa lampe à huile et se laissa tomber tout habillé sur sa couchette, où il resta étendu, hébété. Les questions et les réponses du catéchisme résonnaient sans fin dans son cerveau surmené, jusqu'à ce que signification et réalité paraissent s'estomper.

Puis il entendit de légers mouvements de l'autre côté de la cloison et sa fatigue disparut comme par miracle. Il s'assit, toute son attention tournée vers la cabine voisine. Il n'alluma pas sa lampe car le bruit du briquet contre le silex risquait de porter à travers le panneau. Il descendit de sa couchette et, dans l'obscurité, s'approcha à pas de loup de la cloison.

Il s'agenouilla et parcourut du doigt le joint entre les planches jusqu'à trouver le bouchon qu'il y avait laissé. L'ayant enlevé avec précaution, il appliqua son œil contre le petit trou.

Chaque jour, son père permettait à Katinka Van de Velde et à sa suivante de se rendre à terre sous la garde d'Aboli et de marcher sur la plage pendant une heure. L'après-midi même, alors que les deux femmes avaient quitté le navire, Hal avait trouvé un moment pour regagner furtivement sa cabine et agrandir la fissure de la cloison avec la pointe de sa dague. Il avait ensuite taillé un bouchon du même bois pour fermer et dissimuler l'ouverture.

Il se sentit coupable mais ne put s'empêcher de regarder par le trou. La vue qu'il avait de la petite cabine était dégagée. Un grand miroir vénitien fixé à la cloison opposée lui renvoyait le reflet d'autres parties de la pièce, qu'il n'aurait pu voir autrement. De toute évidence, c'était une dépendance de la cabine de la femme du gouverneur. Elle faisait apparemment office de dressing et de cabinet particulier où la jeune femme pouvait prendre un bain et se livrer à sa toilette intime. La baignoire était installée au milieu, un lourd bain de siège en céramique de style oriental, dont les flancs étaient décorés de panneaux représentant des paysages de montagne et des forêts de bambou.

Katinka était installée sur un tabouret bas de l'autre côté de la cabine et sa femme de chambre lui brossait les cheveux. Ils lui tombaient jusqu'à la taille et, à chaque coup de brosse, ils chatoyaient dans la lumière de la lampe. Elle portait une robe de brocart, alourdie par des broderies d'or, et Hal s'étonnait de ce que sa chevelure fût plus brillante que les fils du précieux métal.

Il la contemplait, en extase, essayant de graver dans sa mémoire chaque geste de ses mains blanches, chaque mouvement délicat de sa jolie tête. Le son de sa voix et de son rire était un baume pour son esprit et son corps fatigués. Sa tâche terminée, la suivante s'éloigna. Katinka se leva et Hal eut un pincement de cœur, car il s'attendait à la voir quitter la cabine. Mais au lieu de cela, elle se dirigea dans sa direction. Bien qu'elle fût sortie de son champ de vision directe, il voyait encore son reflet dans le miroir. Seule l'épaisseur de la cloison les séparait à présent et Hal craignait qu'elle n'entende sa respiration rauque.

Il la vit se baisser et soulever la lunette des cabinets installés près de la cloison contre laquelle Hal était appuyé. Soudain, avant qu'il ait compris ce qu'elle voulait faire, elle remonta sa robe au-dessus de sa taille et, du même mouvement, se percha comme un oiseau sur le siège des cabinets.

Elle continua de rire et de bavarder avec sa servante tout en urinant. Lorsqu'elle se redressa, Hal aperçut encore une fois ses longues jambes avant que sa robe ne les cache.

Dans le noir, Hal s'étendit sur sa couchette, les mains serrées sur sa poitrine, pour tenter de trouver le sommeil. Mais la vision de ces beautés ne lui laissait pas de répit. Le corps brûlant, il se tournait d'un côté et de l'autre. « Je serai fort ! » murmura-t-il en serrant les mains jusqu'à faire craquer ses articulations. Il tenta de chasser les images de son esprit, mais elles bourdonnaient dans son cerveau comme un essaim de guêpes furieuses. Une fois encore, il entendit en imagination son rire se mêler au joyeux gazouillis du jet de liquide dans le pot de chambre, et il n'y tint plus. Avec un gémissement coupable, il capitula et ses mains descendirent vers son sexe en érection.

Lorsque le chargement de bois fut sorti de la cale principale, le mât de rechange put être hissé sur le pont, tâche qui demanda la participation de la moitié de l'équipage. Le gros espar, presque aussi long que le galion, avait été retiré avec précaution hors des entrailles du navire. On l'avait fait flotter le long du chenal et tiré sur la plage. Là, dans un espace dégagé sous le dais de la forêt, les charpentiers l'avaient installé sur des tréteaux et commençaient à le tailler et lui donner la forme voulue pour qu'il puisse être mis dans son emplanture.

C'est seulement lorsque la cale fut vide que Sir Francis put inviter l'équipage à assister à l'ouverture du compartiment au trésor que les autorités hollandaises avaient délibérément fait couvrir par les marchandises les plus lourdes. C'était ainsi que procédait habituellement la VOC pour protéger les articles les plus précieux. Plusieurs centaines de tonnes de billes de bois empilées par-dessus l'entrée de la chambre forte étaient de nature à décourager le voleur le plus déterminé.

Tandis que l'équipage s'agglutinait autour de l'écoutille, Sir Francis et les maîtres d'équipage descendirent dans la cale, chacun porteur d'une lanterne, et s'agenouillèrent pour examiner les sceaux que le gouverneur de Trincomalee avait placés sur l'entrée.

— Les sceaux sont intacts! cria Sir Francis pour rassurer ses hommes, qui poussèrent des acclamations rauques. Brisez les charnières! ordonna-t-il au grand Daniel, qui se mit à l'ouvrage avec ardeur.

Le bois vola en éclats et les vis furent arrachées avec un grincement. L'intérieur de la chambre forte était doublé avec des plaques de cuivre, mais la barre de fer du grand Daniel déchira le métal et un murmure de plaisir s'éleva des rangs lorsque le contenu du compartiment fut visible.

Quinze sacs de toile contenaient les pièces. Daniel les tira à l'extérieur et les empila dans une élingue pour qu'ils soient hissés sur le pont. Vint ensuite le tour des lingots d'or. Ils étaient rangés par dizaines dans des caisses de bois brut sur lesquelles le nombre et le poids des lingots étaient marqués au fer rouge.

Lorsque Sir Francis sortit de la cale, il ordonna que tous les sacs de pièces, à l'exception de deux, et toutes les caisses d'or soient descendus dans sa cabine.

— Nous n'allons faire le partage que de ces deux sacs pour l'instant, leur dit Sir Francis. Vous recevrez le reste de votre part lorsque nous serons de retour dans notre bonne vieille Angleterre.

Une dague à la main, il se pencha sur les deux sacs restants et trancha les coutures. Les hommes hurlèrent comme une bande de loups en voyant un flot de pièces d'argent de dix florins se répandre sur le pont.

— Inutile de les compter. Ces têtes de lard de Hollandais l'ont fait pour nous, lança Sir Francis en montrant les chiffres peints au pochoir. Vous vous avancerez à l'appel de votre nom, ajouta-t-il.

Surexcités, riant et échangeant des plaisanteries grivoises, les marins se mirent en file. Quand il entendait son nom, chacun s'approchait en traînant des pieds, bonnet tendu, et sa part de florins d'argent lui était distribuée.

Hal fut le seul à ne pas recevoir de part du butin. Bien qu'il eût droit à une part d'aspirant, un deux-centième de la portion dévolue à l'équipage, soit près de deux cents florins, son père la lui gardait. « Il est hors de question qu'un jeune écervelé se promène avec une bourse pleine d'or ou d'argent, avait-il expliqué à Hal. Tu me remercieras un jour de te l'avoir mise de côté. »

Ayant fini sa distribution, Sir Francis se tourna vers son équipage en feignant d'être furieux :

— Ce n'est pas parce que vous êtes riches maintenant que vous n'avez plus rien à faire à bord, rugit-il. Il faut décharger le reste de la cargaison avant d'échouer le navire et de le mettre en carène.

Nous devons gratter la coque, arborer le nouveau mât et embarquer les couleuvrines. De quoi vous occuper pendant un mois ou deux.

Sir Francis ne laissait personne paresser longtemps sur les navires qu'il commandait. Il n'y avait pas d'ennemi plus redoutable que l'ennui. Pendant que les hommes de quart poursuivaient le travail de déchargement, il occupait les autres. Il ne fallait jamais les laisser oublier qu'ils étaient à bord d'un bâtiment de guerre et qu'ils devaient être prêts à tout moment à affronter un ennemi acharné.

Une fois les panneaux ouverts et les énormes caisses d'épices sorties, il n'y avait plus de place sur le pont pour faire l'exercice. Le grand Daniel amena donc sur la plage les hommes qui n'étaient pas de quart. Epaule contre épaule, ils formèrent les rangs et manièrent le sabre jusqu'à être en nage.

— Assez pour aujourd'hui ! lança finalement Daniel, sans pour autant leur donner quartier libre. Et maintenant un peu de lutte pour se réchauffer le sang, cria-t-il.

Il s'avança parmi eux et forma des paires de combattants qu'il prenait par la peau du cou et précipitait l'un contre l'autre comme des coqs de combat dans l'arène.

La plage ne tarda pas à être couverte de couples de lutteurs nus jusqu'à la taille qui criaient, soulevaient leur adversaire ou le déséquilibraient et l'envoyaient rouler dans le sable.

Assises en retrait à l'orée de la forêt, Katinka et sa femme de chambre regardaient le spectacle avec intérêt. Aboli se tenait à quelques pas derrière elles, appuyé contre un podocarpe géant.

Hal luttait contre un marin de vingt ans plus âgé que lui. Ils avaient la même taille, mais son adversaire était plus lourd. Tous deux cherchaient à se saisir par le cou ou les épaules tout en tournant l'un autour de l'autre, en essayant de se déséquilibrer mutuellement ou de se faire un croche-pied.

— Sers-toi de ta hanche. Projette-le par-dessus ta hanche ! murmura Katinka en regardant Hal.

Elle était à tel point transportée par ce qu'elle voyait qu'elle serrait inconsciemment les poings et se frappait les cuisses en encourageant Hal, les joues roses d'excitation.

Katinka aimait voir les hommes ou les animaux se mesurer. Chaque fois que l'occasion se présentait, son mari devait l'accompagner à des combats de taureaux ou de coqs, ou encore à des concours de chasse aux rats entre terriers.

« Chaque fois que le vin rouge est tiré, ma petite chérie est contente », déclarait Van de Velde, fier de son goût peu ordinaire pour les spectacles sanglants. Elle ne manquait jamais un tournoi d'épée et avait même apprécié le sport de combat anglais à poings nus. La lutte restait cependant l'une de ses distractions favorites, et elle connaissait toutes les prises et les mises à terre.

Les mouvements élégants du jeune homme l'enchantaient et elle était impressionnée par sa technique. Elle constata qu'il avait été bien entraîné car, bien que son adversaire fût plus lourd, Hal se montrait plus rapide et plus fort. Il utilisait le poids de l'autre contre lui, et l'homme grognait et se débattait pour se rattraper alors que Hal était à deux doigts de le faire tomber. A l'attaque suivante, Hal n'opposa aucune résistance mais céda à la poussée de son adversaire et se laissa basculer en arrière sans le lâcher. En touchant le sol, il amortit sa chute en arrondissant le dos, et projeta au même moment ses talons dans le ventre de l'autre pour le catapulter par-dessus lui. Tandis que le marin était étendu, étourdi, Hal sauta à califourchon sur son dos pour le clouer au sol. Empoignant la natte de l'homme, il lui enfonça le visage dans le sable fin jusqu'à ce qu'il tape par terre des deux mains, pour avertir qu'il se rendait.

Hal le lâcha et se releva d'un bond avec l'agilité d'un chat. Le marin se mit à genoux, haletant et crachant du sable. Puis, brusquement, il se jeta sur Hal à l'instant où celui-ci se détournait. En lisière de son champ de vision, Hal entrevit le mouvement du poing en direction de sa tête et recula pour éviter le coup, mais pas tout à fait assez vite. Il l'atteignit en travers du visage et fit jaillir le sang de son nez. Hal saisit le poing de l'homme, lui tordit le bras et lui remonta le poignet entre les omoplates. Le marin poussa des cris perçants tandis que Hal le forçait à se dresser sur la pointe des pieds.

— Par le lait de Marie, vous semblez aimer le goût du sable, maître John, fit Hal en lui appliquant son pied nu au milieu du dos et en l'envoyant de nouveau s'étaler tête la première sur la plage.

— Vous devenez trop malin et sûr de vous, maître Hal ! lança Daniel d'une grosse voix en se dirigeant vers lui à grandes enjambées, le sourcil froncé, essayant de dissimuler le plaisir que lui procurait la victoire de son élève. La prochaine fois, je vous donnerai un adversaire d'une autre trempe. Et ne répétez pas un tel blasphème devant le capitaine, sans quoi vous aurez à tâter d'autre chose de plus dur que le sable fin.

Se délectant de l'approbation mal dissimulée de Daniel et des cris d'encouragement des autres lutteurs, Hal descendit en plastronnant au bord de la lagune et prit de l'eau dans ses mains pour laver le sang sur sa lèvre supérieure.

« Il aime tant gagner ! se dit Daniel en souriant. Il aurait beau faire, le capitaine Franky n'arriverait pas à le terrasser. Le vieux chien a engendré un petit de sa race. »

— Quel âge lui donnes-tu ? demanda Katinka à sa suivante d'un ton pensif.

— Je n'en sais fichtre rien, répondit Zelda d'un air compassé. Ce n'est qu'un gamin.

Katinka secoua la tête, souriant pour elle-même en se rappelant de Hal nu à l'arrière de la pinasse.

— Interroge notre chien de garde.

Avec soumission, Zelda se retourna vers Aboli et lui demanda en anglais :

— Quel âge a ce garçon ?

— Un âge suffisant pour ce qu'elle attend de lui, grogna Aboli dans sa langue en faisant semblant de ne pas comprendre.

Ces derniers jours, il avait observé cette femme aux cheveux couleur de soleil. Cette lueur prédatrice au fond de ses yeux sages ne lui avait pas échappé. Elle regardait les hommes comme une mangouste regarde un poulet bien dodu et, par son port de tête, affectait une innocence démentie par le balancement libertin de ses hanches sous les épaisseurs de soie et de dentelle de tulle.

— Une putain reste une putain, quelle que soit la couleur de ses cheveux, qu'elle vive dans une case ou un palais, ajouta Aboli, le rythme profond de sa voix ponctué par les claquements de son parler dialectal.

— Stupide animal. Il ne comprend rien, lança Zelda avec impatience en se détournant de lui.

Hal quitta le bord de l'eau, gagna la lisière de la forêt pour reprendre sa chemise suspendue à une branche. Il avait encore les cheveux trempés de sueur, la poitrine et les épaules couvertes de marbrures rouges, et du sang étalé sur la joue.

Le bras dressé vers sa chemise, il leva la tête et ses yeux rencontrèrent le regard calme de Katinka. Jusque-là, il ne s'était pas rendu compte de sa présence. Instantanément, il cessa de plastronner et fit un pas en arrière comme si elle l'avait giflé. Une rougeur sombre lui envahit le visage, oblitérant les marques plus claires laissées par son adversaire.

Katinka baissa les yeux sans la moindre gêne vers sa poitrine nue et Hal se croisa les bras comme s'il avait honte et voulait la cacher.

— Tu avais raison, Zelda, dit-elle avec un petit geste dédaigneux de la main. Ce n'est qu'un morveux, ajouta-t-elle en latin pour s'assurer qu'il comprendrait.

Pitoyable, Hal la regarda rassembler ses jupes et, suivie de sa femme de chambre et d'Aboli, remonter la plage d'un pas majestueux vers la pinasse.

Ce soir-là, tandis qu'il était étendu sur la paillasse défoncée de sa couchette, Hal entendit un mouvement, une voix douce et des rires dans la cabine d'à côté. Il se souleva sur un coude. Puis lui revint l'insulte qu'elle lui avait lancée avec un tel dédain. « Je ne penserai plus jamais à elle », se promit-il. Il se laissa retomber sur sa couchette et se boucha les oreilles pour ne plus entendre sa voix mélodieuse. Puis, pour tenter de la chasser de son esprit, il répéta : « *In Arcadia habito* ». Mais il était si fatigué que le sommeil tarda à venir.

A l'extrémité de la lagune, presque à trois kilomètres de l'endroit où le *Résolution* était au mouillage, une rivière d'eau claire dévalait une gorge étroite avant de venir se mêler aux eaux saumâtres.

Tandis que les deux chaloupes avançaient lentement contre le courant à l'entrée de la gorge, des vols d'oiseaux de mer effrayés prenaient leur essor, une vingtaine de races de canards et d'oies inconnues dans le nord, dont les cris et les caquets se mêlaient en une véritable cacophonie. Il y avait aussi d'autres espèces, avec des becs aux formes étranges et des pattes d'une longueur disproportionnée, des hérons, des courlis et des égrettes légèrement différents de leurs homologues anglais, plus gros, le plumage plus luisant. Le ciel était assombri tant ils étaient nombreux, et les hommes étonnés se reposèrent une minute sur leurs rames pour contempler ces multitudes.

— Ce pays regorge de merveilles, murmura Sir Francis, les yeux levés vers cette parade sauvage. Et pourtant nous n'en avons exploré qu'une infime partie. Quels autres prodiges nous attendent au-delà de ce seuil, à l'intérieur des terres, où personne n'a encore posé le pied?

Les paroles de son père excitèrent l'imagination de Hal et lui rappelèrent une fois de plus les dragons et les monstres qui décoraient les cartes qu'il avait étudiées.

— En avant! ordonna Sir Francis, et ils se penchèrent de nouveau sur les longs avirons de queue.

101

Tous deux étaient seuls dans le bateau de tête : Sir Francis tira sur l'aviron de gauche dans un mouvement puissant qui répondait infatigablement à celui de Hal. Entre eux étaient posées les barriques d'eau vides dont le remplissage était l'objectif déclaré de cette expédition au fond de la lagune. Le motif véritable était aux pieds de Sir Francis, dans le fond de l'embarcation. Au cours de la nuit, Aboli et le grand Daniel avaient transporté les sacs de pièces et les caisses contenant les lingots d'or dans la chaloupe et les avaient cachés sous une bâche. A l'avant, ils avaient empilé cinq barils de poudre et tout un assortiment d'armes, prises aux Hollandais en même temps que le trésor du galion : sabres d'abordage, pistolets, mousquets et sacs de cuir contenant des plombs.

Dans le deuxième bateau, suivaient tout près Ned Tyler, le grand Daniel et Aboli, les trois hommes de l'équipage à qui Sir Francis faisait le plus confiance. Leur embarcation était elle aussi chargée de barriques.

Lorsqu'ils furent bien à l'intérieur de l'embouchure de la rivière, Sir Francis cessa de ramer et se pencha pour ramasser un peu d'eau dans un gobelet et la goûter. Il hocha la tête, satisfait.

— Pure et douce, dit-il. (Puis il lança à Ned Tyler :) Commencez à remplir les barriques ici. Hal et moi continuons vers l'amont.

Tandis que Ned dirigeait la chaloupe vers la berge, un cri sauvage retentit à travers la gorge. Tous levèrent la tête.

— Quelles sont ces créatures ? Des hommes ? Des nains couverts de poils ? demanda Ned avec appréhension en regardant des formes presque humaines alignées au bord du précipice, tout là-haut, au-dessus d'eux.

— Des singes, lui cria Sir Francis en posant son aviron. Comme ceux de la côte de Barbarie.

Aboli se mit à rire puis renversa la tête en arrière et imita fidèlement le cri de défi du mâle qui conduisait la bande de babouins. En l'entendant, la plupart des jeunes firent des bonds et s'éloignèrent nerveusement le long de la falaise.

L'énorme mâle releva le défi. Il se tenait à quatre pattes au bord du précipice et ouvrait grand la bouche, découvrant de terribles crocs. Enhardis par sa démonstration de force, certains des jeunes revinrent et se mirent à leur jeter des pierres et des bouts de bois, forçant les hommes à se protéger.

— Envoyez-leur un coup de mousquet pour les disperser, ordonna Sir Francis.

— Ils sont loin, fit remarquer Daniel.

Il prit l'arme qu'il avait en bandoulière, souffla sur l'extrémité de sa corde à feu pour l'attiser et épaula. La gorge répercuta l'écho de la détonation et tous éclatèrent de rire en voyant les cabrioles que faisaient les babouins pris de panique. La balle arracha un éclat de rocher au bord de la corniche et, sous le choc, les jeunes de la bande firent la culbute en arrière. Les mères saisirent leurs petits, les suspendirent à leur ventre et escaladèrent en vitesse la falaise à pic, et même le vaillant mâle abandonna sa dignité pour se joindre à la débandade générale. Quelques secondes après, la falaise était déserte et les cris de retraite des fuyards se perdaient dans le lointain.

Aboli sauta par-dessus bord et, de l'eau jusqu'à la ceinture, tira le bateau vers la rive pendant que Daniel et Ned débouchaient les barriques pour les remplir. Sur l'autre chaloupe, Sir Francis et Hal se penchaient sur les avirons et remontaient le courant. Après quelques centaines de mètres, la rivière se rétrécit considérablement et les falaises se firent plus abruptes. Sir Francis s'arrêta de ramer quelques instants pour se repérer puis rapprocha l'embarcation du bord et l'amarra à une souche. Laissant Hal dans le bateau, il sauta sur l'étroit rebord au pied de la falaise et commença l'escalade. Il n'y avait pas de piste mais Sir Francis se déplaçait avec assurance d'une prise à l'autre. Hal le regardait avec fierté : son père était vieux — il avait depuis longtemps dépassé l'âge vénérable de quarante ans — et pourtant, il grimpait avec force et agilité. Soudain, à cinquante pieds au-dessus de la rivière, il atteignit une corniche, invisible d'en bas, et la longea avec précaution sur quelques mètres. Puis il s'agenouilla pour examiner l'étroite fissure dans la falaise, dont l'ouverture était fermée par des pierres soigneusement empilées. Il sourit avec soulagement en voyant qu'elles étaient exactement comme il les avait laissées près d'un an plus tôt. Il les retira avec soin de la crevasse et les rangea sur le côté jusqu'à ce que l'ouverture fût assez large pour qu'il pût s'y glisser.

La caverne qui s'ouvrait au-delà était obscure mais Sir Francis se redressa et tendit la main au-dessus de sa tête vers une étagère de pierre sur laquelle il chercha à tâtons le silex et le briquet qu'il y avait laissés. Il alluma la bougie qu'il avait apportée, puis regarda autour de lui.

Rien n'avait été touché depuis sa dernière visite. Cinq caisses étaient rangées contre la paroi du fond. C'était le butin pris sur le *Heerlycke Nacht*, de l'argenterie et cent mille florins en pièces, la solde de la garnison hollandaise de Batavia. Du matériel était entassé près de l'entrée et Sir Francis se mit immédiatement à l'ouvrage. Il lui fallut presque une demi-heure pour installer le lourd madrier de bois en porte-à-faux sur la corniche extérieure, puis descendre le palan jusqu'à la chaloupe amarrée en contrebas.

— Arrime la première caisse ! cria-t-il à Hal.

Hal s'exécuta et son père la hissa avec effort. La caisse disparut et quelques minutes plus tard, l'extrémité de la corde redescendit. Hal y arrima la caisse suivante.

Une bonne heure leur fut nécessaire pour remonter tous les lingots et les sacs de pièces et les ranger au fond de la caverne. Puis vint le tour des barils de poudre et des armes. Le dernier objet hissé était le plus petit : une boîte dans laquelle Sir Francis avait placé une boussole et un quadrant, un rouleau de cartes provenant du *Standvastigheid*, un silex et un briquet, un ensemble d'instruments chirurgicaux serrés dans une toile et un choix d'autre matériel qui, pour une petite troupe échouée sur cette côte sauvage et inexplorée, pouvait faire la différence entre la survie et une mort lente.

— Monte, Hal ! appela Sir Francis lorsqu'il eut fini, et Hal escalada la falaise avec la rapidité et l'aisance d'un jeune babouin.

Lorsqu'il parvint là-haut, son père s'était assis confortablement sur l'étroite corniche, les jambes pendant dans le vide, sa pipe en terre et sa blague à tabac à la main.

— Donne-moi un coup de main, fiston ! lui dit-il en montrant avec sa pipe vide la fissure verticale dans la paroi de la falaise. Referme l'entrée.

Hal passa encore une demi-heure à remettre les grosses pierres à leur place afin de cacher l'ouverture et de décourager les intrus. Il y avait peu de risques que des hommes découvrent la cachette dans cette gorge perdue, mais son père et lui savaient que les babouins reviendraient. Ils étaient aussi curieux et farceurs que les humains.

Au moment où Hal s'apprêtait à redescendre la falaise, son père le retint en lui posant la main sur l'épaule.

— Rien ne presse. Les autres n'ont sûrement pas fini de remplir les barriques.

Ils restèrent assis en silence sur la corniche, Sir Francis tirant doucement sur sa pipe. Puis, dans un nuage de fumée bleue, il demanda :

— Qu'est-ce que je viens de faire ?

— Vous avez caché notre part du trésor.

— Non seulement la nôtre, mais aussi celles de la Couronne et de tout l'équipage, corrigea Sir Francis. Mais pourquoi ai-je fait cela?

— L'or et l'argent sont une tentation même pour l'honnête homme, répondit Hal, répétant la phrase que son père lui avait enfoncée dans le crâne.

— Ne devrais-je pas avoir confiance en mon propre équipage?

— Si on ne fait confiance à personne, on ne sera déçu par personne, récita Hal.

— Tu y crois? demanda Sir Francis en se tournant pour voir son visage, et Hal hésita. Ne fais-tu pas confiance à Aboli?

— Si, reconnut Hal à regret, comme si c'était un péché.

— Aboli est un homme bien, il n'y en a pas de meilleur. Mais tu vois pourtant que, même lui, je ne l'amène pas ici.

Il se tut quelques instants, puis demanda:

— Est-ce que tu as confiance en moi, fiston?

— Bien sûr.

— Pour quelle raison? Je ne suis qu'un homme et je t'ai dit de n'accorder ta confiance à personne.

— Parce que vous êtes mon père et que je vous aime.

Les yeux de Sir Francis se voilèrent et il fut sur le point de caresser la joue de Hal. Puis il soupira, laissa retomber sa main et regarda la rivière en contrebas. Hal s'attendait à ce que son père le blâme pour sa réponse, mais il n'en fit rien. Au bout d'un petit moment, il lui posa une autre question:

— Et les autres choses que j'ai cachées là — la poudre, les armes, les cartes et le reste —, pourquoi les y ai-je placées?

— Pour vous prémunir contre un avenir incertain, répondit Hal avec assurance, ayant déjà entendu maintes fois cette réponse. Un renard avisé a plusieurs sorties à son terrier.

— Tous ceux qui participent à la guerre de course courent un risque permanent, acquiesça Sir Francis. Un jour, ces quelques caisses pourraient bien nous sauver la vie.

Il se tut de nouveau pour tirer les dernières bouffées de sa pipe, puis dit doucement:

— Si Dieu est miséricordieux, le temps viendra, peut-être pas très lointain, où cette guerre contre les Hollandais prendra fin. Alors, nous reviendrons ici reprendre notre butin avant de faire voile vers Plymouth. Voilà longtemps que je rêve de posséder le manoir de Gainesbury qui jouxte High Weald... (Il marqua une pause comme s'il n'osait pas tenter le sort en laissant ainsi aller son imagination.) S'il m'arrivait malheur, il est indispensable que tu saches où j'ai entreposé nos gains et que tu t'en souviennes. Ce sera ton héritage.

— Rien ne pourra jamais vous arriver! s'exclama Hal avec agitation.

C'était davantage une supplique que l'expression d'une conviction profonde. Il ne pouvait imaginer sa vie sans cette présence imposante qui en était le pivot.

— Personne n'est immortel, dit Sir Francis à voix basse. Nous devons tous payer notre dette envers Dieu en mourant. (Cette fois-ci, il posa sa main droite quelques instants sur l'épaule de Hal.) Viens, fiston. Nous avons encore à remplir les barriques de notre chaloupe avant la tombée de la nuit.

Sur le chemin du retour, alors que l'obscurité se faisait plus épaisse, les chaloupes glissaient sur la lagune. Aboli avait pris la place de Sir Francis sur le banc de nage et le père de Hal était à présent assis en poupe, emmitouflé dans un manteau de laine pour se protéger de la fraîcheur du soir. Il avait l'air sombre et semblait ailleurs. Tourné vers l'arrière pour manier l'un des longs avirons, Hal avait ainsi la possibilité de l'observer subrepticement. Leur conversation à l'entrée de la caverne l'avait troublé, lui laissant un funeste pressentiment.

Il devinait que son père avait tiré son propre horoscope depuis qu'ils avaient jeté l'ancre dans la lagune. Hal avait vu la carte du zodiaque couverte de notations absconses ouverte sur le bureau de sa cabine, ce qui expliquait peut-être ce repli sur soi. Comme l'avait dit Aboli, les astres étaient ses enfants et il en connaissait les secrets.

Soudain, son père leva la tête et huma l'air frais du soir. Puis, tandis qu'il observait l'orée de la forêt, il changea d'expression. Aucune sombre pensée ne pouvait l'absorber au point de lui faire oublier ce qui se passait autour de lui.

— Aboli, voulez-vous nous amener jusqu'au rivage?

Ils se dirigèrent vers l'étroite plage, suivis par la deuxième chaloupe.

— Prenez vos armes et suivez-moi sans faire de bruit, ordonna Sir Francis à voix basse, après qu'ils eurent tous sauté à terre et amarré les deux embarcations.

Il les conduisit dans la forêt, avançant à pas feutrés à travers le sous-bois jusqu'au moment où il croisa un sentier bien marqué. Il se retourna pour s'assurer qu'ils le suivaient puis se hâta le long du passage.

Hal se demandait où son père les menait jusqu'au moment où il sentit vaguement une odeur de fumée et aperçut la brume bleutée qui planait à la cime des arbres. C'était ce qui avait dû l'alerter.

Sir Francis déboucha dans une petite clairière et s'arrêta. Les quatre hommes qui se trouvaient là ne l'avaient pas remarqué. Deux d'entre eux gisaient comme des cadavres sur un champ de bataille, l'un serrant encore une petite bouteille dans ses doigts inertes, l'autre bavant dans son sommeil.

Les deux autres, assis autour d'un tas de florins d'argent, étaient absorbés dans une partie de dés. L'un ramassa les dés et les secoua près de son oreille avant de les faire rouler sur la terre battue.

— Mère d'un cochon! ronchonna-t-il. C'est pas mon jour de chance.

— Tu ne devrais pas parler ainsi de celle qui t'a donné le jour, dit Sir Francis à voix basse. Mais le reste de ce que tu as dit est vrai : ce n'est pas ton jour de chance.

Avec incrédulité, ils levèrent les yeux vers leur capitaine mais ne tentèrent ni de résister ni de s'échapper quand Daniel et Aboli les obligèrent sans ménagement à se mettre debout et les attachèrent ensemble par le cou comme font les négriers.

Sir Francis alla examiner l'alambic installé à l'autre bout de la clairière. Ils s'étaient servis d'une marmite pour faire bouillir la mixture de vieux biscuits et d'épluchures et de tubes de cuivre volés dans les magasins du navire pour fabriquer le serpentin. Il le renversa d'un coup de pied et l'alcool incolore s'enflamma dans le brasero sur lequel était placée la marmite. Des bouteilles pleines, bouchées avec une boulette de feuille, étaient alignées au pied d'un podocarpe. Il les prit une à une et les brisa contre le tronc de l'arbre. En s'évaporant, l'alcool libérait des vapeurs qui piquaient les yeux. Il s'en retourna ensuite vers Daniel et Ned qui, à coups de pied, avaient sorti les deux ivrognes de leur stupeur éthylique et les avaient traînés de l'autre côté de la clairière pour les attacher avec les deux autres.

— Nous allons les laisser dormir une journée pour dessoûler et, demain, au début du quart de l'après-midi, nous réunirons l'équipage pour qu'il assiste à leur châtiment. Je vous fais confiance, maître Daniel, pour faire siffler votre chat à neuf queues.

— Nous ne faisions rien de mal, capitaine. C'était seulement pour prendre un peu de bon temps, implorèrent-ils en essayant de se traîner vers Sir Francis, mais Aboli les tira en arrière comme des chiens en laisse.

— Je ne vous refuserai pas de prendre du bon temps si vous ne m'empêchez pas d'en prendre aussi, répondit le capitaine.

Le charpentier avait fabriqué à la hâte quatre trépieds auxquels les ivrognes et les joueurs avaient été attachés par les poignets et les chevilles. Le grand Daniel parcourut la rangée et déchira leurs chemises du cou jusqu'à la taille afin de leur découvrir le dos. Ils pendaient à leurs liens sans pouvoir bouger comme des cochons ligotés.

— Chacun à bord sait fort bien que je ne tolère ni l'ivrognerie ni le jeu, qui tous deux sont une abomination et une offense aux yeux du Seigneur, déclara Sir Francis à l'équipage rassemblé sur le passavant du navire.

Il observa leurs visages. Cinquante coups de fouet aux lanières de cuir munies de nœuds pouvaient estropier un homme à vie. En infliger cent revenait à le condamner à une mort certaine et horrible.

— Ils ont amplement mérité les cinquante coups. Je n'ai cependant pas oublié que ces quatre sots se sont bien battus sur ce pont même lorsque nous avons pris le navire. De durs combats nous attendent encore et les infirmes ne me servent à rien lorsque les couleuvrines fument et que les sabres sont sortis.

Il marqua une pause pour examiner les figures des marins et il y lut la terreur du fouet mêlée au soulagement de ne pas être attaché à un trépied. Contrairement aux capitaines de nombreux corsaires et même à certains chevaliers de l'Ordre, Sir Francis ne prenait aucun plaisir à assister à ces punitions. Il ne reculait cependant pas devant leur nécessité. Il commandait un équipage d'hommes durs et indisciplinés, qu'il avait triés sur le volet pour leur férocité et qui auraient pris toute manifestation de gentillesse pour de la faiblesse.

— Je suis un homme clément, leur dit-il, et quelqu'un dans les rangs eut un petit rire de dérision.

Sir Francis marqua un temps d'arrêt et, d'un œil froid, repéra l'offenseur. Quand celui-ci eut baissé la tête, il reprit doucement :

— Je suis un homme clément, mais ces vauriens ont mis ma clémence à rude épreuve.

Il se tourna vers Daniel, qui se tenait à côté du premier trépied. Il était nu jusqu'à la taille et ses muscles puissants saillaient sur ses bras et ses épaules. Il avait attaché dans la nuque ses longs cheveux grisonnants avec un bout de tissu et de son poing couturé les lanières du fouet pendaient sur les planches du pont comme les serpents de la tête de Méduse.

— Quinze chacun, maître Daniel, ordonna Sir Francis, et peignez bien votre chat entre deux coups.

Si on ne séparait pas les lanières d'un chat à neuf queues après chaque coup, le sang les agglutinait en une lourde masse qui coupait la chair comme une lame d'épée et quinze coups pouvaient suffire à mettre à nu les vertèbres.

— Oui, capitaine, dit Daniel et, secouant son fouet pour bien détacher les lanières, il s'avança vers la première de ses victimes. Livide de peur, l'homme tournait la tête pour le regarder par-dessus son épaule.

Daniel leva le bras très haut et laissa les lanières se répandre autour de son épaule, puis, avec une élégance inattendue pour un homme aussi fort, il se projeta en avant. Le fouet siffla comme le vent dans les feuilles d'un grand arbre et claqua violemment sur la peau nue.

— Un! scanda l'équipage à l'unisson tandis que la victime poussait un cri aigu.

Le fouet laissa un dessin monstrueux sur son dos, chaque ligne rouge ponctuée d'étoiles écarlates à l'endroit des nœuds. Cela ressemblait à la brûlure des vrilles vénéneuses d'une physalie.

Daniel sépara les lanières de son fouet et les doigts de sa main gauche se maculèrent de sang.

— Deux! comptèrent les spectateurs et l'homme hurla de nouveau en se tortillant dans ses liens, ses orteils tambourinant sur le pont sous l'effet de la douleur.

— Interrompez le châtiment! cria Sir Francis, observant une légère agitation en haut de l'échelle menant aux cabines de poupe.

Docilement, Daniel baissa son fouet et attendit pendant que Sir Francis se dirigeait à grandes enjambées vers l'échelle.

Le chapeau à plumet du gouverneur Van de Velde apparut, puis son visage gras et congestionné. Incommodé par la chaleur, il s'essuya les bajoues avec un mouchoir de soie en soufflant bruyamment et regarda autour de lui. Son visage s'illumina en voyant les hommes attachés aux trépieds.

— *Ja! Goed!* Nous n'arrivons pas trop tard, dit-il avec satisfaction.

Juste derrière lui, Katinka sortit par l'écoutille d'un pas vif et léger, tenant ses jupes juste assez haut pour laisser voir des mules de satin brodées de petites perles.

— Bonjour, Mijnheer, lança Sir Francis en accompagnant son

salut d'une révérence négligente. Nous sommes en train de punir des marins. C'est un spectacle auquel il n'est pas conseillé d'assister à une dame de manières délicates telle que votre épouse.

— Vraiment, capitaine, fit Katinka avec un rire léger. Je ne suis pas une enfant. Dieu sait que les distractions sont rares à bord. Songez donc que vous ne recevrez aucune rançon s'il advenait que je meure d'ennui.

Elle donna une petite tape avec son éventail sur le bras de Sir Francis mais celui-ci se déroba à ce contact condescendant et s'adressa derechef à son mari.

— Mijnheer, il me semble que vous devriez raccompagner votre épouse dans sa cabine.

Katinka s'avança entre les deux hommes comme si de rien n'était et fit signe à Zelda de la suivre.

— Pose mon tabouret à l'ombre, lui ordonna-t-elle. Je serai si sage que vous ne remarquerez même pas ma présence, ajouta-t-elle avec une moue coquine à l'intention de Sir Francis en étalant ses jupes avant de s'asseoir.

Sir Francis jeta un regard furieux au gouverneur, mais Van de Velde écarta ses mains rondelettes en un geste théâtral d'impuissance.

— Vous savez ce que c'est, Mijnheer, quand une belle femme veut quelque chose... dit-il en se plaçant derrière Katinka et posant avec fierté et indulgence la main sur son épaule.

— Je ne saurais être tenu responsable de la susceptibilité de votre épouse, dût-elle être heurtée par le spectacle, avertit Sir Francis d'un air mécontent, mais soulagé que ses hommes n'aient pu comprendre cet échange en hollandais et s'apercevoir qu'il avait cédé aux exigences de ses prisonniers.

— Vous n'avez pas à tant vous inquiéter. Ma femme a le cœur bien accroché, chuchota Van de Velde.

Durant leur période de service à Kandy et Trincomalee, Katinka n'avait pas manqué les exécutions qui avaient lieu régulièrement sur le champ de parade du fort. Selon la nature de la faute, ces châtiments consistaient à être marqué au fer rouge, brûlé sur le bûcher, décapité, ou à périr par le garrot. Même les jours où, en proie à la dengue, elle souffrait le martyre et où, suivant les ordres de son médecin, elle aurait dû garder le lit, son équipage se trouvait toujours stationné à l'endroit habituel surplombant l'échafaud.

— La responsabilité vous incombe, Mijnheer, conclut Sir Francis en inclinant sèchement la tête avant de se retourner vers Daniel. Continuez, maître Daniel, ordonna-t-il.

Le maître d'équipage leva son fouet au-dessus de son épaule et les tatouages colorés qui décoraient son gros biceps frémirent d'une vie propre.

— Trois! cria l'équipage au moment où le fouet claquait.

Katinka se raidit et se pencha légèrement en avant sur son tabouret.

— Quatre!

Elle sursauta en entendant le claquement du fouet et le hurlement de douleur qui suivit. Lentement, son visage devint pâle comme cire.

— Cinq!

De fins serpents écarlates descendaient le long du dos de l'homme et trempaient la ceinture de son pourpoint de toile. Katinka baissa à demi ses longs cils dorés pour cacher la lueur apparue dans ses yeux violets.

— Six!

Katinka sentit une petite goutte de liquide tomber sur sa main comme une goutte de pluie tropicale.

Elle baissa les yeux et vit que c'était du sang, projeté par la lanière du fouet, qui avait atterri sur son index. Tel un rubis monté sur un anneau précieux, il étincelait sur sa peau blanche. Elle le cacha de son autre main en jetant un coup d'œil sur les visages qui l'entouraient. Tous étaient fascinés par l'horrible spectacle, aucun n'avait vu le sang l'éclabousser, aucun ne la regardait en ce moment.

Elle leva la main vers ses lèvres charnues comme dans un geste involontaire de consternation. Du bout de la langue, elle lécha la gouttelette et savoura son goût métallique. Il lui rappelait le sperme d'un amant et elle sentit une humidité visqueuse sourdre entre ses jambes, si bien que lorsqu'elle serra les cuisses, elles glissèrent l'une contre l'autre comme deux anguilles en train de s'accoupler.

Il allait être nécessaire de s'installer à terre pendant que le *Résolution* serait mis en carène sur la plage, sa coque grattée pour la débarrasser des algues qui s'y étaient collées et examinée pour y relever la présence éventuelle de tarets.

Sir Francis chargea Hal de construire les logements de fortune destinés à recevoir leurs otages. Celui-ci mit un soin particulier à bâtir la case qui devait héberger la femme du gouverneur; il la fit spacieuse, confortable et choisit un emplacement tranquille et sûr, protégé des animaux sauvages. Il demanda ensuite à ses hommes d'élever une palissade de branches d'épineux autour des huttes.

Lorsque le premier jour, l'obscurité obligea à cesser le travail, il descendit jusqu'à la lagune et se trempa dans l'eau chaude et saumâtre. Puis il se frictionna le corps avec du sable mouillé jusqu'à ce que sa peau le picote. Cependant le souvenir de la flagellation à laquelle il avait été forcé d'assister le matin même le hantait toujours. C'est seulement quand il sentit la bonne odeur du biscuit chaud flotter à travers la lagune depuis la coquerie du navire que son humeur changea. Il enfila ses hauts-de-chausses et courut le long du rivage pour sauter dans la pinasse au moment où elle s'éloignait.

Pendant qu'il était à terre, son père avait noté sur l'ardoise une série de problèmes de navigation pour qu'il les résolve. L'ardoise sous le bras, il prit au passage un pichet de petite bière, une gamelle de ragoût de poisson et, un biscuit chaud entre les dents, se dirigea à la hâte vers l'échelle menant à sa cabine, le seul endroit du navire où il pouvait jouir de la solitude nécessaire pour se concentrer sur sa tâche.

Soudain, il leva les yeux : il avait entendu que l'on versait de l'eau dans la cabine voisine. Il avait remarqué les seaux d'eau douce près du feu de charbon de bois dans la coquerie et rit lorsque le cuistot s'était plaint amèrement de ce que son foyer était utilisé comme chauffe-bain. Hal savait à présent pour qui ces seaux fumants avaient été préparés. Les accents gutturaux de Zelda lui parvinrent à travers la cloison tandis qu'elle sermonnait Oliver, le valet de son père. La réponse d'Oliver fusa, truculente :

— Je ne comprends pas un traître mot de ce que tu dis, vieille carne, mais si ça ne te plaît pas, tu n'as qu'à remplir ce putain de bain toi-même.

Hal se sourit à lui-même, un peu par amusement, un peu par anticipation, en mouchant sa lanterne et en s'agenouillant pour retirer le bouchon du trou dans le panneau. Il vit que la cabine était pleine de nuages de vapeur, qui couvrait de buée le miroir sur la cloison opposée de sorte que sa vue était réduite. Au moment où Hal ajustait son œil sur l'ouverture, Zelda chassait Oliver de la cabine.

— Ça va, vieille garce ! lança celui-ci en traînant les seaux vides dans la coursive. De toute façon, tu n'as rien qui pourrait me retenir là une seconde de plus.

Oliver parti, Zelda passa dans la cabine principale et Hal

l'entendit parler avec sa maîtresse. Une minute après, elle faisait entrer Katinka dans le cabinet particulier. Celle-ci s'arrêta près du bain fumant et trempa ses doigts dans l'eau. Elle poussa une exclamation et retira précipitamment la main. Zelda se hâta en s'excusant d'y verser de l'eau froide. Katinka vérifia de nouveau la température. Cette fois-ci, elle hocha la tête avec satisfaction et alla s'asseoir sur le tabouret. Zelda passa derrière elle, souleva la masse splendide de ses cheveux brillants et les retint en chignon sur le sommet de la tête comme une gerbe de blé mûr.

Katinka se pencha en avant et, du bout des doigts, essuya la buée sur un coin du miroir et s'y examina. Elle tira d'abord la langue pour en voir la couleur : elle était toute rose. Puis elle ouvrit grands les yeux et se regarda d'un air dubitatif en palpant la peau au-dessous.

— Regarde ces horribles rides ! se lamenta-t-elle.

— Je n'en vois pas une seule ! contesta Zelda avec véhémence.

— Je ne veux pas devenir vieille et affreuse, poursuivit Katinka en prenant un air tragique.

— Alors, autant mourir tout de suite ! C'est la seule façon de l'éviter.

— C'est terrible ce que tu me dis là. Tu es cruelle avec moi, se plaignit Katinka.

Hal ne comprenait pas leur conversation mais le ton de sa voix le toucha au plus profond de son être.

— Allons, venez maintenant, la réprimanda Zelda. Vous savez fort bien que vous êtes belle.

— Tu le penses vraiment, Zelda ?

— Oui. Et vous aussi, répondit la suivante en l'aidant à se lever. Mais si vous ne prenez pas de bain, vous empesterez aussi belle-ment.

Elle défit la robe de sa maîtresse et Katinka se retrouva nue devant le miroir. Hal poussa une exclamation, étouffée par la cloison et les petits bruits de la coque.

De la tête aux pieds, le corps de Katinka était d'une pureté de ligne à couper le souffle. Ses fesses s'arrondissaient en deux orbes parfaitement symétriques comme une paire d'œufs d'autruche que Hal avait vus sur le marché de Zanzibar. Des fossettes derrière les genoux lui donnaient quelque chose d'enfantin, de vulnérable.

Son reflet dans le miroir embué était flou et ne pouvait retenir longtemps l'attention de Katinka. Elle se détourna et fit face à Hal, dont le regard se porta sur ses seins. Ils étaient gros pour ses épaules étroites. Chacun eût rempli ses deux mains, et cependant ils n'étaient pas parfaitement ronds comme il s'était attendu à ce qu'ils le soient.

Hal les contempla jusqu'à ce que ses yeux se mettent à larmoyer et l'obligent à cligner. Son regard descendit ensuite sur le renflement du ventre, léger mais ensorcelant, et le petit nuage de fines boucles niché entre ses cuisses. La lumière de la lampe en fit jaillir des étincelles d'or pur.

Elle resta longtemps ainsi, plus longtemps qu'il n'eût osé l'espérer, à regarder l'eau du bain pendant que Zelda y versait de l'huile parfumée d'un flacon de cristal puis s'agenouillait pour la remuer. Toujours debout dans la même position, appuyée sur une jambe de sorte que son bassin était incliné de manière charmante, avec un petit sourire espiègle, elle leva lentement la main et prit le bout de l'un de ses seins entre le pouce et l'index. Pendant quelques instants, Hal crut qu'elle le regardait et il se recula d'un air coupable. Puis il comprit qu'il se trompait car elle baissa les yeux et examina le petit fruit rose qui pointait entre ses doigts.

Elle le faisait rouler doucement d'un côté et de l'autre et, tandis que Hal observait stupéfait, il changea de couleur et de forme, se gonfla, se durcit et devint rose sombre. Hal n'avait jamais rien imaginé de pareil — un petit miracle qui aurait dû le remplir de respect mais fit naître en lui un violent désir charnel.

Zelda leva les yeux et, voyant ce que faisait sa maîtresse, la réprimanda d'un ton brusque. Katinka rit et lui tira la langue mais laissa retomber sa main et entra dans le bain. Avec un soupir lascif, elle s'enfonça dans l'eau chaude parfumée jusqu'à ce que seul son épais chignon dépasse du bord de la petite baignoire.

Zelda s'affairait, faisait mousser du savon sur un gant de toilette, frictionnait et lavait, murmurait des paroles affectueuses et gloussait aux répliques de sa maîtresse. Soudain, elle se redressa et donna une autre instruction à laquelle Katinka obéit en se levant, dégoulinante d'eau savonneuse. Elle tournait le dos à Hal, ses deux fesses toutes roses et luisantes sous l'effet de l'eau chaude. A la demande de sa suivante, elle changeait de position pour lui permettre de savonner chacune de ses jambes.

Finalement, Zelda se releva avec raideur et sortit de la cabine en traînant des pieds. Dès qu'elle fut partie, Katinka, toujours debout dans le bain, jeta un coup d'œil par-dessus son épaule. Hal eut de nouveau l'illusion coupable qu'elle le regardait. Mais elle se détourna et, lentement, voluptueusement, se pencha en avant, les fesses tendues, puis posa dessus ses mains blanches et les écarta légèrement, découvrant une fente profonde au regard fiévreux de Hal, qui, cette fois-ci, ne put réprimer un petit cri.

Zelda entra dans la cabine les bras chargés de serviettes. Katinka se redressa et la caverne enchantée se referma, cachant de nouveau ses secrets aux yeux de Hal. Elle sortit du bain et Zelda drapa autour de ses épaules une grande serviette qui descendait jusqu'à ses chevilles. Zelda défit le chignon de sa maîtresse, lui brossa les cheveux puis les tressa en une grosse natte dorée. Elle lui tint une robe pour qu'elle enfile les manches, mais Katinka secoua la tête et lui donna un ordre péremptoire. Zelda protesta mais Katinka insista et la servante lança la robe sur le tabouret et quitta la cabine, manifestement de mauvaise humeur.

Lorsqu'elle fut sortie, Katinka laissa la serviette tomber à terre et, de nouveau nue, alla jusqu'à la porte et tira le verrou. Puis elle se retourna et sortit du champ de vision de Hal.

Il entraperçut une tache rose confuse se déplacer sur le miroir embué mais ne savait au juste ce qu'elle faisait, puis, brusquement, ses lèvres se trouvèrent à quelques centimètres du trou par lequel il l'épiait.

— Cochon de petit pirate! siffla-t-elle.

Elle s'était exprimée en latin et il se recula comme si elle lui avait envoyé une casserole d'eau bouillante au visage. Même dans son trouble, le sarcasme l'avait cependant piqué au vif.

— Je ne suis pas un pirate. Mon père est porteur de lettres de marque, répondit-il sans réfléchir.

— Tu oses me contredire?

Elle passait confusément du latin au hollandais et à l'anglais, mais parlait d'un ton cinglant. Cette fois encore, il se sentit obligé de répondre :

— Je ne voulais pas vous offenser.

— Quand mon noble mari apprendra que tu m'as espionnée, il ira voir ton pirate de père et on te fera fouetter sur le trépied comme les hommes de ce matin.

— Je ne vous espionnais pas...

— Menteur! coupa-t-elle. Tu es un cochon de petit pirate.

Pendant quelques instants elle se retrouva à bout de souffle et à court d'insultes.

— Je voulais seulement...

— Je sais ce que tu voulais, lança-t-elle avec une fureur redoublée. Tu voulais voir ma *katjie* — Hal savait que c'était le mot hollandais pour « petite chatte » — puis prendre ton instrument et te...

— Non! cria presque Hal.

Comment connaissait-elle son honteux secret? Il en était malade et mortifié.

— Silence! Zelda va t'entendre, siffla-t-elle. S'ils t'attrapent, tu auras le fouet.

— Pardon! murmura Hal, je ne voulais rien faire de mal. Je vous en prie, pardonnez-moi.

— Alors, prouve-moi ton innocence. Montre-moi ton vit.

— Je ne peux pas, répondit Hal d'une voix tremblant de honte.

— Lève-toi! Mets-le là près du trou afin que je voie si tu mens.

— Non. S'il vous plaît, ne m'obligez pas à faire ça.

— Dépêche-toi ou j'appelle mon mari.

Il se redressa lentement. Le trou se trouvait presque au niveau de son entrejambe.

— Allez, montre-moi. Ouvre tes braies, l'aiguillonna-t-elle de la voix.

Consumé de honte et d'embarras, il leva sa chemise et avant qu'il ait fini son geste, son pénis en pleine érection jaillit comme une branche de jeune arbre. Il savait qu'elle devait être écœurée et muette de dégoût devant pareille chose. Après une minute d'un lourd silence, qui lui sembla le plus long de sa vie, il commença à redescendre sa chemise.

Elle l'arrêta immédiatement d'une voix dans laquelle Hal crut discerner un tremblement et de la vénération, de sorte qu'il eut du mal à comprendre les mots anglais déformés.

— Non! Ne cherche pas à couvrir ta honte. Cette chose te condamne. Te prétends-tu toujours innocent?

— Non, reconnut-il d'un ton lamentable.

— Tu dois donc être puni, dit-elle. Je dois le dire à ton père.

— Non, je vous en prie, plaida-t-il. Il me tuerait de ses mains.

— Puisque c'est ainsi, je te punirai moi-même. Rapproche ton instrument.

Docilement, il poussa ses hanches en avant.

— Plus près, pour que je puisse l'atteindre. Plus près.

Il sentit la pointe de son pénis dilaté toucher le bois brut qui entourait le trou, puis des doigts doux et frais se refermèrent sur son extrémité. Il essaya de se retirer mais elle resserra sa prise et lui ordonna d'une voix aiguë :

— Reste tranquille.

Katinka s'agenouilla face à la cloison et tira son gland à travers l'ouverture. Il était si gonflé qu'il passait à peine par l'orifice.

— Ne te recule pas, dit-elle d'un ton qu'elle voulut sévère et irrité en l'empoignant avec fermeté.

Sans broncher, il se détendit et s'abandonna à la pression insistante de ses doigts, la laissant tirer son sexe sur toute sa longueur de l'autre côté.

Elle le contemplait, fascinée. Elle ne s'était pas attendue à ce qu'il soit si gros à son âge. Le gland congestionné avait la teinte violette d'une prune mûre. Elle ramena le prépuce par-dessus, comme une capuche de moine, puis tira la peau en arrière aussi loin qu'elle put. Le gland parut se gonfler encore comme sur le point d'exploser, et elle sentit le membre tressauter entre ses doigts.

Elle répéta le mouvement d'avant en arrière et l'entendit gémir derrière la cloison. Chose étrange, elle avait presque entièrement oublié le garçon. L'homoncule qu'elle tenait entre ses mains possédait une vie et une existence propres.

— Ce sera ta punition, vilain garçon impudique.

Tandis que sa main allait et venait à un rythme qui allait s'accélérant le long de son sexe, elle entendait les ongles de Hal griffer le bois.

La fin arriva plus vite qu'elle ne s'y attendait. Le flot de liquide épais et tiède qui jaillit contre sa poitrine était si puissant qu'elle sursauta, mais elle ne se déroba pas.

— Penses-tu que je t'ai déjà pardonné ce que tu m'as fait? dit-elle au bout d'un moment. Ta pénitence ne fait que commencer, tu comprends?

— Oui, répondit-il d'une voix brisée.

— Il faut que tu pratiques une ouverture secrète dans cette cloison, ajouta-t-elle en tapotant le bois avec son doigt. Défais ce panneau afin de pouvoir venir ici et recevoir une punition plus sévère. Tu as compris?

— Oui, haleta-t-il.

— Il faut que tu caches cette ouverture. Personne d'autre ne doit être au courant.

J'ai constaté que la crasse et la maladie ont une affinité particulière, dit Sir Francis à Hal. Je n'en connais point la cause, mais cela est.

Son fils lui avait demandé avec circonspection pour quelle raison il était nécessaire de fumiger le navire, tâche particulièrement pénible. Toute la cargaison sortie et la majeure partie de l'équipage cantonnée à terre, Sir Francis voulait tenter de débarrasser la coque de la vermine. Elle semblait pulluler dans la moindre fente des boiseries et les cales étaient envahies par les rats. Leurs crottes jonchaient la coquerie et Ned Tyler avait trouvé des cadavres de ces rongeurs en train de pourrir dans les barriques d'eau.

Dès leur arrivée dans la lagune, une petite équipe s'était chargée de brûler du bois et de séparer les cendres par filtrage pour obtenir de la lessive, et Sir Francis avait envoyé Aboli dans la forêt pour chercher les herbes utilisées par sa tribu pour empêcher la vermine d'investir les cases. Un groupe attendait à présent sur le gaillard d'avant, armé de seaux contenant la substance caustique.

— Je veux que chaque fente et joint de la coque soit lessivé à fond, mais faites attention, les avertit Sir Francis, le liquide corrosif va vous brûler les mains...

Il s'arrêta brusquement. Toutes les têtes se tournèrent vers les promontoires rocheux et les hommes qui étaient sur la plage interrompirent leur tâche et tendirent l'oreille.

La détonation grave d'un coup de canon fut renvoyée en écho par les falaises à l'entrée de la lagune puis répercutée par les eaux tranquilles de la large baie.

— Le signal d'alarme de la vigie, capitaine! cria Ned Tyler en montrant du doigt l'endroit où un panache de fumée blanche flottait encore au-dessus d'une des batteries qui gardaient l'entrée de la passe.

Une petite masse sombre fut hissée en tête du mât de fortune installé au sommet du promontoire ouest, puis se déploya en une flamme rouge. C'était le signal d'alarme générale : il signifiait qu'un voilier inconnu était en vue.

— Battez le branle-bas, maître Daniel, commanda sèchement Sir Francis. Armez l'équipage. Quatre hommes pour me conduire à l'entrée de la lagune et que les autres prennent leur poste à terre.

Bien que son visage restât impassible, il était furieux contre lui-même de s'être ainsi laissé surprendre, avec tous les mâts sortis de leur emplanture et l'artillerie descendue du navire.

— Je veux que les prisonniers soient amenés à terre et placés sous bonne garde, bien à l'écart de la plage, dit-il en se tournant vers Ned Tyler. S'ils apprennent qu'il y a un navire près de la côte, il pourraient avoir l'idée d'attirer son attention.

Oliver sortit en trombe de l'échelle des cabines avec la cape de Sir Francis sur le bras. Tandis qu'il l'étalait sur les épaules de son maître, celui-ci achevait de donner ses ordres. Il fit demi-tour et se dirigea à grandes enjambées vers la coupée où la chaloupe se trouvait, contre le flanc du galion. Hal attendait à un endroit où son père ne pouvait l'ignorer, craignant qu'il ne lui commande pas de l'accompagner.

— Très bien, fit Sir Francis d'un ton sec. Viens avec moi. Tes yeux me seront peut-être utiles.

Hal descendit en glissant le long de l'amarre et la largua lorsque son père fut monté à bord de l'embarcation.

Ils atteignirent le sommet du promontoire, à trois cents pieds au-dessus de la lagune et de l'océan. Bien que la mer fût sillonnée de déferlantes soulevées par le vent qui soufflait en rafales à cette hauteur, l'œil aiguisé de Hal distingua les taches blanches qui persistaient parmi les moutons éphémères avant même que la vigie n'ait eu le temps de les leur indiquer.

— Que vois-tu? demanda Sir Francis à Hal en regardant avec sa longue-vue.

— Il y a deux navires, répondit celui-ci.

— Je n'en vois qu'un... non, attends! Tu as raison. Il y en a un autre, un peu plus à l'est. C'est une frégate, tu ne crois pas?

— Un trois-mâts gréé carré, répondit Hal en se protégeant les yeux du soleil. Oui, il me semble bien que c'est une frégate. L'autre navire est bien plus loin, je n'arrive pas à voir ce que c'est, admit-il à contrecœur, essayant de reconnaître d'autres détails. Les deux bâtiments courent à terre exactement dans notre direction.

— S'ils se dirigent vers Bonne-Espérance, ils ne vont pas tarder à virer de bord, murmura Sir Francis sans baisser sa longue-vue.

— Ce sont peut-être deux indiamans hollandais qui font route vers l'ouest, hasarda Hal avec optimisme.

— Pourquoi alors s'approcheraient-ils si près de la côte? Non, il semble bien qu'ils filent droit vers l'entrée de la passe, dit Sir Francis en repliant la longue-vue d'un coup sec. Viens!

Il précéda son fils à vive allure le long du sentier qui menait à l'endroit où la chaloupe attendait sur la plage.

— Maître Daniel, allez prendre le commandement des batteries d'en face et n'ouvrez pas le feu avant que je ne le fasse.

Ils regardèrent Daniel traverser rapidement la lagune et ses hommes cacher la chaloupe dans une petite anse. Puis Sir Francis alla inspecter à grandes enjambées les batteries réparties de son côté le long de la falaise et lança quelques ordres aux hommes penchés sur les couleuvrines avec leurs cordes à feu allumées.

— A mon commandement, feu sur le navire de tête. Une salve de boulets. Visez la ligne de flottaison. Puis un tir de boulets enchaînés dans le gréement. Ils n'essaieront pas de manœuvrer dans cet étroit chenal avec la moitié de leurs voiles emportées.

Il sauta sur le parapet de la batterie et examina la mer par l'ouverture de la passe mais les navires étaient cachés par les falaises.

Soudain, un bâtiment toutes voiles dehors surgit de derrière la pointe ouest du promontoire. Il était à moins de deux milles de la côte et, frappés de consternation, ils le virent changer de cap et brasser ses voiles pour courir droit vers l'entrée de la passe.

— Ils ont sorti leurs pièces et cherchent de toute évidence à en découdre, dit Sir Francis d'un air mécontent en sautant à bas du muret. Ils vont trouver ce qu'ils veulent, les gars.

— Non, père, cria Hal. Je connais ce navire.

— Qui...

Sir Francis reçut la réponse avant d'avoir pu poser la question. En tête du grand mât se déploya une oriflamme. Ecarlate et blanc, elle claqua dans le vent.

— La croix pattée! s'écria Hal. C'est le *Goéland de Moray*. C'est Lord Cumbria, père!

— Par Dieu, c'est bien lui. Comment ce boucher à barbe rousse a-t-il su que nous étions là?

120

Derrière le *Goéland de Moray*, l'autre navire apparaissait à son tour. Lui aussi orienta ses voiles pour infléchir sa route et, à la suite du Busard, mit le cap sur la passe.

— Je connais aussi ce bateau, cria Hal dans le vent. Oui, j'en suis sûr. Je distingue même sa figure de proue. C'est la *Déesse*. Je ne connais aucun autre bâtiment sur cet océan ayant une Vénus nue sur son beaupré.

— C'est effectivement le capitaine Richard Lister, reconnut Sir Francis. Tant qu'à faire, je préfère qu'il soit là aussi. C'est un homme bien... et pourtant, Dieu sait que je ne fais entièrement confiance à aucun des deux.

A la hauteur des batteries, en longeant la passe, le Busard avait dû apercevoir la tache colorée que formait la cape de Sir Francis sur le fond de roche recouverte de lichen, car il le salua en envoyant son pavillon.

Sir Francis leva son chapeau pour lui répondre mais marmonna entre ses dents :

— Je ferais mieux de te saluer d'une salve de mitraille, faquin d'Ecossais. Tu as flairé le butin, n'est-ce pas ? Tu es venu mendier ou voler, pas vrai ? Mais qui t'a mis au courant ?

— Père ! s'écria Hal derechef. Regardez donc, dans les jambes de hune, je reconnaîtrais ce gredin entre mille. Voilà comment ils savent. C'est lui qui les a conduits jusqu'ici.

Sir Francis tourna sa longue-vue dans la direction indiquée.

— Sam Bowles. Apparemment, même les requins n'ont pas voulu de cette charogne. J'aurais dû laisser ses compagnons s'occuper de lui comme ils le voulaient.

Le *Goéland* passa lentement devant eux, réduisant progressivement sa toile à mesure qu'il entrait plus profondément dans la lagune. La *Déesse* le suivait à distance. Elle aussi avait hissé la croix pattée en tête de mât ainsi que la croix de saint Georges et l'Union Jack. Richard Lister était également chevalier de l'Ordre. Ils apercevaient sa minuscule silhouette s'approcher du bastingage du gaillard d'arrière et crier quelque chose dans leur direction, ses paroles emportées par le vent.

— Te voilà en curieuse compagnie, Richard, répondit Sir Francis en agitant son chapeau, sachant pertinemment que le Gallois ne pouvait l'entendre.

Lister avait été à ses côtés lorsqu'ils avaient pris le *Heerlycke Nacht* ; ils avaient partagé le butin à l'amiable et il le considérait comme un ami. Lister aurait dû se trouver avec le Busard et lui au cours de ces longs mois de blocus au large des Aiguilles. Il avait cependant manqué le rendez-vous de Port Louis, à l'île Maurice. Après l'avoir attendu un mois, Sir Francis avait été obligé de céder aux instances du Busard et ils avaient appareillé sans lui.

— Bon, autant leur faire bonne figure et aller accueillir nos invités autoproclamés, dit Sir Francis à Hal, et ils descendirent vers la plage tandis que Daniel traversait le chenal avec la chaloupe pour les rejoindre.

Le *Goéland de Moray* n'était qu'à une demi-encablure du *Résolution*. Sir Francis ordonna à Daniel d'aller directement à la *Déesse*. Richard Lister était à la coupée pour les accueillir lui et son fils.

— Par tous les diables de l'enfer, Franky, j'ai ouï dire que vous avez fait une belle prise que je vois là au mouillage, fit Lister en lui serrant la main.

Il arrivait à peine à l'épaule de Sir Francis mais avait une solide poigne. Il huma l'air de son grand nez rubicond et reprit avec son accent celtique chantant :

— Et n'est-ce point des épices que je sens là ? Je me maudis de ne pas vous avoir retrouvés à Port Louis.

— Où étiez-vous donc, Richard ? J'ai attendu trente-deux jours votre arrivée.

— Cela me chagrine de devoir le reconnaître mais je suis entré droit dans un ouragan au sud de Maurice. J'ai démâté et été drossé sur la côte de l'île Saint-Laurent.

— C'est vraisemblablement la même tempête qui a démâté le Hollandais, fit remarquer Sir Francis en désignant le galion. Il avait un gréement de fortune quand je l'ai pris. Mais comment êtes-vous tombé sur le Busard ?

— Dès que la *Déesse* a été en état de reprendre la mer, j'ai pensé me mettre à votre recherche au large du cap des Aiguilles au cas où vous croiseriez toujours dans les parages. C'est alors que je l'ai rencontré et il m'a conduit ici.

— Ça fait plaisir de vous voir, vieux frère. Mais dites-moi, avez-vous des nouvelles du pays ? demanda Sir Francis en se penchant en avant avec une expression avide.

C'était une des premières questions que les hommes se posaient mutuellement lorsqu'ils se rencontraient de ce côté-ci de la Ligne. Ils parcouraient des mers inexplorées mais leur cœur languissait après le pays. Sir Francis n'avait pas reçu de nouvelles d'Angleterre depuis bientôt un an.

A cette question, le visage de Lister s'assombrit.

— Cinq jours après avoir appareillé de Port Louis, j'ai croisé la *Windsong*, l'une des frégates de Sa Majesté. Elle avait quitté Ply-

mouth cinquante-six jours plus tôt pour gagner la côte de Coromandel.

— Et quelles nouvelles avaient-ils ? coupa Sir Francis avec
impatience.

— Pas des bonnes, le Seigneur m'est témoin. Ils ont dit que
toute l'Angleterre est frappée par la peste et que hommes, femmes
et enfants meurent par dizaines de milliers, de sorte qu'on ne peut
les ensevelir assez vite et que leurs corps pourrissent dans les rues.

— La peste ! s'exclama Sir Francis avec horreur en se signant.
La colère de Dieu.

— Puis, alors que l'épidémie faisait encore rage dans les villes et
les villages, Londres a été détruite par un gigantesque incendie.
D'après eux, les flammes n'auraient pratiquement laissé aucune
maison debout.

Sir Francis le regarda avec consternation.

— Londres détruite par le feu ? Ce n'est pas possible ! Le roi...
est-il sauf ? Est-ce que ce sont les Hollandais qui ont incendié la
ville ? Dites-m'en davantage.

— Oui, le roi est indemne. Et en l'occurrence, les Hollandais ne
sont pas en cause. L'incendie est parti d'un four de boulanger dans
Pudding Lane et il n'a pas cessé pendant trois jours. La cathédrale
de St-Paul a été rasée ainsi que l'Hôtel de Ville, la Bourse Royale,
une centaine d'églises paroissiales et Dieu seul sait quoi encore.
On dit que les dégâts dépassent dix millions de livres.

— Dix millions ! répéta Sir Francis effaré. Même le monarque le
plus riche du monde ne peut réunir une telle somme. Les revenus
annuels de la Couronne ne dépassent pas un million de livres,
n'est-ce pas, Richard ? Le roi et la nation sont ruinés.

Richard Lister secoua la tête avec une morne délectation.

— Ce n'est pas tout, dit-il. Les Hollandais nous ont battus à
plates coutures. Ce diable de Ruyter a remonté la Medway et la
Tamise. Nous avons perdu seize navires de ligne dans l'affaire et il
a pris le *Royal Charles* alors qu'il était à quai à Greenwich et l'a
remorqué jusqu'à Amsterdam.

— Le vaisseau amiral, le fleuron et la fierté de la flotte. L'Angleterre peut-elle survivre à une telle défaite, à la suite de la peste et
du feu ?

Lister secoua de nouveau la tête.

— On dit que le roi sollicite la paix auprès des Hollandais. Il se
peut que la guerre soit déjà finie. Elle l'est même peut-être depuis
plusieurs mois.

— Prions le Ciel qu'il n'en soit pas ainsi, fit Sir Francis en regardant le *Résolution*. J'ai effectué cette prise il y a à peine trois semaines. Si la guerre était finie à ce moment-là, mon mandat de la Couronne était caduc et ma prise de guerre pourrait être considérée comme un acte de piraterie.

— C'est la fortune des armes, Franky. Vous étiez dans l'ignorance de la déclaration de paix. Personne, en dehors des Hollandais, ne pourrait vous en blâmer. (Richard Lister désigna le *Goéland de Moray*.) Il semble que Lord Cumbria se sente offensé de ne pas participer à cette réunion. Regardez, le voilà qui vient nous rejoindre.

Le Busard venait de mettre une chaloupe à la mer. L'embarcation remontait le chenal dans leur direction, Cumbria debout à l'arrière. Le bateau cogna contre le flanc de la *Déesse* et le Busard grimpa en hâte par l'échelle de corde.

— Franky ! s'exclama-t-il en traversant le pont à grandes enjambées, son plaid flottant autour de lui. Depuis que nous nous sommes séparés, je n'ai pas laissé passer un seul jour sans prier pour vous. Voilà un joli petit galion, et plein jusqu'au plat-bord d'épices et d'argent, à ce qu'on dit.

— Vous auriez dû attendre encore un jour ou deux avant d'abandonner votre poste. Vous auriez pu en avoir une part.

— Que me contez-vous là, mon cher Franky ? fit le Busard, écartant les mains en un geste de stupéfaction. Je n'ai jamais abandonné mon poste. J'ai poussé un peu à l'est pour m'assurer que le Hollandais ne nous filait pas entre les doigts en passant plus au large et je me suis dépêché de vous rejoindre dès que j'ai pu. Mais vous étiez déjà parti.

— Laissez-moi vous rappeler vos propres paroles. « Je perds patience. Soixante-cinq jours, en voilà assez pour mes hommes et moi. »

— Mes propres paroles, Franky ? rétorqua le Busard en secouant la tête. Vos oreilles et le vent ont dû vous jouer un tour. Vous m'avez mal compris.

— Vous gaspillez vos talents de plus grand menteur d'Ecosse et ne faites illusion auprès de personne. Richard et moi vous connaissons trop bien.

— Franky, j'ose espérer que vous n'essaierez pas de me frustrer de ma juste part du butin, fit Cumbria en prenant un air à la fois peiné et incrédule. Je reconnais que je n'étais pas en vue lors de la prise et ne m'attends pas à recevoir l'intégralité d'une demi-part. Donnez-m'en le tiers et je ne chicanerai pas.

— Prenez une bonne inspiration, conseilla Sir Francis en

posant sa main avec désinvolture sur la poignée de son épée. Cette bouffée d'épices est la seule part que vous obtiendrez de moi.

Le Busard se dérida brusquement et partit d'un énorme rire.

— Franky, mon cher et vieux camarade d'armes. Venez donc dîner à mon bord ce soir et nous discuterons de l'initiation de votre fils autour d'un petit verre de bon whisky des Highlands.

— C'est donc l'entrée de Hal dans l'Ordre qui vous amène et non les épices et l'argent.

— Je sais tout ce que votre fils représente pour vous, Franky... pour nous tous. Il vous fait grand honneur. Nous voulons tous qu'il devienne chevalier de l'Ordre. Nous en avons parlé souvent, n'est-ce pas ? (Sir Francis jeta un coup d'œil à Hal et hocha la tête presque imperceptiblement.) L'occasion ne se représentera peut-être pas avant longtemps d'avoir trois nautoniers ainsi réunis. C'est le nombre minimal requis pour l'initiation au premier degré. Quand trouverez-vous trois autres chevaliers pour former une loge de ce côté-ci de la Ligne ?

— Comme c'est gentil à vous. Et, naturellement, cela n'a rien à voir avec la part de butin que vous réclamiez il y a une minute ? remarqua Sir Francis d'un ton ironique.

— N'en parlons plus. Vous êtes un homme honnête, Franky. Dur mais honnête. Vous ne tromperiez jamais un frère chevalier, n'est-ce pas ?

Bien avant le quart de minuit, Sir Francis revint de son dîner avec Lord Cumbria à bord du *Goéland de Moray*. Dès qu'il arriva dans sa cabine, il envoya Oliver chercher Hal.

— Dimanche prochain, dans trois jours, dit-il à son fils. Dans la forêt. Tout est arrangé. Nous ouvrirons la loge au lever de lune, un peu après la deuxième cloche du second quart du soir.

— Mais, le Busard, objecta Hal. Vous ne l'aimez pas et ne lui faites pas confiance. Il nous a laissés tomber...

— Et pourtant, Cochran n'a pas tort. Il se peut fort bien que nous ne puissions réunir de nouveau trois chevaliers avant de retourner en Angleterre. Je dois profiter de cette occasion de te voir admis au sein de l'Ordre. Dieu sait si nous retrouverons une telle chance.

— Nous nous mettrons à sa merci pendant que nous serons à terre. Il peut nous jouer un sale tour.

— Nous ne nous mettrons jamais à la merci du Busard, n'aie aucune crainte à cet égard, le rassura Sir Francis en secouant la tête. (Il se leva et alla jusqu'à sa malle, dont il souleva le couvercle.) J'ai effectué les préparatifs pour le jour de ton initiation. Voilà ton uniforme. Essaie-le. Nous allons nous assurer qu'il te va.

Puis, élevant la voix, il appela son serviteur. Oliver arriva immédiatement, sa trousse de couture sous le bras. Hal ôta sa vieille veste de toile et son pourpoint usé et, avec l'aide d'Oliver, revêtit l'uniforme de cérémonie de l'Ordre. Il n'avait jamais rêvé de vêtements aussi splendides.

Les bas étaient en soie blanche, les hauts-de-chausses et le pourpoint de satin bleu nuit, les manches avec des crevés d'or. De lourdes boucles d'argent fermaient les chaussures de cuir noir verni, assorti à celui de la ceinture. Oliver peigna ses lourdes boucles emmêlées puis le coiffa du chapeau de chevalier. Il avait choisi les plus belles plumes d'autruche qu'il avait pu trouver sur le marché de Zanzibar pour en décorer le large bord.

Lorsqu'il fut habillé, Oliver inspecta Hal d'un œil critique.

— Serré aux épaules, Sir Francis. Maître Hal forcit de jour en jour. Mais je vais arranger cela en un clin d'œil.

Sir Francis hocha la tête et fouilla de nouveau dans la malle. Le cœur de Hal bondit quand il vit la cape pliée dans les mains de son père. C'était le symbole de la chevalerie dont il s'était efforcé de se montrer digne en étudiant avec tant d'assiduité. Sir Francis vint la lui passer sur les épaules, puis attacha le fermail sous son cou. Les plis d'étoffe blanche lui descendaient au genou et la croix écarlate couvrait ses épaules.

Francis se recula pour examiner Hal avec soin.

— Il ne manque plus qu'un détail, grogna-t-il en retournant à la malle.

Il en sortit une épée, mais ce n'était pas une épée ordinaire. C'était un héritage de la famille Courteney, Hal la connaissait bien, et pourtant sa splendeur le subjuguait toujours autant. En la lui apportant, son père lui en fit une fois de plus l'historique.

— Cette épée a appartenu à ton arrière-grand-père, Charles Courteney. Elle lui a été offerte il y a quatre-vingts ans par Sir Francis Drake lui-même pour le récompenser d'avoir participé à la prise et au sac du port de Rancheria, sur la mer des Antilles. Elle avait été remise à Drake par le gouverneur espagnol, Don Francisco Manso.

Il tendit le fourreau d'or et d'argent pour le montrer à Hal. Il était sobrement décoré de couronnes, de dauphins et d'ondins rassemblés autour de Neptune sur son trône. Sir Francis retourna l'arme et la présenta à son fils par la garde. Un gros saphir en forme d'étoile était enchâssé dans le pommeau. Hal tira la lame et vit immédiatement que ce n'était pas seulement l'ornement de quelque élégant espagnol. Elle était faite de l'acier de Tolède le plus fin, damasquiné d'or. Il la fit ployer entre ses doigts et s'émerveilla de son élasticité et de sa trempe.

— Fais attention, l'avertit son père. C'est une véritable lame de rasoir.

Hal la remit au fourreau et Sir Francis glissa l'épée dans l'étui en cuir de la ceinture de Hal, puis se recula pour voir l'effet produit.

— Qu'en pensez-vous ? demanda-t-il à Oliver.

— Il n'y a que les épaules, fit celui-ci en passant ses mains sur le satin du pourpoint. C'est tout cet exercice et ces passes d'armes qui ont renforcé sa carrure. Il va falloir que je reprenne les coutures.

— Emmenez-le dans sa cabine et faites le nécessaire, dit Sir Francis, les congédiant tous les deux, avant de se retourner vers son bureau.

Il s'assit et ouvrit son journal de bord à reliure de cuir. Hal s'arrêta sur le pas de la porte.

— Merci, père. Cette épée...

Il toucha le saphir du pommeau à son côté mais ne trouva pas les mots pour achever sa phrase. Sir Francis grommela sans lever les yeux, plongea sa plume dans l'encrier et commença à écrire sur la feuille en parchemin. Hal s'attarda encore un peu à l'entrée de la cabine jusqu'au moment où son père leva la tête avec irritation. Le jeune homme disparut alors dans la coursive et referma la porte doucement. A l'instant où il se retournait, la porte d'en face s'ouvrit et la femme du gouverneur hollandais en sortit dans un tourbillon de soie, si vite qu'ils faillirent se cogner l'un à l'autre.

— Excusez-moi, madame, dit Hal, qui s'écarta avec empressement et se découvrit.

Katinka s'arrêta et lui fit face. Elle l'examina lentement des pieds à la tête, puis le regarda froidement, droit dans les yeux.

— Un petit pirate vêtu en noble, dit-elle à voix basse. (Puis elle se pencha soudain et, son visage touchant presque le sien, murmura :) J'ai vérifié la cloison. Il n'y a aucune ouverture. Tu n'as pas fait ce que je t'avais dit.

— Ma tâche m'a retenu à terre. Je n'ai pas eu un instant, balbutia-t-il en cherchant ses mots en latin.

— Veille à la chose cette nuit même, ordonna-t-elle en s'éloignant rapidement.

Son parfum s'attarda derrière elle et Hal, soudain à l'étroit dans son pourpoint de velours, se mit à transpirer.

Oliver s'affaira sur son pourpoint pendant ce qui sembla à Hal être la moitié de la nuit. Il défit et recousit les coutures des épaules à deux reprises avant de se montrer satisfait de son œuvre tandis que Hal bouillait d'impatience.

Lorsqu'il s'en alla enfin, emportant tous les beaux atours, Hal tira le verrou sans attendre et s'agenouilla près de la cloison. Il constata que le panneau était fixé à la charpente en chêne avec des chevilles, fortement enfoncées dans le bois.

Avec la pointe de sa dague, il entreprit de les extraire l'une après l'autre de leur cavité. C'était un travail long et il n'osait pas faire de bruit. Le moindre coup ou raclement se serait répercuté à travers tout le navire.

L'aube était presque venue quand il parvint à arracher la dernière cheville, puis glissa la pointe de sa dague à l'intérieur du joint et souleva le panneau. Il céda brusquement avec un grincement aigu qui parut se transmettre dans tout le bateau, alertant sans aucun doute son père et le gouverneur.

En retenant son souffle, il attendit qu'un terrible châtiment s'abatte sur lui, mais les minutes s'écoulèrent sans que rien ne se passe et il put de nouveau respirer normalement.

Avec précaution, il passa la tête et les épaules par l'ouverture rectangulaire. De l'autre côté, le cabinet de toilette de Katinka était plongé dans l'obscurité, mais son parfum l'assaillit. Il écouta attentivement mais n'entendit aucun bruit dans la cabine principale. Le son affaibli de la cloche du navire lui parvint alors du pont et il se rendit compte avec consternation que le jour était sur le point de se lever et que son quart commençait dans une demi-heure.

Il retira la tête de l'ouverture, remit le panneau en place, le fixa avec les chevilles de bois, mais si légèrement qu'elles pouvaient être enlevées en quelques secondes.

— Croyez-vous que vous devez laisser le Busard emmener ses hommes à terre? demanda respectueusement Hal à son père. Pardonnez-moi, père, mais pensez-vous qu'il est bon de lui accorder une telle confiance?

— Comment l'en empêcher sans provoquer un affrontement? Il dit qu'il a besoin d'eau et de bois, et nous ne sommes pas propriétaires de cette terre, ni même de cette lagune. Je ne vois pas par quel moyen le lui interdire.

Hal s'apprêtait à poursuivre ses objections mais son père lui imposa le silence d'un rapide froncement de sourcils et se tourna pour accueillir Lord Cumbria à l'instant où la quille de sa chaloupe crissait sur le sable et où l'Ecossais sautait à terre, les jambes couvertes par un plaid de fourrure rousse comme celle d'un ours.

— Que Dieu vous comble de ses faveurs en cette belle matinée, Franky, lança-t-il en se dirigeant vers eux.

Sous ses sourcils en bataille, ses yeux bleu pâle dardaient nerveusement des éclairs comme des vairons dans une mare.

— Rien ne lui échappe, murmura Hal. Il vient voir où nous avons entreposé les épices.

— Nous ne pouvons les cacher. Il y en a des montagnes, lui dit Sir Francis. Mais nous pouvons lui en rendre le vol difficile. (Puis, avec un sourire morne, il accueillit Cumbria.) J'espère que vous voilà en bonne santé, monsieur, et que le whisky n'a point troublé votre sommeil la nuit dernière.

— C'est mon élixir de vie, Franky, le sang qui coule dans mes veines, répondit-il en parcourant de ses yeux injectés de sang le camp dressé à la lisière de la forêt. J'ai besoin de remplir les barriques du navire. Il doit bien y avoir de l'eau douce dans les parages.

— A une demi-lieue à l'intérieur de la lagune. Une petite rivière descend des collines.

— Belle pêche! fit le Busard en désignant les châssis de bois installés dans la clairière sur lesquels des poissons ouverts en deux étaient étalés pour être fumés au-dessus de feux de bois vert. Je vais demander à mes gars d'en pêcher pour nous. Mais la viande? Y a-t-il du gibier dans la forêt?

— Des éléphants et des troupeaux de buffles sauvages. Mais tous sont farouches et même une balle de mousquet dans les côtes ne suffit pas à les abattre. Dès que le navire sera caréné, j'ai l'intention d'envoyer une troupe de chasseurs au-delà des collines, pour tenter de trouver des proies plus faciles.

Cumbria avait manifestement posé la question pour gagner du temps car il écouta à peine la réponse. Ses yeux fureteurs se mirent soudain à briller et Hal suivit son regard. Le Busard avait découvert les appentis à toits de chaume alignés à une centaine de pas à l'intérieur de la forêt, sous lesquels les énormes fûts contenant les épices se trouvaient alignés en rangs serrés.

— Vous projetez donc d'échouer le galion pour le mettre en carène, dit Cumbria en se détournant des appentis pour désigner d'un signe de tête le *Résolution*. Voilà qui est sage. Si vous avez besoin d'aide, j'ai trois charpentiers de premier ordre.

— Vous êtes bien aimable, répondit Sir Francis. Peut-être ferai-je appel à vous.

— Je ferai l'impossible pour prêter main forte à un confrère chevalier. Je sais que vous feriez de même, fit le Busard en lui tapant chaleureusement sur l'épaule. Pendant que mes hommes partent remplir les barriques d'eau, nous pouvons nous mettre en quête d'un endroit approprié pour installer notre loge. Il faut que le jeune Hal en soit fier. C'est un jour important pour lui.

Sir Francis jeta un coup d'œil à son fils.

— Aboli t'attend, lui dit-il en faisant un signe de tête vers l'endroit où se trouvait le grand Noir, un peu plus loin sur la plage.

Hal regarda son père s'éloigner avec Cumbria et suivre le sentier qui pénétrait dans la forêt. Puis il courut rejoindre Aboli.

— Me voilà enfin. Allons-y.

Aboli partit immédiatement au petit trot le long de la plage vers le fond de la lagune.

— Tu n'as pas pris de massues ? demanda Hal en le rattrapant.

— Nous en couperons dans la forêt, répondit Aboli en tapotant le manche de sa hachette.

Tout en parlant, il s'écarta de la plage et les conduisit à une demi-lieue à l'intérieur des terres jusqu'à un fourré dense.

— J'ai déjà fait une marque sur les arbres. Ceux de ma tribu les appellent *kweti*. C'est avec eux qu'on fait les meilleures massues.

Alors qu'ils s'enfonçaient dans le hallier, un énorme animal s'enfuit précipitamment devant eux en brisant des branches sur son passage. Ils entrevirent une peau noire et croûteuse et de grandes cornes recourbées.

— Un *nyati* ! dit Aboli. Le buffle sauvage.

— Nous devrions le tuer, s'exclama Hal en prenant le mousquet qu'il portait en bandoulière et en cherchant avec empressement le silex et le briquet dans sa sacoche afin d'allumer sa corde à feu. Avec un tel monstre, nous aurons de la viande pour tout l'équipage.

— Il te tuerait le premier, répondit Aboli en souriant. Il n'y a pas de bête plus dangereuse dans toute la forêt, pas même le lion. Il t'ouvrirait le ventre avec les grandes lances qu'il porte sur la tête en se moquant de tes petites balles de plomb. Laisse en paix le vieux *nyati*, nous trouverons d'autre gibier pour nourrir l'équipage, conclut-il en prenant sa hachette.

Il attaqua le pied d'un jeune *kweti* et, en une douzaine de coups, dégagea sa racine bulbeuse. Après quelques coups supplémentaires, il l'arracha de terre.

— Dans ma tribu, on appelle *iwisa* une telle massue et je vais te montrer comment t'en servir.

Il prit la tige de la plante et, à petits coups habiles, la dépouilla de son écorce. Il tailla ensuite la racine, dure comme du fer, en forme de boule, la tête de la massue. Quand il eut fini, il soupesa le gourdin pour en vérifier le poids et l'équilibre. Puis il le mit de côté et chercha un autre arbuste.

— Il nous en faut deux chacun.

Hal s'accroupit et regarda les éclats de bois voler sous le fer.

— Aboli, quel âge avais-tu quand les marchands d'esclaves t'ont pris? demanda-t-il.

Le grand Noir interrompit son ouvrage et une ombre passa dans ses yeux sombres, mais il se remit au travail avant de répondre.

— Je l'ignore. Je sais seulement que j'étais tout petit.

— Tu t'en souviens?

— Je me souviens qu'il faisait nuit quand ils sont venus, des hommes en robe blanche avec de longs mousquets. C'est si vieux! mais je me rappelle encore des flammes dans l'obscurité tandis qu'ils encerclaient le village.

— Où ton peuple vivait-il?

— Loin au nord. Sur les rives d'un grand lac. Mon père était un chef et pourtant, ils l'ont tiré de sa case et l'ont tué comme une bête. Ils ont abattu tous nos guerriers et n'ont épargné que les très jeunes enfants et les femmes. Ils nous ont enchaînés par le cou en longues files et nous ont fait marcher pendant des jours entiers vers le soleil levant, vers la côte. (Il se redressa brusquement et ramassa par le manche les massues qu'il avait terminées.) Nous jacassons comme des vieilles femmes alors que nous devrions être en train de chasser.

Ils repartirent par où ils étaient arrivés. Lorsqu'ils arrivèrent à la lagune, Aboli se tourna vers Hal et lui dit :

— Laisse là ton mousquet et ta flasque de poudre. Ils ne te serviront à rien dans l'eau.

Hal partit cacher son arme dans le sous-bois et Aboli choisit les deux *iwisa* les plus légers et les plus droits. Quand Hal revint, il lui tendit les massues.

— Regarde comme je procède. Fais exactement comme moi, ordonna-t-il en se déshabillant, puis il avança en pataugeant dans les eaux peu profondes.

Nu lui aussi, Hal le suivit à travers le bouquet de roseaux le plus épais. Lorsqu'il eut de l'eau jusqu'à la taille, Aboli s'arrêta et tira les tiges des roseaux par-dessus lui en les tressant pour former un écran. Puis il se baissa dans l'eau jusqu'à ne laisser dépasser que sa tête. Hal se posta non loin et construisit rapidement un toit en roseaux similaire. Il distinguait au loin les voix des matelots du *Goéland* chargés de la corvée d'eau, puis le grincement de leurs avirons tandis qu'ils revenaient du fond de la lagune où ils avaient rempli leurs barriques avec l'eau douce de la rivière.

— Très bien! fit Aboli à voix basse. Tiens-toi prêt, Gundwane. Ils vont faire envoler les oiseaux pour nous.

Il y eut soudain un grand bruit d'ailes et le ciel fut obscurci par le même immense nuage d'oiseaux qu'ils avaient déjà vu. En formation en V, un vol de canards, qui, hormis leur bec jaune vif, ressemblaient à des colverts, fonçait au ras des flots vers l'endroit où ils étaient cachés.

— Les voilà! murmura Aboli, et Hal se tendit, le visage levé pour voir le vieux mâle qui menait la troupe et battait l'air avec vigueur de ses ailes pareilles à des lames de couteau.

— Allons-y! cria Aboli qui se dressa de toute sa hauteur, son bras droit déjà incliné vers l'arrière, l'arme au poing.

Il lança de toutes ses forces l'*iwisa* qui partit en tournoyant dans les airs et sema la panique dans la ligne des canards sauvages. Aboli avait prévu cette réaction et sa massue volante atteignit le mâle de tête en pleine poitrine, le tuant net. Il tomba dans un enchevêtrement d'ailes et de pieds palmés en traînant un sillage de plumes, mais avant qu'il n'ait touché l'eau, Aboli avait jeté son deuxième gourdin. Il frappa le bec tendu d'une jeune cane qui s'abattit à la surface de la lagune, tout près de la carcasse du vieux mâle.

Hal lança ses bâtons l'un à la suite de l'autre, mais ils passèrent bien à côté de la cible et le vol scindé en deux s'éloigna à toute vitesse au ras des massifs de roseaux.

— Tu ne tarderas pas à prendre le tour de main, tu n'es pas passé loin, l'encouragea Aboli tout en pataugeant pour aller ramasser les deux oiseaux morts puis récupérer ses *iwisa*.

Il laissa les deux carcasses flotter en guise de leurres sur une petite étendue d'eau dégagée juste devant lui, et en quelques minutes, elles avaient attiré un autre vol qui s'abattit presque jusqu'à la cime des roseaux avant qu'il ait lancé ses massues.

— Bien visé, Gundwane! le félicita Aboli en riant avant d'aller cueillir deux autres oiseaux morts. Tu es passé encore plus près. La prochaine fois, tu en toucheras peut-être un.

En dépit de cette prophétie optimiste, Hal dut attendre le milieu de la matinée avant d'attraper son premier canard. Il lui avait cependant seulement brisé une aile et il lui fallut parcourir à la nage la moitié de la lagune avant de lui mettre la main dessus et de lui tordre le cou. Vers midi, les palmipèdes cessèrent leurs vols et s'installèrent là où les eaux étaient plus profondes, hors de portée.

Aboli décréta la fin de la chasse et rassembla ses prises. Avec des lanières d'écorce, il tressa des cordelettes qui lui servirent à attacher les canards par grappes. Le fardeau était presque trop lourd pour ses larges épaules, mais Hal porta sans difficulté son maigre butin.

Quand, après avoir longé la plage, ils dépassèrent la pointe et virent la baie où les trois navires étaient au mouillage, Aboli laissa tomber sa charge sur le sable.

— Nous allons nous reposer ici, dit-il.

Hal s'assit à côté de lui, et ils gardèrent le silence.

— Pourquoi le Busard est-il venu ici? Que dit ton père? demanda Aboli au bout d'un moment.

— Le Busard affirme qu'il est venu afin de constituer une loge pour mon initiation.

— Dans ma tribu, fit Aboli en hochant la tête, les jeunes guerriers doivent également entrer dans la loge de circoncision avant de devenir des hommes.

Hal frissonna et toucha son entrejambes comme pour vérifier que tout était bien en place.

— Je suis content de ne pas avoir à en passer par cette épreuve comme tu l'as fait.

— Mais ce n'est pas la vraie raison pour laquelle le Busard nous a suivis jusqu'ici. Il a suivi ton père comme la hyène suit le lion. Tout cela pue la traîtrise.

— Mon père l'a sentie lui aussi, assura Hal à voix basse. Mais nous sommes à sa merci car le grand mât du *Résolution* n'a pas encore été remplacé et les canons sont à terre.

Ils regardèrent le *Goéland de Moray*, tout là-bas sur la lagune.

— Qu'est-ce que prépare le Busard? dit Hal au bout d'un moment en s'agitant avec inquiétude.

La chaloupe du *Goéland* s'écartait de son flanc et se dirigeait vers l'endroit où sa ligne d'ancre plongeait sous la surface. Ils virent l'équipage de la petite embarcation s'en saisir et travailler là pendant quelques minutes.

— Ils sont invisibles de la plage, donc mon père ne peut voir ce qu'ils préparent, dit Hal, pensant tout haut. Ils ont un air furtif qui me déplaît fort.

Après avoir accompli leur mystérieuse tâche, les matelots revinrent se ranger contre le flanc du *Goéland*. Hal voyait à présent qu'ils avaient mouillé une deuxième ligne sur l'arrière.

— Ils sont en train de frapper une embossure sur l'ancre! s'exclama-t-il.

— Une embossure? Pourquoi feraient-ils ça? demanda Aboli en regardant Hal.

— Afin que, avec quelques tours de cabestan, le Busard puisse orienter son navire dans la direction désirée.

— Il peut ainsi pointer ses canons vers notre navire réduit à l'impuissance ou mitrailler la plage et le camp, conclut Aboli en se levant, l'air grave. Nous devons nous dépêcher d'avertir le capitaine.

— Non, Aboli, pas de précipitation. Nous ne devons pas montrer au Busard que nous avons découvert ses manœuvres.

Sir Francis écouta avec attention ce que lui rapportait Hal et quand son fils eut fini, il secoua pensivement la tête. Puis il s'approcha d'un pas nonchalant du bastingage et leva sa longue-vue avec désinvolture. Il balaya lentement la vaste étendue de la lagune, arrêtant à peine son regard sur le *Goéland* afin que personne ne remarque son intérêt soudain pour le navire du Busard. Puis il replia sa lunette et rejoignit Hal.

— Bien joué, mon fils, dit-il avec une nuance de respect. Le Busard nous prépare un tour à sa façon, tu ne t'es pas trompé. J'étais sur la plage et ne pouvais pas les voir installer l'embossure. J'aurais fort bien pu ne jamais la remarquer.

— Allez-vous lui ordonner de l'enlever, père?

Sir Francis sourit et secoua la tête.

— Mieux vaut ne pas lui laisser savoir que nous avons percé à jour son manège.

— Mais qu'allons-nous faire?

— J'ai déjà fait pointer les couleuvrines sur le *Goéland*. Daniel et Ned ont averti tous les hommes...

— Mais, père, ne pouvons-nous pas imaginer une ruse pour déjouer celle que, manifestement, il nous prépare? demanda Hal, qui, dans son trouble, avait eu la témérité de couper son père.

— Vous avez sans doute une suggestion, maître Henry, répondit celui-ci d'un ton tranchant, les sourcils froncés.

— Pardonnez ma présomption, père, je ne voulais pas me montrer impertinent, se hâta d'ajouter Hal l'air penaud, se rendant compte qu'il l'avait irrité.

— Je suis bien aise de l'entendre, répliqua Sir Francis qui se détourna avec raideur.

— Mon arrière-grand-père Charles Courteney n'était-il pas aux côtés de Drake à la bataille de Gravelines ?

— Certes, oui. Mais comme tu connais d'ores et déjà la réponse, n'est-ce pas là une curieuse question en pareilles circonstances ?

— Il se pourrait donc que ce soit notre aïeul qui ait proposé à Drake de lancer des brûlots contre l'Armada espagnole à l'ancre en rade de Calais, n'est-ce pas ?

Sir Francis tourna lentement la tête et dévisagea son fils. Il se mit à sourire, puis à glousser avant d'éclater franchement de rire.

— Doux Jésus, le sang des Courteney ne saurait mentir ! Descendons séance tenante dans ma cabine et montre-moi ce que tu as en tête.

Sir Francis se tint au côté de son fils pendant que celui-ci faisait un croquis sur l'ardoise.

— Il n'est pas nécessaire qu'ils soient solidement construits car ils n'ont pas à naviguer loin ni à affronter de grosses mers, expliqua Hal avec déférence.

— Oui, mais, une fois lancés, ils doivent être capables de tenir un cap tout en transportant une charge considérable, fit remarquer son père en lui prenant la craie des mains et en esquissant rapidement quelques lignes. Nous pourrions attacher deux coques ensemble. Il faut absolument éviter qu'ils chavirent ou se consument avant d'atteindre leur destination.

— Le vent de sud-est a soufflé régulièrement depuis que nous avons jeté l'ancre ici, dit Hal, et il ne semble pas devoir mollir. Nous devons donc les maintenir au vent par rapport au *Goéland*. Si nous les plaçons sur l'îlot de l'autre côté du chenal, le vent nous sera favorable lorsque nous les lancerons.

— Très bien, acquiesça Sir Francis. De combien de bateaux avons-nous besoin ? interrogea-t-il en sachant le plaisir qu'il faisait à son fils en le consultant ainsi.

— Drake en a envoyé huit sur les Espagnols, mais nous n'avons pas le temps d'en construire autant. Cinq, peut-être ? dit Hal en levant les yeux vers son père, qui hocha la tête derechef.

— Oui, cinq feront l'affaire. Combien d'hommes te faut-il ? Daniel doit rester à terre pour commander les couleuvrines. Mais je vais t'envoyer Ned Tyler et le charpentier... et Aboli, bien entendu.

Hal regarda son père d'un air incrédule.

— Vous me chargez de construire les navires ?

— C'est ton idée et si le plan échoue, je pourrai ainsi t'en impu
ter toute la responsabilité, répondit Sir Francis, un sourire à peine
décelable aux lèvres. Prends tes hommes et va immédiatement à
terre pour commencer le travail. Mais sois prudent. Ne facilite pas
la tâche au Busard.

Invisibles depuis le *Goéland de Moray*, quelques hommes de Hal
dégagèrent à la hache une petite clairière de l'autre côté de l'îlot
couvert d'une épaisse végétation. Après un long détour à travers la
forêt sur le continent, il réussit également à faire passer sur l'île le
gros de son équipe et son matériel sans être vu des vigies du
Busard.

Le premier soir, ils travaillèrent jusque tard dans la nuit à la
lumière vacillante de torches trempées dans de la poix. Tous
avaient conscience de l'urgence de leur tâche, et quand ils furent
épuisés, ils se laissèrent tout simplement tomber sur la litière de
feuilles jusqu'à ce que l'aube leur permette de reprendre le travail.

A midi le lendemain, les cinq étranges embarcations étaient
prêtes à être transportées jusqu'à leur cachette dans le bosquet au
bord de la lagune. A marée basse, Sir Francis arriva en pataugeant
depuis le continent et s'engagea sur le sentier qui traversait la
dense végétation de l'île pour inspecter les travaux.

Il hocha la tête d'un air incertain.

— J'espère de tout cœur qu'ils flotteront, dit-il d'un ton songeur
en faisant lentement le tour de l'une des disgracieuses embarcations.

— Nous ne le saurons qu'en les mettant à l'eau, répliqua Hal,
fatigué et de mauvaise humeur. Même pour vous être agréable,
père, je ne peux faire d'essai préalable pour l'édification de Lord
Cochran.

Son père le regarda, cachant sa surprise : le chiot est en train de
devenir un jeune chien et apprend à gronder, pensa-t-il avec une
bouffée de fierté paternelle. Il demande à être respecté et, pour
tout dire, il y réussit.

— Avec le peu de temps dont tu disposais, tu ne pouvais mieux
faire, dit-il, ce qui apaisa prestement l'irritation de Hal. Je vais
t'envoyer des hommes reposés pour t'aider à les transporter dans
le bosquet.

Hal était si fatigué que ce fut à peine s'il parvint à se hisser sur

136

le pont du *Résolution* par l'échelle de corde. Bien que sa tâche fût terminée, son père ne le laissa cependant pas s'échapper dans sa cabine.

— Nous sommes ancrés en plein sur l'arrière du *Goéland*, dit-il en désignant la forme sombre de l'autre navire sur la lagune éclairée par la lune. As-tu songé à ce qui arriverait si l'une de tes diaboliques embarcations manquait sa cible et dérivait jusqu'à nous ? Il nous est impossible de manœuvrer le navire démâté.

— Aboli a déjà coupé de longues perches en bambou, répondit Hal en dissimulant mal son épuisement. Nous les utiliserons si besoin est pour écarter les brûlots et les diriger vers la plage, où ils ne représenteront aucun danger. (Il se retourna pour montrer les feux de camp qui dansaient à travers les arbres.) Le Busard sera pris de court et ne disposera pas de perches en bambou.

— Va te reposer, dit son père, enfin satisfait. Nous ouvrons la loge demain soir et il faut que tu sois capable de répondre aux questions.

Hal émergea à contrecœur du sommeil abyssal dans lequel il avait sombré. Pendant quelques instants, il ne sut trop ce qui l'avait réveillé. Puis le léger grattement se fit de nouveau entendre derrière la cloison.

D'un seul coup, il fut pleinement réveillé, toute trace de fatigue oubliée. Il se laissa rouler hors de sa couchette et s'agenouilla près du panneau. Le grattement s'était fait impérieux. Il répondit en tapotant doucement sur la boiserie, puis tâtonna pour essayer de trouver le bouchon avec lequel il avait obturé le trou dans la cloison. Lorsqu'il l'enleva, un rayon de lumière jaune filtra à travers l'ouverture, mais disparut lorsque Katinka appliqua ses lèvres sur le trou.

— Où étais-tu la nuit dernière ? murmura-t-elle avec colère.

— J'avais un travail à faire à terre, répondit Hal à voix basse.

— Je ne te crois pas. Tu essaies de te dérober à ton châtiment. Tu me désobéis délibérément.

— Non non, je ne...

— Ouvre immédiatement ce panneau, coupa Katinka.

A tâtons, il chercha sa dague suspendue à sa ceinture accrochée au pied de la couchette et, s'en servant comme d'un levier, arracha les chevilles. Il enleva le panneau quasiment sans bruit et le posa à côté de lui, ouvrant un carré de lumière douce dans la cloison.

— Viens ! ordonna-t-elle.

Hal se tortilla à travers l'ouverture. Elle était étroite, mais il ne tarda pas à se retrouver à quatre pattes dans l'autre cabine. Il s'apprêtait à se relever, mais elle l'arrêta.

— Reste où tu es.

Il leva les yeux vers elle, debout au-dessus de lui. Elle était vêtue d'une chemise de nuit vaporeuse, ses cheveux défaits lui tombaient jusqu'à la taille. La lumière de la lanterne laissait voir son corps en transparence, sa peau claire luisait à travers la mousseline de soie.

— Tu n'as pas honte ? dit-elle à Hal agenouillé à ses pieds comme devant l'effigie d'une sainte. Tu te présentes nu devant moi. Tu ne me témoignes aucun respect.

— Excusez-moi ! lâcha-t-il, suffoqué. Ce n'était pas mon intention.

Dans son empressement à obéir, il avait oublié sa nudité, et couvrait à présent de ses deux mains les parties intimes de son anatomie.

— Non ! Ne cache pas ta honte.

Elle écarta les mains de Hal et tous deux baissèrent les yeux vers son aine. Ils regardèrent son membre grossir lentement et se tendre vers elle, le prépuce se rétractant de lui-même.

— N'y a-t-il rien que je puisse faire pour mettre un terme à ce comportement révoltant ? Es-tu à ce point engagé sur les voies de Satan ?

Elle le prit par les cheveux et tira pour qu'il se lève et la suive dans la splendide cabine où il avait eu un aperçu de sa beauté, la première fois qu'il l'avait vue.

Elle se laissa tomber sur le lit, et le fit s'agenouiller. Les pans de sa chemise de nuit s'écartèrent et retombèrent des deux côtés de ses cuisses longues et minces.

— Tu dois m'obéir en toute chose, enfant des ténèbres, dit-elle d'une voix soudain haletante, tout en lui tordant les cheveux.

Ses cuisses s'ouvrirent et elle pressa son visage entre elles, contre la touffe de boucles soyeuses et dorées.

Il sentit la mer en elle, l'eau salée et le varech, le parfum de toutes les choses vivantes de l'océan, l'odeur chaude et douce des îles, des lames qui se brisent sur les plages brûlées par le soleil. Il le huma par ses narines dilatées puis remonta avec ses lèvres à la source de cette senteur fabuleuse.

Elle s'avança à la rencontre de sa bouche en se tortillant sur le couvre-lit de satin, ses cuisses largement écartées, et poussa ses hanches en avant pour s'ouvrir à lui. Elle le guida vers le bouton de chair rose et dure niché à l'intérieur de sa fente cachée. Lorsqu'il le trouva avec le bout de sa langue, elle gémit et commença à mouvoir son bassin contre son visage comme si elle montait à cru un étalon au galop. Elle lui jetait des ordres incohérents : « Oh, arrête ! Je t'en prie, arrête ! Non ! Ne t'arrête pas ! Continue pour toujours ! »

Brusquement, elle tira violemment sur sa tête pour l'arracher d'entre ses cuisses, bascula en arrière sur le lit en le soulevant au-dessus d'elle. Il sentit ses talons s'enfoncer dans le creux de ses reins tandis qu'elle l'entourait de ses jambes, ses ongles lui labourant les épaules comme des couteaux. Puis, lorsqu'il glissa au fond d'elle et étouffa ses cris dans la masse dorée de ses cheveux, la douleur s'évanouit dans une sensation de chaleur ensorcelante.

Les trois chevaliers avaient installé la loge à flanc de colline au-dessus de la lagune, au pied d'une cascatelle qui tombait dans une cuvette d'eau sombre entourée de grands arbres drapés de lianes et de lichens.

L'autel avait été dressé au centre d'un cercle de pierres, un feu allumé devant lui. Tous les éléments se trouvaient ainsi représentés. La lune était dans son premier quartier, ce qui signifiait renaissance et résurrection.

Hal attendait seul dans la forêt plongée dans l'obscurité tandis que les trois chevaliers de l'Ordre ouvraient la loge pour l'initiation au premier degré. Puis son père, l'épée à la main, alla le chercher.

Les deux autres chevaliers attendaient près du feu à l'intérieur du cercle sacré. Ils avaient tiré leur arme dont la lame renvoyait le reflet des flammes. Posée près de l'autel sous une étoffe de velours, Hal vit la forme de l'épée de son arrière-grand-père. Ils s'arrêtèrent à l'extérieur du cercle et Sir Francis demanda à entrer dans la loge.

— Au nom du Père, du Fils et du Saint-Esprit.

— Qui sollicite l'entrée dans la loge du Temple de l'Ordre de saint Georges et du Saint-Graal ? tonna Lord Cumbria d'une voix qui résonna à travers les collines, sa claymore miroitant dans son poing velu.

— Un novice qui se présente pour être initié aux mystères du Temple, répondit Hal.

— Entre au péril de ta vie éternelle, l'avertit Cumbria.

Hal s'avança à l'intérieur du cercle. Brusquement, l'air parut se rafraîchir et il frissonna alors même qu'il était agenouillé devant le feu.

— Qui parraine ce novice ? demanda encore le Busard.

— Moi, lança Sir Francis en pénétrant à son tour dans le cercle.

Cumbria se tourna de nouveau vers Hal.

— Qui es-tu ?

— Henry Courteney, fils de Francis et Edwina.

Tandis que la roue étoilée du firmament tournait lentement au-dessus d'eux et que les flammes du feu diminuaient peu à peu, la longue séance de catéchisme commença.

Il était minuit passé lorsque, enfin, Sir Francis souleva l'étoffe de velours qui couvrait l'épée de Neptune. Le saphir serti dans la garde réfléchit un rayon de lune bleu pâle dans l'œil de Hal au moment où son père la plaçait dans sa main.

— Sur cette lame, tu confirmeras les principes de ta foi.

— Je crois en trois choses, commença Hal et je les défendrai jusqu'à la mort. Je crois qu'il y a un seul dieu dans la Trinité : le Père éternel, le Fils éternel et le Saint-Esprit éternel.

— Amen, répondirent en chœur les trois chevaliers.

— Je crois dans la communion de l'Eglise d'Angleterre et dans le droit divin de son représentant sur Terre, Charles, roi d'Angleterre, d'Ecosse et du Pays de Galles.

— Amen !

Quand Hal eut achevé son acte de foi, Cumbria lui demanda de prononcer ses vœux de chevalier.

— Je soutiendrai l'Eglise d'Angleterre. Je combattrai les ennemis de mon seigneur souverain, Charles, déclara Hal d'une voix tremblante de conviction et de sincérité. Je renonce à Satan et à ses œuvres. Je fuirai toutes les fausses doctrines, les hérésies et les schismes. Je me détournerai de tous les autres dieux et des faux prophètes.

» Je protégerai les faibles. Je défendrai le pèlerin. Je secourrai les nécessiteux et ceux qui souffrent d'injustice. Je lèverai mon épée contre le tyran et l'oppresseur.

» Je défendrai les Lieux saints. Je me mettrai à la recherche des précieuses reliques de Jésus-Christ et de ses saints et les protégerai. Je ne mettrai jamais fin à ma quête du Saint-Graal qui contient son sang sacré.

Les chevaliers nautoniers se signèrent quand il prononça ce dernier vœu, car la quête du Graal était au centre de leur foi. C'était la colonne de granit qui soutenait le toit de leur Temple.

— Je m'engage à la stricte observance. J'obéirai au code de ma chevalerie. Je ne me livrerai ni à la débauche ni à la fornication. (Sa langue buta contre ce mot, mais il se rattrapa rapidement.) J'honorerai mes frères chevaliers et, par-dessus tout, je garderai secrètes les cérémonies de ma loge.

— Puisse le Seigneur avoir pitié de ton âme, entonnèrent les trois chevaliers à l'unisson.

Ils s'avancèrent ensuite, entourèrent le novice agenouillé et posèrent tous en même temps une main sur sa tête inclinée, l'autre sur la garde de son épée.

— Henry Courteney, nous t'accueillons au sein de la compagnie du Graal et t'acceptons comme chevalier du Temple de l'Ordre de saint Georges et du Saint-Graal.

Richard Lister parla le premier, de sa voix sonore de Gallois, presque chantant sa bénédiction :

— Je t'accueille au sein du Temple. Puisses-tu toujours suivre la stricte observance.

— Je t'accueille au sein du Temple. Puissent les eaux des lointains océans s'ouvrir devant l'étrave de ton navire et la force du vent te porter sans faillir, continua Lord Cumbria.

Sir Francis prit la parole à son tour, sa main posée fermement sur les sourcils de Hal :

— Je t'accueille au sein du Temple. Puisses-tu toujours rester fidèle à tes vœux, à ton Dieu et à toi-même.

Puis les chevaliers nautoniers le relevèrent et, l'un après l'autre, l'embrassèrent. Les favoris de Lord Cumbria étaient raides et piquants comme une couronne d'épines.

La cale de la *Déesse* est occupée par ma part des épices que vous et moi avons prises sur le *Heerlycke Nacht*, assez pour m'acheter un château et cinq mille acres de la meilleure terre au Pays de Galles, dit Richard Lister en donnant à Sir Francis la poignée de main secrète des nautoniers. Et j'ai une jeune épouse et deux solides garçons que je n'ai point vus depuis trois ans. Un peu de repos au vert dans des lieux agréables avec ceux que j'aime et ensuite je sais que le vent m'appellera. Peut-être nous rencontrerons-nous encore sur des mers lointaines, Francis.

— Ecoutez donc votre cœur, Richard. Je vous remercie de votre amitié et de ce que vous avez fait pour mon fils, répondit Sir Francis en lui rendant sa poignée de main. J'espère qu'un jour il me sera donné d'accueillir les deux vôtres dans le Temple.

Lister tourna les talons et se dirigea vers la chaloupe qui l'attendait, mais il hésita et revint sur ses pas. Il posa son bras sur les épaules de son ami

— Cumbria m'a fait une proposition vous concernant, dit-il à voix basse, le sourcil froncé. Mais elle ne m'a pas plu du tout et je le lui ai dit en face. Surveillez vos arrières, Franky, et ne dormez que d'un œil tant qu'il est dans les parages.

— Vous êtes un ami véritable, dit Francis en regardant Lister regagner la chaloupe et s'éloigner vers la *Déesse*.

Dès qu'il eut gravi l'échelle du gaillard d'avant, son équipage remonta l'ancre et la fixa au-dessus de Vénus, la figure de proue. Toutes les voiles se gonflèrent et la *Déesse* parcourut le chenal, flamme hissée en guise d'adieu, puis disparut entre les promontoires rocheux en direction de la haute mer.

— Nous n'avons plus que le Busard pour nous tenir compagnie, dit Hal en regardant le *Goéland de Moray* au mouillage au milieu de la lagune, entouré par ses canots qui déchargeaient barriques d'eau, fagots de bois et poisson frais dans ses cales.

— Monsieur Courteney, faites, je vous prie, les préparatifs nécessaires pour échouer le navire, répondit Sir Francis.

Hal se redressa. Il n'avait pas l'habitude que son père s'adresse ainsi à lui. Cela lui faisait un drôle d'effet d'être traité en chevalier et en officier à part entière, et non plus en simple enseigne. Même sa vêture avait changé. Son père lui avait fourni une chemise de coton blanc de Madras et des hauts-de-chausses neufs en velours, qui lui semblaient être doux comme de la soie après les guenilles de toile grossière qu'il avait portées jusque-là.

Il fut encore plus surpris lorsqu'il daigna lui expliquer son ordre :

— Nous devons vaquer à nos affaires comme si nous ne soupçonnions aucune traîtrise. Par ailleurs, le *Résolution* sera plus en sécurité sur la plage en cas de lutte.

— Je comprends, monsieur. (Hal regarda le soleil pour voir l'heure qu'il était.) Nous aurons une marée favorable pour le mettre à la côte demain matin à la deuxième cloche du quart. Nous serons prêts.

Pendant tout le reste de la matinée, l'équipage du *Goéland* se comporta comme celui de n'importe quel navire se préparant à prendre la mer, et bien que Daniel et ses artilleurs, avec canons chargés et pointés, cordes à feu allumées, l'aient surveillé depuis leurs batteries cachées creusées dans le sol sablonneux en lisière de la forêt, ils ne relevèrent aucun signe suspect.

Un peu avant midi, Lord Cumbria se fit conduire à terre et vint trouver Sir Francis. Celui-ci se trouvait près du feu au-dessus duquel bouillonnait le chaudron de poix, prêt pour que commence le calfatage de la coque dès que le *Résolution* serait mis en carène.

— Je viens vous faire mes adieux, dit-il en embrassant Sir Francis et le prenant par les épaules de son épais bras droit. Richard a raison, ce n'est pas en restant assis à paresser sur la plage que nous ferons de nouvelles prises.

— Vous voilà donc prêt à appareiller ? fit Sir Francis d'une voix égale, sans trahir sa surprise.

— Avec la marée, demain matin. Mais il m'en coûte de vous quitter, Franky. Voulez-vous venir prendre un dernier verre à bord du *Goéland* ? J'aimerais bien discuter avec vous de la part qui me revient de la prise du *Standvastigheid*.

— Comte, votre part est nulle. Cela met fin à notre discussion, et je vous souhaite bon vent.

Cumbria partit d'un grand éclat de rire.

— J'ai toujours apprécié votre sens de l'humour, Franky. Je sais que votre seul désir est de m'épargner la peine de transporter cette lourde cargaison d'épices jusqu'à l'estuaire de la Forth, dit-il en se tournant pour désigner de sa barbe bouclée l'endroit où les épices étaient entreposées sous les arbres. Je vous laisserai donc le soin de le faire à ma place. Mais, dans l'intervalle, je vous fais confiance pour tenir un compte exact de ma part et me la remettre à notre prochaine rencontre — plus les intérêts habituels, naturellement.

— Je vous fais confiance de même, comte, répondit Sir Francis avec une profonde révérence en balayant le sable avec la plume de son chapeau.

Cumbria lui rendit son salut et, toujours riant, regagna sa chaloupe et se fit ramener jusqu'au *Goéland*.

Au cours de la matinée, les otages hollandais furent conduits à terre et installés dans les logements que Hal et son équipe avaient construits à leur intention. Ils étaient situés bien à l'écart de la lagune et séparés du quartier de l'équipage.

Le galion était vide à présent et prêt à être échoué. Tandis que la marée entrait par la passe, l'équipage, sous les ordres de Ned Tyler et de Hal, entreprit de le diriger vers la plage. Ils avaient attaché les palans aux arbres les plus gros. De lourdes aussières avaient été frappées à l'avant et à l'arrière du *Résolution*, et, grâce aux efforts conjugués d'une cinquantaine d'hommes, le navire prit position parallèlement à la plage.

Lorsque le fond de la coque toucha le sable, ils l'amarrèrent, puis quand la marée se retira, ils l'inclinèrent en attachant des palans aux mâts de misaine et d'artimon, toujours fichés dans leur emplanture. Le bateau gîta fortement, jusqu'à toucher la cime des arbres. Tout le flanc tribord de la coque, jusqu'à la quille, était hors de l'eau. Sir Francis et Hal arrivèrent en pataugeant pour l'inspecter. Ils eurent la satisfaction de ne trouver aucun signe d'infestation par des tarets.

Il fallait remplacer certaines parties du vaigrage et on se mit immédiatement à l'ouvrage. Lorsque vint l'obscurité, on alluma les torches car le travail sur la coque devait se poursuivre jusqu'au retour de la marée. Quand celui-ci eut lieu, Sir Francis se retira pour se restaurer dans son nouveau logement tandis que Hal donnait des ordres afin que la coque soit arrimée pour la nuit. Puis on éteignit les torches et Ned et ses hommes allèrent prendre un dîner tardif.

Hal n'avait pas faim de nourriture. Ses appétits étaient d'un autre ordre, mais il avait encore au moins une heure à patienter avant de pouvoir les satisfaire. Resté seul sur la plage, il observa le *Goéland* qui semblait s'apprêter à passer paisiblement la nuit. Ses canots étaient toujours amarrés contre son flanc, mais il ne fallait guère de temps pour les hisser à bord, condamner les panneaux et prendre la mer.

Il se détourna et se dirigea vers les arbres. Il longea la rangée de batteries, parlant à voix basse avec les hommes de quart derrière les couleuvrines. Il vérifia une fois de plus la position de chacune, s'assurant qu'elles étaient bien pointées vers la forme sombre du *Goéland* tapie sur l'eau noire où dormaient les étoiles.

Il s'assit un moment près du grand Daniel, les jambes pendantes à l'intérieur de la batterie.

— Ne vous inquiétez pas, monsieur Henry, dit le maître d'équipage, recourant naturellement lui aussi à cette appellation plus respectueuse. Nous veillons au grain et gardons à l'œil ce coquin à barbe rousse. Vous pouvez aller dîner sans crainte.

— Depuis quand n'avez-vous pas dormi, Daniel? demanda Hal.

— Ne vous faites pas de souci pour moi. Le changement de quart ne va pas tarder. Je donne le relais à Timothy.

Devant sa hutte, Hal trouva Aboli assis près du feu, aussi silencieux qu'une ombre, qui l'attendait avec un pichet de petite bière et une gamelle contenant du canard rôti et des morceaux de pain.

— Je n'ai pas faim, Aboli, protesta Hal.

— Mange, commanda le grand Noir en lui plaçant la gamelle entre les mains. Tu as besoin de force pour accomplir la tâche qui t'attend cette nuit.

Hal accepta la gamelle et essaya de déterminer le sens profond de son admonition. La lumière du feu dansait sur son visage sombre, aussi énigmatique que celui d'une idole païenne, et soulignait les scarifications de ses joues, mais ses yeux restaient insondables.

Hal se servit de sa dague pour séparer en deux la carcasse du canard et il en offrit une portion à Aboli.

— Quelle est cette tâche que je dois accomplir? demanda-t-il avec prudence.

Aboli arracha un morceau de blanc et haussa les épaules.

— Fais attention à ne pas érafler les parties les plus tendres de ton anatomie sur des épines en passant par l'ouverture de la palissade pour aller faire ton devoir.

Hal interrompit sa mastication et le morceau de canard qu'il avait dans sa bouche perdit soudain toute saveur. Aboli avait dû découvrir l'étroit passage dans la clôture d'épineux derrière la hutte de Katinka que Hal avait secrètement laissé libre.

— Depuis quand es-tu au courant ? demanda-t-il la bouche pleine.

— Etais-je censé ne pas l'être ? s'enquit Aboli. Tes yeux sont ronds comme la pleine lune quand tu regardes dans une certaine direction, et à minuit j'ai entendu tes rugissements semblables à ceux d'un buffle blessé.

Hal était stupéfait. Il s'était montré si prudent et astucieux...

— Crois-tu que mon père sache ? demanda-t-il avec inquiétude.

— Tu es toujours en vie, fit remarquer Aboli. S'il savait, il n'en serait pas ainsi.

— Tu ne le diras à personne, n'est-ce pas ? chuchota Hal. Surtout pas à lui.

— Surtout pas à lui, convint Aboli. Mais veille à ne pas creuser ta propre tombe avec l'épée que tu as entre les jambes.

— Je l'aime, Aboli, murmura Hal. Je n'arrive plus à dormir tant je pense à elle.

— Je sais bien que tu ne dors pas. J'ai cru que ton insomnie allait réveiller tout l'équipage.

— Ne te moque pas de moi, Aboli. Je meurs de ne pas être avec elle.

— Alors, je dois te sauver la vie en te conduisant à elle.

— Tu veux dire que tu viendrais avec moi ? demanda Hal d'un ton choqué.

— J'attendrai près du trou dans la palissade. Je monterai la garde. Il se pourrait que tu aies besoin de mon aide si le mari te trouvait là où il aimerait être.

— Ce gros porc ! lança Hal avec une expression haineuse.

— Gros, peut-être. Sournois, presque certainement. Puissant, sans aucun doute. Ne le sous-estime pas, Gundwane, dit Aboli en se levant. Je passe le premier pour m'assurer que la voie est libre.

Tous deux se glissèrent silencieusement dans l'obscurité et marquèrent un temps d'arrêt en arrivant à la palissade.

— Il n'est pas nécessaire que tu m'attendes, Aboli, fit Hal à voix basse. Il se peut que je reste un bon moment.

— Si tu ne le faisais pas, tu me décevrais, répondit Aboli dans sa langue. Souviens-toi toujours de ce conseil, Gundwane, il te sera utile tous les jours de ta vie. La passion de l'homme fait songer à un feu d'herbe sèche ; il brûle avec ardeur mais s'éteint vite. La femme est comme un chaudron magique : il faut le chauffer longtemps avant qu'il ne produise un charme. Sois rapide en toutes choses, sauf en amour.

— Pourquoi faut-il que les femmes soient si différentes de nous? soupira Hal.

— Remercions tous tes dieux, ainsi que les miens, qu'elles le soient, remarqua Aboli avec un large sourire, en poussant Hal par l'ouverture. Si tu appelles, je serai là.

La lampe brûlait encore dans la hutte de Katinka. On voyait sa lumière jaune filtrer par le chaume du toit. Hal écouta sans faire de bruit mais n'entendit aucune voix. Il s'avança sur la pointe des pieds jusqu'à la porte entrebâillée et regarda l'énorme lit à baldaquin que ses hommes avaient transporté depuis la cabine du *Résolution*. Les rideaux étaient tirés pour se protéger des insectes, et il ne pouvait donc s'assurer que Katinka était seule.

Il se glissa par la porte et s'approcha du lit en silence. Quand il en toucha les rideaux, une petite main blanche se glissa à travers les plis, s'empara de la sienne et le tira sous le dais.

— Ne parle pas! siffla Katinka. Pas un mot!

Ses doigts déboutonnèrent avec agilité la chemise de Hal et l'ouvrirent jusqu'à la taille avant de lui labourer la poitrine.

En même temps, elle lui bâillonnait la bouche de la sienne. Elle ne l'avait encore jamais embrassé, et la chaleur et la douceur de ses lèvres le stupéfièrent. Il voulut lui caresser les seins mais elle lui prit les poignets et les lui immobilisa tandis que sa langue s'enfonçait dans sa bouche et s'enroulait autour de la sienne, ondulant comme une anguille, le titillait et l'excitait lentement, plus qu'il ne l'avait jamais été.

Puis, sans relâcher son étreinte, elle le fit basculer en arrière, et l'ayant débarrassé de ses hauts-de-chausses, elle se mit à califourchon sur lui dans un tourbillon de soie et de dentelle et le cloua sur le couvre-lit de satin. Sans se servir de ses mains, elle le chercha avec son pubis, le trouva et l'aspira en elle.

Bien plus tard, Hal sombra dans un sommeil aussi profond qu'une petite mort.

Une pression insistante sur son bras nu le réveilla et il se redressa brusquement, alarmé.

— Qu'est-ce que... commença-t-il, mais la main lui ferma prestement la bouche.

— Gundwane! Ne fais pas de bruit. Ramasse tes vêtements et suis-moi. Vite!

Hal se laissa glisser silencieusement hors du lit, prenant garde à ne pas déranger la femme qui dormait à ses côtés et s'habilla rapidement.

Aucun d'eux ne souffla mot avant d'avoir atteint l'ouverture dans la palissade. Là, ils marquèrent une pause que Hal mit à profit pour calculer l'heure d'après l'inclinaison de la Croix du Sud au-dessus de l'horizon : il ne restait qu'une heure avant l'aube. C'était l'heure du crime, le moment où les énergies étaient au plus bas. Hal se retourna vers la silhouette sombre d'Aboli.

— Que se passe-t-il? Pourquoi m'as-tu appelé? demanda-t-il.

— Ecoute, lui répondit le grand Noir en lui posant une main sur l'épaule.

— Je n'entends rien.

— Attends! fit Aboli en affermissant sa poigne pour le faire taire.

Hal entendit alors dans le lointain, faible et amorti par les arbres, un éclat de rire effréné.

— D'où ça vient? demanda-t-il, perplexe.

— De la plage.

— Par les blessures du Christ! lâcha Hal. Quelle est cette diablerie?

Aboli à son côté, il prit sa course en direction de la lagune, trébuchant dans les ténèbres sur le sol inégal de la forêt, le visage giflé par les branches basses.

Quand ils atteignirent les premières huttes du camp, d'autres bruits leur parvinrent aux oreilles, des paroles de chanson inarticulées et un rire fou.

— Les batteries! haleta Hal qui, au même instant, vit une pâle silhouette humaine se dessiner dans les dernières lueurs du feu mourant.

La voix de son père le fit sursauter.

— Qui est là?

— C'est Hal, père.

— Qu'est-ce qui se passe?

Sir Francis venait manifestement de se réveiller car il était en manches de chemise et sa voix était encore ensommeillée, mais il avait l'épée à la main.

— Je ne sais pas, répondit son fils au moment où éclatait un nouveau rire stupide. Ça vient de la plage, des batteries.

Sans un mot de plus, tous trois se mirent à courir et arrivèrent en même temps à la première couleuvrine. Au bord de la lagune, le dais de feuillage était moins épais et laissait filtrer assez de lumière pour qu'ils voient l'un des artilleurs étalé sur le long canon de bronze. Lorsque Sir Francis lui décocha un violent coup de pied, il s'effondra dans le sable.

C'est alors que Hal aperçut le tonnelet posé au bord de la fosse.

Oublieux de tout ce qui l'entourait, un artilleur à quatre pattes lapait le liquide qui tombait goutte à goutte du fausset. Hal sentit l'arôme sucré qui flottait lourdement dans l'air de la nuit comme le parfum d'une fleur vénéneuse. Il sauta au fond de la batterie et empoigna l'homme par les cheveux.

— Où as-tu eu ce rhum ? rugit-il. (L'artilleur se retourna et le fixa d'un regard trouble. Hal lui donna un coup de poing qui fit s'entrechoquer ses dents.) Espèce d'ivrogne ! Comment as-tu eu cet alcool ? répéta-t-il en lui enfonçant légèrement la pointe de sa dague dans le cou. Réponds ou je t'égorge.

Sous l'effet de la douleur et de la peur, sa victime reprit ses esprits.

— C'est un cadeau d'adieu de sa seigneurie du *Goéland*, haleta-t-il. Il nous a fait porter un tonnelet pour que nous buvions à sa santé et lui souhaitions bon vent.

Hal repoussa sans ménagement l'homme ivre et sauta sur le parapet.

— Allons voir si le Busard a fait parvenir du rhum aux autres artilleurs.

Ils parcoururent au pas de course la rangée des batteries et trouvèrent dans chacune des tonnelets de chêne en perce et des corps inertes. Rares étaient les hommes encore debout, et ceux qui l'étaient titubaient, dans un état d'ébriété avancé. Les marins anglais résistaient mal à l'alcool brûlant tiré de la canne à sucre.

A ce moment, le grand Daniel arriva du camp en courant.

— J'ai entendu du vacarme, capitaine. Que s'est-il passé ?

— Le Busard a soûlé l'équipage, répondit Sir Francis d'une voix tremblante de colère. Cela ne peut signifier qu'une seule chose. Il n'y a pas une minute à perdre. Réveillez le camp. Tous les hommes en armes... mais en silence, faites attention !

Alors que Daniel s'éloignait rapidement, Hal entendit au loin un léger bruit qui provenait de la forme sombre du vaisseau immobile sur les eaux étales, celui, métallique, d'une roue à rochet et d'un cliquet qui résonna dans la moelle de ses os.

— Le cabestan ! s'exclama-t-il. Le *Goéland* est en train d'embraquer sur son embossure.

Au clair de lune, ils virent la silhouette du navire commencer à se modifier ; à mesure que l'aussière reliant l'ancre au cabestan faisait pivoter la poupe, le navire se présenta en plein par le travers.

— Ses pièces sont sorties ! s'exclama Sir Francis en voyant la lune scintiller sur les canons.

Ils distinguaient à présent la lueur des cordes à feu allumées que tenaient les artilleurs du *Goéland*, en position derrière les canons.

— Par tous les diables, ils vont nous tirer dessus! A couvert! cria Sir Francis. Mettez-vous à couvert!

Hal sauta par-dessus le parapet de la batterie et se jeta à plat ventre. La nuit fut soudain illuminée comme par la foudre. Un instant plus tard, le tonnerre frappait leurs tympans, la mitraille balayait la plage en tornade et s'abattait sur la forêt autour d'eux. Le *Goéland* avait déchargé tous ses canons sur le camp en une seule bordée dévastatrice.

La mitraille était passée à travers le dais de feuillage et les branches, auxquelles pendaient maintenant des bouquets de feuilles et des morceaux d'écorce humide. Un nuage mortel d'éclats de bois arrachés aux troncs des arbres emplissait l'air.

Les fragiles huttes n'offraient aucune protection à leurs occupants. La bordée les cisailla, envoya voltiger les poteaux et aplatit les structures légères comme si elles avaient été emportées par un raz de marée. Ils entendirent les cris terrifiés des hommes qui s'éveillaient en plein cauchemar, les gémissements et les hurlements de ceux qui avaient été fauchés par la grêle de plombs ou transpercés par les éclats de bois.

Le *Goéland* avait disparu derrière le voile de fumée de ses canons, mais Sir Francis se releva d'un bond et arracha des mains de l'artilleur ivre la corde à feu fumante. Il jeta un coup d'œil par-dessus les mires de la couleuvrine et vit qu'elle était toujours pointée vers le tourbillon de fumée derrière lequel se cachait le navire. Il appuya la corde sur la lumière. La couleuvrine vomit un long jet de fumée argentée et bondit en arrière en tirant brusquement sur sa brague. Il ne put voir tomber le boulet mais hurla un ordre aux artilleurs qui étaient assez sobres pour obéir.

— Feu! Ouvrez le feu! Continuez de tirer aussi vite que vous pourrez!

Il entendit une salve irrégulière mais vit ensuite bon nombre des artilleurs se relever et s'éloigner en titubant dans la forêt.

Hal sauta sur le parapet de la batterie et cria à Aboli et à Daniel:

— Venez! Emportez chacun un briquet et suivez-moi! Il faut absolument que nous traversions pour atteindre l'île!

Daniel aidait déjà Sir Francis à recharger la couleuvrine, écouvillonnant le canon fumant pour éteindre les escarbilles.

— Assez, Daniel. Laissez cela à d'autres. J'ai besoin de votre aide.

Tandis que tous deux s'éloignaient le long du rivage, la nappe de fumée qui enveloppait le *Goéland* se dissipa et le navire tira sa deuxième bordée. Deux minutes à peine s'étaient écoulées depuis la première. Ses artilleurs étaient rapides, bien entraînés et avaient l'avantage de la surprise. Une fois encore, le déluge de plomb balaya la plage et laboura la forêt avec un résultat tout aussi mortel.

Hal vit une de leurs couleuvrines frappée de plein fouet par un boulet. La brague se cassa net et le canon fut projeté hors de son affût, la gueule pointée vers les étoiles.

Les cris des blessés et des mourants montaient dans le tohu-bohu général tandis que les hommes abandonnaient leur poste et s'enfuyaient à couvert. La riposte intermittente qui partait des batteries s'essouffla peu à peu jusqu'à ce qu'il n'y ait plus qu'une détonation et un éclair de temps à autre. Lorsque les couleuvrines se turent, le Busard tourna ses canons vers les dernières huttes et les massifs de végétation où l'équipage du *Résolution* avait cherché refuge.

Hal entendait les hommes du *Goéland* pousser des acclamations frénétiques en rechargeant et en faisant feu.

Il n'y eut plus de bordées mais un roulement de tonnerre haché, chaque artilleur tirant dès qu'il était prêt. Les gueules des canons lançaient des éclairs qui vacillaient et brillaient comme les flammes de l'enfer à travers la nappe blanche de fumée sulfureuse.

Tout en courant, Hal entendait derrière lui, de plus en plus affaiblie par la distance, la voix de son père qui essayait de rallier son équipage anéanti et démoralisé. Aboli était à son côté et le grand Daniel à quelques pas en arrière, perdant peu à peu du terrain sur les deux coureurs de tête.

— Il nous faut d'autres hommes pour les lancer, haleta Daniel. Elles sont lourdes.

— Vous ne trouverez personne pour nous aider en ce moment. Ils sont tous ivres morts ou ont décampé pour sauver leur peau, grogna Hal, mais au même moment, il vit Ned Tyler sortir à toute vitesse de la forêt juste devant eux, à la tête de cinq de ses hommes, apparemment à jeun.

— Vous ne serez pas de trop, Ned. Nous devons nous dépêcher. Le Busard va envoyer ses hommes sur la plage dès qu'il aura réduit nos batteries au silence.

En formation serrée, ils s'engagèrent au pas de charge dans l'étroit chenal qui les séparait de l'île. La marée était basse, de sorte qu'ils commencèrent par avancer péniblement dans de la boue qui leur collait aux pieds, avant de plonger quand il y eut assez d'eau. Ils progressaient comme ils pouvaient, tantôt pataugeant, tantôt nageant, aiguillonnés par le tonnerre du tir de barrage.

— Il n'y a qu'un léger souffle de sud-ouest, remarqua Daniel d'une voix essoufflée tandis qu'ils sortaient de l'eau en titubant, ruisselants, sur la plage de la petite île. Ce ne sera pas suffisant.

Hal ne répondit pas mais cassa une branche morte et alluma cette torche improvisée avec sa corde à feu. Il la tint haut pour s'éclairer et trouver le sentier qui pénétrait dans la forêt. Quelques minutes après, ils avaient traversé l'îlot et atteint l'autre côté. Hal marqua une pause et regarda le *Goéland* dans le chenal principal.

L'aube arrivait rapidement et la nuit fuyait devant elle. La lumière virait au gris et à l'argenté, la lagune luisait doucement comme une plaque d'étain poli.

Le Busard orientait ses canons d'un côté et de l'autre en se servant de son embossure pour faire tourner le *Goéland* sur ses amarres et viser n'importe quelle cible sur le rivage.

Du côté de la plage parvenait l'éclair intermittent de tirs de couleuvrine auxquels le Busard ripostait immédiatement en faisant pivoter son navire et donner toute son artillerie dans une tornade de mitraille, de sable et d'arbres abattus.

L'équipe de Hal était à bout de souffle après sa course folle dans la boue et dans l'eau.

— Pas le temps de se reposer, jeta Hal, avec une respiration sifflante.

Les brûlots étaient recouverts par des monceaux de branchages et ils durent les dégager. Puis ils firent cercle autour de la première des embarcations et chacun y chercha une prise.

— Oh hisse! exhorta Hal, et tous ensemble ils soulevèrent le bateau à double coque.

Il était lourdement chargé de fagots de bois sec trempé dans la poix pour le rendre plus inflammable.

Ils portèrent en chancelant l'embarcation jusqu'à l'eau peu profonde, où elle fut ballottée par les vaguelettes, son carré de toile sale tendue sur son mât courtaud s'agitant mollement sous la brise légère qui venait des promontoires. Hal enroula l'amarre autour de son poignet pour l'empêcher de dériver.

— Y a pas assez de vent! se lamenta Daniel en regardant le ciel. Pour l'amour de Dieu, envoyez-nous une bonne brise.

— Gardez vos prières pour plus tard, lança Hal en amarrant l'embarcation avant de les ramener au pas de course vers les arbres. Ils portèrent, poussèrent, tirèrent deux autres brûlots jusqu'au bord de l'eau.

— Toujours pas assez de vent, commenta Daniel en regardant en direction du *Goéland*.

Durant le court laps de temps nécessaire à lancer les embarcations, la lumière du matin était devenue plus forte et, tandis qu'ils s'étaient arrêtés un moment pour reprendre leur souffle, ils virent les hommes du Busard abandonner leurs pièces et, poussant des vivats et brandissant sabres d'abordage et piques, descendre en masse dans les chaloupes.

— Regardez-moi ces porcs ! Ils savent bien que la lutte est finie, grogna Ned Tyler. Ils vont au pillage.

Hal hésita. Il restait encore deux autres brûlots en lisière de la forêt, mais les lancer prendrait trop de temps.

— Nous allons leur donner des raisons de changer d'avis, dit-il en prenant la corde à feu allumée entre ses dents.

De l'eau jusqu'aux aisselles, il se dirigea vers l'endroit où le premier bateau dansait à la surface de la lagune, tout près du bord, et lança la corde à feu sur le tas de bois à brûler. Les rondins de bois enduits de poix s'enflammèrent en crépitant, une fumée bleue s'en échappa et dériva, emportée par la brise paresseuse.

Hal saisit l'amarre frappée à l'avant et tira l'embarcation dans le chenal. Après une dizaine de mètres, il perdit pied. Il nagea vers l'arrière du brûlot, y trouva un point d'appui, poussa un bon coup avec les deux jambes et l'embarcation s'éloigna.

Aboli plongea à son tour. En quelques brasses puissantes, il avait rejoint Hal. Poussé par les deux hommes, le bateau avançait plus vite.

Une main posée sur la poupe, Hal leva la tête hors de l'eau pour s'orienter et vit la flottille des canots du *Goéland* qui se dirigeait vers la plage. Ils étaient surchargés de marins qui hurlaient avec frénésie, leurs armes scintillant à la lumière matinale. Le Busard était si sûr d'obtenir la victoire qu'il n'avait certainement laissé à bord que quelques hommes pour garder le navire.

Hal jeta un coup d'œil par-dessus son épaule et vit que Ned et Daniel l'avaient imité. Ils avaient conduit le reste de l'équipe dans la lagune et, accrochés à l'arrière des deux autres brûlots, les propulsaient vers le chenal en battant énergiquement des pieds. Le feu prenait dans leur chargement de bois et des volutes de fumée s'élevaient à présent des trois embarcations.

Hal se laissa retomber à côté d'Aboli et se remit à fouetter l'eau avec acharnement, poussant le bateau devant lui vers le chenal où le *Goéland* était à l'ancre. La marée montante les entraîna alors et, tel un trio de canards blessés, les emporta avec rapidité.

Tandis que l'étrave du brûlot pivotait, Hal eut un meilleur aperçu de ce qui se passait sur la plage. Il reconnut la barbe et la chevelure d'un roux flamboyant du Busard qui, dans la chaloupe de tête, dirigeait l'offensive en direction du camp, et il eut l'impression, même dans le vacarme, d'entendre ses éclats de rire portés sur les eaux.

Il n'eut pas le loisir de s'y attarder plus longtemps car, au-dessus de lui, le feu avait bien pris dans le chargement du brûlot et grondait furieusement. Les flammes crépitaient et s'élevaient en hautes colonnes d'épaisse fumée noire. Elles dansaient et, leur chaleur augmentant le tirage, l'unique voile se gonflait avec davantage de détermination.

— Ne nous arrêtons pas ! dit Hal à Aboli en haletant. Plus à bâbord de deux quarts.

Une bouffée de chaleur passa au-dessus de sa tête, si violente qu'il eut la sensation que ses poumons s'asséchaient brutalement. Il mit la tête sous l'eau et la releva en s'ébrouant, les cheveux ruisselant sur son visage, mais toujours battant l'eau de toutes ses forces. Le *Goéland* se trouvait droit devant à moins d'une encablure. Daniel et Ned suivaient non loin derrière, leurs deux brûlots enveloppés par de la fumée noire et des flammes rouge orangé. L'air tremblotait au-dessus d'eux sous l'effet de la chaleur.

— Continuons, jeta Hal.

Ses jambes commençaient à lui faire atrocement mal, et il s'adressait plus à lui-même qu'à Aboli. L'amarre frappée à l'avant du brûlot traînait à l'arrière et menaçait de s'enrouler autour de ses jambes, mais il la repoussa d'un coup de pied — il n'avait pas le temps de la larguer.

Il vit la première chaloupe du *Goéland* atteindre la plage et Cumbria sauter à terre en faisant tournoyer son sabre au-dessus de sa tête. En atterrissant sur le sable, il renversa la tête en arrière, poussa un cri de guerre gaélique à glacer le sang puis s'élança à l'assaut de la plage escarpée. Ayant atteint les arbres, il se retourna pour s'assurer que ses hommes le suivaient. La claymore toujours levée, il remarqua la petite escadre de brûlots qui, dans un tourbillon de flammes et de fumée, se rapprochait inexorablement du *Goéland*.

— Nous y sommes presque ! haleta Hal avec l'impression que les vagues de chaleur qui se succédaient au-dessus de sa tête lui grillaient les yeux.

Il mit de nouveau la tête sous l'eau pour se rafraîchir ; quand il la releva, le *Goéland* n'était plus qu'à une cinquantaine de mètres.

Malgré le crépitement des flammes, il entendit le rugissement du Busard :

— En arrière! Tous au bateau! Ces faquins lancent des brûlots sur le *Goéland*. La frégate transportait le butin d'une longue et rude course et son équipage poussa un cri d'indignation en voyant en péril les fruits de trois années de travail. Ils refluèrent vers les chaloupes encore plus vite qu'ils ne les avaient quittées.

Debout à l'avant de la sienne, le Busard trépignait et gesticulait au point de menacer l'équilibre du canot.

— Attendez que je mette la main sur cette vermine. Je vais leur arracher...

C'est alors qu'il reconnut Hal à l'arrière du brûlot de tête, le visage éclairé par l'éclat aveuglant des tourbillons de flammes, et sa voix monta d'une octave.

— Par Dieu, c'est le drôle de Franky! Je vais lui rôtir le foie, cria-t-il emporté par une rage folle, le visage écarlate, fendant l'air avec son sabre pour aiguillonner les rameurs.

Hal n'était plus qu'à une douzaine de mètres du *Goéland* et il rassembla ses dernières forces. Inlassablement, Aboli nageait toujours.

Tandis que la chaloupe du Busard se dirigeait rapidement vers eux, ils franchirent les derniers mètres et Hal sentit l'étrave du brûlot heurter lourdement les jambettes de voûte de la frégate. La marée fit pivoter l'embarcation qui vint se coller par le travers contre le *Goéland*, de sorte que les flammes, attisées par les premiers souffles de la brise du matin, léchaient le flanc du navire et en noircissaient la coque.

— Rattrapez le brûlot! beugla le Busard. Amarrez-le et remorquez-le en arrière!

Ses rameurs piquèrent droit sur le petit navire incendiaire mais, lorsqu'ils sentirent les premières bouffées de chaleur, ils renâclèrent. A l'avant, le Busard se couvrit précipitamment le visage, la barbe roussie.

— En arrière ou je suis grillé vif! rugit-il. Puis à l'intention du patron de la chaloupe: Donnez-moi l'ancre! Je vais le saisir au grappin et nous l'écarterons du *Goéland*.

Hal s'apprêtait à nager sous l'eau pour sortir du cercle de chaleur quand il entendit l'ordre lancé par Cumbria. L'amarre traînait toujours autour de ses jambes, il en chercha le bout à tâtons et le coinça entre ses pieds. Puis il plongea et nagea sous la coque du brûlot pour remonter à la surface dans l'étroit espace libre entre lui et le *Goéland*.

L'étambot du gouvernail dépassait de la surface. Recrachant de l'eau, Hal frappa la ligne sur l'aiguillot. Il avait l'impression que son visage se cloquait, que la chaleur lui tapait sur la tête comme si on l'avait frappé à coups de marteau, mais il parvint à amarrer solidement le canot embrasé à l'arrière du *Goéland*.

Il plongea de nouveau et refit surface à côté d'Aboli.

— Regagnons la plage avant que le feu n'atteigne le magasin de poudre.

Ils commencèrent à nager et Hal vit la chaloupe tout près, presque au point de la toucher, mais le Busard ne faisait plus attention à eux. Il fit tournoyer la petite ancre au-dessus de sa tête et la lança par-dessus le brûlot puis tira pour qu'elle croche.

— En arrière! cria-t-il à ses hommes. Remorquez-le!

Les rameurs poussèrent de toutes leurs forces sur les avirons, mais le brûlot fut immédiatement retenu par l'amarre frappée par Hal et les rames battirent l'eau sans résultat. Le canot en flammes refusait de se laisser remorquer et le bordé du *Goéland* commençait à fumer de façon inquiétante.

Le feu est la terreur de tous les marins. Le navire était construit avec des matériaux inflammables et bourré d'explosifs, de bois et de poix, de toile et de chanvre, de suif, de poudre à canon et de tonneaux d'épices. L'équipage de la chaloupe était terrorisé. Le Busard lui-même regarda arriver avec des yeux fous les deux autres brûlots qui dérivaient inexorablement vers lui.

— Arrêtez ces deux-là! Détournez-les! hurla-t-il en les désignant avec son sabre.

Puis il porta de nouveau son attention sur celui amarré contre le flanc du *Goéland*.

Hal et Aboli se trouvaient déjà à une cinquantaine de mètres et nageaient toujours en direction de la plage. Hal s'arrêta un moment et vit tout de suite que les efforts du Busard pour remorquer l'embarcation en feu avaient échoué.

Sa chaloupe se dirigeait à présent vers l'avant de la frégate. Il grimpa à bord en vitesse, suivi par ses hommes.

— Des seaux! hurla-t-il. Faites la chaîne avec des seaux! Les pompes! Dix hommes pour armer les pompes. Noyez les flammes!

Les matelots se hâtèrent d'obéir, mais le feu gagnait rapidement, rongeait la poupe, dansait le long du plat-bord et léchait les voiles ferlées sur les vergues débordées.

Sur l'une des chaloupes du *Goéland* les marins avaient saisi au grappin le brûlot de Ned et, faisant force de rames, le tiraient au loin. Sur une autre, l'équipage tentait de faire la même chose avec le brûlot du grand Daniel, mais les flammes le forçaient à garder ses distances. Chaque fois qu'ils réussissaient à l'accrocher, en quelques brasses Daniel venait couper la corde d'un coup de couteau. Les hommes de la chaloupe déchargeaient leurs mousquets et leurs pistolets en direction du maître d'équipage; les balles soulevaient des gerbes d'écume autour de sa tête qui dansait à la surface de la lagune, mais il semblait invulnérable.

Aboli avait pris de l'avance et Hal entreprit de le rattraper. Ils remontèrent en courant la plage de sable blanc et franchirent la lisière de la forêt ravagée. Sir Francis était toujours dans la batterie où ils l'avaient laissé, mais il avait rassemblé autour de lui une équipe de fortune avec des survivants du *Résolution* et ils rechargeaient le gros canon.

— Que voulez-vous que je fasse?

— Monsieur Courteney, prenez Aboli avec vous et allez chercher d'autres hommes. Rechargez une autre couleuvrine. Ouvrez le feu sur le *Goéland*, lança Sir Francis sans lever la tête.

Hal courut à travers les arbres. Il trouva une demi-douzaine d'hommes; Aboli et lui les tirèrent hors des trous et des buissons où ils étaient tapis et les ramenèrent vers la batterie silencieuse.

Pendant les quelques minutes qu'il avait fallu pour réunir les artilleurs, le spectacle avait complètement changé sur la lagune. Daniel avait réussi à pousser son brûlot contre le flanc du *Goéland* et l'y avait amarré. Ses flammes ajoutaient à la confusion et à la panique qui régnaient à bord de la frégate. Le maître d'équipage revenait vers la plage en tenant deux de ses hommes qui ne savaient pas nager.

L'équipage du *Goéland* était parvenu à s'emparer du brûlot de Ned — ils avaient pu y accrocher des lignes et le tiraient au loin. Ned et ses trois compagnons l'avaient abandonné et se débattaient eux aussi pour regagner le rivage. Cependant, l'un des hommes perdit courage et disparut sous la surface.

Cette noyade excita la colère de Hal: il versa une poignée de poudre dans la lumière de la couleuvrine tandis qu'Aboli se servait d'un épissoir pour orienter le canon. Le coup partit dans un bruit de tonnerre et les hommes de Hal poussèrent une exclamation de joie en voyant la charge de mitraille frapper de plein fouet la chaloupe qui avait pris en remorque le brûlot de Ned. Elle se volatilisa et ses occupants furent projetés dans la lagune. Ils se débattaient avec force cris et essayaient frénétiquement de se hisser à bord d'une autre chaloupe, mais celle-ci était déjà surchargée et son équipage tentait de les éloigner à coups d'aviron. Certains avaient néanmoins réussi à s'accrocher au plat-bord, ils criaient et luttaient entre eux, faisant gîter dangereusement l'embarcation, qui chavira brusquement. Autour des carcasses en flammes, on voyait une multitude de débris et les têtes de nageurs qui se débattaient.

Hal mettait toute son attention à recharger et quand il leva les yeux, il vit que des marins étaient parvenus à regagner le *Goéland* et grimpaient par les échelles de corde.

Le Busard était finalement parvenu à faire fonctionner ses pompes. Une vingtaine d'hommes baissaient et remontaient brusquement la tête tels des moines en prière tandis qu'ils précipitaient tout leur poids sur les manivelles. Les lances crachaient des jets d'eau écumante à la base des flammes qui s'étendaient à présent à l'arrière du *Goéland*.

Le coup suivant tiré par Hal fracassa le bastingage tribord de la frégate et faucha l'équipe qui armait les pompes. Quatre hommes furent balayés comme par des griffes invisibles et leur sang éclaboussa leurs voisins. Le jet d'eau ne tarda pas à se tarir.

— Envoyez d'autres hommes !

La voix de Cumbria résonna à travers la lagune. Les morts furent remplacés et l'eau jaillit de nouveau, mais sans grand effet sur les flammes qui enveloppaient la poupe de la frégate.

Daniel atteignit le rivage et lâcha les deux hommes qu'il avait sauvés. Il courut vers les arbres et Hal lui cria :

— Prenez le commandement d'une des pièces. Chargez avec de la mitraille et visez les ponts. Empêchez-les de lutter contre le feu.

Daniel lui lança un grand sourire en découvrant ses dents noires et salua rapidement :

— Nous allons faire danser monsieur le comte en lui jouant un petit air à notre façon, promit-il.

L'équipage du *Résolution*, qu'avait démoralisé l'attaque-surprise du *Goéland*, commençait à reprendre courage. Deux hommes émergèrent de leur cachette dans la forêt. Puis, tandis que les batteries de la plage se mettaient à tonner et que les coups heurtaient la coque de la frégate avec un bruit sourd, les autres s'enhardirent et revinrent à la hâte pour servir les pièces.

Hal vit le Busard, une hache à la main, marcher à grandes enjambées à travers la fumée, éclairé par les flammes de son navire en feu. Il s'arrêta près du margouillet par lequel filait l'aussière d'ancre sous tension et, d'un grand coup, la coupa net. Immédiatement, le navire commença à dériver dans le vent. Cumbria leva la tête et beugla un ordre à ses hommes qui grimpèrent dans les haubans.

Ils déferlèrent la grand-voile et la frégate réagit rapidement. Tandis qu'elle prenait le vent, les flammes s'échappèrent vers l'extérieur et les hommes purent s'en approcher et diriger le jet de leurs lances à la base du foyer.

Le *Goéland* remorqua les deux brûlots sur une bonne distance, puis les lignes qui les retenaient s'étant entièrement consumées, il les laissa à la traîne et remonta lentement le chenal.

Le long de la plage, les couleuvrines continuaient de tirer salve sur salve et ne se turent que lorsque la frégate fut hors de portée. Tout en répandant encore de la fumée et des flammes orange derrière lui, le *Goéland* poursuivait sa route vers la mer. Au moment où il s'engageait dans la passe entre les promontoires et semblait avoir échappé au danger, les batteries cachées dans les falaises ouvrirent le feu. Des nuages de fumée s'échappèrent des rochers et les boulets soulevèrent des jets d'écume le long de sa ligne de flottaison ou transpercèrent ses voiles.

Péniblement, le *Goéland* courut cette bouline et laissa enfin les batteries fumantes derrière lui.

— Monsieur Courteney, cria Sir Francis à Hal — même au plus fort de la bataille, il n'avait pas manqué d'utiliser ce titre de courtoisie —, prenez un canot et allez sur le promontoire tenir le *Goéland* à l'œil.

Parvenus à l'autre extrémité de la baie, Hal et Aboli grimpèrent jusqu'au poste d'observation. La frégate était déjà à un mille de la côte et courait une bordée, ses voiles hissées sur ses deux mâts de devant. De minces volutes de fumée gris sombre s'étiraient dans son sillage, et Hal vit que ses basses voiles d'artimon et sa brigantine étaient noircies et encore fumantes. Sur les ponts en effervescence les silhouettes minuscules des marins s'affairaient pour étouffer les derniers foyers, reprendre l'entière maîtrise du navire et naviguer de nouveau normalement.

— Nous avons donné au comte une leçon dont il se souviendra longtemps, exulta Hal. Nous voilà, ce me semble, débarrassés de lui pendant un bon moment.

— C'est quand il est blessé que le lion est le plus dangereux, grogna Aboli. Nous lui avons émoussé les crocs mais il a encore ses mâchoires.

Lorsque Hal aborda sur la plage au pied du camp, il constata que son père avait déjà mis une équipe au travail pour réparer les dommages subis par les batteries. Les hommes remontaient les parapets et remettaient en place les deux couleuvrines qui avaient été projetées hors de leur affût par les boulets du *Goéland*.

159

Le *Résolution* en carène avait lui aussi été touché et sa coque portait de longues balafres. Les tirs de mitraille avaient criblé ses flancs de plombs mais n'avaient pas pénétré son solide vraigrage. Le charpentier et ses aides s'étaient mis rapidement à l'ouvrage : ils retiraient les parties endommagées, préparaient les planches de chêne provenant des magasins du navire pour les remplacer et en profitaient pour vérifier l'état des membrures. Les chaudrons de poix bouillonnaient et fumaient, le grincement des scies et le frottement des rabots résonnaient à travers le camp.

Hal trouva son père plus à l'intérieur de la forêt, là où les blessés avaient été installés sous un abri de fortune en toile. Il en compta dix-sept et vit tout de suite que trois au moins ne verraient probablement pas l'aube. Le spectre de la mort flottait déjà autour d'eux.

Ned Tyler jouait le rôle de chirurgien du bord — il y avait été préparé sur le tas, mis à rude école dans la batterie des navires — et il maniait ses instruments avec autant d'entrain que le charpentier occupé à réparer la coque.

Il était en train de pratiquer une amputation. L'un des matelots du mât de hune avait reçu une volée de mitraille juste au-dessous du genou ; la jambe ne tenait plus que par un lambeau de chair et des esquilles de tibia dépassaient entre les tendons à vif. Deux des hommes de Ned essayaient tant bien que mal de maintenir le patient qui se débattait et se tordait de douleur sur un drap imbibé de sang. Ils lui avaient coincé entre les mâchoires une ceinture de cuir pliée en deux. Ecarlate, les yeux exorbités et les lèvres tirées en un terrifiant rictus, le marin la mordait si fort que les tendons de son cou ressortaient comme des cordes de chanvre. Hal vit une de ses dents gâtées se briser sous la pression de ses mâchoires.

Il détourna les yeux et entreprit de faire son rapport à Sir Francis.

— La dernière fois que je l'ai vu, le *Goéland* faisait route vers l'ouest. Le Busard semble avoir maîtrisé le feu, bien que la frégate continue de fumer beaucoup...

Hal fut interrompu par des cris : Ned avait posé son couteau et pris la scie pour couper l'os fracassé. Puis, brusquement, le marin se tut et retomba en arrière dans les bras des hommes qui le tenaient. Tyler se recula et secoua la tête.

— Le pauvre diable a appareillé, dit-il. Amenez-en un autre.

Il essuya la sueur et la suie qui lui maculaient le visage avec une main tachée de sang et laissa une longue balafre rouge sur sa joue.

Hal avait l'estomac retourné, mais il poursuivit son rapport d'une voix égale :

— Cumbria a envoyé toute la toile que le *Goéland* peut porter.

Il était bien décidé à ne montrer aucun signe de faiblesse devant ses hommes et son père, mais la voix lui manqua lorsque, à deux pas de lui, Ned entreprit d'arracher un énorme éclat de bois du dos d'un autre marin. Hal ne pouvait en détacher les yeux.

Les deux assistants de Tyler se mirent à califourchon sur le corps du blessé et le maintinrent allongé tandis qu'il saisissait l'extrémité de l'éclat de bois avec des pinces de forgeron. Il posa un pied sur le dos de l'homme et tira de toutes ses forces. Le bout de bois, gros comme le pouce et barbelé comme une pointe de flèche, ne céda qu'avec difficulté. Le cri du matelot retentit à travers la forêt.

A cet instant, le gouverneur Van de Velde arriva vers eux en se dandinant. A son bras, sa femme pleurait pitoyablement, à peine capable de porter son propre poids. Zelda marchait sur leurs talons et s'évertuait à tendre un flacon de sels sous le nez de sa maîtresse.

— Capitaine Courteney, je me vois contraint d'émettre les plus véhémentes protestations. Vous nous avez fait courir le plus grave danger. Une balle a traversé le toit de ma résidence, j'aurais pu être tué, dit Van de Velde en essuyant avec un mouchoir ses bajoues ruisselantes de sueur.

A ce moment, le malheureux qui avait reçu les soins de Tyler laissa échapper un cri perçant lorsque l'un des assistants versa de la poix chaude pour arrêter le saignement dans la profonde plaie laissée dans son dos.

— Il vous faut faire taire ces tire-au-flanc, reprit Van de Velde en indiquant d'un geste méprisant le marin blessé. Leurs bêlements effraient et offusquent mon épouse.

Avec un dernier gémissement, le patient se laissa aller mollement en arrière et retomba dans le silence, tué par le dévouement de Ned.

— Mevrouw, dit Sir Francis avec une mine sinistre en soulevant son chapeau pour saluer Katinka, vous ne pouvez douter de la considération que nous avons pour votre susceptibilité. Il semble que ce malappris ait finalement préféré mourir plutôt que de vous offusquer davantage. Au lieu de pousser des clameurs et de vous abandonner aux vapeurs, peut-être préféreriez-vous aider maître Ned à soigner les blessés ?

Van de Velde se redressa de toute sa hauteur à cette suggestion et lui lança un regard furibond :

— Mijnheer, vous insultez ma femme. Comment osez-vous suggérer qu'elle pourrait faire office de servante pour ces paysans ?

— Je présente mes excuses à madame votre épouse, mais je propose que, si sa seule fonction est d'embellir le paysage, vous la reconduisiez dans sa hutte et l'y gardiez. D'autres spectacles et bruits déplaisants risquent sans aucun doute de mettre sa patience à rude épreuve.

D'un hochement de tête, Sir Francis fit signe à Hal de le suivre avant de tourner le dos au gouverneur. Côte à côte, lui et son fils se dirigèrent vers la plage à grandes enjambées et dépassèrent l'endroit où les voiliers cousaient les morts dans leurs linceuls de toile et où une équipe creusait déjà leurs tombes. Par une telle chaleur, il fallait les enterrer le jour même. Hal compta les corps.

— Seuls douze sont des nôtres, lui dit son père. Les sept autres viennent du *Goéland*; leurs cadavres ont été rejetés sur la plage. Nous avons également fait huit prisonniers. Je vais m'occuper d'eux.

Les captifs étaient alignés sous bonne garde sur la plage, assis par terre, les mains sur la tête. En arrivant près d'eux, Sir Francis dit, assez fort pour que tous entendent :

— Monsieur Courteney, faites attacher huit cordes à cet arbre, dit-il en désignant les branches largement étalées d'un énorme figuier sauvage. Nous allons y pendre quelques autres fruits.

Hal fut ahuri d'entendre son père rire de sa macabre plaisanterie. Les huit hommes poussèrent des gémissements de protestation.

— Ne nous pendez pas, monsieur. C'étaient les ordres de monsieur le comte. Nous n'avons fait que ce qui nous a été commandé.

— Faites attacher ces cordes, monsieur Courteney, fit Sir Francis en les ignorant.

Pendant quelques instants encore Hal hésita. Il était consterné à l'idée de devoir procéder à une telle exécution, mais devant l'expression de son père il se hâta d'obéir.

Sans plus attendre, on lança les cordes par-dessus les branches les plus solides de l'arbre et on fit un nœud coulant à leur extrémité. Un groupe de marins du *Résolution* se tint prêt à hisser les condamnés.

Un à un, les prisonniers furent traînés jusqu'à leur corde, les mains liées dans le dos. Sur ordre de son père, Hal alla de l'un à l'autre et ajusta le nœud coulant autour de leur cou. Puis il se tourna vers son père, pâle et l'estomac retourné, et salua en se touchant le front.

— Prêt à procéder à l'exécution, monsieur.

Sir Francis tournait le dos aux condamnés et, du coin des lèvres, il dit à voix basse à son fils :

— Plaide en leur faveur.

— Pardon ? fit Hal perplexe.

— Bon sang, demande-moi de leur laisser la vie sauve.

— Permettez-moi, monsieur, d'intercéder en leur faveur. Epargnez-les, lança Hal à haute voix.

— Les canailles ne méritent que la corde, répondit Sir Francis avec hargne. Je veux les voir danser une gigue dédiée au diable.

— Ils ont seulement exécuté les ordres de leur capitaine, objecta Hal qui se laissait entraîner par son rôle d'avocat. Acceptez de leur donner une chance.

Les têtes des condamnés allaient de l'un à l'autre au rythme des répliques. Leur expression était pitoyable mais une lueur d'espoir brillait dans leurs yeux.

Sans perdre son expression farouche, Sir Francis se frotta le menton.

— Je ne sais trop, dit-il. Qu'en feriez-vous à ma place ? Les lâcher dans la nature pour servir de pâture aux bêtes sauvages et aux cannibales ? Il est plus miséricordieux de les pendre.

— Vous pourriez leur faire prêter serment et les enrôler dans l'équipage pour remplacer les hommes que nous avons perdus, plaida Hal.

Sir Francis sembla hésiter.

— Vous croyez vraiment qu'ils prêteraient un serment d'allégeance ? dit-il en lançant un regard noir aux condamnés, qui, n'eût été la corde qui les en empêchait, se seraient volontiers jetés à genoux.

— Nous vous servirons fidèlement, monsieur. Le jeune homme a raison. Vous ne trouverez pas meilleurs et plus loyaux que nous.

— Allez chercher ma bible, grogna Sir Francis.

Et les huit matelots prêtèrent serment avec la corde au cou. Le grand Daniel les libéra et Sir Francis les regarda s'éloigner avec satisfaction.

— Huit recrues de premier choix pour remplacer une partie de nos pertes, murmura-t-il. Nous avons besoin de tous les bras que nous pourrons trouver si nous voulons que le *Résolution* soit prêt à prendre la mer avant la fin du mois. (Il regarda la passe entre les promontoires de l'autre côté de la lagune.) Dieu seul sait de qui nous pourrions recevoir la visite si nous nous attardons ici. (Il se retourna vers Hal.) Il ne nous reste plus qu'à nous occuper des ivrognes qui se sont rincés le gosier avec le rhum du *Busard*. Que penses-tu du fouet, Hal ?

— Est-ce bien le moment de nous priver de la moitié de notre équipage, père ? Si le Busard revient avant que nous ne soyons prêts à appareiller, ils ne se battront pas mieux avec la peau du dos arrachée.

— Tu suggères donc de ne pas les punir ? demanda froidement Sir Francis, son visage près de celui de Hal.

— Pourquoi ne pas les mettre à l'amende de leur part du butin et la répartir entre les autres ?

Son père le regarda encore quelques instants, puis sourit d'un air résolu.

— Le jugement de Salomon ! Ils sont plus sensibles du côté de la bourse que du dos et puis cela ajoutera deux ou trois florins à notre part.

Angus Cochran, comte de Cumbria, atteignit le col, à mille pieds au moins au-dessus de la plage où il avait débarqué du *Goéland*. Son maître d'équipage et deux marins l'escortaient, chacun portant mousquet et sabre d'abordage. L'un des hommes transportait un tonnelet d'eau en équilibre sur l'épaule car le soleil d'Afrique desséchait rapidement l'organisme.

Il avait fallu la demi-matinée d'une marche difficile, en suivant les pistes laissées par le gibier le long de corniches étroites et escarpées, pour atteindre ce poste d'observation que Cumbria connaissait bien pour l'avoir déjà utilisé. Un Hottentot qu'ils avaient capturé sur la plage les y avait conduits la première fois. Il s'assit confortablement sur un rocher qui formait une sorte de trône naturel dans le sous-bois, les os blanchis du Hottentot à ses pieds. Le crâne luisait comme une énorme perle ; il était là depuis trois ans et les fourmis et autres insectes l'avaient impeccablement nettoyé. Il eût été imprudent de la part de Cumbria de laisser ce sauvage aller raconter qu'ils avaient débarqué sur la colonie hollandaise de Bonne-Espérance.

De son trône de pierre Cumbria avait une vue panoramique à couper le souffle sur les deux océans et le paysage montagneux accidenté qui s'étendait tout autour de lui. En regardant en arrière dans la direction par laquelle il était arrivé, il apercevait le *Goéland de Moray* ancré à proximité d'une petite plage au pied des hautes falaises qui plongeaient dans la mer. La chaîne côtière comportait une douzaine de pics, appelés les Douze Apôtres sur les cartes qu'il avait prises aux Hollandais.

Il regarda le *Goéland* à la longue-vue mais les dégâts provoqués à l'arrière par le feu n'étaient plus guère visibles. Il avait réussi à remplacer les vergues des voiles basses d'artimon et à y ferler des voiles neuves. A cette distance, la frégate était aussi belle que jamais, cachée des regards indiscrets dans sa crique d'eau verte au pied des Apôtres.

La chaloupe qui avait amené Cumbria à terre était tirée sur la plage, prête à être remise à l'eau précipitamment au cas où il aurait eu des ennuis. Il ne s'attendait cependant pas à en avoir. Il croiserait peut-être quelques Hottentots dans la brousse, mais ce peuple de pasteurs à demi nus, aux pommettes saillantes et aux yeux bridés d'Asiatiques, était inoffensif et on pouvait les faire déguerpir en tirant un coup de mousquet au-dessus de leurs têtes.

Bien plus dangereux étaient les animaux sauvages qui abondaient dans ce rude pays. La nuit précédente, du *Goéland* à l'ancre, ils avaient entendu des rugissements terrifiants qui finissaient en grognements lugubres.

« Les lions ! » avaient chuchoté entre eux les anciens qui connaissaient la côte, et tout l'équipage avait écouté avec crainte. A l'aube, ils avaient entraperçu un de ces terribles félins, de la taille d'un poney, une épaisse crinière sombre auréolant sa tête et retombant sur ses épaules. L'animal se promenait sur la plage de sable blanc avec une nonchalance royale. Il avait fallu ensuite la menace du fouet pour contraindre l'équipage du bateau à conduire à terre le capitaine et sa petite troupe.

Cumbria tira de son sporran une flasque d'étain à laquelle il but deux bonnes rasades, avant de soupirer de plaisir et de la refermer. Son maître d'équipage et les deux matelots ne le quittaient pas des yeux ; il leur sourit et secoua la tête.

— Ça vous ferait du mal. Notez bien ce que je vous dis : le whisky, c'est la chaude-pisse du diable. Si vous n'avez pas conclu de pacte avec lui, comme je l'ai fait, mieux vaut ne jamais le laisser franchir vos lèvres.

Il rangea sa flasque et leva sa longue-vue. A main gauche, se dressait le sommet en forme de sphinx que les premiers navigateurs, en le voyant de la mer, avaient appelé la Tête de Lion.

Loin en contrebas, la baie de la Table formait une superbe étendue d'eau qui abritait une petite île dans son giron. Les Hollandais la nommaient Robben Island, terme qui, dans leur langue, désignait les phoques qu'elle hébergeait par milliers.

Au-delà s'ouvrait l'immensité moutonneuse de l'Atlantique sud. Cumbria la scruta à la recherche d'un éventuel voilier, mais, ne voyant rien, il tourna son attention vers le comptoir hollandais de Bonne-Espérance au-dessous de lui.

Il n'était pas facile de le distinguer du paysage rocheux et sauvage qui l'entourait. Les toits de chaume des rares bâtiments se confondaient avec leur environnement. Les jardins de la Compagnie, qui avaient été aménagés pour approvisionner en produits frais les navires de la VOC en route vers l'Orient, étaient le signe le plus évident de l'intrusion de l'homme. Les champs rectangulaires réguliers étaient vert clair ou couleur chocolat lorsque la terre venait d'être retournée.

Juste au-dessus de la plage se dressait le fort hollandais. Même à cette distance, Cumbria pouvait constater qu'il n'était pas achevé. Il avait entendu dire par d'autres capitaines que, depuis le début de la guerre contre l'Angleterre, les Hollandais avaient essayé d'en accélérer la construction, mais il y avait encore de grands vides dans les murailles extérieures, comme des dents creuses.

Le fort et son état de semi-achèvement n'intéressaient Cumbria que dans la mesure où il offrait une certaine protection aux navires à l'ancre dans la baie, sous ses batteries. Pour l'heure, trois grands bâtiments se trouvaient là et il les examina.

L'un semblait être une frégate de guerre. Le pavillon orange, blanc et bleu de la République flottait en tête de mât. Sa coque était peinte en noir mais les sabords de batterie ressortaient en blanc. Cumbria en compta seize sur le flanc qui lui faisait face. Il estima qu'en cas d'engagement la frégate risquait de l'emporter sur le *Goéland*. Mais son intention n'était pas de l'affronter. Il visait des proies plus faciles, autrement dit l'un des autres bâtiments au mouillage dans la baie. C'étaient des navires marchands et tous deux battaient le pavillon de la Compagnie.

— Lequel des deux ? se dit-il d'un air songeur en les observant à la longue-vue avec la plus vive attention.

L'un lui semblait familier. Il était haut sur l'eau et Cumbria pensa qu'il était probablement sur son lest et en route vers les possessions hollandaises d'Orient pour embarquer une précieuse cargaison.

— Par Dieu, je reconnais la forme de son foc ! s'exclama-t-il. C'est bien le *Lady Edwina*, l'ancien bateau de Franky. Il m'a dit qu'il l'avait envoyé au Cap avec sa demande de rançon. (Il l'examina encore un moment.) Il a été dégréé — même l'artillerie a été débarquée.

Le bâtiment ne présentait aucun intérêt en tant que prise, et il tourna sa lunette vers le deuxième navire marchand. Il était légèrement plus petit que le *Lady Edwina*, mais lourdement chargé, si bas sur l'eau que ses sabords inférieurs affleuraient presque. De toute évidence, il était sur le chemin du retour et bourré des trésors de l'Orient. En outre, il se trouvait au mouillage plus loin de la plage que l'autre navire marchand, au moins à deux encablures des murailles du fort, ce qui, même dans les meilleures conditions, le mettait hors de portée des artilleurs hollandais.

— Charmant tableau, fit le Busard en se souriant à lui-même. J'en ai l'eau à la bouche.

Il passa une demi-heure à examiner la baie, notant mentalement la position des traînées d'écume et d'embruns qui signalaient le courant le long de la plage et la direction du vent qui descendait des hauteurs en tourbillonnant. Il prépara son entrée dans la baie de la Table, sachant que les Hollandais avaient un poste d'observation sur les flancs de la Tête de Lion, dont les vigies avertissaient par un coup de canon la colonie de l'approche de tout bâtiment inconnu.

Même à minuit, dans la phase actuelle de la lune, ils pourraient repérer la lueur de ses voiles alors qu'il serait encore au large. Il lui faudrait effectuer un long mouvement tournant sous la ligne d'horizon afin d'arriver par l'ouest, en se servant de la masse de Robben Island pour cacher son approche aux yeux des vigies.

Son équipage était très versé dans l'art de prendre un navire sous le nez des artilleurs de la côte. C'était un tour bien dans la manière des Anglais, un tour que Hawkins et Drake affectionnaient. Cumbria l'avait perfectionné et peaufiné, et il se jugeait supérieur aux deux fameux corsaires élisabéthains. Le plaisir de faire une prise au nez et à la barbe de l'ennemi était pour lui une récompense bien plus grande que les profits qu'il en retirait. « Monter la bonne épouse pendant que le mari ronfle à côté est ô combien plus doux que de la trousser sans aucun risque lorsqu'il court les mers. » Il gloussa et balaya la baie avec sa longue-vue afin de s'assurer que rien n'avait changé depuis sa dernière visite, qu'aucun danger ne menaçait — une nouvelle batterie installée sur le rivage, par exemple.

Le soleil était déjà passé au zénith et le trajet de retour jusqu'à la plage où l'attendait la chaloupe était long, mais il s'attarda encore un moment à étudier avec sa longue-vue le gréement du navire convoité. Quand ils l'auraient pris, ses marins devraient pouvoir hisser rapidement les voiles et l'éloigner de la terre dans l'obscurité.

Il était minuit passé lorsque le Busard, avec pour point de repère l'énorme masse de la montagne de la Table qui cachait la moitié du ciel, amena le *Goéland* par l'ouest dans la baie. Même par une nuit claire comme celle-là, il avait la certitude d'être invisible de la vigie de la Tête de Lion.

Droit devant eux, la forme sombre de Robben Island émergea de l'obscurité avec une soudaineté déconcertante. Il savait que nul n'habitait de façon permanente sur ce bout de rocher dénudé, aussi put-il s'en approcher de très près côté sous le vent et jeter l'ancre par sept brasses de fond dans des eaux abritées.

La chaloupe était prête à être mise à l'eau. Dès que l'ancre caponnée plongea dans la longue houle, l'embarcation fut descendue. Le Busard avait déjà passé en revue le détachement d'abordage. Ils étaient armés de pistolets, de sabres et de gourdins en chêne, et, avec leur visage passé au noir de fumée, ressemblaient à une troupe de sauvages dont on n'apercevait que les yeux et les dents. Ils portaient des vestes de marin noircies avec de la poix et deux hommes étaient armés de hache pour couper l'aussière d'ancre du navire.

Le Busard fut le dernier à descendre dans la chaloupe, et dès qu'il eut embarqué, elle s'écarta du *Goéland*. Les avirons avaient été enveloppés, les dames de nage rembourrées; seul leur plat faisait en s'enfonçant dans l'eau un peu de bruit, mais il était couvert par celui des vagues et les soupirs du vent.

Ils émergèrent en silence de derrière l'île et presque tout de suite virent des lumières sur le rivage, deux ou trois lueurs des feux de bivouac sur les murs du fort et les faisceaux des lanternes qui s'échappaient des constructions réparties sur le front de mer à l'extérieur des murailles.

— Cap sur le navire, par bâbord, murmura-t-il au maître d'équipage.

La chaloupe infléchit sa route d'un quart et le battement des rames reprit. Le deuxième canot suivait de près, comme un chien de chasse bien dressé ; Cumbria se retourna et grogna de satisfaction en voyant sa forme sombre. Toutes les armes avaient été soigneusement recouvertes, pas le moindre reflet de la lune sur une lame nue ou un canon de pistolet pour avertir l'homme qui montait la garde à bord de leur proie. Ils n'avaient pas allumé de corde à feu, car l'odeur emportée par le vent ou l'extrémité incandescente auraient pu signaler leur arrivée.

Tandis qu'ils glissaient vers le navire à l'ancre, Cumbria lut son nom sur le tableau d'arrière, *De Swael*, l'*Hirondelle*. Il guettait tout indice indiquant la présence d'un quart : on était proche de la terre et le vent de sud-est tourbillonnait de manière imprévisible autour de la montagne, mais soit le capitaine hollandais était négligent, soit l'homme de garde s'était endormi car il n'y avait aucun signe de vie à bord du navire.

Deux marins étaient parés à l'abordage contre le flanc de l'*Hirondelle* et des paillets de filasse nouée accrochés au plat-bord de la chaloupe pour amortir la collision. Le choc contre la coque aurait été retransmis à travers tout le navire comme dans la caisse de résonance d'une viole et aurait réveillé tous les hommes à bord.

Ils touchèrent le bâtiment hollandais avec la douceur d'un baiser de vierge, et l'un des matelots, choisi pour son agilité de singe, escalada son flanc à toute vitesse, frappa une ligne sur la chaîne de l'affût d'un canon et laissa retomber l'autre extrémité de l'amarre dans le canot.

Cumbria prit juste le temps nécessaire pour relever le volet de sa lampe tempête et allumer sa corde à feu à la flamme avant de saisir la corde et de grimper pieds nus. Silencieux comme des ombres, les hommes des deux chaloupes se ruèrent après lui, nu-pieds eux aussi.

Cumbria tira un épissoir de sa ceinture et, son maître d'équipage à ses côtés, courut sans un bruit jusqu'à l'avant. L'homme de quart dormait sur le pont à l'abri du vent, recroquevillé comme un gros chien devant l'âtre. Le Busard se pencha sur lui et lui fendit le crâne avec la pointe de fer. Le marin poussa un soupir, ses membres se détendirent et il sombra dans un état d'inconscience plus profond encore.

Alors que Cumbria revenait à la hâte vers la poupe, les matelots du *Goéland* se pressaient autour des écoutilles qui menaient aux ponts inférieurs et, rabattant silencieusement les panneaux, les condamnaient, enfermant ainsi l'équipage hollandais à l'intérieur de l'*Hirondelle*.

« Il ne doit pas y avoir plus de vingt hommes à bord, se murmura-t-il à lui-même. Et Ruyter a sans doute mobilisé les meilleurs marins pour ses navires de course. Il n'y a certainement que des gamins et de vieux abrutis au bout du rouleau. Je ne crois pas qu'ils nous gêneront beaucoup. »

Il leva les yeux vers les silhouettes sombres de ses matelots qui, se détachant contre le ciel étoilé, grimpaient à vive allure dans les haubans et circulaient le long des vergues. Et tandis qu'ils déferlaient les voiles, il entendit à l'avant le claquement sec de l'aussière d'ancre sectionnée d'un coup de hache. Libéré de ses entraves, l'*Hirondelle* s'anima immédiatement sous ses pieds et abattit sous le vent. Son maître d'équipage était déjà à la barre.

— Eloignez-vous de la côte sans tarder. Plein ouest! lança Cumbria d'un ton sec, et l'homme mit la barre au plus près.

Le Busard vit tout de suite que le navire lourdement chargé était étonnamment maniable et qu'ils pourraient doubler Robben Island sans changer d'amures. Dix hommes en armes attendaient, prêts à le suivre. Deux portaient des lampes tempête occultées, tous avaient une corde à feu allumée pour leur pistolet. Cumbria prit l'une des lanternes et conduisit ses hommes au pas de charge par l'escalier qui menait au poste des officiers à l'arrière. Il essaya d'ouvrir la porte de la cabine qui devait donner sur les galeries de poupe et constata qu'elle n'était pas verrouillée. Il entra rapidement sans faire de bruit, puis leva le volet de sa lanterne. Dans la couchette, un homme coiffé d'un bonnet de nuit à glands se redressa.

— Qui êtes-vous? lança-t-il en hollandais d'une voix ensommeillée.

Cumbria rabattit la couverture sur sa tête pour étouffer ses protestations et laissa ses hommes maîtriser et ligoter le capitaine, puis il sortit dans la coursive et entra en trombe dans la cabine suivante. Son occupant, un officier hollandais replet dans la cinquantaine, était déjà réveillé et encore titubant de sommeil, ses cheveux grisonnants dans les yeux, et cherchait à tâtons son épée suspendue dans son fourreau au pied de sa couchette.

— Angus Cumbria, à votre service, dit le Busard. Rendez-vous ou je vous envoie nourrir les mouettes par petits morceaux.

Le Hollandais n'avait probablement pas compris cette injonction lancée avec un accent écossais grasseyant, mais il n'y avait pas à se tromper quant aux intentions de Cumbria. Bouche bée, il leva les mains au-dessus de sa tête et les hommes du *Goéland* fondirent sur lui et le portèrent sur le pont après lui avoir couvert la tête de ses draps.

Cumbria se précipita vers la dernière cabine mais, à l'instant où il posait la main sur la porte, celle-ci s'ouvrit avec une telle violence qu'il fut précipité contre la cloison opposée. Un géant émergea de l'obscurité et chargea en poussant un cri à glacer le sang. Il fit un moulinet en direction de Cumbria mais du fait de l'étroitesse de la coursive, la lame de son épée alla se ficher dans le linteau de la porte, permettant ainsi à Cumbria de se rétablir. Toujours hurlant de fureur, l'homme lui porta un autre coup, que cette fois le Busard para, et la lame frôla son épaule pour venir fracasser le panneau derrière lui. Comme des enragés, les deux hommes se battaient pratiquement poitrine contre poitrine. Le Hollandais criait des insultes dans un mélange de sa propre langue et d'anglais, et Cumbria répliquait avec son vigoureux accent écossais :

— Bavard ! Tête de lard ! Violeur de nonnes. Je vais te compter les abattis.

Ses hommes sautillaient autour, gourdins levés, attendant le bon moment pour frapper l'officier hollandais, mais Cumbria cria :

— Ne le tuez pas ! Il rapportera une bonne rançon !

Malgré la lumière incertaine de la lanterne, la condition de son adversaire ne lui avait pas échappé. Comme il s'était levé précipitamment, le Hollandais n'avait pas eu le temps de coiffer sa perruque sur son crâne rasé mais ses fines moustaches taillées en pointe signalaient l'homme élégant. Sa chemise de nuit en lin brodée et l'épée qu'il maniait avec le panache d'un maître d'armes, tout indiquait sans laisser place au doute le gentilhomme.

La lame plus longue de la claymore constituait un désavantage dans cet espace restreint, et Cumbria était obligé d'en utiliser la pointe plutôt que le double tranchant. Le Hollandais frappa, puis feinta par-dessous et revint à l'attaque en glissant contre sa garde. Cumbria siffla de colère tandis que l'acier passait sous son bras droit levé, le manquant de l'épaisseur d'un doigt, et faisait jaillir des éclats de bois du panneau derrière lui.

Avant que son adversaire ait pu se rétablir, le Busard passa brusquement son bras gauche autour du cou de l'homme et le serra avec force. Enlacés dans l'étroit passage, les deux combattants ne pouvaient se servir de leurs épées. Ils les laissèrent tomber et luttèrent à mains nues d'un bout à l'autre de la coursıve ; ils grondaient et essayaient de s'attraper comme deux chiens enragés, puis grognaient et hurlaient de douleur et d'indignation lorsque tour à tour ils décochaient un bon coup de poing dans la tête de leur adversaire ou lui enfonçaient un coude dans l'estomac.

— Fendez-lui le crâne, assommez cette brute ! lança Cumbria, haletant, à ses hommes. Il n'avait pas l'habitude d'avoir le dessous au corps à corps, mais l'autre était un adversaire à sa hauteur. Il reçut un coup de genou entre les jambes et hurla de nouveau :

— Aidez-moi, bande de veaux ! Assommez ce gredin !

Il réussit à passer un bras autour de sa taille puis, le visage congestionné par l'effort, le souleva de terre et le fit tourner de façon qu'il se présente de dos à un marin qui attendait, son gourdin de chêne levé. Avec la maîtrise d'un homme entraîné, il en assena un coup à l'arrière du crâne rasé, pas assez fort pour le fracasser mais suffisamment pour étourdir le Hollandais. Ses jambes se dérobèrent et il s'écroula dans les bras de Cumbria.

A bout de souffle, le Busard le laissa choir doucement sur le pont ; quatre marins lui sautèrent dessus, clouant ses membres au sol, à califourchon sur son dos.

— Attachez-moi ce trublion, dit-il tout essoufflé, avant qu'il ne revienne à lui et nous envoie par le fond ou sabote notre prise.

— Encore un de ces sales pirates anglais ! articula péniblement le Hollandais qui secoua la tête pour reprendre ses esprits et se débattit pour tenter de se débarrasser des hommes qui l'immobilisaient.

— Je ne tolérerai pas vos viles insultes, lui dit Cumbria d'un ton plaisant tout en lissant sa barbe rousse ébouriffée et en ramassant son sabre. Traitez-moi de sale pirate si ça vous chante, mais je ne suis pas anglais et je vous remercie de vous en souvenir.

— Pirates ! Vous êtes tous des saletés de pirates.

— Et qui êtes-vous pour m'insulter ainsi, avec votre gros cul à l'air ? (Dans la bagarre, la chemise de nuit du Hollandais était remontée jusqu'à sa taille, découvrant ainsi le bas de son corps.) Je ne discute pas avec un homme dans une tenue aussi indécente. Habillez-vous, monsieur, nous reprendrons cette conversation ensuite.

Cumbria grimpa à la hâte sur le pont et constata qu'ils s'étaient déjà bien éloignés de la terre. On entendait des cris étouffés et des grands coups frappés sous les panneaux condamnés, mais ses hommes avaient l'entière maîtrise du pont.

— Bien joué, bande de rats des mer. Vous n'aurez jamais empoché plus facilement cinquante guinées. Un ban pour l'équipage et un pied de nez au diable! rugit-il afin que même les hommes grimpés dans les haubans puissent l'entendre.

Robben Island n'était plus qu'à une lieue droit devant, et la baie s'ouvrant à leurs regards, ils distinguèrent le *Goéland* sur les eaux éclairées par la lune.

— Hissez une lanterne en tête de mât, ordonna Cumbria. Nous allons mettre un peu de distance entre nous et les Hollandais du fort avant qu'ils ne se réveillent.

Tandis que la lanterne était hissée, le *Goéland* répondait par le même signal de reconnaissance. Puis il leva l'ancre et suivit la prise vers le large.

— Il y a sûrement de quoi faire un bon petit déjeuner dans la coquerie, dit Cumbria à ses hommes. Les Hollandais soignent leur estomac. Lorsque vous les aurez enchaînés avec leurs propres fers, vous pourrez tâter de leur nourriture. Bosco, gardez le cap. Je descends jeter un coup d'œil au manifeste pour voir ce que nous avons pris.

Les officiers hollandais furent ligotés et alignés sur le plancher de la cabine principale, un homme en armes derrière chacun d'eux. Cumbria approcha la lanterne de leurs visages et les examina un à un. Le grand officier belliqueux leva la tête et lui lança :

— Je prie le ciel de vivre assez longtemps pour vous voir vous balancer au bout d'une corde en compagnie de tous les autres pirates anglais engendrés par le diable qui infestent les océans.

De toute évidence il s'était parfaitement remis du coup qu'il avait reçu sur la tête.

— Je dois vous féliciter pour votre maîtrise de la langue anglaise, lui répondit Cumbria. Le choix de vos mots fait montre d'une certaine poésie. A qui ai-je l'honneur, monsieur ?

— Je suis le colonel Cornelius Schreuder, au service de la Compagnie des Indes orientales.

— Enchanté de faire votre connaissance. Angus Cochran, comte de Cumbria.

— Vous n'êtes, monsieur, qu'un fieffé pirate.

— Colonel, vous commencez à vous répéter de manière fastidieuse. Je vous conjure de ne point gâcher ainsi une relation des plus prometteuses. Vous serez mon hôte pendant quelque temps jusqu'au paiement de votre rançon. Je suis un corsaire et navigue sous mandat de Sa Majesté le roi Charles le Second. Vous êtes prisonnier de guerre, monsieur.

— Il n'y a pas de guerre! rugit le colonel Schreuder avec mépris. Nous vous avons donné une bonne correction et la guerre est finie. La paix a été signée il y a deux mois.

Cumbria le regarda, horrifié.

— Je ne vous crois pas, dit-il, retrouvant sa voix.

Il avait brusquement perdu son entrain et était visiblement ébranlé. Il avait lancé ces mots plus pour se donner le temps de réfléchir que par conviction. Les nouvelles de la défaite anglaise sur la Medway et de la bataille sur la Tamise dataient déjà de plusieurs mois lorsque Richard Lister les lui avait données. Il avait également dit que le roi sollicitait la paix auprès de la République hollandaise. Dieu sait ce qui avait pu advenir dans l'intervalle.

— Commandez à ces coquins de me libérer et je vous en donnerai la preuve.

Le colonel Schreuder était toujours en proie à une rage folle et Cumbria hésita avant de faire un signe de tête à ses hommes.

— Laissez-le se lever et détachez-le, ordonna-t-il.

Le colonel Schreuder se dressa d'un bond et partit en trombe vers sa cabine en se lissant les moustaches. Il enfila une robe de chambre en soie, en noua la ceinture et ouvrit le tiroir de son secrétaire. Avec une froide dignité, il retourna auprès de Cumbria et lui tendit une épaisse liasse de documents.

La plupart étaient des proclamations officielles, rédigées à la fois en hollandais et en anglais, mais l'une était une feuille d'informations anglaise. Elle était datée d'août 1667. Cumbria la déplia avec une vive inquiétude et lut le titre en gros caractères :

LA PAIX EST SIGNEE AVEC LA REPUBLIQUE HOLLANDAISE

Tandis qu'il parcourait rapidement la page, il essaya d'imaginer les conséquences de ce changement déconcertant de situation. Il savait qu'à la suite de la signature de ce traité de paix toutes les lettres de marque émises de part et d'autre étaient nulles et non avenues. Même s'il y avait eu le moindre doute en la matière, le troisième paragraphe de l'article le confirmait :

Tous les corsaires des deux nations belligérantes, qui naviguent sous mandat et lettres de marque, on reçu l'ordre de cesser dorénavant leurs expéditions guerrières et de regagner leur port d'attache afin de se soumettre à un examen devant les assises de l'Amirauté.

174

Le Busard garda les yeux fixés sur le journal sans poursuivre sa lecture et réfléchit aux différentes lignes de conduite qui s'offraient à lui. L'*Hirondelle* était une belle prise, Dieu seul savait quelle somme elle représentait. En se grattant la barbe, il caressa l'idée de faire fi des ordres de l'Amirauté, et de s'y accrocher à tout prix. Son trisaïeul avait été un célèbre hors-la-loi, assez astucieux pour soutenir le comte de Moray et les autres seigneurs écossais contre Marie, reine d'Ecosse. Après la bataille de Carberry Hill, ils avaient contraint Marie à abdiquer et placé sur le trône son fils Jacques, qui n'était encore qu'un enfant. En récompense de sa participation à la campagne, le premier Angus Cochran avait reçu le titre de comte.

Avant lui, tous les Cochran avaient été des voleurs de moutons, auteurs de raids aux frontières, qui avaient fait fortune en assassinant et en volant non seulement des Anglais, mais aussi des Ecossais d'autres clans. Le sang des Cochran ne mentait pas, et, pour Cumbria, ce n'était donc pas une question d'éthique. Il pesait seulement ses chances de s'échapper avec sa prise.

Il était fier de sa lignée mais aussi conscient du fait que ses ancêtres avaient réussi à s'élever en évitant adroitement le gibet et les bons offices du bourreau. Au cours du siècle écoulé, les nations maritimes du monde entier s'étaient liguées pour éliminer la piraterie, fléau qui, depuis le temps des pharaons, frappait le commerce par mer.

« Je ne filerai pas avec l'*Hirondelle* », décida-t-il par-devers lui en secouant la tête comme à regret.

Il leva le journal pour le montrer à ses marins, dont aucun ne savait lire.

— Il apparaît que la guerre est finie, et c'est bien dommage. Nous allons devoir libérer ces messieurs.

— Capitaine, cela veut-il dire que nous perdons le produit de notre prise ? s'enquit le maître d'équipage d'un ton plaintif.

— Cela ne fait aucun doute, à moins que vous n'ayez envie de vous balancer à la potence de Greenwich pour acte de piraterie, répondit Cumbria avant de se tourner vers le colonel Schreuder et de s'incliner devant lui : Monsieur, il semble que je vous doive des excuses, dit-il en souriant d'un air patelin. C'était une erreur commise de bonne foi et j'ose espérer que vous saurez la pardonner. Voilà plusieurs mois que je suis sans nouvelles du monde. (Le colonel lui rendit son salut avec raideur et Cumbria reprit :) J'ai le plaisir de vous rendre votre épée. Vous vous êtes battu comme un soldat et un authentique gentleman. (Le colonel s'inclina en y mettant un peu plus de grâce.) Vous êtes, il va sans dire, libre de retourner dans la baie de la Table et de reprendre votre voyage. Quelle était votre destination, monsieur?

— Nous étions sur le point d'appareiller pour Amsterdam, monsieur. Je porte des lettres de rançon au conseil de la VOC pour le compte du gouverneur nouvellement nommé au cap de Bonne-Espérance qui, avec sa sainte épouse, a été capturé par un autre pirate anglais ou plutôt par un autre corsaire anglais, corrigea-t-il.

Cochran le dévisagea

— Votre gouverneur ne s'appelle-t-il point Petrus Van de Velde et n'a-t-il pas été fait prisonnier à bord du *Standvastigheid*, bâtiment de la Compagnie? Et son ravisseur n'est-il pas un anglais, Sir Francis Courteney?

Le colonel Schreuder sembla très surpris.

— C'est exact. Mais comment savez-vous tout cela?

— Je répondrai à votre question en temps opportun, colonel, mais dites-moi d'abord si vous savez que le *Standvastigheid* a été pris *après* la signature du traité entre nos deux pays?

— Comte, j'étais à bord du *Standvastigheid* lors de sa prise. Je n'ignore certes pas que cette prise était illégale.

— Une dernière question, colonel. Votre réputation et votre rang ne seraient-ils pas grandement améliorés si vous pouviez capturer ce pirate de Courteney, assurer par la force des armes la libération du gouverneur Van de Velde et de sa femme ainsi que restituer au trésor de la Compagnie des Indes orientales la précieuse cargaison du *Standvastigheid*?

Le colonel resta sans voix à cette perspective. L'image des yeux violets et de la chevelure dorée comme un rayon de soleil, qu'il ne pouvait effacer de son esprit, lui revenait à présent avec une force nouvelle. La promesse que lui avaient faite ces lèvres pulpeuses l'emportait sur le trésor en épices et en lingots d'or qui était en jeu. Ô combien dame Katinka serait-elle reconnaissante pour sa libération, tout comme son père, qui était président du conseil directorial de la VOC. Sans doute une telle chance ne se représenterait-elle jamais.

Il était si ému qu'il ne parvint qu'à hocher la tête avec raideur, signifiant ainsi qu'il souscrivait à la proposition du Busard.

— Il me semble donc, monsieur, que nous avons ample matière à discussion ce soir concernant nos avantages mutuels, déclara ce dernier avec un large sourire.

Le lendemain matin, le *Goéland* et l'*Hirondelle* naviguaient de conserve vers la baie de la Table, et dès qu'ils eurent mouillé sous les canons du fort, le colonel et Cumbria débarquèrent. Ils franchirent les déferlantes et abordèrent sur la plage où une équipe d'esclaves et de détenus, de l'eau jusqu'aux épaules, tirèrent l'embarcation à sec avant que la vague suivante ne la fasse chavirer. Les deux hommes mirent pied à terre sans avoir mouillé leurs bottes et se dirigèrent à grandes enjambées vers les portes du fort. Ils formaient un couple étonnant et peu ordinaire : Schreuder, en grand uniforme, avec écharpe et rubans, le plumet de son chapeau agité par le vent de sud-est, Cumbria, resplendissant dans son plaid rouge, brun-roux, jaune et noir. La population de cette lointaine colonie, qui n'avait jamais vu un homme ainsi vêtu, se pressait autour du champ de parade en terre battue pour le regarder.

Certaines des jeunes esclaves javanaises pareilles à des poupées retinrent l'attention de Cumbria, car cela faisait des mois qu'il était privé du réconfort d'une compagnie féminine. Leur peau brillait comme de l'ivoire poli, leurs yeux étaient noirs et langoureux. Beaucoup étaient habillées à l'européenne par leur propriétaire et leurs jolis petits seins pointaient crânement sous leur corsage de dentelle.

Cumbria accueillit leurs regards admiratifs comme un roi avançant parmi son peuple. Il leva son chapeau enrubanné pour saluer les plus jeunes et les plus jolies, qui se mirent à glousser et à rougir sous le regard hardi de ses yeux bleus soulignés par ses favoris flamboyants et broussailleux.

Les sentinelles postées aux portes du fort saluèrent Schreuder, qu'elles connaissaient bien, et ils entrèrent dans la cour intérieure. Cumbria lança un regard pénétrant autour de lui, évaluant la force des défenses. Peut-être était-ce la paix pour l'instant, mais qui pouvait prévoir ce qui allait se passer durant les années à venir ? Peut-être mènerait-il un jour le siège contre ces murailles.

Il constata que les fortifications suivaient le dessin d'une étoile à cinq branches. Elles avaient manifestement pour modèle la nouvelle forteresse d'Anvers, qui avait été la première à adopter ce plan novateur. Chacune des cinq pointes était surmontée par une redoute dont les angles saillants permettaient aux défenseurs d'effectuer un tir de soutien sur les murs-rideaux, qui auparavant étaient indéfendables et mort-terrain. Lorsque les massives murailles extérieures seraient achevées, le fort serait quasi imprenable, hormis en cas de siège prolongé. Des mois pouvaient s'avérer nécessaires pour saper et miner les murs avant de pouvoir y ouvrir une brèche.

Les travaux étaient cependant loin d'être achevés. Des équipes de centaines de prisonniers et de détenus travaillaient dans les fossés et sur les murailles à demi construites. Bon nombre de canons étaient entreposés dans la cour et n'avaient pas encore été installés dans leur redoute au sommet des murs surplombant la mer.

— Une belle occasion de perdue, gémit le Busard.

Il avait pris connaissance de l'état des lieux trop tard pour en tirer un quelconque profit.

« Avec l'aide de quelques autres chevaliers de l'Ordre, j'aurais pu prendre ce fort et mettre la ville à sac, Richard Lister, par exemple, ou même Franky Courteney, avant notre brouille. En combinant nos forces, nous aurions pu prendre tranquillement position ici et commander tout l'Atlantique sud, nous emparer de tous les galions hollandais qui auraient essayé de doubler le cap. »

En regardant autour de lui, il constata qu'une partie du fort servait de prison. Une file de prisonniers enchaînés était conduite des donjons à la muraille nord. Des casernes pour la garnison avaient été construites par-dessus les fondations.

Bien que matériaux et échafaudages aient occupé la cour, une compagnie de mousquetaires en pourpoint vert et or de la VOC faisait l'exercice dans le seul espace libre devant l'armurerie.

Des chariots tirés par des bœufs, lourdement chargés de bois et de pierre, entraient et sortaient avec fracas ou encombraient la cour, et une voiture attendait dans un isolement aristocratique devant l'entrée de l'aile sud du bâtiment. Y étaient attelés six chevaux gris impeccablement étrillés dont la robe luisait au soleil. Le cocher et le valet de pied portaient la livrée vert et or de la Compagnie.

— Son Excellence est arrivée tôt à son bureau ce matin. D'ordinaire, nous ne la voyons pas avant midi, grogna Schreuder. On l'a vraisemblablement avisée de votre arrivée.

Ils montèrent l'escalier de l'aile sud et franchirent les portes en teck sculptées des armoiries de la Compagnie. Dans le hall d'entrée au parquet de podocarpe ciré, un aide de camp prit leurs chapeaux et leurs épées et les conduisit dans l'antichambre.

— Je vais vous annoncer à Son Excellence, s'excusa-t-il en sortant à reculons. Il revint quelques minutes plus tard.

— Son Excellence va vous recevoir tout de suite.

Les étroites fenêtres de la salle d'audience du gouverneur donnaient sur la baie. Un étrange mélange de lourd mobilier hollandais et d'objets orientaux meublait la pièce. Des tapis de Chine aux couleurs éclatantes couvraient le parquet et une collection de porcelaines Ming était exposée dans des vitrines.

Le gouverneur Kleinhans était un homme grand et dyspepsique, proche de la soixantaine, la peau jaunie par la vie sous les tropiques, le visage marqué et ridé par les soucis de sa charge. Il était squelettique, sa pomme d'Adam saillant au point de le rendre difforme, et il portait une perruque d'un style trop jeune pour ses traits usés.

— Colonel Schreuder, salua-t-il l'officier sans détourner du Busard ses yeux délavés soulignés de poches jaunes. Lorsque, à mon réveil, j'ai constaté que votre navire était parti, j'ai pensé que vous étiez rentré au pays sans ma permission.

— Je vous demande pardon, monsieur. Je vous donnerai tous les éclaircissements nécessaires, mais puis-je auparavant vous présenter le comte de Cumbria, un gentilhomme anglais ?

— Ecossais, pas anglais, grommela le Busard.

Le gouverneur Kleinhans avait cependant été impressionné par son titre et, en bon anglais, que seul son accent guttural gâtait légèrement, il déclara :

— Ah, je vous souhaite la bienvenue au cap de Bonne-Espérance, monsieur le comte. Asseyez-vous, je vous prie. Puis-je vous offrir un petit rafraîchissement — un verre de madère, peut-être ?

Un verre à pied contenant le vin ambré à la main, leurs fauteuils à haut dossier rapprochés en cercle, le colonel se pencha vers Kleinhans :

— Monsieur, ce que j'ai à vous dire est extrêmement délicat, chuchota-t-il en jetant un coup d'œil vers les serviteurs et l'aide de camp.

Le gouverneur frappa dans ses mains et ils disparurent comme fumée dans le vent. Intrigué, il pencha la tête vers Schreuder :

— Alors, colonel, de quoi s'agit-il ?

A mesure que Schreuder parlait, la cupidité et l'attente animèrent les traits mornes du gouverneur, mais quand le colonel eut fini, elles firent place à la réticence et au scepticisme.

— Comment être sûr que ce pirate, Courteney, sera toujours à l'ancre là où vous l'avez vu pour la dernière fois ? demanda-t-il à Cumbria.

— Il y a douze jours à peine, le galion volé, le *Standvastigheid*, était en carène sur la plage, toute sa cargaison sortie et son grand mât hors de son emplanture. Je suis marin et puis vous assurer qu'un mois est nécessaire à Courteney pour reprendre la mer. En d'autres termes, nous avons plus de deux semaines pour nous préparer à lancer une attaque contre lui, expliqua le Busard.

Kleinhans hocha la tête.

— Où se trouve donc le mouillage où se cache ce gredin? s'enquit-il en affectant une désinvolture que démentait l'étincelle qui brillait dans ses yeux jaunes.

— Je peux seulement vous dire qu'il est bien caché, répondit le Busard en éludant la question avec un sourire narquois. Sans mon aide, vos hommes seront incapables de le débusquer.

— Je vois, dit le gouverneur en examinant la petite croûte qu'il venait d'extraire de son nez d'un index décharné. Il va de soi que vous ne réclamez pas de récompense pour accomplir ce qui, après tout, n'est que votre devoir moral impérieux : dénicher ces pirates, poursuivit-il du même ton désinvolte sans lever les yeux.

— Je ne demande aucune récompense, si ce n'est une somme modeste à titre de dédommagement pour le temps passé et mes dépenses, confirma le Busard.

— Le centième de la cargaison du galion que nous pourrons récupérer, suggéra Kleinhans.

— Pas tout à fait aussi modeste, objecta Cumbria. J'avais pensé à la moitié.

— La moitié! glapit le gouverneur Kleinhans avec un haut-le-corps, son teint ayant pris subitement la couleur du vieux parchemin. Vous plaisantez certainement, monsieur.

— Je vous assure, monsieur, qu'en matière d'argent je plaisante rarement, répondit le Busard. Avez-vous considéré combien l'administrateur de votre compagnie serait reconnaissant si vous lui ramenez sa fille indemne sans être obligé de payer la rançon? Cela seul suffirait à augmenter votre pension, et je ne tiens pas compte de la valeur de la cargaison d'épices et de lingots.

Tout en méditant silencieusement ces paroles, le gouverneur entreprit de fourrager dans son autre narine. Cumbria reprit d'un ton persuasif :

— Naturellement, une fois Van de Velde libéré des griffes de ces coquins et arrivé ici, vous pourrez lui transmettre votre charge et aurez alors toute liberté de retourner en Hollande où vous attend la récompense de vos bons et loyaux services.

Le colonel Schreuder lui avait dit combien le gouverneur attendait avec impatience sa retraite imminente, après trente ans au service de la Compagnie. Kleinhans s'agita à cette perspective alléchante, mais c'est d'une voix dure qu'il dit :

— Un dixième de la valeur de la cargaison récupérée, à l'exclusion du produit de la vente aux enchères sur le marché aux esclaves des pirates capturés. Un dixième, et je n'irai pas au-delà.

— Je dois partager la récompense avec mon équipage, repartit

Cumbria en prenant un air tragique. Je ne peux envisager une somme inférieure à un quart.

— Un cinquième, reprit Kleinhans d'une voix grinçante.

— J'accepte, dit Cochran, satisfait. Et, naturellement, j'aurai besoin des services de cette élégante frégate au mouillage dans la baie et de trois compagnies de vos mousquetaires sous les ordres du colonel Schreuder. Et mon propre navire doit être réapprovisionné en poudre et en cartouches, sans parler de l'eau et autres denrées.

Il en avait coûté un prodigieux effort au colonel Schreuder, mais en fin d'après-midi le lendemain, les trois compagnies d'infanterie étaient alignées sur le champ de parade à l'extérieur des murs du fort, prêtes à embarquer. Les officiers et les aspirants étaient tous hollandais tandis que le gros des troupes se composait d'indigènes : Malais de Malacca, Hottentots recrutés dans les tribus du Cap, Cinghalais et Tamouls provenant des possessions de la Compagnie à Ceylan. Ils ployaient sous le poids de leurs armes et de leur havresac mais, aussi incongru que cela paraisse, étaient pieds nus.

En les voyant franchir les portes du fort, portant calot noir et plat, pourpoint vert et ceinturon blanc, mousquet à bout de bras, Cumbria remarqua aigrement :

— J'espère qu'ils se battent aussi joliment qu'ils marchent, mais je pense qu'ils pourraient bien en être pour une petite surprise lorsqu'ils rencontreront les forbans de Franky.

Il ne put prendre à bord du *Goéland* qu'une seule compagnie avec tous ses bagages. Même ainsi, les ponts allaient être encombrés et incommodes, surtout en cas de gros temps.

Les deux autres compagnies d'infanterie embarquèrent à bord du bâtiment de guerre. C'est elles qui allaient voyager dans les meilleures conditions car le *Sonnevogel*, l'« Oiseau de Soleil », était une frégate rapide et spacieuse. Elle avait été prise à la flotte d'Oliver Cromwell par l'amiral hollandais Ruyter au cours de la bataille de Kentish Knock, et avait fait partie de l'escadre de Ruyter durant son raid sur la Tamise, quelques mois seulement avant son arrivée en rade du Cap. Elle avait des lignes pures et une superbe peinture noire avec un filet blanc. Il était notoire que ses voiles avaient été changées avant son départ de Hollande, car toute la toile et les haubans étaient flambant neufs. Son équipage se composait pour l'essentiel d'anciens des deux dernières guerres contre l'Angleterre, tous blanchis sous le harnais.

Son commandant, le capitaine Ryker, était lui aussi un rude marin, large d'épaules et bien pansu. Il ne fit rien pour cacher son déplaisir de se retrouver sous les ordres d'un homme qui, récemment, avait été un ennemi, un irrégulier qu'il estimait n'être qu'un pirate âpre au gain. Il adopta à l'égard de Cumbria une attitude froide et hostile, dissimulant à peine son mépris.

Ils avaient tenu un conseil de guerre orageux à bord du *Sonnevogel*; Cumbria refusa de divulguer le lieu de leur destination et Ryker éleva des objections contre toutes les suggestions et discuta toutes les propositions qu'il lui fit. Seul l'arbitrage du colonel Schreuder avait empêché l'expédition de tourner court avant même qu'ils aient quitté la baie de la Table.

C'est avec un profond soulagement que le Busard vit enfin la frégate lever l'ancre et suivre le petit *Goéland* vers l'entrée de la baie avec presque deux cents mousquetaires alignés le long du bastingage qui lançaient des signes d'adieu à la foule de femmes hottentotes à demi-nues ou habillées de vêtements aux couleurs criardes massées sur la plage.

Le pont du *Goéland* était également encombré de fantassins qui faisaient de grands signes, jacassaient, se montraient mutuellement des points de repère sur la montagne et sur la plage, gênant les marins dans la manœuvre.

Lorsque le navire doubla la pointe au pied de la Tête de Lion et fut emporté par le vent majestueux de l'Atlantique sud, un calme étrange s'empara de ses bruyants passagers. Quand ils virèrent de bord et commencèrent à courir une longue bordée vers l'est, les premiers mousquetaires se précipitèrent au bastingage et vomirent par-dessus bord. Un éclat de rire général s'éleva de l'équipage : le vent avait tout rabattu sur le visage défait des pauvres diables et éclaboussé leur pourpoint vert des vestiges de leur dernier repas.

Dans l'heure qui suivit, la plupart des soldats avaient suivi leur exemple et les ponts couverts de leurs offrandes à Neptune étaient devenus si glissants que le Busard donna l'ordre d'armer les pompes afin de les laver à grande eau en même temps que les passagers.

— La traversée promet d'être intéressante, dit-il au colonel Schreuder. J'espère que ces Adonis auront la force de se traîner à terre lorsque nous aurons atteint notre destination.

Avant d'être parvenus à mi-chemin, il devint manifeste que ce qu'il avait dit en matière de plaisanterie était en fait la triste réalité. Pour la plupart, les hommes de troupe, étendus sur le pont comme des cadavres, semblaient moribonds, avec plus rien dans l'estomac qui leur restât à rendre. Un signal émis par le capitaine Ryker indiqua que la situation n'était pas meilleure à bord du *Sonnevogel*.

— Si nous lançons ces hommes directement dans la bataille, les gars de Franky n'en feront qu'une bouchée. Nous devons modifier nos plans, déclara le Busard à Schreuder, qui envoya un signal au *Sonnevogel*.

Après avoir mis en panne, le capitaine Ryker vint les rejoindre dans sa yole avec une mauvaise grâce évidente pour discuter du nouveau plan d'attaque.

Cumbria avait établi une carte sommaire de la lagune et de la côte de chaque côté des promontoires qui en défendaient l'accès et, dans la petite cabine du *Goéland*, les trois hommes l'étudièrent de près. L'humeur de Ryker avait été adoucie par la révélation de leur destination finale, la perspective de l'action et d'une belle prime ainsi que par le verre de whisky que Cumbria lui avait versé. Pour une fois, il était disposé à accepter le plan que lui proposait ce dernier.

— Il y a un autre cap ici, à huit ou neuf lieues de l'entrée de la lagune, dit le Busard. Avec ce vent, la mer sera suffisamment calme à l'abri du promontoire pour envoyer des canots à terre afin de débarquer le colonel Schreuder et ses mousquetaires. Il pourra alors commencer sa marche d'approche, fit-il en frappant la carte de son index hérissé de poils aux reflets roux. Ce temps de répit sur la terre ferme et l'exercice permettront aux hommes de se remettre de la traversée. En arrivant au repaire de Courteney, ils auront repris leurs forces.

— Les pirates ont-ils installé des défenses à l'entrée de la lagune ? demanda Ryker.

— Ils ont placé des batteries ici et là afin de couvrir la passe, répondit Cumbria en traçant une série de croix de chaque côté de l'entrée. Ils sont si bien protégés qu'ils sont invulnérables au tir d'artillerie d'un navire qui tenterait d'entrer dans la baie ou d'en sortir.

Il se tut en se souvenant des adieux tonitruants avec lesquels les couleuvrines avaient salué sa fuite après son attaque avortée. La perspective de soumettre son navire au feu de batteries retranchées à terre ne semblait pas ébranler Ryker.

— Je pourrai me charger des pièces installées sur le promon toire ouest, promit Schreuder. J'enverrai un petit détachement à l'assaut des falaises. Ils ne s'attendront pas à être attaqués sur leurs arrières. Il me sera cependant impossible de traverser la passe et de neutraliser les batteries situées sur le promontoire est.

— J'enverrai une autre escouade qui s'en chargera, coupa Ryker. Dans la mesure où nous conviendrons d'un code pour coordonner nos attaques.

Ils passèrent l'heure suivante à mettre au point un système de signaux utilisant pavillons et fumée entre les navires et la terre. A la fin, Ryker et Schreuder avaient le cerveau en ébullition et rivalisaient pour se donner l'occasion de gagner les honneurs de la bataille.

« Pourquoi risquer la vie de mes hommes alors que ces héros n'aspirent qu'à faire le travail à ma place ? » songea joyeusement le Busard.

— Je vous félicite, messieurs, dit-il. Voilà un excellent plan de bataille. Je suppose que vous attendrez pour attaquer les batteries que le colonel Schreuder ait traversé la forêt avec le gros de ses forces et soit en position pour lancer l'offensive principale sur le camp des pirates.

— Bien sûr, répondit Schreuder avec empressement. Mais dès que les batteries auront été mises hors jeu, vos navires feront diversion en franchissant la passe et en bombardant le camp. Ce sera pour moi le signal et j'attaquerai par l'arrière.

— Nous vous apporterons tout le soutien nécessaire, acquiesça Cumbria, à deux doigts de lui taper familièrement sur l'épaule, tout en pensant : « Cet imbécile ne songe qu'à la gloire. Je lui cède volontiers ma part de boulets pourvu que je puisse faire main basse sur le butin. »

Il regarda ensuite le capitaine Ryker avec curiosité. Il lui fallait à présent faire en sorte que le *Sonnevogel* mène la petite escadre à travers la passe, mobilisant ainsi l'attention des artilleurs de Franky retranchés à la lisière de la forêt. Il pourrait s'avérer avantageux pour le Busard que le navire hollandais subisse de lourds dommages avant que Franky soit écrasé. S'il disposait du seul bâtiment en état de naviguer à la fin de l'affrontement, il serait en mesure de dicter ses conditions quand viendrait le moment de partager le butin.

— Capitaine Ryker, dit-il avec arrogance, je sollicite l'honneur de conduire l'escadre à l'intérieur de la lagune avec mon vaillant *Goéland*. Mes gredins ne me le pardonneraient pas si je vous laissais passer devant nous.

— Monsieur ! répondit sèchement Ryker, le visage fermé, le *Sonnevogel* est mieux armé et à même de résister aux boulets de l'ennemi. J'insiste pour que vous me laissiez conduire l'escadre à l'intérieur

« Voilà qui est réglé », pensa le Busard en acquiesçant à regret.

Trois jours plus tard, ils débarquèrent le colonel Schreuder et ses trois compagnies de mousquetaires nauséeux sur une plage déserte et les regardèrent s'enfoncer dans la jungle africaine en une longue colonne irrégulière.

Les nuits d'Afrique sont paisibles mais jamais complètement silencieuses. Lorsque Hal marqua une pause sur l'étroit sentier, le bruit des pas de son père s'atténua devant lui et il put entendre les sons légers qui révélaient un foisonnement de vie alentour : le gazouillis à la beauté envoûtante d'un oiseau de nuit, le grattement des rongeurs parmi les feuilles mortes et, soudain, le feulement meurtrier d'un petit félin qui les chasse, la rhapsodie et le bourdonnement des insectes et l'éternel murmure du vent. Tous faisaient partie du chœur caché dans ce temple du dieu Pan.

Le faisceau de la lampe tempête disparut devant lui et Hal se remit en marche pour rattraper son père. Lorsqu'ils avaient quitté le camp, ce dernier n'avait pas daigné le renseigner sur leur destination, mais quand ils étaient finalement sortis de la forêt au pied des collines, Hal avait compris où ils allaient. Les pierres qui délimitaient encore la loge où il avait prononcé ses vœux formaient un cercle fantomatique à la lumière de la lune décroissante. A la lisière du cercle sacré, Sir Francis posa un genou à terre et inclina la tête pour prier. Hal s'agenouilla à son côté.

— Seigneur, faites que je sois digne de vous, pria Hal. Donnez-moi la force de respecter les vœux que j'ai prononcés ici en votre nom.

S'étant redressé, son père le prit par la main et le releva. Puis, côte à côte, ils pénétrèrent dans le cercle et s'approchèrent de l'autel.

— *In Arcadia habito !* dit Sir Francis de sa voix basse et entraînante.

— *Flumen sacrum bene cognosco !* répondit Hal.

Sir Francis posa la lanterne sur l'autel et, dans la lumière dorée, ils s'agenouillèrent de nouveau. Ils prièrent longuement en silence jusqu'à ce que Sir Francis lève les yeux vers le ciel.

— Les astres sont les chiffres du Seigneur, dit-il. Ils éclairent nos allées et venues. Ils nous guident à travers les océans inexplorés. Ils détiennent le secret de notre destinée dans leurs spires. Ils mesurent le nombre de nos jours.

Le regard de Hal se porta immédiatement sur Régulus, son étoile. Eternelle et immuable, elle scintillait dans le signe du Lion.

— La nuit dernière, j'ai dressé ton horoscope, lui dit Sir Francis. Il y a bien des choses que je ne suis pas à même de te révéler, mais je puis te dire ceci : les astres te réservent une destinée singulière, dont je n'ai pas été capable de pénétrer la nature.

Il y avait quelque chose de poignant dans la voix de son père et Hal le regarda. Ses traits étaient défaits, l'ombre sous ses yeux, profonde et sombre.

— Si les astres sont si favorablement disposés, qu'est-ce qui vous trouble ainsi, père ? dit-il.

— J'ai été sévère avec toi. Je t'ai élevé à la dure.

— Père... commença Hal en secouant la tête, mais Sir Francis le fit taire en lui posant la main sur le bras.

— N'oublie jamais la raison qui m'a amené à me comporter ainsi. Si je t'avais moins aimé, je me serais montré plus gentil avec toi. (Il serra davantage le bras de son fils en sentant que Hal prenait son inspiration pour parler.) J'ai essayé de te donner les connaissances et la force nécessaires pour te préparer à affronter la destinée particulière que les astres te réservent. Comprends-tu cela ?

— Oui. J'en ai toujours été conscient. Aboli me l'a expliqué.

— Aboli est sage. Il sera à tes côtés quand j'aurai disparu.

— Non, père. Ne parlez pas de cela.

— Mon fils, regarde les étoiles, répondit Sir Francis et Hal hésita, incertain quant au sens de ces paroles. Tu sais quelle est la mienne. Je te l'ai déjà montrée cent fois. Regarde, la voilà dans le signe de la Vierge.

Hal leva les yeux vers le ciel et les tourna vers l'est, où Régulus scintillait toujours, brillante et claire. Son regard se porta plus loin, vers le signe de la Vierge, proche du Lion, et Hal fut pris d'une crainte superstitieuse.

Le signe de son père était coupé d'un bout à l'autre par une flamme en forme de cimeterre. Une traînée rouge vif, rouge comme du sang.

— Une étoile filante, murmura-t-il.

— Une comète, corrigea son père. Dieu m'envoie un avertissement. Mon temps ici-bas tire à sa fin. Les Grecs et les Romains savaient déjà que le feu céleste est un présage de désastre, de guerre, de famine et de peste, et celui de la mort des rois.

— Quand cela doit-il advenir ? demanda Hal d'une voix tremblante.

— Bientôt, répondit Sir Francis. Ce ne peut être que bientôt. Fort probablement avant que la comète ait achevé de traverser mon signe. Peut-être est-ce la dernière fois que toi et moi nous nous trouvons ainsi seuls.

— Ne pouvons-nous rien faire pour éviter ce malheur ? Ne pouvons-nous y échapper ?

— Nous ne savons pas d'où il arrivera, dit Sir Francis avec gravité. Nous ne pouvons nous dérober à ce qui a été décrété. En fuyant le destin, nous nous jetterons dans ses griffes.

— Nous l'attendrons donc pour le combattre, dit Hal avec détermination.

— Oui, nous lutterons, admit son père, même si l'issue du combat est déjà décidée. Mais ce n'est pas pour cela que je t'ai amené ici. Je veux, cette nuit-même, te transmettre ton héritage, ce legs tant corporel que spirituel qui t'appartient, à toi, mon fils unique.

Il prit le visage de Hal entre ses mains et le tourna vers lui afin qu'il le regarde dans les yeux.

— Après ma mort, le titre et le rang de baronnet, accordés à ton trisaïeul Charles Courteney par la bonne reine Elisabeth après la destruction de l'Armada espagnole, te reviennent. Tu deviendras Sir Henry Courteney. Tu comprends ?

— Oui, père.

— Ton arbre généalogique a été déposé au Collège des Armoiries d'Angleterre.

Il s'interrompit pour écouter le cri d'une bête sauvage répercuté à travers la vallée, celui d'un léopard chassant au clair de lune le long des falaises. Lorsque les effrayants rugissements moururent, Sir Francis reprit tranquillement :

— Mon souhait est que tu progresses au sein de l'Ordre jusqu'à ce que tu atteignes le rang de chevalier nautonier.

— Je m'évertuerai à atteindre ce but, père.

Sir Francis leva sa main droite. L'anneau d'or qu'il portait à son deuxième doigt brilla à la lumière de la lanterne. Il l'ôta et le tint dans le clair de lune.

— Cet anneau fait partie des insignes propres à la charge de nautonier, dit-il en prenant la main droite de Hal pour essayer l'anneau à son annulaire.

Il était trop grand et il le lui mit donc à l'index. Puis il ouvrit le col de sa longue cape et découvrit le grand sceau de sa charge suspendu à son cou. Les yeux en rubis du lion rampant d'Angleterre et les étoiles en diamant étincelèrent doucement dans la lumière incertaine. Il enleva la chaîne de son cou, la tint au-dessus de la tête de Hal et l'abaissa sur ses épaules.

— Ce sceau est l'autre insigne. Il est la clé qui t'ouvre le Temple.

— Je suis honoré de la confiance que vous m'accordez mais aussi mortifié.

— L'héritage spirituel que je te laisse comporte encore autre chose, enchaîna Sir Francis en fouillant les plis de sa cape. C'est un souvenir de ta mère.

Il ouvrit la main, révélant un médaillon avec une miniature d'Edwina Courteney. La lumière n'était pas assez forte pour que Hal pût distinguer les détails du portrait, mais les traits de son visage étaient gravés dans son esprit et dans son cœur. Sans un mot, il le plaça dans la poche de poitrine de son pourpoint.

— Prions ensemble pour la paix de son âme, dit Sir Francis doucement, et tous deux inclinèrent la tête.

Longtemps après, Sir Francis se redressa.

— Il ne nous reste plus qu'à évoquer l'héritage matériel que je te laisse. Il y a d'abord High Weald, le manoir de notre famille dans le Devon. Tu sais que ton oncle Thomas administre la maison et les terres en mon absence. Les actes de propriété sont entre les mains de mon notaire à Plymouth...

Sir Francis continua de parler pendant un bon moment, énumérant et faisant le détail de ses possessions et de ses biens en Angleterre.

— J'ai noté tout cela à ton intention dans mon journal, mais il pourrait être perdu ou pillé avant que tu aies eu le temps de l'examiner. Rappelle-toi de tout ce que je t'ai dit.

— Je n'oublierai rien, lui assura Hal.

— Il y a également la prise que nous avons faite au cours de cette campagne. Tu étais avec moi lorsque j'ai caché le butin provenant tant du *Heerlycke Nacht* que du *Standvastigheid*. Lorsque tu le rapporteras en Angleterre, paie scrupuleusement à chaque homme d'équipage la part qui lui revient.

— Je m'acquitterai sans faute de cette tâche.

— Paie également jusqu'au dernier penny la part de la Couronne aux officiers des douanes du roi. Seul un gredin chercherait à escroquer son souverain.

— Je ne manquerai pas de rendre à mon roi ce qui lui revient.

— Je ne reposerais jamais en paix si j'apprenais que toutes les richesses que j'ai réunies pour toi et mon roi ont été perdues. Je veux que tu prêtes serment sur ton honneur de chevalier de l'Ordre, reprit Sir Francis. Tu dois jurer de ne jamais révéler à qui-

188

conque le lieu où est caché le butin. Au cours des jours difficiles qui nous attendent, pendant le temps où la comète rouge gouvernera mon signe et dirigera nos affaires, il se peut que des ennemis tentent de te forcer à rompre ton serment. Tu dois toujours garder présente à l'esprit la devise de notre famille : *Durabo !* J'endurerai !

— Sur mon honneur, et au nom de Dieu, j'endurerai, promit Hal.

Il prononça ces paroles avec facilité. Il ne pouvait savoir alors que lorsqu'elles lui reviendraient, leur poids serait assez lourd pour lui briser le cœur.

Tout au long de sa carrière militaire, le colonel Cornelius Schreuder avait fait campagne avec des régiments indigènes plus souvent qu'avec des hommes de sa race et de son pays. Ils avaient sa préférence, car ils étaient insensibles à la souffrance et bien moins affectés par les changements de climat et de température. Ils étaient endurcis contre les fièvres et les maladies auxquelles succombaient les hommes blancs qui s'aventuraient dans ces régions tropicales, et avaient besoin de moins de nourriture pour survivre. Ils étaient capables de subsister et de se battre avec l'ordinaire frugal fourni par cette terre sauvage et terrible, alors que, contraints de subir les mêmes privations, les soldats européens tombaient malades et mouraient.

Cette préférence avait une autre raison. Alors qu'on attribuait un prix élevé à la vie des soldats chrétiens, celle des païens pouvait être sacrifiée plus aisément, de même que le bétail pouvait être envoyé à l'abattoir sans scrupules. C'étaient des voleurs auxquels il était impossible de faire confiance lorsqu'ils étaient sous l'influence des femmes ou de l'alcool. Livrés à eux-mêmes, ils se comportaient comme des enfants, mais, chapeautés par de bons officiers hollandais, leur courage et leur esprit combatif compensaient largement leurs faiblesses.

Schreuder se tenait sur une élévation et regardait la longue colonne de fantassins passer devant lui. Ils s'étaient remis des terribles effets du mal de mer avec une rapidité remarquable, et la plupart n'étaient restés prostrés que le premier jour. Une nuit de repos sur la terre ferme, du poisson séché et des galettes de farine de sorgho cuites à la braise, et ils étaient redevenus aussi vaillants et joyeux que le jour de leur embarquement. A grandes enjambées, ils défilaient devant lui pieds nus à la suite de leurs officiers subalternes blancs, à l'aise sous leur charge, bavardant entre eux dans leur langue.

Pour la première fois depuis leur embarquement dans la baie de la Table, Schreuder reprit confiance en eux. Il souleva son chapeau et s'essuya les sourcils. Le soleil venait à peine de franchir la cime des arbres mais il dégageait déjà autant de chaleur qu'un four de boulanger. Il regarda les collines et la forêt qui les attendaient. La carte qu'avait dressée pour lui l'Ecossais à cheveux roux n'était qu'un croquis : seule la côte s'y trouvait esquissée et elle ne mentionnait pas le terrain accidenté qu'ils avaient rencontré.

Au départ, il avait suivi le rivage, mais la progression s'était avérée pénible — sous le poids de leur paquetage, les hommes s'enfonçaient dans le sable jusqu'aux chevilles. En outre, les plages étaient coupées par des falaises et des promontoires rocheux, ce qui ralentissait encore la marche. Schreuder obliqua donc vers l'intérieur et envoya ses éclaireurs à la recherche d'un passage à travers les collines et la forêt.

On entendit bientôt un cri en avant. Un des hommes revenait en courant et remontait la colonne. Haletant, le Hottentot se redressa de toute sa hauteur et salua avec un luxe de fioritures.

— Colonel, il y a une large rivière un peu plus loin.

Comme la plupart de ces soldats, il parlait bien le hollandais.

— Nom d'un chien ! s'exclama Schreuder. Nous allons encore prendre du retard et notre rendez-vous est pour après-demain. Indique-moi le chemin.

L'éclaireur le conduisit jusqu'à la crête de la colline. Là-haut, s'étala à ses pieds une vallée encaissée où coulait une rivière. Les versants, recouverts d'une forêt luxuriante, avaient presque deux cents pieds de haut. Elle s'ouvrait sur un large estuaire aux eaux boueuses qui pénétraient loin dans la mer avec la marée. Schreuder tira sa longue-vue de son étui en cuir et scruta attentivement la vallée à l'endroit où elle s'enfonçait profondément dans les collines.

— Ça ne va pas être facile à franchir et nous n'avons pas le temps de chercher un autre passage, dit-il en regardant en bas de la pente. Fixez des cordes à ces arbres pour que les hommes puissent s'y tenir.

Il fallut la moitié de la matinée pour faire descendre les deux cents fantassins au fond de la vallée. A un certain moment, l'une des cordes se cassa net sous le poids d'une cinquantaine d'hommes accrochés à elle pour ne pas perdre pied. Bien que la plupart aient souffert d'écorchures et d'entorses, il n'y eut cependant qu'un blessé grave. La jambe droite d'un jeune fantassin

190

cinghalais s'était prise dans une racine au cours de sa chute et elle était fracturée en une douzaine d'endroits sous le genou, les esquilles pointant à travers la peau.

— Eh bien, nous n'avons perdu qu'un homme dans l'aventure, dit Schreuder à son lieutenant avec satisfaction. Ça aurait pu être pire. Et il nous aurait peut-être fallu plusieurs jours pour trouver un autre passage.

— Je vais faire fabriquer une civière pour le blessé, suggéra le lieutenant Maatzuyker.

— Avez-vous perdu la tête ? fit Schreuder sèchement. Il ralentirait l'allure. Laissez ici ce maladroit avec un pistolet chargé. Quand les hyènes viendront l'attaquer, il décidera s'il doit tirer sur l'une d'elles ou sur lui-même. Assez de bavardages ! Traversons.

Schreuder regarda vers l'autre berge. A cet endroit la rivière avait une centaine de mètres de large et la surface de l'eau boueuse tourbillonnait sous l'effet de la marée descendante.

— Nous allons devoir construire des radeaux, hasarda le lieutenant Maatzuyker.

— Nous n'en avons pas le temps non plus, répondit Schreuder d'une voix rageuse. Faites passer une corde sur l'autre rive. Il faut que je voie si cette rivière est guéable.

— Le courant est fort, fit remarquer Maatzuyker avec tact.

— N'importe quel imbécile est capable de s'en rendre compte, Maatzuyker. Peut-être est-ce la raison pour laquelle vous n'avez eu aucun mal à l'observer, repartit Schreuder d'un ton menaçant. Allez chercher votre meilleur nageur !

Maatzuyker salua et passa rapidement dans les rangs de ses soldats. Ils subodoraient ce qui se préparait et chacun étudia avec un intérêt soudain qui le ciel, qui la forêt pour éviter de croiser son regard.

— Ahmed ! appela le lieutenant, puis il attrapa par l'épaule l'un de ses caporaux et le tira de la cohue où il essayait de passer inaperçu.

D'un air résigné, Ahmed tendit son mousquet à l'un de ses compagnons et se déshabilla. Sous la peau brun-jaune de son corps glabre saillaient des muscles souples et fermes.

Maatzuyker lui noua la corde sous les aisselles et lui ordonna de traverser. Ahmed s'éloigna dans le courant et eut bientôt de l'eau jusqu'à la taille. Plus il avançait, plus Schreuder pensait que la traversée se ferait sans difficulté. Les collègues d'Ahmed restés sur la berge lui criaient des encouragements en déroulant la corde.

Puis, alors qu'il était presque à la moitié de la traversée, Ahmed perdit brusquement pied et disparut sous la surface.

— Ramenez-le, ordonna Schreuder.

Ils le tirèrent en arrière vers les eaux moins profondes, où il lutta pour reprendre pied, puis s'ébroua et toussa, recrachant l'eau qu'il avait avalée.

— Tirez-le! Sortez-le de l'eau! cria soudain Schreuder d'un ton alarmé.

A une cinquantaine de mètres en amont, il avait aperçu un grand remou à la surface des eaux opaques. Puis un sillage en forme de V fonça vers l'endroit où le caporal faisait des éclaboussures en s'évertuant à regagner la rive. C'est alors que les hommes qui le halaient virent le danger et, avec des cris de consternation, tirèrent si vigoureusement sur la corde qu'Ahmed fut emporté sur le dos et traîné vers la berge, battant l'eau des bras et des jambes. L'assaillant fut cependant plus rapide et arriva sur l'homme impuissant.

Lorsqu'il fut à quelques mètres de lui, son museau noueux et squameux comme un tronc d'arbre émergea et, vingt pieds en arrière de la tête, la queue du saurien jaillit hors de l'eau dans une explosion d'écume. Le monstre hideux franchit en un instant l'espace qui le séparait d'Ahmed et s'éleva haut au-dessus de la surface, les mâchoires ouvertes sur des rangées irrégulières de dents jaunes.

L'infortuné caporal le vit alors et poussa des cris perçants. Avec le fracas d'une herse qui s'abat, les mâchoires se refermèrent sur son bassin. L'homme et la bête disparurent sous la surface dans un tourbillon d'écume crémeuse. Les haleurs furent violemment déséquilibrés et emportés vers la rivière en se débattant comme des diables.

D'un bond, Schreuder les rattrapa et saisit l'extrémité de la corde. Il l'enroula deux fois autour de son poignet et se projeta en arrière de tout son poids. Là-bas dans le courant boueux, il y eut un autre bouillonnement d'écume : les crocs serrés sur le ventre d'Ahmed, l'énorme crocodile tournait sur lui-même à une vitesse étourdissante. Les autres avaient repris pied et s'accrochaient à la corde avec acharnement. Il y eut soudain une tache rouge sur l'eau brune à l'instant où le saurien déchirait Ahmed en deux à la façon dont un glouton arrache une cuisse de poulet.

La tache de sang fut immédiatement emportée et diluée par le courant rapide et, la corde n'opposant d'un seul coup plus aucune résistance à leurs efforts, les haleurs tombèrent en arrière. La partie supérieure du torse d'Ahmed alla alors s'échouer sur la terre; ses bras étaient agités de secousses et sa bouche s'ouvrait et se fermait convulsivement comme celle d'un poisson agonisant.

Au loin dans la rivière, le crocodile émergea de nouveau, les jambes et le bassin d'Ahmed entre ses mâchoires. Il leva la tête vers le ciel et fit effort pour avaler. Lorsque le cadavre démembré glissa dans sa gueule, ils le virent faire une bosse dans la gorge pâle.

— Cette bête immonde va nous retarder de plusieurs jours si nous la laissons faire, rugit Schreuder écumant de rage, puis il se tourna vers les mousquetaires ébranlés qui tiraient à l'écart les restes d'Ahmed. Ramenez ici ce morceau de viande.

Ils laissèrent tomber le cadavre à ses pieds et regardèrent avec effroi Schreuder se déshabiller, son ventre ourlé de muscles durs et plats, son gros pénis dépassant de la touffe de poils sombres. Sur son ordre impatient, ils attachèrent une corde sous ses aisselles puis lui tendirent un mousquet chargé et prêt à faire feu. De son autre main, il saisit le bras flasque d'Ahmed. Un murmure de stupéfaction incrédule s'éleva de la berge tandis que le colonel entrait dans la rivière en traînant derrière lui les restes du caporal.

— Viens donc, sale bête! hurla-t-il avec colère en continuant d'avancer, de l'eau aux genoux. Tu as faim? Viens, j'ai quelque chose pour toi!

Un gémissement d'horreur jaillit de toutes les gorges: en amont de Schreuder dans l'eau jusqu'à la taille, il y eut un autre énorme remou et le crocodile se précipita vers lui, laissant un long sillage lisse dans l'eau marron.

Schreuder rassembla ses forces, puis, avec un mouvement circulaire du bras, lança la moitié supérieure du cadavre sanguinolent sur la trajectoire du crocodile.

— Mange ça! cria-t-il en prenant son mousquet qu'il pointa en direction de l'appât humain qui dansait sur les eaux à deux brasses de là.

La tête monstrueuse jaillit de la surface et la bouche s'ouvrit assez grand pour engloutir les restes pitoyables du caporal. Par-dessus les mires de son arme, Schreuder plongea son regard dans la gueule béante. Il vit les dents pointues, encore festonnées de lambeaux de chair, et derrière, la muqueuse de la gorge, d'un superbe jaune bouton d'or. Lorsque les mâchoires s'ouvraient, une forte membrane fermait automatiquement la gorge.

Schreuder visa le fond du gosier et déverrouilla d'un coup sec. La mèche allumée tomba et il y eut un instant de retard le temps que la poudre s'enflamme dans le bassinet. Puis, tandis que, inébranlable, il gardait la cible bien dans sa ligne de mire, on entendit un grondement assourdissant et un long jet de fumée bleu argenté s'échappa de la gueule droit dans la gorge du crocodile. Trois onces de plombs durcis à l'antimoine traversèrent la membrane, la trachée, les artères et la chair, et pénétrèrent profondément la poitrine, déchirant les poumons et le cœur froid du reptile.

Le gigantesque lézard fut pris d'une convulsion si violente que son corps sortit en partie de l'eau, si arqué que la monstrueuse tête toucha presque la queue avant de retomber dans un grand jaillissement d'écume. Puis il tourna sur lui-même, plongea et jaillit de nouveau hors de l'eau, tourbillonnant en des spasmes titanesques.

Schreuder ne prit pas le temps d'assister au spectacle de cette hideuse agonie, mais laissa tomber le mousquet encore fumant et plongea dans la partie la plus profonde de la rivière. Misant sur les mouvements frénétiques de la bête pour attirer l'attention d'autres crocodiles, il nagea le plus vite possible vers la berge opposée.

— Donnez-lui du mou! cria Maatzuyker aux hommes paralysés, qui reprirent leurs esprits et, tenant la corde bien haut pour l'empêcher de toucher l'eau, la déroulèrent tandis que Schreuder progressait à travers le courant. Attention! hurla le lieutenant.

Un puis deux crocodiles apparurent à la surface. Leurs yeux montés sur des protubérances cornées leur permettaient de voir leur congénère agonisant sans avoir à sortir la tête de l'eau.

Les éclaboussures plus petites que faisait Schreuder n'attirèrent leur attention que lorsqu'il fut à une douzaine de brasses de la berge, moment auquel l'un des monstres sentit sa présence. Il se tourna et fonça vers lui, des vaguelettes s'écartant en éventail de chaque côté des deux bosses de son front.

— Plus vite! beugla Maatzuyker. Il va vous attraper!

Schreuder accéléra mais le crocodile se rapprochait de lui rapidement. Tous criaient des encouragements au colonel, et le saurien n'était qu'à deux mètres lorsque Schreuder reprit pied et se jeta en avant. Les puissantes mâchoires claquèrent à quelques centimètres seulement de ses talons.

Tirant la corde derrière lui comme une longue queue, il avança en chancelant vers les arbres. Il n'était cependant pas encore hors de danger car la créature cauchemardesque se dressa sur ses courtes pattes arquées et le poursuivit en pataugeant à une vitesse stupéfiante. Schreuder atteignit le premier arbre de la forêt avec une très légère avance seulement et sauta pour s'accrocher à une branche basse. Au moment où les mâchoires se refermaient, il eut juste le temps de replier les jambes pour échapper à leur étau, puis, faisant appel à ses dernières forces, de se hisser plus haut.

Frustré, le reptile resta au pied de l'arbre, menaçant, et décrivit des cercles autour du tronc. Puis, avec un grondement sifflant, il battit lentement en retraite vers la rivière. Il tenait haut sa longue queue à crête de dragon. Quand il atteignit l'eau, il se laissa glisser sous la surface.

— Attachez la corde! cria Schreuder avant même qu'il ait disparu.

Avec son extrémité, il fit une boucle autour du tronc épais de l'arbre sur lequel il était perché et hurla :

— Maatzuyker! Faites construire un radeau. Ils pourront traverser en se tenant à la corde.

La coque du *Résolution* avait été débarrassée de ses algues et de ses bernacles et, l'équipage laissant filer les halins, elle se redressa sous la poussée de la marée montante.

Pendant qu'elle était en carène sur la plage, les charpentiers avaient fini de façonner et d'équiper le nouveau grand mât, et il était enfin prêt à être arboré. Il fallut tout l'équipage pour porter le long et lourd espar jusqu'au navire et en hisser la grosse extrémité par-dessus le plat-bord. Le palan fut attaché aux deux autres mâts et les cravates mises en place afin de dresser le nouvel espar.

Sous les ordres de Daniel et de Ned, deux équipes tirèrent avec prudence sur les cordes, et le mât de pin blanc se leva à la verticale. Sir Francis tint à superviser lui-même l'opération décisive qui consistait à engager le pied du mât à travers l'ouverture pratiquée dans le pont principal, puis à le laisser glisser jusqu'au fond de la coque, sur l'emplanture de la contre-quille. C'était une tâche délicate qui exigea la force de cinquante hommes et prit la majeure partie de la journée.

— Bien joué, les gars ! leur dit Sir Francis lorsque enfin l'énorme espar fut en place et que son pied cogna lourdement dans son emplanture.

— Donnez du mou !

Alors qu'il n'était plus maintenu par les cordes, le mât de cinquante pieds de haut tenait debout tout seul.

— Et maintenant, malheur à ces têtes de lard, cria le grand Daniel depuis la lagune, de l'eau jusqu'à la taille. Dans dix jours, nous franchirons la passe, rappelez-vous de ce que je vous dis.

Sir Francis lui sourit depuis le bastingage.

— Nous ne la franchirons pas avant que vous ayez haubané le grand mât. Et ce n'est pas en restant là à jacasser comme une pie que le travail se fera.

Il était sur le point de se détourner lorsqu'il fronça les sourcils. L'épouse du gouverneur venait de sortir de la forêt, suivie de sa femme de chambre, et elle se tenait à présent tout en haut de la plage, en faisant tourner le manche de son ombrelle entre ses longs doigts blancs, si bien qu'on aurait dit une toupie, roue aux couleurs vives qui attirait les regards de tous les hommes d'équipage. Même Hal, qui dirigeait l'équipe du gaillard d'avant, avait interrompu son travail pour la contempler bouche bée comme un grand nigaud. Elle portait ce jour-là un nouvel ensemble ravissant, si décolleté qu'on voyait presque ses mamelons.

— Monsieur Courteney, lança Sir Francis, assez fort pour lui faire honte devant ses hommes, concentrez-vous sur votre tâche. Où sont les cales pour immobiliser cet espar?

Hal sursauta et, rougissant sous son hâle, se détourna du bastingage et saisit le lourd maillet.

— Vous avez entendu le capitaine, dit-il à ses hommes d'un ton sec.

— Cette catin est l'Eve de ce paradis, fit Sir Francis en baissant le ton à l'adresse d'Aboli. Ce n'est pas la première fois que je vois Hal la manger des yeux et, doux Jésus, elle lui renvoyait son regard aussi effrontément qu'une courtisane, tous ses appas dehors. C'est encore un enfant.

— Vous le voyez avec vos yeux de père, objecta Aboli en souriant et secouant la tête. Ce n'est plus un petit garçon, mais un homme. Vous m'avez dit un jour que votre livre sacré parle d'un aigle dans le ciel, d'un serpent sur un rocher et d'un homme avec une jeune fille.

Hal ne pouvait dérober que très peu de temps sur sa tâche quotidienne, mais il répondait aux appels impérieux de Katinka comme un saumon retourne à sa rivière natale à la saison du frai. Quand elle l'appelait, rien ne pouvait l'empêcher de la rejoindre. Il remontait le sentier, le cœur battant aussi vite que couraient ses pieds agiles. Cela faisait presque un jour entier qu'il ne s'était pas trouvé seul avec elle, ce qui était bien trop long à son goût. Il lui arrivait de s'échapper du camp furtivement deux ou trois fois par jour pour la rencontrer. Souvent, ils ne pouvaient rester ensemble que quelques minutes, mais cela suffisait à la chose. Ils ne gaspillaient guère leur temps précieux en cérémonies et discussions.

Il leur avait fallu trouver un autre lieu de rendez-vous que la hutte de Katinka. Les visites nocturnes de Hal à l'intérieur du périmètre réservé aux otages avaient failli tourner au désastre. Il eût été inconcevable que le gouverneur Van de Velde ait dormi aussi profondément que le donnaient à penser ses ronflements, et ils en étaient pourtant arrivés à se montrer imprudents et bruyants dans leurs ébats amoureux.

Réveillé par les cris frénétiques de sa femme et ceux de Hal en contrepoint, le gouverneur Van de Velde avait pris sa lanterne et s'était approché sans bruit de la case. Aboli, en faction à l'extérieur, avait vu la lueur de la lampe à temps pour avertir Hal par un sifflement. Celui-ci avait ramassé ses vêtements en vitesse et s'était engouffré par le trou ménagé dans la palissade au moment même où Van de Velde faisait irruption dans la case, lanterne d'une main, épée nue de l'autre.

Le lendemain matin, celui-ci s'était amèrement plaint à Sir Francis :

— C'était certainement l'un de vos marins qui volait quelque chose, accusa-t-il.

— Est-ce qu'il manque un objet de valeur dans la hutte de votre épouse? demanda le capitaine, puis, Van de Velde secouant la tête, il insinua avec lourdeur : Peut-être votre femme ne devrait-elle pas faire étalage de ses joyaux, car ils suscitent des pensées avaricieuses. A l'avenir, monsieur, il serait prudent de veiller plus attentivement sur *tous* vos biens.

Sir Francis interrogea les hommes qui avaient été de quart la nuit précédente, mais comme la femme du gouverneur ne pouvait donner aucune description de l'intrus — elle dormait à poings fermés à ce moment-là —, on ne tarda pas à clore le dossier. Ce fut la dernière incursion nocturne qu'osa tenter Hal à l'intérieur de la palissade.

En remplacement, ils avaient trouvé un lieu de rendez-vous secret. Il était bien caché mais situé assez près du camp pour que Hal pût répondre à ses appels et atteindre l'endroit en quelques minutes. Il marqua un temps d'arrêt sur l'étroite terrasse qui s'étendait devant la caverne, respirant profondément dans sa hâte et son excitation. Aboli et lui l'avaient découverte en revenant de l'une de leurs parties de chasse dans les collines. Ce n'était pas réellement une grotte, mais une sorte de renfoncement dans la roche, là où le grès rouge plus tendre avait été érodé.

Ils n'étaient pas les premiers hommes à être passés par là. Il y avait de vieilles cendres dans le foyer de pierre contre la paroi au fond de l'abri et le plafond était teinté de suif. Des arêtes de poissons et des os de petits mammifères, restes des repas préparés dans l'âtre, jonchaient le sol. Les os étaient secs et parfaitement nettoyés, les cendres, froides et éparpillées. Le foyer n'était plus utilisé depuis longtemps.

Cependant, ce n'étaient pas les seuls signes de présence humaine. De haut en bas, la paroi du fond était couverte de peintures d'une vigueur et d'une exubérance étonnantes. Des grands troupeaux de gazelles et d'antilopes cornues que Hal n'avait jamais vues traversaient la surface lisse de la roche, chassés par des archers filiformes aux fesses proéminentes et au membre viril dressé. Les fresques étaient colorées et infantiles dans leur dessin, la perspective et la dimension relative des hommes et des bêtes, fantaisistes. Certains personnages écrasaient par leur taille l'éléphant qu'ils pourchassaient et les aigles étaient deux fois plus grands que les troupeaux de buffles qui couraient sous leurs ailes déployées. Hal se délectait pourtant à les contempler. Dans les plages de calme entre deux joutes amoureuses, il restait souvent allongé à regarder ces étranges petits hommes occupés à chasser et à se battre. Dans ces moments-là, il aspirait étrangement à en savoir davantage sur ces artistes et ces héroïques chasseurs et guerriers qu'ils avaient dépeints.

Lorsqu'il interrogea Aboli à leur propos, le grand Noir haussa les épaules avec dédain.

— Ce sont des San. Pas vraiment des hommes, plutôt des petits singes jaunes. S'il t'arrive d'en rencontrer un, malchance contre laquelle tes trois dieux feraient bien de te protéger, tu en apprendras davantage sur leurs flèches empoisonnées que sur leurs talents artistiques.

Ce jour-là, les peintures rupestres ne retinrent pas longtemps son attention car le matelas d'herbe qu'il avait étalé sur le sol était vide. Il était en avance au rendez-vous et ce n'était donc pas surprenant. Il se demandait cependant si elle viendrait ou si elle l'avait appelé par caprice. C'est alors qu'il entendit le craquement d'un rameau brisé un peu plus bas à flanc de colline.

Il lança un regard circulaire pour trouver un endroit où se cacher. D'un côté de l'entrée tombait un rideau de plantes grimpantes au feuillage vert sombre constellé de fleurs d'un jaune incroyable et dont le parfum léger et doux flottait dans la caverne. Hal se glissa derrière et se tapit contre la paroi rocheuse.

Quelques instants plus tard, Katinka sauta légèrement sur la terrasse devant l'entrée et regarda à l'intérieur d'un air interrogateur. Quand elle se rendit compte que la caverne était déserte, elle se raidit sous l'effet de la colère. Elle prononça un mot en hollandais, un mot obscène, que, par son usage régulier, Hal en était venu à bien connaître. A la pensée des délices qu'il laissait augurer, il en eut la chair de poule.

Il se glissa hors de sa cachette et suivit Katinka sans faire de bruit. Il lui posa une main sur les yeux et, l'autre bras autour de sa taille, la souleva de terre et l'emporta en courant vers le lit d'herbe.

Longtemps après, Hal était allongé sur ce matelas improvisé, sa poitrine nue encore inondée de sueur se soulevant avec effort. Elle mordillait un bout de ses seins comme si ça avait été un raisin sec. Puis elle joua avec le médaillon doré suspendu à son cou.

— C'est joli. J'aime les yeux en rubis du lion. Qu'est-ce que c'est ? murmura-t-elle en hollandais.

Il ne comprit pas la question et haussa les épaules. Elle la répéta lentement et distinctement.

— Mon père me l'a donné. J'y attache une grande valeur, répondit-il évasivement.

— Je le veux, dit-elle. Tu veux bien me le donner ?

— Je ne pourrais jamais faire une chose pareille, dit-il en souriant paresseusement.

— Est-ce que tu m'aimes ? Es-tu fou de moi ?

— Oui, je vous aime à la folie, admit-il en essuyant la sueur de ses yeux avec le dos de son avant-bras.

— Alors, donne-moi le médaillon.

Il secoua la tête sans mot dire, puis, pour éviter la dispute qui menaçait, demanda :

— M'aimez-vous comme je vous aime ?

Elle eut un rire joyeux.

— Ne dis pas de bêtises ! Bien sûr que non, je ne t'aime pas. Le seul que j'aime, c'est Lord Cyclope. (Elle avait donné à son pénis le nom du géant de la légende et pour confirmer ses paroles, elle tendit la main vers son pubis.) Mais même lui, je ne l'aime pas quand il est mou et rabougri comme maintenant. (Ses doigts s'activèrent un moment, puis elle rit de nouveau, cette fois-ci d'un rire de gorge.) Voilà qui est mieux, je l'aime déjà davantage. Oh, oui ! Encore mieux. Plus il grossit, plus je l'aime. Je vais l'embrasser pour lui montrer combien je l'adore.

Elle promena la pointe de sa langue vers le bas de son ventre, mais au moment où elle enfouissait son visage dans la touffe de ses poils pubiens, un grand bruit l'arrêta. Il roula à travers la lagune et les collines renvoyèrent cent fois son écho.

— Le tonnerre! cria Katinka. Je déteste le tonnerre. Depuis que je suis toute petite.

— Ce n'est pas le tonnerre! dit Hal en la repoussant si rudement qu'elle poussa un nouveau cri :

— Oh! Enfant de cochon, tu m'as fait mal.

Mais Hal ne prêta pas attention à ses protestations et se leva d'un bond. Nu comme un ver, il se précipita à l'entrée de la caverne et regarda dehors. Il était assez haut pour voir par-dessus la cime des arbres de la forêt qui entourait la lagune. Les mâts nus du *Résolution* se dressaient de manière imposante contre le ciel bleu de midi. L'air était plein d'oiseaux de mer : le bruit de tonnerre les avait fait s'envoler et le soleil étincelait dans leurs plumes, si bien qu'ils semblaient être des créatures de glace et de cristal décrivant des cercles haut dans le ciel.

Une nappe de brume roulait doucement à travers la lagune qu'elle obscurcissait à moitié. Elle enveloppait les promontoires rocheux de volutes bleu argenté que transperçaient brusquement d'étranges lumières vacillantes. Mais ce n'était pas de la brume.

Le tonnerre éclata encore, parvenant à Hal longtemps après les éclairs de lumière. Les nuages tourbillonnants s'épaississaient et se répandaient, lourds et denses comme de l'huile, sur les eaux de la lagune. Au-dessus de ce banc nuageux, les mâts et les voiles de deux grands vaisseaux flottaient, comme suspendus au-dessus de l'onde. Hal les regarda avec stupéfaction franchir tranquillement la passe. Le navire de tête lâcha une autre bordée. Il vit tout de suite que c'était une frégate, sa coque noire soulignée de blanc, ses sabords de batterie ouverts vomissant feu et fumée. Bien au-dessus de la nappe de fumée, les trois couleurs de la République hollandaise ondulaient doucement dans la brise de midi. Dans son sillage suivait avec élégance le *Goéland de Moray*, ses mâts et haubans pavoisés aux couleurs de saint Georges et de saint André avec la grande croix écarlate du Temple, ses couleuvrines entonnant en chœur leur chant guerrier.

— Bonté divine! Pourquoi les batteries de l'entrée ne ripostent-elles pas?

Puis, à l'œil nu, il distingua d'étranges soldats en uniforme vert qui se rendaient maîtres des batteries situées au pied des falaises. Ils tuaient les artilleurs et jetaient leurs corps par-dessus le parapet dans la mer, leurs épées et la pointe d'acier de leurs piques lançant des éclairs au soleil.

— Ils ont pris par surprise les serveurs des batteries. Le Busard a conduit les Hollandais jusqu'à nous et leur a montré où se trouvaient nos défenses, dit Hal, la voix tremblante d'indignation. Il paiera de son sang cette infamie, j'en fais le serment.

Katinka se leva précipitamment et courut rejoindre Hal.

— Regarde! C'est un bâtiment hollandais, ils viennent me tirer des griffes de votre infâme pirate de père. Je remercie Dieu! Enfin, je vais quitter ce coin perdu et me retrouver en sécurité à Bonne-Espérance, dit-elle en sautillant d'excitation. Quand ils vous pendront toi et ton père au gibet du champ de parade, je serai là pour vous envoyer un dernier baiser et vous dire adieu, ajouta-t-elle avec un rire moqueur.

Hal l'ignora et repartit s'habiller à la hâte avant de mettre l'épée de Neptune à son côté.

— Il va y avoir une bataille, mais vous serez en sécurité si vous restez là jusqu'à ce qu'elle soit finie, lui dit-il en s'élançant dans la pente.

— Tu ne peux pas me laisser là toute seule! lui hurla-t-elle. Reviens immédiatement, je te l'ordonne.

Sans tenir compte de ses supplications, il descendit à toute vitesse le sentier à travers les arbres. « Je n'aurais jamais dû me laisser tenter et m'éloigner de mon père, se lamenta-t-il silencieusement tout en courant. Il m'avait averti du danger en me montrant la comète rouge. Quoi qu'il m'arrive maintenant, je l'aurai mérité. »

Il était si affligé que sa seule pensée était de reprendre son poste et qu'il faillit se jeter au beau milieu des soldats qui se frayaient un chemin devant lui. Il sentit juste à temps la fumée de leurs mèches allumées et aperçut ensuite leurs pourpoints verts et leurs ceintures blanches. Il se jeta à terre et roula pour se mettre à couvert derrière le tronc d'un grand figuier. Il vit alors que, sous les directives d'un officier blanc, les hommes avançaient en bon ordre vers le camp, piques et mousquets à la main.

Hal entendit l'officier commander à voix basse en hollandais : « Gardez vos distances. Ne vous entassez pas les uns sur les autres! » L'appartenance de ces troupes ne faisait à présent plus aucun doute. Le Hollandais avait toujours le dos tourné et Hal eut un moment de répit pour réfléchir. « Je dois absolument rejoindre le camp pour prévenir mon père, pensa-t-il, mais je n'ai pas le temps de chercher un chemin pour les contourner. Il va falloir que je passe en force à travers les rangs ennemis. » Il tira l'épée de son fourreau et se redressa sur un genou, puis marqua un temps d'arrêt, frappé par une pensée. « Nous sommes surpassés en nombre sur terre et sur mer, et cette fois-ci, il n'y a pas de brûlots pour chasser le Busard et la frégate hollandaise. La bataille risque d'être rude. »

Avec la pointe de son épée, il creusa un trou dans la terre meuble au pied du figuier. Puis il ôta l'anneau de son doigt, prit dans sa poche le médaillon avec le portrait de sa mère et les déposa dans le trou. Il enleva ensuite le sceau de nautonier qu'il avait au cou et le plaça au-dessus de ses autres trésors. Il referma le trou et tassa la terre du plat de la main.

L'opération ne lui avait pris qu'une minute, mais quand il leva la tête, l'officier hollandais avait disparu dans la forêt. Hal avança en silence, guidé par le bruissement et les craquements dans le sous-bois. « Sans leurs officiers, ces hommes ne se battront pas aussi bien. Si j'arrive à éliminer celui-là, cela refroidira un peu leur ardeur. » Il ralentit en s'approchant du Hollandais qui poursuivait son chemin au milieu des arbres, le bruit de ses pas couvrant ceux de Hal.

Le dos du pourpoint en serge était trempé de sueur. Hal vit à ses épaulettes qu'il s'agissait d'un lieutenant au service de la Compagnie. Grand, mince et dégingandé, il portait son épée nue à la main droite. L'arrière de son cou de poulet était criblé de pustules rouge vif; il ne s'était pas lavé depuis des jours et sentait aussi fort qu'un sanglier.

— En garde, Mijnheer! somma Hal en hollandais, car il ne pouvait le frapper dans le dos.

Le lieutenant pivota pour lui faire face et se mit en garde.

De surprise, il écarquilla ses yeux bleu pâle en voyant Hal si près. Il n'était guère plus âgé que lui et l'acné qui couvrait son menton ressortait sur son visage blanc de terreur.

Hal lui décocha une botte et leurs lames crissèrent en se croisant. Il se remit en garde mais ce premier échange lui avait permis de jauger son adversaire. Le Hollandais manquait de vivacité et son poignet n'avait pas le nerf et la vigueur d'une fine lame. Les paroles de son père lui revinrent à l'esprit : « Bats-toi dès le premier coup. N'attends pas d'être en colère. » Il s'abandonna à une froide fureur meurtrière. Avec un grognement, il feinta en visant les yeux puis reprit son équilibre, prêt à la parade. Le lieutenant était lent à riposter et Hal savait qu'il pouvait tenter l'attaque fulgurante que Daniel lui avait appris à lancer contre un tel adversaire. Il pouvait essayer d'en finir tout de suite.

D'un mouvement de son poignet trempé comme de l'acier par des heures de pratique avec Aboli, il prit la lame du Hollandais et en écarta la pointe hors de sa ligne de défense. Il l'avait ainsi obligé à se découvrir, mais pour exploiter cet avantage, il lui fallait ouvrir sa propre garde et risquer de subir la riposte naturelle de l'autre — risque suicidaire face à un adversaire aguerri.

Il s'engagea en se projetant de tout son poids sur son pied gauche et frappa d'estoc à travers la garde du Hollandais. La riposte vint trop tard et la lame de Hal transperça la serge teintée de sueur, glissa sur une côte puis poursuivit son chemin. Voilà longtemps qu'il maniait l'épée, mais c'était la première fois qu'il tuait un homme et il n'était pas préparé à la sensation procurée par l'acier qui s'enfonce dans la chair.

Haletant, le lieutenant Maatzuyker laissa tomber son épée au moment où celle de Hal venait buter contre sa colonne vertébrale. Ses mains nues étreignirent la lame coupante comme celle d'un rasoir, qui entailla ses paumes jusqu'à l'os et sectionna les tendons, libérant un flot de sang. Ses doigts s'ouvrirent, inertes, et il tomba à genoux en fixant Hal de ses yeux humides, comme s'il était sur le point de fondre en larmes.

Hal tira sur le pommeau de son épée mais l'acier de Tolède adhérait à la chair. Agonisant, Maatzuyker leva ses mains mutilées en un geste implorant.

— Pardon, murmura Hal, frappé d'horreur, et il tira de nouveau sur la garde de son épée.

Cette fois-ci, Maatzuyker ouvrit grande la bouche et poussa une plainte inarticulée. La lame avait traversé son poumon droit et un flot de sang jaillit entre ses lèvres pâles, inonda son justaucorps et éclaboussa les bottes de Hal.

— Oh Dieu! marmonna celui-ci tandis que Maatzuyker basculait en arrière, la lame entre les côtes.

Pendant quelques instants, il resta interdit en regardant son adversaire étouffer et se noyer dans son propre sang. Puis, tout près derrière lui, un cri sauvage s'échappa des taillis.

Un soldat en pourpoint vert l'avait repéré. Un mousquet gronda, les plombs crépitèrent dans le feuillage au-dessus de Hal et ricochèrent en sifflant sur le tronc d'arbre à côté de lui. Il était galvanisé. Il savait depuis le début ce qu'il fallait faire, mais jusqu'à cet instant, il n'avait pu s'y résoudre. Il cala son pied sur la poitrine de Maatzuyker et tira en arrière pour dégager son épée. Au deuxième essai, la lame céda à regret, puis se libéra brusquement et Hal chancela.

Il reprit instantanément son équilibre et sauta par-dessus le corps du Hollandais; au même moment, un autre coup de mousquet éclata et les plombs sifflèrent autour de sa tête. Le soldat qui avait tiré fouillait dans sa flasque de poudre pour recharger et Hal se précipita vers lui. Effrayé, le mousquetaire leva les yeux puis lâcha son arme vide et tourna les talons pour s'enfuir.

Hal le frappa au cou, juste au-dessous de l'oreille. La lame pénétra jusqu'à l'os et la chair s'ouvrit comme une bouche ensanglantée. L'homme s'effondra sans un bruit, mais des soldats en pourpoint vert émergeaient des taillis alentour. Hal se rendit compte qu'ils devaient être des centaines. Une véritable armée attaquait le camp.

Hal courait à toute vitesse; il entendait des cris d'alarme et de colère, et à présent les mousquets tiraient à feu continu, la plupart au hasard, mais des plombs cinglaient le feuillage autour de lui. Au milieu du tumulte, il reconnut, à sa puissance et son ton autoritaire, une voix de stentor.

« Attrapez-le, cria-t-elle. Ne le laissez pas s'échapper. Je ne veux pas le rater. » Hal regarda dans la direction d'où elle venait et faillit trébucher en voyant Cornelius Schreuder foncer à travers les arbres pour lui couper la route. Il avait perdu son chapeau et sa perruque, mais arborait ses rubans et son écharpe or de colonel. Son crâne rasé luisait comme un œuf et ses grosses moustaches lui barraient le visage. Pour un homme aussi grand et fort, il courait très vite, mais la peur donnait des ailes à Hal.

— Je t'aurai, cria Schreuder. Cette fois-ci, tu ne t'échapperas pas.

Hal fit une pointe de vitesse et, en une trentaine de pas, il avait pris de l'avance et apercevait la palissade du camp à travers les arbres. Il était désert et Hal comprit que son père et tous les autres avaient dû être attirés au bord de la lagune par le pilonnage des deux bâtiments de guerre et devaient servir les couleuvrines.

— Aux armes, le *Résolution*! cria-t-il toujours en courant, Schreuder sur ses talons. Ralliez-vous à moi. Sur vos arrières!

En faisant irruption dans le camp, il constata avec soulagement que le grand Daniel et une douzaine d'autres marins répondaient à son appel. Immédiatement, Hal fit volte-face vers le Hollandais.

— Je vous attends, dit-il en se mettant en garde. Mais Schreuder s'arrêta en voyant les hommes du *Résolution* foncer sur lui. Il s'aperçut qu'il avait distancé ses soldats, les avait laissés sans chef et qu'il était à un contre douze.

— Tu as encore de la chance, gamin, lança-t-il à Hal d'une voix rageuse. Mais nous nous retrouverons avant la fin de la journée.

Daniel n'était plus qu'à trente pas derrière Hal. Il leva son mousquet et visa Schreuder mais, au moment où le percuteur claquait, le colonel baissa la tête et bifurqua. Le coup se perdit et le Hollandais disparut dans la forêt en criant pour rallier ses mousquetaires qui arrivaient en masse à travers les arbres.

— Maître Daniel, lança Hal d'une voix haletante, le Hollandais est à la tête d'une forte troupe. La forêt est pleine d'hommes.

— Combien sont-ils?

— Au moins une centaine. Là, regardez! dit-il en montrant les premiers attaquants qui se faufilaient entre les arbres, s'arrêtaient pour tirer et recharger, puis reprenaient leur course.

— Il y a pire. Deux bateaux de guerre sont dans la baie, lui dit Daniel. L'un est le *Goéland*, mais l'autre est une frégate hollandaise.

— Je les ai vus de la colline, répondit Hal, qui avait repris son souffle. Ils l'emportent sur nous en puissance de feu sur le devant et en nombre d'hommes sur l'arrière. Ne restons pas là. Ils seront sur nous dans quelques minutes. Regagnons la plage.

Hal et ses hommes partirent en courant; derrière eux, les soldats aux pourpoints verts poussaient des cris comme une meute de chiens de chasse. Balles et plombs vrombissaient et sifflaient autour d'eux, soulevaient des gerbes de terre humide sur leurs talons, les forçant à accélérer l'allure.

A travers les arbres, Hal apercevait déjà les levées de terre des batteries et la nappe de fumée. Il distinguait la tête de ses artilleurs qui rechargeaient les couleuvrines. Plus loin, sur la lagune, la frégate hollandaise courait vers le rivage, drapée dans la fumée de ses propres pièces. Hal la vit mettre la barre en grand, présenter son travers et de nouveau les sabords de batterie crachèrent de longs jets de flammes. Quelques secondes plus tard, le tonnerre de la canonnade et le rugissement de la mitraille leur parvinrent.

La déflagration fit tressaillir Hal, ses tympans tintèrent. Des arbres entiers étaient abattus par les boulets, des feuilles et des branches pleuvaient sur leurs têtes. Juste devant eux, une couleuvrine touchée de plein fouet fut éjectée de son affût, les corps de deux marins du *Résolution* s'élevèrent en tournoyant haut dans les airs.

— Père, où êtes-vous? cria Hal en essayant de se faire entendre dans le tohu-bohu, puis il entendit la voix de Sir Francis.

— Tenez bon, les gars. Visez les sabords du Hollandais. Un ban bien à l'anglaise pour ces têtes de lard.

Hal sauta dans la batterie aux côtés de son père, lui prit le bras et le secoua avec insistance.

— Où étais-tu, garçon? demanda Sir Francis en le regardant,

mais quand il vit ses vêtements maculés de sang, il n'attendit pas la réponse et grogna : Prends le commandement des pièces sur le flanc gauche. Dirige tes tirs...

— Les navires ennemis ne sont là que pour faire diversion, père, lança Hal d'une traite en lui coupant la parole. Le véritable danger est sur nos arrières. La forêt est pleine de soldats hollandais, des centaines, fit-il en désignant les arbres de sa lame ensanglantée. Ils seront sur nous d'une minute à l'autre.

— Remonte la rangée des batteries, lui dit Sir Francis sans hésitation. Ordonne aux artilleurs de tourner une couleuvrine sur deux de l'autre côté et de les charger de mitraille. Que les pièces orientées vers la lagune continuent de bombarder les navires, mais attends pour ouvrir le feu avec les autres que les assaillants soient à bout portant. Je te donnerai l'ordre de tirer. Allez, vas-y! (Tandis que Hal sortait de la batterie précipitamment, Sir Francis se tourna vers le grand Daniel.) Prenez ces hommes avec vous et tous les autres tire-au-flanc que vous pourrez trouver, et allez ralentir l'avance de l'ennemi sur nos arrières.

Hal parcourut la rangée des batteries en s'arrêtant à chacune pour crier des ordres. Le tir de barrage et la riposte qui partait de la plage faisaient un bruit infernal. Le souffle d'une autre bordée tirée par la frégate noire passa au-dessus de lui comme un ouragan et le fit chanceler; il faillit tomber tandis que les boulets allaient fracasser la forêt et labouraient la terre autour de lui. Il secoua la tête pour reprendre ses esprits et se remit à courir, sautant par-dessus un tronc d'arbre couché.

Après qu'il eut alerté les artilleurs d'une batterie, ils faisaient pivoter les couleuvrines et les pointaient vers la forêt. Tout là-bas, ils entendaient déjà des tirs de mousquet et des cris furieux : Daniel et ses hommes chargeaient les premières vagues ennemies qui sortaient de la forêt.

Hal parvint à la dernière batterie et sauta à côté d'Aboli, qui dirigeait son équipe d'artilleurs et lança sa mèche dans l'orifice de mise à feu. La couleuvrine fit un bond en arrière et tonna.

— Ah! j'ai bien cru que tu n'arriverais jamais à t'arracher à temps au jardin des délices pour participer à la bataille. Je craignais d'avoir à aller te chercher dans la grotte, lança Aboli en souriant à Hal, son visage couvert de suie encore plus noir que d'ordinaire, les yeux injectés de sang à cause de la fumée qui tourbillonnait autour d'eux.

— Tu seras moins souriant quand tu auras pris une balle de mousquet dans les plumes, rétorqua Hal d'un air mécontent. Nous sommes encerclés. Les bois sont pleins de Hollandais. Daniel les retient, mais pas pour bien longtemps. Il y en a des centaines. Tourne la couleuvrine de l'autre côté et charge-la de mitraille. (Pendant qu'ils rechargeaient le canon, Hal continua de donner ses ordres.) Nous n'aurons le temps de tirer qu'une seule fois, puis nous chargerons en profitant de la fumée, dit-il en bourrant la charge avec le long écouvillon.

Tandis qu'il le ressortait, un marin souleva un lourd sac de toile rempli de plombs et l'introduisit dans la gueule de la couleuvrine. Hal le fit descendre contre la charge de poudre. Puis ils se baissèrent derrière le parapet de chaque côté de la pièce en se tenant à l'écart de l'aire de recul de l'affût, et regardèrent la forêt au-delà des palissades. Ils entendaient le tintement de l'acier contre l'acier et les cris sauvages des hommes de Daniel qui attaquaient puis se repliaient devant la contre-offensive des pourpoints verts. Les tirs de mousquet roulaient régulièrement à mesure que les hommes de Schreuder rechargeaient et s'avançaient en courant pour faire feu de nouveau.

Ils apercevaient à présent les marins du *Résolution* qui refluaient. Daniel dominait les autres ; il portait un blessé sur une épaule et maniait le sabre de l'autre main. Les pourpoints verts les attaquaient constamment, lui et son détachement.

— Préparez-vous ! lança Hal aux hommes qui l'entouraient. Ils s'accroupirent derrière le parapet en tripotant leurs piques et leurs sabres.

— Aboli, ne tire pas tant que Daniel n'est pas sorti du champ ! Brusquement, Daniel laissa tomber son fardeau et se retourna. Il se précipita sur les rangs des ennemis et les dispersa avec de grands moulinets de son sabre. Puis il courut vers le blessé, le reprit sur son épaule et retourna là où Hal était embusqué.

Celui-ci jeta un coup d'œil sur la rangée des batteries. Tandis qu'une sur deux tirait sur les navires, les autres étaient à présent pointées vers la forêt, attendant le moment de lâcher leur tonnerre de feu sur les lignes de fantassins.

— A si courte distance, la mitraille ne va pas se disperser, et ils conservent leurs distances entre eux, marmonna Aboli.

— Schreuder les a bien en main, admit Hal, l'air sombre. Nous ne pouvons espérer en abattre beaucoup en une seule volée.

— Schreuder ! s'exclama Aboli en plissant les yeux. Tu ne m'avais pas dit que c'était lui.

— Le voilà ! dit Hal en désignant la haute silhouette qui se dirigeait vers eux à grandes enjambées au milieu des arbres.

Son écharpe miroitait et ses moustaches se hérissaient tandis qu'il faisait avancer ses hommes.

— C'est le diable, grogna Aboli. Il faut s'attendre au pire avec lui.

Il poussa une barre de fer sous la couleuvrine et la tourna de quelques degrés, s'efforçant d'aligner les mires sur le colonel.

— Ne bouge pas, exhorta-t-il, juste le temps que je puisse tirer.

Mais Schreuder allait et venait parmi les rangs de ses hommes, les poussant à continuer avec force gestes. Il était si près maintenant que Hal l'entendait crier ses ordres d'un ton sec : « Restez en ligne ! Continuez d'avancer ! Avancez régulièrement, ne tirez plus pour l'instant. »

Le contrôle qu'il exerçait sur ses troupes était patent dans leur avance déterminée mais mesurée. Ils devaient s'être rendu compte qu'une batterie de canons les attendait mais n'en continuaient pas moins leur progression sans flancher, sans gaspiller la charge de leur mousquet.

Ils étaient assez proches pour que Hal distingue les traits de leur visage. Il savait que la Compagnie recrutait l'essentiel de ses troupes dans ses colonies orientales, comme le confirmait le faciès d'Asiatique de bon nombre des assaillants. Ils avaient les yeux sombres et bridés, la peau couleur de l'ambre.

Hal s'aperçut soudain que les deux navires avaient cessé de tirer et lança un coup d'œil par-dessus son épaule. Il vit que la frégate noire et le *Goéland* avaient tous deux jeté l'ancre à une encablure de la plage. Leurs canons s'étaient tus, et Hal comprit que Cumbria et le capitaine de la frégate avaient dû convenir d'un système de signaux avec Schreuder. Ils avaient cessé le feu de crainte de toucher leurs propres hommes.

Cela nous laissera le temps de souffler, pensa-t-il, et il regarda de nouveau vers la forêt.

Il constata que la petite troupe de Daniel avait été décimée : il avait perdu la plupart de ses hommes et les survivants étaient d'évidence épuisés par leur sortie et la brutale escarmouche. Leur démarche était hésitante, beaucoup avaient du mal à se tenir debout. Leur chemise était trempée de sueur et de sang. L'un après l'autre, ils se laissaient glisser par-dessus le parapet et restaient étendus haletants au fond de la batterie.

Daniel seul était infatigable. Il fit passer le blessé aux artilleurs ; il était d'une humeur si belliqueuse qu'il serait reparti sus à l'ennemi si Hal ne l'en avait empêché en lui criant :

— Revenez ici ! Nous allons leur assouplir un peu l'échine avec de la mitraille. Ensuite, vous pourrez les attaquer de nouveau.

Aboli tentait toujours de prendre dans sa ligne de mire la silhouette insaisissable de Schreuder. « Il vaut cinquante de ses hommes », murmura-t-il par-devers lui dans sa langue. Hal avait cependant tourné ailleurs son attention et essayait d'apercevoir son père dans la batterie la plus éloignée afin de guetter son signal.

« Par Dieu, il les laisse trop approcher ! se dit-il avec inquiétude. Un coup plus long se disperserait mieux, mais je n'ouvrirai pas le feu tant qu'il ne m'en donnera pas l'ordre. »

Puis il entendit encore la voix de Schreuder : « Premier rang ! En position ! » Cinquante hommes posèrent docilement un genou à terre juste devant le parapet et posèrent au sol la crosse de leur mousquet.

— Tenez-vous prêts, les gars ! lança Hal à voix basse aux marins qui l'entouraient.

Il comprit alors pourquoi son père avait tant retardé la salve des couleuvrines : il attendait que les assaillants aient déchargé leurs mousquets pour profiter du moment où ils tenteraient de recharger.

— Prêts ! répéta Hal. Attendez qu'ils aient tiré.

— Présentez armes ! ordonna Schreuder dans le silence soudain. En joue !

Les fantassins alignés levèrent leurs mousquets et visèrent le parapet. La fumée bleutée libérée par les cordes à feu dans les percuteurs tourbillonna autour de leurs têtes et ils plissèrent les yeux pour viser à travers.

— Baissez-vous ! cria Hal.

Les marins baissèrent la tête au moment où Schreuder rugissait « Feu ! »

La volée de mousquets gronda irrégulièrement le long de la rangée des hommes agenouillés, les balles de plomb sifflèrent par-dessus la tête des artilleurs et pénétrèrent avec un bruit sourd dans le rempart de terre. Hal se leva d'un bond et regarda à l'autre bout de la rangée des batteries. Il vit son père sauter sur le parapet en brandissant son épée et, bien qu'il fût trop loin pour entendre distinctement son ordre, il n'y avait pas à se tromper sur la signification de ses gestes.

— Feu ! hurla Hal à pleins poumons, et les couleuvrines vomirent un jet continu de fumée, de flammes et de mitraille qui balaya le premier rang de l'infanterie hollandaise.

Juste devant Hal, un homme au visage grêlé par la petite vérole fut frappé de plein fouet. Il se volatilisa en une explosion de serge verte déchirée et de chair en lambeaux. Sa tête tourbillonna dans les airs puis retomba à terre et roula comme un ballon d'enfant. Tout disparut ensuite dans l'épais nuage de fumée, mais, alors que le coup de tonnerre de la décharge résonnait encore à ses oreilles, Hal entendait les cris et les gémissements des blessés s'élever dans le brouillard bleu fleurant la poudre.

— Allons-y, s'écria-t-il tandis que la fumée commençait à se dissiper. A l'arme blanche, les gars !

— Pour Franky et Charlie ! criaient ses hommes d'une voix qui semblait ténue après la détonation épouvantable des canons. Sabre et pique au poing, ils s'élancèrent hors des batteries et chargèrent les rangs brisés des pourpoints verts.

Aboli à sa gauche, Daniel à sa droite, Hal les conduisit dans la mêlée. Tacitement, les deux colosses, le blanc et le noir, avaient étendu sur lui leurs ailes protectrices, mais il leur fallut courir de toutes leurs forces pour ne pas se laisser distancer.

Hal constata que ses craintes étaient fondées. La volée de mitraille n'avait pas semé la dévastation espérée parmi les lignes ennemies. Le coup avait été tiré de trop près : les cinq cents plombs déchargés par chaque couleuvrine avaient produit l'effet d'un unique boulet. Les hommes touchés avaient été anéantis mais pour un fantassin fauché, cinq étaient indemnes.

Les survivants paraissaient hébétés, hagards. La plupart, toujours à genoux, clignaient des yeux et secouaient la tête sans chercher à recharger leur mousquet.

— A l'attaque avant qu'ils aient le temps de se reprendre ! cria Hal, et à sa suite, les marins se remirent à pousser des clameurs farouches.

Face à la charge, les fantassins commençaient à réagir. Certains se relevaient précipitamment, jetaient leur mousquet vide et tiraient leur épée. Un ou deux caporaux sortaient un pistolet de leur ceinture et faisaient feu sur les marins qui se précipitaient sur eux. Quelques-uns tournèrent les talons et tentèrent de s'enfuir vers les arbres, mais Schreuder était là pour les en empêcher. « Repartez à l'attaque, fils de chien ! Tenez bon ! » Ils faisaient demi-tour et se regroupaient autour de lui.

Tous les hommes du *Résolution* encore capables de tenir debout participaient à la charge — même les blessés suivaient en clopinant, braillant aussi fort que leurs camarades.

Les deux lignes ennemies se rencontrèrent et ce fut immédiatement la confusion générale. Le rang continu des marins se divisa en petits goupes mêlés aux Hollandais en uniformes verts. Tout autour de Hal, des hommes ferraillaient avec force jurons et cris. Son univers s'était rétréci à un cercle de visages furieux et terrifiés et au cliquetis des armes blanches, la plupart déjà ensanglantées.

Un fantassin lança un coup de pique vers le visage de Hal. Celui-ci se baissa et, de la main gauche, empoigna la hampe juste derrière le fer. Lorsque le mousquetaire tira en arrière, Hal ne résista pas et utilisa la force d'impulsion pour contre-attaquer de la main droite avec l'épée de Neptune. Il visa la peau jaune juste au-dessus du col et la pointe de la lame pénétra aisément dans la chair. L'homme lâcha sa pique et bascula en arrière; Hal profita de sa chute pour dégager son épée.

Il se remit en garde et jeta un rapide coup d'œil circulaire à la recherche d'un autre adversaire, mais la charge des marins avait presque écrasé la rangée des mousquetaires. Rares étaient ceux à être encore debout, encerclés par des grappes d'attaquants.

Hal reprit courage. Pour la première fois depuis qu'il avait vu les deux navires entrer dans la lagune, il sentit qu'ils avaient une chance de sortir vainqueurs de l'affrontement. Ils venaient de briser l'offensive principale. Il ne leur restait plus qu'à s'occuper des marins de la frégate hollandaise et du *Goéland* qui essayaient de débarquer.

— Bien joué, les gars. Nous pouvons y arriver! Nous pouvons les rosser, cria-t-il, et les marins l'acclamèrent.

Autour de lui, ses hommes, l'air triomphant, abattaient les derniers pourpoints verts. Aboli riait et chantait l'un de ses chants de guerre païens d'une voix qui portait par-dessus le vacarme de la bataille et stimulait ceux qui l'entendaient. Ils poussèrent des vivats, transportés d'allégresse par la facilité de leur victoire.

La haute silhouette de Daniel apparut à côté de Hal. Son visage et ses bras musclés étaient tachés du sang de ses victimes; il riait à gorge déployée, découvrant ses dents gâtées.

— Où est Schreuder? cria Hal.

Daniel se calma instantanément, son sourire s'évanouit et il parcourut le champ de bataille d'un regard furieux.

Ce fut Schreuder lui-même qui répondit sans équivoque à la question de Hal. « Deuxième vague! En avant! » beugla-t-il de toutes ses forces.

Il se tenait à la lisière de la forêt, seulement à une centaine de pas. Hal, Aboli et Daniel s'élancèrent vers lui, mais furent arrêtés en chemin par un autre flot de pourpoints verts qui émergeaient de la forêt derrière leur colonel.

— Par Dieu! laissa échapper Hal, désespéré. Nous n'avons pas encore vu la moitié d'entre eux. Ce faquin a gardé le gros de ses forces en réserve.

— Ces pourceaux sont au moins deux cents! se lamenta Daniel en secouant la tête avec incrédulité.

— Rompez les colonnes! cria Schreuder, et l'infanterie changea de formation.

Les hommes se répartirent derrière lui sur trois rangs, également espacés. Le colonel les conduisit au trot, armes pointées, en ordre impeccable. Soudain, il leva haut son épée pour les arrêter : « Premier rang! En position! » Le premier rang mit un genou à terre, tandis que derrière lui, les deux autres restaient immobiles.

« Présentez armes! » Les mousquets se levèrent avec ensemble, pointés vers les groupes de marins muets de surprise.

« Feu! » rugit Schreuder.

La volée partit dans un grand fracas. Tirée à une distance de cinquante pas, elle balaya les matelots de Hal et presque chaque coup porta, les hommes s'effondrant ou chancelant sous l'impact des gros plombs. Les rangs des Anglais se rompirent dans un concert de hurlements de douleur, de colère et de peur.

— Chargez! s'écria Hal en levant son épée. N'attendez pas qu'ils vous abattent. Allez, les gars. Sus!

A ses côtés, Aboli et Daniel s'élancèrent, mais la plupart des autres restèrent en arrière. Ils comprenaient que la bataille était perdue et nombre d'entre eux lorgnèrent vers l'asile des batteries. C'était mauvais signe et quand ils se mirent à jeter des coups d'œil par-dessus leur épaule, c'en fut fait d'eux.

« Second rang! beugla Schreuder. En position! » Cinquante autres mousquetaires s'avancèrent, leurs armes chargées, la mèche allumée. Ils passèrent entre leurs camarades encore agenouillés, firent méthodiquement deux pas supplémentaires avant de poser un genou à terre.

« Présentez armes! »

Même Hal et les deux intrépides qui le flanquaient hésitèrent en voyant les gueules des cinquante mousquets pointés sur eux tandis qu'un murmure de peur et d'horreur s'élevait parmi leurs hommes. Jamais encore ils n'avaient affronté de troupes aussi disciplinées.

« Feu! » tonna Schreuder en abaissant son épée, et la volée suivante faucha les rangs des marins. Hal tressaillit en sentant une balle passer si près de son oreille que le souffle lui rabattit une mèche de cheveux sur les yeux.

— J'ai été touché! lâcha Daniel à ses côtés en pivotant brusquement sur lui-même comme une marionnette avant de tomber lourdement assis. La volée de plombs avait abattu une douzaine de marins du *Résolution* et en avait blessé autant. Hal se baissa pour aider Daniel, mais le maître d'équipage grogna :

— Ne perdez pas de temps à cause de moi, petit insensé. Fuyez ! Nous sommes battus et la prochaine volée ne va pas tarder.

Comme pour confirmer ces paroles, ils entendirent résonner tout près les derniers ordres de Schreuder : « Troisième rang, présentez armes ! »

Autour d'eux, les hommes du *Résolution* qui tenaient encore debout rompirent les rangs, se dispersèrent devant les mousquets pointés vers eux et se précipitèrent en titubant vers les batteries.

— Aide-moi, Aboli ! cria Hal.

Le grand Noir prit Daniel par l'autre bras, et tous trois repartirent vers la plage.

« Feu ! » beugla Schreuder. Au même instant, sans s'être concertés, Hal et Aboli se jetèrent à plat ventre, entraînant Daniel avec eux. Les balles passèrent en vrombissant au-dessus de leurs têtes. Ils se relevèrent immédiatement et, toujours tirant Daniel, coururent se mettre à l'abri.

— Tu as été touché ? demanda en grognant Aboli à Hal, qui se contenta de répondre en secouant la tête pour épargner son souffle.

Rares étaient ses marins à être encore en état de marcher. Ils étaient une poignée à avoir atteint les batteries et à s'être jetés à couvert.

Hal et Aboli portant Daniel avançaient en titubant tandis que derrière eux s'élevaient des cris d'allégresse et que les mousquetaires s'élançaient en brandissant leurs armes. Les deux hommes atteignirent la batterie et y firent descendre Daniel.

Il était inutile de lui demander où il avait été blessé car tout son flanc gauche était rouge de sang. Aboli arracha le bout de tissu qu'il portait noué autour de la tête, le roula en boule et le glissa sous la chemise de Daniel.

— Tiens ça sur ta plaie, dit-il. Appuie aussi fort que tu peux.

Il le laissa étendu par terre et se dressa aux côtés de Hal.

— Oh, Vierge Marie ! murmura celui-ci, le visage inondé de sueur, blémissant d'horreur et de fureur en jetant un coup d'œil par-dessus le parapet. Regarde ces bouchers !

Les verts avançaient en poussant des clameurs et ne s'arrêtaient que pour porter l'estocade aux marins blessés qui se trouvaient sur leur chemin. Certaines de leurs victimes roulaient sur le dos et levaient leurs mains nues pour tenter de parer le coup, d'autres criaient pour demander quartier et essayaient de s'éloigner en rampant mais les mousquetaires les poursuivaient en s'esclaffant et les pourfendaient. Cette macabre entreprise fut bientôt achevée et Schreuder leur cria de continuer d'avancer.

Pendant ces quelques instants de répit, Sir Francis s'était faufilé le long de la ligne des batteries et avait sauté dans celle où se trouvait son fils.

— Nous sommes battus, père, dit Hal avec découragement tandis qu'ils regardaient autour d'eux les morts et les blessés. Nous avons déjà perdu la moitié de nos hommes.

— Hal a raison, admit Aboli. Tout est fini. Nous devons tenter de nous échapper.

— Par où ? demanda Sir Francis avec un rire sardonique. Par là ? dit-il en montrant à travers les arbres la lagune où les chaloupes se dirigeaient rapidement vers la plage, amenées par les marins ennemis impatients de participer à la bataille.

La frégate et le *Goéland* avaient mis à l'eau leurs canots qui étaient bourrés d'hommes. Ils avaient tiré leurs sabres d'abordage et la fumée bleue des mèches de leurs pistolets s'étirait à la surface des eaux. Ils poussaient des hurlements et des acclamations aussi sauvages que ceux des fantassins.

Lorsque les premières embarcations accostèrent, les hommes s'en déversèrent et traversèrent en courant l'étroite bande de sable blanc. Hurlant avec une ardeur meurtrière, ils fondirent comme un ouragan sur la rangée des batteries où les gueules béantes des couleuvrines s'étaient tues et où le reste de l'équipage du *Résolution* était tapi, anéanti.

— Nous ne pouvons espérer de quartier, les gars, cria Sir Francis. Regardez ce que ces païens ont fait à ceux qui en ont appelé à leur clémence, ajouta-t-il en montrant avec son épée les cadavres des marins qui jonchaient le sol devant eux. Encore un ban pour le roi Charlie et repartons nous battre !

Epuisés, les quelques hommes encore valides se hissèrent une nouvelle fois par-dessus le parapet et s'élancèrent pour affronter les troupes encore fraîches de l'ennemi, deux cents mousquetaires impatients d'en découdre. A une douzaine de pas en avant, Aboli frappa le premier pourpoint vert qu'il rencontra sur son passage. L'homme s'effondra mais le sabre d'Aboli se cassa net près de la garde. Il le jeta et ramassa la pique d'un Anglais mort.

Hal et Sir Francis courant à ses côtés, il leva la pique et la lança dans le ventre d'un autre mousquetaire qui se précipitait vers lui, l'épée haute. Le fer le toucha juste sous les côtes, le transperça et ressortit entre ses omoplates. L'homme se débattit comme un poisson pris au harpon et la lourde hampe se brisa entre les mains d'Aboli. Il se servit du morceau restant comme d'un gourdin pour abattre le troisième fantassin qui l'assaillait. Aboli regarda autour de lui avec un sourire de gargouille démente, ses yeux roulant dans leurs orbites.

Sir Francis était aux prises avec un sergent hollandais, rendant coup pour coup, leurs lames cliquetant et raclant l'une contre l'autre.

Hal tua un caporal d'un seul coup de pointe dans la gorge, puis lança à Aboli :

— Les hommes des canots vont être sur nous d'un instant à l'autre.

Ils entendaient derrière eux les hurlements des marins ennemis qui fondaient sur les batteries et réglaient rapidement leur compte aux quelques hommes qui s'y cachaient. Hal et Aboli n'avaient nul besoin de se retourner, tous deux savaient que tout était fini.

— Adieu, vieil ami, lâcha Aboli, haletant. Nous avons eu du bon temps. Dommage qu'il ne dure pas davantage.

Hal n'eut pas le loisir de lui répondre car au même instant une voix rauque cria en anglais :

— Hal Courteney! Jeune chien effronté, ta période de chance vient de prendre fin.

Cornelius Schreuder écarta deux de ses hommes et s'avança pour affronter Hal.

— Toi et moi! fit-il en engageant sur le pied droit et effectuant les deux doubles pas rapides des fines lames avant de se reprendre instantanément après chacune des séries-éclairs d'assauts avec lesquelles il obligeait Hal à reculer.

Celui-ci était une nouvelle fois ébranlé par la puissance de ces coups, et il lui fallait toute sa force et son adresse pour les parer. L'acier de Tolède de sa lame tintait sous chacun d'eux et le désespoir l'envahit en comprenant qu'il ne pouvait espérer résister à un adversaire de cette taille.

Les yeux bleu pâle de Schreuder étaient sans pitié. Il anticipait tous les mouvements de Hal; lorsque ce dernier tentait de riposter, il lui opposait un mur d'acier étincelant, déviant sa lame et attaquant de nouveau impitoyablement.

Absorbé par son propre duel, Sir Francis n'avait pas vu dans quelle situation désespérée se trouvait son fils. Aboli n'avait plus que le tronçon de pique entre les mains, arme avec laquelle il ne pouvait s'attaquer à un homme comme Cornelius Schreuder. Il vit Hal, ses jeunes forces déjà épuisées par ses précédents efforts, qui faiblissait devant la puissance écrasante des attaques.

A l'expression du Hollandais, Aboli devina qu'il guettait l'instant propice pour porter le coup fatal. Il était évident que Hal ne pourrait jamais résister à la foudre qui était sur le point de le frapper.

Le grand Noir réagit avec la rapidité d'un cobra, plus vite que Schreuder ne pouvait porter son dernier coup. Il se précipita derrière Hal, leva sa massue de chêne et le frappa au-dessus de l'oreille.

Schreuder fut stupéfait de voir sa victime s'effondrer devant lui, inconsciente, au moment où il s'apprêtait à assener le coup mortel. Tandis qu'il hésitait, Aboli lâcha son bout de hampe et se plaça à côté du corps étendu de Hal pour le défendre.

— Vous ne pouvez tuer un homme tombé, colonel. Ce serait indigne d'un officier hollandais.

— Espèce de démon noir! rugit Schreuder, dépité. Si je ne peux pas tuer le jeune chien, je peux te tuer, toi.

Aboli lui montra ses mains vides, ses paumes blanches devant les yeux.

— Je ne suis pas armé, dit-il doucement.

— J'épargnerais un chrétien désarmé, fit Schreuder avec un regard furieux, mais tu n'es qu'un animal impie.

Il leva son épée et de la pointe visa la poitrine luisante de sueur d'Aboli. Sir Francis se glissa entre les deux hommes sans tenir compte de la lame du colonel.

— En revanche, colonel Schreuder, je suis chrétien et je me rends avec mes hommes, dit-il sans sourciller en tendant la garde de son épée à Schreuder.

Celui-ci lui lança un regard mauvais, muet de colère et de dépit. Il ne daigna pas prendre l'épée de Sir Francis mais plaça la pointe de la sienne contre son cou et le piqua légèrement.

— Ecartez-vous ou, par Dieu, je vous tranche la gorge, fit-il en s'apprêtant à mettre sa menace à exécution.

Une voix le fit hésiter.

— Attendez, colonel. Je ne voudrais surtout pas me mêler d'une question d'honneur mais si vous tuez mon ami Franky Courteney, qui nous conduira au trésor du *Standvastigheid*?

Schreuder lança un rapide regard vers Cumbria qui arrivait à grandes enjambées, son sabre maculé de sang à la main.

— La cargaison? dit-il. Nous avons pris ce repaire de pirates, nous y trouverons bien le trésor.

— N'en soyez pas si sûr, répliqua le Busard en secouant tristement la tête. Tel que je le connais, Franky, mon cher frère dans le Christ, en a certainement caché l'essentiel. Non, colonel, vous allez devoir lui laisser la vie, du moins jusqu'à ce que nous ayons pu recevoir notre récompense en rixdales pour avoir accompli aujourd'hui l'œuvre de Dieu.

Lorsque Hal reprit conscience, son père était penché sur lui.

— Que s'est-il passé, père ? murmura-t-il. Avons-nous vaincu ?

Sir Francis secoua la tête sans le regarder et, après avoir déchiré un morceau de sa chemise, essuya délicatement la sueur et la suie du visage de son fils.

— Non, Hal. Nous n'avons pas vaincu.

Hal jeta un coup d'œil alentour et tout lui revint subitement. Il vit qu'une poignée seulement de marins du *Résolution* avait survécu. Ils étaient blottis les uns contre les autres près de l'endroit où il était étendu, gardés par des verts armés de mousquets chargés. Les autres étaient éparpillés devant les batteries ou sur les parapets, là où ils avaient été fauchés par la mort.

Il vit qu'Aboli soignait Daniel et pansait sa blessure à la poitrine avec son foulard rouge. Daniel était assis et semblait aller mieux, bien qu'il ait manifestement perdu beaucoup de sang. Sous la crasse, son visage était aussi blanc que les cendres du dernier feu de camp.

Un peu plus loin, Lord Cochran et le colonel Schreuder discutaient avec animation. Au bout d'un moment, le Busard se tourna et lança un ordre à l'un de ses hommes :

— Goerdie, va chercher des fers sur le *Goéland* ! Nous ne voulons pas que le capitaine Courteney nous fausse encore compagnie.

Le matelot s'éloigna en vitesse vers la plage tandis que le Busard et le colonel s'approchaient des prisonniers accroupis sous bonne garde.

— Capitaine Courteney, dit Schreuder d'un ton menaçant, je vous arrête vous et votre équipage pour piraterie en haute mer. Vous serez conduits à Bonne-Espérance pour y être jugés.

— Je proteste, monsieur, répondit Sir Francis qui se redressa avec dignité. J'exige que vous traitiez mes hommes avec tous les égards dus à des prisonniers de guerre.

— Nous ne sommes pas en guerre, capitaine, rétorqua Schreuder d'un ton glacial. Les hostilités entre la République de Hollande et l'Angleterre ont pris fin à la suite d'un traité signé il y a plusieurs mois.

Sir Francis le regarda, atterré.

— J'ignorais que la paix avait été conclue, dit-il lorsqu'il fut revenu de sa surprise. J'ai agi de bonne foi, et quoi qu'il en soit je naviguais sous mandat de Sa Majesté britannique.

— Vous m'avez entretenu de cette lettre de marque lors de notre dernière rencontre. Me jugerez-vous impertinent si j'insiste pour jeter un coup d'œil sur le document ? demanda Schreuder.

— Le mandat de Sa Majesté se trouve dans ma hutte, à l'intérieur de mon coffre de bord, répondit Sir Francis en montrant la palissade où bon nombre des cases avaient été détruites par les canonnades. Si vous me le permettez, je vais vous le chercher.

— Franky, mon vieil ami, ne vous dérangez pas. Je vais y aller moi-même, fit le Busard en lui tapant sur l'épaule avant de s'éloigner à grandes enjambées et de franchir l'entrée basse de la hutte indiquée par Sir Francis.

— Où détenez-vous vos otages, monsieur ? demanda Schreuder. Où sont le gouverneur Van de Velde et sa pauvre épouse ?

— Le gouverneur doit se trouver encore dans sa case avec les autres otages, sa femme et le capitaine du galion. Je ne les ai pas vus depuis le début de la bataille.

Hal se leva tout tremblant en tenant le linge sur sa tête.

— La femme du gouverneur est allée se réfugier dans une grotte, là-haut à flanc de colline.

— Comment le savez-vous ? demanda Schreuder vivement.

— Je l'y ai conduite moi-même pour sa propre sécurité, répondit Hal sans hésiter en évitant le regard sévère de son père. Je revenais de la caverne lorsque je suis tombé sur vous, colonel.

Schreuder leva les yeux vers la colline, partagé entre la nécessité d'assumer ses fonctions et le désir de se précipiter à l'aide de la femme dont la délivrance était, pour lui en tout cas, le principal objet de cette expédition. Mais à ce moment-là, le Busard sortit en plastronnant de la hutte, porteur d'un rouleau de parchemin attaché avec un ruban écarlate auquel pendaient les sceaux royaux de cire rouge.

Sir Francis sourit de satisfaction et de soulagement.

— Voilà la lettre, colonel. Je demande à ce que vous nous traitiez, mon équipage et moi, comme des prisonniers honorables, capturés au cours d'un combat loyal.

Avant d'arriver jusqu'à eux, le Busard marqua un temps d'arrêt et déroula le parchemin. Tenant le document à bout de bras, il le tourna afin que tous puissent voir l'écriture pleine de fioritures à l'encre de Chine noire de l'employé de l'Amirauté. Il fit signe à un de ses marins d'approcher, lui prit des mains son pistolet chargé et souffla sur la mèche allumée. Puis il porta la flamme au bas du document en souriant à Sir Francis.

Consterné, celui-ci vit le parchemin se recourber et noircir tandis que la flamme jaune pâle le consumait.

— Par Dieu, Cumbria, espèce de scélérat ! s'exclama-t-il en faisant un pas vers lui, mais Schreuder posa la pointe de son épée sur sa poitrine.

— J'aurais le plus grand plaisir à pousser la lame jusqu'au bout, murmura-t-il. Pour votre bien, n'abusez pas davantage de ma patience, monsieur.

— Ce pourceau est en train de brûler ma lettre de marque.

— Je ne vois rien, dit Schreuder, qui tournait délibérément le dos au Busard. Rien, si ce n'est un pirate de triste réputation debout devant moi, avec sur les mains le sang encore chaud d'innocentes victimes.

Cumbria regarda brûler le parchemin avec un grand sourire. Lorsque la flamme lui lécha les doigts, il prit la feuille crépitante par l'autre extrémité afin que le feu la consume entièrement.

— Je vous ai entendu discourir à propos de votre honneur, monsieur, lança Sir Francis à Schreuder avec emportement. Il semble n'exister qu'en imagination.

— Mon honneur ? fit le colonel avec un froid sourire. N'entends-je point un pirate me parler d'honneur ? Cela ne peut être ? Mes oreilles me trahissent sans doute.

Cumbria laissa enfin tomber à terre le dernier lambeau noirci de parchemin et piétina les cendres. Puis il revint vers Schreuder.

— Je crains que Franky nous ait encore joué un tour à sa façon. Je n'ai trouvé aucune lettre de marque signée d'une main royale.

— Je m'en doutais, fit Schreuder en rengainant son épée. Je place les prisonniers sous votre responsabilité, comte. Je dois quant à moi veiller au bien-être des otages. Conduis-moi sur-le-champ à l'endroit où tu as laissé l'épouse du gouverneur, ordonna-t-il à Hal, puis se tournant vers le sergent hollandais qui se tenait à ses côtés, attentif : Liez-lui les mains dans le dos et passez-lui une corde au cou. Vous le tiendrez en laisse comme le petit chien galeux qu'il est.

Le colonel Schreuder retarda le départ de l'expédition pendant

220

que l'on se mettait à la recherche de sa perruque. Sa vanité n'eût pas souffert que Katinka le voie dans cet état négligé. On la retrouva dans la forêt à l'endroit où il s'était élancé à la poursuite d'Hal. Elle était couverte de boue et de feuilles mortes, mais Schreuder la battit contre sa cuisse puis en remit soigneusement en ordre les boucles avant de s'en coiffer. Son élégance et sa dignité retrouvées, il fit un signe de tête à Hal en lui commandant de lui indiquer le chemin de la caverne.

Lorsqu'ils arrivèrent sur la terrasse devant la grotte, Hal, les mains liées derrière le dos, une corde autour du cou tenue par le sergent, le visage noir de poussière et de fumée, ses vêtements déchirés et maculés de sang mêlé de sueur, avait piètre allure. En dépit de son épuisement et de son affliction, il était toujours préoccupé par le sort de Katinka et il eut un frisson en entrant dans la caverne.

Il n'y avait pas la moindre trace de sa présence. « J'en mourrai s'il lui est arrivé quelque chose », pensa-t-il, puis il dit à Schreuder :

— J'ai laissé ici Mevrouw Van de Velde. Il n'a rien pu lui arriver de fâcheux.

— Mieux vaut pour toi que tu ne te trompes pas.

La menace était d'autant plus terrifiante qu'elle avait été proférée à voix basse. Schreuder appela ensuite :

— Mevrouw Van de Velde ! Madame, vous ne risquez rien. C'est le colonel Schreuder venu vous délivrer.

Il y eut un bruissement léger du côté des plantes grimpantes qui masquaient l'entrée de la grotte et Katinka sortit craintivement de derrière le rideau improvisé. Ses immenses yeux violets larmoyants et son visage pâle et tragique ajoutaient à son charme.

— Oh ! fit-elle, d'une voix étranglée par l'émotion. Puis, dans un geste théâtral, elle tendit ses bras vers Cornelius Schreuder.

— Vous êtes venu ! Vous avez tenu votre promesse ! dit-elle en se précipitant vers lui avant de se dresser sur la pointe des pieds pour passer ses bras minces autour de son cou. Je savais que vous viendriez ! Je savais que vous ne me laisseriez pas humilier et molester par ces criminels.

Pendant quelques instants, Schreuder fut déconcerté par cette étreinte, puis il prit Katinka dans ses bras pour la consoler tandis qu'elle sanglotait, la joue contre les rubans et l'écharpe qui couvraient sa poitrine.

— Si vous avez subi le plus léger affront, je jure de le venger au centuple.

— Les épreuves que j'ai traversées sont trop terribles pour être racontées, gémit-elle.

— C'est lui ? demanda Schreuder en montrant Hal. C'est lui qui vous a maltraitée.

Katinka regarda Hal de côté, la joue toujours appuyée contre la poitrine de Schreuder. Ses yeux se plissèrent méchamment et un sourire sadique tordit ses lèvres lascives.

— Il a été le pire de tous, dit-elle d'une voix chevrotante. Je ne peux me résoudre à vous dire les choses dégoûtantes qu'il m'a dites, combien il m'a harcelée et humiliée... Je remercie Dieu de m'avoir donné la force de tenir bon face à l'importunité de cet homme.

Schreuder parut s'enfler de colère. Il écarta doucement Katinka puis se tourna vers Hal et lui assena un grand coup de poing sur le côté de la tête. Pris au dépourvu, Hal chancela. Schreuder le fit se plier en deux avec un deuxième coup dans le creux de l'estomac.

— Comment as-tu osé insulter et maltraiter une dame de haute naissance ? cria-t-il hors de lui.

La tête touchant presque les genoux, Hal haletait en essayant de reprendre son souffle. Schreuder tenta de lui donner un coup de pied au visage mais Hal le vit arriver et détourna brusquement la tête. Le coup dévia sur son épaule et le fit basculer en arrière.

— Tu n'es même pas digne de lécher les semelles de ses mules, lança Schreuder, écumant de rage.

Il s'apprêtait à frapper Hal de nouveau, mais celui-ci fut plus rapide. Bien qu'il eût les mains attachées dans le dos, il s'avança vers Schreuder et lui décocha un coup de pied dans l'aine qui, du fait de ses entraves, manqua de puissance.

— Par Dieu, jeune chien, tu vas trop loin ! s'exclama le colonel sous l'effet de la surprise plus que de la douleur.

Hal n'avait pas encore repris son équilibre, et l'attaque suivante le faucha aux jambes. Il s'effondra et le Hollandais se jeta sur lui en rouant de coups de pied son corps recroquevillé. Hal grogna et roula sur lui-même, essayant désespérément de se dérober au déluge de coups.

— Oui ! Oh, oui ! roucoula Katinka, emportée par l'excitation, aiguillonnant Schreuder et attisant sa colère. Châtiez-le pour ce qu'il m'a fait. Infligez-lui les souffrances qu'il m'a infligées.

Hal savait au fond de son cœur qu'elle était forcée de le renier devant cet homme et il lui pardonnait. Il se pelotonna pour protéger les parties les plus vulnérables de son corps ; la plupart des coups l'atteignaient aux épaules et aux cuisses, mais il ne pouvait les éviter tous. L'un le toucha au coin de la bouche et le sang dégoulina le long de son menton.

En le voyant couler, Katinka se mit à glapir et à battre des mains.

— Je le hais. Oui! Faites-lui mal! Frappez sa jolie figure insolente.

Mais à la vue du sang, Schreuder parut reprendre le contrôle de lui-même. Avec un effort manifeste, il maîtrisa sa colère et recula, haletant et toujours tremblant de fureur.

— Ce n'est qu'un avant-goût de ce qui l'attend. Croyez-moi, Mevrouw, il recevra ce qu'il mérite en arrivant à Bonne-Espérance. Permettez-moi de vous conduire en sécurité sur le bâtiment qui vous attend dans la baie.

Katinka émit un petit cri pathétique et porta une main à ses lèvres.

— Oh, colonel, je crois bien que je vais tomber en pâmoison, dit-elle en chancelant.

Schreuder se précipita pour la soutenir et elle s'appuya contre lui.

— Je crains que mes jambes refusent de me servir.

Il la prit dans ses bras et commença à descendre la colline en la portant sans effort. Elle s'agrippait à lui comme un enfant que l'on amène au lit.

— En route, gibier de potence! lança le sergent en donnant un coup sec sur la corde pour obliger Hal, toujours en sang, à se relever, puis il le conduisit vers le camp. Il aurait mieux valu pour toi que le colonel t'achève tout de suite. Le bourreau de Bonne-Espérance est célèbre. Il sait y faire, je te le garantis.

Une pinasse apporta les chaînes sur la plage où les survivants de l'équipage du *Résolution*, blessés ou indemnes, étaient accroupis sous bonne garde en plein soleil.

Les premières furent pour Sir Francis.

— Quel plaisir de vous revoir, capitaine, lança le marin qui les portait. J'ai pensé à vous tous les jours depuis notre dernière rencontre.

— Et moi, je n'ai pas eu la moindre pensée pour vous, Sam Bowles, répliqua Sir Francis d'une voix méprisante en le regardant à peine,

— Maître Sam Bowles, corrigea l'autre avec un sourire insolent. Monsieur le comte m'a donné de l'avancement.

— Je souhaite beaucoup de bonheur au Busard avec son nouveau maître d'équipage. C'est un mariage devant Dieu.

— Tendez-moi vos mains, capitaine. Voyons si vous conservez votre noblesse et votre superbe avec des menottes. Par le Christ, vous ne saurez combien cela me fait plaisir, fit Bowles jubilant en refermant les fers d'un coup sec sur les poignets et les chevilles de Sir Francis, puis en les serrant si fort qu'ils mordirent la chair. J'espère qu'ils vous vont aussi bien que votre magnifique cape. (Il se recula et cracha au visage de Sir Francis, avant d'éclater de rire.) Je vous donne ma parole que le jour où on prendra des ris sur vos huniers, je serai sur le champ de parade de Bonne-Espérance pour vous souhaiter bon vent. Je me demande par quelle route ils vous enverront. Croyez-vous que ce sera le bûcher ou la corde ?

Bowles gloussa de nouveau et s'approcha de Hal.

— Bonjour, maître Henry. Votre humble serviteur le maître d'équipage Sam Bowles vient s'occuper de vous.

— Je n'ai pas vu votre peau jaune durant la bataille, dit Hal tranquillement. Où étiez-vous caché cette fois-ci ?

Bowles rougit et frappa Hal à la tête avec ses lourdes chaînes. Celui-ci encaissa le choc et le regarda froidement dans les yeux. Le félon s'apprêtait à frapper de nouveau mais une énorme main noire lui saisit le poignet. Il regarda les yeux sombres d'Aboli, assis sur ses talons près de Hal. Aboli ne prononça pas une seule parole, mais Bowles retint son geste. Incapable de soutenir ce regard meurtrier, il baissa les yeux et s'agenouilla précipitamment pour passer les chaînes à Hal.

Il se releva et s'approcha d'Aboli, qui le fixa du même regard inexpressif pendant qu'il se hâtait de l'enchaîner, puis passa au grand Daniel. Celui-ci grimaça de douleur mais n'émit aucun son lorsque Sam Bowles le tira brutalement par les bras. La blessure avait cessé de saigner, mais ce rude traitement la rouvrit et le sang recommença à couler sous le foulard avec lequel Aboli l'avait pansée. Le sang ruisselait sur sa poitrine et tombait goutte à goutte dans le sable.

Lorsqu'ils furent tous enchaînés, on leur ordonna de se lever. Tandis qu'on les conduisait en file indienne vers un gros arbre, Hal et Aboli soutenaient Daniel. Il leur fallut encore s'asseoir pendant que la chaîne était attachée autour du tronc par deux lourds cadenas.

Il ne restait plus que vingt-six survivants sur l'effectif du *Résolution*. Parmi eux, il y avait quatre anciens esclaves, dont Aboli. Presque tous étaient au moins légèrement blessés, mais quatre, dont Daniel, l'étaient grièvement et se trouvaient en danger de mort.

Ned Tyler avait été profondément coupé à la cuisse par un coup de sabre. Gênés par leurs fers, Hal et Aboli le pansèrent avec un morceau de tissu récupéré sur la chemise d'un des morts qui jonchaient le champ de bataille comme des épaves rejetées sur une plage.

Sous les ordres de leurs sergents hollandais, des équipes de mousquetaires rassemblaient les cadavres. Ils les tiraient par les pieds dans une clairière au milieu des arbres, les déshabillaient pour essayer de retrouver des pièces d'argent ou autre chose du butin provenant du *Standvastigheid*.

Deux officiers subalternes fouillaient avec soin ces vêtements, en défaisaient les coutures et arrachaient les semelles des bottes.

Trois autres hommes, les manches retroussées et les doigts trempés dans un pot de graisse, sondaient les orifices naturels des cadavres en quête de tout objet de valeur pouvant y être dissimulé.

Le butin récupéré était jeté dans une barrique vide que gardait un sergent armé d'un pistolet. Lorsque le trio avait achevé sa macabre besogne, une autre équipe tirait les cadavres à l'écart et les jetait sur des bûchers funéraires. Alimentées par du bois sec, les flammes montaient si haut qu'elles flétrissaient les feuilles des grands arbres autour de la clairière. La fumée de la chair carbonisée avait une odeur douceâtre et écœurante, comme de la graisse de porc brûlée.

Pendant ce temps-là, Schreuder et Cumbria, aidés par Limberger, le capitaine du galion, faisaient l'inventaire des barriques d'épices. Ils étaient aussi zélés que des gabelous avec leurs listes et leurs registres, vérifiaient le contenu et le poids des marchandises récupérées en se référant au manifeste original du navire, et notaient à la craie les quantités sur les tonneaux.

Les comptes faits, d'autres équipes de marins roulaient les énormes barriques jusqu'à la plage et les chargeaient sur la plus grosse des pinasses pour être transportées sur le galion au mouillage dans le chenal avec son grand mât et son gréement tout neufs. Le travail se poursuivit toute la nuit à la lueur des lanternes, des feux de joie et des bûchers funéraires.

Au fil des heures, Daniel devint fiévreux. Sa peau était brûlante et il délirait par intermittence. Le pansement avait fini par arrêter le saignement et une croûte commençait à se former sur la vilaine plaie. Mais autour, la peau était gonflée et livide.

— La balle est encore à l'intérieur, murmura Hal à Aboli. Il n'y a pas de blessure dans le dos par laquelle elle aurait pu ressortir.

— Si nous tentons d'inciser pour l'extraire, nous le tuerons. D'après l'angle de pénétration, elle doit se trouver près du cœur et des poumons.

— La plaie risque de se gangrener.

— Il est fort comme un taureau. Peut-être assez fort pour vaincre les démons, fit Aboli en haussant les épaules, convaincu comme il l'était que toutes les maladies étaient causées par des démons qui envahissaient le sang, superstition sans fondement mais Hal respecta sa conviction.

— Il faudrait cautériser les plaies de tous les blessés avec de la poix.

C'était la panacée du marin et Hal implora en hollandais les gardes hottentots d'aller chercher un pot de brai dans le magasin du charpentier à l'intérieur de la palissade, mais ils ignorèrent sa demande.

Il était plus de minuit quand ils revirent Schreuder. Il surgit de l'obscurité à grands pas et se dirigea droit vers l'endroit où Sir Francis était allongé, enchaîné aux autres au pied de l'arbre. Comme le reste de ses hommes, il était épuisé mais ne parvenait à s'assoupir que pendant de courts moments, dérangé par le vacarme et les mouvements incessants des équipes au travail et par les gémissements des blessés.

— Sir Francis, fit-il d'un ton sec en le secouant pour le sortir de sa torpeur. Permettez-moi de vous importuner quelques instants.

Au ton de sa voix, il ne semblait pas être de mauvaise humeur. Sir Francis s'assit.

— Avant tout, colonel, permettez-moi de vous importuner aussi en faisant appel à votre compassion. Aucun de mes hommes n'a eu une goutte d'eau depuis hier après-midi. Comme vous le voyez, quatre sont grièvement blessés.

Schreuder fronça les sourcils et Sir Francis eut la conviction qu'il n'avait pas donné d'ordres pour que les prisonniers soient délibérément maltraités. Il ne l'avait jamais cru ni cruel ni sadique. Le comportement brutal qu'il avait eu devait probablement être imputé à sa nature bouillante ainsi qu'à la tension et aux exigences de la bataille. Schreuder se tourna vers les gardes et leur commanda d'apporter de l'eau et de la nourriture aux prisonniers, puis il envoya un sergent chercher la pharmacie qui se trouvait dans la hutte effondrée de Sir Francis.

Tandis qu'ils attendaient l'exécution des ordres, Schreuder faisait les cent pas, le menton appuyé contre la poitrine, les mains jointes derrière le dos. Hal se redressa soudain.

— Aboli, chuchota-t-il. L'épée !

Aboli grogna en se rendant compte que l'épée de Hal, celle qui avait appartenu à son grand-père, incrustée de pierres précieuses et estampée à l'effigie de Neptune, était suspendue au côté de Schreuder. Aboli posa la main sur l'épaule du jeune homme pour l'empêcher d'interpeller le Hollandais et lui dit à voix basse :

— Le butin de guerre, Gundwane. Tu l'as perdue, mais au moins c'est un véritable soldat qui la porte.

Hal resta coi, vaincu par la cruelle logique de son compagnon. Schreuder se tourna finalement vers Sir Francis.

— Le capitaine Limberger et moi-même avons inventorié la cargaison d'épices et de bois que vous avez entreposée à terre, et nous avons constaté que, pour l'essentiel, elle est intacte. Ce qui manque est vraisemblablement dû aux dégâts provoqués par l'eau de mer pendant la prise du galion. On m'a dit qu'un boulet de vos couleuvrines a pénétré dans la cale principale et qu'une partie de la cargaison a été inondée.

— Je suis bien aise, dit Sir Francis avec une ironie mêlée de lassitude, que vous ayez pu récupérer l'ensemble des biens de la Compagnie.

— Ce n'est hélas pas le cas, Sir Francis, comme vous le savez fort bien. Il manque encore une partie importante de la cargaison du galion, dit Schreuder en marquant une pause pour donner un ordre au sergent qui revenait vers eux. Libérez le Noir et le gamin de leurs chaînes et laissez-les donner de l'eau aux autres.

Ses hommes suivaient avec un tonneau qu'ils placèrent au pied de l'arbre. Hal et Aboli commencèrent immédiatement à verser de l'eau fraîche à leurs blessés, et tous burent avec avidité, les yeux clos.

— J'ai trouvé les instruments de chirurgie, rapporta le sergent au colonel Schreuder en lui montrant un rouleau de toile. Mais, Mijnheer, il y a des couteaux aiguisés qui pourraient être utilisés comme des armes et le contenu des pots de poix pourrait l'être contre nous.

— Ai-je votre parole de gentilhomme de ne pas vous servir de ce matériel médical pour nuire à mes hommes ? demanda Schreuder en regardant Sir Francis, allongé près de l'arbre, abattu, les vêtements en désordre.

— Vous l'avez, répondit celui-ci.

Schreuder fit un signe de tête au sergent.

— Confiez tout cela à la responsabilité de Sir Francis, ordonna-t-il, et le sergent remit la pharmacie, le pot de poix et un rouleau de tissu propre destiné à faire office de pansement. Bien. Capitaine, enchaîna Schreuder en reprenant la conversation où il l'avait laissée, nous avons retrouvé les épices et le bois, mais plus de la moitié des pièces et l'ensemble des lingots d'or qui se trouvaient dans les cales du *Standvastigheid* manquent encore.

— Le butin a été distribué à l'équipage, répondit Sir Francis en souriant avec humour. J'ignore ce qu'ils ont fait de leur part et beaucoup sont trop morts pour pouvoir nous éclairer.

— Nous avons retrouvé ce qui, d'après mes calculs, doit représenter l'essentiel de la part de votre équipage, enchaîna Schreuder en désignant la barrique contenant les objets de valeur recueillis sur les victimes de la bataille, qu'une équipe de marins portait vers une pinasse et que gardaient des Hollandais, l'épée au poing. Mes officiers ont fouillé les cases de vos hommes, mais ils n'ont toujours pas retrouvé l'autre moitié.

— Je souhaiterais pouvoir vous être utile, mais je suis incapable de vous expliquer ce qu'elle est devenue, remarqua Sir Francis d'un ton tranquille.

A ces paroles, Hal leva les yeux et interrompit un instant sa tâche, mais son père ne regarda pas dans sa direction.

— Lord Cumbria pense que vous avez caché le trésor manquant, fit remarquer Schreuder. Et je suis d'accord avec lui.

— Lord Cumbria est un fieffé menteur et coquin, dit Sir Francis. Et vous faites erreur, monsieur.

— Lord Cumbria est d'avis que, s'il avait la possibilité de vous interroger personnellement, il serait en mesure de vous faire avouer à quel endroit vous avez caché le trésor. Il est impatient d'essayer de vous persuader de révéler ce que vous savez. J'ai eu le plus grand mal à l'en empêcher.

— Vous devez faire ce que vous jugez bon, colonel, répondit Sir Francis en haussant les épaules, mais, si je ne me trompe pas, un soldat comme vous condamne la torture des prisonniers. En tout état de cause, je vous suis reconnaissant de la compassion que vous avez témoignée à mes blessés.

Schreuder fut empêché de répondre par le cri de douleur que poussa Ned Tyler au moment où Aboli versait une louche de poix fumante sur sa blessure à la cuisse. Lorsque le cri se mua en gémissement, le colonel reprit douceureusement :

— Le tribunal qui vous jugera pour piraterie au fort de Bonne-Espérance sera présidé par notre nouveau gouverneur. Je doute fort que Petrus Jacobus Van de Velde soit aussi enclin à l'indulgence que je le suis... Soit dit en passant, Sir Francis, je sais de source sûre que le bourreau employé par la Compagnie à Bonne-Espérance s'enorgueillit de son habileté.

— Il me faudra cependant donner au gouverneur et à son bourreau la même réponse que je vous ai faite, colonel.

— Sir Francis, bien que nous nous connaissions depuis peu, j'ai conçu à votre endroit un grand respect pour vos qualités de guerrier, de marin et de gentilhomme, confia Schreuder en s'asseyant sur ses talons et en s'exprimant d'un ton confidentiel, presque amical. Si j'affirmais devant le tribunal que votre lettre de marque a bel et bien existé et que vous pratiquiez la guerre de course en toute légitimité, l'issue de votre procès pourrait être tout à fait différente.

— Vous devez donc avoir dans le gouverneur Van de Velde une

confiance que je n'ai point, répondit Sir Francis. J'aimerais pouvoir favoriser votre carrière en restituant les lingots, mais je ne puis vous aider, monsieur. Je ne sais pas où ils sont.

Schreuder se releva, le visage rembruni.

— J'ai essayé de vous venir en aide et regrette que vous rejetiez mon offre. Vous avez cependant raison, monsieur. Je n'ai pas le cœur de vous laisser mettre à la question. Qui plus est, j'empêcherai Lord Cumbria d'entreprendre cette tâche de son propre chef. Je me bornerai quant à moi à faire mon devoir et à vous livrer aux autorités judiciaires de Bonne-Espérance. Une dernière fois, monsieur, ne voulez-vous point reconsidérer votre décision ?

— Je regrette de ne pouvoir vous aider, monsieur, répondit Sir Francis en secouant la tête.

Schreuder soupira.

— Très bien. Vous et vos hommes serez embarqués demain matin sur le *Goéland de Moray* dès qu'il sera prêt à appareiller. La frégate *Sonnevogel* a d'autres missions à accomplir aux Indes et elle lèvera l'ancre au même moment pour suivre sa route. Le *Standvastigheid* restera ici sous les ordres de son commandant, le capitaine Limberger, pour embarquer la cargaison d'épices et de bois avant de reprendre son voyage interrompu à destination d'Amsterdam.

Il tourna les talons et disparut dans l'obscurité, vers l'entrepôt à épices.

Lorsqu'ils furent réveillés par leurs ravisseurs le lendemain matin, quatre hommes parmi les blessés, dont Daniel et Ned Tyler, étaient incapables de marcher et leurs camarades furent contraints de les porter. Les chaînes ne leur laissaient guère de liberté de mouvement et c'est en traînant maladroitement les pieds qu'ils descendirent en rang vers la plage. Entravés par leurs fers, ils ne purent lever les pieds assez haut pour enjamber le plat-bord de la pinasse et durent être poussés à l'intérieur par leurs gardiens.

Quand la chaloupe fut amarrée contre le flanc du *Goéland*, il fut manifeste qu'il était périlleux pour des hommes enchaînés de grimper sur le pont par l'échelle de corde. Sam Bowles les attendait à la coupée. L'un des gardiens lui cria :

— Pouvons-nous détacher les prisonniers, bosco ?

— Pour quoi faire ? répondit Bowles.

— Les blessés sont incapables de monter tout seuls et les autres peuvent pas les porter. Y pourront pas grimper si on leur enlève pas leurs chaînes.

— C'est bien dommage pour eux. Ce sont les ordres de monsieur le comte : les menottes ne doivent pas être ôtées.

Sir Francis entreprit l'ascension le premier, gêné dans ses mouvements par le chapelet d'hommes attachés à sa suite. Les quatre blessés, qui gémissaient dans leur délire, étaient des poids morts qu'il fallut tirer à la force du poignet. Pour hisser le grand Daniel, en particulier, ils durent faire appel à toutes leurs ressources. S'ils l'avaient laissé glisser, il aurait dégringolé dans la pinasse et emporté dans sa chute les vingt-six autres. ce qui eût presque certainement fait chavirer le canot. Le poids de leurs chaînes les aurait alors entraînés par huit mètres de fond.

Sans la force herculéenne d'Aboli, ils ne seraient jamais parvenus sur le pont du *Goéland*. Il était cependant éreinté quand, enfin, il hissa Daniel inerte par-dessus le bastingage et s'écroula à côté de lui sur le pont. Ils restèrent tous là affalés et haletants, avant d'être finalement tirés de leur torpeur par des éclats de rire sonores.

Avec effort, Hal leva la tête. Sur le gaillard d'arrière, sous un taud de toile, une table de petit déjeuner avait été dressée. Les verres de cristal et l'argenterie étincelaient dans le soleil du matin. Il sentit la bonne odeur du lard, des œufs frais et du biscuit chaud qui montait du poêlon en argent.

Le Busard était assis au haut bout de la table. Il leva son verre à la santé des hommes effondrés sur le passavant.

— Bienvenus à bord, messieurs, et à la vôtre! lança-t-il avant d'avaler son verre de whisky et de s'essuyer les favoris avec une serviette damassée. La meilleure cabine a été préparée à votre intention. Je vous souhaite un agréable voyage.

Katinka Van de Velde fit de nouveau entendre son rire mélodieux. Assise à la gauche du Busard, elle était tête nue, ses cheveux d'or remontés haut, ses grands yeux violets innocents dans l'ovale parfait de son visage poudré, une mouche soigneusement dessinée au coin de sa joue maquillée.

Le gouverneur se trouvait en face d'elle. Il s'apprêtait à porter à sa bouche une cuillerée remplie de lard et de fromage et suspendit son geste tout en continuant à mâcher. Il partit d'un gros rire et du jaune d'œuf s'échappa de ses lèvres pendantes et lui coula sur le menton.

— Ne désespérez point, Sir Francis. N'oubliez pas votre devise. Je suis sûr que vous aurez beaucoup à endurer. (Il enfourna son

lard et son fromage et reprit, la bouche pleine :) Excellent déjeuner ! Quel dommage que vous ne puissiez vous joindre à nous.

— Quelle bonne idée, comte, de nous donner quelque diver-
tissement. Ces troubadours vont-ils nous chanter un petit morceau à leur façon ou bien vont-ils nous amuser avec d'autres acro-
baties ? demanda Katinka en hollandais, puis elle fit une jolie
petite moue et donna une tape sur le bras de Cumbria avec son
éventail chinois.

A ce moment, le grand Daniel se mit à rouler la tête d'un côté et
de l'autre en la cognant sur le pont et, dans son délire, poussa un
cri. Le Busard hurla de rire.

— Comme vous le voyez, madame, ils font de leur mieux, mais
leur répertoire n'est pas au goût de tout le monde... Maître
Samuel, veuillez les conduire à leurs appartements et vous assurer
que l'on veille convenablement sur eux, ordonna-t-il à Bowles en
lui faisant un signe de tête.

Le maître d'équipage fouetta les prisonniers avec une corde
nouée à une extrémité pour les obliger à se mettre debout. Ils relevèrent leurs blessés et descendirent en traînant les pieds vers
l'échelle qui menait à l'intérieur du navire. Dans les profondeurs
de la coque, sous la cale principale, s'étendait le pont à esclaves.
Lorsque Sam Bowles souleva le panneau qui en fermait l'écoutille,
la puanteur qui en monta les fit reculer. C'était la quintessence des
souffrances endurées par les centaines de damnés qui y avaient
langui.

La hauteur de plafond n'était que d'un mètre et ils furent donc
obligés de s'engager à quatre pattes dans l'entrepont et de tirer les
blessés derrière eux. Sam et ses quatre aides rampèrent à leur
suite et passèrent leurs chaînes dans les anneaux de fer boulonnés
dans la lourde poutre qui courait le long de la coque. Quand ils
eurent fini, les captifs, couchés côte à côte comme des harengs
dans une caque, attachés par les poignets et les chevilles, étaient
tout juste en mesure de s'asseoir mais incapables de se retourner
ou de déplacer de plus de quelques centimètres leurs membres
retenus par les fers.

Hal était entouré par son père et la masse inerte du grand
Daniel. Aboli se trouvait à côté de Daniel et Ned Tyler juste après
lui.

Lorsque le dernier homme fut attaché, Bowles regagna l'écoutille toujours à quatre pattes et leur lança avec un sourire narquois :

— Dix jours pour Bonne-Espérance avec ce vent. Une pinte

d'eau par jour et cent grammes de biscuit, si je pense à vous les apporter. Vous avez le droit de déféquer et de pisser là où vous êtes. Rendez-vous à Bonne-Espérance, mes mignons.

Il rabattit le panneau d'un coup sec et ils l'entendirent fermer les clavettes de verrouillage à coups de maillet. Lorsque les coups cessèrent, le calme soudain parut effrayant. Au début, l'obscurité était complète, mais quand leurs yeux s'habituèrent, ils parvinrent à distinguer les formes sombres de leurs compagnons autour d'eux.

Hal chercha d'où venait la lumière et découvrit une petite grille métallique encastrée dans le pont juste au-dessus de sa tête. Même sans les barreaux, l'ouverture n'aurait pas permis à un adulte de passer la tête, et il l'élimina tout de suite en tant qu'issue possible. Du moins procurait-elle un peu d'air frais.

La puanteur était difficile à supporter et tous respiraient avec difficulté dans cette atmosphère suffocante. La cale sentait aussi mauvais qu'une tanière d'ours. Le grand Daniel gémit; cela leur délia la langue et ils se mirent à parler tous en même temps.

— Par le ciel, ça pue là-dedans comme dans des chiottes à la saison des abricots.

— Vous croyez qu'on a une chance de s'échapper d'ici, capitaine?

— Bien sûr, mon compère, répondit un des hommes à la place de Sir Francis. Quand nous serons arrivés à Bonne-Espérance.

— Je donnerais ma part de la plus belle prise jamais faite sur les sept mers pour passer cinq minutes en tête à tête avec Sam Bowles.

— Et moi, la mienne pour cinq minutes avec ce foutu Cumbria.

— Ou ce salopard de Schreuder.

Soudain Daniel se mit à bafouiller :

— Oh, maman, je vois ton joli visage. Viens embrasser ton petit Danny.

— Cet appel déchirant les démoralisa. Peu à peu, ils sombrèrent dans une torpeur et un abattement profonds, et un silence désespérant tomba sur l'infect pont à esclaves, silence que brisaient de temps à autre des grognements et le cliquetis des chaînes quand ils essayaient de trouver une position plus confortable.

Lentement, le temps perdit toute signification. Ils ne savaient plus très bien si c'était la nuit ou le jour lorsque le bruit du cabestan d'ancre se répercuta à travers la coque et ils entendirent les cris lointains des officiers subalternes qui retransmettaient les ordres pour appareiller.

Hal tenta d'évaluer quels étaient l'allure et le cap du navire d'après le dynamisme et l'inclinaison de la coque, mais il ne tarda pas à s'y perdre. C'est seulement lorsque le *Goéland* plongea soudain dans la houle et s'anima d'un mouvement léger et folâtre qu'il sut qu'ils étaient sortis de la lagune et avaient franchi la passe.

Heure après heure, le *Goéland* lutta contre le vent de sud-est pour gagner le large. Les mouvements du navire les projetaient d'avant en arrière sur les planches et ils glissaient sur le dos de quelques centimètres avant d'être arrêtés net par leurs menottes puis de repartir dans l'autre sens. Ce fut un grand soulagement quand, finalement, le bateau prit une allure plus facile.

— Ah! Ça va mieux! dit Sir Francis. Le Busard a pris le large. Il a viré de bord et nous courons vers l'ouest droit en direction du Cap avec le vent de sud-est sur l'arrière de travers.

Hal essayait de déterminer le passage des jours en fonction de l'intensité de la lumière que laissait filtrer la grille au-dessus de sa tête. La nuit, il régnait dans l'entrepont une obscurité écrasante, pareille à celle d'une mine de charbon. Quand venait l'aube, la lumière commençait à passer et augmentait au point qu'il parvenait à distinguer la forme de la tête ronde d'Aboli derrière le visage plus clair de Daniel.

Cependant, même à midi, les recoins de l'entrepont restaient cachés dans l'obscurité, d'où l'écho des soupirs, des gémissements et de temps à autre des murmures de leurs compagnons était renvoyé par les cloisons en chêne. Puis la lumière diminuait de nouveau jusqu'au noir complet qui marquait la fin de la journée.

Le matin du troisième jour, un message fut transmis d'un homme à l'autre : « Timothy O'Reilly est mort. » Il avait été blessé d'un coup d'épée dans la poitrine.

— C'était un bon gars, dit Sir Francis en guise d'éloge funèbre. Puisse Dieu accorder le repos à son âme. J'aurais aimé lui donner une sépulture chrétienne.

— Le cinquième matin, le cadavre d'O'Reilly ajoutait aux miasmes de décomposition qui imprégnaient le pont et leur emplissaient les poumons à chaque inspiration.

Tandis que Hal était allongé dans la stupeur du désespoir, des rats gris, gros comme des lapins, lui grimpaient sur le corps. Leurs ongles acérés laissaient de douloureuses égratignures sur sa peau nue. Il finit par renoncer à essayer de les chasser et se résigna à endurer cette gêne. C'est seulement lorsque l'un d'eux lui planta ses dents pointues dans le dos de la main qu'il cria et réussit à le saisir à la gorge et à la lui tordre.

Daniel lança à son tour un cri de douleur et Hal comprit que les rats l'attaquaient aussi et qu'il était incapable de se défendre. Aussi Aboli et lui se relayèrent-ils pour écarter de lui les rongeurs.

Leurs fers les empêchaient de s'accroupir au-dessus de l'étroite rigole destinée à emporter leurs déjections qui courait au bas de la cloison. De temps en temps, Hal entendait un homme déféquer et tout de suite après l'odeur fétide des selles fraîches envahissait l'espace confiné et déjà nauséabond.

Lorsque Daniel se vidait la vessie, le liquide tiède se répandait sur les planches et venait tremper la chemise et les braies de Hal. Il ne pouvait rien pour l'éviter, si ce n'est soulever la tête pour l'écarter du pont.

La plupart du temps, vers midi, les clavettes de fermeture de l'écoutille étaient enlevées à grands coups de maillet. Quand on soulevait le panneau, la faible lumière qui envahissait la cale les aveuglait et ils levaient les mains, alourdies par les chaînes, pour se protéger les yeux.

— Vous avez de la chance aujourd'hui, messieurs, je vous ai apporté une petite gâterie, cria un jour Sam Bowles. Un gobelet d'eau tirée de nos réserves les plus anciennes, avec quelques bestioles et un soupçon de salive pour donner du goût.

Ils l'entendirent cracher un bon coup, puis éclater de rire avant de tendre le premier gobelet d'étain. Il fallait passer les timbales de main en main, et quand ils en renversaient une, Bowles ne la remplaçait pas.

— Il y en a une par personne. Vingt-six et pas une de plus, lança Bowles gaiement.

Daniel était à présent trop malade pour boire sans aide, et Aboli dut lui soulever la tête tandis que Hal faisait couler lentement l'eau entre ses lèvres. Il fallut procéder de même avec les autres malades. Ils laissaient échapper la plus grande partie du liquide et l'opération tirait en longueur. Sam Bowles perdit patience bien avant qu'ils aient terminé.

— Vous en avez assez ? Bon, alors, je m'en vais, dit-il, puis il rabattit le panneau brusquement et remit en place les clavettes, sourd aux prières de la plupart des captifs, qui réclamaient leur ration, la gorge et les lèvres atrocement sèches. Mais il ne voulut rien entendre et ils durent patienter jusqu'à la distribution suivante.

Le lendemain, Aboli se remplit la bouche d'une gorgée d'eau, puis, appliquant ses lèvres sur celles de Daniel, la fit pénétrer de force dans la bouche de son compagnon. Ils agirent de même avec tous les blessés. La méthode était assez rapide pour donner satisfaction à Sam Bowles et ils perdaient moins du précieux liquide.

Bowles gloussa en entendant un des hommes lui crier :

— Pour l'amour de Dieu, bosco, il y a un mort. C'est Timothy O'Reilly, il pue affreusement, vous ne le sentez pas ?

— Je suis content que vous m'avertissiez. Il n'a donc plus besoin d'eau. Ça fera un gobelet de moins à partir de demain.

Daniel était mourant. Il ne gémissait plus, ne s'agitait plus dans son délire. Il était aussi immobile qu'un cadavre. Sa vessie s'était tarie, et ne se vidait plus spontanément. Hal lui tint la tête et, essayant de le maintenir en vie à force de cajoleries, lui murmura :

— Tu ne peux abandonner maintenant. Tiens encore un peu, nous n'allons pas tarder à arriver au Cap. Pense à toute l'eau fraîche que tu pourras boire, Danny, à toutes les jolies esclaves qui te soigneront.

A midi, leur sixième jour de mer selon ses estimations, Hal appela Aboli :

— J'ai quelque chose à te montrer. Donne-moi ta main.

Il prit les doigts de son ami et les guida le long des côtes de Daniel. La peau était brûlante au point d'être presque douloureuse au toucher, et la poitrine si décharnée que les côtes saillaient comme des douves de tonneau.

Hal fit doucement rouler Daniel aussi loin que ses chaînes le permettaient et dirigea les doigts d'Aboli vers son omoplate.

— Là, est-ce que tu sens cette bosse ?

— Je la sens, mais je ne peux rien voir, grommela Aboli, si entravé par ses fers qu'il n'arrivait pas à regarder par-dessus la masse inerte de Daniel.

— Je n'en suis pas certain, mais je crois que je sais ce que c'est, reprit Hal en rapprochant son visage, faisant un effort pour voir dans la pénombre. C'est gros comme une noix et foncé comme un bleu.

Il toucha avec précaution et, malgré la légèreté de la pression, Daniel se mit à gémir et à tirer sur ses chaînes.

— Ça paraît très sensible, dit Sir Francis qui était sorti de sa torpeur et se penchait aussi près que possible. Je ne vois pas bien. Où est-ce ?

— Au milieu de son omoplate, répondit Hal. Je pense que c'est la balle de mousquet. Elle a traversé la poitrine et est venue se loger sous la peau.

— C'est donc elle qui est en train de le tuer, conclut Sir Francis. La gangrène vient de là.

— Si j'avais un couteau, murmura Hal, j'essaierais de l'extraire. Mais Sam Bowles a emporté la trousse à pharmacie.

— J'ai eu le temps de prendre un des couteaux, fit Aboli en fouillant dans la ceinture de ses braies et en sortant une lame fine qui luit faiblement dans la pâle lumière filtrée par la grille. J'espérais avoir l'occasion de trancher la gorge de Sam.

— Nous devons tenter l'extraction, lui dit Sir Francis. Si la balle reste dans le corps, elle le tuera plus sûrement que le scalpel.

— De là où je suis, je ne vois pas l'endroit où l'on doit inciser, remarqua Aboli. Il va falloir que vous le fassiez.

Il y eut un cliquetis de fers, puis Sir Francis grommela :

— Mes chaînes sont trop courtes, je n'arrive pas à l'atteindre.

Tous se turent pendant quelques instants, puis Sir Francis dit :

— Hal, essaie.

— Père, protesta ce dernier, je n'ai ni les connaissances ni le savoir-faire nécessaires.

— Dans ce cas, Daniel est condamné, décréta Aboli d'un ton catégorique. Tu lui dois la vie, Gundwane. Tiens, prends le couteau.

Il sembla à Hal être aussi lourd que du plomb. La bouche sèche, il passa le fil de la lame sur son pouce et constata qu'il était émoussé.

— Il ne coupe plus, objecta-t-il.

— Aboli a raison, dit Sir Francis en posant la main sur l'épaule de son fils. La vie de Daniel dépend de toi.

Hal tendit lentement la main gauche et sentit la grosseur sous la peau brûlante de Daniel. Elle roulait sous ses doigts et il se rendit compte qu'elle frottait légèrement contre la clavicule. La douleur réveilla Daniel qui se débattit et cria :

— Aide-moi, Jésus. J'ai péché contre Dieu et les hommes. Le diable vient me chercher. Il est sombre, tout est sombre.

— Tiens-le, Aboli, souffla Hal. Empêche-le de bouger.

Aboli enlaça Daniel, tel un grand python noir.

— Vas-y, dit-il. Dépêche-toi.

Hal se pencha sur Daniel, aussi près que le lui permettaient ses chaînes, son visage à quelques centimètres de son dos. Il voyait à présent la grosseur plus distinctement. La peau était tendue au point d'être brillante et violette comme une prune mûre. Il plaça ses doigts de chaque côté et tendit la peau encore davantage, puis ayant pris une profonde inspiration, il appuya la pointe du scalpel

237

sur la protubérance. Sans bouger, il compta mentalement jusqu'à trois et enfonça la lame avec force. Il sentit qu'elle pénétrait profondément dans le dos, puis heurtait quelque chose de dur, de métallique.

Daniel poussa un cri perçant puis devint tout flasque dans les bras d'Aboli. Du pus violet et jaunâtre, tiède et épais, jaillit de l'incision et éclaboussa la bouche de Hal et son menton. L'odeur était plus terrible que toutes celles qui flottaient dans l'entrepont; il eut un haut-le-cœur et essuya le pus sur son visage avec son bras avant d'examiner la blessure.

Le pus noir continuait d'en sortir en bouillonnant, mais un corps étranger restait coincé dans la chair incisée. Il essaya de l'attraper avec la pointe de son scalpel, ressortit une masse sombre et fibreuse dans laquelle des esquilles d'os provenant de l'omoplate étaient mélangées avec du pus et du sang coagulés.

— C'est un morceau du pourpoint de Danny, dit-il, le souffle coupé. La balle a dû l'enfoncer dans la blessure.

— As-tu trouvé la balle? demanda Sir Francis.

— Non, elle doit être encore à l'intérieur.

Il sonda la plaie plus profondément.

— Ah, la voilà!

— Est-ce que tu arrives à la sortir?

Pendant quelques minutes, Hal opéra en silence, heureux que Daniel, inconscient, ne souffre pas. Respirant bruyamment, il pénétrait de plus en plus profond jusqu'au moment où il parvint à passer ses doigts derrière le bout de métal.

— La voilà, s'exclama-t-il soudain, et la balle de mousquet sortit de la plaie et tomba sur les planches avec un bruit mat.

La violence du choc contre l'os l'avait déformée et il y avait une trace brillante sur le plomb. Il la regarda avec un immense soulagement, puis retira d'un seul coup son doigt de la blessure. Un autre flot de pus et un troisième corps étranger s'échappèrent encore.

— Et voilà la bourre du mousquet. Je crois que j'ai tout sorti, lâcha-t-il, écœuré, en regardant ses mains souillées.

L'odeur qui s'en échappait l'agressa comme s'il avait reçu un coup. Ils restèrent muets pendant un moment.

— Bien travaillé, mon fils! murmura finalement Sir Francis.

— Il me semble qu'il est mort, répondit Hal d'une petite voix. Il ne bouge plus du tout.

Aboli lâcha Daniel et chercha à tâtons son torse nu.

— Non, il est vivant, dit-il. Je sens son cœur battre. Gundwane, il faut maintenant que tu laves sa plaie.

Ils tirèrent le corps inerte de Daniel au maximum et Hal s'agenouilla tant bien que mal au-dessus de lui. Il ouvrit ses braies et, déshydraté par leur faible ration d'eau, fit son possible pour envoyer un petit jet d'urine à l'intérieur de la plaie. Cela suffit pour éliminer les restes de pus et les derniers morceaux de bourre. Hal utilisa les dernières gouttes pour nettoyer un peu ses mains puis il se laissa tomber en arrière, épuisé.

— Voilà une besogne d'homme, Gundwane, lui dit Aboli en lui présentant son foulard, imbibé de sang et de pus séchés. Sers-t'en pour étancher le sang de la blessure. Nous n'avons rien d'autre.

Pendant que Hal pansait la plaie, Daniel restait aussi immobile qu'un cadavre ; il ne gémissait plus et ne tirait plus sur ses chaînes.

Trois jours après, lorsque Hal se pencha sur lui pour le faire boire, Daniel tendit brusquement le bras, repoussa sa tête et lui prit le gobelet des mains. Il en avala le contenu en trois gorgées. Puis il rota bruyamment et dit d'une voix faible mais distincte :

— Par Dieu, que c'était bon ! J'en prendrais bien encore une goutte.

Hal était si content et soulagé qu'il lui tendit sa propre ration et le regarda boire. Le lendemain, Daniel était capable de s'asseoir.

— Ton opération aurait tué une douzaine d'hommes ordinaires, murmura Sir Francis, stupéfait par le rétablissement du grand Daniel, mais, lui, elle l'a sauvé.

Le neuvième jour de leur voyage, Sam Bowles ouvrit l'écoutille et lança gaiement :

— J'ai une bonne nouvelle pour vous, messieurs. Le vent nous trahit depuis une cinquantaine de lieues. Monsieur le comte estime que nous ne doublerons pas le Cap avant cinq jours. Votre agréable croisière va donc se prolonger un peu.

Rares furent ceux à avoir la force ou l'envie de se répandre en injures à l'annonce de cette terrible nouvelle, mais ils tendaient leurs mains avec frénésie pour recevoir leur gobelet d'eau. Lorsque la cérémonie quotidienne de la distribution fut achevée, Sam Bowles ne rabattit pas le panneau comme d'habitude. Il passa la tête par l'écoutille et cria :

— Capitaine Courteney, monsieur le comte vous présente ses compliments et, si vous n'avez pas d'autres engagements, vous invite à dîner en sa compagnie.

Il descendit tant bien que mal sur le pont à esclaves et, en se faisant aider par deux de ses hommes, retira les chaînes des poignets et des chevilles de Sir Francis.

Bien que celui-ci fût libéré de ses entraves, il fallut trois hommes pour le mettre debout. Il était si faible et ankylosé que, lorsqu'ils l'aidèrent à grimper par l'écoutille, il vacillait et chancelait comme un ivrogne.

— Je vous demande pardon, capitaine, fit Sam Bowles en lui riant au nez, mais vous ne sentez pas la rose. Je connais des porcheries et des fosses d'aisances au parfum plus agréable, mon petit Franky.

Ils le traînèrent sur le pont et lui ôtèrent ses guenilles puantes, découvrant son corps amaigri. Les quatre hommes armèrent la pompe tandis que Bowles dirigeait la lance sur lui. Le *Goéland* était entré depuis peu dans les eaux vertes et froides du courant de Benguela qui balaie la côte ouest du continent africain. Le jet d'eau de mer glacée faillit faire tomber Sir Francis et il dut s'agripper aux haubans pour ne pas perdre l'équilibre. Il se mit à trembler et suffoqua quand Sam Bowles lui dirigea le jet en plein visage, mais il put néanmoins se débarrasser de la croûte de crasse qu'il avait sur le corps et dans les cheveux. Il ne fit même pas attention à Katinka Van de Velde qui, accoudée au bastingage du gaillard d'arrière, examinait sans vergogne son corps nu.

C'est seulement lorsque Bowles détourna le jet et le laissa se sécher au vent que Sir Francis put regarder autour de lui et estimer la position du *Goéland*. Son corps décharné était bleu de froid, mais la douche l'avait revigoré. Ses dents claquaient, il tremblait de tout son corps et il serra les bras sur sa poitrine pour essayer de se réchauffer pendant qu'il regardait au loin. Le continent se trouvait à une dizaine de lieues, et il reconnut les falaises et les rochers escarpés de la pointe qui garde l'entrée de False Bay. Il leur faudrait doubler ce cap sauvage pour entrer dans la baie de la Table, à l'extrémité de la péninsule.

Le vent était presque nul et la mer d'huile, avec une longue houle se soulevant et s'abaissant, pareille à la respiration d'un monstre endormi. Sam Bowles avait dit vrai : à moins que le vent ne forcisse, il faudrait encore plusieurs jours avant de pouvoir jeter l'ancre dans la baie. Sir Francis se demanda combien de ses hommes suivraient O'Reilly dans la mort avant de sortir de l'entrepont à esclaves.

Sam Bowles jeta quelques frusques usées mais propres à ses pieds :

— Monsieur le comte vous attend. N'abusez pas de sa patience.

Lorsque Sir Francis se baissa pour entrer dans la cabine de poupe, Cumbria se leva pour l'accueillir :

— Franky! s'exclama-t-il, je suis bien aise de voir que vous n'avez pas l'air trop mal en point après votre petit séjour à fond de cale. (Avant que Sir Francis n'ait pu se dérober, le Busard le serra dans ses bras.) Je vous dois des excuses pour le traitement que je vous ai fait subir, mais j'ai dû céder aux instances du gouverneur et de sa femme. Je n'aurais jamais traité un frère chevalier aussi bassement.

Tout en parlant, Cumbria lui passa rapidement ses mains le long du corps afin de s'assurer qu'il ne cachait pas un couteau ou une arme quelconque, puis il le poussa vers le fauteuil le plus confortable de la cabine.

— Un verre de vin, mon vieil ami?

Il remplit lui-même le verre et fit signe au steward de poser une écuelle de ragoût devant Sir Francis. Bien que le fumet du premier plat chaud qui lui était servi depuis presque deux semaines le fît saliver, celui-ci ne daigna toucher ni au verre ni à la cuillère posée près de l'écuelle.

Le Busard, auquel ce refus n'avait pas échappé, se contenta de lever un sourcil broussailleux avant d'engloutir une cuillerée de nourriture. Après avoir mâché avec des signes évidents d'appétit et de satisfaction, il fit passer le tout avec une bonne rasade de vin et s'essuya les favoris du dos de la main.

— Non, Franky, s'il n'avait tenu qu'à moi, je ne vous aurais jamais traité aussi mesquinement. Vous et moi nous avons eu des désaccords par le passé, mais cela a toujours été dans un esprit fair-play, n'est-ce pas?

— Comme lorsque vous avez tiré une bordée sur mon campement sans crier gare?

— Allons, Franky, ne perdons pas notre temps en de vaines récriminations, fit le Busard en écartant la remarque d'un geste de la main. Cela n'aurait pas été nécessaire si vous aviez accepté de partager avec moi le butin pris sur le galion. Ce que je veux dire, c'est que nous nous comprenons, vous et moi. Nous sommes frères de cœur.

— Je crois vous comprendre, acquiesça Sir Francis.

— Vous devez donc savoir que ce qui vous fait souffrir me fait souffrir encore davantage. Chaque minute de votre incarcération a été pour moi une épreuve.

— Je déteste vous voir souffrir, comte. Aussi, pourquoi ne nous libérez-vous pas, mes hommes et moi?

— C'est là mon intention et mon désir le plus ardent, je vous l'assure. Il demeure cependant un obstacle qui m'empêche de le faire. J'ai besoin de recevoir un signe me montrant que mes senti-ments à votre égard sont réciproques. Je suis toujours profondé-ment blessé par le fait que vous vous refusiez à partager avec moi, votre vieil ami, ce qui me revient légitimement selon les termes mêmes de notre accord.

— Je suis certain que les Hollandais vous ont octroyé ce qui vous manquait. En vérité, je vous ai vu embarquer ce qui m'a sem-blé être une part généreuse de la cargaison d'épices de ce même navire. Je me demande ce que le grand amiral pensera d'un tel tra-fic avec l'ennemi.

— Quelques tonneaux d'épices... rien qui vaille d'être men-tionné, fit Cumbria en souriant. Mais rien n'éveille autant mes ins-tincts fraternels que l'or et l'argent. Allons, Franky, nous avons perdu assez de temps à plaisanter. Nous savons tous les deux que vous avez caché la moitié de l'or du galion quelque part à proxi-mité du campement de la lagune des Eléphants. Je sais que je le trouverai en y mettant le temps, mais vous serez mort depuis long-temps, envoyé *ad patres* dans un triste état par le bourreau de Bonne-Espérance.

Sir Francis sourit et secoua la tête.

— Je n'ai caché aucun trésor. Cherchez si cela vous chante, mais vous ne trouverez rien car il n'y a rien à trouver.

— Réfléchissez-y, Franky. Vous savez ce que les Hollandais ont fait aux marchands anglais qu'ils ont capturés sur l'île de Bali ? Ils les ont crucifiés et leur ont brûlé pieds et mains avec du soufre enflammé. Je veux vous épargner un tel sort.

— Si nous n'avons rien d'autre à discuter, je vais retourner auprès de mes hommes, fit Sir Francis en se levant, à présent mieux assuré sur ses jambes.

— Asseyez-vous ! lança le Busard d'un ton sec. Dites-moi où vous l'avez caché et je vous déposerai à terre vous et votre équi-page sans qu'il vous soit fait aucun mal, je le jure sur mon hon-neur.

Cumbria cajola Sir Francis et fulmina pendant une heure encore. A la fin, il soupira :

— Vous êtes dur en affaires, Franky. Voilà ce que je vais faire pour vous et que je ne ferais pour personne d'autre, mais je vous aime comme un frère. Si vous me conduisez au butin, je le partage avec vous. Moitié moitié. Je ne peux pas me montrer meilleur joueur, n'est-ce pas ?

Sir Francis écouta cette proposition avec un sourire calme et détaché, et Cumbria ne put contenir sa fureur plus longtemps. Il frappa sur la table du plat de la main avec une violence telle que les verres se renversèrent, répandant le vin à travers la cabine, puis il appela Sam Bowles.

— Emmenez cet arrogant et remettez-le aux fers.

Au moment où son prisonnier sortait de la cabine, il lui cria :

— Je trouverai où vous l'avez caché, Franky, je vous le jure. J'en sais plus que vous ne pensez. Dès que vous aurez été mis à mort sur le champ de parade de Bonne-Espérance, je retournerai à la lagune et je n'en partirai pas avant de l'avoir trouvé.

Un autre marin de Sir Francis rendit l'âme avant qu'ils aient jeté l'ancre dans la baie de la Table. Les autres étaient si ankylosés et faibles que, tels des animaux, ils grimpèrent en rampant l'échelle qui menait au pont supérieur. Ils y restèrent blottis, leurs vêtements en lambeaux recouverts d'une croûte de saleté, à regarder autour d'eux, clignant des yeux et essayant de les protéger du soleil matinal.

Hal ne s'était jamais trouvé aussi près de Bonne-Espérance. Au début de la guerre, lors du trajet aller de leur expédition, ils étaient passé bien au large et n'avaient vu la baie que de très loin. Cet aperçu ne l'avait cependant pas préparé à la splendeur du paysage, où le bleu somptueux de l'Atlantique semé de moutons venait baigner les plages d'un blanc si étincelant qu'il faisait mal aux yeux.

La légendaire montagne plate semblait emplir la majeure partie du ciel africain, imposante falaise de roche ocre jaune entaillée par de profonds ravins envahis par une dense forêt. Le sommet de la montagne était si parfaitement horizontal, et ses proportions si agréables au regard qu'on l'aurait dite dessinée par un architecte céleste. Un flot écumant de nuages miroitants parcourait cet immense plateau. Cette cascade argentée n'atteignait jamais le bas de la montagne mais s'évaporait comme par magie à mi-pente, laissant voir les contreforts revêtus de leur resplendissant manteau de verdure.

Cette splendeur grandiose écrasait les constructions éparpillées comme des plaques d'urticaire le long du rivage d'où une flottille de petits bateaux vint à la rencontre du *Goéland* dès qu'il eut jeté l'ancre.

Le gouverneur Van de Velde refusa d'emprunter l'échelle de corde et fut descendu sur une chaise de bosco, d'où il ne cessa de haranguer avec inquiétude les hommes qui tenaient les cordes, les menaçant de leur faire donner le fouet s'il lui arrivait un accident.

Il atteignit enfin la chaloupe amarrée le long du *Goéland* où sa femme l'attendait déjà. Assistée par le colonel Cornelius Schreuder, sa descente avait été incomparablement plus gracieuse que celle de son époux.

On les conduisit jusqu'à la plage, où cinq robustes esclaves vinrent prendre le nouveau gouverneur dans le canot qui dansait sur la barre et le portèrent en pataugeant jusque sur le sable.

A l'instant où les pieds du gouverneur touchèrent le sol d'Afrique, retentit le premier des quatorze coups de canon de salut. Un long panache de fumée argentée jaillit de la meurtrière au sommet de la redoute sud, et le tonnerre de la détonation fit à ce point sursauter le représentant de la Compagnie qu'il faillit en perdre son chapeau à plumet.

Le gouverneur Kleinhans, transporté de joie par l'arrivée tant attendue de son successeur, était venu à sa rencontre. Le commandant de la garnison, tout aussi impatient de passer le relais au colonel Schreuder et de secouer la terre africaine de ses bottes, se trouvait sur les remparts de la forteresse, sa longue-vue braquée sur les dignitaires.

La voiture officielle attendait au-dessus de la plage, attelée de six magnifiques chevaux gris. Le gouverneur Kleinhans en descendit pour accueillir les nouveaux arrivants, une main plaquée sur son chapeau pour empêcher que le vent ne l'emporte. Une garde d'honneur était alignée autour de l'équipage. Plusieurs centaines d'hommes, de femmes et d'enfants s'étaient rassemblés sur le front de mer. Tous les résidents de la colonie capables de marcher ou de ramper étaient sortis pour accueillir le gouverneur Van de Velde qui avançait à grand-peine sur le sable mou.

Lorsqu'il parvint enfin sur un terrain plus ferme et eut repris sa respiration et retrouvé sa dignité, il accepta les paroles de bienvenue du gouverneur Kleinhans. Ils se serrèrent la main sous les acclamations et les applaudissements de la foule. Les soldats de l'escorte présentèrent armes et l'orphéon joua un air patriotique plein d'allant. Le morceau se termina par un claquement de cymbales et un roulement de tambours. Les deux gouverneurs s'embrassèrent spontanément, Kleinhans enchanté de pouvoir rentrer à Amsterdam et Van de Velde d'avoir échappé à la mort, à la tempête et aux pirates et de sentir à nouveau une terre hollandaise sous ses pieds.

Tandis que Sam Bowles et ses hommes détachaient les cadavres de leurs chaînes dans l'entrepont à esclaves et les jetaient par-dessus bord, accroupi avec les autres captifs, Hal regardait de loin le gouverneur Kleinhans et le colonel Schreuder aider Katinka à monter dans la voiture.

— N'est-ce pas la plus belle dame du monde? murmura-t-il à Daniel et Aboli en sentant son cœur se déchirer. Elle usera de son influence en notre faveur. Maintenant que son mari a les pleins pouvoirs, elle le persuadera de nous traiter justement.

Sans répondre, les deux hommes échangèrent un regard. Daniel sourit et Aboli leva les yeux au ciel.

Lorsque Katinka fut assise sur la banquette de cuir, on hissa son mari à bord. La voiture tangua sous son poids. Dès qu'il fut bien installé près de son épouse, l'orphéon entonna une marche enlevée, l'escorte porta armes et se mit en marche, offrant un spectacle exaltant avec leurs ceintures blanches croisées et leur pourpoint vert. La procession se déroula en direction du fort à travers le champ de parade, la foule courant en avant de l'équipage et lui faisant une haie d'honneur.

— Adieu, messieurs. Cela a été un plaisir et un privilège de vous avoir à bord, lança le Busard en touchant son chapeau dans un salut ironique pendant que Sir Francis traversait le pont en traînant ses chaînes et conduisait la file de ses marins par l'échelle dans la chaloupe amarrée contre le flanc du *Goéland*.

Tant d'hommes enchaînés faisaient un lourd chargement pour le canot compte tenu de la houle, et c'est avec quelques centimètres seulement de franc-bord qu'ils s'éloignèrent du navire.

A l'approche de la plage, les rameurs s'évertuèrent à maintenir la poupe de la chaloupe dans les déferlantes, mais une lame plus haute la souleva et la déporta par le travers. Elle embarda fortement, noya son plat-bord et chavira par quatre pieds de profondeur. Equipage et passagers furent projetés dans l'eau écumante et la chaloupe, prise dans le remous.

Crachant et toussant, les prisonniers réussirent à se tirer les uns les autres par leurs chaînes hors des vagues. Par miracle, il n'y eut aucun noyé, mais l'effort les avait épuisés. Lorsque les gardes de la forteresse les malmenèrent pour qu'ils se relèvent et les poussèrent sur la plage avec force jurons et coups de crosse, ils ruisselaient, recouverts d'un glaçage de sable blanc.

Après avoir vu la voiture franchir les portes du fort, la foule reflua vers le front de mer pour se divertir du spectacle qu'offraient ces misérables. Ils les examinaient comme s'ils avaient été sur le marché aux bestiaux, riant sans retenue, faisant des plaisanteries grivoises.

— Je trouve qu'ils ressemblent plus à des Bohémiens et à des mendiants qu'à des pirates anglais.

— Vous ne me verrez pas lorsque ceux-là seront vendus aux enchères comme esclaves, je préfère garder mes florins.

— Les pirates, ça ne se vend pas, ça se brûle.

— Ils ne paient pas de mine, mais au moins ils nous donneront un peu de distraction. Nous n'avons pas eu une seule belle exécution depuis la révolte des esclaves.

— Stadige Jan est là, il est venu les voir. Je vous garantis que ces corsaires vont apprendre quelques petites astuces auprès de lui.

Hal tourna la tête vers l'endroit où un citoyen aux vêtements sombres et ternes, coiffé d'un chapeau de puritain, dépassait la foule d'une tête. Il jeta à Hal un regard sans expression de ses yeux pâles et jaunes.

— Que pensez-vous de ces Apollons, Stadige Jan? Arriverez-vous à les faire chanter joliment pour nous?

Hal sentait la répulsion et la fascination que cet homme inspirait aux gens qui l'entouraient. Aucun ne l'approchait de trop près et ils le regardaient de telle manière que Hal sut d'instinct que c'était le bourreau dont on leur avait parlé. Ses yeux délavés lui donnèrent la chair de poule.

— Pourquoi crois-tu qu'ils l'appellent Slow John? demanda-t-il à Aboli.

— J'espère que nous n'aurons jamais l'occasion de l'apprendre, répondit celui-ci tandis qu'ils passaient devant le personnage à la haute stature et au teint cadavérique.

Des petits garçons, à la peau brune ou blanche, suivaient en gambadant la colonne des hommes enchaînés; ils se moquaient d'eux et leur lançaient des cailloux ou des ordures qu'ils ramassaient dans les égouts à ciel ouvert qui descendaient vers la mer. Encouragés par leur exemple, une meute de bâtards essayaient de leur mordre les chevilles. Les badauds avaient revêtu leurs plus beaux atours pour cette exceptionnelle occasion et riaient des singeries des enfants. Prises d'un frisson d'horreur doublée d'excitation, des femmes portaient un sachet d'herbes aromatiques à leurs narines lorsque leur parvenait l'odeur que dégageait la cohorte des prisonniers débraillés.

— Oh! Quelles épouvantables créatures!

— Regardez ces visages cruels et brutaux.

— J'ai entendu dire qu'ils donnaient à manger de la chair humaine à ces nègres.

Aboli fit une affreuse grimace et roula des yeux dans leur direction, arborant fièrement ses scarifications, ses grandes dents blanches découvertes dans un rictus effrayant. Les femmes poussèrent de petits cris de terreur mêlée de ravissement et les fillettes enfouirent leur visage dans les robes de leur mère.

Derrière, un peu à l'écart de la foule, sans prendre part à ces jeux cruels et à ces brimades, se tenaient des hommes et des femmes qui, estima Hal, devaient être les esclaves au service des propriétaires de la colonie. Leur peau présentait toute la gamme des nuances entre le noir anthracite des Africains et l'ambre des Asiatiques. La plupart étaient simplement vêtus d'effets mis au rebut par leurs propriétaires, bien que certaines parmi les plus jolies femmes portassent des vêtements extravagants, montrant par là qu'elles étaient le jouet favori de leur maître.

Ils regardaient tranquillement les marins passer devant eux en traînant les pieds dans un cliquetis de chaînes. Hal sentit même une certaine empathie derrière l'impassibilité de leurs visages, car eux aussi étaient des captifs. Juste avant de franchir les portes du fort, il remarqua une jeune fille à l'arrière de la foule. Elle était montée sur un tas de pierres pour mieux voir et se trouvait au-dessus de la cohue. Mais ce n'était pas la seule raison pour laquelle Hal l'avait distinguée des autres.

Sa beauté dépassait tout ce qu'il avait pu imaginer chez une femme. Ses cheveux d'un noir brillant et ses yeux sombres qui semblaient trop grands pour l'ovale délicat de son visage étaient un véritable ravissement. Pendant quelques instants leurs regards se croisèrent et Hal eut l'impression qu'elle essayait de lui faire passer un message qu'il était incapable de déchiffrer. Il savait seulement qu'elle éprouvait pour lui de la compassion et qu'elle partageait ses souffrances. Quand on les fit entrer dans la cour du fort, il la perdit de vue.

Son image lui resta pendant les jours terribles qui suivirent. Peu à peu, elle remplaça le souvenir de Katinka, revenant parfois la nuit pour lui donner la force dont il avait besoin pour endurer ces épreuves. Il sentait que s'il y avait hors de ces murailles sévères ne serait-ce qu'une seule personne d'une telle beauté et d'une telle délicatesse, cela valait la peine de continuer à lutter.

Dans la cour du fort, un armurier leur ôta leurs fers. Un détachement envoyé à terre sous les ordres de Sam Bowles attendait pour récupérer les chaînes et les rapporter à bord du *Goéland*.

— Vous allez me manquer, camarades, fit gaiement Bowles. Les ponts inférieurs vont me paraître bien vides sans vos visages souriants et votre babillage guilleret... J'espère qu'ils prendront aussi bien soin de vous que l'a fait votre vieil ami Sam Bowles. Mais, n'ayez crainte, je serai sur le champ de parade quand vous donnerez votre dernier spectacle, lança-t-il depuis la porte tandis qu'il s'en allait avec ses hommes.

Quand Bowles fut parti, Hal jeta un coup d'œil circulaire dans la cour. La forteresse en imposait par ses dimensions. Pour parfaire son éducation, son père lui avait fait étudier la science des fortifications terrestres, et il reconnaissait donc le plan classique des murs défensifs et des redoutes. Il se rendit compte que, une fois la construction achevée, une armée équipée pour un long siège serait nécessaire pour prendre la place.

Les travaux n'en étaient cependant qu'à la moitié; sur le côté terre du fort ou, comme disaient leurs nouveaux geôliers, du château — *het Kasteel* —, il n'y avait encore que les fondations. Il était clair néanmoins que l'on accélérait les travaux. Les deux récentes guerres anglo-hollandaises étaient vraisemblablement à l'origine de cet élan. Tant Oliver Cromwell, le « lord-protecteur » du Commonwealth d'Angleterre, d'Ecosse et du Pays de Galles, durant l'interrègne, que le roi Charles, fils de l'homme qu'il avait fait décapiter, étaient pour quelque chose dans l'activité fébrile qui régnait autour d'eux. Ils avaient rappelé énergiquement aux Hollandais combien leurs vastes colonies étaient vulnérables. Les murs en cours de construction grouillaient de centaines d'ouvriers et la cour dans laquelle ils se trouvaient était encombrée de tas de bois de charpente et de blocs de pierre arrachés à la montagne qui dressait sa masse impressionnante.

Considérés comme des prisonniers dangereux, ils devaient être détenus à part. De la cour, on les conduisit par un escalier en colimaçon qui descendait sous le mur sud du fort. Les pierres du sol, des murs et des voûtes étaient luisantes d'humidité. Même en cette journée ensoleillée d'automne, la température à l'intérieur de ces lieux froids et sinistres les faisait frissonner.

Au pied de la première volée de marches, les geôliers tirèrent Sir Francis Courteney hors de la file et le jetèrent dans une petite cellule, à peine assez grande pour qu'un homme y tienne. Il y en avait une douzaine identiques, chacune fermée par une porte de bois massif clouté, dont le minuscule judas était fermé. Leurs occupants ne pouvaient pas voir les autres détenus.

— Quartiers spéciaux pour vous, Sir Pirate, lança un solide geôlier hollandais en claquant la porte qu'il referma avec une des énormes clés du trousseau qui pendait à sa ceinture. C'est l'*Antre des Pendards*, réservé aux meurtriers, aux rebelles et aux voleurs. Vous vous sentirez chez vous, j'en suis sûr.

Les autres prisonniers furent emmenés au niveau inférieur du donjon. Le sergent-geôlier ouvrit la grille au bout du tunnel et on les poussa à l'intérieur d'une cellule longue et étroite. Une fois la grille refermée, ils avaient tout juste assez de place pour s'étendre sur la fine couche de paille humide qui recouvrait le sol pavé. Un unique seau servait de latrines, mais les hommes émirent un murmure de plaisir en voyant la grande citerne d'eau près de la grille. Cela signifiait au moins qu'ils n'étaient plus soumis au même rationnement qu'à bord.

Quatre lucarnes s'ouvraient dans la partie haute d'un mur, et quand ils eurent inspecté ce qui les entourait, Hal leva les yeux vers elles. En grimpant sur les épaules d'Aboli, il parvint à atteindre une de ces étroites ouvertures. Comme les autres, elle était fermée par de lourds barreaux, mais Hal éprouva malgré tout leur résistance. Ils ne bougeaient pas d'un millimètre et il dut se rendre à l'évidence qu'aucune évasion n'était possible de ce côté-là.

En se tenant aux barreaux, il effectua une traction et jeta un coup d'œil à l'extérieur. Il constata que l'ouverture se trouvait à un pied au-dessus du sol et qu'elle donnait sur une partie de la cour intérieure du château. Il pouvait voir l'entrée et le magnifique portail qui, pensa-t-il, devaient donner accès aux bureaux de la Compagnie et du gouverneur. D'un côté, là où les murs n'avaient pas encore été élevés, il apercevait une partie des flancs à pic de la montagne en forme de table et, au-dessus, un ciel sans nuages sur lequel se détachait un vol de mouettes.

Il se laissa retomber et se fraya un chemin au milieu des marins, enjambant les malades et les blessés. Arrivé à la grille, il regarda vers le haut de l'escalier sans voir la porte de la cellule de Sir Francis.

— Père! appela-t-il non sans hésitation, s'attendant à être rabroué par l'un des geôliers, mais il n'y eut pas de réaction et il appela de nouveau en haussant la voix.

— Je t'entends, Hal, répondit son père.

— Avez-vous des ordres à nous donner, père?

— Je pense qu'ils vont nous laisser tranquilles pendant un jour ou deux, du moins tant qu'ils n'auront pas convoqué un tribunal. Nous allons devoir attendre jusque-là. Dis aux hommes de ne pas perdre courage.

Sur ce, une voix se fit entendre, s'exprimant en anglais mais avec un accent inhabituel.

— Etes-vous les pirates anglais dont nous avons tant entendu parler?

— Nous sommes d'honnêtes marins, injustement accusés, cria Sir Francis en réponse. Qui êtes-vous?

— Votre voisin, à deux cellules de la vôtre. Je suis condamné à mort, comme vous.

— Nous ne sommes pas encore condamnés, protesta Sir Francis.

— Ce n'est qu'une question de temps. Les geôliers ont dit que vous alliez l'être bientôt.

— Quel est votre nom? Quel crime avez-vous commis? demanda Hal à son tour.

— Je m'appelle Althuda et mon crime est d'aspirer à la liberté et d'avoir voulu libérer d'autres hommes.

— Nous sommes donc frères, Althuda, vous, moi et tous les hommes qui sont ici. Nous aspirons tous à la liberté.

Il y eut un concert d'approbations. Quand il eut pris fin, Althuda reprit :

— J'ai fomenté une révolte des esclaves de la Compagnie. Certains ont été repris. Slow John les a brûlés vifs, mais la plupart d'entre nous se sont enfuis dans les montagnes. Ils ont envoyé plusieurs fois des soldats à nos trousses, mais nous nous sommes battus, nous les avons repoussés et ils n'ont pas réussi à nous ramener en captivité.

La voix était jeune, énergique, fière et forte, et même avant d'avoir vu son visage, Hal se sentit captivé par Althuda.

— Si tu t'es échappé, comment se fait-il que tu te retrouves dans cette cellule? demanda un des marins anglais.

Tous écoutaient à présent attentivement. Le récit d'Althuda avait ému même les plus endurcis.

— Je suis revenu porter secours à l'une d'entre nous restée en arrière, expliqua Althuda. En rentrant sur le territoire de la colonie, j'ai été reconnu et trahi.

Tous gardèrent le silence pendant un moment.

— Une femme? demanda une voix, tu es revenu pour une femme?

— Oui.

— Il y a toujours une Eve dans le jardin d'Eden pour nous tenter et nous amener à faire des sottises, jeta l'un d'eux, et tous éclatèrent de rire.

— C'est ta bien-aimée? demanda quelqu'un.

— Non, répondit Althuda. C'est ma jeune sœur.

Trente invités participaient au banquet donné par le gouverneur Kleinhans en l'honneur de son successeur, les hommes les plus importants de l'administration de la colonie accompagnés de leur épouse.

A la place d'honneur, Petrus Van de Velde regardait avec délectation la longue table en bois de rose illuminée par de grands lustres, chacun supportant une cinquantaine de chandelles parfumées. Elles éclairaient la vaste salle comme en plein jour et faisaient étinceler l'argenterie et les verres de cristal.

Depuis son départ de la côte de Trincomalee plusieurs mois auparavant, Van de Velde avait dû se contenter des abats et de la pâtée préparée à bord du galion, puis de la nourriture grossière que lui servaient les pirates anglais. Il contemplait avec des yeux brillants de convoitise les fantaisies culinaires étalées sur la table. Il prit le verre à pied posé devant lui et but une gorgée de champagne. Les bulles lui chatouillèrent le palais, aiguisant encore son appétit dévorant.

Cette nouvelle affectation, qu'il devait aux liens de sa femme avec le Conseil des Dix-Sept, était une bénédiction. Leur situation à l'extrême pointe méridionale de l'Afrique leur permettait de bénéficier du passage constant de navires dans les deux sens, lesquels apportaient dans la baie de la Table les produits de luxe en provenance d'Europe et d'Orient. Ils ne manqueraient de rien.

Il maudit intérieurement Kleinhans pour son interminable discours de bienvenue qu'il entendit à peine, toute son attention accaparée par le déploiement de plats en argent disposés devant lui.

Il y avait des cochons de lait en robe croustillante de couenne

251

rissolée, des doubles aloyaux de bœuf baignant dans leur jus au milieu de remparts de pommes de terre rôties, des monceaux de poulettes, de pigeons, de canards et d'oies bien grasses, cinq espèces de poissons de l'Atlantique accommodés de façons différentes et fleurant les épices de Java, de Kandy et de l'Inde, d'imposantes pyramides de langoustes, abondantes dans la région, un grand assortiment de fruits et de légumes provenant des jardins de la Compagnie, des sorbets, des crèmes renversées, des boulettes de pâte sucrée, des gâteaux, des confitures et toutes les douceurs que les chefs esclaves avaient pu imaginer. Il y avait aussi les fromages rapportés de Hollande par les navires de la Compagnie et des pots de harengs de la mer du Nord en saumure, des tranches de sanglier et de saumon fumés.

En contraste avec cette surabondance, toutes les pièces du service étaient décorées des mêmes motifs délicats bleu et blanc. Derrière chaque chaise se tenait un esclave en gants blancs et livrée verte de la Compagnie, prêt à remplir les verres et les assiettes. Ne va-t-il donc jamais s'arrêter ? se demandait Van de Velde en souriant et acquiesçant aux inepties de Kleinhans.

Après s'être incliné devant le nouveau gouverneur et son épouse, Kleinhans s'assit finalement et chacun regarda Van de Velde dans l'expectative. Il jeta un coup d'œil circulaire à tous ces visages stupides puis, avec un soupir, se leva pour prendre à son tour la parole. « Deux minutes suffiront », se dit-il et il leur déclama ce qu'ils attendaient, terminant son allocution d'un ton jovial :

— Pour conclure, il me reste à souhaiter au gouverneur Kleinhans un retour paisible au pays et une retraite longue et heureuse.

Il se rassit avec promptitude et prit sa cuillère. C'était la première fois que les notables avaient le privilège de voir le nouveau gouverneur à table, et un silence stupéfait et respectueux tomba sur l'assistance lorsqu'ils virent le niveau de la soupe dans son assiette baisser aussi vite que la marée descendante sur les plaines boueuses du Zuiderzee. Puis, s'avisant que les assiettes étaient changées dès que l'invité d'honneur avait fini, ils attaquèrent frénétiquement leur repas pour rattraper le retard. Beaucoup avaient un sacré coup de fourchette mais aucun n'égalait le gouverneur.

Lorsque son assiette fut vide, les domestiques firent disparaître toutes les autres et servirent d'épaisses tranches de cochon de lait. Les deux premiers plats furent ingurgités dans un silence presque total que seules troublaient les mastications.

Pendant le troisième service, Kleinhans tenta vaillamment de ranimer la conversation. Il se pencha en avant pour essayer d'attirer l'attention de Van de Velde, absorbé par le contenu de son assiette.

— J'imagine que vous souhaitez avant toute chose régler la question de ces pirates anglais, dit-il.

Van de Velde hocha vigoureusement la tête, mais il avait la bouche trop pleine de langouste pour pouvoir répondre.

— Avez-vous déjà décidé de la façon dont vous allez régler leur procès et leur condamnation ? s'enquit Kleinhans d'un ton lugubre.

Van de Velde avala bruyamment avant de répondre :

— Ils seront exécutés, cela va sans dire, mais pas avant que leur capitaine, ce Francis Courteney, pirate de triste réputation, n'ait révélé l'endroit où il a caché le reste de la cargaison de la Compagnie. J'envisage de convoquer immédiatement un tribunal à cet effet.

Le colonel Schreuder toussa poliment et Van de Velde lui jeta un regard impatient :

— Oui ? Vous vouliez dire quelque chose ? Eh bien allez-y.

— Aujourd'hui, monsieur, dit le colonel, j'ai inspecté les travaux en cours des fortifications. Dieu seul sait quand aura lieu la prochaine guerre avec l'Angleterre, mais ce pourrait être très bientôt. Les Anglais sont des voleurs dans l'âme et des pirates par vocation. C'est pour ces raisons, monsieur, que les Dix-Sept à Amsterdam estiment que l'achèvement de ces travaux est prioritaire. Cela est clairement énoncé dans les ordres écrits que j'ai reçus et dans ma lettre de nomination au commandement du *kasteel*.

Tous prirent l'air grave et attentif à la mention des Dix-Sept comme si le nom d'une divinité avait été invoqué. Schreuder laissa le silence se prolonger un moment pour leur permettre d'apprécier la pertinence de sa remarque.

— Les travaux sont très en retard par rapport à ce qu'ont décrété Leurs Excellences, conclut-il enfin.

— Il est vrai qu'ils ont pris quelque retard, mais il y a de bonnes raisons à cela, intervint le major Loten, le commandant de la garnison sortant.

La construction était essentiellement sous sa responsabilité ; le gouverneur Van de Velde se tourna vers lui tout en dégustant une nouvelle bouchée de langouste. La sauce était véritablement délicieuse et il soupira d'aise à la pensée qu'il allait jouir d'un ordinaire de cette qualité pendant cinq ans. Il lui faudrait acheter le chef de Kleinhans avant qu'il ne reparte pour la Hollande. Il prit un air plus grave pour écouter Loten plaider sa propre cause.

— J'ai été considérablement gêné par un manque de main-d'œuvre, fit valoir celui-ci. Cette très regrettable révolte des esclaves nous a laissés très à court de personnel.

— C'est précisément là où je voulais en venir, reprit doucereusement Schreuder. Si nous manquons à ce point de main-d'œuvre pour répondre aux attentes des Dix-Sept, est-il bien sage d'exécuter vingt-quatre pirates anglais forts et robustes au lieu de les mettre à l'ouvrage ?

Tous les regards se tournèrent vers Van de Velde pour juger de ses réactions et de l'attitude à adopter. Le nouveau gouverneur avala et extirpa un morceau de langouste coincé entre ses molaires avant de prendre la parole :

— Il est inconcevable d'épargner Courteney. Même pour travailler aux fortifications. D'après Lord Cumbria, dont je respecte l'opinion, dit-il avec un petit salut au Busard, l'Anglais sait où est cachée la partie manquante de la cargaison. De plus, ma femme et moi, ajouta-t-il en saluant de la tête Katinka, assise entre Kleinhans et Schreuder. avons été obligés de subir maints outrages entre ses mains.

— Je suis de votre avis, reprit Schreuder. Il faut l'amener à dire tout ce qu'il sait des valeurs en espèces. Mais les autres ? Ne pensez-vous pas que c'est un grand gaspillage de les exécuter alors que nous avons besoin d'eux sur le chantier ? Ce ne sont après tout que des bœufs sans grande conscience de la gravité de leur crime mais dont le dos est assez solide pour en payer le prix.

Van de Velde grogna évasivement.

— Je souhaiterais entendre l'opinion du gouverneur Kleinhans en cette matière, dit-il en se remplissant la bouche derechef, la tête légèrement penchée, ses petits yeux braqués sur son prédécesseur.

Avec prudence, il lui laissait le soin de prendre la décision. Par la suite, en cas de répercussions fâcheuses, il pourrait toujours se décharger sur lui d'une partie de la responsabilité.

— Il est vrai, dit Kleinhans avec un geste de main désinvolte, qu'en ce moment les esclaves de premier choix se vendent pour près de mille florins par tête. Un tel apport dans la bourse de la Compagnie serait tout à fait au goût de Ses Excellences. Les Dix-Sept entendent bien que la colonie subvienne à ses propres besoins et ne représente pas une charge pour les finances de la Compagnie.

Tous considérèrent gravement ces remarques. Dans le silence, Katinka lança d'une voix cristalline :

— J'aurai moi-même besoin d'esclaves pour ma maison. Je serais heureuse de pouvoir acheter quelques bons travailleurs, même à des prix aussi exorbitants.

— En vertu des accord et protocole internationaux, il est interdit de vendre des chrétiens comme esclaves, même des Anglais, fit remarquer Schreuder qui voyait s'amenuiser la perspective de se procurer de la main-d'œuvre pour les fortifications.

— Tous les pirates capturés ne sont pas des chrétiens, objecta Kleinhans. J'ai vu parmi eux un certain nombre d'Africains. Les esclaves noirs sont très demandés dans la colonie. Ce sont de bons travailleurs et de bons reproducteurs. Ne serait-ce point un heureux compromis que de les vendre pour plaire aux Dix-Sept ? Nous pourrions ensuite condamner les Anglais aux travaux forcés à perpétuité. Ils permettraient de hâter l'achèvement des fortifications, ce qui plairait aussi aux Dix-Sept.

Van de Velde grogna de nouveau et nettoya son assiette bruyamment pour montrer qu'il était prêt à goûter au bœuf. Il soupesa ces arguments contradictoires pendant qu'on posait devant lui une nouvelle assiette bien remplie. Une autre considération entrait en ligne de compte dont personne n'avait conscience : la haine farouche qu'il vouait à Schreuder. Il ne voulait en aucun cas lui faciliter la vie et, pour dire la vérité, il eût été ravi que le colonel échoue lamentablement dans ses nouvelles fonctions et reçoive l'ordre de rentrer au pays en disgrâce — pourvu que son échec n'entraînât pas son propre discrédit.

Il regarda Schreuder durement en caressant l'idée de lui opposer un refus. Il ne savait que trop ce qu'il avait en tête et tourna son attention vers sa femme. Katinka était rayonnante. Ces quelques jours passés dans leurs appartements provisoires du château depuis leur arrivée au Cap lui avaient suffi pour se remettre de leur long voyage et de la captivité imposée par Sir Francis Courteney. Evidemment, elle était jeune — à peine vingt-quatre ans — et récupérait bien, mais cela ne suffisait pas à expliquer sa gaieté et sa vivacité du moment. Chaque fois que parlait ce prétentieux de Schreuder — trop souvent à son goût —, elle tournait vers lui ses grands yeux innocents et buvait ses paroles. Lorsqu'elle s'adressait à lui, ce qui arrivait aussi trop souvent, elle posait sa délicate main blanche sur son bras, et une fois, au grand dam de Van de Velde, elle la plaça même sur celle de Schreuder, l'y laissant assez longtemps pour que toute l'assistance le remarque et échange des petits sourires narquois.

Assister à cette cour éhontée non seulement sous son nez mais aussi sous celui des membres du gratin de la colonie faillit lui gâcher l'appétit. Il eût été déjà assez pénible qu'en privé le vaillant colonel vînt farfouiller sous ces jupons froufroutants, mais il était intolérable qu'il le fît devant tous ses sous-fifres. Comment pourrait-il exiger d'eux le respect et une obéissance adulatrice si sa femme était déterminée à rendre ses cornes visibles à tous ? « Lorsque je l'ai expédié à Amsterdam pour négocier ma rançon, pensa-t-il, maussade, j'étais persuadé qu'on ne reverrait plus le colonel Schreuder. » Il lui faudrait, semblait-il, prendre des mesures plus radicales à l'avenir. Et tandis que défilaient les seize plats, il retourna dans sa tête les diverses possibilités qui s'offraient à lui.

Van de Velde était si saturé de nourriture qu'il effectua le court trajet entre la grande salle du château et la chambre du conseil en soufflant comme un bœuf, s'arrêtant de temps à autre, apparemment pour admirer les tableaux et autres œuvres d'art qui décoraient les murs, mais en fait pour reprendre des forces.

Dans la chambre du conseil, il s'installa avec un profond soupir sur les coussins de l'un des fauteuils à dossier haut et accepta un verre de cognac et une pipe.

— Je vais convoquer le tribunal pour juger les pirates dès la semaine prochaine, autrement dit immédiatement après que Mijnheer Kleinhans m'aura transmis officiellement sa charge, annonça-t-il. Il n'y a aucune raison de perdre davantage de temps avec cette canaille. Je désigne le colonel Schreuder pour engager les poursuites et remplir les fonctions de procureur. J'assumerai celles de juge. Ayez l'obligeance, je vous prie, de demander à vos subalternes de prendre les dispositions nécessaires, Mijnheer Kleinhans, ajouta-t-il en s'adressant à son hôte.

— Certainement, Mijnheer Van de Velde. Avez-vous songé à désigner un avocat de la défense ?

L'expression de Van de Velde montra clairement qu'il n'en avait rien fait, mais il éluda la question d'un geste de sa main rondelette et déclara avec désinvolture :

— Voulez-vous y veiller ? Je suis persuadé qu'un de vos commis possède les connaissances juridiques suffisantes pour assumer convenablement cette fonction. Après tout, qu'y a-t-il là à défendre ? dit-il avec un gloussement guttural.

— Un nom me vient à l'esprit, acquiesça Kleinhans. Je vais le nommer et faire en sorte qu'il puisse accéder aux cellules pour recevoir les déclarations des détenus.

— Grand Dieu ! lança Van de Velde d'un air scandalisé. Pourquoi cela ? Je ne tiens pas à ce que ce gredin de Courteney lui mette toutes sortes d'idées en tête. Je lui exposerai les faits moi-même. Il n'aura besoin que de les répéter devant le tribunal.

— Je comprends, convint Kleinhans. Tout sera réglé avant que je ne me retire la semaine prochaine. Madame, ajouta-t-il en s'adressant à Katinka, vous avez certainement le désir de quitter vos appartements provisoires du château et d'emménager dès que possible dans la résidence infiniment plus spacieuse et confortable du gouverneur. J'ai pensé que nous pourrions organiser une visite de votre nouvelle demeure après le service religieux de dimanche. Je serais ravi de vous en faire personnellement les honneurs.

— C'est très aimable à vous, monsieur, répondit Katinka en souriant, contente d'être de nouveau l'objet de l'attention générale.

Pendant quelques instants, Kleinhans jouit de la faveur qu'elle lui faisait en acceptant chaleureusement sa proposition, puis il reprit de façon embarrassée :

— Comme vous pouvez l'imaginer, après tant d'années de service dans la colonie, ma maison est devenue très importante. Il se trouve que les cuisiniers qui ont préparé l'humble repas que nous avons partagé ce soir font partie de mes esclaves personnels. J'espère, dit-il en jetant un coup d'œil à Van de Velde, que leurs efforts ont mérité votre approbation. Comme vous le savez, reprit-il en s'adressant de nouveau à Katinka après que le gouverneur eut hoché la tête d'un air satisfait, je ne vais pas tarder à regagner notre pays et à me retirer dans la modeste propriété que j'ai à la campagne. Vingt esclaves dépassent largement les besoins qui seront les miens. Vous avez, Mevrouw, exprimé votre intention d'acheter des esclaves de qualité. Je souhaiterais profiter de votre visite de la résidence pour vous montrer les créatures que j'ai à vendre. Elles ont toutes été triées sur le volet, et je pense que vous jugerez plus commode et moins onéreux d'effectuer une transaction directe plutôt que de participer aux enchères publiques. L'ennui lorsque l'on achète des esclaves est que ceux qui semblent valoir leur prix sur la sellette peuvent posséder des vices cachés. Il est toujours plus rassurant de savoir que le vendeur a des raisons plus saines de s'en défaire, n'est-ce pas ?

Hal postait en permanence un homme pour faire le guet à une des lucarnes de la cellule. Monté sur les épaules d'un autre, accroché aux barreaux, il surveillait la cour du château et décrivait ce qu'il voyait à Hal, qui à son tour retransmettait les informations à son père par la cage d'escalier.

En l'espace de quelques jours, ils réussirent à déterminer quel était l'emploi du temps de la garnison et à noter les allées et venues des responsables de la Compagnie et des notables qui se rendaient régulièrement au château.

Hal fit la description de ces personnes au leader invisible de la rébellion des esclaves. Althuda était au courant de détails personnels concernant chaque habitant de la colonie et il partagea son savoir avec eux, si bien que Hal en vint rapidement à connaître non seulement l'apparence physique de chacun mais aussi sa personnalité et son caractère.

Il commença à tenir un calendrier en marquant chaque jour par une entaille sur un bloc de grès dans un coin de la cellule et en consignant à côté les événements les plus importants. Il ne savait trop quelle serait l'utilité de ce travail, mais au moins cela donnait aux hommes un sujet de conversation et entretenait l'illusion qu'il avait un plan d'action pour leur libération ou, à défaut, leur évasion.

— La voiture du gouverneur arrive aux escaliers! avertit l'homme de guet.

A ces mots, Hal se leva d'un bond et prit la place du guetteur. A travers les barreaux, il vit la voiture officielle garée au pied des larges escaliers qui conduisaient aux bureaux de la Compagnie et aux appartements du gouverneur. Le cocher, Fredricus, était un vieil esclave javanais qui appartenait au gouverneur Kleinhans. D'après Althuda, ce n'était pas un ami. Depuis trente ans, il était le chien de garde de Kleinhans et on ne pouvait lui faire confiance. Althuda soupçonnait que c'était lui qui l'avait trahi et avait signalé son retour au major Loten. « Nous serons probablement débarrassés de lui lorsque Kleinhans quittera la colonie. Il va certainement emmener Fredricus avec lui en Hollande », leur avait dit Althuda.

Il y eut une agitation soudaine. Un détachement de soldats déboucha à la hâte de l'armurerie, traversa la cour et vint s'aligner au pied de l'escalier.

— Kleinhans va sortir, lança Hal qui reconnaissait les préparatifs, et, à l'instant même, la porte à deux battants s'ouvrit d'un seul coup et un petit groupe apparut et descendit vers la voiture.

La haute silhouette voûtée de Kleinhans, avec son visage rébarbatif de dyspeptique, contrastait fortement avec la jolie jeune femme qu'il avait à son bras. Hal eut un pincement de cœur en reconnaissant Katinka, mais ses sentiments n'étaient plus aussi vifs qu'ils l'avaient été. En revanche, il plissa les yeux en voyant l'épée de Neptune dans son fourreau en argent ciselé incrusté d'or suspendue au côté du colonel Schreuder qui suivait Katinka. Chaque fois qu'il le voyait la porter sa colère se rallumait.

Fredricus descendit avec raideur de son siège haut, déplia le marchepied, ouvrit la porte de la voiture et s'écarta pour laisser les deux messieurs donner la main à Katinka afin de l'aider à grimper et à s'installer confortablement.

— Que se passe-t-il? cria son père.

Hal sursauta en se rendant compte qu'il n'avait rien dit depuis qu'il avait posé les yeux sur la femme qu'il aimait. La voiture franchit les portes du château et les sentinelles saluèrent tandis que Fredricus lançait les chevaux au trot dans le champ de parade.

C'était une journée d'automne radieuse et l'incessant vent de sud-est était tombé. Katinka était assise à côté du gouverneur Kleinhans dans le sens de la marche. Cornelius Schreuder se trouvait face à elle. Son mari était resté à son bureau, peinant sur les rapports qu'il préparait pour les Dix-Sept, et elle avait de nouveau le diable au corps. Elle déploya les crinolines froufroutantes de ses jupes de façon qu'elles recouvrent les bottes du colonel.

Tout en continuant de bavarder d'un ton animé avec Kleinhans, elle entreprit de faire du pied à Schreuder qui sursauta. Lorsqu'elle recommença, il répondit à sa pression avec timidité. Se détournant alors de Kleinhans, elle s'adressa directement à Schreuder.

— Ne croyez-vous pas, colonel, qu'une allée de chênes conduisant à la résidence serait du plus bel effet? Je vois déjà se dresser vigoureusement leurs gros troncs. Ce serait splendide.

Elle ouvrit tout grands ses yeux violets pour donner à sa remarque toute sa signification, et elle lui pressa de nouveau le pied.

— Certes, Mevrouw, fit Schreuder d'une voix rauque. Je suis tout à fait de votre avis. L'image que vous dépeignez est si vivante que vous devriez être à même de voir la tige grossir sous vos yeux.

Sur quoi, elle baissa le regard vers son giron et, à sa stupéfaction, s'aperçut de l'effet qu'elle exerçait sur lui.

A un kilomètre et demi de la masse menaçante du château s'élevait la résidence du gouverneur, en amont des jardins de la Compagnie, bâtisse élégante au toit de chaume sombre, aux murs blanchis à la chaux et entourée par de larges vérandas. La construction était en forme de croix et des frises en plâtre représentant les saisons décoraient chacun de ses quatre pignons. Le parc était entretenu avec amour par les jardiniers de la Compagnie.

Avant même d'être arrivée, Katinka était enchantée de sa nouvelle demeure. Elle avait craint d'être logée dans quelque affreuse masure, mais cette résidence dépassait ses espérances les plus optimistes. Tous les domestiques étaient alignés sur le vaste perron pour l'accueillir.

La voiture s'immobilisa et ses deux accompagnateurs s'empressèrent d'aider Katinka à en descendre. A un signal, tous les serviteurs levèrent leur chapeau et s'inclinèrent jusqu'à balayer le sol devant elle avec leur couvre-chef, tandis que les femmes faisaient une profonde révérence. Katinka répondit froidement à leur salut d'un signe de tête et Kleinhans les présenta l'un après l'autre. La plupart, à la peau brune ou jaune, ne l'impressionnèrent nullement, et après un coup d'œil hâtif elle passait au suivant, se hâtant d'en finir aussi vite que possible avec ce rituel fastidieux. Un ou deux retinrent cependant son attention quelques instants.

— Voici le chef jardinier, fit Kleinhans en faisant approcher d'un claquement de doigts un homme qui tenait devant sa poitrine son chapeau à large bord et ruban à boucle d'argent. Il occupe une place d'une certaine importance dans notre communauté. Non seulement il est responsable de ce parc magnifique, dit Kleinhans en montrant les pelouses impeccables et les parterres de fleurs, et de l'approvisionnement en légumes et fruits frais de chaque bâtiment de la Compagnie qui fait escale dans la baie de la Table, mais il est aussi le bourreau officiel.

Katinka était sur le point de continuer, mais à ces mots, elle eut un frisson d'excitation et plongea son regard dans les étranges yeux pâles de l'homme, imaginant les choses atroces qu'il avait vues. Puis elle regarda ses mains. C'étaient des mains de paysan, larges, puissantes, calleuses et velues. Elle l'imagina tenant une épée ou un fer porté au rouge, une fourche ou le nœud coulant de la corde.

— C'est vous qu'on appelle Stadige Jan ? demanda-t-elle.

Elle avait entendu prononcer le nom avec dégoût et fascination, à la manière dont on parle d'un serpent venimeux.

— *Ja*, Mevrouw, acquiesça-t-il. C'est ainsi que l'on m'appelle.

— Un nom curieux. D'où vient-il ?

Bien qu'il fût fixé au loin, le regard assuré de ses yeux jaunes la troubla.

— Parce que je parle lentement et ne me presse jamais. Parce que je suis minutieux. Parce qu'entre mes mains les plantes croissent lentement et bien. Parce qu'entre elles, les hommes meurent lentement et dans de grandes souffrances, répondit-il d'une voix forte et pourtant mélodieuse.

Il en leva une pour la soumettre à son examen. Katinka avala péniblement sa salive, ressentant une excitation étrange et perverse.

— Nous allons bientôt avoir l'occasion de vous voir à l'œuvre, Stadige Jan, dit-elle, haletante, avec un léger sourire. A ce que je sais, le donjon du château est plein de gredins qui attendent vos bons offices.

Elle eut soudain la vision de ces larges mains travaillant le corps mince et droit de Hal Courteney, ce corps qu'elle connaissait si bien, le déformant, le brisant peu à peu. Les muscles de ses cuisses et de son ventre se tendirent à cette pensée. Quel extraordinaire frisson ce serait de voir estropier et mutiler lentement, très lentement ce beau jouet dont elle s'était lassée !

— Il faudra que nous reprenions cette conversation, Stadige Jan, lâcha-t-elle d'une voix rauque. Je suis persuadée que vous avez maintes anecdotes amusantes à me raconter, à propos de choux et d'autres choses.

Il s'inclina de nouveau, se recoiffa de son chapeau et rentra dans le rang des domestiques. Katinka poursuivit sa revue.

— Voici l'intendante, reprit Kleinhans, mais Katinka était si plongée dans ses pensées que pendant quelques secondes elle parut ne pas l'avoir entendu. (Puis elle jeta un coup d'œil distrait à la jeune femme qu'on lui présentait, et ses yeux s'agrandirent brusquement. Elle la regarda de toute son attention.) Elle s'appelle Sukeena, ajouta Kleinhans d'un ton dont elle ne comprit pas tout de suite la signification.

— Elle est bien jeune pour remplir d'aussi importantes fonctions, fit remarquer Katinka pour gagner du temps et laisser libre cours à ses instincts quelques instants.

Sur un mode complètement différent, elle trouvait la femme aussi ensorcelante que le bourreau. Elle était si menue et délicate qu'elle semblait être l'œuvre d'un artiste plutôt qu'un être de chair et de sang.

— Les gens de sa race paraissent souvent beaucoup plus jeunes qu'ils ne le sont, répondit Kleinhans. Ils ont des corps d'enfants... vous verrez vous-même, sa taille, ses mains et ses pieds sont ceux d'une poupée.

261

Il s'arrêta brusquement, se rendant compte qu'il avait peut-être manqué de savoir-vivre en évoquant le corps d'une femme. Katinka ne laissa pas transparaître son amusement. « Ce vieux bouc la désire », pensa-t-elle en examinant les trésors sur lesquels il avait attiré son attention. La jeune femme portait une tunique en voile à col montant. Comme le reste, ses seins étaient petits mais parfaits. Katinka apercevait la forme et la couleur de leurs mamelons, pareils à des rubis impériaux enveloppés dans de la gaze. Ce vêtement de style oriental, bien que simple et classique dans sa forme, avait dû coûter au moins cinquante florins, ses sandales étaient brodées d'or, articles luxueux pour une esclave. Un pendentif de jade ciselé ornait son cou, bijou digne de la favorite d'un mandarin. La fille devait être la distraction de Kleinhans, se dit-elle.

Katinka avait connu ses premières expériences sexuelles à treize ans, au seuil de la puberté. Dans la solitude de sa chambre d'enfant, sa nurse l'avait initiée à ces plaisirs défendus. De temps à autre, au gré de sa fantaisie et quand l'occasion se présentait, elle s'embarquait encore pour Lesbos. Elle y avait souvent trouvé des voluptés qu'aucun homme n'avait été capable de lui procurer. A présent, en laissant errer son regard de ce corps d'enfant aux yeux sombres de la jeune femme, elle sentit un frisson de désir lui parcourir le ventre et se perdre dans ses reins.

Un feu couvait dans le regard de Sukeena comme dans les laves des volcans de sa Bali natale. Ce n'étaient pas les yeux d'une jeune esclave soumise mais ceux d'une femme fière et rebelle. Katinka se sentit provoquée et excitée — à l'idée de la soumettre, de la posséder et de la briser. Elle sentit son pouls et sa respiration s'accélérer en l'imaginant.

— Suis-moi, Sukeena, ordonna-t-elle, je veux que tu me montres la maison.

— Bien, ma dame, répondit Sukeena en joignant les mains et s'inclinant jusqu'à toucher de ses lèvres l'extrémité de ses doigts, mais ses yeux restèrent fixés sur ceux de Katinka avec la même expression farouche et sombre.

« Est-ce de la haine ? » se demanda Katinka, et à cette pensée son excitation augmenta. « Sukeena l'a intriguée, comme j'étais sûr qu'elle le ferait, pensa Kleinhans. Elle va me l'acheter et je vais enfin être débarrassé de cette sorcière. » Le jeu des passions et des émotions entre les deux femmes ne lui avait pas échappé. Bien qu'il ne se flattât point de percer à jour les pensées de cette Orientale, elle avait été son bien depuis près de cinq ans et il avait appris à reconnaître les nuances de son humeur. La perspective de se séparer d'elle le consternait, mais il savait qu'il devait s'y résoudre pour la tranquillité et la santé de son esprit. Elle le détruisait. Il n'arrivait pas à se souvenir de ce que voulait dire avoir l'âme en paix, ne pas être tourmenté par la passion et des désirs insatisfaits, ne pas être esclave d'une sorcière. A cause d'elle, il avait perdu sa santé. Son estomac avait été rongé par les acides brûlants de la dyspepsie et il ne se rappelait pas avoir dormi une nuit d'une seule traite au cours de ces longues années.

Du moins était-il débarrassé de son frère, qui avait été pour lui un tourment presque aussi grand. A présent, il fallait qu'elle aussi s'en aille. Il ne pouvait plus supporter qu'elle lui gâche l'existence.

Sukeena sortit du rang des domestiques et suivit docilement le trio : son détestable maître, le géant grossier et cette belle dame cruelle aux cheveux d'or qui, elle le sentait, tenait déjà sa destinée entre ses fines mains blanches.

« Je la lui arracherai, se jura-t-elle. Cet ignoble vieux n'a pas réussi à me posséder, bien qu'il n'ait pas rêvé d'autre chose pendant cinq ans. Cette tigresse ne m'aura jamais non plus. J'en fais le vœu sur la mémoire sacrée de mon père. »

Ils traversèrent ensemble les pièces claires et hautes de la résidence. La douce lumière du Cap filtrait par les volets verts et jetait des ombres zébrées sur le carrelage. Katinka se sentait d'humeur légère dans ces colonies ensoleillées. Elle était en proie à une agitation intérieure, une envie d'aventures exotiques et excitantes.

Dans chaque pièce, elle rencontrait une influence féminine délicate. Elle ne provenait pas uniquement du parfum tenace des fleurs et de l'encens, mais d'une présence vivante qui, elle le savait, ne pouvait être celle du vieil homme morose et malade qui se trouvait à son côté. Elle n'avait nul besoin de regarder derrière elle pour sentir celle de la jeune femme qui avait créé cette atmosphère, percevoir le bruissement de ses vêtements de soie et de ses sandales brodées, l'odeur de la fleur de jasmin piquée dans sa chevelure noire comme du charbon et celle, musquée et douce, de sa peau.

Le claquement sec et saccadé des talons du colonel sur le carrelage, le craquement du cuir de ses bottes et le tintement du fourreau de son épée qui se balançait à son côté faisaient contrepoint. Son odeur était plus forte que celle de la jeune femme, une odeur virile et animale, faite de sueur et de cuir, comme lorsqu'on pousse un étalon. Dans cette sorte de serre émotionnelle où elle se retrouvait, tous les sens de Katinka étaient en éveil.

Après la visite de la demeure, le gouverneur Kleinhans les conduisit à travers les pelouses jusqu'à un petit belvédère, isolé derrière des chênes. Une table avait été dressée en plein air et Sukeena dirigea le service en silence, distribuant les ordres d'un coup d'œil ou d'un geste gracieux.

Katinka remarqua qu'elle goûtait chaque plat ou cru qui lui était présenté avec la délicatesse d'un papillon butinant une orchidée. Malgré sa discrétion, les trois convives avaient pleinement conscience de sa présence.

Cornelius Schreuder était assis si près de Katinka qu'il pressait sa jambe contre la sienne chaque fois qu'il se penchait pour lui parler. Ils avaient vue sur la baie où le *Standvastigheid* était au mouillage non loin du *Goéland de Moray*. Le galion était arrivé dans la nuit, avec sa cargaison d'épices et de bois. Kleinhans allait s'y embarquer pour l'Europe et il était donc pressé de régler ses affaires au Cap. Katinka lui sourit gentiment par-dessus son verre de vin, consciente de sa position de force dans le marchandage.

— Je souhaite vendre quinze de mes esclaves, lui dit-il, et j'en ai dressé la liste en donnant des informations sur leur personne et en précisant leurs compétences et leur formation, leur âge et leur état de santé. Cinq des femmes sont enceintes et l'acquéreur est donc d'ores et déjà assuré de valoriser son investissement.

Katinka jeta un coup d'œil au document qu'il lui tendait avant de le poser sur la table.

— Parlez-moi de Sukeena, dit-elle. Dites-moi si je me trompe en croyant avoir décelé en elle une goutte de sang européen. Son père est-il hollandais ?

Bien que Sukeena se trouvât à proximité, Katinka parlait d'elle comme d'un objet, incapable d'entendre et dépourvu de sensibilité, un joli bijou ou une miniature.

— Vous êtes observatrice, Mevrouw, fit Kleinhans en inclinant la tête. Non, son père n'était pas hollandais, mais anglais, un commerçant anglais, et sa mère balinaise, une femme de haute naissance cependant. Lorsque je l'ai vue, elle n'était déjà plus jeune, pourtant on imaginait fort bien qu'elle avait été d'une grande beauté. Elle n'était que la concubine de ce marchand, mais il la traitait comme une épouse.

Tous trois détaillaient ouvertement les traits de Sukeena.

— Oui, dit Katinka, on sent très bien le sang européen... la couleur de la peau, l'emplacement et la forme des yeux.

Sukeena garda les yeux baissés et l'expression de son visage ne changea pas. Elle continua sans sourciller d'accomplir son devoir.

— Comment la trouvez-vous, colonel ? demanda Katinka en se tournant vers Schreuder et appuyant sa jambe contre la sienne. J'aime bien savoir ce qui attire les hommes. Ne trouvez-vous pas que c'est une délicieuse petite créature ?

Schreuder rougit un peu et déplaça sa chaise afin de ne plus regarder directement Sukeena.

— Mevrouw, je n'ai jamais eu de penchant pour les indigènes, même les métis. (Sukeena resta impassible alors même qu'elle avait distinctement entendu cette remarque désobligeante.) Mes goûts me portent vers nos jolies compatriotes. Je n'échangerais pas les scories contre l'or pur.

— Oh, colonel, vous êtes si galant ! J'envie ma compatriote qui a l'heur de réunir vos suffrages, répondit Katinka.

En retour, il lui lança un regard plus éloquent encore que les paroles qui lui venaient mais qu'il était obligé de taire.

Katinka se retourna vers Kleinhans.

— Si donc son père était anglais, parle-t-elle la langue ? Cela serait bien utile, n'est-ce pas ?

— Elle parle en effet l'anglais couramment, mais ce n'est pas tout. Elle connaît la valeur de l'argent et dirige la maison de façon économe et efficace. Les autres esclaves la respectent et lui obéissent. Elle possède une connaissance profonde de la médecine orientale et connaît les remèdes de toutes les maladies...

— Une véritable perle, coupa Katinka. Mais qu'en est-il de son caractère. Est-elle d'un naturel docile, accommodant ?

— Elle est conforme à son apparence, dit Kleinhans, dissimulant sa pirouette derrière la promptitude de sa réponse et la franchise de son expression. J'en suis propriétaire depuis cinq ans, Mevrouw, et je puis vous assurer qu'elle s'est toujours montrée parfaitement docile.

Le visage de Sukeena resta de marbre, ravissant et distant, mais intérieurement elle bouillait d'indignation en entendant ce mensonge. Pendant cinq ans, elle lui avait résisté et en de rares occasions seulement, lorsqu'il l'avait battue jusqu'à ce qu'elle s'évanouisse, il avait pu profiter d'elle. Mais cela n'avait pas été glorieux, elle le savait et en était réconfortée. Par deux fois, elle avait repris connaissance alors qu'il était encore en train de grogner et de peiner sur elle comme une bête pour se frayer un chemin dans sa chair hostile et sèche. Elle ne considérait pas cela comme une défaite, elle n'estimait même pas qu'il l'avait conquise, car dès l'instant où elle avait retrouvé ses esprits, elle avait lutté contre lui avec autant de force et de détermination qu'avant.

« Tu n'es pas une femme, tu es une diablesse », avait-il crié, au désespoir, pendant qu'elle se débattait, lui donnait des coups de pied et se tortillait pour se libérer. Elle l'avait mordu et couvert de profondes griffures ; il s'en était allé honteusement, la laissant battue mais triomphante. Il avait finalement renoncé à toute tentative de la soumettre de force et avait essayé à la place toutes sortes de flatteries.

Un jour, sanglotant comme une vieille femme, il lui avait même offert la liberté contre le mariage, et déclaré qu'elle aurait son acte d'émancipation le jour de la cérémonie. Elle crachait comme une chatte furieuse à cette seule pensée.

Elle avait tenté à deux reprises de le tuer. Une fois avec une dague, l'autre avec du poison. Il lui faisait à présent goûter chaque plat qu'elle lui servait, mais l'idée qu'elle finirait par réussir et le verrait dans les affres de la mort la soutenait.

— Elle a en effet l'air d'un ange, reconnut Katinka, sachant d'instinct que sa réflexion ferait enrager la jeune femme. Viens ici, Sukeena, ordonna-t-elle, et celle-ci vint à elle, souple comme un roseau dans le vent. Mets-toi à genoux ! poursuivit Katinka, et Sukeena s'agenouilla devant elle en baissant modestement les yeux. Regarde-moi !

La Balinaise leva la tête. Katinka examina son visage et s'adressa à Kleinhans sans le regarder.

— Vous dites qu'elle est saine ?

— Jeune et pleine de santé, elle n'a pas été malade une seule fois de sa vie.

— Est-elle enceinte ? demanda Katinka en passant légèrement sa main sur le ventre de la jeune fille, qui était plat et dur.

— Non, non ! s'exclama Kleinhans. Elle est vierge.

— On n'est jamais sûr de rien en cette matière. Le diable pénètre les forteresses les mieux gardées, rétorqua Katinka en souriant. Mais je vous crois sur parole. Ouvre la bouche !

Elle crut un instant que Sukeena allait refuser, mais ses lèvres s'ouvrirent et ses petites dents étincelèrent au soleil, plus blanches que l'ivoire qui vient d'être sculpté. Katinka posa son doigt sur la lèvre inférieure de la fille. Elle était douce comme un pétale de rose et Katinka fit durer le plaisir et l'humiliation de Sukeena. Puis, lentement, voluptueusement, elle introduisit son doigt entre les lèvres entrouvertes. Le geste était chargé de signification sexuelle et parodiait la pénétration virile de la femme. La main de Kleinhans se mit à trembler si violemment que le vin doux de Constantia se répandit hors de son verre. Cornelius Schreuder fronça les sourcils et, mal à l'aise, changea de position sur sa chaise et croisa les jambes.

L'intérieur de la bouche de Sukeena était doux et humide. Les deux femmes se regardaient fixement. Puis Katinka commença à bouger son doigt d'avant en arrière, explorant et sondant tout en demandant à Kleinhans :

— Son père, cet Anglais, qu'est-il advenu de lui ? S'il aimait sa concubine comme vous l'avez affirmé, pourquoi a-t-il laissé vendre ses enfants aux enchères ?

— Il faisait partie de ces bandits qui ont été exécutés du temps où j'étais gouverneur de Batavia. Vous vous souvenez de l'incident, n'est-ce pas, Mevrouw ?

— Oui, je m'en souviens très bien. Le bourreau de la Compagnie les a torturés afin d'établir l'étendue de leur infamie, dit doucement Katinka, les yeux toujours fixés sur ceux de Sukeena, intriguée et stupéfaite d'y voir tant de souffrance. J'ignorais que vous étiez le gouverneur à l'époque. Son père a donc été exécuté sur vos ordres ? demanda la Hollandaise et les lèvres de Sukeena tremblèrent et se refermèrent doucement autour du long doigt blanc. J'ai entendu dire qu'ils ont été crucifiés, poursuivit Katinka d'une voix rauque, et les yeux de Sukeena se remplirent de larmes alors que ses traits demeuraient sereins. J'ai entendu dire qu'on leur a brûlé les pieds avec des torches de soufre enflammé, enchaînat-elle en sentant la langue de la fille glisser sur son doigt tandis qu'elle ravalait son chagrin. Les torches ont ensuite été appliquées sur leurs mains. Les petites dents de Sukeena se refermèrent sur son doigt, pas assez fort pour lui faire mal ni pour entamer ou marquer sa peau blanche, mais ses yeux étaient pleins de menace et de haine.

— Je regrette que cela ait été nécessaire. L'obstination de cet homme était extraordinaire. Cela doit faire partie du caractère des Anglais, fit Kleinhans en hochant la tête. Pour sanctionner le châtiment, j'ai ordonné que sa concubine — elle s'appelait Ashreth — assiste à l'exécution avec ses deux enfants. Il va de soi qu'à ce moment-là, je ne connaissais pas Sukeena et son frère. Ce n'était pas une cruauté gratuite de ma part mais la politique de la Compagnie. Ces gens ne sont pas sensibles à la gentillesse, ils la prennent pour de la faiblesse, conclut Kleinhans avec un soupir de regret.

Les larmes coulaient sur les joues de Sukeena et Kleinhans reprit :

— Lorsqu'ils eurent avoué leur culpabilité, les criminels furent brûlés. On jeta les torches dans les fagots et le tout s'enflamma, à notre grand soulagement à tous.

Avec un petit frisson, Katinka retira son doigt des lèvres tremblantes de la jeune fille. Avec la tendresse d'un amant satisfait, elle caressa sa joue satinée et son doigt encore mouillé de salive laissa des traînées humides sur la peau ambrée.

— Qu'est devenue la femme, la concubine ? A-t-elle aussi été vendue comme esclave avec les enfants ? demanda-t-elle sans détourner son regard des yeux embués de chagrin de Sukeena.

— Non, répondit Kleinhans. C'est là le plus curieux de cette histoire. Ashreth s'est jetée dans les flammes et a péri sur le bûcher avec son amant. Il est impossible de comprendre l'âme indigène, n'est-ce pas ?

Il y eut un long silence, un nuage cacha le soleil et la journée parut soudain sombre et froide.

— Je la prends, dit Katinka, si doucement que Kleinhans dut tendre l'oreille.

— Excusez-moi, Mevrouw, mais je n'ai pas entendu ce que vous avez dit.

— Je la prends, répéta Katinka. Je vous achète Sukeena.

— Nous ne sommes pas encore convenus d'un prix, fit Kleinhans décontenancé, qui ne s'attendait pas à ce que ce fût si facile.

— Je suis persuadée que votre prix sera raisonnable... j'entends, si vous souhaitez aussi me vendre les autres esclaves qui vous appartiennent.

— Vous êtes très compatissante, dit Kleinhans en secouant la tête avec admiration. Je vois bien que l'histoire de Sukeena vous a émue et que vous voulez vous occuper d'elle. Merci. Je sais que vous la traiterez avec gentillesse.

Monté sur les épaules d'Aboli et agrippé aux barreaux de la lucarne de la cellule, Hal lui décrivait ce qu'il voyait.

— Les voilà qui reviennent dans la voiture du gouverneur. Tous les trois — Kleinhans, Schreuder et la femme de Van de Velde. Ils montent l'escalier... (Il s'interrompit puis s'exclama :) Attends ! Quelqu'un d'autre descend de la voiture. Une femme que je ne connais pas.

Daniel, qui se trouvait près de la grille d'entrée, transmettait le message aux cellules individuelles de l'étage au-dessus.

— Comment est cette femme ? cria Sir Francis.

A cet instant, celle-ci se tourna pour dire quelque chose à Fredricus, le cocher, et Hal sursauta, reconnaissant la jeune esclave qui se trouvait à l'écart de la foule lorsqu'ils avaient été conduits à travers le champ de parade.

— Elle est petite et toute jeune, presque une enfant. Elle a l'allure d'une Balinaise ou d'une fille de Malacca. (Il hésita.) C'est probablement une métis, et sans aucun doute une servante ou une esclave. Kleinhans et Schreuder la précèdent.

Daniel retransmit l'information, et soudain la voix d'Althuda leur parvint par la cage d'escalier.

— Est-elle jolie ? Des longs cheveux noirs remontés sur le dessus de la tête, avec des fleurs piquées dedans. Porte-t-elle un pendentif en jade autour du cou ?

— Oui, répondit Hal. Sauf qu'elle n'est pas seulement jolie, elle est d'une beauté inexprimable. Vous la connaissez ? Qui est-ce ?

— Elle s'appelle Sukeena. C'est pour elle que je suis revenu des montagnes. C'est ma petite sœur.

Hal regarda Sukeena monter l'escalier, avec la légèreté et la promptitude d'une feuille d'automne emportée par le vent. Tandis qu'il avait les yeux fixés sur elle, le souvenir de Katinka perdait de sa virulence. Quand elle disparut, la lumière qui filtrait dans le donjon parut plus faible, les murs de pierre plus humides et froids.

Au début, ils avaient tous été stupéfaits par la manière dont on les traitait dans le donjon du château. Chaque matin, ils avaient le droit d'aller vider dehors le seau hygiénique, tirant au sort à qui exercerait ce privilège. A la fin de la première semaine, un des esclaves de la Compagnie arriva de la campagne avec un char à bœufs, leur apporta un chargement de paille fraîche pour remplacer celle, pleine de vermine, qui couvrait le sol. La citerne était continuellement alimentée par un tuyau de cuivre qui captait l'eau d'un des ruisseaux descendant de la montagne, et ils ne souffraient pas de la soif. Chaque soir, une miche de pain grossier, de la dimension d'une roue de charrette, et une grande marmite de fer étaient envoyées par les cuisines. La marmite contenait un ragoût à base d'épluchures de légumes bouillies et de viande de phoques capturés sur Robben Island, et cette nourriture était plus copieuse et savoureuse que leur ordinaire à bord.

Althuda se mit à rire quand il les entendit en parler.

— Ils nourrissent aussi très bien leurs bœufs. Les bêtes de somme travaillent mieux quand elles sont vigoureuses.

— Pour l'instant, on ne peut pas dire que nous travaillions beaucoup, fit remarquer Daniel en se tapotant le ventre.

— Regardez par la lucarne, leur conseilla Althuda en riant de nouveau. La construction du fort doit être achevée. Croyez-moi, vous n'allez pas rester là longtemps à ne rien faire.

— Hé, Althuda, lança Daniel, ta sœur n'est pas anglaise. Tu ne dois donc pas l'être non plus. Comment se fait-il que tu parles si bien la langue?

— Mon père était de Plymouth. Je n'y suis jamais allé. Vous connaissez ?

Il y eut un concert de rires, de commentaires et d'applaudissements, et Hal répondit pour eux tous :

— Par Dieu, en dehors d'Aboli et de ces autres fripons d'Afrique, nous sommes tous du Devon. Vous êtes donc des nôtres, Althuda !

— Vous ne m'avez jamais vu. Je ne vous ressemble pas, je vous préviens.

— Même si vous êtes deux fois moins beau que votre petite sœur, ça ira très bien, répondit Hal, et tous les hommes d'éclater de rire.

Pendant la première semaine de leur captivité, ils ne virent le geôlier-chef, un nommé Manseer, que lorsqu'on apportait la marmite de ragoût ou qu'on changea la paille. Le matin du huitième jour, la porte métallique au sommet de l'escalier fut ouverte avec fracas et Manseer beugla :

— En rang par deux. On vous emmène vous décrasser un peu, sinon le juge va suffoquer avant d'avoir eu le temps de vous envoyer à Stadige Jan. Allez, secouez-vous les puces.

Sous la surveillance d'une douzaine de gardiens, ils furent conduits deux par deux jusqu'à la pompe derrière les écuries où ils se déshabillèrent et se lavèrent, avant de nettoyer leurs vêtements.

Le lendemain matin à l'aube, on les fit de nouveau sortir de leur cellule ; l'armurier du château les attendait avec sa forge et son enclume pour les enchaîner, non plus en file, mais deux par deux.

Lorsque la porte cloutée de la cellule de Sir Francis fut ouverte et que son père en sortit, ses cheveux raides et ternes pendant sur ses épaules, le menton couvert d'une barbe grisonnante, Hal s'avança afin d'être enchaîné avec lui.

— Comment vous sentez-vous, père ? demanda Hal inquiet, car il n'avait jamais vu son père en si piteux état.

Avant d'avoir pu ouvrir la bouche, Sir Francis fut pris d'une quinte de toux, puis il répondit d'une voix rauque :

— Je préfère un bon coup de vent sur la Manche à l'air qu'on respire ici, mais je vais assez bien pour ce qu'il y a à faire.

— Je ne pouvais pas vous en informer, mais Aboli et moi avons imaginé un plan d'évasion, lui chuchota Hal. Nous avons réussi à soulever une des dalles dans le fond de la cellule et nous allons creuser un tunnel sous les murs.

— A mains nues ? s'enquit Sir Francis en souriant.

— Nous devons nous procurer un outil, reconnut Hal, mais lorsque nous...

Il hocha la tête avec une détermination inflexible, et Sir Francis se sentit envahi par une bouffée d'amour et de fierté. « Je lui ai appris à se battre, songea-t-il, et à continuer de le faire même quand la bataille est perdue. Doux Jésus, j'espère que les Hollandais lui épargneront le sort qu'ils me réservent. »

Au milieu de la matinée, on les emmena à la grande salle du château, transformée pour l'occasion en tribunal. Toujours enchaînés deux par deux, on les fit asseoir sur les quatre rangées de bancs installées au centre de la pièce, Sir Francis et Hal au milieu du premier rang. Leurs gardiens, l'épée tirée, s'alignèrent le long du mur derrière eux.

Contre le mur qui leur faisait face, une estrade avait été élevée où trônaient le grand fauteuil du juge et une lourde table de teck sombre. A une extrémité de la table, le greffier du tribunal était déjà assis sur un tabouret et occupé à gribouiller dans son livre. Devant l'estrade, il y avait deux autres tables avec leur chaise. A l'une d'elles était installé un jeune homme que Hal avait vu souvent par la lucarne de la cellule. D'après Althuda, c'était un employé de l'administration de la Compagnie, un certain Jacobus Hop. Après quelques coups d'œil nerveux aux prisonniers, il ne les regarda plus. Il épluchait une liasse de papiers, y griffonnait quelques mots et s'arrêtait de temps en temps pour essuyer avec un grand mouchoir sa figure en sueur.

A la deuxième table était assis le colonel Cornelius Schreuder. Eblouissant avec ses médailles, ses étoiles et son écharpe en travers de l'épaule, il correspondait à l'idée romantique que le poète se fait du soldat galant homme et raffiné. Sa perruque avait été récemment lavée et ses boucles lui pendaient sur les épaules. Il avait allongé ses jambes, ses grandes bottes de cuir souple croisées à la hauteur des chevilles. Des livres et des papiers étaient éparpillés sur la table devant lui, et il avait négligemment posé dessus son chapeau à plumet et l'épée de Neptune. Tout en se balançant d'avant en arrière sur sa chaise, il fixait Hal d'un regard impitoyable, et bien que celui-ci essayât de le soutenir, il finit par baisser les yeux.

Il y eut un tumulte soudain près de la porte d'entrée; d'un seul coup, une foule fit irruption et chacun se dépêcha de chercher une place sur les bancs alignés de chaque côté de la salle. Quand toutes les places furent occupées, on referma les deux battants de la porte au nez des derniers. La salle résonnait à présent des commentaires des spectateurs impatients qui examinaient les prisonniers et donnaient ouvertement leur avis sur chacun d'eux.

D'un côté, une zone avait été fermée au moyen d'une barrière et deux soldats en pourpoint vert, l'épée tirée, montaient la garde. Derrière la barrière, on avait disposé une rangée de chaises avec des coussins. Il y eut un nouveau brouhaha et l'assistance tourna son attention vers les dignitaires qui franchissaient à la queue leu leu la porte de la salle d'audience. Le gouverneur Kleinhans était à leur tête, Katinka Van de Velde à son bras, suivi par Lord Cumbria et le capitaine Limberger, qui bavardaient avec désinvolture, ignorant l'agitation que leur entrée suscitait chez les gens du commun.

Katinka prit la chaise du milieu. Hal la fixa des yeux, espérant qu'elle le regarderait, qu'elle lui adresserait un signe de reconnaissance et de réconfort. Il essaya de se persuader qu'elle ne l'abandonnerait jamais et qu'elle avait déjà usé de son influence et intercédé auprès de son mari pour qu'il fasse preuve de clémence, mais elle était en grande conversation avec le gouverneur Kleinhans et ne jeta pas le moindre regard dans la direction des marins anglais. « Elle ne veut pas montrer aux autres ses sentiments et leur laisser voir qu'elle s'inquiète de notre sort, se consola Hal, mais quand elle témoignera, elle ne manquera pas de parler en notre faveur. »

Le colonel Schreuder fit claquer pesamment ses pieds bottés et se leva. Avec un immense dédain, il jeta un coup d'œil circulaire dans la salle bondée et les spectatrices laissèrent échapper quelques soupirs et des petits cris admiratifs.

— Ce tribunal, déclara-t-il, est réuni en vertu des pouvoirs conférés à l'honorable Compagnie des Indes orientales selon les termes de la charte concédée à la susdite Compagnie par le gouvernement de la République de Hollande et des Pays-Bas. Veuillez faire silence et vous lever, voici monsieur le président du tribunal, Son Excellence le gouverneur Petrus Van de Velde.

Les spectateurs se levèrent en murmurant légèrement et regardèrent vers la porte derrière l'estrade. Certains prisonniers se redressèrent à grand-peine dans un cliquetis de chaînes mais quand ils virent que Sir Francis et Hal ne bougeaient pas de leur banc, ils se rassirent.

Le président fit son entrée. Il monta lourdement sur l'estrade et lança un regard furieux aux prisonniers assis.

— Faites lever ces coquins ! beugla-t-il tout à coup. La foule eut un mouvement de recul en voyant son expression assassine.

Dans le silence stupéfait qui suivit cet éclat, la voix de Sir Francis s'éleva distinctement et il dit en hollandais :

— Ni moi ni aucun de mes hommes ne reconnaît l'autorité de cette assemblée et le droit que s'octroie son président de juger des citoyens britanniques libres, sujets de Sa Majesté le roi Charles le Second et de lui seul.

Van de Velde donna l'impression d'enfler comme un énorme crapaud. Son visage vira au rouge brique et il rugit :

— Vous n'êtes qu'un pirate et un assassin. En vertu de la souveraineté de la République et de la charte de la Compagnie, de la morale et du droit international, autorité m'est conférée de conduire ce procès.

Après avoir repris sa respiration, il enchaîna d'une voix encore plus forte :

— Je vous déclare coupable d'outrage à la Cour et vous condamne à dix coups de bâton à administrer sur-le-champ. Maître d'armes, emmenez les prisonniers et exécutez la sentence immédiatement, dit-il au chef des gardes.

Quatre soldats s'avancèrent précipitamment et firent lever Sir Francis. Enchaîné à son père, Hal fut traîné avec lui jusqu'à la porte principale. Derrière eux, hommes et femmes sautèrent sur les bancs et dressèrent la tête pour mieux voir, puis se précipitèrent avec ensemble vers la porte et les fenêtres tandis qu'on conduisait Sir Francis et Hal dans l'escalier puis dans la cour.

Sir Francis resta silencieux et garda la tête haute pendant qu'on le poussait vers la rampe où les officiers attachaient leurs chevaux à l'entrée de l'armurerie. Sur ordre du sergent, lui et Hal furent placés de chaque côté de la rampe, face à face, leurs menottes accrochées aux anneaux de fer.

Hal était totalement impuissant. Le sergent passa son index dans le col de la chemise de Sir Francis, tira d'un coup sec et le tissu se déchira jusqu'à la taille. Puis le sergent se recula et cingla l'air de sa canne légère en jonc.

— Tu as fait un serment sur ton titre de chevalier. Y es-tu fidèle sur ton honneur ? chuchota Sir Francis à son fils.

— Oui, père.

Le jonc siffla et claqua sur la chair nue, Sir Francis grimaça de douleur.

— Ces coups ne sont qu'un jeu d'enfants en comparaison de ce qui va suivre. En es-tu conscient ?

— Je le suis.

Le sergent frappa de nouveau. Comme il abattait sa canne toujours au même endroit, la souffrance augmentait à chaque coup.

— Quoi que tu fasses ou dises, rien ni personne ne peut infléchir la trajectoire de la comète rouge. Les astres ont décidé de mon destin et tu n'as pas le pouvoir d'intervenir.

Le jonc vrombissait et claquait, le corps de Sir Francis se raidissait puis se détendait.

— Si tu es fort et fidèle à ton serment, tu endureras l'épreuve. Ce sera ma récompense.

Cette fois-ci, quand la canne lacéra les muscles tendus de son dos, il émit un gémissement rauque.

— Tu es mon corps et mon sang. A travers toi, je saurai aussi endurer les souffrances.

Le jonc sifflait et claquait sans relâche.

— Jure-le-moi une dernière fois. Confirme ton serment de ne jamais révéler quoi que ce soit à ces gens en une vaine tentative pour me sauver.

— Je vous le jure, père, murmura Hal, blanc comme un linge, tandis que les coups cruels se succédaient.

— Je place en toi toute ma foi et ma confiance, dit Sir Francis.

Les soldats le détachèrent de la rampe et ils remontèrent l'escalier, le père appuyé au bras de son fils. Lorsqu'il trébucha, Hal le soutint, si bien que c'est toujours la tête haute et son dos ensanglanté bien droit qu'il pénétra dans la salle d'audience et regagna sa place au premier rang.

Le gouverneur Van de Velde était à présent assis dans son fauteuil, un plateau d'argent posé à côté de lui, chargé de petits bols chinois remplis d'amuse-gueule. Il en mastiquait un avec bruit et contentement et buvait de la petite bière dans une chope d'étain tout en bavardant avec le colonel Schreuder assis à sa table en dessous de lui. Dès que Sir Francis et Hal furent reconduits à leur banc par leurs gardiens, son expression débonnaire disparut subitement. Il éleva la voix et un lourd silence s'abattit immédiatement sur l'assistance.

— Je crois avoir montré clairement que je ne tolérerai aucune nouvelle entrave au procès, déclara-t-il en lançant un regard mauvais à Sir Francis avant de balayer la salle des yeux. Cela vaut pour toutes les personnes présentes en ce lieu. Quiconque essaiera en quelque manière de bafouer la Cour subira le même traitement que le prévenu. Qui représente l'accusation? demanda-t-il en regardant Schreuder, qui se leva.

— Colonel Cornelius Schreuder, à votre service, Votre Excellence.

— Qui représente la défense?

Van de Velde jeta un regard noir à Jacobus Hop et le commis bondit sur ses pieds en faisant tomber la moitié des documents posés devant lui.

— Je la représente, Votre Excellence.

— Déclinez votre nom! rugit Van de Velde.

— Jacobus Hop, commis et rédacteur de l'honorable Compagnie des Indes orientales, balbutia Hop en se tortillant comme un jeune chien.

— A l'avenir, parlez à haute et intelligible voix, avertit Van de Velde avant de se tourner vers Schreuder. Veuillez présenter votre affaire, colonel.

— Il s'agit de piraterie en haute mer ainsi que de meurtre et d'enlèvement. Les prévenus sont au nombre de vingt-quatre. Avec votre permission, je vais énumérer leurs noms. Chaque prisonnier se lèvera à l'appel du sien afin que la Cour puisse le reconnaître, dit le colonel en tirant de la manche de sa tunique un rouleau de parchemin qu'il déroula et tint à bout de bras. Le premier prévenu est Francis Courteney, capitaine du bateau pirate *Lady Edwina*. Il est, Votre Excellence, le chef de cette bande de forbans et de corsaires et l'instigateur de tous les actes criminels perpétrés par eux. (Van de Velde hocha la tête et Schreuder poursuivit.) Henry Courteney, officier et second. Ned Tyler, maître d'équipage, Daniel Fischer, maître d'équipage...

Il énonça le nom et le grade de tous les hommes assis sur les bancs des accusés, et chacun se leva brièvement, certains en saluant de la tête Van de Velde avec un petit sourire patelin. Les quatre derniers noms sur la liste de Schreuder étaient ceux des matelots africains.

— Matesi, esclave noir. Jiri, esclave noir. Kimatti, esclave noir. Aboli, esclave noir. L'accusation prouvera que le 4 septembre de l'an de grâce seize cent soixante-sept, Francis Courteney, alors commandant de la caravelle *Lady Edwina*, dont tous les autres prévenus étaient membres de l'équipage, a attaqué le galion *De Standvastigheid*, commandé par le capitaine Limberger...

Schreuder parlait sans consulter ni notes ni documents, et Hal éprouva malgré lui de l'admiration pour l'exhaustivité et la lucidité de ses accusations.

— Et maintenant, Votre Excellence, si vous le permettez, je souhaiterais faire comparaître mon premier témoin.

Van de Velde acquiesça et Schreuder appela Limberger. Le capitaine du galion quitta son confortable fauteuil dans l'enceinte barricadée et alla s'asseoir sur la chaise réservée aux témoins à côté de la table du juge.

— Avez-vous conscience de la gravité de cette affaire et jurez-vous au nom de Dieu tout-puissant de dire la vérité et rien que la vérité devant la Cour? lui demanda Van de Velde.

276

— Je le jure, Votre Excellence.

— Fort bien, colonel, vous pouvez interroger votre témoin.

Schreuder pria Limberger de décliner rapidement son nom, son grade et la nature de ses fonctions au sein de la Compagnie. Il lui demanda ensuite de donner une description du *Standvastigheid*, de ses passagers et de sa cargaison. Limberger répondit en lisant la liste qu'il avait préparée.

— Qui est le propriétaire de ce navire et de sa cargaison ? s'enquit Schreuder quand il eut fini.

— L'honorable Compagnie des Indes orientales.

— Capitaine Limberger, le 4 septembre de cette année, votre bâtiment croisait-il par 34° de latitude sud et 4° de longitude est, soit approximativement à une cinquantaine de lieues du cap des Aiguilles ?

— En effet.

— C'est-à-dire postérieurement à la cessation des hostilités entre la Hollande et l'Angleterre, n'est-ce pas ?

— C'est exact.

Schreuder prit un journal de bord relié pleine peau sur la table devant lui et le tendit à Limberger.

— Est-ce bien le journal que vous avez tenu à bord de votre navire durant la traversée ?

— Oui, colonel, c'est bien lui, répondit Limberger après l'avoir examiné brièvement.

— Votre Excellence, reprit Schreuder, je crois qu'il est de mon devoir de vous informer que ce journal a été retrouvé en la possession du pirate Courteney après sa capture par les troupes de la Compagnie. (Van de Velde hocha la tête et Schreuder se retourna vers Limberger.) Voulez-vous avoir l'obligeance de nous lire la dernière écriture de votre journal ?

Le capitaine hollandais tourna les pages et lut à haute voix :

— Quatre septembre 1667. Deuxième cloche du quart du jour. Position à l'estime : 4° 23' de longitude sud, 34° 45' de latitude est. Navire inconnu faisant route sud-sud-est. Bat pavillon ami. L'écriture s'arrête ici, dit-il en refermant le journal.

— Ce navire inconnu était-il le *Lady Edwina* et battait-il le pavillon de la République et de la Compagnie ?

— La réponse à ces deux questions est « Oui ».

— Voulez-vous, je vous prie, nous relater les événements qui ont eu lieu après que vous avez vu le *Lady Edwina* ?

Limberger décrivit avec clarté la prise de son navire et Schreuder l'incita à insister sur le fait que Sir Francis s'était servi d'un pavillon qui n'était pas le sien pour s'approcher à portée de canon. Après que Limberger eut fait le récit de l'abordage et de l'affrontement qui avait eu lieu sur le galion, Schreuder lui demanda de préciser le nombre de marins hollandais blessés et tués. Limberger en avait dressé une liste qu'il remit à la Cour.

— Merci, capitaine. Pouvez-vous nous dire ce qui vous est arrivé, à vous, à votre équipage et à vos passagers après que les pirates eurent acquis la maîtrise de votre navire?

Limberger expliqua alors comment ils avaient vogué vers l'est de conserve avec le *Lady Edwina*, comment la cargaison et l'équipement de la caravelle avaient été transférés dans le galion, comment le *Lady Edwina* avait été envoyé au Cap sous le commandement de Schreuder avec des lettres de demande de rançon. Il décrivit le voyage du galion jusqu'à la lagune des Eléphants, sa captivité et celle de ses éminents passagers en ce lieu, jusqu'à leur délivrance par la force expéditionnaire du Cap conduite par Schreuder et Lord Cochran.

Lorsque Schreuder eut fini de l'interroger, Van de Velde regarda Hop.

— Avez-vous des questions, Mijnheer?

Les mains chargées de papiers, Hop se leva, tout rouge, prit une grande inspiration haletante et laissa échapper un long balbutiement ininterrompu. Tout le monde assista avec intérêt à son interminable supplice.

— Le capitaine Limberger a l'intention de s'embarquer pour la Hollande dans deux semaines, dit finalement Van de Velde. Pensez-vous avoir posé vos questions à ce moment-là, Hop?

— Je... n'ai pas de questions, Votre Excellence, répondit enfin Hop en secouant la tête avant de se rasseoir lourdement.

— Qui est le témoin suivant, colonel? demanda Van de Velde dès que Limberger eut rejoint son fauteuil dans l'enceinte réservée.

— Je souhaiterais appeler l'épouse du gouverneur, Mevrouw Katinka Van de Velde... si toutefois elle n'y voit pas d'inconvénient.

Un murmure appréciateur s'éleva parmi les hommes présents dans l'assistance quand Katinka se dirigea vers le siège des témoins dans un bruissement de soie et de dentelles. Sir Francis sentit Hal se raidir à son côté mais ne se tourna pas pour le regarder. Ce n'est que quelques jours avant leur capture, lorsque Hal s'absentait longtemps du campement et négligeait sa tâche, qu'il s'était rendu compte que son fils s'était laissé prendre au piège par la garce aux cheveux blonds. Il était alors trop tard pour intervenir ; en tout état de cause, il n'avait pas oublié ce que c'est que d'être jeune et amoureux, même d'une femme qui ne le méritait en rien. Il attendait de trouver le moment et le moyen opportuns pour mettre un terme à cette liaison quand Schreuder et le Busard avaient attaqué le camp.

Avec une grande déférence, Schreuder demanda à Katinka d'énoncer son nom, sa position puis de décrire son voyage à bord du *Standvastigheid* et comment elle avait été faite prisonnière. Elle répondit d'une voix claire et douce tremblante d'émotion, et Schreuder enchaîna :

— Madame, dites-nous, je vous prie, comment vous avez été traitée par vos ravisseurs ?

Katinka se mit à sangloter doucement.

— J'ai essayé de chasser ce souvenir de mon esprit, car il était trop douloureux. Mais je ne pourrai jamais oublier. J'ai été traitée comme un animal en cage, on m'a insultée et craché dessus, maintenue enfermée dans une hutte.

Même Van de Velde parut stupéfait de son témoignage, mais il mesura tout l'effet qu'il produirait dans le rapport qui serait envoyé à Amsterdam. Après l'avoir lu, le père de Katinka et les autres membres des Dix-Sept ne pourraient qu'approuver le châtiment, aussi sévère fût-il, infligé aux prisonniers.

Sir Francis était conscient du trouble auquel Hal était en proie en entendant la femme en qui il avait placé tant de confiance débiter ses mensonges. Il le sentit s'affaisser à mesure qu'elle détruisait la foi qu'il avait en elle.

— Ne te laisse pas aller, mon fils, murmura-t-il du coin des lèvres, et Hal se redressa sur son banc.

— Ma chère dame, nous savons que vous avez subi une terrible épreuve entre les mains de ces monstres, dit Schreuder, à présent tremblant de colère à la description des « mauvais traitements » soufferts par Katinka. (Celle-ci hocha la tête et se tamponna délicatement les yeux avec un mouchoir en dentelle.) Estimez-vous qu'on doit faire preuve de clémence envers des brutes de cette espèce ou bien doit-on appliquer le droit dans toute sa force et majesté ?

— Le Seigneur sait que je ne suis qu'une faible femme au cœur doux et aimant, ouvert à toute la création divine, répondit Katinka d'une voix qui se brisa. Mais je sais que toutes les personnes présentes dans cette assemblée conviendront avec moi qu'une simple pendaison serait un châtiment trop doux pour ces innommables scélérats.

Un murmure d'approbation parcourut l'assistance avant de se muer en un grondement sourd. Comme des ours dans la fosse à l'heure de leur repas, la foule réclamait du sang.

— Qu'on les brûle ! cria une femme. Ils ne méritent pas le nom d'hommes.

Katinka leva la tête et, pour la première fois depuis son entrée dans la salle d'audience, elle regarda Hal droit dans les yeux à travers ses larmes.

Celui-ci leva le menton et lui rendit son regard. Il sentit l'amour et le respect qu'il lui avait témoignés s'étioler comme une jeune vigne attaquée par le mildiou. Sir Francis s'en aperçut et se tourna vers lui. Il vit l'expression glacée de ses yeux et sentit presque la chaleur des flammes dans son cœur.

— Elle n'a jamais été digne de toi, murmura Sir Francis. Maintenant que tu as renoncé à elle, tu as accompli un autre grand pas vers la maturité.

Son père était-il vraiment au courant, se demanda Hal. Savait-il ce qui s'était passé ? Connaissait-il ses sentiments ? S'il en avait été ainsi, voilà longtemps qu'il l'aurait rejeté. Il tourna la tête et regarda ses yeux, craignant d'y voir mépris et dégoût. Mais le regard de Sir Francis était plein de compréhension. Hal comprit qu'il savait tout et l'avait probablement toujours su. Loin de le rejeter, son père lui redonnait courage et lui pardonnait.

— J'ai commis l'adultère et déshonoré mon titre de chevalier, souffla Hal. Je ne suis plus digne d'être votre fils.

Dans un cliquetis de chaîne, Sir Francis posa sa main sur le genou de Hal.

— C'est cette courtisane qui t'a fait sortir du droit chemin. Tu n'es pas à blâmer. Tu seras toujours mon fils et je serai toujours fier de toi, murmura-t-il.

Van de Velde baissa le regard vers Sir Francis en fronçant les sourcils.

— Silence ! Assez de messes basses ! Vous voulez encore tâter du bâton ? rugit-il avant de se tourner vers sa femme. Mevrouw, vous avez été très courageuse. Je suis certain que Mijnheer Hop ne désire pas vous importuner davantage.

Il dirigea son regard vers l'infortuné commis qui se leva précipitamment.

— Mevrouw ! lança-t-il d'une voix aiguë, et le mot jaillit, clair comme un coup de pistolet, surprenant Hop lui-même autant que tous les membres de l'assistance. Nous vous remercions pour votre témoignage et nous n'avons pas d'autres questions.

Il ne buta que sur le mot « témoignage » et se rassit triomphale-
ment.

— Bien dit, Hop! le félicita Van de Velde, rayonnant, d'un ton
paternel avant de lancer un sourire énamouré à sa femme. Vous
pouvez reprendre votre place, Mevrouw.

Dans un silence lourd de désir, tous les hommes présents dans
la salle lorgnèrent les fines chevilles moulées dans des bas de soie
blanche que Katinka découvrit en relevant ses jupes pour descendre de l'estrade.

— Lord Cumbria, permettez-moi de vous déranger, lança
Schreuder dès qu'elle fut assise.

Dans ses plus beaux atours, le Busard monta sur l'estrade et
prêta serment en posant une main sur le quartz fumé serti dans le
manche de sa dague. Après l'avoir prié de décliner son identité et
son titre, Schreuder lui demanda :

— Connaissez-vous Courteney, le capitaine pirate?

— Comme un frère, répondit le Busard en souriant à Sir Francis. Nous avons naguère été très proches.

— Vous ne l'êtes plus? s'enquit Schreuder avec intérêt.

— Hélas, cela me peine profondément, mais lorsque mon vieil
ami a commencé à changer, nos routes se sont séparées, bien que
j'éprouve encore pour lui une vive affection.

— En quoi a-t-il changé?

— Eh bien, Franky a toujours été un brave garçon. Nous avons
plus d'une fois navigué de conserve, quand la tempête faisait rage
ou lorsque soufflait le doux zéphyr. Je n'aimais aucun homme
plus que lui, il était loyal et honnête, courageux et généreux avec
ses amis...

Cumbria s'interrompit, fronçant les sourcils avec une expression de profond chagrin.

— Vous parlez au passé, comte. Qu'est-ce qui a changé?

— Francis a changé. Au début, dans des petites choses — il se
montrait cruel envers ses prisonniers et dur avec son équipage.
Puis, il n'a plus été le même avec ses amis, leur mentant et les
trompant sur la part qui leur revenait en cas de prise. Il est devenu
un homme âpre et amer.

— Merci pour votre franchise, dit Schreuder. Je vois qu'il vous
est pénible de révéler ces vérités.

— Très pénible, confirma Cumbria tristement. Je répugne à
voir mon ami enchaîné bien que, Dieu tout-puissant le sait, il ne
mérite aucune indulgence pour le comportement cruel dont il a
témoigné à l'égard d'honnêtes marins hollandais et d'une femme
innocente.

— Quand avez-vous navigué de conserve avec Courteney pour la dernière fois?

— Il y a peu. C'était en avril de cette année. Nos deux navires patrouillaient ensemble au large des Aiguilles, attendant d'attaquer les galions de la Compagnie qui doublaient le Cap pour faire escale dans la baie de la Table.

Il y eut un murmure de colère dans l'assistance, que Van de Velde ignora.

— Vous étiez donc vous aussi un pirate? lui demanda Schreuder en le foudroyant du regard. Vous abordiez aussi les navires hollandais?

— Non, colonel Schreuder, je n'étais pas un pirate. Durant la guerre qui a opposé nos deux pays, j'étais un corsaire mandaté.

— Veuillez, mon seigneur, nous dire quelle est la différence entre un pirate et un corsaire.

— Tout simplement que le corsaire navigue en vertu d'une lettre de marque délivrée par son souverain en temps de guerre, c'est un combattant légitime. Un pirate est un voleur et un hors-la-loi qui perpétue ses forfaits sans autre agrément que celui du Seigneur des Ténèbres, Satan en personne.

— Je vois. Vous étiez donc en possession d'une lettre de marque quand vous abordiez les vaisseaux hollandais?

— Bien entendu! répondit Cochran en sortant de sa manche un rouleau de parchemin qu'il tendit à Schreuder.

— Merci, fit celui-ci en déroulant le document chargé de rubans et de sceaux de cire rouge, qu'il leva afin que tout le monde le voie et qu'il lut à haute voix. « Par la présente, nous accordons à Angus Cochran, comte de Cumbria... »

— Très bien, colonel, coupa Van de Velde avec irritation. Inutile de tout lire. Montrez-le-moi, je vous prie.

Schreuder s'inclina.

— Comme il plaira à Votre Excellence, dit-il en tendant le document.

Van de Velde y jeta un coup d'œil et le posa de côté.

— Veuillez poursuivre, colonel.

— Comte, reprit Schreuder, Courteney était-il lui aussi en possession d'une lettre de marque?

— S'il en avait une, je n'en ai jamais eu connaissance, répondit le Busard en souriant à Sir Francis.

— L'auriez-vous su, si la lettre avait existé?

— Sir Francis et moi étions très proches. Il n'y avait pas de secrets entre nous. Certes, il me l'aurait dit.

282

— Il ne vous en a jamais parlé? Jamais? s'enquit derechef Schreuder, qui semblait aussi ennuyé qu'un maître dont l'élève a oublié sa leçon.

— Si. Maintenant, je m'en souviens. Je lui avais demandé s'il avait un mandat royal.

— Et qu'a-t-il répondu?

— Il a dit : « De toute façon, ce n'est jamais qu'un bout de papier. Ces bêtises m'importent peu! »

— Vous saviez qu'il n'avait pas de lettre et vous naviguiez néanmoins en sa compagnie?

Cochran haussa les épaules.

— Nous étions en guerre et cela ne me regardait pas.

— Vous vous trouviez donc au large du cap des Aiguilles avec le prévenu après que la paix eut été signée et vous continuiez à accomplir des raids sur les navires hollandais. Pouvez-vous nous expliquer cela?

— C'est très simple, colonel. Nous avons ignoré que la paix avait été signée jusqu'au moment où nous sommes tombés sur une caravelle portugaise en provenance de Lisbonne et en route pour Goa. Ils nous ont hélés et appris que la paix était conclue.

— Comment s'appelait ce navire portugais?

— *El Dragão*.

— Le prévenu était-il présent lors de cette rencontre?

— Non, il patrouillait plus au nord et était sous l'horizon à ce moment-là.

Schreuder hocha la tête.

— Où se trouve maintenant ce bâtiment?

— J'ai ici un exemplaire d'un journal de Londres qui date de trois mois seulement. Il a été apporté il y a trois jours par le navire de la Compagnie au mouillage dans la baie en ce moment, dit le Busard en sortant le journal de sa manche avec un grand geste de prestidigitateur. *El Dragão* a disparu corps et biens au cours d'une tempête dans le golfe de Biscaye tandis qu'il regagnait son port d'attache.

— Si j'ai bien compris, nous n'aurons jamais le moyen d'établir la réalité de votre rencontre avec ce bâtiment portugais?

— Vous devrez en effet me croire sur parole, colonel, répondit Cochran en caressant sa barbe rousse.

— Qu'avez-vous fait lorsque vous avez appris que la paix avait été signée entre l'Angleterre et la Hollande?

— Pour un honnête homme, il n'y avait qu'une chose à faire. J'ai cessé de patrouiller et suis parti à la recherche du *Lady Edwina*.

— Pour avertir son capitaine que la guerre était finie ? suggéra Schreuder.

— Naturellement, et dire à Franky que ma lettre de marque n'était plus valable et que je rentrais au pays.

— Avez-vous trouvé Courteney ? Lui avez-vous transmis le message ?

— Il ne m'a fallu que quelques heures pour le retrouver. Il était à vingt lieues plus au nord.

— Qu'a-t-il dit lorsque vous lui avez annoncé que la guerre était finie ?

— Il a dit : « Elle est peut-être finie pour vous, mais elle ne l'est pas pour moi. Qu'il pleuve ou qu'il vente, que ce soit la paix ou la guerre, je vais mettre la main sur une tête de lard bien grasse. »

Il y eut un grand cliquetis de chaînes et Daniel se leva brusquement, arrachant du même coup le petit Ned Tyler du banc.

— Il n'y a pas un mot de vrai là-dedans, sale menteur d'Ecossais ! tonna-t-il.

Van de Velde se dressa d'un bond et agita un doigt menaçant en direction de Daniel :

— Assis, espèce d'animal, ou je vous fais donner une bonne correction, et pas seulement avec la canne de jonc.

Sir Francis se tourna et saisit Daniel par le bras.

— Calmez-vous, maître Daniel, dit-il à voix basse. Ne donnez pas au Busard le plaisir de nous voir nous plaindre.

Daniel se plia aux ordres de son capitaine en marmonnant rageusement.

— Je suis persuadé que le gouverneur Van de Velde tiendra compte du fait que ces scélérats sont indisciplinés et prêts à tout, dit Schreuder avant de s'adresser de nouveau au Busard. Avez-vous revu Courteney avant aujourd'hui ?

— Oui. Lorsque j'ai appris qu'en dépit de mon avertissement, il avait pris un galion de la Compagnie, je suis parti à sa recherche pour lui faire des remontrances. Pour lui demander de rendre le navire et sa cargaison, et de libérer les otages dont il voulait obtenir rançon.

— Comment a-t-il réagi ?

— Il a dirigé ses canons sur mon navire, tuant douze marins, et m'a attaqué avec des brûlots, répondit le Busard en secouant la tête au souvenir de la perfidie commise par un vieil ami et compagnon de route. C'est alors que je suis venu ici pour informer le gouverneur Kleinhans de la position du galion et lui offrir de conduire une expédition en vue de reprendre aux pirates le navire et la cargaison.

— En tant que soldat, je ne peux que vous féliciter, comte, pour votre conduite exemplaire. Je n'ai pas d'autres questions, dit Schreuder à Van de Velde en s'inclinant.

— Hop, avez-vous des questions ? demanda Van de Velde.

Embarrassé, Hop regarda Sir Francis d'un air suppliant.

— Votre Excellence, bégaya-t-il, puis-je m'entretenir seul à seul avec Sir Francis... une minute seulement ?

Pendant quelques instants, Van de Velde sembla prêt à rejeter la requête.

— Hop, si vous persistez à retarder sans cesse la séance, nous allons y passer la semaine, dit-il finalement en fronçant les sourcils d'un air las. Très bien, vous pouvez vous entretenir avec le prévenu, efforcez-vous d'être bref.

Hop se précipita vers Sir Francis et se pencha vers lui. Il posa une question et, pâle, écouta la réponse avec une expression d'horreur croissante. Il hocha la tête pendant tout le temps où Sir Francis lui chuchotait à l'oreille, puis regagna sa table.

Les yeux rivés à ses papiers, il respirait comme un pêcheur de perles s'apprêtant à plonger par vingt brasses de fond, puis il redressa la tête et lança à Cumbria :

— Vous avez été informé de la fin des hostilités par le colonel Schreuder lorsque vous avez tenté d'enlever l'*Hirondelle* ici même sous la forteresse.

Cela fut dit sans le moindre temps d'arrêt, mais péniblement, si bien que Hop chancela, hors d'haleine.

— Avez-vous perdu l'esprit, Hop ? beugla Van de Velde. Etesvous en train d'accuser un noble de mensonge, petit imbécile ?

Hop prit une profonde inspiration et rassembla son courage.

— Vous avez eu entre les mains la lettre de marque du capitaine Courteney et l'avez brûlée sous ses yeux, clama-t-il d'une seule traite.

— Si vous espérez une promotion au sein de la Compagnie, Hop, vous vous y prenez étrangement en lançant des accusations insensées à un homme de haut rang, rugit Van de Velde. Vous ne savez donc pas rester à votre place, espèce de bon à rien ? Comment osez-vous vous comporter ainsi ? Asseyez-vous avant que je vous fasse mettre dehors et fouetter.

Hop se laissa tomber sur sa chaise comme s'il avait reçu une balle de mousquet en pleine tête.

Le souffle court, Van de Velde s'inclina devant le Busard.

— Mille excuses, comte. Tout le monde ici sait que votre intervention a permis d'arracher les otages et le *Standvastigheid* des griffes de ces gredins. Ignorez, je vous prie, ces déclarations insultantes et reprenez votre siège. Nous vous sommes reconnaissants pour votre aide.

Tandis que Cumbria regagnait sa place, Van de Velde s'aperçut soudain que le greffier griffonnait toujours.

— N'écrivez pas cela, âne bâté. Ça ne fait pas partie des délibérations du tribunal. Laissez-moi voir votre registre.

Il le lui arracha des mains et son visage s'assombrit à mesure qu'il lisait. Il se pencha, prit la plume du greffier et biffa les passages du texte qui l'offusquaient, puis rendit le livre au clerc.

— Usez de votre intelligence. Le papier coûte cher. Ne le gaspillez pas en écrivant des inanités, lança-t-il avant de se retourner vers les deux avocats. Messieurs, j'aimerais que nous réglions cette affaire aujourd'hui même. Je ne voudrais pas occasionner à la Compagnie des dépenses inutiles en perdant davantage de temps. Colonel Schreuder, il me semble que vous avez présenté votre accusation de manière tout à fait convaincante. J'espère que vous n'entendez pas renchérir sur la perfection en appelant encore d'autres témoins.

— Comme il plaira à Votre Excellence. J'avais l'intention d'en appeler encore une dizaine...

— Doux Jésus ! s'exclama Van de Velde, l'air épouvanté. Cela n'est nullement nécessaire.

Schreuder s'inclina profondément et se rassit. Van de Velde baissa la tête comme un taureau prêt à charger et regarda l'avocat de la défense.

— Hop ! gronda-t-il. Vous venez de voir combien le colonel Schreuder est raisonnable et quel excellent exemple d'économie de paroles et de temps il donne à la Cour. Quelles sont vos intentions.

— Puis-je demander à Sir Francis Courteney de déposer ? bégaya-t-il.

— Je vous le déconseille fortement, répondit Van de Velde d'un ton menaçant. Cela ne plaiderait certes pas en votre faveur.

— Je désire montrer qu'il ignorait que la guerre était finie et qu'il naviguait sous mandat délivré par le roi d'Angleterre, continua Hop avec obstination.

— Allez au diable ! s'écria Van de Velde écarlate. N'avez-vous donc pas entendu ce que j'ai dit ? Nous connaissons tous cette ligne de défense et j'en tiendrai compte lorsque j'établirai mon verdict. Il n'est pas nécessaire que vous régurgitiez ces mensonges.

— Je désire que le prévenu le dise, juste pour le procès-verbal de la séance, insista Hop, au bord des larmes, articulant à grand-peine.

— Vous mettez ma patience à rude épreuve, Hop. Continuez dans cette voie et vous allez vous retrouver sur le prochain navire en partance pour Amsterdam. Je ne peux tolérer qu'un commis déloyal de la Compagnie sème la dissension au sein de la colonie.

Hop parut alarmé de s'entendre décrit en de tels termes et s'empressa de capituler.

— Je vous prie de m'excuser d'avoir retardé la procédure de cette honorable Cour et je conclus ma plaidoirie.

— Fort bien! Vous avez fait du bon travail, Hop. Je ne manquerai pas de le mentionner dans la prochaine dépêche que j'enverrai aux Dix-Sept, fit Van de Velde tandis que son visage reprenait sa teinte normale et que, rayonnant, il lançait un regard circulaire dans la salle. Je décrète une suspension de séance pour le repas de midi et pour permettre à la Cour de délibérer. Nous reprendrons à quatre heures de l'après-midi. Reconduisez les prévenus au donjon.

Pour éviter d'avoir à retirer leurs fers, Manseer, le geôlier, fit entrer à la hâte Hal, toujours enchaîné à son père, dans l'étroite cellule située en haut de l'escalier en colimaçon, tandis que les autres descendaient au niveau inférieur.

Hal et Sir Francis s'assirent côte à côte sur la banquette de pierre qui faisait office de lit. Dès qu'ils furent seuls, Hal bredouilla :

— Père, je veux vous expliquer comment cela s'est passé avec Katinka... je veux dire avec la femme du gouverneur.

Sir Francis, entravé par ses chaînes, le prit gauchement dans ses bras.

— Aussi étonnant que cela paraisse, j'ai été jeune moi aussi. Inutile de me reparler de cette courtisane. Elle ne mérite pas ta considération.

— Je n'aimerai aucune autre femme aussi longtemps que je vivrai, dit Hal amèrement.

— Ce que tu as éprouvé pour elle n'était pas de l'amour, mon fils, déclara Sir Francis en secouant la tête. Ton amour est précieux. Accorde-le uniquement lorsque tu ne risques pas d'être trompé.

A cet instant, il y eut un petit coup frappé au barreau de la cellule voisine et Althuda demanda :

— Comment s'est passé le procès, capitaine Courteney? Vous ont-ils donné un avant-goût de la manière dont la Compagnie rend la justice?

— Cela s'est passé comme vous l'aviez annoncé, répondit Sir Francis en haussant la voix. Manifestement, vous avez déjà eu affaire à elle.

— Il n'y a qu'un seul dieu dans ce petit paradis que l'on appelle Bonne-Espérance, c'est le gouverneur. Ici, la justice est ce qui profite à la Compagnie des Indes orientales ou rapporte à ses serviteurs. Le juge vous a-t-il déjà condamné ?

— Pas encore. Van de Velde est allé s'empiffrer.

— Priez qu'il accorde davantage d'importance aux travaux du fort qu'à sa vengeance. Cela vous permettra peut-être d'échapper à Slow John. Y a-t-il quelque chose que vous leur cachiez ? Quelque chose qu'ils veulent obtenir de vous — trahir un des vôtres par exemple ? demanda Althuda. Si ce n'est pas le cas, vous avez des chances de ne pas vous retrouver dans la petite pièce sous l'armurerie où Slow John accomplit sa besogne.

— Nous ne leur cachons rien, n'est-ce pas Hal ? répondit Sir Francis.

— Rien, confirma fidèlement Hal.

— Mais Van de Velde pense le contraire, enchaîna Sir Francis.

— Alors, mon ami, il ne reste plus qu'à espérer que le Tout-Puissant ait pitié de vous.

Ces dernières heures en compagnie de son père s'écoulèrent trop vite pour Hal. Tous deux les passèrent à parler à voix basse. De temps à autre, Sir Francis était pris d'une quinte de toux. Ses yeux brillaient dans la pénombre, et quand Hal le toucha, sa peau était brûlante et moite. Sir Francis évoqua High Weald comme un homme qui sait qu'il ne reverra jamais sa maison. Lorsqu'il décrivit la rivière et la colline, Hal s'en souvint vaguement et se rappela les saumons qui remontaient le cours d'eau au printemps et le brame des cerfs en rut. Quand il parla de sa femme, Hal tenta de se souvenir du visage de sa mère, mais seul lui vint à l'esprit le portrait en médaillon qu'il avait enfoui près de la lagune des Eléphants.

— Ces dernières années, elle s'est effacée de ma mémoire, confessa Sir Francis. Mais à présent, je la revois aussi vivante, aussi jeune et douce qu'elle l'a toujours été. Je me demande si c'est parce que nous n'allons pas tarder à être réunis ? Je me demande si elle m'attend ?

— J'en suis certain, père, dit Hal pour le rassurer. Mais j'ai grand besoin de vous et je sais que nous aurons encore de longues années à passer ensemble avant que vous n'alliez rejoindre ma mère.

Sir Francis sourit avec regret et leva les yeux vers la petite lucarne de sa cellule.

— La nuit dernière, j'ai grimpé là-haut et j'ai regardé à travers les barreaux. La comète rouge était toujours dans le signe de la Vierge. Elle paraissait même plus près et plus ardente, car sa queue avait complètement caché mon étoile.

Ils entendirent les gardes approcher et le fracas métallique des clés dans la serrure.

— Laisse-moi t'embrasser une dernière fois, mon fils, dit Sir Francis en se tournant vers Hal.

Les lèvres de son père étaient sèches et brûlantes de fièvre. Le contact fut bref, et la porte de la cellule s'ouvrit d'un seul coup.

— Ne faites pas attendre le gouverneur et Slow John, dit jovialement le sergent Manseer. Dehors tous les deux.

L'atmosphère qui régnait dans la salle était celle qui précède un combat de coqs. Sir Francis et Hal marchaient à la tête de la longue file des prisonniers. Avant d'avoir pu s'en empêcher, Hal jeta un rapide coup d'œil vers l'enceinte protégée à l'autre extrémité de la salle. Katinka était assise à sa place, au milieu du premier rang, Zelda juste derrière elle. La suivante lança un regard mauvais à Hal; un léger sourire de contentement s'épanouissait sur le visage de Katinka tandis que ses yeux étincelaient de lueurs violettes qui semblaient éclairer les recoins obscurs de la salle.

Hal détourna rapidement le regard, surpris par la haine soudaine qui avait remplacé l'adoration qu'il vouait récemment à cette femme. Comment cela a-t-il pu se produire aussi vite? se demanda-t-il. Il savait que s'il avait eu une épée à la main, il l'aurait plongée sans hésiter entre ses seins.

En s'asseyant, il ne put que lever de nouveau les yeux vers la foule des spectateurs. Il fut pris d'un frisson en voyant une autre paire d'yeux, pâles et attentifs comme ceux d'un léopard, fixés sur le visage de son père.

Slow John était assis au premier rang de l'assistance. Dans son costume noir à l'austérité puritaine, coiffé de son chapeau à large bord posé bien droit, il avait l'air d'un prédicateur.

— Ne le regarde pas, lui dit Sir Francis à voix basse, et Hal se rendit compte que le regard scrutateur de ces étranges yeux pâles n'avait pas échappé à son père.

Dès que la salle fut retombée dans un silence attentif, Van de Velde entra par la porte de la salle d'audience. Il s'installa dans son fauteuil avec un large sourire, sa perruque légèrement de guingois, puis rota doucement car, de toute évidence, il avait bien déjeuné. Puis il baissa le regard vers les prisonniers avec une expression si bienveillante que Hal reprit espoir.

— J'ai examiné les dépositions qui ont été faites devant la Cour, commença le gouverneur sans préambule, et je tiens à dire sans attendre que j'ai été impressionné par les plaidoiries des deux avocats. Le colonel a été un modèle de concision, fit-il en butant sur les derniers mots avant de laisser échapper un autre renvoi.

Hal crut discerner une odeur d'ail et de cumin dans la bouffée d'air chaud qui lui parvint quelques secondes après. Van de Velde posa ensuite un œil paternel sur Jacobus Hop.

— L'avocat de la défense s'est admirablement comporté, reprit-il, et a fort bien défendu une cause désespérée. Je le mentionnerai dans ses états de service. (Hop fit un petit salut de la tête et rougit de plaisir.) Pourtant! enchaîna le gouverneur en regardant vers les bancs des prévenus, j'ai longuement réfléchi aux arguments adoptés par Mijnheer Hop, à savoir que les pirates agissaient en vertu d'une lettre de marque concédée par le roi d'Angleterre et qu'ils n'étaient pas au courant de la fin des hostilités lorsqu'ils ont attaqué le bâtiment de la Compagnie, le *Standvastigheid*. La preuve irréfutable du contraire m'oblige cependant à rejeter définitivement ces arguments de la défense. En conséquence, je déclare les vingt-quatre accusés coupables de piraterie en haute mer, de vol, d'enlèvement et de meurtre.

Les marins le regardèrent dans un silence de mort.

— Souhaitez-vous dire quelque chose avant que je prononce la sentence? demanda Van de Velde en ouvrant sa tabatière en argent.

— Nous sommes des prisonniers de guerre, dit Sir Francis d'une voix qui porta à travers toute la salle. Vous n'avez ni le droit de nous enchaîner comme des esclaves, ni celui de nous juger et de nous condamner.

Van de Velde prisa puis éternua avec délice, aspergeant le greffier assis au-dessous de lui qui écrivait à toute vitesse afin de suivre les délibérations.

— Il me semble que nous avons déjà évoqué cette question, répondit Van de Velde en hochant la tête d'un air moqueur. Je vais maintenant procéder à l'énoncé de la sentence et commencerai par les Noirs. Que les personnes suivantes se lèvent : Aboli! Matesi! Jiri! Kimatti!

Les quatre hommes étaient enchaînés deux par deux et les gardes les poussèrent pour qu'ils se mettent debout. Ils avancèrent en traînant les pieds jusqu'à l'estrade.

— J'ai tenu compte du fait que vous étiez des sauvages ignorants et que l'on ne pouvait s'attendre de votre part à ce que vous vous comportiez comme de bons chrétiens. Bien que vos crimes offusquent le ciel et exigent un châtiment, je suis enclin à l'indulgence. Je vous condamne donc à l'esclavage à vie. Vous serez vendus aux enchères par le commissaire-priseur de la Compagnie et adjugés au plus haut offrant. Le produit de la vente sera payé au trésor de la Compagnie. Emmenez-les, sergent!

Tandis qu'on les conduisait vers la porte, Aboli lança un regard à Sir Francis et à Hal. Son visage sombre restait impassible mais ses yeux leur transmirent le message de son cœur.

— J'en viens maintenant au cas des pirates de race blanche, reprit Van de Velde. Que les prévenus suivants s'avancent : Henry Courteney, officier et second, Ned Tyler, maître d'équipage, Daniel Fisher, maître d'équipage,... (Il lut tous les noms inscrits sur la liste qu'il tenait à l'exception de celui de Sir Francis Courteney. Lorsque celui-ci se leva à côté de son fils, Van de Velde l'arrêta.) Pas vous! Vous êtes le capitaine et le meneur de cette bande de scélérats. J'ai d'autres intentions vous concernant. Que l'armurier le sépare des autres prisonniers.

Du fond de la salle, l'homme s'avança à la hâte avec sa trousse à outils et libéra rapidement la menotte de la chaîne qui liait Hal à son père. Sir Francis resta seul sur le banc et Hal s'avança pour prendre sa place à la tête de la file de prévenus alignée le long de l'estrade. Van de Velde promena lentement un regard maussade de l'un à l'autre jusqu'à Hal.

— De ma vie, je n'ai posé les yeux sur un tel ramassis d'assassins. Aucun honnête homme n'est en sécurité tant que des créatures de votre espèce sont en liberté. Vous ne méritez pas autre chose que le gibet. (En regardant Hal, une pensée lui traversa l'esprit et il tourna les yeux vers le Busard.) Mon seigneur, puis-je vous dire un mot en privé?

Laissant les prisonniers en plan, Van de Velde sortit par la porte de la salle d'audience en se dandinant. Le Busard gratifia Katinka d'une révérence élaborée et suivit le gouverneur.

Quand il entra dans l'autre pièce, Van de Velde était en train de choisir un samosa sur un plateau d'argent.

— Il m'est venu une pensée soudaine, dit-il la bouche pleine en se tournant vers le Busard. Si je dois faire mettre Francis Courteney à la question pour qu'il révèle où il a caché la partie manquante de la cargaison, je me demande si je ne devrais pas envoyer son fils au bourreau avec lui. Courteney lui a certainement dit où il avait dissimulé le trésor ou l'a emmené avec lui lorsqu'il l'a caché. Qu'en pensez-vous, comte?

Le Busard prit un air grave et tripota sa barbe en faisant semblant de considérer la question. Il s'était demandé combien de temps il faudrait au gros porc pour avoir cette idée et il avait préparé sa réponse. Il pouvait tenir pour certain que Sir Francis Courteney n'avouerait jamais où il avait caché son butin, pas même entre les mains du plus habile et persévérant des bourreaux. Il était trop têtu pour cela, à moins qu'il ne s'agisse — et c'était l'unique cas où il pourrait capituler — de sauver son fils.

— Votre Excellence, à mon sens, vous ne devez pas redouter que quiconque sache où se trouve le trésor en dehors du capitaine des pirates lui-même. Il est bien trop avare et suspicieux pour accorder sa confiance à quelqu'un d'autre.

Van de Velde parut hésiter et se servit un autre samosa au curry. Tandis qu'il mastiquait bruyamment, le Busard réfléchit à sa meilleure argumentation pour le cas où le gouverneur souhaitait s'étendre sur le sujet. Il ne faisait aucun doute dans l'esprit de Cumbria que Hal Courteney savait où se trouvait le trésor du *Standvastigheid*. Qui plus est, il connaissait presque certainement la cachette du butin provenant du *Heerlycke Nacht*. Contrairement à son père, le jeune garçon serait incapable de résister à l'interrogatoire de Slow John et, même s'il se révélait plus résistant que le Busard ne le supposait, son père cèderait vraisemblablement quand il verrait son fils au supplice. D'une façon ou d'une autre, ils indiqueraient aux Hollandais la cachette du butin et c'était ce que voulait à tout prix éviter le Busard.

Son visage grave faillit s'épanouir en un sourire quand il perçut l'ironie de cette situation qui l'obligeait à épargner à Hal Courteney de tomber entre les griffes de Slow John. Mais s'il voulait s'approprier le trésor, il devait s'assurer que ni le père ni le fils n'y conduiraient auparavant les têtes de lard. Dans ce but, l'endroit le plus indiqué pour Sir Francis était la potence et pour son rejeton, le donjon sous les murs du château.

Cette fois-ci, il ne put réprimer un sourire à la pensée que, pendant que Slow John serait encore en train de refroidir ses fers rouges dans le sang de Sir Francis, le *Goéland* voguerait de nouveau vers la lagune des Eléphants pour extirper les sacs de florins et les lingots de l'antre où Sir Francis les avait fourrés.

— Non, Votre Excellence, dit-il toujours souriant en se tournant vers Van de Velde, je vous garantis que Francis Courteney est le seul homme qui sache où se trouve le trésor. Il peut paraître dur et parler comme un brave, mais Franky abandonnera toute résistance aussi facilement qu'une catin à qui l'on offre une guinée ouvre les cuisses dès que Slow John se mettra au travail. Je vous conseille d'envoyer Henry Courteney travailler à l'achèvement du château et de vous en remettre à son père pour vous conduire au butin.

— *Ja* ! acquiesça Van de Velde. C'est exactement ce que je pensais. Je voulais seulement que vous me donniez confirmation de ce que je savais déjà. (Il engloutit un dernier samosa et reprit la bouche pleine :) Allons-y et finissons-en.

Les prisonniers attendaient toujours enchaînés au pied de l'estrade comme des bœufs sous le harnais et Van de Velde reprit place dans son fauteuil.

— Le gibet et la potence, voilà vos destinations naturelles, mais c'est un sort trop doux. Je vous condamne donc à travailler jusqu'à la fin de vos jours au service de la Compagnie des Indes orientales, que vous avez comploté de duper et de voler et dont vous avez enlevé et maltraité les représentants. Ne croyez pas que ce soit de la gentillesse ou de la faiblesse de ma part. Un jour viendra où vous implorerez le Tout-Puissant de vous accorder la mort facile que je vous refuse aujourd'hui. Emmenez-les et mettez-les immédiatement au travail. Ils offensent ma vue et celle de tous les honnêtes hommes.

Tandis qu'on les conduisait hors de la salle, Katinka eut un soupir de déception et un geste de contrariété. Lord Cumbria se pencha vers elle et demanda :

— Quelque chose vous contrarie, madame ?

— Je crains que mon mari n'ait commis une erreur. Il aurait dû les envoyer au bûcher.

Il l'avait frustrée du plaisir de regarder Slow John tourmenter le beau garçon et d'entendre ses cris. C'eût été une plaisante conclusion à sa liaison. Son mari la lui avait promise et il la flouait. Elle le lui ferait payer.

— Ah, madame, la vengeance est comme une pipe de bon tabac de Virginie, on la savoure mieux à petites bouffées. Chaque fois que la fantaisie vous prendra, il vous suffira de lever les yeux vers les murs du château et vous les y verrez, conduits lentement à la mort.

Hal passa près de l'endroit où Sir Francis était assis. Son père, ses cheveux et sa barbe emmêlés et ternes, des cernes noirs sous les yeux contrastant terriblement avec sa peau pâle, semblait triste et malade. N'y tenant plus, Hal cria soudain : « Père ! » et se serait précipité vers lui si le sergent Manseer n'avait pas prévu son geste et ne s'était interposé avec la longue canne de jonc dans la main droite. Hal dut s'éloigner.

Son père ne leva pas les yeux et Hal comprit qu'il lui avait fait ses adieux et qu'il était déjà très loin, là où seul Slow John pourrait l'atteindre.

Lorsque la file des prisonniers eut quitté la salle et que la porte à double battant se fut refermée derrière eux, le silence retomba et tous les regards se tournèrent vers le personnage assis sur le banc des accusés.

— Francis Courteney, dit Van de Velde d'une voix forte, approchez !

Sir Francis rejeta la tête en arrière pour chasser ses cheveux grisonnants de ses yeux. D'un mouvement d'épaules, il se libéra des mains des gardes et se leva tout seul. La tête haute, il marcha jusqu'à l'estrade, sa chemise déchirée battant sur son dos nu. Les longues entailles laissées par le jonc avaient commencé à sécher et à se couvrir d'une croûte noire.

— Francis Courteney, ce n'est point par hasard, j'en suis certain, si vous portez le même prénom que le plus tristement célèbre des pirates, ce gredin de Drake.

— J'ai en effet l'honneur d'avoir reçu le prénom de Francis en souvenir de ce fameux marin.

— J'ai donc l'honneur plus grand encore de prononcer une sentence contre vous. Je vous condamne à mort. (Van de Velde attendit que Sir Francis manifeste une quelconque émotion, mais il lui renvoya impassiblement son regard. Le gouverneur dut finalement continuer.) Je répète, vous êtes condamné à mort, mais il vous appartiendra de choisir votre façon de mourir, reprit-il avant de partir brusquement d'un gros rire. Il n'y a pas beaucoup de gredins de votre espèce qui sont traités avec tant de bienveillance et de condescendance.

— Si vous le permettez, je me réserve d'exprimer ma gratitude lorsque j'aurai entendu la fin de votre proposition, murmura Sir Francis et Van de Velde cessa de rire.

— L'ensemble de la cargaison du *Standvastigheid* n'a pas été retrouvé. Sa partie la plus précieuse, et de loin, manque encore, et il ne fait aucun doute dans mon esprit que vous avez eu la possibilité de la cacher avant d'être capturé par les troupes de l'honorable Compagnie. Etes-vous disposé à révéler votre cachette ? Si tel est le cas, votre exécution consistera en une décapitation rapide et nette.

— Je n'ai rien à vous révéler, dit Sir Francis d'un ton indifférent.

— Dans ces conditions, je crains que la même question vous soit posée de manière extrêmement coercitive par le bourreau, lança Van de Velde en faisant claquer ses lèvres, comme si ces paroles lui laissaient un goût agréable sur la langue. Si vous répondez pleinement et sans réserve à toutes les questions, la hache du bourreau mettra un terme à vos souffrances. Si, au contraire, vous vous obstinez, l'interrogatoire se poursuivra. A tout moment, il vous appartiendra de choisir.

— Votre Excellence est un parangon d'indulgence, railla Sir Francis en s'inclinant, mais je ne peux répondre à cette question car je ne sais rien de la cargaison dont vous parlez.

— Alors, que le Dieu tout-puissant ait pitié de votre âme, dit Van de Velde en se tournant vers le sergent Manseer. Emmenez le prisonnier et remettez-le entre les mains du bourreau.

Hal était perché en équilibre au sommet de l'échafaudage dressé contre le mur en travaux du bastion est. Ce n'était que le deuxième jour des travaux forcés qui devaient durer jusqu'à la fin de sa vie, et les paumes de ses mains comme ses épaules étaient déjà à vif du fait du frottement des cordes et des pierres brutes. Il s'était écrasé l'extrémité d'un doigt et son ongle avait viré au violet. Chaque bloc de pierre pesait au moins une tonne et devait être hissé sur l'échafaudage branlant de bambous et de planches.

Le grand Daniel et Ned Tyler, dont aucun des deux n'était complètement guéri de ses blessures, faisaient partie de son équipe de détenus. Leurs plaies étaient parfaitement visibles car ils n'étaient vêtus que d'un pourpoint en lambeaux.

La balle de mousquet avait laissé un profond cratère violet dans la poitrine de Daniel et il avait comme un coup de griffe de lion dans le dos, là où Hal l'avait opéré. Du fait du mouvement imposé par le travail, les croûtes qui recouvraient ses blessures s'étaient craquelées et il en suintait de la lymphe mélangée à du sang.

La blessure à la cuisse de Ned Tyler ressemblait à un sarment de vigne rouge et il boitait bas. Après les privations endurées dans l'entrepont à esclaves du *Goéland*, il ne leur restait plus un atome de graisse. Ils étaient maigres comme des chiens de chasse; leurs muscles et leurs os saillaient à travers leur peau rougie par le soleil encore fort.

Cependant, le vent d'hiver soufflait du nord-ouest et semblait les écorcher comme du verre pilé. Ils tiraient à l'unisson sur la lourde manille et les cordes crissaient dans les poulies à mesure que l'énorme bloc de pierre ocre commençait sa périlleuse ascension.

La veille, un échafaudage du bastion sud s'était effondré sous le poids des pierres et trois détenus avaient fait une chute mortelle.

« Trois oiseaux avec une seule pierre. Je fais donner une bonne correction au prochain maladroit qui se tue », avait marmonné Hugo Barnard, le contremaître, penché sur les cadavres, avant de rire de sa macabre plaisanterie.

Daniel passa l'extrémité de la corde autour de son épaule valide et la retint pendant que le reste de l'équipe saisissait le bloc de pierre et le hissait sur l'échafaudage. Ils le portèrent ensuite sur le mur en suivant les instructions que leur criait le maçon hollandais vêtu de son tablier de cuir.

Quand ils l'eurent mis en place, ils se reculèrent, haletants, les muscles endoloris et tremblants à la suite de l'effort, mais il n'était pas question de se reposer.

— Faites descendre la nacelle ! Dépêchez-vous ou je monte vous persuader moi-même, beuglait déjà Hugo Barnard au bas de l'échafaudage en faisant claquer les lanières de cuir de son fouet.

Daniel regarda en contrebas. Soudain il se figea et jeta un coup d'œil à Hal par-dessus son épaule.

— Aboli et les autres gars arrivent par ici, dit-il.

Hal s'avança et regarda à son tour. De la porte du donjon sortait une petite procession. Les quatre Noirs, que l'on conduisait à l'extérieur, au soleil hivernal, portaient des chaînes légères.

— Regardez-moi ces veinards, grogna Ned Tyler. Leurs quatre compagnons n'avaient pas été intégrés à des équipes de travail, mais restaient au donjon à se reposer, et bénéficiaient d'un repas quotidien supplémentaire pour engraisser avant d'être vendus aux enchères. Ce matin, Manseer leur avait ordonné de se mettre nus. Le Dr Saar, le médecin de la Compagnie, était alors venu les examiner dans leur cellule pour déterminer leur état de santé. Après son départ, Manseer leur avait apporté une jarre d'huile pour qu'ils s'en passent sur le corps. Leur peau luisait au soleil comme de l'ébène ciré. Ils étaient encore amaigris par leur séjour à bord du *Goéland*, mais l'huile leur donnait belle apparence. Menés par leurs geôliers, ils franchirent les portes du château pour gagner le champ de parade déjà noir de monde.

Avant de sortir du fort, Aboli dressa sa grosse tête ronde et leva les yeux vers Hal, en haut de l'échafaudage. Leurs regards se croisèrent un instant. Les paroles étaient inutiles et Aboli partit à grandes enjambées sans se retourner.

L'estrade où se tenaient les enchères était une structure démontable qui, selon les occasions, servait aussi de pilori. C'était là que l'on exposait à la vue du public les corps des criminels exécutés. Les quatre hommes furent alignés sur l'estrade et le Dr Saar s'adressa à la foule.

— J'ai examiné ces esclaves avant de les proposer à la vente, déclara-t-il en inclinant la tête pour regarder par-dessus ses besicles à monture métallique. Je garantis qu'ils sont tous en bonne santé. Ils ont de bons yeux et de bonnes dents, les membres et le corps solides.

Une atmosphère de fête régnait sur le champ de parade. On applaudit les paroles du docteur et on l'acclama avec ironie quand il descendit de l'estrade pour regagner à la hâte les portes du château. Jacobus Hop s'avança et leva la main pour réclamer le silence. Puis il lut le texte proclamant la vente, hué et imité par l'assistance chaque fois qu'il bégayait.

— Par ordre de Son Excellence le gouverneur de cette colonie de l'honorable Compagnie des Indes orientales, je suis autorisé à vendre ces quatre esclaves noirs au meilleur enchérisseur...

Il s'arrêta et ôta son chapeau avec respect tandis que le cabriolet du gouverneur débouchait de l'avenue qui descendait de la résidence, traversait les jardins et s'engageait sur le champ de parade tiré par ses six chevaux gris. Lord Cumbria et la femme du gouverneur étaient assis côte à côte sur la banquette de cuir et le colonel Schreuder leur faisait face, dans le sens opposé à la marche.

La foule s'écarta pour laisser avancer la voiture jusqu'au pied de l'estrade, où Fredricus, le cocher noir, cria pour arrêter l'attelage et baissa le frein à main. Aucun des passagers ne descendit. Katinka se prélassait avec grâce sur la banquette, faisant tourner son ombrelle et bavardant gaiement avec les deux hommes.

L'arrivée de ces trois visiteurs de marque avait troublé Hop et, rouge de confusion, il bégaya et cligna des yeux au soleil jusqu'au moment où Schreuder lança avec impatience :

— Allez, assez de discours ! Nous ne sommes pas venus ici pour vous voir rouler de gros yeux ronds et bayer aux corneilles.

Hop remit son chapeau et s'inclina devant Schreuder puis devant Katinka.

— Le premier lot est l'esclave Aboli, clama-t-il. Il a une trentaine d'années et appartiendrait à la tribu des Qwandas de la côte est de l'Afrique. Comme vous le savez, les Qwandas sont très appréciés pour les travaux des champs et la garde des troupeaux. On peut aussi en faire un excellent charretier ou cocher. (Il s'arrêta pour s'éponger le visage et reprendre son souffle avant d'enchaîner :) Aboli est très bon chasseur et pêcheur. Il rapportera un bon revenu à son propriétaire dans n'importe laquelle de ses activités.

— Mijnheer Hop, est-ce que vous ne nous cachez rien? lança Katinka, la question plongeant ainsi Hop une nouvelle fois dans un profond désarroi.

Son bégaiement se fit alors si prononcé que c'est à peine s'il parvint à s'exprimer.

— Gente dame, dame hautement estimée, bredouilla-t-il en écartant les mains, je vous assure que...

— Proposeriez-vous à la vente un taureau portant des vêtements? demanda Katinka. Croyez-vous que nous allons enchérir pour quelque chose que nous ne voyons pas?

Comprenant ce qu'elle voulait dire, son visage s'éclaira et il se tourna vers Aboli.

— Déshabille-toi! ordonna-t-il d'une voix forte pour se donner du courage face à ce gigantesque sauvage.

Pendant quelques instants, Aboli garda les yeux fixés sur lui sans faire un geste, puis, avec un air de mépris, défit le nœud de son pagne et le laissa tomber sur le plancher. Nu et magnifique, il regarda par-dessus les têtes la montagne de la Table. Les spectateurs restèrent bouche bée, une femme poussa un petit cri, une autre rit nerveusement mais aucune ne détourna les yeux.

Cumbria rompit le silence lourd de sens par un gloussement.

— L'acquéreur en aura pour son argent. Il n'y a pas de mie de pain dans ce grand morceau de boudin. J'en offre cinq cents florins!

— Cent de plus! jeta Katinka.

Le Busard la regarda et lui glissa à voix basse:

— Je ne savais pas que vous aviez l'intention de faire une enchère, madame.

— J'aurai celui-là à n'importe quel prix, comte, l'avertit-elle, car il m'amuse.

— En aucun cas je ne voudrais empêcher une belle femme d'exaucer son désir, fit le Busard en inclinant la tête. Mais vous me laisserez le champ libre pour les trois autres, n'est-ce pas?

— Marché conclu, comte, répondit Katinka en souriant. Celui-là est pour moi et je vous abandonne les trois autres.

Cumbria croisa les bras et secoua la tête quand Hop le regarda.

— Trop cher pour moi, dit-il.

Hop chercha en vain un autre acheteur dans la foule. Aucun n'était assez téméraire pour rivaliser avec la femme du gouverneur dont ils avaient eu un aperçu du caractère lors du procès.

— L'esclave Aboli est adjugé à Mevrouw Van de Velde pour la somme de six cents florins! clama Hop en s'inclinant vers la voiture. Voulez-vous que les chaînes lui soient ôtées, Mevrouw?

— Pour le voir filer vers les montagnes? rétorqua Katinka en riant. Non, Mijnheer, ces soldats l'escorteront jusqu'au bâtiment des esclaves attenant à la résidence.

Elle lança un coup d'œil à Schreuder, qui donna un ordre à un détachement de pourpoints verts attendant à l'écart sous les ordres d'un caporal. Ils s'avancèrent en jouant des coudes, firent descendre Aboli de l'estrade et l'emmenèrent vers la résidence du gouverneur.

— Merci, comte, fit Katinka en tapotant d'un doigt l'épaule du Busard, après avoir regardé le grand Noir s'éloigner.

— Le lot suivant est l'esclave Jiri, annonça Hop en lisant ses notes. Comme vous le voyez, c'est un spécimen de qualité, fort...

— Cinq cents florins! grogna le Busard en jetant un regard mauvais aux autres acheteurs, comme s'il les mettait au défi de porter une enchère.

Mais comme la femme du gouverneur n'était pas en lice, les notables de la colonie se montrèrent plus téméraires.

— Six cents, annonça un marchand de la ville.

— Sept cents! surenchérit un charretier portant une veste en peau de léopard.

Le prix grimpa rapidement à quinze cents florins, seuls le charretier et le Busard étant restés dans la course.

— Maudit soit ce balourd! marmonna Cumbria en tournant la tête vers son maître d'équipage qui, avec trois autres marins, rôdaient à l'arrière du cabriolet.

Sam Bowles hocha la tête et ses yeux brillèrent. Escorté de ses hommes, il se faufila à travers la cohue jusqu'à se retrouver à côté du charretier.

— Seize cents florins, rugit le Busard, et allez au diable!

Le charretier ouvrit la bouche pour surenchérir, puis, sentant quelque chose le piquer entre les côtes, il baissa les yeux et vit le couteau que Sam Bowles tenait dans son poing noueux. Il referma la bouche et devint blanc comme neige.

— Mijnheer Tromp? interrogea Hop, mais le charretier s'éloigna précipitamment et traversa le champ de parade en direction de la ville.

Kimatti et Matesi furent tous deux adjugés au Busard pour une somme bien inférieure à mille florins. Les autres acquéreurs potentiels avaient assisté au petit drame qui venait d'avoir lieu entre Bowles et le charretier, et aucun n'eut l'aplomb de renchérir sur Cumbria.

Les trois esclaves furent emmenés vers la plage par le détachement de Sam Bowles. Lorsque Matesi tenta de s'échapper, un bon coup d'épissoir sur le crâne le fit changer d'avis et, avec ses camarades, il fut poussé sur la chaloupe et conduit au *Goéland* au mouillage à la limite des hauts-fonds.

— Nous avons tous deux fait de bonnes emplettes, comte, dit Katinka au Busard avec un sourire. Pour fêter cela, j'espère que vous accepterez de dîner avec nous à la résidence ce soir.

— Rien ne pourrait me faire un plus grand plaisir, mais hélas! madame, je ne m'attardais ici que pour assister à la vente dans l'espoir d'ajouter quelques bons marins à mon équipage. Mon navire est prêt à appareiller et le vent comme la marée m'invitent à prendre la mer.

— Vous nous manquerez, comte. Votre compagnie a été très divertissante. J'espère que vous reviendrez nous rendre visite et que vous resterez plus longtemps parmi nous lors de votre prochaine escale.

— Il n'est rien sur cette Terre — tempête, vent ou ennemi — qui pourra m'empêcher de le faire, répondit Cumbria en lui baisant la main.

Cornelius Schreuder le regarda de travers : il ne pouvait supporter de voir un autre homme poser un doigt sur cette femme qui en était arrivée à gouverner son existence.

Dès qu'il eut posé le pied sur le pont du *Goéland*, le Busard cria à l'homme de barre :

— Geordie, préparez-vous à lever l'ancre et appareiller. (Puis apercevant Sam Bowles :) Amenez-moi les trois Noirs sur le gaillard d'arrière, et en vitesse. (Tandis qu'ils étaient alignés devant lui, il les examina attentivement.) Est-ce que l'un de vous, mes Apollons païens, parle le langage de Dieu? demanda-t-il; ils le regardèrent sans comprendre. Vous ne connaissez donc que votre baragouin barbare, n'est-ce pas? Cela va me compliquer singulièrement la tâche, fit-il en secouant tristement la tête.

— Je vous demande pardon, intervint Sam Bowles en touchant obséquieusement son bonnet. Je les connais bien tous les trois. Nous avons navigué ensemble. Ils se paient votre tête. Tous trois parlent très bien l'anglais.

Cumbria leur sourit en leur décochant un regard meurtrier.

— Vous m'appartenez désormais, du sommet de votre tête crépue à la plante rose de vos grands pieds plats. Si vous tenez à garder votre peau noire intacte, je vous conseille de ne pas jouer avec moi à ce genre de jeu, vous m'entendez? lança-t-il avant d'envoyer Jiri rouler sur le pont d'un bon coup de poing. Quand je vous adresserai la parole, vous me répondrez aimablement et en bon anglais. Nous retournons à la lagune des Eléphants et, votre intérêt à tous, vous allez me montrer où le capitaine Franky a caché son trésor, compris?

Jiri se releva péniblement.

— Oui, capitaine! J'ai compris. Vous êtes notre père.

— J'aurais préféré me couper le robinet d'un coup d'épée plutôt que d'engendrer des enfants de votre espèce! répondit le Busard d'un ton sarcastique. Assez parlé, grimpez à la grande vergue et envoyez la toile, ajouta-t-il en expédiant un coup de pied dans le derrière de Jiri.

Katinka était assise au soleil à l'abri du vent dans un coin de la terrasse, le colonel Schreuder à ses côtés. Sukeena versa elle-même du vin dans deux verres à pied torsadé posés sur la desserte et les porta sur la table décorée de fruits et de fleurs provenant du jardin entretenu par Slow John. Elle déposa l'un des verres devant Katinka, qui tendit la main et lui caressa doucement le bras.

— As-tu fait appeler le nouvel esclave? demanda-t-elle d'une voix ronronnante.

— Aboli est en train de prendre un bain et on ajuste son uniforme, comme vous l'avez ordonné, maîtresse, répondit Sukeena à voix basse, en faisant comme si elle n'avait pas remarqué le contact de l'autre femme.

Il n'avait cependant pas échappé à Schreuder, et Katinka s'amusa de le voir froncer les sourcils de jalousie.

Elle leva son verre vers lui.

— Allons-nous souhaiter un rapide voyage à Lord Cumbria? dit-elle en souriant.

— Naturellement, répondit-il en levant son verre en retour. Un voyage rapide au fond de l'océan pour lui et tous ses compatriotes.

— Quel esprit, mon cher colonel. Mais doucement, voici venir ma dernière amusette.

Deux mousquetaires en pourpoint vert escortèrent Aboli jusqu'à la terrasse. Vêtu de braies noires étroitement ajustées et d'une chemise de coton blanc, il se tint devant elle en silence.

— A l'avenir, tu t'inclineras en ma présence et m'appelleras « maîtresse ». Si tu oublies, je demanderai à Slow John de t'en faire souvenir. Sais-tu qui est Slow John ?

— Oui, maîtresse, grommela Aboli sans la regarder.

— Bien ! Je pensais que tu serais rebelle et qu'il me faudrait te briser et t'apprivoiser. Voilà qui nous rend les choses plus faciles à tous deux. (Elle but une gorgée de vin et l'examina lentement, la tête penchée de côté.) Je t'ai acheté sur un coup de tête et je n'ai pas encore décidé de ce que j'allais faire de toi. Néanmoins, le gouverneur Kleinhans emmène avec lui son cocher en Hollande et il me faut un cocher. (Elle se tourna vers Schreuder.) J'ai entendu dire que les Noirs savent s'y prendre avec les bêtes. L'avez-vous constaté vous-même, colonel ?

— Effectivement, Mevrouw. Etant eux-mêmes des animaux, ils semblent établir facilement un contact avec eux, acquiesça Schreuder en étudiant attentivement Aboli. Physiquement, c'est un beau spécimen mais il va de soi qu'on ne doit pas s'attendre à trouver en eux quelque intelligence. Je vous félicite pour votre acquisition.

— Il se pourrait que par la suite je l'accouple à Sukeena, dit Katinka d'un ton rêveur. (La jeune esclave ne broncha pas, mais elle avait le dos tourné, si bien qu'ils ne pouvaient voir son visage.) Il pourrait être divertissant de voir comment le sang noir se mélange au doré.

— Un mélange tout à fait intéressant, convint Schreuder. Ne craignez-vous pas, cependant, qu'il s'échappe ? Je l'ai vu se battre sur le pont du *Standvastigheid*, c'est un sauvage. Peut-être serait-il prudent de lui passer un fer au pied, du moins tant qu'il n'a pas été dressé.

— Je ne crois pas avoir à prendre cette peine, répondit Katinka. J'ai eu l'occasion de l'observer à loisir durant ma captivité. Il est dévoué comme un chien fidèle au pirate Courteney et encore plus à son fils. Je suis persuadée qu'il ne s'échappera jamais tant que l'un des deux sera encore vivant et emprisonné dans le donjon du château. La nuit, il sera naturellement enfermé avec les autres dans le logement réservé aux esclaves, mais le jour il pourra aller et venir librement pour effectuer son travail.

— Je suis certain que vous savez ce que vous faites, Mevrouw. En ce qui me concerne, je n'accorderais jamais ma confiance à l'une de ces créatures, l'avertit Schreuder.

Katinka se tourna vers Sukeena.

— Il est convenu avec le gouverneur Kleinhans que Fredricus

apprendra à Aboli le travail de cocher. Le *Standvastigheid* n'appareille pas avant dix jours. Cela devrait être amplement suffisant. Veillez-y immédiatement.

Sukeena salua avec sa grâce d'Orientale.

— A vos ordres, maîtresse, dit-elle en faisant signe à Aboli de la suivre.

Elle le précéda dans l'allée qui menait aux écuries où Fredricus avait conduit la voiture, son allure et son maintien rappelant à Aboli les jeunes vierges de sa tribu. Toutes petites, leur mère leur apprenait à porter une calebasse en équilibre sur leur tête. Elles avaient le dos bien droit et semblaient glisser sur le sol, comme le faisait cette fille.

— Ton frère, Althuda, t'envoie son cœur. Il dit que tu es toujours son orchidée tigrée.

Sukeena s'arrêta si brusquement qu'Aboli, qui marchait derrière, faillit se heurter à elle. Elle lui fit songer à un souï-manga effarouché prêt à s'envoler. Lorsqu'elle se remit en route, il s'aperçut qu'elle tremblait.

— Tu as vu mon frère ? demanda-t-elle sans se retourner.

— Je n'ai jamais vu son visage, mais nous avons parlé d'une cellule à l'autre. Il a dit que ta mère s'appelait Ashreth et que la broche de jade que tu portes lui a été donnée par ton père le jour de ta naissance. Il a dit que si je te racontais tout cela, tu saurais que je suis son ami.

— S'il t'a accordé sa confiance, je dois faire de même. Moi aussi je serai ton amie, Aboli, reconnut-elle.

— Et moi, je serai le tien, dit Aboli à voix basse.

— Dis-moi comment va Althuda ? Est-ce qu'il va bien ? supplia-t-elle. Lui a-t-on fait du mal ? L'ont-ils confié à Slow John ?

— Althuda est perplexe. Ils ne l'ont pas encore condamné. Voilà quatre longs mois qu'il est enfermé dans le donjon et on ne lui a fait aucun mal.

— Je remercie Allah ! s'exclama Sukeena en se retournant et lui souriant, aussi belle que l'orchidée tigrée à laquelle Althuda l'avait comparée. J'avais quelque influence sur le gouverneur Kleinhans. J'ai réussi à le persuader de retarder le jugement de mon frère. Mais maintenant qu'il s'en va, je ne sais ce qu'il va advenir avec son successeur. Mon pauvre Althuda ! Il est si jeune et courageux ! S'ils l'envoient au bourreau, mon cœur mourra avec lui, aussi lentement et douloureusement.

— Il y a un autre prisonnier que j'aime autant que tu aimes ton frère, murmura Aboli. Tous deux sont dans le même donjon.

— Je crois savoir de qui tu parles. N'est-ce pas lui que j'ai vu le jour où ils vous ont débarqués et conduits à travers le champ de parade? N'a-t-il pas le maintien et la fierté d'un jeune prince?

— C'est bien lui. Comme ton frère, il mérite la liberté.

Sukeena s'immobilisa de nouveau, mais reprit tout de suite sa marche glissée.

— Que dis-tu là, Aboli, mon ami?

— Toi et moi pouvons réussir à les libérer.

— Est-ce possible? chuchota-t-elle.

— Althuda a déjà retrouvé sa liberté une fois. Il a déjà brisé ses entraves et s'est envolé comme un faucon, dit Aboli en regardant le ciel d'Afrique au bleu intense. Avec ton aide, il peut encore être libre, et Gundwane avec lui.

Ils étaient arrivés aux écuries et Fredricus, assis sur le siège de la voiture, sortit de sa torpeur. Il regarda Aboli et retroussa les lèvres, découvrant ses dents jaunies par le tabac à chiquer.

— Comment un singe noir peut-il apprendre à conduire ma voiture et mes six favoris? dit-il pour lui-même.

— Fredricus est un ennemi. Méfie-toi de lui, avertit Sukeena sans presque remuer les lèvres. Ne fais confiance à personne dans la maison jusqu'à ce que nous nous reparlions.

En même temps que les esclaves de la maison et la majeure partie du mobilier de la résidence, Katinka avait acheté à Kleinhans tous les chevaux de son écurie et le contenu de la sellerie. Elle lui avait signé un billet à ordre sur ses banques d'Amsterdam. C'était une grosse somme, mais elle savait que son père l'aiderait en cas de besoin.

Le plus beau de tous les chevaux était une jument baie, un superbe animal avec des jambes solides et gracieuses et une jolie tête. Katinka était excellente cavalière, mais elle n'éprouvait aucun sentiment, aucune affection pour l'animal et ses mains fines et pâles étaient dures et brutales. Elle utilisait un mors espagnol qui meurtrissait cruellement la bouche de la jument et usait de son fouet de manière gratuite. Quand elle avait abîmé une monture, elle pouvait toujours la vendre et en acquérir une autre.

Elle était cependant intrépide et se tenait remarquablement bien en selle. Lorsque la jument se cabrait et agitait la tête sous l'effet de la douleur provoquée par le mors ou le fouet, Katinka montrait une aisance et une élégance peu communes.

Elle poussait la jument à l'extrême limite de sa vitesse et de son endurance, volant sur le sentier escarpé et se servant de son fouet quand l'animal flanchait ou semblait vouloir refuser de sauter un arbre tombé en travers du chemin.

Le cheval était en nage comme s'il avait franchi une rivière et couvert d'écume — écume teintée de rose par le sang que faisait couler l'acier affûté du mors. Elle éclaboussait les bottes et la jupe de Katinka qui, emportée par l'excitation, était prise d'un rire sauvage tandis que la jument galopait vers le col. Elle regarda par-dessus son épaule. Schreuder était à cinquante longueurs au moins derrière elle : il avait emprunté une autre route afin de la retrouver en secret. Son hongre noir peinait sous son poids et, bien que le colonel usât de son fouet sans retenue, sa monture ne pouvait suivre le train de la jument.

Katinka ne s'arrêta pas en arrivant au col mais au contraire, de la cravache et de l'éperon, aiguillonna son cheval et la poussa à toute vitesse dans la pente de l'autre côté. Elle risquait à tout moment une chute terrible car le sol s'éboulait et la jument était épuisée. Le danger excitait Katinka. Elle se délectait de sentir sous elle le corps puissant et la selle de cuir battre contre ses cuisses et ses fesses en sueur.

Elle s'écarta en dérapant de la pente et déboucha à toute vitesse dans la prairie qui longeait un ruisseau. Elle galopa parallèlement au cours d'eau pendant une demi-lieue puis, lorsqu'elle atteignit un bosquet d'arbres aux feuilles argentées, arrêta sa monture en tirant violemment sur les rênes.

Ayant libéré sa jambe du crochet de sa selle de dame, elle se laissa tomber à terre avec légèreté dans un tourbillon de jupes et de jupons en dentelles. Elle se reçut avec la souplesse d'une chatte et, les poings sur les hanches, tandis que la jument respirait comme un soufflet de forge et chancelait sur ses pieds, elle regarda Schreuder descendre la pente à sa suite.

Il atteignit le pré et galopa jusqu'à elle. Arrivé là, il sauta de sa monture, rouge de colère.

— C'est de la folie, Mevrouw, cria-t-il. Vous auriez pu tomber !

— Mais je ne tombe jamais, colonel, répondit-elle en riant. A moins que vous ne me fassiez tomber.

Elle jeta brusquement ses bras autour de son cou et, telle une lamproie, colla ses lèvres aux siennes et aspira sa langue dans sa bouche. Comme il la serrait dans ses bras, elle lui mordit la lèvre inférieure assez fort pour en faire sourdre du sang dont elle goûta la saveur métallique et salée. Il poussa un rugissement de douleur, elle se libéra et, remontant ses jupes, se mit à courir avec légèreté le long du ruisseau.

— Vous allez me le payer chèrement, petit démon! fit Schreuder en s'essuyant la bouche.

Ayant constaté que sa main était tachée de sang, il se lança à sa poursuite.

Ces derniers jours, Katinka s'était jouée de lui et l'avait rendu à moitié fou, faisant des promesses avant de les renier, le taquinant avant de le congédier, froide comme le vent du nord et, l'instant d'après, chaude comme le soleil des tropiques. Il en perdait la tête et mourait de désir, mais elle s'était laissée prendre à son propre jeu. En le tourmentant, elle s'était soumise elle-même à rude épreuve et le désirait à présent autant qu'il la désirait. Elle voulait le sentir au fond d'elle, elle voulait qu'il éteigne le feu qu'il avait allumé dans ses entrailles et ne pouvait attendre davantage.

Il la rattrapa; acculée, elle se retourna et, appuyée contre un arbre, lui fit face comme une biche encerclée par les chiens. La rage semblait avait opacifié les yeux de Schreuder. Il avait le visage gonflé et écarlate, ses lèvres retroussées découvraient ses dents serrées.

Avec un frisson de terreur, elle se rendit compte que cette fureur dans laquelle elle l'avait mis était une sorte de folie qu'elle était incapable de maîtriser. Elle savait qu'elle risquait sa vie et, connaissant ce danger, sa soif de luxure avait rompu ses digues comme une rivière en crue.

Elle se jeta sur lui et, de ses deux mains, arracha la fermeture de ses hauts-de-chausses.

— Vous avez envie de me tuer, n'est-ce pas?

— Espèce de garce, dit-il d'une voix étranglée en la prenant à la gorge. Espèce de catin. J'en ai assez. Je vais te. .

Elle sortit son pénis gros et dur, gonflé, rouge et si chaud qu'il sembla lui brûler les doigts.

— Alors, tue-moi avec ça. Enfonce-le en moi jusqu'à me transpercer le cœur.

Elle s'appuya contre l'écorce rugueuse de l'arbre et écarta les jambes. Il remonta ses jupes avec frénésie et, des deux mains, se guida en elle. L'arbre se mit à trembler sous ses furieux coups de boutoir, comme agité par une rafale. Les feuilles argentées se mirent à tomber en pluie autour d'eux, luisantes comme des pièces neuves en tourbillonnant au soleil. Au moment où elle jouit, Katinka poussa un cri dont les falaises renvoyèrent l'écho.

Elle redescendit de la montagne dans une course folle, portée par le fort vent de nord-ouest qui s'était levé avec soudaineté en cette journée d'hiver ensoleillée. Échappés de son bonnet, ses cheveux claquaient dans le vent. La jument courait comme si elle avait été poursuivie par des lions. Quand elle atteignit les premières vignes, Katinka la lança vers le haut mur de pierre au-dessus duquel elle vola comme un faucon.

Elle traversa les jardins au galop jusqu'à la cour des écuries. Slow John se retourna pour la regarder passer. Les plantes qu'il avait fait pousser étaient arrachées et éparpillées sous les sabots de la jument. Il se pencha pour ramasser une tige déchiquetée qu'il porta à sa bouche et mordit doucement pour en goûter la sève sucrée. Il n'éprouvait aucun ressentiment. Les plantes qu'il cultivait étaient destinées à être coupées et détruites, tout comme un homme naissait pour mourir. Pour Slow John, seule la façon de mourir importait.

Il contempla la jument et sa cavalière, avec le même respect que celui qui l'envahissait lorsqu'il étranglait l'un de ses petits « moineaux ». Il considérait les condamnés qui périssaient entre ses mains comme des moineaux. La première fois qu'il avait posé les yeux sur Katinka Van de Velde, il avait été envoûté. Il avait l'impression d'avoir attendu cette femme toute sa vie. Il avait reconnu en elle ces qualités mystiques qui gouvernaient sa propre existence mais, comparé à elle, il savait qu'il n'était qu'une chose insignifiante qui rampait dans la vase.

Elle était une déesse cruelle et intouchable, et il la vénérait. Les plantes déracinées qu'il tenait étaient comme des offrandes à cette déesse. Il était ému par sa condescendance au point d'en avoir presque des larmes aux yeux, ses étranges yeux jaunes qui clignèrent et pour une fois exprimèrent son émotion.

— Ordonne-moi ce que tu veux, souffla-t-il. Il n'est rien que je ne ferais pour toi.

Katinka éperonna la jument pour la lancer au grand galop dans l'allée qui conduisait à la porte principale de la résidence et sauta de sa monture avant qu'elle ne se soit complètement arrêtée. Elle ne jeta même pas un regard à Aboli qui était descendu d'un bond de la terrasse, prenait les rênes et menait la jument à l'écurie.

— Elle t'a fait saigner, ma pauvre petite, mais Aboli va te soigner, dit-il doucement à l'animal dans la langue des forêts.

Dans la cour des écuries, il déboucla la sangle et essuya la robe de la jument avec un linge en la faisant marcher lentement en rond puis lui donna à boire avant de la conduire à sa stalle.

— Regarde comme sa cravache et ses éperons ont entaillé ta

peau. C'est une vraie sorcière, murmura-t-il en passant de la graisse sur les coins déchirés et meurtris de la bouche du cheval. Mais maintenant Aboli est là pour te protéger et te chérir.

Katinka traversa à grandes enjambées les pièces de la résidence en chantant doucement pour elle-même, le visage encore illuminé par ses ébats amoureux. Dans sa chambre à coucher, elle appela Zelda puis, sans attendre l'arrivée de sa vieille servante, elle se déshabilla. L'air hivernal qui passait à travers les volets entrouverts lui parut froid sur sa peau nue, couverte de sueur. Ses mamelons rose pâle se dressèrent et elle cria de nouveau :

— Zelda, où es-tu donc ?

Lorsque la suivante entra précipitamment dans la chambre, elle s'en prit à elle :

— Doux Jésus, où étais-tu, vieille fainéante ? Ferme ces volets ! Est-ce que mon bain est prêt ou bien t'es-tu encore endormie devant la cheminée ?

Mais ses paroles n'avaient pas leur acrimonie habituelle. Tout sourire, elle se renversa dans l'eau fumante et parfumée de la baignoire en céramique, ramenée de la cabine arrière du galion.

Zelda s'attarda près de la baignoire, souleva hors de l'eau les mèches épaisses de sa maîtresse pour les épingler en chignon et lui savonna les épaules avec un linge.

— Cesse de m'embêter ! Laisse-moi un peu en paix ! ordonna Katinka d'un ton impérieux.

Zelda laissa tomber le linge et sortit de la chambre.

Katinka se prélassa un moment, fredonnant doucement et levant ses pieds à tour de rôle au-dessus de l'écume pour inspecter ses chevilles délicates et ses orteils roses. Puis son attention fut attirée par un mouvement dans le miroir couvert de buée ; elle se redressa et regarda, incrédule. Elle se leva rapidement, sortit de la baignoire, s'enroula dans une serviette et s'approcha sans bruit de la porte de la chambre.

Elle avait vu Zelda ramasser ses habits sales et la vieille femme examinait à présent les taches qui maculaient son linge de corps. Elle porta ensuite les vêtements à son visage et les renifla comme une chienne flaire l'entrée d'un terrier.

— L'odeur du foutre te plaît ? demanda froidement Katinka.

Au son de sa voix, Zelda pivota sur elle-même pour lui faire face. Elle cacha les vêtements derrière son dos, ses joues devinrent pâles comme de la cendre et elle se mit à bredouiller.

— Quand en as-tu reniflé la dernière fois, espèce de vieille vache desséchée ? lança Katinka.

Elle laissa tomber la serviette et s'avança vers la servante d'un pas glissant, mince et ondulante comme un cobra dressé, le regard glacial et venimeux. Son fouet se trouvait encore où elle l'avait laissé tomber et elle le ramassa en passant. Zelda recula à son approche.

— Maîtresse, pleurnicha-t-elle, je craignais seulement que vos jolis vêtements soient abîmés.

— Tu les flairais comme une grosse truie flaire les truffes, répliqua Katinka en lui donnant un coup de fouet en pleine bouche.

La servante poussa un cri aigu et tomba à la renverse sur le lit. Debout au-dessus d'elle, Katinka prit son élan et frappa de toutes ses forces.

— Voilà un plaisir que je me refuse depuis trop longtemps, cria Katinka, sa fureur décuplée par les hurlements de la vieille qui se tortillait sur le lit. J'en avais assez de tes chapardages et de ta gloutonnerie. Maintenant, tu dépasses les bornes, vieille sournoise.

— Maîtresse, vous êtes en train de me tuer.

— Tant mieux! Mais si tu survis, tu t'embarqueras sur le *Standvastigheid* quand il appareillera pour la Hollande la semaine prochaine. Je ne supporte plus de te voir rôder autour de moi. Je te renverrai dans la plus misérable des cabines sans un sou. Tu passeras le restant de tes jours dans une maison des pauvres.

Katinka haletait et les coups pleuvaient sur la tête et les épaules de Zelda.

— Je vous en prie, maîtresse, ne soyez pas aussi cruelle avec votre vieille Zelda qui vous a nourri au sein.

— La pensée que j'ai sucé le lait de ces grosses mamelles me donne envie de vomir, répliqua Katinka en les fouettant. (Zelda gémit et se couvrit la poitrine de ses bras.) Quand tu partiras, je ferai fouiller tes bagages afin que tu n'emportes rien de ce que tu m'as volé. Je veillerai à ce que tu n'aies pas un seul florin dans ta bourse. Espèce de vieille bique, sale voleuse.

A cette dernière menace, de créature servile qui se tordait pathétiquement, Zelda se mua en possédée. De sa main potelée, elle saisit brusquement le poignet de Katinka qui s'apprêtait à frapper de nouveau. Elle le tint avec une force qui décontenança sa maîtresse et la regarda avec une haine farouche.

— Non! lança-t-elle. Vous ne me prendrez pas tout ce que j'ai. Je suis restée vingt-cinq ans à votre service et ce n'est pas maintenant que vous allez vous débarrasser de moi. Je m'embarquerai sur le galion, c'est entendu, et rien ne me fera plus plaisir que de ne plus voir votre beauté vénéneuse. Mais lorsque je m'en irai, j'emporterai avec moi tout ce qui m'appartient et par-dessus le marché, j'aurai dans ma bourse les mille florins de retraite que vous allez me donner.

Sous le coup de la stupéfaction, la colère de Katinka retomba comme un soufflé et elle dévisagea sa servante avec incrédulité.

— Tu divagues. Mille florins! Mille coups de fouet, oui! dit-elle en tentant de libérer son bras, mais Zelda s'y accrocha avec une force de démente.

— Vous dites que je divague? Mais que va faire Son Excellence lorsque je lui apporterai la preuve que vous avez couché avec le colonel?

A cette menace, Katinka fronça les sourcils et baissa lentement le bras. Son esprit fonctionnait à toute vitesse et, tandis qu'elle regardait Zelda dans les yeux, bien des mystères se dissipaient. Elle avait fait entièrement confiance à cette vieille garce, n'avait jamais mis en question sa fidélité, n'y avait même jamais songé. Elle comprenait à présent comment, de manière inexplicable, son mari semblait toujours être au courant de ses liaisons.

Elle réfléchissait rapidement, son expression impassible masquant son indignation d'avoir été trahie. Peu importait que son époux apprenne son aventure avec Cornelius Schreuder. Ce serait seulement un peu contrariant car elle ne s'était pas encore lassée du colonel. Les conséquences seraient naturellement plus graves pour son nouveau galant.

En regardant en arrière, elle se rendait compte à quel point Petrus Van de Velde s'était montré vindicatif avec ses anciens amants : tous en avaient cruellement pâti dès que son mari avait appris leur existence. Jusqu'à cet instant, elle ignorait par quel biais il l'apprenait. Elle avait été naïve et il ne lui était jamais venu à l'esprit que Zelda était le serpent qu'elle nourrissait dans son sein.

— Zelda, je t'ai traitée injustement. Je n'aurais jamais dû me montrer aussi dure avec toi, dit-elle doucement en caressant les zébrures à vif sur les joues rondes de la servante. Tu as toujours été gentille et fidèle avec moi pendant toutes ces années et il est temps que tu prennes ta retraite. J'ai parlé sous le coup de la colère. Je n'ai jamais songé à te frustrer de ce que tu as amplement mérité. Quand tu t'embarqueras sur le galion, ce n'est pas mille, mais deux mille florins que tu auras dans ta bourse, et mon affection, ma gratitude t'accompagneront.

Zelda passa sa langue sur ses lèvres meurtries et sourit avec un air de triomphe malveillant.

— Comme vous êtes bonne avec moi, ma douce maîtresse!

— Il va de soi que tu ne diras rien à mon mari de mes petites escapades avec le colonel Schreuder, n'est-ce pas?

— Je vous aime trop pour vous faire le moindre mal et mon cœur sera à jamais brisé le jour où je devrai vous quitter.

Slow John était à genoux au milieu d'un parterre de fleurs au bout de la terrasse, sa serpette à la main. Lorsqu'une ombre tomba sur lui, il leva la tête et se releva. Il ôta son chapeau et le tint respectueusement sur sa poitrine.

— Bonjour, maîtresse, dit-il de sa voix grave et mélodieuse.

— Reprenez votre tâche. J'adore vous regarder travailler.

Il se laissa retomber sur ses genoux et la lame de la serpette dansa dans ses mains puissantes. Katinka s'assit sur un banc voisin et le regarda en silence pendant un moment.

— J'admire votre habileté, dit-elle enfin, et bien qu'il ne relevât pas la tête, il n'ignorait pas qu'elle ne parlait pas seulement de sa dextérité dans le maniement de la serpette. J'ai un besoin urgent de vos talents, Slow John. Il y aura une bourse de cent florins pour votre récompense. Voulez-vous faire quelque chose pour moi?

— Mevrouw, il n'y a rien que je ne ferais pour vous, répondit l'homme en redressant finalement la tête et en la regardant de ses étranges yeux jaunes. Je n'hésiterais pas à sacrifier ma vie si vous me le demandiez. Je ne veux aucune rémunération. Savoir que j'exécute vos ordres est la seule récompense que je désirerai jamais.

Les nuits hivernales étaient devenues froides et des rafales de pluie, descendues des montagnes en grondant, venaient battre contre les carreaux des fenêtres et hurler comme des chacals autour du toit de chaume.

Zelda enfila sa chemise de nuit. Les kilos qu'elle avait perdus au cours de leur voyage étaient revenus, localisés sur son ventre et ses cuisses. Depuis leur installation dans la résidence, elle n'avait pas manqué de nourriture, engloutissant les restes succulents rapportés de la salle à manger principale, les arrosant avec les fonds de verres — vin rouge, vin du Rhin mélangés avec du gin et du schnaps — qu'elle recueillait.

Le ventre plein de bonne chère, elle s'apprêtait à se mettre au lit. Elle s'assura d'abord que la croisée était bien fermée. Pour empêcher l'eau de pénétrer, elle calfeutra les fentes avec des chiffons et tira les rideaux. Elle glissa la chaufferette en cuivre sous les couvertures et l'y garda jusqu'au moment où elle sentit que les draps commençaient à roussir.

Avec un soupir d'aise, elle s'installa dans son lit chaud et douillet, et ses dernières pensées furent pour sa bourse cachée sous le matelas. Elle s'endormit en souriant.

Une heure après minuit, alors que toute la maison était silencieuse et endormie, Slow John écoutait à la porte de la chambre de Zelda. Lorsqu'il l'entendit ronfler plus fort que le vent contre la croisée, il ouvrit la porte sans bruit et glissa à l'intérieur de la pièce le brasero de charbon de bois rougeoyant. Il écouta pendant une minute, mais la vieille femme respirait régulièrement. Il referma la porte doucement et remonta le couloir en silence.

Au petit matin, Sukeena vint réveiller Katinka une heure plus tôt que prévu. Lorsqu'elle l'eut aidée à enfiler une robe chaude, elle la conduisit jusqu'à la partie de la maison réservée aux domestiques où un petit attroupement d'esclaves silencieux et effrayés s'était rassemblé à la porte de Zelda. Ils s'écartèrent pour laisser entrer Katinka, et Sukeena murmura :

— Je sais ce qu'elle représentait pour vous, maîtresse. Mon cœur se brise en y songeant.

— Merci, Sukeena, répondit tristement Katinka en jetant un rapide regard circulaire dans la petite pièce.

Le brasero avait été enlevé. Slow John avait été consciencieux et efficace.

— Elle a l'air si paisible ! remarqua Sukeena au chevet du lit. Et quel joli teint ! C'est presque comme si elle était encore vivante.

Katinka vint se mettre à côté d'elle. Les émanations toxiques du brasero avaient rougi les joues de la vieille femme. Elle était plus belle dans la mort qu'elle ne l'avait jamais été de son vivant.

— Sukeena, laisse-moi un moment avec elle, je te prie, dit-elle à voix basse. Je veux dire une prière pour elle. Elle m'était si chère.

Tandis qu'elle s'agenouillait près du lit, Sukeena referma doucement la porte derrière elle. Katinka glissa une main sous le matelas et en tira la bourse. A en juger par son poids, elle savait qu'il ne manquait pas une pièce. Elle la fourra dans la poche de sa robe, joignit les mains devant elle et ferma les yeux si fort que ses longs cils dorés se mêlèrent.

— Va au diable, vieille garce, murmura-t-elle.

Slow John vint enfin. Ils l'avaient attendu pendant des jours et des nuits de tourment, si longs que Sir Francis Courteney commençait à croire qu'il ne viendrait jamais.

Chaque soir, lorsque l'obscurité mettait fin aux travaux, les équipes de prisonniers rentraient en traînant des pieds. L'hiver resserrait son emprise sur le Cap et ils étaient souvent trempés et glacés jusqu'aux os.

Chaque soir, quand il passait devant la porte cloutée de la cellule de son père, Hal lançait :

— Comment vous sentez-vous, père ?

La réponse, donnée d'une voix enrouée et étouffée par les mucosités, était toujours la même :

— Ça va mieux aujourd'hui, Hal. Et toi ?

— Le travail a été facile. Nous avons tous bon moral.

Puis, de la cellule voisine, Althuda annonçait :

— Le médecin est venu ce matin. Il dit que Sir Francis va assez bien pour être interrogé par Slow John.

Ou bien :

— La fièvre a monté, Sir Francis a toussé tout le jour.

Dès que les prisonniers étaient enfermés dans la partie inférieure du donjon, ils engloutissaient leur unique repas de la journée, nettoyaient leur écuelle avec leurs doigts avant de se laisser tomber comme morts sur la paille humide.

Avant l'aube, Manseer venait gratter aux barreaux de la cellule :

— Debout ! Levez-vous, bande de fainéants, avant que Barnard n'envoie ses chiens pour vous réveiller.

Ils se levaient péniblement et sortaient à la queue leu leu dans la pluie et le vent. Barnard les attendait dehors, escorté de ses deux énormes vautres noirs, qui grondaient et tiraient sur leur laisse. Certains des marins avaient trouvé des morceaux de toile avec lesquels ils enveloppaient leurs pieds ou se protégeaient la tête, mais ces chiffons restaient humides d'un jour sur l'autre. Cependant, la plupart n'avaient rien aux pieds et étaient à demi-nus dans le vent d'hiver.

Puis, Slow John vint. Il arriva à midi. Les hommes perchés sur l'échafaudage se turent et le travail s'arrêta. Même Hugo Barnard se tint à l'écart quand il franchit les portes du château. Avec ses vêtements sombres et son chapeau à large bord baissé sur les yeux, il faisait penser à un pasteur sur le point de monter en chaire.

Slow John s'arrêta à l'entrée du donjon et le sergent Manseer arriva en courant, son trousseau de clés tintant à sa ceinture. Il ouvrit la porte basse, s'écarta pour laisser passer le bourreau puis le suivit à l'intérieur. La porte se referma derrière eux et les spectateurs sortirent de leur torpeur, comme s'ils venaient de faire un cauchemar, avant de reprendre leur tâche. Mais pendant le temps où Slow John resta à l'intérieur, un lourd silence plana sur le chantier. Personne ne jura ou ne souffla mot ; même Hugo Barnard était dompté et, à la moindre occasion, ils tournaient la tête pour regarder en contrebas la porte close.

Eclairé par la lanterne de Manseer, Slow John descendit l'escalier et s'arrêta devant la cellule de Sir Francis. Le sergent tira le loquet du judas et Slow John s'avança. Un rayon de lumière tombait de la lucarne, éclaira la cellule. Assis sur la banquette de pierre qui servait de couchette, Sir Francis leva la tête et regarda Slow John dans les yeux.

Le visage de Sir Francis faisait songer à un crâne blanchi au soleil, si pâle qu'il semblait lumineux dans la pénombre, encadré par sa longue chevelure noir corbeau, percé par les cavités sombres de ses yeux.

— Je vous attendais, dit-il, puis il toussa jusqu'à ce que sa bouche se remplisse de mucosités et cracha sur la paille qui jonchait le sol.

Slow John ne répondit pas. Ses yeux jaunes, qui brillaient à travers le judas, étaient rivés sur le visage du prisonnier. Les minutes passèrent. Sir Francis fut pris d'un violent désir de lui crier : « Faites ce que vous avez à faire. Dites ce que vous avez à dire. Je suis prêt. » Mais il se força à rester silencieux et persista à lui rendre son regard.

Slow John s'écarta enfin et fit un signe de tête à Manseer. Celui-ci referma le judas d'un coup sec et remonta l'escalier pour ouvrir la porte métallique au bourreau. Slow John traversa la cour, tous les yeux braqués sur lui. Lorsqu'il franchit les portes du fort, les hommes se remirent à respirer normalement et l'on entendit de nouveau les ordres lancés du bas des murailles auxquels répondait un murmure de jurons et de plaintes.

— C'était Slow John ? demanda Althuda à voix basse depuis la cellule voisine de celle de Sir Francis.

— Il n'a rien dit. Il n'a rien fait, murmura ce dernier d'une voix rauque.

— C'est sa manière, dit Althuda. J'ai passé ici assez de temps pour l'avoir vu plusieurs fois jouer le même jeu. Il veut vous user jusqu'à ce que vous ayez envie de lui dire tout ce qu'il désire savoir avant même qu'il vous ait touché. C'est pour ça qu'on l'appelle Slow John.

— Doux Jésus, cela me fait perdre à moitié courage. Est-il déjà venu vous regarder, Althuda ?

— Pas encore.

— Comment se fait-il que vous ayez une telle chance ?

— Je l'ignore. La seule chose que je sais, c'est qu'il viendra un jour pour moi aussi. Je sais comme vous ce que l'on ressent quand on attend.

Trois jours avant le départ prévu du *Standvastigheid* pour la Hollande, Sukeena quitta les cuisines de la résidence, sa jolie petite tête coiffée de son chapeau conique de paille tressée, un panier au bras. Son départ ne provoqua aucune surprise parmi les autres membres de la maisonnée car c'était son habitude de sortir plusieurs fois par semaine pour aller cueillir des simples et des racines à flanc de montagne. Ses talents de guérisseuse et sa connaissance des plantes médicinales étaient renommés dans toute la colonie.

Depuis la véranda de la résidence, Kleinhans la regarda s'en aller et la douleur lui tordit les tripes. Il avait l'impression qu'une plaie saignait au fond de ses entrailles et ses selles étaient souvent noircies par du sang coagulé. Cependant, ce n'était pas seulement la dyspepsie qui le dévorait. Il savait que lorsque le galion aurait levé l'ancre, avec lui à bord, il ne reverrait plus jamais Sukeena. Maintenant que le moment de la séparation approchait, il ne parvenait plus à fermer l'œil de la nuit, et même le lait et le riz bouillis devenaient acides dans son estomac.

Mevrouw Van de Velde, son hôtesse depuis qu'elle avait repris la résidence, avait été très aimable avec lui. Ce matin-là, elle avait envoyé elle-même Sukeena ramasser les plantes qui, filtrées et distillées avec le savoir-faire de la jeune esclave, étaient le seul remède capable de le soulager de sa douleur, ne serait-ce qu'un court moment — assez longtemps en tout cas pour lui permettre de prendre quelques heures de sommeil agité. Sur ordre de Katinka, Sukeena devait préparer assez de cette mixture pour qu'il puisse tenir pendant le long voyage vers le nord. Il priait le ciel que, une fois en Hollande, les médecins seraient capables de le guérir de cette effroyable maladie.

Sukeena avançait tranquillement à travers les broussailles qui couvraient le versant de la montagne. Une fois ou deux, elle se retourna, mais personne ne l'avait suivie. Elle poursuivit son chemin, s'arrêtant uniquement pour couper une petite branche verte d'un buisson en fleur. Tout en marchant, elle en enleva les feuilles et, avec son couteau, tailla l'extrémité en forme de fourche.

Autour d'elle, les fleurs sauvages poussaient à profusion, même en plein hiver, et une centaine d'espèces différentes déployaient leurs splendeurs. Certaines étaient aussi grosses que des têtes d'artichaut, d'autres, petites comme l'ongle de l'auriculaire, toutes d'une beauté dépassant l'imagination d'un peintre ou sa capacité à les rendre avec sa palette. Elle les connaissait toutes.

Vagabondant apparemment au hasard, Sukeena se rapprochait en fait peu à peu et de façon détournée d'un profond ravin qui coupait le flanc de la montagne de la Table. Soudain, après un dernier coup d'œil circulaire, elle descendit comme une flèche le long de la pente escarpée, couverte d'une épaisse végétation. Il y avait un ruisseau en contrebas, qui dégringolait en une série de joyeuses cascades et de plans d'eau paresseux. Dans une fissure de rocher toute proche, elle avait caché une écuelle d'argile la dernière fois qu'elle était venue. Du rebord où elle se trouvait, elle regarda en bas et vit que le liquide d'un blanc laiteux, dont elle avait rempli le récipient, avait été bu. Il n'en restait plus que quelques gouttes opalescentes dans le fond.

A petits pas élégants, elle grimpa avec précaution jusqu'à un poste d'observation d'où elle pouvait voir plus avant dans la fissure. Elle retint sa respiration en apercevant dans l'ombre les écailles ophidiennes qui luisaient légèrement. Elle ouvrit le couvercle de son panier, prit le bâton fourchu dans sa main droite et se rapprocha. Le serpent était lové près de l'écuelle. Il avait la couleur du bronze et chacune de ses écailles était une petite merveille. Tandis qu'elle s'approchait, il leva la tête et la regarda avec ses yeux noirs en boutons de bottine. Mais il ne tenta pas de s'échapper en se glissant dans les profondeurs de la fissure comme il l'avait fait la fois où elle l'avait trouvé.

Il somnolait, abruti par la mixture qu'elle lui avait préparée. Après un moment, il abaissa la tête et sembla dormir. Sukeena savait qu'elle ne devait faire aucun mouvement brusque ou imprudent. Elle n'ignorait pas qu'avec les crocs pointus de sa mâchoire supérieure, le reptile pouvait donner la mort la plus horrible et douloureuse qui soit. Elle tendit doucement le bras, le serpent leva de nouveau la tête. Elle se figea, le bâton à quelques centimètres au-dessus du cou de l'animal. Lentement, le reptile s'affaissa une nouvelle fois et Sukeena l'immobilisa contre le rocher. Il siffla doucement et se lova autour du bâton qui le clouait au sol.

Sukeena allongea la main et le prit derrière la tête, deux doigts serrés contre l'os du crâne. Il enroula son long corps sinueux autour de son poignet. Elle saisit sa queue et le déroula, puis le laissa tomber dans le panier, refermant le couvercle du même mouvement.

Le gouverneur en retraite Kleinhans s'embarqua à bord du galion le soir précédant le départ. Avant que la voiture ne l'emmène jusqu'à la plage, tous les domestiques s'assemblèrent sur la terrasse de la résidence pour dire adieu à leur ancien maître. Il remonta lentement leur rang, avec un mot pour chacun. Lorsqu'il arriva à Sukeena, elle fit le salut plein de grâce des Orientales, les extrémités de ses doigts joints touchant ses lèvres, ce qui aviva douloureusement l'amour et le désir de Kleinhans.

— Aboli a emporté vos bagages à bord du navire et les a placés dans votre cabine, dit-elle doucement. Votre pharmacie se trouve au fond dans la grande malle, mais il y a un plein flacon du remède dans votre petite valise, il devrait vous durer plusieurs jours.

— Je ne t'oublierai jamais, Sukeena, dit-il.

— Moi non plus, je ne vous oublierai jamais, maître, répondit-elle.

L'espace d'un instant, il faillit perdre le contrôle de lui-même. Il allait embrasser son ancienne esclave quand elle leva les yeux et il eut un mouvement de recul en lisant dans son regard une haine éternelle.

Lorsque le lendemain matin le galion prit la mer avec la marée, Fredricus vint le réveiller et l'aida à se lever. Il passa le lourd manteau de fourrure sur les épaules de son maître, qui monta sur le pont et resta au bastingage de poupe jusqu'à ce que le navire soit emporté dans l'Atlantique par le vent de nord-ouest. Il attendit là jusqu'à ce que la grande montagne plate disparaisse sous l'horizon, sa vision brouillée par les larmes.

Pendant les quatre jours qui suivirent, son estomac le fit souffrir plus cruellement que jamais. La cinquième nuit, il se réveilla après minuit, les intestins brûlés par l'acidité. Il alluma la lanterne et prit le flacon qui allait le soulager. Quand il le secoua, il s'aperçut qu'il était déjà vide.

Plié en deux par la douleur, il traversa la cabine, s'agenouilla devant sa grande malle, en souleva le couvercle et trouva la boîte à pharmacie en teck à l'endroit que Sukeena lui avait indiqué. Il la sortit, la porta sur la table et posa la lanterne de façon à pouvoir introduire la clé de cuivre dans la serrure.

Il souleva le couvercle de bois et sursauta. Une feuille de parchemin était étalée soigneusement sur le contenu de la pharmacie. Il lut les caractères imprimés à l'encre noire et se rendit compte avec stupéfaction que c'était un ancien numéro de la gazette de la Compagnie. Lorsqu'il eut terminé sa lecture, il fut pris de nausée. La proclamation était signée de sa main. Il s'agissait d'un ordre d'exécution. L'ordre de mise à la question et d'exécution de Robert David Renshaw, le père de Sukeena.

— Quelle est cette diablerie? lâcha-t-il. Le petit démon l'a placé là pour me rappeler une action commise jadis. N'oubliera-t-elle donc jamais? Je pensais qu'elle était définitivement sortie de ma vie, mais elle continue à me faire souffrir.

Il tendit la main pour prendre le papier et le déchirer en mille morceaux, mais avant que ses doigts aient pu le toucher, il y eut sous la feuille un léger bruissement puis un vague mouvement.

Quelque chose lui donna un petit coup au poignet et un corps luisant et sinueux se glissa par-dessus le rebord de la cassette et se laissa tomber sur le pont. Alarmé, il sauta en arrière, mais la chose disparut dans l'ombre et il regarda interloqué dans la direction où elle était partie. Peu à peu, il prit conscience d'une légère sensation de brûlure à son poignet et il le leva dans la lumière de la lampe.

Les veines du dessous de son poignet saillaient comme des cordelettes bleues sous sa peau pâle et tachée de son de vieillard. Il regarda de plus près l'endroit de la brûlure et vit deux minuscules gouttes de sang, qui sourdaient de sa peau percée de deux piqûres. Il recula en titubant et s'assit sur le bord de sa couchette, serrant son poignet, le regard fixé sur les gouttelettes écarlates.

Lentement, une image se forma devant ses yeux. Il vit deux orphelins qui se tenaient solennellement main dans la main devant les cendres fumantes d'un bûcher. Ensuite, la douleur se répandit en lui jusqu'à envahir son esprit et l'ensemble de son corps.

A présent, il n'y avait plus que la douleur. Elle coulait dans ses veines comme du feu liquide et le pénétrait jusqu'à la moelle. Elle déchirait chacun de ses ligaments, de ses tendons, de ses nerfs. Il se mit à hurler et hurla jusqu'à la fin.

Il arrivait que Slow John vienne deux fois par jour au donjon du château pour regarder par le judas de la cellule de Sir Francis. Il ne disait jamais rien et restait là en silence, avec une immobilité de reptile, parfois quelques minutes seulement, parfois une heure. A la fin, Sir Francis fut incapable de croiser son regard. Il se tournait vers le mur mais sentait encore ses yeux jaunes lui transpercer le dos.

C'est un dimanche, le jour du Seigneur, que Manseer et quatre soldats en pourpoint vert vinrent chercher Sir Francis. Ils ne soufflèrent mot, mais il lisait sur leur figure qu'ils étaient venus pour l'emmener. Ils ne pouvaient le regarder dans les yeux et arboraient une expression lugubre de porteurs de cercueil.

Sir Francis sortit dans la cour. C'était un jour froid et venteux. Bien que la pluie ait cessé, les nuages accrochés au flanc de la montagne étaient bas et d'un gris-bleu menaçant, de la couleur d'une vieille ecchymose. Les pavés étaient encore brillants d'humidité après la bourrasque qui venait de passer. Il s'efforça de ne pas trembler, de crainte que ses gardes pensent que c'était de peur.

— Que Dieu vous garde! lança une jeune voix claire par-dessus les rafales.

Il s'arrêta, regarda en l'air et vit Hal debout en haut de l'échafaudage, ses cheveux sombres ébouriffés par le vent, sa poitrine nue mouillée par la pluie.

Sir Francis leva devant lui ses mains liées et cria :

— *In Arcadia habito!* Souviens-toi de ton serment !

Même à pareille distance, il distinguait l'expression hagarde de son fils. Ses geôliers le firent alors avancer jusqu'à la porte basse qui conduisait au sous-sol de l'armurerie. Manseer le précéda dans l'escalier. Arrivé en bas, il fit halte et frappa timidement à la porte armée de ferrures. Sans attendre la réponse, il la poussa et conduisit Sir Francis à l'intérieur.

La pièce était bien éclairée, les flammes d'une douzaine de chandelles fixées sur leur socle vacillèrent dans le courant d'air provoqué par l'ouverture de la porte. Jacobus Hop était assis à un secrétaire. Il tenait une plume à la main droite et, devant lui, étaient posés du parchemin et un encrier. Tout pâle, il leva les yeux vers Sir Francis avec une expression de terreur. Un gros furoncle luisait sur sa joue. Il baissa rapidement la tête, incapable de regarder le prisonnier.

Le chevalet se trouvait près du mur du fond. Il était en teck massif, assez grand pour qu'on puisse y étendre un homme de haute taille. A chaque extrémité, il y avait des roues solides avec des crochets et des fentes où fixer les leviers. Le feu couvait dans un brasero installé près du mur opposé au secrétaire. Au-dessus, une panoplie d'instruments aussi étranges que terribles était suspendue à des crochets fixés au mur. Le feu dégageait une chaleur accueillante et apaisante.

Slow John se tenait près du chevalet. Son manteau et son chapeau étaient accrochés à une patère derrière lui. Il portait un tablier de forgeron en cuir.

Une corde à laquelle était fixé un crochet de fer pendait d'une poulie boulonnée au plafond. Slow John ne dit rien pendant que les gardes conduisaient Sir Francis au centre de la pièce et passaient le crochet sous les liens qui entravaient ses poignets. Manseer tira sur la corde jusqu'à ce que les bras du prisonnier soient tendus au-dessus de sa tête. Ses pieds se trouvaient encore fermement ancrés au sol mais, dans cette position, il était frappé d'impuissance. Manseer salua le bourreau, puis lui et ses hommes sortirent de la pièce et refermèrent la porte derrière eux. Ses panneaux en teck massif étaient assez épais pour empêcher les sons de filtrer.

Dans le silence, Hop s'éclaircit la gorge bruyamment et lut la copie du jugement prononcé par le tribunal de la Compagnie à l'encontre de Sir Francis. Il bégaya péniblement mais posa finalement le document et dit d'une voix claire :

— Dieu m'est témoin, capitaine Courteney, que j'aimerais être à cent lieues de cet endroit. L'accomplissement de ce devoir n'est pas pour me plaire. Je vous prie instamment de vous montrer coopératif.

Sir Francis ne répondit pas mais regarda imperturbablement Slow John dans les yeux. Hop ramassa le parchemin et, d'une voix tremblotante et cassée, reprit sa lecture.

— Première question : le prisonnier, Francis Courteney, sait-il où se trouve la cargaison manquante du navire de la Compagnie, le *Standvastigheid* ?

— Non, répondit Sir Francis sans quitter des yeux ceux du bourreau. Le prisonnier ignore où se trouve la cargaison dont vous parlez.

— Je vous prie de reconsidérer la question, monsieur, murmura Hop d'une voix rauque. J'ai un tempérament délicat et souffre de l'estomac.

Pour les hommes qui se trouvaient sur l'échafaudage balayé par le vent, les heures passèrent avec une lenteur désespérante. Ils se retournaient sans cesse vers la petite porte qui s'ouvrait sous le perron de l'armurerie. Aucun bruit, aucun signe de mouvement ne s'en échappait, jusqu'au moment où, au milieu de la matinée froide et pluvieuse, la porte s'ouvrit brusquement et Jacobus Hop sortit précipitamment dans la cour. Il tituba jusqu'à la rampe où les officiers attachaient leurs chevaux et se retint à l'un des crochets de fer comme s'il ne pouvait plus supporter son propre poids. Haletant comme un homme qui a failli se noyer, il semblait ne pas avoir conscience de ce qui l'entourait.

Sur les murailles le travail s'interrompit. Même Hugo Barnard et ses contremaîtres étaient silencieux, les yeux rivés au malheureux petit commis. Alors que tous les regards convergeaient vers lui, Hop se pencha soudain et vomit sur les pavés. Puis, il s'essuya la bouche du dos de la main et jeta autour de lui un regard fou comme en quête d'une issue.

Il s'éloigna en vacillant puis traversa la cour en courant et grimpa quatre à quatre l'escalier qui menait au bureau du gouverneur. L'une des sentinelles postées en haut des marches tenta de le retenir, mais il s'écria : « Je dois absolument parler à Son Excellence ! » et passa outre.

Il fit irruption sans être annoncé dans la salle d'audience du gouverneur. Van de Velde était installé au haut bout de la longue table en bois verni. Quatre notables l'entouraient et il riait de ce que venait de dire l'un d'eux.

Son sourire s'évanouit sur ses grosses lèvres lorsqu'il vit Hop tremblant sur le pas de la porte, le visage d'une pâleur mortelle, les yeux baignés de larmes, ses bottes tachées de vomissures.

— Comment osez-vous, Hop ? tonna Van de Velde en s'arrachant de son fauteuil. Comment osez-vous entrer ainsi ?

— Votre Excellence, bredouilla Hop, je ne peux pas supporter cela. Je ne peux retourner dans cette salle. Je vous en prie, ne m'y obligez pas. Envoyez quelqu'un d'autre.

— Retournez-y immédiatement, ordonna Van de Velde. C'est votre dernière chance, Hop. Je vous avertis, vous accomplirez votre devoir en homme ou vous aurez à en pâtir.

— Vous ne comprenez pas, reprit Hop, qui à présent pleurait à chaudes larmes. J'en suis incapable. Vous n'avez pas idée de ce qui se passe là-dedans. Je ne peux...

— Retournez là-bas sur-le-champ ou je vous fais subir le même traitement !

Hop sortit lentement à reculons et Van de Velde lui cria :

— Fermez cette porte derrière vous, misérable !

Dans le silence général Hop retraversa la cour comme un aveugle, les yeux encore remplis de larmes. Il s'arrêta quelques instants devant la petite porte, rassemblant manifestement son courage. Puis il s'engouffra à l'intérieur et disparut à la vue des spectateurs silencieux.

Au milieu de l'après-midi, la porte s'ouvrit de nouveau et Slow John fit son apparition. Comme toujours, il était vêtu de son costume sombre et coiffé de son chapeau de puritain. Le visage serein, il franchit les portes du château de sa démarche lente et digne et remonta l'avenue qui conduisait à la résidence à travers ses jardins.

Quelques minutes après, Hop sortit en trombe de l'armurerie et courut vers le bâtiment principal. Il revint escorté du médecin de la Compagnie qui portait son sac de cuir et disparut par l'escalier du sous-sol de l'armurerie. Longtemps après, le médecin ressortit et parla brièvement à Manseer et à ses hommes qui attendaient à la porte.

Le sergent salua, et lui et ses hommes descendirent l'escalier. Lorsqu'ils réapparurent, Sir Francis se trouvait avec eux. Il était incapable de marcher seul, et ses mains et ses pieds étaient emmaillotés dans des pansements sur lesquels apparaissaient déjà des taches rouges.

— Oh doux Jésus, ils l'ont tué, murmura Hal en voyant son père traîné à travers la cour, les jambes molles et la tête pendante.

Comme s'il l'avait entendu, Sir Francis dressa la tête et leva les yeux vers lui.

— Hal, souviens-toi de ton serment ! lança-t-il d'une voix haute et claire.

— Je vous aime, père ! cria Hal en réponse, articulant péniblement sous l'effet de la douleur.

— Retourne travailler, espèce de vermine, gronda Barnard en lui donnant un coup de fouet dans le dos.

Le soir, quand la file des détenus passa en traînant les pieds devant la cellule de Sir Francis, Hal marqua une pause et dit à voix basse :

— Je prie Dieu et tous ses saints pour qu'ils vous protègent, père.

Il entendit son père bouger sur la litière de paille puis, après un long moment, sa voix :

— Merci, mon fils. Puisse Dieu nous accorder à tous les deux la force d'endurer les épreuves qui nous attendent.

Cachée derrière les volets de sa chambre, Katinka regardait la haute silhouette de Slow John remonter l'avenue de la résidence. Il disparut derrière le mur de pierre à l'extrémité de la pelouse et elle sut qu'il rentrait directement dans sa chaumière. Elle attendait son retour depuis plusieurs heures et bouillait d'impatience. Elle se coiffa de son chapeau à brides, inspecta son image dans le miroir et en fut satisfaite. Elle fit une boucle à une mèche de ses cheveux, la disposa soigneusement sur son épaule, puis sourit en se regardant dans la glace et sortit de la pièce par la petite porte qui s'ouvrait sur la véranda de derrière. Elle suivit l'allée pavée sous la vigne dénudée qui couvrait la pergola, dépouillée de ses dernières feuilles dorées par les assauts du vent d'hiver.

La chaumière de Slow John était isolée en lisière de la forêt. Aucun habitant de la colonie, aussi basse fût sa condition, n'aurait accepté de vivre dans son voisinage. En arrivant, Katinka trouva la porte ouverte et elle entra sans frapper ni hésiter. L'unique pièce était aussi nue qu'une cellule d'ermite. Le sol était couvert de bouses de vache et l'air sentait la fumée et les cendres refroidies dans la cheminée. Un simple lit, une table et une unique chaise formaient tout le mobilier.

Elle s'arrêta au centre de la pièce, entendit de l'eau que l'on éclabousse dans l'arrière-cour et s'y rendit. Nu jusqu'à la taille, Slow John se tenait à côté de l'abreuvoir et prenait avec un seau en cuir de l'eau qu'il se versait sur la tête.

Il leva les yeux vers elle, l'eau dégoulinant de ses cheveux trempés sur sa poitrine et ses bras. Il avait les muscles plats et durs d'un lutteur professionnel ou, pensa-t-elle, d'un gladiateur romain.

— Vous n'êtes pas surpris de me voir là, dit Katinka.

Ce n'était pas une question car elle lisait la réponse dans son regard terne.

— Je vous attendais. J'attendais la déesse Kali. Personne d'autre n'oserait venir ici, répondit-il.

Katinka cligna des yeux en s'entendant donner ce titre inhabituel. Elle s'assit sur le muret de pierre à côté de la pompe et resta silencieuse un moment.

— Pourquoi m'appelez-vous ainsi ? demanda-t-elle enfin.

La mort de Zelda avait créé entre eux un étrange lien mystique.

— A Trincomalee, sur la belle île de Ceylan, se dresse le temple de Kali à côté de l'étang sacré de l'Eléphant. Lorsque je me trouvais là-bas, je m'y rendais chaque jour. Kali est la déesse hindoue de la mort et de la destruction. Je la vénère.

A ces paroles elle comprit qu'il était fou. Cette pensée l'intrigua et les poils incolores de ses avant-bras se dressèrent.

Elle resta longtemps assise en silence et le regarda achever sa toilette. Il essora ses cheveux de ses deux mains et s'essuya les membres avec un linge, puis remit sa chemise, prit sa redingote sombre suspendue au mur, l'enfila et la boutonna jusqu'au menton.

Quand il eut fini, il la regarda et dit :

— Vous êtes venue prendre des nouvelles de mon petit moineau.

Avec sa voix mélodieuse, il aurait dû devenir prédicateur ou chanteur d'opéra, se dit-elle.

— Oui, c'est pour cela que je suis venue.

C'était comme s'il avait lu dans ses pensées. Il savait exactement ce qu'elle désirait et commença son récit sans hésitation. Il lui raconta ce qui s'était passé le jour même dans la salle de l'armurerie sans omettre le plus petit détail. Son récit était presque un chant et, comme dans une tragédie grecque, les actes atroces qu'il décrivait apparaissaient nobles et inéluctables. Elle était transportée, si bien qu'elle étreignit ses propres bras et, tout en écoutant, se balança lentement d'avant en arrière sur le muret de pierre.

Quand il eut fini, elle resta immobile un long moment, une expression de ravissement sur son joli visage. Finalement, elle eut un léger frisson et dit :

— Vous pouvez m'appeler Kali. Mais seulement lorsque nous sommes seuls. Personne d'autre ne doit vous entendre prononcer ce nom.

— Merci, Déesse, dit-il.

Il la regarda se diriger vers l'ouverture pratiquée dans le muret, ses yeux pâles brillant d'une ferveur quasi religieuse. Elle s'arrêta et, sans se tourner vers lui, demanda :

— Pourquoi l'appelez-vous votre petit moineau ?

— Parce qu'à partir d'aujourd'hui, il m'appartient, répondit Slow John en haussant les épaules. Tous m'appartiennent à jamais, ainsi qu'à la déesse Kali.

A ces mots, Katinka eut un petit frisson extatique, puis elle s'engagea dans l'allée qui conduisait à la résidence. Tout le long du chemin, elle sentit son regard braqué sur elle.

A son retour à la résidence, Sukeena l'attendait.

— Vous m'avez fait appeler, maîtresse ?

— Suis-moi, Sukeena.

Elle la conduisit dans son boudoir, s'assit sur une méridienne devant la fenêtre aux volets clos et fit signe à Sukeena de s'approcher.

— Le gouverneur Kleinhans m'a souvent parlé de tes talents de guérisseuse, dit Katinka. Qui t'a enseigné tout ça ?

— Ma mère était experte. Toute petite, je l'accompagnais pour ramasser les plantes. Après sa mort, j'ai étudié avec mon oncle.

— Connais-tu les plantes de cette région ? Sont-elles différentes de celles de ton pays ?

— Certaines sont les mêmes et j'ai appris toute seule à connaître les autres.

Kleinhans le lui avait déjà dit mais Katinka aimait entendre la voix musicale de son esclave.

— Sukeena, hier ma jument a trébuché et m'a presque désarçonnée. Ma jambe était prise dans le crochet de la selle et j'ai un bleu affreux. Ma peau se marque facilement. As-tu dans ta pharmacie un remède qui puisse guérir cette ecchymose ?

— Oui, maîtresse.

— C'est ici ! dit Katinka en se renversant sur le canapé et en remontant ses jupes bien au-dessus des genoux puis, lentement, avec sensualité, elle découvrit sa cuisse en faisant glisser un de ses bas blancs. Regarde ! ordonna-t-elle.

Sukeena s'agenouilla avec grâce devant elle sur le tapis de soie. Aussi légèrement qu'un papillon se posant sur une fleur, elle tâta la cuisse de Katinka, qui soupira :

— Je sens déjà que tu as des mains qui guérissent.

Sukeena ne répondit pas, une mèche de cheveux noirs sur les yeux.

— Quel âge as-tu? demanda Katinka.

Les doigts de la jeune fille s'arrêtèrent un instant, puis reprirent leur exploration de la région lésée à l'arrière du genou de sa maîtresse.

— Je suis née dans l'année du Tigre, répondit-elle. J'aurai donc dix-huit ans à mon prochain anniversaire.

— Tu es très belle, Sukeena. Mais tu le sais déjà, n'est-ce pas?

— Je n'ai pas le sentiment d'être belle, maîtresse. Je ne crois pas qu'une esclave puisse jamais se sentir belle.

— Quelle drôle d'idée, fit Katinka sans cacher l'ennui que lui causait la tournure que prenait la conversation. Dis-moi, est-ce que ton frère est aussi beau que toi?

Les doigts de Sukeena tremblèrent de nouveau sur sa peau. Cette fois-ci, elle avait tapé dans le mille. Katinka sourit imperceptiblement et demanda :

— Tu as entendu ma question?

— Pour moi, Althuda est l'homme le plus beau qui ait jamais vécu sur cette terre, répondit Sukeena à voix basse, qui regretta immédiatement ces paroles.

Elle savait d'instinct qu'il était dangereux de laisser cette femme découvrir ses points faibles, mais elle ne pouvait retirer ce qu'elle avait dit.

— Quel âge a Althuda?

— Il a trois ans de plus que moi, répondit Sukeena les yeux baissés. Maîtresse, il faut que j'aille chercher mes remèdes.

— Je t'attends là. Dépêche-toi.

Katinka se renversa sur ses coussins et se mit à rêvasser. Elle se sentait dans l'expectative et remplie d'allégresse, et en même temps agitée et insatisfaite. Les paroles de Slow John résonnaient dans sa tête comme des cloches de cathédrale. Elles la dérangeaient. Incapable de rester en place un instant de plus, elle se leva d'un bond et arpenta le boudoir comme un léopard en chasse.

— Où est donc passée cette fille? dit-elle, puis elle aperçut son propre reflet dans la glace et se retourna pour se regarder. Kali! murmura-t-elle en souriant. Quel nom merveilleux!

Elle vit dans le miroir l'image de Sukeena qui arrivait derrière elle, mais ne se retourna pas tout de suite. La sombre beauté de la fille mettait la sienne parfaitement en valeur. Elle contempla simultanément leurs visages et sentit l'excitation s'emparer de ses nerfs et courir dans ses veines.

— J'ai trouvé le baume approprié, maîtresse.

Sukeena se tenait juste derrière elle, mais ses yeux étaient insondables.

— Merci, mon petit moineau, murmura Katinka.

« Je veux que tu m'appartiennes pour toujours, pensa-t-elle. Je veux que tu appartiennes à Kali. »

Elle retourna s'asseoir sur la méridienne et Sukeena s'agenouilla de nouveau devant elle. Tout d'abord, le baume lui donna une impression de fraîcheur sur la peau, puis une sensation de chaleur en irradia. Les doigts de Sukeena étaient agiles et adroits.

— Je déteste que la beauté soit détruite inutilement, murmura Katinka. Tu dis que ton frère est beau. Est-ce que tu l'aimes beaucoup, Sukeena ?

Comme elle ne répondait pas, Katinka lui souleva le menton afin de la regarder dans les yeux. La souffrance qu'elle y lut l'excita.

— Mon pauvre petit moineau, murmura-t-elle.

« J'ai touché le point sensible », exulta-t-elle.

En retirant sa main, elle caressa la joue de la jeune fille.

— J'arrive de chez Slow John, dit-elle, mais tu m'as vue dans l'allée. Tu m'observais, n'est-ce pas ?

— Oui, maîtresse.

— Veux-tu que je te répète ce que Slow John m'a dit ? Veux-tu que je te parle de la pièce qui lui est réservée au château et de ce qui s'y passe ?

Katinka n'attendit pas la réponse mais commença tranquillement sa description. Lorsque les doigts de Sukeena s'immobilisèrent, elle interrompit son récit pour ordonner :

— Ne t'arrête pas. Tes mains sont magiques.

Lorsqu'elle se tut enfin, Sukeena pleurait sans bruit. Ses larmes coulaient lentement, épaisses comme de l'huile d'olive fraîchement pressée, et brillaient sur l'or rouge de ses joues. Après un moment, Katinka demanda :

— Depuis combien de temps ton frère est-il enfermé au château ? J'ai entendu dire qu'il est redescendu des montagnes pour venir te chercher il y a déjà quatre mois. Cela fait longtemps et il n'a pas encore été jugé ni condamné.

Katinka attendit, laissant les secondes s'écouler avec la même lenteur que les larmes de la jeune fille.

— Le gouverneur Kleinhans a-t-il été négligent ou bien s'est-il laissé persuader par quelqu'un, je me le demande. Mais mon mari est un homme énergique et consciencieux. Il va vouloir que justice soit faite. Aucun renégat ne lui échappe longtemps. (Sukeena ne cherchait plus à dissimuler, elle gardait les yeux fixés sur Katinka avec une expression désespérée.) Il enverra Althuda dans la chambre secrète de Slow John. Ton frère perdra à jamais sa beauté. C'est affreux. Comment pouvons-nous empêcher cela ?

— Maîtresse, murmura Sukeena, votre mari détient le pouvoir. Il est entre ses mains.

— Mon mari est un fidèle serviteur de la Compagnie, fidèle et inflexible. Il ne se dérobera pas à son devoir.

— Maîtresse, vous êtes si belle. Un homme ne peut rien vous refuser. Vous pouvez le fléchir, dit Sukeena en baissant lentement la tête pour la poser sur le genou dénudé de Katinka. De tout mon cœur, de toute mon âme, je vous en supplie, maîtresse.

— Que ferais-tu pour sauver la vie de ton frère ? Quel prix serais-tu prête à payer, mon petit moineau ?

— N'importe lequel, je ne reculerai devant aucun sacrifice. Je ferai tout ce que vous me demanderez, maîtresse.

— Nous ne pouvons espérer le libérer, Sukeena. Tu le comprends, n'est-ce pas ? dit Katinka à voix basse. « Et je ne le voudrais pas, pensa-t-elle, car pendant que le frère est en prison, le petit moineau ne risque pas de s'échapper de sa cage. »

— Je ne me laisserai jamais aller à espérer une chose pareille.

Sukeena leva la tête et Katinka lui prit de nouveau le menton, à deux mains cette fois-ci, et se pencha lentement en avant.

— Althuda ne mourra pas. Nous le tirerons, toi et moi, des griffes de Slow John, promit-elle avant d'embrasser Sukeena sur la bouche.

Les lèvres de la jeune fille étaient humides de larmes, des larmes tièdes et salées, presque comme du sang. Sukeena ouvrit les lèvres, comme les pétales d'une orchidée s'écartent sous le bec du souï-manga en quête de nectar.

Althuda. Sukeena s'arma de courage à la pensée de son frère tandis que, sans interrompre son baiser, Katinka lui prenait la main et la dirigeait lentement sous ses jupes jusqu'à ce qu'elle repose sur son ventre. « Althuda, je fais cela pour toi et pour toi seul », se dit Sukeena à elle-même en fermant les yeux. Elle déplaça craintivement ses doigts sur la peau satinée jusqu'au nid de fines boucles dorées à la naissance du ventre.

Le lendemain, le jour se leva sur un ciel sans nuages. L'air était frais, mais le soleil brillait et le vent était tombé. En haut de l'échafaudage, Hal surveillait la porte close du donjon. Daniel se tenait à ses côtés ; en supportant sur ses larges épaules la part de fardeau du jeune homme, il lui évitait le fouet de Barnard.

Lorsque Slow John franchit les portes de la forteresse et traversa la cour pour gagner l'armurerie de son pas mesuré d'entrepreneur des pompes funèbres, Hal le regarda avec affliction. Soudain, tandis que l'homme passait sous l'échafaudage, Hal ramassa vivement la lourde massette posée à ses pieds et leva le bras pour la lancer sur le crâne du bourreau, mais le poing de Daniel se referma sur son poignet. Il lui prit la massette des mains comme s'il retirait un jouet à un enfant et la posa hors de sa portée.

— Pourquoi avez-vous fait cela ? protesta Hal. J'aurais pu tuer ce porc.

— En vain, répondit Daniel avec compassion. Vous ne sauverez pas Sir Francis en tuant un subalterne. Ce serait sacrifier votre vie pour rien. Ils enverraient quelqu'un d'autre pour le remplacer.

Manseer conduisit Sir Francis hors du donjon. Il était incapable de tenir sur ses pieds brisés et bandés, et on devait l'aider à marcher, mais il garda la tête haute tandis que les gardes le traînaient à travers la cour.

— Père ! cria Hal au supplice. Je ne peux pas laisser faire une chose pareille.

Sir Francis leva les yeux vers lui et lança d'une voix juste assez forte pour qu'il l'entende :

— Sois fort, mon fils. Par égard pour moi, sois fort.

Manseer le força à descendre l'escalier sous l'armurerie.

La journée fut longue, plus longue que toutes celles que Hal avait jamais vécues, et le côté nord de la cour était plongé dans l'ombre quand Slow John réapparut.

— Cette fois-ci, je vais tuer cet immonde pourceau, lâcha Hal, mais Daniel lui tint le bras avec une telle force qu'il ne put se dégager pendant que le bourreau passait sous l'échafaudage et s'en allait par les portes du fort.

Hop sortit en galopant dans la cour, le visage livide. Il appela le médecin de la Compagnie et tous deux disparurent de nouveau dans les escaliers. Cette fois-ci, les soldats ramenèrent Sir Francis au donjon sur une civière.

— Père ! cria Hal, mais il n'y eut aucune réponse, aucun signe de vie.

— Je t'ai averti assez souvent, beugla Hugo Barnard qui s'avança sur les planches et lui administra une douzaine de coups de fouet.

Hal ne tenta pas de les éviter, et Barnard recula, étonné qu'il ne montre aucun signe de douleur.

— Recommence tes imbécillités et je t'envoie les chiens, menaça-t-il en s'en allant.

Pendant ce temps-là, dans la cour, l'air grave, le médecin regardait les soldats porter Sir Francis inconscient dans sa cellule. Puis, accompagné de Hop, il se dirigea vers les bureaux du gouverneur, dans l'aile sud.

Van de Velde quitta des yeux les papiers qui jonchaient son bureau et les leva avec irritation.

— Oui ? Qu'y a-t-il, docteur Saar ? Je suis fort occupé. J'espère que vous n'êtes pas là pour me faire perdre mon temps.

— Il s'agit du prisonnier, Votre Excellence.

Le médecin avait l'air de s'excuser et semblait en même temps agité. Van de Velde ne lui laissa pas le loisir de continuer et s'en prit à Hop, qui se tenait, nerveux, derrière le médecin, tortillant son chapeau entre ses doigts.

— Eh bien, Hop, le pirate a-t-il déjà succombé ? A-t-il dit ce que nous voulons savoir ? hurla-t-il.

— Il est très têtu, répondit Hop qui avait reculé d'un pas. Je n'aurais jamais pensé qu'un être humain fût capable...

Sa déclaration s'acheva en un long bégaiement douloureux.

— Je vous tiens pour responsable, Hop, cria Van de Velde en faisant le tour de son bureau avec une expression menaçante.

Il s'échauffait en tourmentant le pauvre petit commis, mais le médecin intervint.

— Votre Excellence, je crains pour la vie du prisonnier. Il se pourrait qu'il ne survive pas à un autre jour d'interrogatoire.

Le gouverneur tourna sa vindicte contre lui.

— C'est là, docteur, le principal objet de toute l'affaire. Courteney est condamné à mort. Il mourra, je vous en donne solennellement ma parole, dit-il en retournant à son bureau et en reprenant place dans son fauteuil. Inutile de revenir ici pour m'annoncer sa mort. Tout ce que je veux savoir de vous, c'est si oui ou non il est encore capable de sentir la douleur, capable de parler ou du moins de montrer qu'il a compris les questions qu'on lui pose. Eh bien, docteur, est-ce le cas ? demanda-t-il en jetant un regard noir au médecin.

— Votre Excellence, commença ce dernier en retirant ses binocles pour en essuyer vigoureusement les verres pendant qu'il préparait sa réponse. (Il savait ce que Van de Velde voulait entendre et savait aussi qu'il eût été malvenu de ne pas le lui dire.) Pour l'instant, le prisonnier n'est pas *compos mentis*...

— Et qu'en est-il des talents tant vantés du bourreau ? coupa le gouverneur en fronçant les sourcils. Je croyais qu'il ne perdait jamais aucun prisonnier, involontairement en tout cas.

— Monsieur, je ne déprécie pas les talents du bourreau. Je suis certain que le prisonnier aura repris conscience demain.

— Vous voulez dire qu'il sera en mesure de soutenir un nouvel interrogatoire ?

— Oui, Votre Excellence. Telle est mon opinion.

— Eh bien, Mijnheer, je vous prends au mot. Si le pirate meurt avant d'être exécuté dans les règles conformément au jugement du tribunal, vous aurez à en répondre devant moi. Le peuple doit assister à l'accomplissement de la justice. Il faut absolument éviter que notre homme passe tranquillement de vie à trépas loin des regards. Il importe qu'il le fasse sur le champ de parade pour que tout le monde puisse le voir. Je veux qu'il serve d'exemple, vous comprenez ?

— Oui, Votre Excellence, acquiesça le médecin en se retirant.

— Et vous, Hop, espèce de balourd, vous avez compris ? Je veux savoir où il a caché la cargaison du galion et, ensuite, je veux une belle exécution, bien palpitante. Pour votre salut, je vous conseille d'atteindre ces deux objectifs.

— Oui, Votre Excellence.

— Je veux parler à Slow John. Envoyez-le-moi avant qu'il ne commence sa besogne demain matin. Je tiens à m'assurer qu'il a pleinement compris quelles sont ses responsabilités.

— Je l'accompagnerai moi-même, promit Hop.

Comme d'habitude, il faisait nuit quand Hugo Barnard fit cesser le travail et ordonna aux prisonniers épuisés de rejoindre la terre ferme. Lorsqu'en descendant l'escalier du donjon, Hal passa devant la cellule de son père, il l'appela désespérément :

— Père, m'entendez-vous ?

Ne recevant aucune réponse, il tapa sur la porte avec ses poings.

— Père, dites-moi quelque chose. Au nom de Dieu, dites-moi quelque chose !

Pour une fois, Manseer se montra indulgent. Il ne tenta pas de forcer Hal à poursuivre son chemin.

— Je vous en prie, père, supplia celui-ci. C'est Hal, votre fils. Vous ne me remettez donc pas ?

— Hal, fit une voix sourde qu'il ne reconnut pas. C'est toi, mon fils ?

— Oh, mon Dieu! murmura Hal en tombant à genoux et en appuyant son front contre la porte. Oui, père, c'est moi.

— Sois fort, mon fils. Ce ne sera plus très long, mais je te conjure, si tu m'aimes, de respecter ton serment.

— Je ne puis vous laisser souffrir. Je ne peux pas laisser cela continuer.

— Hal! lança Sir Francis d'une voix qui avait soudain retrouvé toute sa vigueur. Je ne souffre plus. J'ai dépassé ce stade. Ils ne peuvent plus m'atteindre désormais, si ce n'est à travers toi.

— Que puis-je pour vous soulager? Dites-moi ce que je peux faire, supplia Hal.

— Une chose. Me laisser partir avec la certitude de ta force et de ton courage. Si tu me décevais maintenant, tout cela aurait été en vain.

Hal se mordit les poings jusqu'au sang dans une vaine tentative pour réprimer ses sanglots. La voix de son père s'éleva de nouveau.

— Daniel, êtes-vous là?

— Oui, capitaine.

— Aidez-le. Aidez mon fils à devenir un homme.

— Je vous le promets, capitaine.

Hal redressa la tête et sa voix était plus assurée.

— Je n'ai besoin de l'aide de personne. Je tiendrai le serment que je vous ai fait, père. Je ne trahirai pas votre confiance.

— Adieu, Hal. (La voix de Sir Francis commença à s'affaiblir comme s'il tombait dans un puits sans fond.) Tu es mon sang et ma promesse de vie éternelle. Au revoir, ma vie.

Le lendemain matin, lorsqu'on transporta Sir Francis hors du donjon, Hop et le Dr Saar marchaient de chaque côté de la civière. Tous deux étaient soucieux car le corps brisé étendu entre eux ne donnait aucun signe de vie. Même quand, défiant la menace du fouet de Barnard, Hal appela du haut des murailles, Sir Francis ne leva pas la tête. Ils le conduisirent jusqu'à la salle de torture où Slow John attendait déjà, mais quelques minutes après, Saar, Hop et le bourreau ressortirent et discutèrent à voix basse pendant quelques instants avant de se diriger vers les bureaux du gouverneur.

Près de la verrière, Van de Velde regardait attentivement le bâtiment au mouillage devant la plage. La veille, tard dans la soirée, un autre galion de la Compagnie avait fait escale dans la baie de la

333

Table, et il attendait que son capitaine vienne lui présenter ses respects et un ordre de ravitaillement. Van de Velde se détourna avec impatience de la fenêtre pour faire face aux trois visiteurs qui entraient à la file dans la salle d'audience.

— *Ja*, Hop? lâcha-t-il en regardant sa victime favorite. Pour une fois, vous n'avez pas oublié mes ordres, je vois. Vous m'avez amené le bourreau. (Il se tourna vers Slow John.) Alors? Le pirate vous a-t-il révélé où il a caché le trésor? Allez, répondez.

— J'ai œuvré avec précaution afin de ne pas estropier outre mesure le prisonnier, dit-il doucement sans changer d'expression. Mais je suis proche de la fin. Bientôt, il n'entendra plus ma voix et ne sera plus sensible à mes moyens de persuasion.

— Vous avez échoué? demanda Van de Velde d'une voix tremblante de colère.

— Non, pas encore, répondit Slow John. Il est fort. Je n'aurais jamais cru qu'il le fût autant. Mais il reste encore le chevalet. Je ne le crois pas capable de supporter le chevalet. Nul n'y résiste.

— Vous ne l'avez pas encore utilisé? Pour quelle raison?

— Je n'y ai recours qu'en dernier ressort. Lorsqu'ils ont subi le supplice du chevalet, il n'y a plus rien à faire, c'est la fin.

— Est-ce que cela va marcher avec celui-là? Que ferez-vous s'il résiste encore?

— Il ne restera que l'échafaud et le gibet, dit Slow John.

Van de Velde se tourna lentement vers le médecin.

— Qu'en pensez-vous, docteur Saar?

— Votre Excellence, si vous souhaitez que l'exécution ait réellement lieu, il conviendrait d'y procéder très rapidement après le supplice du chevalet.

— Qu'entendez-vous par là?

— Aujourd'hui même. Avant la tombée de la nuit. Après le chevalet, il ne passera pas la nuit.

Van de Velde fit face à Slow John.

— Vous m'avez déçu. Je suis mécontent. (Slow John ne sembla pas entendre le reproche. Il rendit son regard au gouverneur sans ciller.) Nous devons cependant faire notre possible pour conclure au mieux cette triste affaire. Je vais ordonner l'exécution pour trois heures de l'après-midi. En attendant, retournez à votre tâche et mettez le pirate sur le chevalet.

— Je comprends, Votre Excellence, dit Slow John.

— Vous avez échoué une fois. Ne recommencez pas. Il est indispensable qu'il soit vivant lorsqu'il ira sur l'échafaud. (Van de Velde se tourna vers le commis.) Envoyez des messagers à travers la ville. Je déclare chômé le reste de la journée dans toute la colonie, sauf évidemment en ce qui concerne les travaux de la muraille du château. Francis Courteney sera exécuté à trois heures cet après-midi. Tous les notables de la colonie devront être présents. Je tiens à ce qu'ils voient comment nous traitons les pirates. Oh, à propos, assurez-vous que Mevrouw Van de Velde soit dûment informée. Elle serait furieuse si elle ratait le spectacle.

A deux heures, Sir Francis fut sorti de la salle de torture sur une civière. On n'avait pas pris la peine de couvrir son corps nu. Même à la distance où il se trouvait, sur la muraille sud, et les yeux embués de larmes, Hal vit que le corps de son père avait été mons-trueusement déformé par le chevalet. Toutes les articulations de ses membres, de ses épaules et de la hanche étaient disloquées, gonflées et couvertes de meurtrissures d'un noir violacé.

Un peloton d'exécution était aligné dans la cour. Conduits par un officier, l'épée tirée, les soldats en pourpoint vert formèrent les rangs autour de la civière. Vingt hommes marchaient devant et vingt autres suivaient, le mousquet sur l'épaule, au rythme du tambour. La procession franchit les portes du château et s'enga-gea sur le terrain de parade.

Daniel passa son bras autour de l'épaule de Hal, livide et fris-sonnant dans le vent glacial. Le jeune homme ne chercha pas à s'écarter de lui. Les marins qui s'étaient protégé la tête d'un mor-ceau de chiffon l'ôtèrent et se tinrent immobiles, sombres et silen-cieux, pendant que la civière passait sous eux.

— Dieu vous bénisse, capitaine, cria Ned Tyler. Aucun homme meilleur que vous n'a jamais pris la mer.

Les autres poussèrent des acclamations rauques et l'un des énormes chiens noirs de Barnard lança un aboiement lugubre, étrangement déchirant.

Sur le champ de parade, la foule était rassemblée autour du gibet dans un silence chargé de tension. Tous les habitants de la colonie semblaient avoir répondu à l'appel. Au-dessus de leurs têtes, Slow John attendait, perché sur l'échafaud. Il portait son tablier de cuir et avait la tête couverte de la cagoule traditionnelle, le masque de la mort. Seuls ses yeux et sa bouche étaient visibles par les fentes pratiquées dans le tissu noir.

Conduite par le tambour, la procession se dirigeait vers lui d'un pas lent et mesuré, et Slow John attendait les bras croisés sur la poitrine. Lui aussi tourna la tête lorsque la voiture du gouverneur descendit l'avenue au milieu des jardins et traversa le champ de parade. Le bourreau salua le gouverneur et sa femme tandis qu'Aboli guidait les six chevaux gris jusqu'au pied de l'échafaud et arrêtait la voiture.

Les yeux jaunes de Slow John croisèrent ceux de Katinka à travers les fentes de sa cagoule. Il s'inclina de nouveau, lui adressant directement son salut cette fois. Sans qu'un mot ait été prononcé, elle savait qu'il lui dédiait le sacrifice, qu'il le dédiait à sa déesse Kali.

— Il n'a aucune raison de faire ainsi l'important. Jusque-là, ce balourd a saboté le travail, remarqua Van de Velde en bougonnant. Il a tué le condamné sans lui tirer un seul mot. Je ne sais pas ce que diront votre père et les autres membres du Conseil des Dix-Sept lorsqu'ils apprendront que la cargaison est perdue. Ils m'en rendront évidemment responsable. Comme toujours.

— Et comme toujours, je serai là pour vous protéger, mon mari bien-aimé, dit-elle en se levant pour mieux voir.

L'escorte s'arrêta au pied du gibet et la civière fut hissée et déposée aux pieds de Slow John. Lorsque le bourreau s'agenouilla à côté du corps immobile et commença sa macabre besogne, un grondement grave s'éleva de la foule.

Un peu plus tard, entendant les spectateurs laisser échapper un hurlement où se mêlaient l'excitation, l'horreur et une jubilation obscène, et en sentant l'odeur de sang, les chevaux gris bronchèrent et s'agitèrent dans les traits. Aboli les retint et en reprit le contrôle en tirant doucement sur les rênes. Il détourna lentement la tête du spectacle qui se déroulait sous ses yeux et regarda en direction des murailles du château.

Il reconnut la silhouette de Hal parmi celles des autres détenus. Il était à présent presque de la même taille que le grand Daniel et son allure, sa carrure étaient celles d'un homme fait. Mais il avait encore un cœur d'enfant. Il n'aurait pas dû regarder. Aboli lui-même avait l'impression que son grand cœur allait éclater dans sa large poitrine, mais il gardait une expression impassible sous les scarifications. Il tourna les yeux vers l'échafaud au moment où le corps de Sir Francis, la corde au cou, s'élevait lentement dans les airs et où la foule se remettait à mugir. Slow John tirait la corde avec précaution afin de ne pas briser les vertèbres et de ne pas mettre fin trop tôt au supplice. La dernière étincelle de vie ne devait pas être éteinte dans cette carcasse brisée avant que les viscères soient retirés, c'était pour lui une question de fierté.

Aboli détourna fermement les yeux et regarda de nouveau la silhouette tragique de Hal Courteney sur les remparts.

Nous ne devons pas nous lamenter sur son sort, Gundwane. C'était un homme et il a vécu sa vie en homme. Il a parcouru tous les océans et s'est battu comme doit le faire un guerrier. Il connaissait les astres et les hommes. Il n'a jamais eu de maître et ne s'est dérobé devant aucun ennemi. Non, Gundwane, nous ne devons pas nous lamenter, toi et moi. Il ne mourra pas tant qu'il vivra dans nos cœurs.

Quatre jours durant, le corps démembré de Sir Francis Courteney resta exposé à la vue du public. Chaque matin, au lever du jour, Hal regardait du haut des murailles et le voyait encore pendu à la potence. Nuage d'ailes blanc et noir, les mouettes arrivaient de la plage et se disputaient le festin en poussant des cris rauques. Une fois gavées, elles se perchaient sur la potence et maculaient les planches de blanc avec leurs fientes.

Pour une fois, Hal eut en horreur son acuité visuelle qui ne lui épargnait aucun détail de la macabre transformation. Le troisième jour, les oiseaux avaient achevé de mettre à nu son crâne, de sorte que, les orbites vides, il semblait sourire vers le ciel. Les notables qui traversaient le champ de parade pour se rendre au château passaient sous le vent par rapport à l'échafaud et les dames tenaient des sachets d'herbes séchées sous leur nez.

Enfin, à l'aube du cinquième jour, quand Hal regarda le gibet, il constata qu'il était vide. Les restes pathétiques de son père avaient été enlevés et les mouettes étaient retournées sur la plage.

— Dieu merci, murmura Ned Tyler à Daniel, le jeune Hal va pouvoir commencer à se guérir de ses blessures.

— Il est vraiment curieux qu'ils aient emporté si vite le cadavre, fit remarquer Daniel perplexe. Je n'aurais pas cru que Van de Velde puisse se montrer aussi compatissant.

Sukeena lui avait montré comment démonter la grille d'une des lucarnes du logement des esclaves et se faufiler par l'ouverture. Au fil des années, la garde de nuit de la résidence s'était relâchée et Aboli n'eut guère de difficulté à tromper les sentinelles. Il s'échappa pendant trois nuits consécutives. Sukeena l'avait averti de rentrer deux heures au moins avant l'aube car c'était le moment où les hommes de garde se réveillaient et faisaient du zèle pour donner une bonne impression.

Après avoir franchi les murs, il fallait à Aboli moins d'une heure pour courir dans l'obscurité jusqu'à la frontière de la colonie, marquée par une haie d'amandiers plantés sur ordre du gouverneur. La haie était encore peu touffue, mais aucun notable ne pouvait en franchir la ligne sans la permission du gouverneur. De même, aucun des membres des tribus hottentotes éparpillées dans l'immense étendue sauvage et déserte de plaine, de montagne et de forêt qui se déployait au-delà n'avait le droit de franchir la haie et de pénétrer à l'intérieur de la colonie. Sur ordre de la Compagnie, ils étaient fusillés ou pendus s'ils franchissaient la frontière. La VOC n'était plus disposée à tolérer la déloyauté des sauvages, leurs chapardages et leur ivrognerie quand ils réussissaient à mettre la main sur de l'alcool. La débauche de leurs femmes, qui relevaient leur courte jupe de cuir pour une poignée de perles en verroterie ou n'importe quelle breloque, constituait une menace pour la moralité des très croyants notables de la colonie. Des membres de ces tribus, pouvant être utiles comme soldats ou domestiques, étaient triés sur le volet et autorisés à rester dans la colonie, mais les autres avaient été rejetés dans le pays sauvage qui était le leur.

Chaque nuit, Aboli franchissait cette frontière symbolique et parcourait comme un fantôme noir les grandes plaines qui séparaient la montagne de la Table et ses contreforts des principales chaînes de l'intérieur. Les animaux sauvages n'avaient pas encore disparu de ces plaines car rares étaient les Blancs autorisés à y chasser. Aboli y entendit de nouveau le concert de rugissements à glacer le sang d'une troupe de lions en chasse qu'il se souvenait avoir entendu dans son enfance. Les léopards feulaient dans les fourrés et il lui arrivait souvent d'effrayer un troupeau d'antilopes, dont les sabots martelaient le sol dans la nuit.

Aboli avait besoin d'un buffle noir. A deux reprises, il s'était trouvé si près d'un troupeau qu'il l'avait senti dans les halliers. L'odeur lui rappelait les troupeaux de bétail de son père, qu'il avait gardés quand il était petit, avant sa circoncision. Il avait entendu le grognement des grands animaux et le mugissement des veaux sevrés, il avait suivi les profondes empreintes de leurs sabots et vu leurs bouses encore fumantes au clair de lune. Mais chaque fois qu'il s'était approché du troupeau, le vent l'avait trahi. Les bêtes l'avaient flairé et s'étaient enfuies avec fracas à travers les taillis, galopant jusqu'à ce que le bruit de leur course s'évanouisse au loin. Aboli ne pouvait les poursuivre car il était minuit passé et il se trouvait à plusieurs heures de la haie d'amandiers et de sa cellule.

La troisième nuit, il prit le risque de s'échapper par la fenêtre une heure avant l'heure conseillée par Sukeena. L'un des chiens de garde se précipita sur lui, mais avant qu'il ait pu alerter la sentinelle, Aboli l'avait amadoué en sifflant doucement. Le chien le reconnut et lui renifla la main. Il lui caressa la tête, lui murmura des mots dans la langue de la forêt et, lorsqu'il s'éloigna pour se glisser par-dessus le mur, l'animal poussa des petits gémissements et remua la queue.

Au cours de ses chasses précédentes, il avait constaté que le troupeau de buffles quittait l'épaisse forêt pour venir s'abreuver à un point d'eau situé à une demi-lieue environ de la haie-frontière. Il savait que s'il franchissait celle-ci avant minuit, il pourrait peut-être surprendre les bêtes pendant qu'elles étaient encore en train de boire. C'était sa meilleure chance de choisir un buffle et de le traquer.

Il récupéra l'arc qu'il avait taillé dans une branche d'olivier et caché dans un arbre creux à la lisière de la forêt. Sukeena avait dérobé l'unique pointe de flèche en fer qui appartenait à la collection d'armes assemblée par le gouverneur Kleinhans pendant son service aux Indes et décorait à présent les murs de la résidence. Il était peu probable que son absence soit remarquée parmi les dizaines d'épées, de boucliers et de couteaux exposés.

— Je te la rapporterai, avait-il promis à Sukeena. Je ne veux pas que tu en pâtisses si on s'aperçoit qu'elle a disparu.

— Le besoin que tu en as est plus grand que le risque que je cours, avait-elle répondu en glissant la pointe de flèche, enveloppée dans un bout de tissu, sous la banquette de la voiture. A mon père aussi, on a refusé une sépulture décente.

Aboli avait adapté la pointe métallique à une hampe en roseau, la maintenant en place avec de la ficelle et de la poix. Il avait empenné la flèche avec les plumes qu'avait perdues le faucon de chasse enfermé dans la remise derrière les écuries. Il n'avait cependant pas le temps de se mettre à la recherche des larves d'insectes avec lesquelles préparer du poison pour les barbelures, et il lui fallait donc absolument atteindre un point névralgique avec cette unique flèche.

A présent qu'Aboli s'était mis en chasse, ombre silencieuse glissant parmi les ombres, le savoir-faire depuis longtemps oublié lui revenait et il se souvenait de ce que lui avaient appris les anciens de la tribu quand il était enfant. Il sentait le vent de la nuit lui caresser doucement la poitrine et les flancs, et tandis qu'il faisait le tour du point d'eau pour l'avoir de face, à aucun moment sa direction ne lui échappa. Il apportait à ses narines la puissante odeur bovine de la proie qu'il cherchait.

Le vent était assez fort pour agiter les longs roseaux et couvrir tous les bruits qu'il faisait, si bien qu'il put effectuer rapidement les cent derniers pas. Par-dessus le murmure du vent du nord et le bruissement des roseaux, il entendit un chapelet de grognements. Il s'immobilisa et ajusta son unique flèche. Les lions sont peut-être arrivés au point d'eau avant le troupeau, se dit-il, car c'était un son léonin. Il scruta l'obscurité devant lui et distingua le bruit de succion de grands sabots qui avançaient d'un pas lourd dans la boue du trou d'eau. Par-dessus les têtes ondulantes des roseaux, une forme sombre se déplaça, gigantesque au clair de lune.

— Un buffle, souffla-t-il. Un énorme buffle.

L'animal avait fini de boire. Le rusé vieux mâle avait précédé les femelles et les veaux. Le dos couvert de la boue luisante de la mare, il se dirigea lentement vers l'endroit où Aboli était tapi.

Aboli se baissa au milieu des joncs, perdant de vue sa proie, et la laissa approcher. Il parvenait à la localiser au son de sa respiration puissante et au frottement des roseaux le long de ses flancs. Le buffle était tout près mais toujours invisible pour Aboli lorsque soudain il secoua la tête pour dégager ses cornes empêtrées dans des roseaux et ses oreilles battirent contre ses joues. « Je suis sûr que si je tendais le bras, je pourrais lui toucher le museau », pensa Aboli. Ses nerfs étaient aussi tendus que la corde de l'arc qu'il tenait entre ses doigts. Le massif de joncs s'écarta devant lui et la tête massive du ruminant s'avança, le renflement de ses cornes luisant sous la lune. Brusquement, l'animal se rendit compte que quelque chose n'allait pas, qu'un danger menaçait. Il s'arrêta et dressa son énorme tête noire. Il leva son museau humide et brillant pour humer l'air, l'eau dégoulinant de sa bouche, ouvrant en grands ses naseaux. Aboli sentit son souffle tiède sur sa poitrine nue et son visage.

Le buffle tourna la tête, cherchant l'odeur de l'homme ou du félin, le chasseur embusqué. Aboli resta immobile comme une souche d'arbre. Il tenait son lourd arc bandé à fond. La force de la branche d'olivier et de la corde en boyau était telle que les muscles de granit de ses bras et de son épaule saillaient et tremblaient sous l'effort. En tournant la tête, l'animal présenta le creux derrière l'oreille où le cou s'unit à l'os du crâne et à la grosse bosse qui supporte les cornes. Aboli resta en joue encore une fraction de seconde puis lâcha la flèche. Elle vrombit et étincela sous la lune avant de s'enfoncer sur la moitié de sa longueur dans le cou massif de la bête.

Le buffle chancela. Si, comme l'avait espéré Aboli, la flèche était passée entre deux vertèbres, l'animal aurait été foudroyé sur place, mais la pointe métallique avait été déviée par l'os. Elle avait cependant touché la grosse artère qui passe derrière la mâchoire. Comme le buffle lançait une ruade et donnait des coups de pied sous l'effet de la douleur, l'artère endommagée se déchira entièrement et laissa échapper un flot de sang noir.

Le buffle passa en trombe près d'Aboli en donnant de grands coups avec ses larges cornes incurvées. Si Aboli n'avait pas laissé tomber son arc et ne s'était pas écarté, la pointe qui effleura son nombril l'aurait embroché.

Le buffle poursuivit sa charge et atteignit le terrain sec et dur. A genoux, Aboli tendait l'oreille pour suivre la course bruyante de sa proie à travers les broussailles. L'animal s'arrêta brusquement. Il y eut une longue pause au cours de laquelle Aboli entendit sa respiration pénible et le sang couler sur les feuilles des buissons. Puis il entendit chanceler et trébucher le buffle qui tentait de rester sur ses pieds tandis que ses forces s'échappaient en même temps que son sang de son grand corps. La bête tomba avec une lourdeur telle que la terre trembla sous ses pieds. Quelques instants plus tard un mugissement d'agonie s'éleva, suivi par un silence douloureux. Même les oiseaux de nuit et les grenouilles-bœufs s'étaient tus après cet effroyable beuglement, comme si la forêt tout entière avait retenu son souffle au passage de cette puissante créature. Puis, lentement, la nuit s'anima de nouveau, les grenouilles chantèrent de leur voix flûtée et coassèrent dans les massifs de roseaux, un engoulevent poussa des cris stridents et, au loin, un grand-duc hulula lugubrement.

Aboli dépeça le buffle avec le couteau que Sukeena avait volé à son intention dans les cuisines de la résidence. Il plia la peau et l'attacha avec une corde en écorce. Elle était assez lourde pour mettre ses forces à rude épreuve. Chancelant sous le fardeau, il parvint néanmoins à la mettre en équilibre sur sa tête. Il abandonna la carcasse nue aux bandes de hyènes en maraude et aux vols de vautours, de cigognes carnivores, de milans et de corbeaux qui la trouveraient aux premières lueurs de l'aube, et repartit vers la colonie et la montagne au sommet plat, découpée sur le ciel étoilé. Même ainsi chargé, il se déplaçait au trot rapide des guerriers de sa tribu, allure qui lui revenait naturellement après deux décennies passées en mer. Il se souvenait des coutumes et de la sagesse depuis longtemps oubliées de sa tribu, réapprenait les façons de faire ancestrales et redevenait un vrai fils de cette terre africaine brûlée par le soleil.

Il gravit les premiers contreforts de la montagne et déposa son fardeau dans une étroite fissure de la falaise. Il le couvrit de grosses pierres, car les hyènes venaient rôder jusque-là, attirées par les ordures et les déchets des habitants de la colonie.

Quand il eut mis en place la dernière pierre, il regarda le ciel et vit que le Scorpion descendait rapidement vers l'horizon sombre. C'est seulement alors qu'il réalisa combien la nuit avait passé rapidement et il repartit en bondissant vers le bas de la pente. Il atteignit les jardins de la résidence au moment où le premier coq se mettait à chanter dans l'obscurité.

Plus tard dans la matinée, tandis qu'il attendait avec les autres esclaves sur le banc à l'extérieur des cuisines son écuelle de gruau et de lait fermenté caillé, Sukeena passa par là.

— Je t'ai entendu rentrer la nuit dernière. Tu es resté dehors trop tard, murmura-t-elle sans tourner la tête. Si tu te faisais prendre, nous en subirions tous les conséquences et notre projet serait réduit à néant.

— Ma tâche est presque terminée, grommela-t-il doucement. Après ce soir, je n'aurai plus besoin de sortir.

— Sois prudent, Aboli. Nous risquons gros, dit-elle avant de s'éloigner de son pas aérien.

En dépit de ses mises en garde, elle lui avait accordé toute l'aide qu'il avait demandée, et sans la regarder partir, Aboli murmura pour lui-même :

— Cette petite a un cœur de lion.

Le même soir, quand toute la maisonnée fut couchée, il se glissa par la lucarne. Une fois encore, il calma les chiens en sifflant doucement et en donnant à chacun des bouts de saucisse sèche. Lorsqu'il atteignit le mur en bas des pelouses, il regarda les étoiles et vit à l'orient les premières lueurs de la lune montante. Il sauta par-dessus le mur et, en marchant à l'écart de la route, il se guida au toucher en suivant le mur jusqu'aux premières habitations.

Guère plus de trois ou quatre lumières brillaient faiblement dans les chaumières et les bâtiments du village. Des lanternes étaient allumées en tête de mât sur les quatre navires à l'ancre dans la baie. La forme sombre et lugubre du château se détachait sur le ciel étoilé.

Aboli attendit en lisière du champ de parade pour laisser ses oreilles s'habituer aux bruits de la nuit. A un certain moment, alors qu'il était sur le point d'entamer la traversée du terrain découvert, il entendit des rires avinés et des bribes de chanson : une bande de soldats rentrait au château après une soirée de débauche dans les tavernes minables du front de mer où l'on servait l'alcool brut que les Hottentots appelaient *Dop*. L'un des fêtards portait une torche trempée dans du goudron. Les flammes vacillaient tandis que l'homme s'arrêtait devant le gibet et lançait une insulte au cadavre qui était toujours pendu là. Ses compagnons partirent d'un gros rire en l'entendant puis reprirent leur chemin vers le fort en titubant et en se soutenant mutuellement.

Quand ils eurent disparu derrière les murs et que le silence et l'obscurité furent retombés, Aboli traversa à grandes enjambées le champ de parade. Il ne voyait pas à plus de quelques pas devant lui, mais l'odeur de putréfaction le guidait. Seul un lion mort sentait aussi fort qu'un cadavre humain en décomposition.

Le corps de Sir Francis avait été décapité puis découpé en quartiers. Slow John s'était servi d'un couperet de boucher pour tailler à travers les os. Aboli retira la tête de la pique sur laquelle elle avait été empalée, l'enveloppa dans un linge blanc et la plaça dans le sac qu'il portait. Puis il rassembla les autres parties du cadavre. Les chiens du village avaient dérobé certains des os les plus petits, mais même dans le noir, Aboli parvint à récupérer ce qui restait. Il ferma et boucla le rabat en cuir du sac, mit celui-ci en bandoulière et partit en courant vers la montagne.

Sukeena connaissait la montagne parfaitement, chaque à-pic, ravin et falaise. Elle lui avait expliqué comment se rendre à l'étroite entrée de la caverne où, la nuit précédente, il avait laissé la peau de buffle. Grâce à la clarté lunaire, il la retrouva sans se tromper. Lorsqu'il atteignit l'entrée, il se baissa et ôta rapidement les pierres qui recouvraient la peau. Ensuite, il s'enfonça en rampant dans la fissure et écarta les buissons qui pendaient de la falaise et cachaient l'entrée.

Il alluma prestement l'une des bougies que lui avait fourni Sukeena avec un silex et un briquet. Occultant la flamme autant que possible afin de ne pas être vu de la vallée, il poursuivit sa progression à l'intérieur du tunnel naturel en tirant derrière lui le sac de cuir. Comme Sukeena le lui avait dit, le tunnel s'ouvrait brusquement sur une caverne assez haute pour qu'il pût se tenir debout. Il tint la bougie au-dessus de sa tête et constata que la grotte constituait un lieu de sépulture approprié pour un grand chef. Il y avait même au fond un rebord dans la paroi rocheuse sur lequel il posa le sac, et il repartit en rampant chercher la peau de buffle. Avant de s'engager de nouveau dans le tunnel, il lança un coup d'œil par-dessus son épaule pour s'orienter par rapport à la direction où se levait la lune.

— Je tournerai son visage de façon à ce qu'il puisse contempler dix mille lunes et les levers du soleil jusqu'à la fin des temps ! murmura-t-il, puis il tira la lourde peau de bête à l'intérieur et l'étala sur le sol rocheux.

Il posa la bougie sur le rebord de pierre et commença à vider le contenu du sac. D'abord, il mit de côté les petites offrandes et les objets rituels qu'il avait apportés avec lui, puis il prit la tête de Sir Francis et la déposa au centre de la peau de buffle. Il ôta avec vénération le linge qui l'enveloppait et ne montra aucune répugnance lorsque l'écœurante odeur de putréfaction envahit la caverne. Il rassembla toutes les autres parties du corps démembré et les arrangea dans leur ordre naturel en les maintenant en place avec de fines bandes de corde d'écorce. A la fin de l'opération, Sir Francis était couché sur le côté, les genoux remontés sous le menton, les bras enserrant les jambes — la position fœtale dans la matrice et dans le sommeil. Il replia ensuite la peau de buffle autour du corps en laissant la tête à découvert, puis la cousit afin qu'elle forme un sarcophage en séchant. C'était une tâche longue et méticuleuse ; lorsque la bougie se fut entièrement consumée, il en alluma une autre et poursuivit son œuvre.

Quand il eut fini, il prit le peigne en écaille de tortue, autre présent de Sukeena, peigna les restes de chevelure emmêlée qui adhéraient encore au crâne de Sir Francis et les natta proprement. Ensuite, il souleva le corps et l'assit sur le rebord de pierre, puis le tourna soigneusement vers l'est afin qu'il regarde pour toujours en direction du lever de lune et de l'aube.

Il resta longtemps accroupi au pied du corps, le regard fixé sur la tête ravagée mais la voyant mentalement telle qu'elle était — celle du jeune marin vigoureux qui l'avait tiré des griffes des marchands d'esclaves deux décennies plus tôt.

Il se releva enfin, rassembla les objets funéraires qu'il avait apportés et les disposa un à un sur le socle rocheux devant le corps de Sir Francis. En premier lieu, le modèle réduit de navire qu'il avait sculpté de ses propres mains. Il n'avait pu apporter un grand soin à sa construction par manque de temps et l'objet était grossier. Mais les trois mâts étaient équipés de voiles et le nom du bateau, *Lady Edwina*, était gravé sur la poupe.

— Puisse ce navire vous conduire sur les noirs océans jusqu'au rivage où vous attend la femme dont il porte le nom, murmura Aboli.

Il déposa ensuite le couteau et l'arc en bois d'olivier près du bateau.

344

— Je n'ai pas d'épée pour vous équiper; puissent ces armes suffire à votre défense dans les lieux de ténèbres.

Il offrit ensuite le bol de nourriture et la bouteille d'eau.

— Puissiez-vous ne plus jamais connaître la faim et la soif.

Pour finir, il plaça devant les yeux vides de Sir Francis la croix de bois qu'il avait taillée et décorée avec une coquille verte d'abalone, un os sculpté et des petites pierres brillantes ramassées dans le lit de la rivière.

— Puisse la croix de votre Dieu, qui vous a guidé dans la vie, vous guider encore dans la mort.

Agenouillé par terre, il dressa un petit feu et l'alluma avec la bougie.

— Puisse ce feu vous chauffer dans l'obscurité de votre longue nuit.

Ensuite, dans sa langue, il chanta la mélopée funèbre et la chanson de ceux qui partent pour un long voyage, battant doucement des mains pour scander la mesure et témoigner son respect. Lorsque les flammes du foyer diminuèrent, il se leva et gagna l'entrée de la caverne.

— Adieu, mon ami, dit-il. Au revoir, mon père.

Le gouverneur Van de Velde était un homme prudent. Au début, il n'avait pas laissé Aboli le conduire dans la voiture.

— Je ne vous reproche pas ce petit caprice, avait-il dit à sa femme, mais c'est un sauvage. Que connaît-il des chevaux?

— Il est pourtant très compétent, bien plus que le vieux Fredricus, objecta Katinka en riant. Et il a fière allure dans la nouvelle livrée que je lui ai dessinée.

— Sa redingote et son pantalon bordeaux à la dernière mode me feront une belle jambe s'il me rompt le cou, rétorqua Van de Velde, mais malgré ses doutes, il regarda comment Aboli manœuvrait l'attelage.

La première fois qu'Aboli conduisit le gouverneur de la résidence à son bureau, il y eut un mouvement et un murmure parmi les détenus qui travaillaient sur les murailles au moment où la voiture traversa le champ de parade et approcha des portes du château. Ils avaient reconnu Aboli assis sur le siège du cocher, un long fouet dans ses mains gantées de blanc.

Hal était sur le point de lui crier un mot de bienvenue mais il se ravisa à temps. Ce n'était pas la morsure du fouet de Barnard qui l'en avait dissuadé, mais il comprit qu'il eût été maladroit de rappeler à ses geôliers qu'Aboli avait été son camarade de bord. Les Hollandais ne s'attendaient pas à ce qu'il considère un Noir comme un compagnon, mais comme un esclave.

— Que personne ne salue Aboli, chuchota-t-il avec insistance à Daniel qui peinait à ses côtés. Ignorez-le. Passez le mot.

L'ordre fut transmis rapidement dans les rangs des marins qui travaillaient sur l'échafaudage puis de ceux à l'ouvrage dans la cour. La voiture franchit les portes, saluée par les officiers de la garnison au moment de la relève de la garde d'honneur, et aucun des détenus n'y fit attention. Ils étaient tous absorbés par leur dur labeur avec les palans et les barres de fer.

Assis sur son siège telle une figure de proue, Aboli regardait droit devant lui. Ses yeux sombres ne jetèrent pas le moindre coup d'œil dans la direction de Hal. Il arrêta l'attelage de chevaux gris au pied de l'escalier, sauta à terre pour abaisser le marchepied et aida le gouverneur à descendre. Lorsque Van de Velde eut grimpé les marches en se dandinant et disparut à l'intérieur de l'édifice, Aboli remonta sur son siège et y resta assis, immobile, sans tourner la tête. Les geôliers et les gardes ne tardèrent pas à oublier sa présence, se consacrèrent à leur tâche et le château retomba dans sa routine.

Une heure passa, puis l'un des chevaux agita la tête en montrant des signes d'impatience. Du coin de l'œil, Hal remarqua qu'Aboli touchait les rênes afin d'exciter légèrement le cheval. Il descendit ensuite de son siège sans se presser et s'approcha de l'animal. Tout en tenant la ganache, il lui caressa doucement la tête et lui murmura des paroles affectueuses. Le cheval se calma immédiatement. Aboli posa un genou à terre et souleva les sabots de devant l'un après l'autre pour déceler une éventuelle blessure.

Toujours agenouillé et caché par le corps de l'animal à la vue des gardes et des contremaîtres, pour la première fois il leva les yeux vers Hal. Leurs regards se croisèrent un instant. Aboli hocha la tête presque imperceptiblement et entrouvrit sa main droite pour permettre à Hal d'apercevoir le minuscule rouleau de papier blanc qu'il tenait dans sa paume, puis il referma le poing et se releva. Il marcha ensuite le long de l'attelage pour examiner les chevaux et ajuster le harnais. Il se tourna alors et s'appuya contre le mur de pierre à côté de lui pour épousseter ses bottes.

Hal le vit fourrer subrepticement le petit rouleau de papier dans un joint entre deux pierres, puis il se redressa et regagna son siège pour attendre le bon plaisir du gouverneur. Van de Velde ne montrait jamais aucune considération pour ceux qui le servaient, esclaves ou bêtes. Les chevaux de l'attelage attendirent patiemment toute la matinée dans les traits, apaisés de temps en temps par Aboli. Un peu avant midi, le gouverneur quitta les bureaux de la Compagnie et se fit reconduire à la résidence pour y déjeuner.

A la tombée de la nuit, lorsque les détenus redescendirent péniblement de l'échafaudage, Hal trébucha en touchant le sol, tendit la main pour se rattraper et récupéra habilement le morceau de papier là où Aboli l'avait caché.

Arrivé dans le donjon, la lumière que projetait la torche fixée dans son applique au sommet de l'escalier permit à Hal de lire le message. Il était rédigé dans une écriture fine et soignée qu'il ne reconnut pas. En dépit des leçons que son père et lui-même avaient données à Aboli, la sienne était restée grossière, ses lettres malformées. Apparemment, quelqu'un d'autre s'était chargé de la rédaction. Un petit morceau de charbon de bois était enveloppé dans le papier afin que Hal pût y écrire sa réponse au dos.

« Le capitaine a été inhumé avec les honneurs. » A la lecture de ces mots, le cœur de Hal bondit de joie. « C'est donc Aboli qui a emporté le corps mutilé de mon père, pensa-t-il. J'aurais dû me douter qu'il allait lui témoigner cette marque de respect ».

Un seul mot suivait : « Althuda ? » Hal s'interrogea sur sa signification, puis comprit qu'Aboli, ou le rédacteur, demandait des nouvelles de l'autre prisonnier.

— Althuda ! appela-t-il à voix basse. Vous êtes réveillé ?

— Salut, Hal. Pourquoi cette gaieté ?

— Quelqu'un de l'extérieur s'enquiert de votre santé.

Il y eut un long silence pendant qu'Althuda réfléchissait.

— Qui cela ?

— Je n'en sais rien, répondit Hal, qui ne voulait pas se montrer plus explicite, persuadé que les geôliers écoutaient leur conversation.

— Je crois que je devine, dit Althuda après un long silence. Et vous le pouvez aussi. Nous avons parlé d'elle. S'il vous est possible d'envoyer une réponse, dites-lui que je suis en vie.

Hal frotta le morceau de charbon de bois sur le mur pour l'aiguiser et écrivit : « Althuda va bien. » Bien que ses caractères aient été petits et resserrés, il n'avait pas de place pour en dire davantage.

Le lendemain matin, lorsqu'ils sortirent pour commencer leur journée de travail, Daniel fit écran devant Hal quelques instants pour lui permettre d'introduire le morceau de papier dans la fissure où il l'avait pris.

Au milieu de la matinée, Aboli conduisit le gouverneur jusqu'à ses bureaux et stationna comme d'ordinaire devant l'escalier. Longtemps après que Van de Velde eut disparu dans sa retraite, Aboli resta sur le siège du cocher. Il leva finalement les yeux vers un vol d'étourneaux à ailes rouges qui étaient descendus des falaises pour se percher sur les murs du bastion est et faire entendre leurs sifflements graves et lugubres. Son regard se porta ensuite sur Hal, qui hocha la tête. Cette fois encore, Aboli mit pied à terre afin de s'occuper des chevaux, s'arrêta près du mur pour ajuster les lanières de ses bottes et, avec une dextérité de prestidigitateur, récupéra la missive. Hal respira plus librement lorsqu'il le vit faire : ils avaient bel et bien mis au point le système de boîte aux lettres.

Ils ne commirent pas l'erreur d'échanger des messages quotidiens. Une semaine passait parfois avant qu'Aboli fasse un signe de tête à Hal et cache un billet dans le mur. Si Hal avait un message à transmettre, il envoyait le même signe et Aboli lui laissait du papier et un morceau de charbon de bois.

Le second message que reçut Hal était de la même écriture délicate et élégante : « A. est hors de danger. Orchidée envoie son cœur. »

— Est-ce l'orchidée dont vous m'avez parlé ? demanda Hal ce soir-là. Elle vous envoie son cœur et dit que vous ne courez plus de danger.

— J'ignore comment elle a pu parvenir à ce résultat, mais je dois la croire et lui en être reconnaissant, comme pour bien d'autres choses, répondit Althuda d'une voix où perçait le soulagement.

Hal porta le bout de papier à ses narines et crut y déceler un léger parfum. Il se blottit sur la paille humide dans un coin de la cellule et pensa à Sukeena jusqu'au moment où il succomba au sommeil. Le souvenir de sa beauté était comme la flamme d'une chandelle dans l'obscurité hivernale du donjon.

Le gouverneur Van de Velde était dans un état d'ébriété avancé. Il avait bu avec avidité du vin du Rhin avec la soupe, du madère avec le poisson et la langouste Un bourgogne rouge avait accompagné le ragoût de mouton et la tarte au pigeon. Il avait lampé du bordeaux avec le bœuf, sans oublier quelques bonnes rasades de gin hollandais entre les plats. Quand à la fin il se leva de table et partit en zigzaguant s'asseoir au coin du feu, il lui fallut s'appuyer sur le bras de sa femme. D'ordinaire, elle n'était pas si attentionnée, mais toute la soirée elle s'était montrée d'humeur affectueuse et enjouée, riant à ses saillies, qu'elle aurait ignorées en d'autres occasions, et remplissant son verre avec grâce avant qu'il ne soit vide. D'ailleurs, il ne se souvenait pas à quand remontait leur dernier dîner en tête à tête, comme deux amoureux.

Pour une fois, il n'avait eu à supporter ni la compagnie des rustres de la colonie, ni les flatteries obséquieuses des serviteurs de la VOC, ni, suprême bénédiction, la pose et les fanfaronnades de ce pharisien amoureux de Schreuder.

Il se renversa dans le grand fauteuil en cuir près de la cheminée et Sukeena lui apporta une boîte d'excellents cigares hollandais afin qu'il en choisisse un. Tandis qu'elle lui tenait une bougie pour l'allumer, il posa un regard lascif sur le devant de sa tunique. Le galbe de ses seins de jeune fille, entre lesquels se nichait la broche de jade, l'émut au point qu'il sentit un agréable début d'érection.

Katinka était agenouillée près de la cheminée, mais elle le regardait par en dessous, et il craignit un moment qu'elle ne l'ait vu lorgner la poitrine de l'esclave. Mais elle sourit, prit le tisonnier qui chauffait dans le feu et en plongea l'extrémité incandescente dans la cruche de pierre emplie de vin épicé. Le liquide se mit à bouillonner et à fumer, elle en remplit un bol et le lui porta avant qu'il ait le temps de refroidir.

— A ma jolie épouse ! A ma petite chérie ! dit-il en articulant avec quelque difficulté tout en lui portant un toast.

Il n'était pas assez crédule ni assez ivre pour ne pas se rendre compte que cette gentillesse inhabituelle n'était pas gratuite. Elle ne l'était jamais. Agenouillée devant lui, Katinka leva les yeux vers Sukeena, qui était restée là, à disposition.

— Ça ira pour ce soir, Sukeena. Tu peux te retirer, dit-elle en lançant à la jeune fille un sourire entendu.

— Je vous souhaite bonne nuit et des rêves de paradis, maître et maîtresse.

Après une gracieuse génuflexion, Sukeena sortit de la pièce de son pas léger. Elle tira derrière elle le panneau en bois sculpté qui faisait office de porte et, comme le lui avait ordonné sa maîtresse, s'agenouilla là tranquillement. Katinka voulait qu'elle soit témoin de ce qui allait se passer entre elle et son mari. Elle savait que cela resserrerait leur lien.

Katinka s'était postée derrière le fauteuil de son époux.

— Vous avez eu une semaine si difficile, dit-elle à voix basse. D'abord le vol du cadavre de ce pirate, et maintenant le nouveau recensement et les ordonnances fiscales des Dix-Sept. Mon pauvre mari bien-aimé, laissez-moi vous masser les épaules.

Elle retira sa perruque et lui déposa un baiser sur le sommet du crâne. Ses cheveux ras lui piquèrent les lèvres, elle se redressa et enfonça ses pouces dans ses lourdes épaules. Van de Velde soupira d'aise, non seulement à cause de la sensation de détente musculaire, mais aussi parce qu'il voyait là le prélude à l'octroi peu fréquent des faveurs de Katinka.

— M'aimez-vous vraiment ? demanda-t-elle en se penchant pour lui mordiller l'oreille.

— Je vous adore, lâcha-t-il. Je vous vénère.

— Vous êtes toujours si gentil avec moi… enchaîna-t-elle d'une voix devenue rauque qui donnait des picotements au gouverneur. J'ai envie de l'être avec vous. J'ai écrit à mon père pour lui expliquer en quelles circonstances est mort le pirate et lui montrer que vous n'y êtes pour rien. Je confierai la lettre au capitaine du galion en partance pour le pays, à l'ancre en ce moment dans la baie, pour qu'il la remette à papa en personne.

— Puis-je voir cette lettre avant que vous ne l'envoyiez ? demanda-t-il avec circonspection. Elle aurait davantage de poids si elle accompagnait le rapport que je prépare à l'intention des Dix-Sept et que je fais partir par le même navire.

— Vous pouvez la lire, naturellement. Je vous l'apporterai demain matin, avant votre départ pour le château.

Elle effleura de nouveau de ses lèvres le sommet de son crâne et ses doigts glissèrent sur sa poitrine. Elle déboutonna son pourpoint, passa ses deux mains par l'ouverture, saisit ses deux mamelles pendantes et les pétrit comme de la pâte à pain.

— Vous êtes une très bonne petite épouse, dit-il. Je voudrais vous donner un gage de mon amour. Qu'est-ce qui vous ferait plaisir ? Un bijou ? Un animal de compagnie ? Une autre esclave ? Dites-le à votre vieux Petrus.

— Quelque chose me plairait effectivement, avoua-t-elle avec coquetterie. Il y a un homme dans le donjon.

— L'un des pirates ?

— Non, un esclave nommé Althuda.

— Ah, oui ! J'ai entendu parler de lui. Le rebelle qui s'est enfui ! Je vais m'occuper de lui la semaine prochaine. Son ordre d'exécution attend ma signature sur mon bureau. Voulez-vous que je le confie à Slow John ? Vous aimeriez assister à la séance ? C'est ça ? Comment vous le refuser ?

Elle tendit la main et entreprit de défaire la fermeture de ses hauts-de-chausses. Il allongea les jambes et se renversa confortablement dans le fauteuil pour lui rendre la tâche plus facile.

— Je veux que vous accordiez sa grâce à Althuda, lui murmura-t-elle à l'oreille.

— Vous êtes folle, lâcha-t-il en se redressant d'un seul coup.

— Vous êtes bien cruel de me traiter ainsi, minauda-t-elle.

— Mais... c'est un fugitif. Lui et sa bande de voyous ont tué vingt soldats parmi ceux que l'on avait envoyés à ses trousses. Il m'est impossible de le libérer.

— Je le sais. Je veux seulement que vous lui laissiez la vie sauve. Vous pourriez l'envoyer travailler sur les murailles du château.

— Je ne peux pas faire une chose pareille, fit-il en secouant son crâne rasé. Même pour vous.

Elle fit le tour du fauteuil, s'agenouilla devant lui et recommença à délacer ses hauts-de-chausses. Il tenta de se relever mais elle le repoussa en arrière et glissa la main dans sa braguette.

« Tous les saints me sont témoins que le vieux sodomite me rend la tâche difficile, se dit-elle à elle-même en prenant son sexe. Il est mou comme de la cire. »

— Même pour votre petite femme aimante? murmura-t-elle en levant ses yeux mouillés de larmes et en pensant : « C'est un peu mieux. Je sens monter la petite bête. »

— Je veux dire que ce n'est pas chose facile, corrigea-t-il, embarrassé.

— Je comprends, chuchota-t-elle. Il m'a été tout aussi difficile de rédiger la lettre à mon père. Il me répugnerait de devoir la brûler.

Elle se leva et remonta ses jupes comme si elle s'apprêtait à monter sur un échalier. Elle ne portait rien dessous et le gouverneur la regarda avec des yeux exorbités. Il s'assit au prix de grands efforts tout en essayant d'attraper sa femme.

« Ne compte pas me chevaucher de nouveau, gros paquet de graisse, pensa-t-elle en lui souriant amoureusement et en le maintenant assis des deux mains sur ses épaules. La dernière fois, tu as failli m'écrabouiller pour de bon. »

Elle l'enfourcha comme si elle montait sa jument.

— Oh, doux Jésus, quel étalon vous êtes! s'écria-t-elle en s'empalant sur lui.

Le seul plaisir qu'elle retira de l'exercice était la pensée que Sukeena écoutait derrière le panneau en bois. Elle ferma les yeux et visualisa les cuisses minces de la jeune esclave et le trésor qui se trouvait caché entre elles. Cette image l'enflamma; elle savait que son mari sentirait sa réaction et s'en attribuerait le mérite.

— Katinka, gargouilla-t-il en s'étranglant comme s'il se noyait. Je vous aime.

— Vous accorderez la grâce ?

— Je ne peux pas.

— Dans ces conditions, je ne peux pas non plus, dit-elle en se soulevant sur ses genoux.

Elle dut faire effort pour ne pas éclater de rire en voyant son visage s'enfler et ses yeux encore plus exorbités. Il se tortilla et se souleva sous elle, donnant en vain des coups de boutoir dans le vide.

— Je vous en prie ! gémit-il.

— Vous l'accorderez ? demanda-t-elle derechef en se tenant suspendue au-dessus de lui de façon cruellement tentante.

— Oui, fit-il d'une voix geignarde. Vous aurez tout ce que vous voudrez.

— Je vous aime, mon mari, lui souffla-t-elle à l'oreille en s'abaissant comme un oiseau s'installant sur son nid.

« La dernière fois, ça a duré le temps de compter jusqu'à cent, se souvint-elle. Je vais essayer de l'amener sur la ligne d'arrivée en moins de cinquante. » Balançant ses hanches, elle entreprit d'améliorer son record.

Manseer ouvrit la porte de la cellule d'Althuda et rugit :

— Sors d'ici, chien galeux. Sur ordre du gouverneur, tu vas travailler sur les remparts.

Althuda franchit la porte métallique et Manseer lui lança un regard mauvais.

— Apparemment, tu n'iras pas danser le quadrille sur l'échafaud avec Slow John, et c'est bien dommage. Mais ne chante pas trop victoire, nous allons t'en faire baver. Barnard et les chiens y veilleront. Je parie cent florins que tu ne passeras pas l'hiver.

Hal montait à la tête de la file des détenus et il s'arrêta en arrivant à la hauteur d'Althuda. Pendant quelques instants, ils s'étudièrent mutuellement avec attention. Tous deux parurent satisfaits de leur examen.

— A choisir, je crois que je préfère la silhouette de votre sœur à la vôtre, fit Hal en souriant.

Althuda était plus petit que sa voix ne le laissait supposer et sa longue captivité l'avait manifestement affecté : il avait la peau cireuse, les cheveux emmêlés. Mais son corps, que l'on apercevait à travers les trous de ses pauvres loques, était bien proportionné, vigoureux et souple. Il avait le regard franc, un joli visage ouvert. Malgré ses yeux bridés et ses cheveux noirs et raides qui lui venaient de sa mère, l'influence anglaise se faisait nettement sentir. Il y avait quelque chose de fier et de têtu dans le dessin de sa mâchoire.

— Vous venez de tomber du berceau. J'attendais un homme et on m'envoie un gamin, dit-il avec un sourire, de toute évidence ravi d'avoir échappé au gibet.

— Avance, espèce de renégat, beugla Barnard quand le geôlier lui confia les prisonniers. Tu as peut-être évité la potence pour le moment, mais je te réserve quelques petits plaisirs, et n'oublie pas que tu as tranché la gorge à plusieurs de mes camarades dans les montagnes.

Il était clair que toute la garnison s'indignait de la grâce dont avait bénéficié Althuda.

— Quant à toi, sale petit pirate, ajouta Barnard, tu as la langue trop bien pendue. Un seul mot aujourd'hui et je t'envoie balader en bas du mur d'un coup de botte. Mes chiens mangeront les morceaux.

Il sépara les deux hommes : Hal fut renvoyé sur l'échafaudage et Althuda intégré à l'équipe qui, dans la cour, déchargeait les blocs de pierre des chars à bœufs au fur et à mesure qu'ils arrivaient des carrières.

Ce soir-là, Althuda fut cependant conduit avec les autres dans la cellule collective. Daniel et les autres s'attroupèrent autour de lui dans l'obscurité pour entendre son histoire en détail et le presser de questions qu'ils n'avaient pu lui poser. Cela rompait un peu la monotonie de leur captivité et de leur travail fastidieux. Ce n'est que lorsque la marmite de rata fut apportée des cuisines et que les hommes se précipitèrent pour prendre leur part du frugal repas que Hal put lui parler seul à seul.

— Si vous vous êtes échappé une fois, Althuda, nous avons une chance d'y parvenir de nouveau.

— Les conditions étaient plus favorables. Je possédais un bateau de pêche. Mon maître me faisait confiance et je circulais librement à l'intérieur de la colonie. Comment sortir d'ici? J'ai peur que ce soit impossible.

— Je ne connais pas les mots « peur » et « impossible ». Je croyais avoir rencontré un homme et non quelqu'un de timoré.

— Réservez vos paroles aigres pour nos ennemis, mon ami, rétorqua Althuda en rendant à Hal son regard dur. Au lieu de me faire comprendre que vous êtes un héros, dites-moi plutôt comment vous recevez des messages de l'extérieur.

L'expression sévère de Hal s'évanouit et il lui sourit. Il appréciait son esprit, sa façon de prendre la contre-offensive. Il se rapprocha et baissa la voix pour lui expliquer comment il procédait. Puis il lui tendit le dernier message qu'il avait reçu. Près de la grille d'entrée, Althuda le lut à la lumière que diffusait la torche depuis l'étage supérieur.

— C'est bien l'écriture de ma sœur, dit-il. Je ne connais personne qui trace aussi joliment ses lettres.

Tous deux rédigèrent un message pour faire savoir à Aboli et à Sukeena qu'Althuda était sorti de l'Antre des Pendards.

Cependant, Sukeena semblait déjà au courant, car le lendemain, elle accompagna sa maîtresse jusqu'au château. Elle était assise sur le siège du cocher, à côté d'Aboli. En arrivant à l'escalier, elle aida sa maîtresse à descendre de voiture. Etrangement, Hal était à présent si habitué aux visites de Katinka qu'il n'éprouvait plus ni colère ni amertume en voyant son visage angélique. Elle retint à peine son attention, mobilisée par la jeune esclave. Celle-ci se tenait en bas de l'escalier et lançait de rapides coups d'œil alentour pour tenter de distinguer son frère au milieu des équipes de détenus.

Althuda travaillait dans la cour, taillant les blocs de pierre brute avant qu'ils soient hissés au sommet des murailles. Son visage et ses cheveux étaient blancs de poussière comme ceux d'un meunier, et ses mains saignaient, écorchées par la pierre rugueuse et les outils. Sukeena l'aperçut enfin et le frère et la sœur se regardèrent un bon moment avec ravissement.

Hal n'avait jamais rien vu de plus beau que l'expression radieuse de Sukeena, mais elle ne tarda pas à se hâter dans l'escalier à la suite de sa maîtresse.

Peu après, elles réapparurent au sommet des marches, accompagnées du gouverneur Van de Velde. Il donnait le bras à sa femme, Sukeena suivait avec discrétion à quelques pas. La jeune fille semblait chercher quelqu'un d'autre que son frère. Lorsqu'elle monta sur le siège du cocher, elle chuchota quelques mots à Aboli. Pour toute réponse, celui-ci se contenta de remuer les yeux; elle suivit son regard vers le haut de l'échafaudage où Hal attachait l'extrémité d'une corde.

Le cœur de Hal se mit à battre plus vite quand il comprit que c'était lui qu'elle cherchait. Ils se regardèrent d'un air grave et tout se passa comme s'ils avaient été très près l'un de l'autre, car ensuite Hal se souvint de tous les traits de son visage et de la courbe gracieuse de son cou. Elle finit par sourire, bref et délicieux interlude, puis baissa les yeux. Le soir, étendu sur la paille humide de sa cellule, Hal revécut cet instant.

« Peut-être reviendra-t-elle demain », songea-t-il, tandis que le sommeil le submergeait telle une grande vague noire. Mais elle ne revint pas pendant plusieurs semaines.

Ils firent une place à Althuda pour qu'il puisse dormir près de Hal et de Daniel et parler tranquillement avec eux dans le noir.

— Combien d'hommes avez-vous dans les montagnes ? s'enquit Hal.

— Au départ, ils étaient dix-neuf, mais trois ont été tués par les Hollandais et cinq autres sont morts après que nous nous fûmes échappés. Les montagnes sont cruelles et il y a beaucoup de bêtes sauvages.

— De quelles armes disposent-ils ?

— Des mousquets et des épées que nous avons pris aux Hollandais, mais ils ont peu de poudre, et il se pourrait qu'ils l'aient déjà entièrement utilisée. Mes compagnons doivent chasser pour vivre.

— N'ont-ils pas fabriqué d'autres armes ? demanda Hal.

— Des arcs et des piques, mais ils n'ont pas de pointes de fer.

— Vos cachettes sont-elles sûres ?

— Les montagnes s'étendent à l'infini et les falaises sont quasi infranchissables. Les gorges forment un labyrinthe inextricable et il n'y a d'autres sentiers que ceux tracés par les babouins.

— Est-ce que les soldats hollandais s'y aventurent ?

— Jamais ! Ils n'osent même pas franchir le premier ravin.

Leurs discussions occupaient toutes leurs soirées tandis que le vent d'hiver descendu des montagnes venait gronder comme un groupe de lions sous les murs du château. Dans le donjon, les hommes frissonnaient sur leurs paillasses. Parfois, seuls le fait de converser et l'espoir les empêchaient de succomber au froid. Pourtant, certains des plus âgés parmi les détenus tombaient malades : leur gorge et leur poitrine étaient envahies par des mucosités jaunâtres, ils étaient brûlants de fièvre et mouraient en toussant et en s'étouffant.

Ceux qui survivaient n'avaient plus que la peau sur les os. En dépit de leur maigreur, le froid et le dur labeur les endurcissaient. Hal atteignit sa taille définitive et le maximum de sa force au cours de ces mois terribles, au point qu'il était devenu l'égal de Daniel pour assurer une corde ou hisser les lourdes hottes. Il lui était poussé une barbe épaisse et noire, et sa longue queue de cheval tombait jusqu'à ses omoplates. Son dos et ses flancs étaient couverts de marques de fouet, son regard dur et implacable lorsqu'il levait les yeux vers le bleu lointain des sommets montagneux.

— A quelle distance sont les montagnes ? demanda-t-il à Althuda dans l'obscurité de la cellule.

— Une dizaine de lieues.

— Tant que cela ! murmura Hal. Comment avez-vous fait pour y arriver avec les Hollandais aux trousses ?

— Je vous ai dit que j'étais pêcheur, expliqua Althuda. Je partais en mer chaque jour pour tuer des phoques afin de nourrir les autres esclaves. Mon bateau n'était pas gros et nous étions nombreux. Nous ne l'avons donc utilisé que pour nous transporter jusqu'à False Bay et gagner ainsi directement le pied des montagnes. Ma sœur Sukeena ne sait pas nager. C'est pourquoi je n'ai pas voulu qu'elle coure le risque d'effectuer la traversée.

— Où se trouve ce bateau maintenant ?

— Les Hollandais qui nous poursuivaient ont trouvé l'endroit où nous l'avions caché et l'ont brûlé.

Ces conciliabules étaient de courte durée, car tous étaient épuisés. Peu à peu, Hal n'en réussit pas moins à tirer d'Althuda toutes les informations qui pouvaient leur être utiles.

— Comment sont les hommes que vous avez emmenés avec vous dans les montagnes... moralement ?

— Tous des gars courageux — et les femmes aussi, car il y a trois filles dans le groupe. S'ils ne l'avaient pas été, ils n'auraient pas quitté la sécurité de leur captivité. Mais ce ne sont pas des guerriers, sauf un.

— De qui s'agit-il ?

— Il s'appelle Sabah. Il était soldat jusqu'à ce que les Hollandais le capturent. Il l'est redevenu.

— Pourrions-nous lui transmettre un message ?

Althuda rit amèrement.

— Nous pourrions essayer de lui crier quelque chose depuis le haut des murs du château ou faire du bruit avec nos chaînes... peut-être nous entendrait-il sur sa montagne.

— Si j'avais voulu un bouffon, j'aurais demandé à Daniel qu'il me divertisse. Ses plaisanteries donneraient des haut-le-cœur à un chien, mais elles sont quand même plus drôles que les vôtres. Répondez à ma question, Althuda. N'y a-t-il pas moyen de joindre Sabah ?

Si le ton de sa voix était resté léger, il avait le tranchant de l'acier, et Althuda réfléchit un moment avant de répondre.

— Lorsque je me suis échappé, Sukeena et moi sommes convenus d'une cachette, au-delà de la haie d'amandiers qui marque la frontière de la colonie, où nous pourrions nous laisser mutuellement des messages. Sabah connaît l'endroit, car je le lui ai montré la nuit où je suis revenu chercher ma sœur. La chance est mince, mais il se peut que Sabah se rende toujours à cette cachette dans l'éventualité où je lui aurais laissé un message.

— Je vais songer à tout ce que vous m'avez dit, conclut Hal.

Allongé près de lui dans l'obscurité de la cellule et discernant la

357

force et l'autorité de sa voix, Daniel secoua la tête. Il a maintenant la voix et les manières du cap'taine Franky, pensa-t-il, étonné. Ce que les Hollandais lui font subir aurait anéanti un autre homme, mais, par Dieu, cela lui a trempé le caractère. Hal avait repris le rôle de son père et les hommes d'équipage qui avaient survécu en étaient bien conscients. Ils s'en remettaient de plus en plus à lui pour les diriger, pour leur donner le courage de continuer et les conseiller, régler les petits différends, inévitables en pareille situation, qui s'élevaient presque quotidiennement entre eux et entretenir une étincelle d'espoir dans leur cœur.

Le lendemain soir, Hal reprit le conseil de guerre que la fatigue avait interrompu.

— Sukeena sait donc où laisser des messages à Sabah, n'est-ce pas ?

— Naturellement, elle connaît bien l'endroit : l'arbre creux sur la berge de la Eerste, la première rivière au-delà de la frontière, répondit Althuda.

— Aboli doit essayer d'entrer en contact avec Sabah. Y a-t-il quelque chose que seuls Sabah et vous connaissiez, qui lui prouve que le message vient bien de vous et qu'il ne s'agit pas d'un piège des Hollandais ?

Althuda réfléchit avant de répondre.

— Vous n'aurez qu'à signer : « Le père du petit Bobby », suggérat-il finalement avant d'expliquer : Robert est mon fils, né après que nous nous sommes enfuis. Il aura un an au mois d'août. Sa mère est l'une des filles dont je vous ai parlé. Elle ne porte pas mon nom, mais je la considère en tout comme ma femme. Personne d'autre que moi dans la colonie ne connaît le prénom de l'enfant.

— Vous avez donc une aussi bonne raison que nous tous de vous enfuir d'ici, murmura Hal.

La longueur des messages qu'ils transmettaient à Aboli était considérablement réduite par la dimension du bout de papier qu'ils pouvaient utiliser sans attirer l'attention des geôliers et celle, aiguisée, d'Hugo Barnard. Hal et Althuda passaient des heures à se fatiguer les yeux et à se torturer les méninges pour composer les messages les plus concis qui soient tout en restant compréhensibles. Les réponses qu'ils recevaient étaient tournées par Sukeena, petits joyaux de laconisme dont les traits d'esprit occasionnels les réjouissaient.

Hal se mit à penser de plus en plus à Sukeena, et quand elle revint au château à la suite de sa maîtresse, ses regards se portèrent d'abord vers l'échafaudage où il travaillait avant de chercher son frère. De temps à autre, quand il restait de la place sur les petits mots qu'Aboli cachait dans la fente du mur, elle ajoutait un court commentaire personnel, évoquant l'épaisse barbe noire de Hal ou le passage de son anniversaire. Celui-ci en était très surpris et profondément touché. Il se demanda comment elle avait eu connaissance d'un détail aussi personnel et devina qu'Aboli avait dû lui fournir l'information. Le soir dans la cellule, il encourageait Althuda à parler d'elle et apprenait des détails sur son enfance, ce qu'elle aimait et n'aimait pas. Et ainsi, à force d'écouter Althuda, il commença à tomber amoureux de sa sœur.

Au nord, les montagnes étaient à présent couvertes d'un manteau de neige qui brillait au soleil hivernal. Hal avait l'impression que le vent qui en descendait lui perçait le cœur comme une lance. Aboli n'avait toujours pas reçu de nouvelles de Sabah. Après plusieurs mois d'attente, Hal se rendit à l'évidence : il leur faudrait se débrouiller sans lui.

— C'est mon ami, mais il doit me tenir pour mort. J'ai de la peine pour ma femme, qui doit elle aussi pleurer ma disparition.

— Cherchons autre chose, dit Hal avec fermeté, car ce ne sont pas des regrets qui nous feront sortir d'ici. Il doit être plus facile de s'échapper des carrières sur la montagne que du château. Il semble que Sukeena ait réussi à obtenir votre grâce. Peut-être parviendra-t-elle de même à nous faire envoyer aux carrières.

Ayant transmis le message, ils reçurent la réponse une semaine plus tard. Sukeena n'avait pas le pouvoir d'influer sur le choix de leur lieu de travail et craignait que toute tentative en ce sens éveille immédiatement des soupçons. « Soyez patient, Gundwane, disait-elle dans le message le plus long qu'elle ait jamais envoyé. Ceux qui vous aiment travaillent à votre libération. » Hal lut le billet une centaine de fois et se le répéta à lui-même aussi souvent. Le fait qu'elle l'ait appelé par son surnom, Gundwane, l'émouvait. De toute évidence, c'était encore Aboli qui le lui avait appris.

« Ceux qui vous aiment » ? Cela sous-entendait-il uniquement Aboli ou usait-elle du pluriel de propos délibéré ? Quelqu'un d'autre m'aime-t-il ? se demandait Hal, et « vous » le désignait-il lui tout seul ou Althuda, son frère, également ? Il passait alternativement par des phases d'espoir et de désarroi. Comment peut-elle ainsi me troubler l'esprit alors que je n'ai même jamais entendu sa voix ? Comment pourrait-elle éprouver des sentiments à mon égard alors qu'elle n'a vu qu'une sorte d'épouvantail barbu affublé de loques ? Mais peut-être Aboli s'est-il fait mon avocat et lui a-t-il dit que je n'étais pas toujours ainsi.

Dans leur monotonie, les jours passaient et l'espoir s'amenuisait. Six autres marins moururent pendant les mois d'août et de septembre : deux firent une chute de l'échafaudage, l'un fut écrasé par un bloc de pierre et deux autres succombèrent au froid et à l'humidité. Le sixième était Oliver, qui avait été le serviteur de Sir Francis. Dans les premiers temps de leur captivité, il avait eu le pied droit écrasé par la roue d'un des chars à bœufs. Bien que le Dr Saar ait placé une attelle, l'os fracassé ne s'était pas ressoudé. Le pied avait gonflé et des ulcères purulents s'étaient formés qui dégageaient une odeur de cadavre. Hugo Barnard l'avait obligé à reprendre le travail, alors même qu'il boitait, appuyé sur une béquille rudimentaire.

Hal et Daniel tentèrent de protéger Oliver, mais s'ils intervenaient de manière trop ostentatoire, cela excitait encore davantage la vindicte de Barnard. La seule chose qu'ils pouvaient faire était d'assumer la plus grande part de travail possible et de maintenir Oliver hors de portée du fouet du contremaître. Lorsque vint le jour où Oliver fut trop faible pour gravir l'échelle qui permettait d'accéder au sommet du mur sud, Barnard le fit travailler dans la cour comme aide-maçon à tailler les blocs de pierre. Il était alors continuellement sous l'œil du contremaître, qui, deux fois dans la même matinée, s'en prit à lui avec son fouet.

Le dernier coup, administré avec désinvolture, était plutôt moins méchant que nombre de ceux qui avaient précédé. Oliver était tailleur de son état, et, par nature, c'était un garçon doux et timide, mais, tel un chien pris dans un cul-de-sac, il s'était retourné et avait essayé de riposter. Il avait lancé un coup de son lourd maillet en bois et, bien que Barnard ait bondi en arrière, il ne fut pas assez rapide et le reçut en plein tibia. C'était un coup oblique qui n'avait pas brisé l'os mais seulement touché la peau ; un flot de sang assombrit les chausses de Barnard jusqu'à la chaussure. Du haut de l'échafaudage, Hal vit qu'Oliver était affolé et terrifié par ce qu'il avait fait.

— Monsieur ! cria-t-il en tombant à genoux. Je ne voulais pas vous blesser. Je vous en prie, monsieur, pardonnez-moi.

Il laissa tomber le maillet et joignit les mains dans l'attitude de la prière. Hugo Barnard recula en chancelant puis se baissa pour examiner sa blessure. Ignorant les supplications frénétiques d'Oliver, il remonta ses chausses, découvrant la longue écorchure de son tibia. Puis, sans jeter un regard à Oliver, il boitilla jusqu'à la barre à laquelle ses deux chiens noirs étaient attachés. Les tenant en laisse, il les conduisit jusqu'à l'endroit où Oliver était agenouillé.

— Attrapez-le !

Les chiens tiraient sur leur laisse et aboyaient, découvrant leurs énormes crocs.

— Attrapez-le! les excitait Barnard tout en les retenant.

Ses accents de fureur les rendaient enragés et ils tiraient de plus en plus fort en faisant de tels sauts que Barnard faillit perdre l'équilibre.

— Je vous en prie! criait Oliver.

Il fit effort pour se relever, bascula en arrière puis rampa vers sa béquille appuyée contre le mur. Barnard lâcha les chiens, qui traversèrent la cour d'un bond, et Oliver eut tout juste le temps de se protéger le visage des mains.

Ils le firent tomber, l'envoyant rouler sur les pavés, puis lui donnèrent des coups de crocs. L'un l'attaqua au visage, mais il leva les bras et l'animal le mordit au coude. Oliver avait le torse nu et l'autre chien le saisit au ventre. Aucun des deux ne lâchait prise.

Du haut de l'échafaudage, Hal, impuissant, assistait à la scène. Peu à peu, les cris d'Oliver faiblirent et il cessa de lutter. Barnard et ses chiens ne s'arrêtèrent pas : ils continuèrent à harceler le corps longtemps après que le dernier souffle de vie s'en fut échappé. Puis Barnard décocha au corps mutilé un dernier coup de pied et se recula. Il haletait, la sueur inondait son visage et dégoulinait sur le devant de sa chemise, mais il leva la tête et lança un sourire à Hal. Il laissa le corps d'Oliver étendu sur les pavés jusqu'à la fin de la période de travail et désigna Hal et Daniel.

— Jetez-moi ces déchets sur le tas d'ordures derrière le château, ordonna-t-il. Il sera plus utile aux mouettes et aux corbeaux qu'il ne l'a jamais été.

Le contremaître gloussa en voyant une étincelle meurtrière s'allumer dans les yeux de Hal.

Lorsque le printemps revint, il ne restait plus que huit hommes, endurcis par les épreuves. Les muscles de Hal saillaient fièrement sous la peau tannée de sa poitrine et de ses bras. Les paumes de ses mains étaient dures comme du cuir et ses doigts puissants comme des pinces de forgeron. Quand, au cours d'une bagarre, il séparait les combattants, il pouvait envoyer à terre l'homme le plus solide d'un coup de poing.

A l'apparition du printemps, les nuages amenés par le vent se dispersèrent et le soleil brilla avec une ardeur renouvelée. Les hommes furent pris d'une agitation qui chassa la tristesse résignée qui les avait possédés pendant tout l'hiver. Ils étaient irritables, se battaient plus souvent entre eux et tournaient fréquemment leurs regards vers l'Atlantique ou les montagnes lointaines, dont la neige avait commencé à fondre.

C'est alors qu'Aboli transmit un message de Sukeena : « Sabah salue A. Bobby et sa mère languissent après lui. » Il les remplit d'un espoir joyeux qui, en vérité, n'était guère justifié, car Sabah et sa petite troupe ne pouvaient leur venir en aide qu'une fois franchie la haie d'amandiers.

Un autre mois passa, et l'espoir ardent qui avait embrasé leur cœur ne fut plus que braise. Le printemps s'installa dans toute sa gloire et transforma les montagnes en un prodige de fleurs sauvages dont les couleurs stupéfiaient les yeux et dont le parfum leur parvenait, même en haut de leur échafaudage. Le vent arrivait en chantant du sud-est et les souï-mangas revenaient de Dieu sait où, enflammant le ciel de leur plumage étincelant.

Un message laconique de Sukeena et d'Aboli leur parvint alors : « Le moment est venu de s'enfuir. Combien êtes-vous ? »

Ce soir-là, ils discutèrent du message en chuchotant, leurs voix tremblant sous l'effet de l'excitation.

— Aboli a un plan. Mais comment va-t-il s'y prendre pour nous faire évader tous ?

— En tout cas, je suis prêt à parier jusqu'au dernier de mes pennies qu'il a arrangé cela tout seul, grommela le grand Daniel.

— Ça va faire une somme énorme, gloussa Ned.

C'était la première fois que Hal l'entendait rire depuis qu'Oliver avait été mis en pièces par les chiens de Barnard.

— Combien veulent partir ? Réfléchissez un moment avant de répondre, les gars, demanda Hal en regardant le cercle des visages empreints de gravité. Si vous restez là, vous vivrez encore un peu, et personne ne vous méprisera pour autant. Si nous nous évadons et ne réussissons pas à atteindre les montagnes, vous savez ce qui nous attend, vous avez tous vu comment mon père et Oliver sont morts.

Althuda fut le premier à prendre la parole.

— Même si je n'avais pas Bobby et ma femme, je partirais, dit-il.

— Moi aussi, je pars, lança Daniel.

— Moi aussi, fit Ned en écho.

— Et de trois, murmura Hal. Et vous, William Rogers ?

— Je vous suivrai, Sir Henry.

— Billy, je vous ai dit de ne pas m'appeler ainsi, dit Hal en fronçant les sourcils. (Hal n'aimait pas qu'on lui donne son titre, car il ne se sentait pas digne de l'honneur gagné par son grand-père aux côtés de Drake, titre que son père avait porté avec tant de mérite.) C'est la dernière fois, maître Billy. Si vous recommencez, je vous botte le train, vous m'entendez ?

— Oui, Sir Henry, j'ai entendu, répondit Billy, et les autres éclatèrent de rire tandis que Hal le prenait par la peau du cou et lui chauffait les oreilles.

Tous étaient surexcités, sauf Dick Moss et Paul Hale.

— Je suis trop vieux pour ce genre d'aventure, Sir Hal, dit en souriant Dick Moss, le vieux pédéraste. Mes membres sont devenus si raides que je serais incapable de monter un beau garçon, même si vous me l'attachiez à un tonneau, sans parler de grimper une montagne. Pardonnez-moi, capitaine, mais Paul et moi en avons discuté ; nous allons rester ici où nous attendent chaque soir une portion de rata et une paillasse.

— Peut-être est-ce vous qui êtes les plus sages, acquiesça Hal, que cette décision n'était pas pour contrarier.

Les jours de gloire de Dick étaient révolus, l'époque où il était le plus rapide à grimper en tête de mât pour prendre un ris lorsque le vent faisait rage. Ce dernier hiver l'avait physiquement éprouvé, et il risquait d'être un poids mort au cours de leur fuite. Paul était le mignon de Dicky. Ils étaient ensemble depuis vingt ans, et bien que Paul fût encore redoutable avec un sabre d'abordage à la main, il ne quitterait pas son vieil amant.

— Bonne chance à tous les deux. Vous êtes parmi les meilleurs marins avec qui j'aie navigué, dit Hal avant de se tourner vers Wally Finch et Stan Sparrow. Et vous, mes deux oiseaux [1] ? Comptez-vous vous envoler avec nous ?

— Aussi haut et loin que vous irez, répondit Wally pour tous les deux.

— Nous sommes donc six, fit Hal en lui donnant une tape sur l'épaule. Je vous garantis que nous irons assez haut et loin pour satisfaire vos aspirations.

Il y eut un dernier échange de messages dans lesquels Aboli et Sukeena leur exposèrent le plan qu'ils avaient mis au point. Hal suggéra des améliorations et dressa une liste d'objets qu'Aboli et Sukeena devaient s'efforcer de dérober afin de rendre leur existence en pleine nature moins incertaine — en priorité, une carte, une boussole et un quadrant, dans la mesure du possible.

Aboli et Sukeena effectuèrent leurs derniers préparatifs sans laisser paraître leur excitation aux yeux des autres membres de la maisonnée. Des yeux sombres épiaient sans cesse tout ce qui se passait

1 *Sparrow* veut dire moineau en anglais, *finch*, pinson. (*N.d.T.*)

dans le logement des esclaves et à présent que le jour fatidique approchait, ils ne faisaient confiance à personne. Sukeena réunit peu à peu les objets demandés par Hal et en ajouta quelques autres dont elle connaissait l'utilité.

La veille de l'évasion, elle fit venir Aboli dans la partie principale de la maison où il n'avait jamais eu la permission d'entrer.

— J'ai besoin de toi pour déplacer l'armoire en bois sculpté dans la salle des banquets, dit-elle devant le cuisinier et deux de ses aides.

Aboli la suivit docilement comme un chien bien dressé. Lorsqu'ils furent seuls, il abandonna son attitude d'esclave soumis.

— Dépêche-toi! lança Sukeena. La maîtresse ne va pas tarder. Elle est avec Slow John au fond du jardin.

Elle s'approcha rapidement de la fenêtre aux volets clos qui donnait sur le jardin et vit que le couple mal assorti était toujours en grande conversation sous les chênes.

— Sa dépravation est sans bornes, se murmura-t-elle à elle-même en regardant Katinka rire de ce que venait de dire le bourreau. Elle ferait l'amour avec un porc ou un serpent venimeux s'il lui en prenait la fantaisie.

Sukeena eut un frisson au souvenir de sa langue de reptile qui avait exploré les recoins les plus secrets de son corps. Cela ne se reproduira jamais plus, se promit-elle. Plus que trois jours à tenir avant qu'Althuda soit en sécurité. Si, d'ici là, elle me fait venir dans son boudoir, je prétendrai que j'ai mes règles.

Elle entendit quelque chose siffler dans les airs et jeta un coup d'œil par-dessus son épaule : Aboli avait pris une des épées accrochées dans le vestibule et l'essayait en faisant des moulinets; les reflets de lumière renvoyés par la lame dansaient sur les murs blancs.

Il la reposa et en choisit une autre, mais elle ne le satisfit pas et il la remit en place en fronçant les sourcils.

— Dépêche-toi! chuchota Sukeena.

Quelques minutes après, il avait jeté son dévolu sur trois armes, non pas à cause des pierres précieuses qui en décoraient la garde, mais pour la souplesse et la trempe de leur lame. C'étaient des cimeterres fabriqués par les armuriers du Shah Jahan, maharajah d'Agra, sur le continent indien.

— Ils étaient destinés à un prince moghol et conviennent mal à de rudes marins, mais ils feront l'affaire jusqu'à ce que je mette la main sur un sabre d'abordage en bon acier de Sheffield pour les remplacer, dit Aboli avant de prendre un poignard, un *kukri* utilisé par les montagnards de l'Inde par-delà le Gange, qu'il testa en se rasant les poils de l'avant-bras. Ça ira pour le travail auquel je pense, grogna-t-il, satisfait.

— J'ai bien noté ceux que tu as choisis, lui dit Sukeena. Laisse-les sur les râteliers, sinon les autres esclaves remarqueront leur absence. Je te les apporterai la veille de l'évasion.

L'après-midi même, elle prit son panier et, coiffée de son chapeau de paille, partit dans les montagnes. Bien qu'un observateur n'eût pu percer ses intentions, elle s'assura qu'elle était hors de vue, cachée par la forêt qui couvrait le grand ravin situé sous le sommet. Il y avait là un arbre mort qu'elle avait remarqué lors de ses précédentes sorties. Sur le bois pourri avait poussé une grappe de minuscules champignons pourpres. Elle enfila des gants avant de les cueillir. Les lamelles qui garnissaient le dessous de leur chapeau était d'un joli jaune. Ces champignons étaient vénéneux, mais mortels seulement quand on les absorbait en quantité. Elle les avait choisis pour cette raison, ne voulant pas avoir sur la conscience la mort d'innocents. Elle les rangea au fond de son panier et les recouvrit de racines et de plantes médicinales qu'elle avait ramassées avant de redescendre le flanc escarpé de la montagne et de rentrer tranquillement en coupant à travers les vignes de la résidence.

Ce soir-là, le gouverneur Van de Velde donnait un dîner de gala dans la grande salle à manger, auquel étaient conviés les notables de la colonie et tous les dignitaires de la Compagnie. Les réjouissances se prolongèrent tard dans la nuit et, quand les invités prirent congé, les domestiques et les esclaves de la maison étaient épuisés. Ils laissèrent Sukeena effectuer sa ronde et fermer les cuisines pour la nuit.

Quand elle fut seule, elle fit bouillir les champignons et les réduisit à l'état de pâte liquide qu'elle versa dans une bouteille vide. La préparation était inodore et elle n'eut pas à la goûter pour se rendre compte qu'elle n'avait qu'une très légère saveur de champignon. L'une des femmes qui travaillaient dans les cuisines du château avait une dette envers elle : les potions de Sukeena avaient sauvé son fils aîné atteint de variole. Le lendemain matin, elle rangea la bouteille avec des remèdes dans un panier, qu'elle confia à Aboli pour qu'il le lui remette.

Aboli conduisit à ses bureaux le gouverneur Van de Velde, qui avait le visage renfrogné et le teint gris après sa nuit de beuverie. A l'endroit habituel, il laissa un message qui disait : « Ne mangez rien le dernier soir. »

Le moment venu, Hal versa dans le seau hygiénique le contenu de la marmite avant qu'un de ses hommes ne fût tenté d'y goûter. Le fumet en remplit la cellule et les hommes affamés lui trouvèrent le parfum d'une promesse de vie éternelle. Ils grommelèrent, serrèrent les dents et maudirent Hal, leur destin et eux-mêmes en assistant à ce gaspillage.

Le lendemain matin, à l'heure habituelle, le donjon commença à s'animer. Longtemps avant que les premières lueurs de l'aube filtrent par les quatre petites lucarnes munies de barreaux, les hommes se mirent à grogner et à tousser, puis, l'un après l'autre, rampèrent jusqu'au seau pour se soulager. Lorsqu'ils reprirent leurs esprits et se rendirent compte qu'aujourd'hui était le grand jour, un lourd silence s'abattit sur eux.

Lorsque la lumière leur parvint par les lucarnes, ils se regardèrent avec incrédulité. On ne les avait jamais laissés aussi tard dans leur cellule et d'ordinaire ils étaient déjà au travail sur les murailles depuis une heure.

Lorsque enfin Manseer ouvrit la porte de la cellule, il était pâle et paraissait malade.

— Qu'est-ce qui ne va pas, Manseer ? demanda Hal. Nous pensions que vous ne vouliez plus nous voir.

Le geôlier, honnête et un peu niais, n'était pas un mauvais bougre et, au fil des mois, Hal avait tissé avec lui une relation d'amitié superficielle.

— J'ai passé la nuit au cabinet, gémit Manseer. Et je n'étais pas tout seul, car tous les hommes de la garnison voulaient y entrer avec moi. La moitié d'entre eux sont encore couchés à cette heure-ci... (Il s'interrompit brusquement pris d'une envie pressante, le ventre gargouillant.) Ça recommence ! Je vais tuer ce cuisinier à la manque !

Il remonta les escaliers et une demi-heure passa avant qu'il ne revienne leur ouvrir la porte pour les conduire dans la cour où les attendait Hugo Barnard, de méchante humeur.

— Nous avons perdu une demi-journée de travail. Le colonel Schreuder va s'en prendre à moi et alors nous en reparlerons, Manseer ! dit-il avec hargne avant de s'adresser aux détenus. Et vous, bande de faquins, qu'est-ce que vous avez à rester là à ricaner ? Je vous jure que vous ne couperez pas à votre entière journée de travail, dussé-je vous garder sur l'échafaudage jusqu'à minuit. Allez, au boulot, et que ça saute !

Barnard était en pleine forme, le teint rubicond, et il n'avait manifestement pas souffert de la colique qui affectait le reste de la garnison. Hal se souvint avoir entendu dire par Manseer que Barnard vivait avec une Hottentote sur le bord de mer et qu'il ne prenait pas ses repas au mess des officiers.

Tandis qu'ils traversaient la cour pour gagner le bas de l'échelle, Hal jeta un rapide coup d'œil circulaire. Le soleil était déjà haut et éclairait la redoute ouest du fort. Les geôliers et les gardes étaient deux fois moins nombreux que d'habitude : une sentinelle au lieu de quatre gardait l'entrée du château, il n'y en avait aucune à la porte de l'armurerie et une seule en haut de l'escalier qui conduisait aux bureaux de la Compagnie, dans l'aile sud.

Une fois en haut du mur, il regarda en direction du champ de parade et, au-delà, distingua les toits de la résidence du gouverneur.

— Fais vite, Aboli, murmura-t-il. Nous t'attendons.

Aboli amena la voiture devant la résidence quelques minutes avant le moment demandé par la femme du gouverneur et arrêta les chevaux sous le portique. Presque tout de suite, Sukeena apparut sur le pas de la porte et :

— Aboli ! La maîtresse a des choses à emporter dans la voiture. Veux-tu venir les chercher ? lança-t-elle d'un ton léger, sans la moindre trace de nervosité, pour l'édification des autres esclaves qui, elle le savait, écoutaient certainement.

Docilement, Aboli serra le frein et, avec un mot d'apaisement pour les chevaux, sauta à terre. Il suivit sans hâte et avec le plus grand calme Sukeena dans la maison et en ressortit chargé d'un petit tapis en soie roulé et de sacoches de selle en cuir. Il alla à l'arrière de la voiture et déposa les bagages dans le coffre, dont il referma le couvercle. Il accomplit tout cela de la façon la plus naturelle du monde et n'attira l'attention de personne. Les deux femmes qui balayaient la terrasse ne levèrent même pas les yeux vers lui. Il retourna à son siège, prit les rênes et attendit avec l'infinie patience des esclaves.

Katinka était en retard, conformément à son habitude. Elle arriva enfin dans un nuage de parfum français et un froufrou de soie, descendit les escaliers avec légèreté et réprimanda Sukeena pour quelque vétille imaginaire. Contrite et souriante, celle-ci la suivit comme son ombre sur ses pieds menus.

Katinka monta dans la voiture telle une reine se rendant à son couronnement.

— Viens t'asseoir près de moi ! commanda-t-elle d'un ton impérieux à Sukeena, qui lui fit une petite révérence, les mains jointes à ses lèvres.

Elle espérait que Katinka lui donnerait cet ordre. Lorsqu'elle avait envie d'intimité physique, elle voulait qu'elle soit près d'elle pour pouvoir la toucher. A d'autres moments, elle se montrait froide et hautaine, mais, en tous les cas, imprévisible.

— Elle fait exactement ce que je désire, c'est de bon augure, se dit Sukeena pour se donner du courage avant de s'asseoir en face de sa maîtresse en lui souriant tendrement.

— En route, Aboli ! cria Katinka.

La voiture démarra et elle tourna son attention vers Sukeena.

— Comment cette couleur me va-t-elle au soleil ? demanda-t-elle. Ne me fait-elle pas paraître pâle et insipide ?

— Elle s'harmonise merveilleusement avec la blancheur de votre teint, maîtresse. Encore mieux qu'à l'intérieur. Elle fait également ressortir le violet de vos yeux, répondit Sukeena en lui disant ce qu'elle avait envie d'entendre.

— Tu ne crois pas que le col supporterait un soupçon de dentelle supplémentaire ? demanda Katinka en penchant coquettement la tête.

Sukeena réfléchit quelques instants avant de répondre.

— Votre beauté ne dépend pas d'un bout de dentelle, même de la plus fine. Elle se suffit à elle-même.

— Tu le penses vraiment, Sukeena ? Tu es si flatteuse. Mais je dois dire que tu es toi-même particulièrement ravissante ce matin, dit-elle en regardant la jeune fille d'un air pensif. (La voiture descendait à présent l'avenue à bonne allure, les six chevaux gris redressaient l'encolure et allongeaient le pas en un trot élégant.) Tes joues ont un éclat, tes yeux sont pétillants... On jurerait que tu es amoureuse.

— C'est que je le suis en effet d'une certaine personne, murmura Sukeena en lançant à Katinka un regard qui l'émoustilla.

— Ma vilaine petite chérie, ronronna Katinka.

La voiture déboucha sur le champ de parade et obliqua vers le fort. Katinka était si absorbée par sa contemplation qu'elle ne se rendit pas compte de la direction qu'ils avaient empruntée. Puis, une ombre de contrariété traversa son visage et elle s'écria :

— Aboli ! Que fais-tu, espèce d'idiot ? Ce n'est pas au château que nous allons, mais chez Mevrouw de Waal.

Aboli sembla ne pas l'avoir entendue. Les chevaux trottaient tout droit vers les portes du fort.

— Sukeena, dis à cet imbécile de faire demi-tour.

Sukeena alla s'asseoir auprès de Katinka, passa son bras autour de celui de sa maîtresse et le tint avec fermeté.

— Que diable fais-tu là, ma fille ? Pas ici. As-tu perdu l'esprit ? Pas devant toute la colonie, lâcha celle-ci en essayant de retirer son bras, mais Sukeena le retint avec une force qui la choqua.

— Nous allons au château, dit tranquillement Sukeena, et vous allez faire exactement ce que je vous dis.

— Aboli! Arrête immédiatement la voiture! lança Katinka en élevant la voix et en tentant de se lever, mais Sukeena l'obligea à se rasseoir en la tirant brutalement en arrière.

— Restez tranquille, ordonna cette dernière, ou je vous donne un coup de couteau. D'abord au visage, pour que vous perdiez votre beauté. Et si vous persistez à désobéir, je vous perce le cœur, votre cœur méchant et plein de boue.

Katinka baissa le regard et aperçut la dague que Sukeena tenait à la main. C'était un cadeau d'un des amants de Katinka et elle savait combien sa fine lame était aiguisée. Sukeena l'avait dérobée dans l'armoire de sa maîtresse.

— Tu es folle? fit Katinka, blanche d'effroi, en se tortillant pour s'écarter de la pointe acérée.

— Oui. Assez folle pour vous tuer et y prendre plaisir, répondit Sukeena en pressant la lame sur le flanc de Katinka qui poussa un cri. Si vous recommencez, je vous saigne, avertit-elle. Tenez votre langue et écoutez ce que je vous dis de faire.

— Je t'enverrai à Slow John et rirai de le voir t'éventrer, fanfaronna Katinka, mais sa voix tremblait et ses yeux étaient pleins de terreur.

— Vous n'aurez plus jamais l'occasion de rire si vous ne m'obéissez pas. J'en réponds sur ce poignard.

Elle l'enfonça assez fort pour transpercer le tissu et la peau, si bien qu'une tache de sang grosse comme une pièce d'un florin apparut sur le corset de Katinka.

— Je t'en prie! gémit cette dernière. Je t'en prie, Sukeena, je ferai ce que tu me diras. Ne me fais pas de mal. Tu as dit que tu m'aimais.

— Et j'ai menti, siffla la jeune fille. J'ai menti pour le bien de mon frère. Je vous hais, vous ne saurez jamais à quel point. Le contact de vos mains me répugne. Les choses dégoûtantes que vous m'avez forcée à faire me révoltent. N'espérez donc aucune manifestation d'amour de ma part. Je vous écraserais avec aussi peu de pitié qu'un pou.

Katinka vit dans ses yeux une lueur meurtrière et elle eut peur.

— Je ferai ce que tu me diras, murmura-t-elle, et Sukeena lui dicta ses instructions d'un ton dur et catégorique qui était plus menaçant que les cris et la fureur.

Lorsque la voiture franchit les portes du château, l'agitation habituelle annonça son arrivée. L'unique sentinelle se mit au garde-à-vous et présenta armes. Aboli mena l'attelage devant les bureaux de la Compagnie et l'y arrêta. Le capitaine des gardes sortit à la hâte de l'armurerie en bouclant précipitamment son ceinturon.

C'était un jeune sous-officier récemment débarqué de Hollande et l'arrivée inattendue de l'épouse du gouverneur l'avait pris au dépourvu.

— Par les cornes du diable! murmura-t-il. Cette garce a choisi son jour pour faire une visite, la moitié de mes hommes sont malades comme des chiens!

Il regarda anxieusement l'unique garde qui se trouvait à la porte des bureaux et constata qu'il avait le teint toujours verdâtre. Il s'aperçut alors que, depuis la banquette de la voiture, la femme du gouverneur lui faisait signe d'approcher. Il traversa la cour au pas de course tout en maintenant en place son képi et en en serrant la courroie sous son menton.

— Bonjour, Mevrouw, dit-il en saluant Katinka. Permettez-moi de vous aider à descendre.

La femme du gouverneur paraissait nerveuse et tendue, et elle parlait d'une voix haut perchée et haletante. Le sous-officier fut instantanément alarmé.

— Quelque chose ne va pas, Mevrouw?

— En effet. Appelez mon mari!

— Vous ne voulez pas aller à son bureau?

— Non. Je l'attends ici. Allez lui dire tout de suite que je lui demande de venir sur-le-champ. C'est de la plus haute importance. Une question de vie ou de mort! Allez! Dépêchez-vous!

Le sous-officier eut l'air très surpris et salua rapidement, puis grimpa les marches quatre à quatre et entra en trombe dans le bâtiment. Lorsqu'il eut disparu, Aboli mit pied à terre, alla à l'arrière de la voiture et ouvrit le coffre. Puis il jeta un coup d'œil circulaire dans la cour.

Il y avait un garde à l'entrée du fort et un autre en haut de l'escalier, mais, comme d'habitude, leur corde à feu n'était pas allumée. Aucune sentinelle n'était postée à la porte de l'armurerie. Il apercevait cependant trois hommes dans la salle des gardes. Chacun des cinq contremaîtres présents dans la cour était armé d'une épée ainsi que d'un fouet et d'une trique. A l'autre extrémité de la cour, Hugo Barnard tenait ses deux chiens en laisse. Il haranguait les prisonniers de droit commun qui posaient des pavés au pied de la muraille est. Ces détenus, qui ne faisaient pas partie de l'équipage du *Résolution*, risquaient de représenter un danger s'ils profitaient de l'occasion pour tenter de s'échapper. Ils étaient près de deux cents à travailler aux fortifications, la lie multicolore de l'humanité. Ils pouvaient facilement contrecarrer la tentative d'évasion en essayant de leur bloquer la route ou même, en comprenant ce qui se passait, tenter de se joindre aux hommes du *Résolution* et assaillir la voiture.

On verra bien, se dit Aboli avec détermination en consacrant toute son attention aux gardes et aux contremaîtres armés qui constituaient la menace la plus immédiate. En comptant Barnard et ses hommes, ils étaient dix, mais au premier cri, vingt ou trente autres soldats pouvaient sortir de la caserne et envahir la cour. Ils risquaient de perdre rapidement la maîtrise des événements.

Il leva les yeux: Hal et le grand Daniel le regardaient du haut de l'échafaudage. Hal avait déjà la corde de la benne à la main, l'extrémité nouée autour de son poignet. Ned Tyler et Billy Rogers se trouvaient au niveau inférieur et les deux « oiseaux », Finch et Sparrow, travaillaient aux côtés d'Althuda dans la cour. Tous faisaient semblant de poursuivre leur tâche, mais observaient Aboli du coin de l'œil.

Aboli plongea les mains dans le coffre et défit la ficelle qui maintenait le tapis roulé. Il l'ouvrit à moitié et, en les soulevant à peine, montra les trois cimeterres moghols et le *kukri* qu'il s'était réservé. Il savait que, de là où ils étaient, Hal et Daniel voyaient à l'intérieur du coffre. Il resta ensuite immobile, le visage inexpressif, près de la roue arrière de la voiture.

Soudain, le gouverneur se précipita hors de l'édifice, tête nue, en manches de chemise, et descendit l'escalier en courant gauchement.

— Qu'y a-t-il, Mevrouw? cria-t-il, alarmé, après avoir franchi la moitié des marches. On me dit que vous me demandez et qu'il s'agit d'une question de vie ou de mort.

— Dépêchez-vous! gémit plaintivement Katinka. Je me trouve dans une situation affreuse.

— Dites-moi ce qui ne va pas, Mevrouw! demanda-t-il en arrivant haletant à la porte de la voiture.

Aboli se plaça derrière lui et le cravata de son bras puissant. Van de Velde commença à se débattre. Malgré son obésité, il était fort et même Aboli eut du mal à le maîtriser.

— Que diable faites-vous là? cria-t-il indigné.

Aboli lui appliqua la lame du *kukri* sous la gorge. Quand Van de Velde sentit le tranchant froid de l'acier, il cessa de lutter.

— Je m'apprête à trancher la gorge du gros porc que vous êtes, lui chuchota Aboli à l'oreille, et Sukeena tient une dague contre le cœur de votre femme. Dites à vos soldats de rester où ils sont et de jeter leurs armes.

En entendant le cri de Van de Velde, le sous-officier s'était précipité dans l'escalier et il avait déjà à moitié tiré son épée du fourreau.

— Arrêtez! lui lança Van de Velde, pris de terreur. Ne bougez pas, espèce de crétin. Vous allez me faire tuer.

Le sous-officier semblait hésitant.

— Dites-lui de jeter son épée, ordonna Aboli en resserrant sa prise sur le cou du gouverneur.

— Jetez votre épée! gémit Van de Velde. Faites ce qu'il demande. Ne voyez-vous pas qu'il est prêt à me couper le cou?

Le sous-officier laissa tomber son épée, qui dégringola les marches en cliquetant. A cinquante pieds au-dessus de la cour, Hal sauta de l'échafaudage en se tenant à la corde de la benne tandis que le grand Daniel assurait l'autre extrémité et freinait sa chute. Une fois au sol, il s'élança à l'arrière de la voiture et prit l'un des cimeterres. La seconde d'après, il avait bondi jusqu'à mi-hauteur de l'escalier où il se baissait et ramassait de la main gauche l'épée du sous-officier. Il en appuya la pointe contre son menton et dit :

— Ordonnez à vos hommes de jeter leurs armes!

— Déposez les armes, tous! hurla l'officier. Si par votre faute, il arrive quelque chose au gouverneur ou à sa dame, je devrai en supporter les conséquences toute ma vie.

Obéissant avec empressement, les sentinelles laissèrent tomber leurs mousquets et leurs armes blanches sur le pavé.

— Vous aussi! hurla Van de Velde aux contremaîtres, qui s'exécutèrent à contrecœur.

Cependant, Hugo Barnard s'était dissimulé derrière un tas de pierres de taille. En tirant ses deux chiens derrière lui, il entra sans se faire remarquer dans les cuisines et y resta tapi, attendant son heure.

Les autres marins descendaient en vitesse de l'échafaudage. Sparrow et Finch, montés au premier niveau, furent les premiers à atteindre la cour, suivis par Ned, Daniel et Billy Rogers.

— Venez, Althuda! cria Hal.

Althuda laissa choir son maillet et son ciseau et courut le rejoindre. Hal lui lança le cimeterre qu'il rattrapa par la garde. Hal se demanda s'il maniait bien l'épée. En tant que pêcheur, il était peu probable qu'il ait beaucoup pratiqué l'arme blanche. En cas de grabuge, il faudra que je le protège, pensa-t-il, et il jeta un coup d'œil circulaire. Daniel était en train de sortir les autres armes du coffre de la voiture. Les deux autres cimeterres avaient l'air de jouets dans son énorme poing. Il en lança un à Ned Tyler et, gardant l'autre pour lui, courut vers Hal.

Celui-ci ramassa l'épée que la sentinelle avait laissée tomber et l'envoya à Daniel.

— Voilà qui vous conviendra mieux, maître Danny, cria-t-il.

— Doux Jésus, c'est bon d'avoir de nouveau une vraie lame en main, exulta celui-ci en la faisant siffler dans l'air et en repassant le léger cimeterre à Wally Finch. Les armes pour les hommes, les jouets pour les gamins, ajouta-t-il.

— Aboli, tiens bien ce gros porc. Coupe-lui les oreilles s'il essaie de faire le malin, ordonna Hal. Les autres, suivez-moi!

Il se précipita en bas de l'escalier et courut vers l'armurerie avec le grand Daniel et le reste de ses hommes sur ses talons. Althuda s'apprêtait à le suivre lui aussi, mais Hal l'arrêta.

— Pas vous. Occupez-vous de Sukeena!

Tandis qu'Althuda faisait demi-tour et qu'ils traversaient la cour au pas de charge, Hal demanda à Daniel:

— Où est passé Barnard?

— Ce salopard était là il y a une minute, mais je ne le vois plus.

— Faites bien attention à lui. Nous allons encore avoir des ennuis avec ce cochon.

Hal entra en trombe dans l'armurerie. Les trois hommes qui se trouvaient dans la salle des gardes étaient affalés sur le banc: deux dormaient et le troisième se leva d'un bond, stupéfait. Avant qu'il ait pu reprendre ses esprits, Hal lui appuyait la pointe de son arme contre la poitrine.

— Ne bouge pas ou je t'étripe, dit-il à l'homme qui se laissa retomber sur le banc. Par ici! lança-t-il à Ned qui arrivait comme une flèche. Surveillez-moi ces oiseaux-là.

Il les laissa à sa garde et courut à la suite des autres marins et de Daniel. Celui-ci enfonça la lourde porte en teck qui fermait le couloir. Ils n'avaient jamais eu l'occasion de jeter un coup d'œil dans l'armurerie. Tout y était soigneusement rangé : les armes dans des râteliers accrochés aux murs et les barils de poudre empilés jusqu'au plafond au fond de la pièce.

— Armez-vous et que chacun emporte un baril, ordonna-t-il.

Tous se précipitèrent vers les longues rangées d'épées bien astiquées et aiguisées. Plus loin, se trouvaient alignées les armes à feu. Hal passa deux pistolets dans la corde qui lui servait de ceinturon.

— Rappelez-vous que vous allez devoir porter tout ce que vous prenez avec vous jusqu'au sommet de la montagne. Ne vous chargez pas trop, conseilla-t-il en posant sur son épaule un baril de cinquante livres qu'il avait pris sur la pyramide. Ça suffit, les gars. Sortons d'ici! Daniel, en partant, laissez derrière vous une traînée de poudre!

Daniel enfonça la bonde de deux barils avec la crosse de son mousquet et versa un tas de poudre noire au pied de la pyramide.

— Ça va faire un beau feu d'artifice! remarqua-t-il avec un large sourire en se dirigeant vers la porte, l'autre baril sous le bras laissant échapper une longue traînée sombre derrière lui.

Ils débouchèrent dans la cour en chancelant sous leur fardeau. Hal sortit le dernier.

— Filez d'ici, Ned! commanda-t-il en lui tendant les armes qu'il portait au moment où le maître d'équipage franchissait la porte.

Puis il se tourna vers les trois soldats hollandais recroquevillés sur le banc. Ned les avait désarmés et avait jeté leurs armes dans un coin de la pièce.

— Je vais faire sauter la cambuse, leur dit-il en hollandais. Courez jusqu'aux portes et vous serez bien avisés de continuer à courir sans vous retourner. Allez!

Ils se levèrent d'un bond et, dans leur hâte, se bousculèrent à la porte pour sortir le premier.

— Attention! hurlèrent-ils en se précipitant vers l'entrée du fort. Il vont faire sauter le magasin!

Les geôliers et les prisonniers de droit commun, qui, jusque-là, avaient regardé bouche bée la voiture et le gouverneur pris en otage par Aboli, se tournaient à présent vers l'armurerie, muets de surprise. Hal apparut à la porte, une épée dans une main, une torche allumée, arrachée à son support, dans l'autre.

— Je compte jusqu'à dix et je mets le feu aux poudres ! cria-t-il.

Vêtu de ses haillons, avec sa grande barbe noire broussailleuse et ses yeux fous, il avait l'air d'un pyromane. Un murmure de terreur parcourut les hommes présents dans la cour. L'un des détenus jeta sa pelle et courut à la suite des soldats fuyards vers l'entrée du fort. Ce fut alors la débandade. Deux cents détenus et soldats se précipitèrent vers les portes pour se mettre à l'abri.

Van de Velde se débattait et criait à Aboli :

— Lâchez-moi ! Cet imbécile va tous nous faire sauter. Lâchez-moi ! Fuyez ! Fuyez !

Ses cris ajoutèrent à la panique générale et, quelques instants plus tard, la cour était désertée à l'exception du groupe de marins qui entouraient Hal et la voiture. Katinka pleurnichait et poussait des hurlements hystériques, mais Sukeena la gifla.

— Taisez-vous, pauvre gourde, ordonna-t-elle, ou vous aurez une bonne raison de piailler, et Katinka ravala ses larmes.

— Aboli, fais monter Van de Velde dans la voiture ! cria Hal. Lui et sa femme viennent avec nous.

Aboli souleva le gouverneur et le hissa dans la voiture. Il atterrit sur le plancher où il se débattit comme un gros insecte épinglé.

— Althuda, placez la pointe de votre épée sur son cœur et tenez-vous prêt à le tuer à mon commandement.

— J'attends ça avec impatience ! répondit Althuda en relevant Van de Velde avant de le pousser sur le siège en face de sa femme.

— Ne me tuez pas. Je peux vous protéger, supplia-t-il pendant que Katinka se remettait à pleurer et à gémir.

Cette fois-ci, Sukeena se contenta de la serrer un peu plus fort, leva la pointe de sa dague vers sa gorge et murmura :

— Nous n'avons plus besoin de vous, maintenant que nous tenons le gouverneur. Rien ne m'empêche plus de vous tuer.

Katinka ravala ses sanglots.

— Daniel, chargez la poudre et les armes inutilisées, ordonna Hal.

Les hommes les entassèrent sur la voiture et dans le coffre. L'élégant équipage, qui n'était pas conçu pour transporter des marchandises, s'affaissa sur ses délicates suspensions.

— Arrêtez ! Elle ne peut en supporter davantage, lança Aboli pour les empêcher de charger les derniers barils de poudre.

— Un homme à chaque cheval ! commanda Hal. N'essayez pas

de les monter, les gars. Vous n'êtes pas des cavaliers. Vous pourriez vous rompre le cou, ce qui n'aurait guère d'importance, mais votre poids risquerait de tuer ces pauvres bêtes avant qu'elles n'aient parcouru une demi-lieue, ce qui serait bien plus fâcheux. Tenez bien leur gréement et laissez-vous remorquer. (Les marins coururent prendre leur poste autour de l'attelage et s'accrochèrent aux harnais.) Laissez-moi une place à bâbord, les gars, cria Hal.

Même dans l'agitation du moment, Sukeena éclata de rire en l'entendant employer ces termes de marine. Les hommes avaient cependant compris et lui laissèrent le cheval de tête qui était à gauche. Aboli sauta sur son siège pendant que, dans la voiture, Althuda menaçait Van de Velde et que Sukeena tenait sa dague appuyée sur le cou de Katinka.

— Allez, Gundwane, il est temps. La garnison va se réveiller d'un moment à l'autre, cria Aboli en poussant les chevaux.

Au même moment, on entendit un coup de pistolet et un officier sortit de la caserne, son arme encore fumante à la main, en criant :

— Aux armes ! Avec moi, la Première Compagnie !

Hal s'arrêta un instant pour allumer la corde à feu d'un de ses pistolets avec sa torche qu'il jeta sur la traînée de poudre, puis il attendit de la voir s'enflammer. La flamme serpenta par l'entrée de l'armurerie et longea le couloir qui menait au magasin. Il sauta en bas des marches et traversa la cour à toute vitesse pour rejoindre la voiture surchargée qu'Aboli menait face aux portes du château.

Il touchait presque au but et tendait la main pour saisir la bride du hongre de tête quand Aboli hurla :

— Attention, Gundwane ! Derrière toi !

Hugo Barnard venait d'apparaître à la porte des cuisines où il s'était retranché avec ses chiens au premier signe d'agitation. Il lâcha les deux molosses et les envoya à la poursuite de Hal avec des cris d'encouragement.

— *Vat hom !* Attrapez-le ! hurla-t-il, et les bêtes se précipitèrent vers lui côte à côte, traversant la cour à la vitesse de whippets courant après un lièvre.

L'avertissement d'Aboli avait donné le temps à Hal de se retourner pour leur faire face. Les chiens attaquèrent simultanément : l'un lui sauta au visage tandis que l'autre se lançait dans ses jambes. Hal allongea une botte au premier en plein vol et lui envoya sa pointe à la base du cou. Emporté par son propre poids, la bête s'empala sur la lame qui lui transperça le cœur et les poumons. Dans son élan, l'animal mort percuta la poitrine de Hal, qui chancela en arrière.

Le second s'approcha traîtreusement au ras du sol et, alors que Hal était encore en déséquilibre, lui planta ses crocs dans la jambe droite, juste sous le genou, précipitant sa chute. Son épaule heurta durement le pavé, mais quand il essaya de se relever, l'animal n'avait pas lâché prise et le tirait, arc-bouté sur ses pattes. Projeté au sol, Hal sentit les dents du chien crisser sur son tibia.

— Mes chiens ! Tu fais du mal à mes chiens ! cria Barnard en se précipitant pour intervenir, l'épée tirée.

Hal tenta de nouveau de se relever, mais le molosse l'en empêcha en tirant encore sur sa jambe. Barnard arriva et leva son épée au-dessus de la tête de Hal. Celui-ci vit le coup venir et roula de côté. La lame frappa le pavé près de son oreille, soulevant une gerbe d'étincelles.

— Petit salaud ! rugit Barnard en s'apprêtant à le frapper une fois de plus.

Aboli fit dévier les chevaux et les poussa délibérément vers lui. Le contremaître tournait le dos à l'attelage, et il était si absorbé par Hal qu'il ne le vit pas arriver. Il était sur le point de porter un autre coup quand la roue arrière de la voiture le heurta à la hanche et le projeta sur le côté.

Avec effort, Hal parvint à s'asseoir, et avant que le chien ait pu le tirer de nouveau, il le frappa à la base du cou, enfonçant sa lame obliquement entre les omoplates comme un matador et atteignant le cœur. La bête laissa échapper un cri atroce, lâcha sa proie, tourna sur elle-même en chancelant et s'écroula sur le pavé.

Hal se leva péniblement au moment où Barnard se ruait à nouveau sur lui.

— Tu as tué mes bêtes ! hurla-t-il, fou de chagrin, et il lui porta un coup furieux, mal dirigé, que Hal écarta sans peine. Sale pirate, je vais te mettre en pièces.

Barnard prit son élan et attaqua encore. Avec la même facilité apparente, Hal para le coup suivant et dit à voix basse :

— Tu te souviens de ce que tes chiens ont fait à Oliver ?

Il feinta, forçant Barnard à découvrir sa poitrine, puis, rapide comme l'éclair, se fendit. La lame toucha son adversaire juste sous le sternum et ressortit dans le dos. Le contremaître lâcha son épée et tomba à genoux.

— Tu as payé ta dette à Oliver ! lança Hal en appuyant son pied nu sur la poitrine de Barnard pour dégager sa lame.

L'homme s'écroula à côté du chien agonisant.

— Viens vite, Gundwane ! cria Aboli qui s'évertuait à maîtriser les chevaux effrayés par les cris et l'odeur du sang. Le magasin !

Hal n'avait mis le feu à la traînée de poudre que quelques instants plus tôt, mais quand il jeta un coup d'œil dans cette direction, il vit des nuages de fumée âcre qui sortaient en tourbillonnant de l'armurerie.

— Dépêchez-vous, Gundwane! lança Sukeena d'une voix douce, d'un ton si inquiet qu'il aiguillonna Hal.

Même en ces circonstances, il se rendit compte que c'était la première fois qu'elle l'appelait par son surnom. Il s'élança. Le chien l'avait mordu profondément à la jambe, mais ses crocs n'avaient vraisemblablement pas sectionné de nerfs ou de tendons car, malgré la douleur, il pouvait encore courir. Il traversa la cour en quelques bonds et agrippa la bride du premier cheval. Celui-ci agita la tête et roula des yeux, mais Hal s'accrocha et Aboli lâcha les rênes de l'attelage.

La voiture franchit les portes du fort en bringuebalant bruyamment, traversa le pont au-dessus des douves et s'engagea dans le champ de parade. Soudain, derrière eux, ils entendirent le fracas de l'explosion et l'onde de choc les balaya comme un grain tropical. Les chevaux se cabrèrent de terreur et Hal fut soulevé de terre. Il se cramponna désespérément à la bride et regarda en arrière. Une colonne de fumée brune s'élevait rapidement de la cour intérieure du château, dans un tourbillon de flammes rouge sombre et de débris. Au centre, un corps humain tournoyait à une centaine de pieds au-dessus du sol.

— Pour Sir Hal et le roi Charles! rugit le grand Daniel et les autres hommes reprirent en chœur, emportés par l'excitation de l'évasion.

Hal vit cependant que les massives murailles du fort n'avaient pas été touchées par l'explosion. La caserne, elle aussi construite en pierre de taille, avait probablement résisté à la déflagration. Elle abritait deux cents hommes — trois compagnies de pourpoints verts — qui étaient sans doute en train de reprendre leurs esprits. Ils n'allaient pas tarder à se précipiter à leur poursuite. « Mais où est donc passé le colonel Schreuder? » se demanda-t-il.

Les chevaux traversaient le champ de parade au galop, martelant le sol de leurs sabots. Devant eux courait la cohue des détenus en fuite. Ils s'étaient égaillés dans toutes les directions : certains sautaient par-dessus le mur des jardins de la Compagnie et se dirigeaient vers la montagne, d'autres couraient en direction de la plage pour essayer de trouver une embarcation. Quelques notables et esclaves qui étaient dehors à cette heure de la matinée se trouvaient sur le champ de parade. Ahuris, ils regardèrent le flot des fugitifs, puis le nuage de fumée qui enveloppait le château et enfin, plus extraordinaire encore, la voiture du gouverneur, festonnée d'un assortiment de hors-la-loi et de pirates déguenillés, qui hurlaient comme des déments en brandissant leurs armes. Voyant l'étrange équipage foncer dans leur direction, ils se dispersèrent en une course frénétique.

« Les pirates se sont évadés du château. Fuyez! » hurlaient-ils après avoir recouvré la voix. Le cri d'alarme se répandit à travers le village. Hal voyait les notables et leurs esclaves se dépêcher pour échapper aux pirates assoiffés de sang. Un ou deux parmi les plus courageux s'étaient armés et une volée décousue de mousquet partit des fenêtres de certaines chaumières, mais la distance était grande et le tir peu précis. Hal n'entendit même pas siffler les balles et aucun des hommes et des chevaux ne fut touché. La voiture passa en trombe devant les premières habitations, suivit l'unique route qui longeait la plage de la baie de la Table et fonça dans l'inconnu.

— Ralentis, bon sang! lança Hal en se retournant vers Aboli. Tu vas éreinter les chevaux avant que nous soyons sortis de la ville.

Aboli se dressa et retint l'attelage.

— Ohhh, Royal! Doucement, Nuage!

Mais les pur-sang s'étaient emballés et avaient presque atteint les limites de l'agglomération avant qu'Aboli ait pu leur faire prendre le trot. Tous suaient et s'ébrouaient après leur galop, mais ils étaient loin d'être épuisés.

Dès qu'Aboli en eut repris le contrôle, Hal lâcha le harnais de son cheval et suivit l'attelage en courant.

— Althuda, cria-t-il, au lieu de rester assis là-haut comme un gentleman en promenade, assurez-vous que tous les mousquets sont amorcés et chargés. Tenez! dit-il en lui tendant son pistolet dont la corde à feu brûlait. Utilisez-le pour allumer les mèches des autres armes. Ils ne vont pas tarder à être après nous.

Il s'adressa ensuite à la sœur d'Althuda.

— Nous n'avons pas été présentés. Votre serviteur, Henry Courteney, fit-il avec un large sourire, et ses manières civiles la firent rire avec ravissement.

— Bonjour, Gundwane. Je vous connais bien. Aboli m'a dit quel féroce pirate vous êtes, répondit-elle avant d'ajouter, soudain sérieuse : Vous êtes blessé. Laissez-moi examiner votre jambe.

— Ce n'est rien et cela peut attendre à plus tard, assura-t-il.

— Les morsures de chien se gangrènent rapidement si on ne les soigne pas, insista-t-elle.

— Plus tard! répéta-t-il avant de s'adresser à Aboli : Sais-tu quelle est la route qui mène à la frontière?

— Il n'y en a qu'une, Gundwane. Nous devons traverser le village, longer les marais puis continuer en direction des montagnes à travers les plaines sablonneuses, expliqua-t-il en indiquant le chemin d'un geste. La haie d'amandiers se trouve à deux lieues après les marais.

Au-delà de l'agglomération, Hal voyait déjà les marécages et la lagune, des massifs de roseaux et des étendues d'eau au-dessus desquels planaient des vols d'oiseaux aquatiques. Il avait entendu dire que des crocodiles et des hippopotames étaient tapis dans les profondeurs de la lagune.

— Althuda, allons-nous rencontrer des soldats sur notre chemin? demanda-t-il.

— Il y a généralement des gardes à l'entrée du premier pont et, en permanence, une patrouille le long de la haie d'amandiers pour tirer sur les Hottentots qui essaieraient de la franchir, répondit Althuda sans lever les yeux des mousquets qu'il était en train de charger.

— Il n'y aura pas de factionnaires ni de patrouille aujourd'hui, intervint Sukeena. J'ai surveillé le croisement dès l'aube. Aucun soldat n'est sorti pour rejoindre son poste. Ils sont trop occupés par leurs coliques, dit-elle en riant gaiement, aussi exaltée que les autres. (Puis, elle se leva subitement et cria d'une voix sonore :) Libre! Pour la première fois de ma vie, je suis libre!

Sa tresse s'était défaite et ses cheveux voltigeaient dans le vent. Ses yeux étincelaient et elle était si belle qu'elle incarnait les rêves de tous ces marins en haillons.

Tous l'acclamèrent : « Tu es libre, et nous aussi, chérie! » mais c'était Hal qu'elle regardait de ses yeux rieurs.

A mesure qu'ils poursuivaient leur course à travers le village, les cris d'alarme les avaient précédés.

— Attention! Les pirates se sont échappés. Les pirates vont tout saccager! Les bons citoyens de Bonne-Espérance s'enfuyaient à leur approche. Les mères se précipitaient dans la rue pour ramener leur progéniture à la maison avant de fermer le verrou et de claquer les volets.

— Vous voilà en sécurité maintenant. Vous êtes hors d'atteinte. Je vous en prie, rendez-moi la liberté, supplia Katinka, suffisamment remise de ses émotions pour plaider sa cause. Je ne vous ai jamais voulu de mal, je vous le jure. Je vous ai sauvés de la potence. J'ai aussi sauvé Althuda. Je ferai tout ce que vous me direz, Sir Henry. Je vous en prie, laissez-moi seulement partir, pleurnicha-t-elle, agrippée au côté de la voiture.

— Vous pouvez m'appeler « sir » maintenant et faire ces déclarations de bonne volonté, mais elles auraient été plus utiles à mon père quand il était en route pour le gibet.

L'expression de Hal était si froide et implacable que Katinka eut un mouvement de recul et se laissa retomber sur la banquette à côté de Sukeena, sanglotant comme si son cœur allait se briser. Les marins qui couraient avec Hal lui crièrent leur mépris et leur haine.

— Tu voulais nous voir pendus, oui! espèce de catin peinturlurée. Nous allons te donner en pâture aux lions, lança Billy Rogers en jubilant.

Katinka sanglota de plus belle et enfouit son visage dans ses mains.

— Je ne vous ai jamais voulu de mal. Laissez-moi m'en aller.

La voiture descendait sans encombre la rue déserte et il ne restait plus que quelques masures devant eux quand Althuda se leva de son siège et montra la route qui s'étendait au loin derrière eux jusqu'au champ de parade.

— Un cavalier arrive au galop! cria-t-il.

— Déjà! marmonna le grand Daniel en se protégeant les yeux pour mieux voir. Je ne m'attendais pas à ce que la poursuite commence si tôt. Ils ont des cavaliers à nous envoyer aux trousses?

— N'ayez crainte, les gars, les rassura Aboli. Il n'y a pas plus de vingt chevaux dans toute la colonie, et nous en avons déjà six.

— Aboli a raison. Il n'y a qu'un seul cavalier! cria Wally Finch.

L'homme laissait derrière lui un pâle ruban de poussière et, couché sur l'encolure de son cheval, il le poussait au maximum en le fouettant impitoyablement. Il était encore très loin, mais Hal le reconnut à son écharpe qui flottait derrière lui.

— Doux Jésus, c'est Schreuder! Je savais bien que nous ne tarderions pas à le revoir, dit-il, les mâchoires serrées. Cet imbécile s'est lancé tout seul à notre poursuite. S'il n'a pas grand-chose dans la cervelle, on ne peut pas dire qu'il n'ait rien dans le ventre.

Même de son siège, Aboli avait compris ce que voulait faire Hal en le voyant plisser les yeux et changer la position de sa main sur la garde de son épée.

— Ne songe pas à revenir en arrière pour lui donner satisfaction, Gundwane! cria Aboli sévèrement. Tout retard nous mettrait en danger.

— Tu crois, je le sais, que je ne suis pas de taille à affronter Schreuder, mais les choses ont changé, Aboli. Je suis capable de le battre, maintenant. J'en suis intimement convaincu. (Aboli pensait que Hal en était effectivement capable. Ce n'était plus un gamin ; les mois passés sur les murailles l'avaient endurci et Aboli avait vu qu'il était aussi fort que le grand Daniel.) Laissez-moi ici, je règle cette affaire, d'homme à homme, et je vous rejoins.

— Non, Sir Hal ! cria Daniel. Il se peut que vous ayez le dessus, mais pas avec cette jambe ouverte jusqu'à l'os. Vous réglerez votre querelle avec le Hollandais une autre fois. Nous avons besoin de vous. Une centaine de pourpoints verts vont arriver à sa suite.

— Il a raison ! renchérirent Wally et Stan. Restez avec nous, capitaine.

— Nous avons placé notre confiance en vous, dit Ned Tyler. Nous n'arriverons jamais à nous y retrouver dans ces étendues sauvages sans un navigateur. Vous ne pouvez pas nous abandonner maintenant.

Hal hésitait et continuait de lancer des regards mauvais vers le cavalier. Puis il se tourna vers la jeune fille. Sukeena le regardait fixement, ses grands yeux sombres le suppliaient.

— Vous avez une vilaine blessure, dit-elle. Voyez votre jambe. (Elle s'était penchée par-dessus la porte de la voiture, de sorte qu'elle était tout près de lui, et parlait si doucement qu'il avait du mal à distinguer ses paroles au milieu du vacarme que faisaient les hommes, les roues et les chevaux.) Restez avec nous, Gundwane.

Il jeta un coup d'œil à sa blessure d'où suintaient du sang et de la lymphe. Tandis qu'il hésitait, Daniel fit demi-tour en courant et bondit sur le marchepied de la voiture.

— Je m'occupe de lui, dit-il en prenant un mousquet chargé des mains d'Althuda.

Il sauta sur la route et resta là. Alors que l'attelage s'éloignait au trot et que le colonel Schreuder arrivait au galop, il prit son temps, vérifiant la mèche et la position de l'amorce.

Malgré leurs supplications et leurs mises en garde, Hal revint en arrière.

— Daniel, ne tuez pas cet idiot.

Il voulait lui expliquer que Schreuder et lui avaient un vieux compte à régler, que c'était une question d'honneur chevaleresque dont personne ne devait se mêler, mais le moment était mal choisi pour se lancer dans ce genre d'explications.

Schreuder, qui était à présent à portée de voix, se dressa sur ses étriers.

— Katinka! cria-t-il. N'ayez crainte, je viens vous sauver, ma chérie. Je ne laisserai jamais ces vauriens vous enlever.

Il tira son pistolet à canon évasé de son écharpe et le tint dans le vent afin d'attiser la mèche. Puis il se coucha contre l'encolure de son cheval, son bras armé tendu.

— Hors de mon chemin, balourd! rugit-il à l'intention de Daniel avant de faire feu.

Son bras droit fut projeté en l'air par le recul et un tourbillon de fumée bleue enveloppa sa tête, mais la balle vint s'écraser au sol à un pied de la jambe de Daniel qu'elle aspergea de gravier.

Schreuder jeta son pistolet, tira l'épée de Neptune de son fourreau et la brandit, éclatante.

— Je vais te fendre le crâne jusqu'aux dents! rugit Schreuder en levant haut sa lame.

Daniel mit un genou à terre et attendit que le cheval du colonel soit à quelques pas de lui. Trop près, pensa Hal. Beaucoup trop près. Si le mousquet fait long feu, Danny est un homme mort. Mais Daniel continua de viser imperturbablement et tira sèchement le percuteur. Hal crut un instant que le pire était arrivé, mais alors, avec une grande déflagration, un jet de flamme et de fumée argentée, le coup partit.

Peut-être Daniel avait-il pris garde au cri de Hal, ou bien avait-il estimé que le cheval constituait une cible plus importante et plus sûre que son cavalier? Toujours est-il qu'il avait visé la large poitrine de l'animal et la lourde balle de plomb avait fait mouche. En pleine course, la monture de Schreuder s'effondra sous lui. Il fut projeté par-dessus sa tête et tomba sur le visage et l'épaule.

Couché sur le dos, le cheval se débattit et lança des coups de pieds, agitant sa tête violemment d'un côté et de l'autre tandis que le sang jaillissait de sa blessure à la poitrine. Puis, sa tête retomba à terre avec un bruit mat et, après une dernière expiration étranglée, il s'immobilisa.

Schreuder était étendu, inerte, sur le chemin de terre desséché par le soleil, et Hal craignit un instant qu'il se soit brisé le cou. Il faillit courir pour le secourir, mais le colonel fit quelques mouvements incohérents et Hal s'arrêta. La voiture s'éloignait rapidement et les autres lui criaient :

— Revenez, Gundwane!

— Il n'est pas mort, mais nous ne tarderons pas à l'être si nous restons là encalminés plus longtemps, lança Daniel, qui, après s'être relevé d'un bond, avait saisi Hal par le bras et l'entraînait.

— Cela ne peut pas se terminer ainsi, vous ne comprenez donc pas, Danny? objecta Hal en résistant et tentant de se dégager.

— Je comprends fort bien, grogna le grand Daniel.

Au même moment, Schreuder encore groggy s'était dressé sur son séant au milieu de la chaussée. Le gravier avait arraché la peau sur un côté de son visage, mais il essayait de se remettre debout, titubait et retombait, puis recommençait.

— Il va bien, dit Hal avec un soulagement qui le surprit lui-même avant de se laisser emmener par Daniel.

— Pour ça oui! dit Daniel tandis qu'ils couraient après la voiture. Il va assez bien pour vous couper les choses lors de votre prochaine rencontre. Nous n'allons pas nous débarrasser de lui aussi facilement.

Aboli freina la voiture pour leur permettre de la rattraper. Hal agrippa la bride du cheval de tête et se laissa emporter. Il jeta un coup d'œil en arrière et vit Schreuder debout au milieu de la route, couvert de poussière et perdant son sang. Toujours brandissant son épée, il se lança en titubant à la poursuite de la voiture comme un homme ivre.

Ils s'éloignèrent au trot; Schreuder renonça à sa tentative et se mit à hurler :

— Par Dieu, Henry Courteney, je t'aurai, même si je dois te suivre jusqu'aux portes de l'enfer.

— N'oubliez pas d'apporter l'épée que vous m'avez volée, cria Hal en réponse. Je vous embrocherai comme un cochon de lait pour que le diable vous fasse rôtir.

En s'esclaffant, ses marins gratifièrent le colonel d'un assortiment de gestes obscènes en guise d'adieu.

— Katinka! Ma chérie! reprit Schreuder en changeant de ton. Ne désespérez pas. Je vous sauverai, je le jure sur la tombe de mon père. Je vous aime à en mourir.

Pendant le temps qu'avaient duré le tir de mousquet et le vacarme, Van de Velde s'était tapi sur le plancher de la voiture. Il se hissa sur la banquette et jeta un regard mauvais en direction du colonel.

— Il est fou furieux. Comment ose-t-il s'adresser à ma femme en des termes aussi odieux? dit-il avant de se tourner vers Katinka, le visage empourpré, les bajoues tremblotantes. Mevrouw, j'espère que vous n'avez pas donné à ce balourd des raisons de se permettre ces libertés.

— Je vous l'assure, Mijnheer, je suis aussi choquée que vous l'êtes par ce langage et cette apostrophe. J'en suis très offensée et vous conjure de le réprimander vertement à la première occasion, répondit Katinka, accrochée d'une main à la portière de la voiture et tenant son chapeau à bride de l'autre.

— Je ferai mieux, Mevrouw. Il embarquera sur le prochain navire en partance pour Amsterdam. Je ne peux tolérer une telle impertinence. Qui plus est, il est responsable de la triste situation dans laquelle nous nous trouvons en ce moment. Cette évasion est due à son incompétence et à son incurie. Ce rustre n'a pas le droit de vous adresser la parole de cette façon.

— Oh, si, il en a le droit, dit Sukeena d'une voix suave. Le colonel Schreuder se comporte comme avec une conquête. Votre femme s'est trouvée assez souvent allongée sous lui les jambes en l'air pour qu'il l'appelle sa chérie, ou même qu'il la traite de catin s'il veut être plus franc.

— Tais-toi, Sukeena! glapit Katinka. As-tu perdu l'esprit? Tiens-toi à ta place. Tu es une esclave.

— Non, Mevrouw. Je ne le suis plus. Je suis désormais une femme libre et votre ravisseuse, et je peux donc vous dire tout ce qui me plaît, surtout si c'est la vérité, répondit la jeune fille avant de se tourner vers Van de Velde. Votre épouse et le galant colonel ont joué à la bête à deux dos de manière si flagrante qu'ils font les délices de toutes les commères de la colonie. Ils vous ont coiffé d'une paire de cornes trop grandes, même pour votre corps bouffi.

— Je te ferai rosser, espèce de petite garce! cria Van de Velde qui s'étranglait de colère.

— Vous n'en ferez rien, intervint Althuda en plaçant la pointe de son cimeterre sur le gros ventre du gouverneur. Vous allez en revanche faire des excuses à ma sœur pour les insultes que vous lui avez adressées.

— Faire des excuses à une esclave! Jamais! commença à beugler Van de Velde, mais, cette fois-ci, Althuda appuya la pointe de sa lame avec plus de détermination, et le beuglement se mua en cri perçant.

— Ce n'est pas à une esclave que vous allez présenter vos excuses, mais à une princesse balinaise, corrigea Althuda. Et vite.

— Je vous demande pardon, madame, dit Van de Velde, les dents serrées.

— Vous êtes bien galant, monsieur, répondit Sukeena en lui souriant.

Le gouverneur se renversa sur la banquette et se tut, mais il fixait sa femme avec un regard noir.

A la sortie de l'agglomération, la chaussée se détériora. Les chariots de la Compagnie qui partaient chercher du bois avaient laissé de profondes ornières, et la voiture tanguait et faisait de dangereuses embardées. Le long de la lagune, l'eau s'était infiltrée et avait transformé la piste en bourbier. A plusieurs reprises, les marins durent pousser sur les roues arrière pour aider les chevaux à dégager la voiture. La matinée était presque écoulée quand se profila devant eux le pont de bois sur la première rivière.

— Des soldats! cria Aboli, qui, de son siège surélevé, avait aperçu le miroitement d'une baïonnette et la forme haute des casques.

— Ils ne sont que quatre, remarqua Hal, dont la vue était toujours la plus perçante. Ils ne s'attendent certainement pas à avoir des ennuis de ce côté-là.

Il avait raison. Le caporal qui commandait le détachement s'avança à leur rencontre, perplexe mais sans inquiétude, l'épée au fourreau et la mèche de ses pistolets éteinte. Hal et son équipage le désarmèrent lui et ses hommes, les dépouillèrent de leurs hauts-de-chausses et les renvoyèrent en courant vers la colonie en tirant une décharge de mousquet au-dessus de leurs têtes.

Pendant qu'Aboli poussait l'attelage sur le pont, puis, de l'autre côté, sur la piste rudimentaire, Hal et Ned Tyler se glissèrent sous le tablier en bois et y arrimèrent un baril de poudre. Hal enfonça ensuite la bonde du baril avec la crosse de son pistolet, introduisit un bout de corde à feu à l'intérieur et l'alluma. Ned et lui remontèrent en vitesse sur le pont et coururent après la voiture.

La jambe de Hal le faisait à présent souffrir, elle enflait et s'ankylosait, mais il avançait en clopinant dans le sable meuble. Il jeta un coup d'œil par-dessus son épaule : le pont explosa dans un jaillissement de boue, d'eau, de planches et de piles brisées, dont les débris retombèrent dans la rivière.

— Cela n'arrêtera pas longtemps le bon colonel, mais ça l'obligera au moins à se mouiller les hauts-de-chausses, marmonna Hal tandis qu'ils rattrapaient la voiture.

— Prenez ma place, lança Althuda en sautant à terre. Vous devez ménager votre jambe.

— Ma jambe n'a pas grand-chose, protesta Hal.

— Si ce n'est qu'elle parvient à peine à vous porter, objecta Sukeena d'un ton sévère en se penchant par-dessus la portière. Montez ici tout de suite, Gundwane, ou bien vous risquez de la léser gravement.

Hal grimpa docilement dans la voiture et s'assit en face de Sukeena. Aboli sourit sans regarder le jeune couple. Elle donne déjà des ordres et il obéit, pensa-t-il. Il semble que la marée et le vent leur soient favorables.

— Laissez-moi examiner votre blessure, ordonna-t-elle, et Hal posa la jambe sur la banquette entre elle et Katinka.

— Faites attention, balourd ! dit sèchement Katinka en écartant ses jupes. Vous allez mettre du sang sur ma robe.

— Si vous ne tenez pas votre langue, ce n'est pas le seul endroit où je vais mettre du sang, rétorqua Hal en fronçant les sourcils, et elle se replia dans le coin de la banquette.

Sukeena examina la jambe de Hal de ses mains agiles et expertes.

— Il faudrait que j'applique un cataplasme chaud sur ces morsures, car elles sont profondes et elles vont certainement suppurer. Mais j'ai besoin d'eau bouillante, dit-elle en levant les yeux vers Hal.

— Vous allez devoir attendre que nous soyons arrivés dans les montagnes, répondit-il.

Pendant quelques instants, leur conversation s'interrompit et ils se regardèrent dans les yeux avec étonnement. Ils ne s'étaient jamais trouvés aussi près et chacun découvrait en l'autre des raisons de s'extasier. Puis Sukeena sortit de sa contemplation.

— J'ai mes remèdes dans les sacoches de selle, dit-elle vivement en grimpant sur la banquette pour atteindre le coffre.

Elle resta là un moment à fouiller dans les sacs de cuir. La voiture poursuivait sa route en cahotant sur la piste défoncée et Hal regardait avec émerveillement ses petites fesses rondes pointées vers le ciel. Malgré les dentelles et les jupons qui les enveloppaient, il les trouva aussi ravissantes que son visage. Sukeena se redressa finalement avec des pansements et un flacon de liquide noir à la main.

— Je vais nettoyer la plaie avec cette teinture puis je la panserai, expliqua-t-elle sans se laisser distraire par les yeux verts de Hal.

— Baste ! laissa échapper celui-ci au premier contact de la teinture. Ça brûle comme le souffle du diable !

— Vous avez reçu des coups de fouet, de mousquet, d'épée et de crocs sans sourciller, mais voilà que vous vous mettez à piailler comme un bébé à cause d'un remède anodin. Restez donc tranquille, dit-elle en fronçant les sourcils.

Un rire joyeux plissa le visage d'Aboli et secoua ses épaules, mais il ne dit rien. Hal le remarqua et s'en prit à lui :

— A quelle distance est la haie d'amandiers ?

— Encore une lieue.

— Est-ce que nous allons y retrouver Sabah ?

— C'est ce que j'espère, si les pourpoints verts ne nous ont pas rattrapés d'ici là.

— Il me semble que nous allons avoir un peu de répit. Schreuder a commis une erreur en se lançant seul à notre poursuite. Il aurait mieux fait de rassembler ses troupes et de nous donner la chasse en bon ordre. D'après moi la plupart des pourpoints verts doivent être aux trousses des autres prisonniers. Ils ne concentreront leurs efforts sur nous que lorsque Schreuder aura repris le commandement.

— Et il n'a plus de cheval, ajouta Sukeena. Je crois que nous allons réussir et une fois que nous serons dans les montagnes...

Elle s'interrompit et quitta des yeux la jambe de Hal. Tous deux regardèrent le haut rempart bleuté qui barrait le ciel devant eux. Van de Velde avait avidement suivi la conversation.

— La jeune esclave a raison. Vous avez malheureusement réussi à mener à bien votre complot. Mais je suis un homme raisonnable, Henry Courteney. Rendez-nous la liberté à ma femme et à moi. Laissez-nous la voiture et retourner à la colonie. En contrepartie, je vous promets solennellement de mettre fin à la poursuite. Je donnerai l'ordre au colonel Schreuder de renvoyer ses hommes à la caserne. Vous avez ma parole de gentilhomme, dit-il en présentant à Hal ce qu'il espérait être un visage ouvert et franc.

Hal vit de la ruse et de la malveillance dans les yeux du gouverneur.

— Votre Excellence, je ne suis pas certain que votre prétention au titre de gentilhomme soit fondée. Par ailleurs, je serais fâché d'être privé si tôt de votre charmante compagnie, dit-il.

Au même moment, une des roues de devant de la voiture tomba avec fracas dans un nid-de-poule.

— Ce sont des oryctéropes qui ont creusé ces terriers, expliqua Althuda tandis que Hal descendait avec difficulté de la voiture penchée.

— Quelle sorte d'homme ou de bête est-ce là ?

— C'est un cochon, une bête à long groin, qui fouille les galeries des fourmis avec ses puissantes défenses et les dévore avec sa longue langue collante, lui dit Althuda.

Hal renversa la tête et éclata de rire.

— Je crois à toute cette histoire. Je crois aussi que votre cochon est capable de voler, de danser au son de la cornemuse et de tirer les cartes.

— Il vous reste quelques petites choses à apprendre sur ce pays, mon ami, assura Althuda.

Toujours riant, Hal se tourna vers ses hommes.

— Allez, les gars ! lança-t-il. Dégageons ce navire malencontreusement échoué sur un haut-fond avant que le vent ne se lève de nouveau.

Il fit descendre Van de Velde et Katinka, puis les marins conjuguèrent leurs efforts à ceux des chevaux pour sortir la voiture de l'ornière. Au cours de la demi-lieue suivante, ils restèrent bloqués dans des trous à deux reprises.

— Je me demande s'il n'est pas temps de se débarrasser de la voiture, dit Hal à Aboli. Nous irons plus vite à pied. Quelle distance reste-t-il jusqu'à la haie?

— Je pensais qu'à l'heure qu'il est nous y serions déjà, mais elle ne doit plus être bien loin.

Ils débouchèrent sur la frontière après le premier détour du chemin. La fameuse haie d'amandiers était une ligne irrégulière d'arbustes attaqués par la rouille, qui arrivaient à peine à l'épaule, mais la route s'arrêtait là brusquement. Il y avait une case rudimentaire qui servait de poste de garde et un écriteau en hollandais.

« ATTENTION! » avertissait le panneau en lettres rouges. Il interdisait d'aller au-delà, toute infraction étant punie d'une peine d'emprisonnement, d'une amende de mille florins ou des deux à la fois, tout cela notifié au nom du gouverneur de la Compagnie des Indes orientales.

D'un coup de pied, Hal enfonça la porte du poste de garde et trouva l'unique pièce déserte. Dans la cheminée, le feu était éteint et une bouilloire noircie reposait sur les cendres refroidies. Des pourpoints et des hauts-de-chausses verts étaient pendus aux patères, des écuelles dépareillées, des bouteilles et divers ustensiles encombraient la table en bois et les étagères fixées au mur.

Le grand Daniel s'apprêtait à mettre le feu au chaume, mais Hal l'arrêta.

— Inutile d'envoyer à Schreuder des signaux de fumée pour lui signaler notre passage; de plus, il n'y a ici pas le moindre objet de valeur. Laissons ça, dit-il avant de repartir en boitant vers la voiture que ses hommes étaient en train de décharger.

Aboli avait sorti les chevaux des traits et Ned Tyler l'aidait à installer sur leur dos des selles improvisées avec le harnais, la sellerie et la capote en toile récupérés sur la voiture.

Katinka se tenait tristement aux côtés de son mari.

— Que va-t-il advenir de moi, Sir Henry? murmura-t-elle à son arrivée.

— Certains de mes hommes veulent vous emmener dans les montagnes et vous donner en pâture aux bêtes sauvages, répondit-il. (Elle porta sa main à ses lèvres et pâlit.) D'autres préfére-raient vous trancher la gorge ici même pour ce que vous et votre gros crapaud de mari nous avez fait.

— Vous ne les laisserez pas faire une chose pareille, fulmina Van de Velde. Je n'ai accompli que mon devoir.

— Vous avez raison, admit Hal. Je pense que vous couper la gorge est un châtiment trop doux. Pour ma part, j'opterais plutôt pour l'écartèlement et la pendaison que vous avez infligés à mon père. (Il lui jeta un regard froid et Van de Velde perdit courage.) Cependant, vous me dégoûtez tous les deux. Je ne veux plus avoir affaire à vous et je vous laisse donc, vous et votre charmante épouse, à la merci de Dieu, du diable et de l'ardent colonel Schreu-der.

Il tourna les talons et se dirigea à grandes enjambées vers Aboli et Ned qui vérifiaient et arrimaient le chargement des chevaux. Trois d'entre eux portaient des barils de poudre suspendus de chaque côté, deux autres, les armes, et le sixième, les volumi-neuses sacoches de Sukeena.

— Tout est en ordre, capitaine, dit Ned en saluant. Nous pou-vons lever l'ancre et appareiller à votre commandement.

— Rien ne nous retient ici. La princesse Sukeena montera le cheval de tête, dit Hal en regardant autour de lui. Mais où est-elle donc ?

— Me voici, Gundwane, lança Sukeena en sortant de derrière le poste de garde. Et je n'ai pas besoin d'être dorlotée. Je marcherai comme tout le monde.

Elle s'était débarrassée de ses jupes longues et avait passé un pantalon flottant balinais et une ample chemise de coton qui des-cendait jusqu'aux genoux. Elle avait noué un foulard sur ses che-veux et portait de solides sandales de cuir. Les hommes lorgnèrent la forme de ses mollets soulignée par le pantalon mais elle ignora leurs regards concupiscents, prit les rênes du cheval le plus proche et le mena à travers la trouée ouverte dans la haie d'amandiers.

— Sukeena ! appela Hal qui voulait l'arrêter, mais elle n'y prit pas garde.

Il se rendit compte qu'il était inutile d'insister et adoucit pru-demment le ton de sa voix pour donner son ordre suivant.

— Althuda, vous êtes le seul à savoir quelle direction nous devons suivre. Marchez en tête avec votre sœur.

Althuda courut pour rattraper celle-ci, et frère et sœur les conduisirent à l'intérieur des terres inexplorées qui s'étendaient au-delà de la frontière.

Hal et Aboli fermaient la marche de la colonne qui serpentait à travers les épais taillis. Personne n'avait parcouru récemment cette piste laissée par les animaux sauvages : on voyait distinctement les empreintes de leurs sabots ou de leurs pattes sur le sol sablonneux et leurs fumées jonchaient la piste.

Aboli était capable d'identifier chaque espèce grâce à ces signes et, tandis qu'ils marchaient d'un pas rapide, les indiquait à Hal.

— Ça, c'est un léopard et voici les traces de l'antilope à cornes torsadées que nous appelons koudou. Au moins, nous ne mourrons pas de faim, assura-t-il. Le gibier abonde dans ce pays.

C'était la première fois depuis leur évasion qu'ils avaient l'occasion de parler, et Hal demanda à voix basse :

— Ce Sabah, l'ami d'Althuda, que sais-tu de lui ?

— Je ne le connais qu'à travers les messages qu'il nous a envoyés.

— Ne devions-nous pas le retrouver à la frontière ?

— Il a dit seulement qu'il nous conduirait à l'intérieur des montagnes. Je croyais qu'il nous attendrait près de la haie, dit-il haussant les épaules, mais avec Althuda pour guide, nous n'avons pas besoin de lui.

Ils progressaient à bonne allure ; la jument grise trottait avec aisance, et eux couraient à ses côtés. Chaque fois qu'ils passaient près d'un arbre capable de supporter le poids d'Aboli, celui-ci y grimpait et regardait en arrière pour repérer d'éventuels poursuivants. Il redescendait et secouait la tête.

— Schreuder viendra, lui dit Hal. J'ai entendu dire que ses soldats sont capables d'avoir un cavalier à l'usure. Nous les reverrons.

Ils avançaient régulièrement à travers la plaine, ne s'arrêtant qu'aux points d'eau marécageux qu'ils rencontraient en chemin. Tout en boitant, Hal s'accrochait au cheval pour soulager sa jambe blessée. Aboli lui raconta tout ce qui s'était passé au cours des mois qui avaient suivi leur séparation. Hal l'écouta en silence expliquer dans sa langue comment il avait récupéré le corps de Sir Francis sur le gibet et décrire les funérailles qu'il lui avait faites.

— Ce furent des obsèques dignes d'un grand chef. Je l'ai enveloppé dans une peau de buffle noir et ai déposé son navire et ses armes près de lui. Je lui ai laissé de la nourriture et de l'eau pour le voyage et j'ai placé devant ses yeux la croix de son dieu.

Hal avait la gorge trop serrée pour le remercier.

Le jour avançait et la marche ralentit, hommes et chevaux se fatiguant sur le sol sablonneux. Ils s'arrêtèrent au marécage suivant, et Hal prit Sukeena à part.

— Vous vous êtes montrée courageuse et forte, mais vous n'avez pas d'aussi longues jambes que les nôtres et je vous ai vue tituber de fatigue. A partir de maintenant, vous irez à cheval. (Elle voulut protester, mais il l'arrêta fermement.) Je vous ai obéi quand il s'est agi de me soigner, mais pour tout le reste, je suis le capitaine et vous devez faire ce que je vous dis. Vous continuerez à cheval.

Ses yeux pétillèrent et elle fit un petit geste de soumission en touchant ses lèvres de ses doigts joints.

— A vos ordres, maître, dit-elle, et elle le laissa la déposer sur les sacoches que portait le cheval de tête.

Ils longèrent le marais et progressèrent un peu plus vite. Deux fois encore, Aboli grimpa à un arbre et ne vit aucun signe de poursuite. Malgré lui, Hal commençait à croire qu'ils avaient semé leurs poursuivants, qu'ils allaient bel et bien atteindre sans encombre les montagnes qui se dressaient devant eux, de plus en plus proches et imposantes.

Au milieu de l'après-midi, ils traversèrent un large vlei, un pré d'herbe courte où paissaient des troupeaux d'antilopes aux cornes incurvées comme des cimeterres et dont la robe gris-bleu prenait un éclat métallique au soleil. Elles dressèrent la tête à leur approche et, les yeux écarquillés, restèrent pétrifiées d'étonnement.

— Même moi, je n'ai jamais vu de bêtes de ce genre, reconnut Aboli.

Tandis que le troupeau fuyait devant eux, enveloppé d'un nuage de poussière, Althuda leur cria :

— Les Hollandais les appellent *blaauwbok*, les céphalolophes bleus. J'en ai vu de grands troupeaux dans les plaines au-delà des montagnes.

Passé le vlei, le terrain s'élevait en une série d'ondulations jusqu'aux contreforts de la chaîne montagneuse. Ils gravirent la première crête, Hal peinant à l'arrière de la colonne. Sa démarche était lourde et il souffrait visiblement. Aboli vit qu'il était fiévreux et qu'un fluide aqueux mêlé de sang suintait à travers le pansement que Sukeena avait appliqué sur sa jambe.

Au sommet de la crête, Aboli imposa une halte. Ils jetèrent un coup d'œil derrière eux vers la majestueuse montagne de la Table, qui dominait l'horizon occidental. Sur la gauche s'ouvrait l'ample courbe bleue de False Bay. Cependant, ils étaient tous trop épuisés pour s'attarder à admirer le paysage. Les chevaux se tenaient la tête pendante et les hommes se laissèrent tomber dans des coins d'ombre. Sukeena descendit lestement de sa monture et se dirigea vers Hal, affalé au pied d'un arbre. Elle s'agenouilla devant lui, défit son pansement et eut un choc en voyant à quel point sa jambe était enflée et enflammée. Elle se pencha et renifla la plaie.

— Il est hors de question que vous continuiez à marcher. Il faut que vous alliez à cheval comme vous m'y avez obligée, dit-elle d'un ton sévère avant de s'adresser à Aboli. Prépare un feu pour faire bouillir de l'eau, lui ordonna-t-elle.

— Nous n'avons pas le temps pour ce genre d'âneries, murmura Hal sans conviction, mais ils ne tinrent pas compte de ses paroles.

Aboli alluma un petit foyer avec une corde à feu et y plaça un gobelet d'eau. Dès qu'elle se mit à bouillir, Sukeena prépara une pâte avec les plantes qu'elle avait dans sa sacoche, l'étala sur un linge plié et l'appliqua encore fumante sur les blessures de Hal.

— J'aurais préféré qu'Aboli pisse sur ma jambe plutôt que vous ne la brûliez avec vos préparations diaboliques, dit-il en gémissant.

Sukeena ignora cette impudence et poursuivit sa tâche. Elle maintint en place le cataplasme avec un linge propre, puis prit une miche de pain et du saucisson sec dans sa sacoche. Elle prépara des sandwiches et en tendit un à chacun des hommes.

— Soyez bénie, princesse, dit le grand Daniel en prenant sa ration.

— Que Dieu soit avec vous, princesse, reprit Ned, et tous les autres adoptèrent ce nom.

Elle était désormais leur princesse, et les rudes marins la regardaient avec une affection et un respect croissants.

— Vous pouvez manger en marchant, les gars, lança Hal en se relevant. Voilà trop longtemps que la chance nous sourit. Le diable ne va pas tarder à vouloir prendre son tour.

Ils grognèrent et marmonnèrent mais s'exécutèrent. Pendant que Hal aidait Sukeena à monter en selle, Daniel poussa un cri d'alarme.

— Voilà ces salopards qui arrivent! fit-il en montrant le vlei au bas de la pente.

Une fois Sukeena installée, Hal repartit en boitant vers l'arrière de la colonne. Il regarda en contrebas de la colline et vit la longue file d'hommes qui sortaient en courant des taillis et traversaient le terrain découvert. Ils étaient conduits par un seul cavalier qui allait au trot.

— C'est encore Schreuder. Il a trouvé une autre monture.

Même à cette distance, il était impossible de ne pas reconnaître le colonel. Il était campé avec arrogance sur sa selle, et on lisait ses intentions meurtrières dans la façon dont il tenait ses épaules et levait la tête pour regarder en haut de la pente. De toute évidence, il ne les avait pas encore repérés au milieu des épaisses broussailles où ils se cachaient.

— Combien d'hommes a-t-il avec lui? demanda Ned Tyler.

Tous observèrent Hal pendant qu'il les dénombrait. Il plissa les yeux et les regarda sortir des halliers. Avec leur trot balancé, ils allaient aussi vite que le cheval de Schreuder.

— Vingt, compta Hal.

— Pourquoi si peu? s'interrogea Daniel.

— Schreuder a vraisemblablement choisi ses meilleurs coureurs pour nous serrer de près. Les autres doivent suivre comme ils peuvent, répondit Hal en se protégeant les yeux du soleil. Oui, par Dieu, les voilà, à une lieue derrière la première section, mais ils marchent vite. J'aperçois la poussière qu'ils soulèvent et leurs casques au-dessus des broussailles. Ils sont au moins une centaine dans le second détachement.

— Une vingtaine, nous pouvons en faire notre affaire, marmonna Daniel, mais une centaine de pourpoints verts, c'est plus que je ne peux en avaler au petit déjeuner. Quels sont vos ordres, capitaine?

Tous les regards se tournèrent vers Hal. Il réfléchit un moment et étudia soigneusement la configuration et la consistance du terrain avant de répondre.

— Maître Daniel, faites avancer la colonne en vous laissant guider par Althuda. Aboli et moi allons rester ici avec un cheval pour ralentir leur avance.

— Nous ne pourrons pas les semer. Ils nous l'ont prouvé, capitaine, protesta Daniel. Ne serait-il pas préférable de les affronter ici même?

— Je vous ai donné mes ordres, rétorqua Hal en lui lançant un regard froid et dur.

— Oui, capitaine, dit Daniel en saluant avant de se tourner vers les autres. Vous avez entendu les ordres, les gars.

Hal repartit en claudiquant vers Sukeena assise sur son cheval, qu'Althuda tenait par les rênes.

— Vous devez continuer quoi qu'il arrive. Ne revenez en arrière sous aucun prétexte, dit-il à ce dernier. (Puis, souriant à Sukeena:) Même si Son Altesse royale l'exige.

Elle ne lui rendit pas son sourire mais se pencha vers lui et murmura:

— Je vous attendrai sur la montagne. Ne me faites pas languir trop longtemps.

Althuda reprit la tête de la colonne et, au moment où ils disparaissaient à l'horizon, un cri s'éleva dans le vlei.

— Ils nous ont repérés, marmonna Aboli.

Hal se dirigea vers le cheval qu'ils avaient gardé avec eux et détacha l'un des barils de poudre. Il le posa par terre et dit à Aboli :

— Fais avancer le cheval et suis les autres en te faisant voir par Schreuder. Attache-le hors de vue, de l'autre côté de la crête, et reviens ici.

Il roula le baril jusqu'à l'affleurement de roche le plus proche et se cacha derrière. Il examina de nouveau la pente qui se trouvait au-dessous de lui, puis tourna son attention vers Schreuder et son détachement de pourpoints verts. Ils s'étaient déjà considérablement rapprochés et Hal vit que deux Hottentots couraient devant le cheval du colonel. Ils avaient le regard fixé au sol et suivaient les traces laissées par la petite troupe de Hal.

Ils nous pistent comme des chiens après un cerf, pensa-t-il, en retirant la bonde du baril de la pointe de son épée avant de dérouler la corde à feu qu'il avait passée autour de sa taille.

— Cette mèche est diabolique : elle se consume trop vite ou trop lentement. Mais je vais quand même prendre le risque de n'en laisser que trois pouces, grommela-t-il en mesurant la longueur.

Il la roula doucement entre ses paumes pour qu'elle brûle plus régulièrement, puis en enfila une extrémité dans le baril et la maintint en place en remettant la bonde.

— Tu ferais bien de te dépêcher, Gundwane. Ton vieux partenaire d'escrime, Schreuder, est impatient de croiser le fer de nouveau avec toi, lui dit Aboli.

Hal leva les yeux et vit que leurs poursuivants avaient traversé le pré et commençaient à gravir le coteau.

— Ne te fais pas voir, lança Hal. Je veux les laisser approcher le plus près possible.

Les deux hommes se mirent à plat ventre et scrutèrent le bas de la pente. Sur sa monture, Schreuder était parfaitement visible, mais les buissons cachaient jusqu'à la taille les deux pisteurs qui le précédaient. Tandis qu'ils approchaient, Hal distingua les affreuses écorchures que le gravier avait faites sur le visage du colonel, les déchirures et les traces de terre sur son uniforme. Il ne portait ni chapeau ni perruque, probablement perdus en chemin, peut-être pendant sa chute. En dépit de sa vanité, il n'avait pas gaspillé de temps à les ramasser, si grande était sa hâte.

Le soleil avait déjà rougi son crâne rasé et son cheval était couvert d'écume. Peut-être n'avait-il pas pris la peine de l'abreuver au cours de leur longue traque. Il se rapprochait inexorablement et gardait les yeux rivés sur la crête derrière laquelle il avait vu disparaître les fugitifs. Son visage restait de marbre et Hal savait que cet homme au tempérament volcanique était prêt à courir tous les risques et à braver tous les dangers.

Sur le coteau escarpé, même ses infatigables pisteurs commencèrent à traîner la jambe. Hal voyait la sueur inonder leurs visages plats d'Asiatiques et les entendait haleter.

— Plus vite, espèces de gredins! tempêta Schreuder. Vous allez les laisser filer. Pressons.

Les hommes continuèrent à gravir la pente tant bien que mal.

— Parfait! Comme je l'espérais, ils ne s'écartent pas d'un pouce de nos traces, murmura Hal avant de chuchoter ses dernières consignes à Aboli. Attends bien que je te donne le signal, insista-t-il.

Ils furent bientôt si près que Hal pouvait entendre les pieds nus des Hottentots marteler le sol, le grincement de la selle de Schreuder et le cliquetis de ses éperons. Puis Hal distingua les gouttes de sueur qui perlaient à la pointe de ses moustaches et les petites veines de ses yeux exorbités qui, de leur regard furieux, fixaient obstinément la crête sans voir l'ennemi tapi à portée de la main.

— Prêt! fit Hal à voix basse en tenant la corde à feu allumée contre la mèche du baril, qui s'enflamma, crachota, prit finalement et se mit à brûler pour de bon.

La flamme courut rapidement le long de la courte mèche vers la bonde du baril.

— Allez, Aboli! dit-il d'un ton sec.

Le grand Noir prit le baril, se leva d'un bond, presque sous les sabots de la monture de Schreuder. Les deux Hottentots poussèrent un cri de surprise et s'écartèrent vivement tandis que le cheval bronchait et lançait une ruade qui projeta le colonel sur son encolure.

Pendant quelques instants, Aboli resta immobile, tenant à deux mains le baril en équilibre au-dessus de lui. La mèche grésilla et siffla comme une vipère furieuse tandis que la fumée de poudre enveloppait son visage scarifié d'un halo bleuté. Puis il jeta au loin le baril, qui tournoya en l'air avant de heurter la roche et de dévaler la pente en rebondissant. Il sauta vers la tête du cheval de Schreuder, qui recula brusquement au moment où son cavalier retrouvait son équilibre. Le colonel fut de nouveau projeté contre l'encolure de l'animal, perdit un de ses étriers et resta gauchement suspendu à côté de la selle.

Le cheval fit volte-face et redescendit la pente droit sur les fantassins qui marchaient en colonne derrière lui. En voyant le cheval affolé et le baril de poudre arriver sur eux à toute allure, les pourpoints verts poussèrent un hurlement de consternation. Tous savaient que la mèche allumée annonçait une effroyable explosion; ils rompirent les rangs et s'égaillèrent. La plupart se dirigèrent instinctivement vers le bas de la pente au lieu de fuir sur les côtés et le baril les rattrapa, rebondissant au milieu d'eux.

Le cheval de Schreuder dégringolait le coteau en dérapant, arcbouté sur son arrière-train. Les rênes se rompirent avec un claquement sec dans l'une des mains du cavalier tandis que l'autre lâchait le pommeau de la selle. Schreuder tomba à côté des sabots de sa monture et, à l'instant où il heurtait le sol, le baril explosa. Sa chute le sauva, car il était tombé à l'abri d'un rocher et le souffle de la déflagration passa au-dessus de lui.

Il faucha cependant la horde de soldats en déroute. Les plus proches furent projetés en l'air comme les feuilles enflammées d'un feu de jardin, leurs vêtements arrachés de leurs corps mutilés, et un bras retomba aux pieds de Hal. Aboli et lui furent envoyés à terre par le souffle de l'explosion. Les oreilles bourdonnantes, Hal se releva tant bien que mal et jeta un coup d'œil alentour, consterné par la dévastation qu'il avait semée. Aucun ennemi n'était encore debout.

— Par Dieu, tu les as tous tués! s'étonna-t-il, mais des cris confus s'élevèrent tout à coup des broussailles couchées.

Abasourdi, un soldat se remit debout en chancelant, suivi par d'autres.

— Filons! lança Aboli en prenant Hal par le bras pour l'entraîner vers la crête.

Avant de la franchir, Hal lança un coup d'œil en arrière et vit que Schreuder s'était relevé. Chancelant comme un homme ivre, il se tenait près de la carcasse mutilée de sa monture. Il était encore si étourdi par le choc que ses jambes le trahirent et qu'il s'assit lourdement au milieu des branches cassées et des feuilles arrachées en se couvrant la face de ses mains.

Aboli lâcha le bras de Hal et prit son épée de la main droite.

— Je pourrais revenir en arrière et aller l'achever, grogna-t-il.

A cette suggestion, Hal sortit de son hébétude.

— Laisse-le! Il serait indigne de le tuer pendant qu'il est incapable de se défendre.

— Alors, allons-y et vite, grommela Aboli. Nous avons peut-être envoyé par le fond cette escadre, mais regarde! Les autres pourpoints verts ne sont pas loin.

Hal essuya la sueur et la terre sur son visage et cligna des yeux pour s'éclaircir la vue. Aboli avait raison. Le second détachement ennemi soulevait un nuage de poussière au milieu des taillis, encore de l'autre côté du vlei, mais il progressait rapidement.

— En nous dépêchant, peut-être pourrons-nous les garder à distance jusqu'à la tombée de la nuit, mais il faudra alors que nous soyons déjà dans la montagne, estima Aboli.

Après quelques pas, sa jambe blessée se dérobant, Hal trébucha et se mit à sautiller. Sans un mot, Aboli lui donna le bras pour l'aider à traverser le terrain difficile qui les séparait de l'endroit où le cheval était attaché. Cette fois-ci, Hal ne protesta pas lorsque Aboli le poussa sur le dos de l'animal et prit les rênes.

— Par où allons-nous? demanda-t-il.

Devant eux, la barrière montagneuse était déchirée en un labyrinthe de ravins et d'éperons rocheux, de falaises et de gorges profondes envahies par une forêt dense et un enchevêtrement de broussailles. Hal n'y vit aucun sentier, aucun passage.

— Althuda connaît le chemin et il nous a donné des indications.

Les cinq chevaux et la petite troupe de fugitifs laissaient de profondes empreintes, mais Althuda avait en outre marqué l'écorce des arbres au fil de leur progression. De la crête suivante ils aperçurent les formes minuscules des cinq chevaux gris qui traversaient une étendue de terrain découvert deux ou trois miles plus loin. Hal distinguait même la petite silhouette de Sukeena perchée sur le dos du cheval de tête. Avec leur robe argentée, les bêtes se détachaient comme des miroirs sur le fond sombre des taillis environnants.

— Ce sont des coursiers magnifiques, mais ils attirent l'œil de l'ennemi, murmura-t-il.

— Il n'y en a pas de plus beaux pour mener un équipage de gentilhomme, reconnut Aboli, mais dans les montagnes, ils n'y arriveront pas. Nous devrons les abandonner quand nous arriverons en terrain difficile, sans quoi ils se briseront les jambes dans les rochers et les trous.

— Les laisser aux Hollandais? Pourquoi ne pas leur envoyer une balle de mousquet pour mettre fin à leurs souffrances?

— Parce qu'ils sont beaux et que je les aime comme s'ils étaient mes enfants, répondit doucement Aboli en tapotant le cou de l'animal.

La jument roula un œil dans sa direction et hennit doucement pour lui rendre son geste d'affection.

— Elle t'aime aussi, dit Hal en riant. Nous les épargnerons pour te faire plaisir.

Ils descendirent rapidement l'autre versant et gravirent péniblement le coteau opposé. Le terrain était de plus en plus escarpé et les crêtes semblaient suspendues au-dessus de leur tête. Parvenus au sommet, ils firent de nouveau halte pour laisser souffler la jument et regarder devant eux.

— Althuda se dirige apparemment vers cette gorge sombre, là en face, remarqua Hal en s'abritant les yeux du soleil. Tu les vois ?

— Non. Ils sont cachés par les premiers contreforts de la montagne et les arbres, marmonna Aboli avant de se retourner. Regarde derrière toi, Gundwane.

Hal regarda dans la direction indiquée et s'exclama presque douloureusement :

— Comment ont-ils fait pour aller si vite ? Ils gagnent du terrain comme si nous faisions du surplace.

La colonne de pourpoints verts franchissait en courant la crête derrière eux comme une nuée de fourmis. Hal pouvait les compter facilement et distinguait les officiers blancs. Le soleil du milieu de l'après-midi miroitait sur leurs baïonnettes et, bien qu'affaiblis par la distance, on entendait les cris de jubilation qu'ils poussaient en voyant leur proie si près.

— Voilà Schreuder ! s'exclama Hal avec amertume. Par Dieu, cet homme est un phénomène. N'y a-t-il donc aucun moyen de l'arrêter ? (Le colonel trottait à pied à l'arrière de la longue colonne mais Hal le vit dépasser l'homme qui se trouvait devant lui.) Il court plus vite que ses Hottentots. Si nous nous attardons ici encore une minute, il va nous rattraper avant que nous ayons atteint la gorge.

Le terrain devenait si escarpé que le cheval ne pouvait plus aller tout droit et le sentier commençait à zigzaguer en travers de la pente. Il y eut au loin un autre cri de joie, comme le « taïaut » d'un chasseur de renard, et ils virent que la colonne de leurs poursuivants s'étirait au moins sur une demi-lieue et que les premiers s'étaient beaucoup rapprochés.

— Ils sont presque à portée de mousquet, hasarda Hal.

Au même moment, un des soldats de tête mettait un genou à terre et visait posément dans leur direction. Ils virent la bouffée de fumée s'échapper de la gueule du mousquet bien avant d'entendre le coup partir. La balle fit voler un éclat de roche bleue cinquante pieds plus bas.

— Encore trop loin. Laissons-les gaspiller leur poudre, fit Hal.

La jument grise gravissait la piste en sautant d'un rocher à l'autre, bien plus assurée sur ses pieds qu'il ne l'avait espéré. Ils atteignirent le premier coude du sentier en lacet et repartirent dans l'autre sens. Ils se rapprochaient à présent en oblique de leurs poursuivants et la distance qui les séparait diminuait encore plus vite.

Un peu plus bas sur le sentier, les hommes saluèrent leur approche par des cris joyeux et se laissèrent tomber à terre pour se reposer. Hal les voyait vérifier l'amorce de leur mousquet, allumer leur corde à feu et se préparer à tirer tandis que la jument et son cavalier arrivaient à leur portée.

— Par Satan! grommela Hal. C'est comme si nous naviguions par le travers d'un navire ennemi!

Ils n'avaient nul endroit où s'abriter et continuèrent donc à longer péniblement le sentier. Hal voyait maintenant Schreuder : il était remonté progressivement en tête de la colonne et gardait les yeux fixés sur eux. Même à cette distance, Hal se rendait compte que le colonel avait abusé de ses forces : il avait les traits tirés, le visage défait, son uniforme était déchiré, sale, trempé de sueur et taché de sang en une douzaine d'endroits. Il haletait mais une lueur mauvaise brillait dans ses yeux caves. Il n'avait plus la force de crier ou de brandir son arme mais regardait Hal d'un air implacable.

L'un des pourpoints verts tira et la balle passa en vrombissant au-dessus de leurs têtes. Aboli poussait la jument sur le sentier irrégulier et abrupt, mais ils allaient rester plusieurs minutes encore à portée de mousquet. La file des soldats en contrebas tirait maintenant par vagues. Des balles s'écrasaient avec un bruit sourd sur les rochers alentour, certaines aplaties à l'endroit de l'impact en un disque brillant. D'autres faisaient voler sur eux des éclats de roche ou se perdaient à travers la vallée.

La jument atteignit indemne le coude suivant et repartit en sens inverse. La distance augmentait et la plupart des fantassins hottentots se levèrent précipitamment et reprirent la poursuite. Un ou deux tentèrent de grimper dans l'axe de la pente afin de couper au plus court; cette voie s'avéra cependant trop raide, même pour leurs pieds agiles. Ils abandonnèrent, se laissèrent glisser jusqu'au sentier et se hâtèrent à la suite de leurs compagnons.

Quelques soldats étaient restés un genou à terre; ils rechargeaient leur arme, enfonçaient frénétiquement la baguette dans la gueule de leur mousquet puis versaient la poudre noire dans le bassinet. Schreuder avait assisté à la fusillade, appuyé lourdement contre un rocher en attendant de reprendre son souffle. Il se redressa et prit un mousquet chargé des mains d'un de ses Hottentots, qu'il écarta du coude.

— Nous sommes hors de portée! protesta Hal. Pourquoi insiste-t-il?

— Parce qu'il te hait à mort, répondit Aboli. Le diable lui donne la force de continuer.

Schreuder retira rapidement son manteau et le mit en boule sur un rocher sur lequel il appuya le canon de son mousquet. Il visa un instant la tête de Hal, puis leva légèrement son arme pour compenser la chute de la balle de plomb en fin de course. Du même mouvement, il déplaça le canon vers la tête de la jument.

— Il ne peut pas espérer faire mouche à cette distance! souffla Hal.

Au même instant, il vit le nuage de fumée argentée éclore comme une fleur vénéneuse à l'extrémité du canon. Puis il sentit une forte secousse au moment où la balle pénétrait entre les côtes de la jument, à trois centimètres de son genou. L'air fut comme aspiré hors des poumons percés du cheval. L'animal bascula en arrière et tomba sur son arrière-train. Il essaya de se remettre debout en se cabrant, mais son effort le projeta hors de l'étroit sentier. Aboli agrippa in extremis la jambe blessée de Hal et le tira de sa monture.

Tous deux s'étendirent à plat ventre sur la roche et regardèrent en contrebas. Le cheval dégringola jusqu'au coude du sentier, où il s'immobilisa en déclenchant une avalanche de petits cailloux et de terre. Il resta étendu, battant l'air faiblement de ses quatre jambes. Un cri de triomphe s'éleva de la troupe des poursuivants, répercuté le long des falaises et dans les profondeurs obscures de la gorge.

Hal se releva en chancelant et évalua rapidement la situation. Aboli et lui avaient encore leur mousquet en bandoulière et leur épée au fourreau. Chacun portait en outre à la ceinture une paire de pistolets, une petite corne de poudre et un sac contenant des balles de mousquet, mais ils avaient perdu tout le reste.

Ce revirement de fortune avait donné un courage nouveau à leurs poursuivants, qui poussaient des clameurs comme une meute de chiens excités par l'odeur de leur proie et gravissaient le sentier à toute vitesse.

— Laisse là tes pistolets et ton mousquet, ordonna Aboli. Laisse aussi la poudre et ton épée, sinon leur poids va t'épuiser.

— Nous ne tarderons pas à en avoir besoin, dit Hal en secouant la tête. Continue à marcher en tête.

Aboli ne discuta pas et se remit en route à grandes enjambées. Hal restait sur ses talons, forçant sa jambe à lui obéir malgré la douleur et les tremblements de faiblesse qui gagnaient peu à peu la cuisse.

Aboli lui tendait la main pour l'aider à escalader les rochers qui se trouvaient sur leur chemin, mais la pente devenait de plus en plus forte à mesure qu'ils contournaient l'éperon rocheux qui, d'un côté, gardait l'entrée de la gorge. A chaque pas, il leur fallait à présent monter une marche naturelle, comme s'ils gravissaient un escalier, et ils longeaient une haute paroi à pic qui surplombait la vallée. Leurs poursuivants, malgré leur proximité, avaient disparu derrière l'éperon.

— Es-tu certain que c'est le bon chemin? demanda Hal, haletant, tandis qu'ils s'accordaient quelques secondes de repos sur une marche plus large que les précédentes.

— Althuda continue de nous laisser des signes de piste, lui assura Aboli en donnant un coup de pied dans un petit cairn formé de trois pierres posées en équilibre les unes sur les autres, bien en évidence au milieu du sentier. Et mes chevaux gris font de même, ajouta-t-il en montrant un peu plus loin un tas de crottin tout frais. Ecoute! fit-il brusquement en penchant la tête.

Hal entendit les voix des hommes de Schreuder. Ils étaient plus près qu'ils ne l'avaient été lors de leur dernière halte. Ils avaient l'impression qu'ils se trouvaient au détour de l'éperon, juste derrière eux. Hal regarda Aboli avec consternation et essaya de se tenir en équilibre sur sa jambe valide pour cacher la faiblesse de l'autre. Ils entendaient tinter les épées contre la roche et les pierres rouler sous les pieds. Les voix des soldats étaient si claires et proches que Hal distinguait leurs paroles et celles de Schreuder qui leur faisait presser le pas.

— Maintenant, tu vas m'obéir, Gundwane! fit Aboli en arrachant à Hal son mousquet. Continue aussi vite que tu pourras pendant que je les retiens ici un moment. (Hal s'apprêtait à discuter, mais Aboli le regarda durement.) Plus tu tergiverseras, plus tu me mettras en danger, dit-il.

— Rendez-vous au sommet de la gorge, acquiesça Hal.

Il serra le bras d'Aboli puis continua seul en clopinant. Lorsque le sentier obliqua avant de s'enfoncer dans la gorge, il se retourna et constata qu'Aboli s'était accroupi pour s'abriter dans une courbe et avait posé devant lui ses deux mousquets sur le roc.

Hal tourna le coin, leva les yeux et vit la gorge s'ouvrir au-dessus de lui comme un gigantesque entonnoir obscur. Entre des parois rocheuses abruptes, des arbres aux troncs élancés qui cherchaient le soleil formaient un toit de verdure. Ils étaient drapés et festonnés de lichens. En une succession de mares et de cascades, un ruisseau descendait en bondissant, et le sentier passait par le lit du ruisseau et escaladait des rochers érodés. Hal se laissa tomber à genoux, se plongea le visage dans le premier bassin naturel, but si avidement qu'il s'étouffa et se mit à tousser mais sentit ses forces lui revenir.

De derrière l'éperon rocheux lui parvint le bruit sourd d'un coup de mousquet puis le son mat d'une balle pénétrant dans la chair, suivi du cri d'un soldat projeté dans l'abîme, cri qui s'amenuisa tandis que l'homme poursuivait sa chute et s'arrêta brusquement lorsqu'il heurta les rochers, loin en contrebas. Aboli avait assuré son premier coup, et leurs poursuivants avaient dû reculer en désordre. Il leur faudrait un certain temps pour se regrouper et reprendre leur progression plus prudemment ; Aboli avait donc permis à Hal de gagner quelques précieuses minutes.

Celui-ci se releva avec effort et commença à gravir le lit du ruisseau. Chaque fois qu'il franchissait un des énormes rochers lisses, sa jambe était cruellement mise à l'épreuve. Il gémissait, grognait et se hissait plus haut tout en tendant l'oreille pour entendre les échos du combat, mais aucun autre son ne lui parvint jusqu'à ce qu'il atteigne la prochaine piscine naturelle, où il s'arrêta, frappé de surprise.

Althuda avait laissé les cinq chevaux gris attachés à un arbre mort au bord de l'eau. Quand il regarda l'énorme marche qui barrait le lit du ruisseau en amont, Hal comprit pourquoi il les avait abandonnés là : ils étaient incapables de suivre ce sentier vertigineux. La gorge se rétrécissait en un étroit et profond défilé, et son courage lui manqua quand il parcourut du regard le chemin périlleux qu'il devait emprunter. Mais il n'y avait pas d'autre issue, la gorge s'était transformée en un piège dont il était impossible de s'échapper. Alors qu'il hésitait, il entendit tout en bas un autre coup de mousquet et un concert de cris furieux.

— Aboli en a touché un autre, pensa-t-il tout haut, et sa voix se répercuta étrangement contre les parois de la gorge. Ses deux mousquets sont vides et il va devoir fuir.

Mais Aboli avait gagné ce répit à son intention et il se fit un devoir de ne pas le gaspiller. Il reprit sa marche sur le sentier escarpé, traînant sa jambe sur les rochers glissants, polis par l'eau.

Son cœur battait à tout rompre tant il était épuisé et, s'arrachant les ongles sur la roche, il parcourut à quatre pattes les derniers mètres qui le séparaient d'une saillie au fond de la gorge. Il se laissa tomber à plat ventre et regarda en contrebas. Il vit Aboli qui arrivait, sautant de rocher en rocher avec assurance, un mousquet dans chaque main, sans même regarder où il posait les pieds.

Hal leva les yeux vers l'étroite ouverture de la gorge, très haut au-dessus de lui, et vit que le jour tombait. Il n'allait pas tarder à faire nuit, les cimes des arbres se transmuaient en or dans les derniers rayons du soleil.

— Par ici! cria-t-il à Aboli.

— Continue, Gundwane! Ne m'attends pas, ils ne sont pas loin.

Hal se retourna et regarda le lit abrupt du torrent. Les deux cents derniers pas étaient parfaitement visibles : si Aboli et lui continuaient l'escalade, ils seraient encore à découvert quand Schreuder et ses hommes parviendraient à l'endroit où il se trouvait à présent, et tirés comme des lapins avant d'avoir pu se mettre à l'abri.

Nous devons prendre position ici même, décida-t-il. Nous devons les retenir jusqu'à la nuit, puis tenter de nous échapper dans l'obscurité. Il rassembla rapidement de grosses pierres dans l'étroit lit du torrent et les entassa au bord de la corniche. Puis il jeta un coup d'œil en contrebas : Aboli avait atteint le pied de la paroi et grimpait rapidement vers lui.

Lorsqu'il fut à mi-chemin et entièrement à découvert, un cri monta de la gorge. Dans la semi-obscurité, Hal distingua la silhouette des premiers poursuivants. Il y eut alors l'éclair et le son mat d'un coup de mousquet et Hal regarda anxieusement si Aboli avait été touché, mais il n'avait rien et poursuivait rapidement son escalade.

Le fond de la gorge grouillait maintenant de soldats et l'écho de la fusillade grondait entre les parois. Hal aperçut Schreuder, tout en bas dans la pénombre; son visage clair contrastait avec ceux des hommes qui l'entouraient.

Aboli parvint au sommet de la paroi et Hal lui tendit la main pour l'aider à grimper sur le rebord.

— Pourquoi n'as-tu pas continué, Gundwane? demanda-t-il, haletant.

— Pas le temps d'expliquer, répondit Hal en lui arrachant des mains un des mousquets qu'il entreprit de recharger. Nous devons les tenir en respect ici jusqu'à la nuit. Recharge.

— Il n'y a presque plus de poudre. Juste assez pour tirer encore quelques coups, fit remarquer Aboli en manœuvrant sa baguette.

— Il faut donc faire mouche à chaque coup. Ensuite nous les refoulerons en leur envoyant des pierres, dit Hal en amorçant, et quand nous n'aurons plus de pierres, nous continuerons à l'arme blanche.

Les soldats tiraient à feu continu, et les balles de mousquet commençaient à vrombir et à s'écraser autour d'eux. Hal et Aboli étaient forcés de rester à plat ventre près du bord de la corniche et levaient rapidement la tête à intervalles réguliers pour jeter un bref coup d'œil en contrebas.

Sous les ordres de Schreuder, la plupart des hommes entretenaient la fusillade : il faisait en sorte que les uns soient prêts à tirer à son commandement pendant que les autres rechargeaient. Il avait apparemment envoyé les plus forts de ses hommes à l'assaut de la paroi pendant que les meilleurs tireurs essayaient d'empêcher Hal et Aboli de se défendre.

La première vague de grimpeurs, une douzaine d'hommes armés de leur seule épée, se lancèrent dans l'escalade et commencèrent à grimper rapidement. Chaque fois que Hal et Aboli pointaient la tête, éclataient l'éclair et le tonnerre d'une volée.

Ignorant les balles qui fusaient et s'écrasaient autour de lui, Hal avança le canon de son mousquet, visa le grimpeur le plus proche — un caporal hollandais — et tira presque à bout portant. La balle le frappa à la bouche, fracassant les dents et la mâchoire. L'homme lâcha prise et tomba en arrière. Il heurta les trois fantassins qui le suivaient et les emporta dans sa chute. Tous les quatre s'écrasèrent sur les rochers au fond de la gorge.

Aboli fit feu à son tour et envoya deux autres assaillants dégringoler le long de la paroi. Hal et lui prirent ensuite leurs pistolets et tirèrent encore à deux reprises, éliminant tous les grimpeurs, à l'exception de deux, restés accrochés, impuissants, dans une anfractuosité de rocher à mi-hauteur de la paroi.

Hal lâcha ses pistolets vides, saisit une des pierres qu'il avait placées à portée de la main et la jeta sur l'homme qui était au-dessous de lui. Le fantassin la vit venir mais ne put l'éviter. Il essaya de baisser la tête, mais, touché à la tempe, lâcha prise et tomba.

— Bravo, Gundwane! Tu commences à mieux viser, applaudit Aboli en lançant à son tour une pierre sur le dernier grimpeur, qui chancela un instant puis dégringola dans le vide.

— Recharge! lança Hal qui, tout en versant la poudre dans le canon de son mousquet, regarda le ciel. La nuit ne va donc jamais venir, se lamenta-t-il.

Schreuder avait envoyé la deuxième vague de grimpeurs à l'assaut de la paroi. L'obscurité ne semblait pas devoir les sauver car, avant qu'ils aient rechargé leurs armes, les soldats ennemis étaient déjà parvenus à mi-hauteur de la paroi.

Agenouillés au bord de la corniche, ils tirèrent de nouveau, mais cette fois-ci ne réussirent à toucher qu'un seul des assaillants, les autres continuant de grimper régulièrement.

— Nous ne pourrons les refouler tous, constata Hal, désespéré. Nous devons battre en retraite.

Mais quand il leva les yeux vers la pente abrupte et encombrée de rochers, son courage vacilla. Il jeta son mousquet et, Aboli à ses côtés, commença à escalader l'escarpement. Les premiers grimpeurs arrivaient sur la corniche et se lançaient à leur suite avec force cris.

Aboli et Hal montaient à grand-peine dans l'obscurité croissante, se retournant de temps en temps lorsque leurs poursuivants les harcelaient de trop près pour les repousser à l'arme blanche. Mais les pourpoints verts continuaient d'affluer sur la corniche et ils n'allaient pas tarder à être débordés par le nombre.

Juste devant eux, Hal remarqua une crevasse dans la paroi latérale de la gorge et pensa que Aboli et lui pourraient trouver refuge dans son obscurité. Il abandonna cependant l'idée en s'en approchant, constatant qu'elle était trop peu profonde. Schreuder les y débusquerait comme deux lapins de leur terrier.

« Hal Courteney! » lança une voix depuis la crevasse. Hal jeta un coup d'œil au fond et vit deux hommes. L'un était Althuda — c'est lui qui avait appelé — et l'autre, un inconnu, un barbu plus âgé, vêtu de peaux de bêtes. Il faisait trop sombre pour distinguer nettement son visage, mais quand Althuda et lui leur firent signe d'approcher, Aboli et Hal n'hésitèrent pas une seconde. Ils se jetèrent dans l'étroite ouverture et se serrèrent à l'intérieur entre les deux hommes.

— Abritez-vous! cria l'inconnu dans l'oreille de Hal en se dressant avec une hachette à la main.

Un soldat apparut dans l'ouverture et leva son épée pour frapper les quatre hommes entassés dans le fond, mais Althuda leva son pistolet et tira à bout portant dans la poitrine de l'assaillant.

Au même instant, son compagnon brandit sa hache et l'abattit de toutes ses forces. Hal ne comprit ce qu'il faisait qu'en voyant qu'il avait sectionné une corde en écorce tressée, grosse comme le poignet. La corde coupée fouetta l'air, mue par une force énorme. Une de ses extrémités avait été attachée autour d'un gros pieu en bois fiché dans une fente du rocher. La corde courait à l'extérieur de la crevasse et disparaissait dans l'obscurité vers le haut de la gorge escarpée. Pendant une longue minute, il ne se passa rien; Hal et Aboli se regardèrent avec perplexité. Il y eut ensuite un craquement tout là-haut, suivi d'un grondement, comme si quelque géant s'était mis en mouvement.

— Sabah a déclenché la chute de pierres! expliqua Althuda, et Hal comprit immédiatement.

Il regarda dans la gorge par l'étroite ouverture de la crevasse. Le grondement s'amplifia et, par-dessus, il entendit les cris terrifiés des soldats pris au dépourvu sur la trajectoire de l'avalanche. Ils ne pouvaient ni s'abriter ni s'échapper. La gorge était un piège mortel dans lequel Althuda et Sabah les avaient attirés.

Le vacarme devint assourdissant, couvrant les cris des pour-points verts, la montagne semblait trembler sous leurs pieds. Soudain, un puissant torrent de rochers dévala devant l'ouverture de la crevasse. L'obscurité devint totale, l'air s'emplit de poussière, suffoquant les quatre hommes. Aveuglé et haletant, Hal leva un pan de sa chemise en lambeaux pour se protéger le nez et la bouche, tenter de filtrer l'air pour pouvoir respirer.

L'avalanche dura longtemps, puis le flot se ralentit et bientôt les derniers fragments de roc dégringolèrent de façon intermittente. Enfin, le silence retomba, lourd et oppressant, et la poussière se déposa, révélant de nouveau les contours de l'entrée de leur refuge.

Aboli sortit en rampant et se tint avec précaution en équilibre sur l'éboulis. Hal le suivit et tous deux regardèrent en contrebas la gorge obscure. D'une paroi à l'autre, elle avait été balayée : il n'y avait plus trace de leurs poursuivants, pas le moindre lambeau de vêtement, pas une arme, on n'entendait pas même un cri ou un gémissement d'agonie. C'était comme s'ils n'avaient jamais été là.

La jambe blessée de Hal ne pouvait plus le porter. Il chancela et s'effondra à l'entrée de la crevasse. Sa blessure suppurait, il avait la fièvre dans le sang, ses tempes battaient et l'obscurité envahit son cerveau. Il se rendit compte que des mains puissantes le soutenaient, puis il sombra dans l'inconscience.

L e colonel Cornelius Schreuder attendit une heure dans l'antichambre du château avant que le gouverneur Van de Velde condescende à le recevoir. Lorsque finalement, un aide de camp l'introduisit dans la salle d'audience, Van de Velde fit comme si de rien n'était et continua de signer les documents et les proclamations que Jacobus Hop déposait l'un après l'autre devant lui.

Schreuder était en grande tenue, arborant toutes ses décorations, sa perruque frisée et poudrée de frais, et ses moustaches, gominées avec de la cire d'abeille, formaient deux pointes acérées. Tout un côté de son visage était couvert de cicatrices roses et de croûtes.

Van de Velde signa le dernier document et congédia Hop d'un geste de la main. Quand le commis fut sorti et eut fermé les portes derrière lui, le gouverneur prit le rapport écrit de Schreuder, posé devant lui, comme il l'eût fait d'une chose particulièrement répugnante.

— Vous avez donc perdu presque quarante hommes, Schreuder ? demanda-t-il d'une voix accablée. Sans parler de huit des meilleurs chevaux de la Compagnie.

— Trente-quatre hommes, corrigea le colonel, toujours au garde-à-vous.

— Presque quarante ! répéta Van de Velde avec une expression de dégoût. Et huit chevaux. Les détenus que vous poursuiviez vous ont échappé. Vous admettrez que ce n'est pas une réussite, colonel. (Schreuder fixait un regard furieux sur les corniches sculptées du plafond au-dessus du gouverneur.) La sécurité du château est sous votre responsabilité. Celle de ma personne et celle de mon épouse sont sous votre responsabilité. La surveillance des détenus l'est également. Vous n'en disconvenez pas, Schreuder?

— Non, Votre Excellence.

Un nerf commença à tressauter sous l'œil de Schreuder.

— Vous laissez les prisonniers s'échapper. Vous les laissez piller les biens de la Compagnie. Vous les laissez endommager gravement cet édifice à l'aide d'explosifs. Regardez mes fenêtres! fit Van de Velde, qui s'échauffait en montrant les croisées dont les vitraux avaient été soufflés par l'explosion. Le géomètre évalue les dégâts à plus de cent mille florins! Cent mille florins! Puis, pour couronner le tout, vous laissez les prisonniers enlever ma femme et moi-même et nous menacer de mort... (Le gouverneur dut marquer une pause pour reprendre la maîtrise de lui-même.) Ensuite vous laissez tuer près de quarante hommes, dont cinq Blancs! Comment croyez-vous que réagira le Conseil des Dix-Sept lorsqu'il recevra le rapport détaillant l'étendue de vos manquements? Répondez-moi, espèce de fat et de prétentieux! Que croyez-vous qu'ils vont dire?

— Ils seront sans doute quelque peu contrariés, répondit froidement Schreuder.

— Contrariés? Quelque peu contrariés! fit Van de Velde d'une voix perçante en se renversant contre le dossier de son fauteuil la bouche ouverte pour reprendre sa respiration comme un poisson hors de l'eau. Vous serez le premier à savoir s'ils sont ou non quelque peu contrariés, Schreuder. Je vous renvoie à Amsterdam, frappé de disgrâce. Vous embarquerez dans trois jours à bord du *Weltevreden*, à l'ancre dans la baie en ce moment, dit-il en montrant par la fenêtre des navires au mouillage au-delà de la ligne des déferlantes. Mon rapport partira avec le même bateau ainsi qu'une lettre dans laquelle je vous condamne sans appel. (Il lança au colonel un regard réjoui et malveillant.) Votre carrière est finie, Schreuder. Je vous suggère d'embrasser la profession de proxénète qui vous siéra davantage. Adieu, Schreuder. Je doute que j'aie un jour le plaisir de me trouver de nouveau en votre compagnie.

Blessé par les insultes du gouverneur autant que s'il avait reçu vingt coups de chat à neuf queues, Schreuder se dirigea à grandes enjambées vers l'escalier. Afin de se donner le temps de retrouver une contenance et son calme, il s'arrêta un moment pour embrasser du regard les dégâts provoqués par l'explosion dans les bâtiments entourant la cour. L'armurerie avait été détruite, transformée en un tas de décombres. La charpente du toit de l'aile nord avait été brisée et noircie par l'incendie consécutif à l'explosion, mais les murailles étaient intactes et les autres édifices n'avaient été endommagés que superficiellement.

Les sentinelles, qui, naguère, se seraient mises au garde-à-vous en l'apercevant, lui rendirent les honneurs avec retard, et quand finalement elles le saluèrent avec nonchalance, l'une accompagna son salut d'un sourire impudent. Dans la petite communauté de la colonie, les nouvelles se répandaient rapidement et, de toute évidence, sa destitution était déjà connue de toute la compagnie. Jacobus Hop a dû prendre plaisir à propager la nouvelle, se dit Schreuder, et il s'en prit à la sentinelle :

— Vous allez rengainer ce petit sourire narquois ou, par Dieu, je vous le fais avaler avec mon épée.

L'homme se dégrisa instantanément et regarda droit devant lui avec raideur. Cependant, pendant que Schreuder traversait la cour, Manseer et les contremaîtres chuchotaient et riaient sous cape. Même certains fugitifs capturés, qui reconstruisaient l'armurerie chaînes aux pieds, interrompirent leur travail pour le regarder en souriant avec espièglerie.

Pour un homme aussi fier et bouillant, ces humiliations étaient difficilement supportables et il songea que ce serait pire encore lorsqu'il retournerait en Hollande et comparaîtrait devant le Conseil des Dix-Sept. Sa disgrâce serait clamée dans chaque taverne et chaque port, chaque garnison et régiment, dans les salons de toutes les grandes maisons d'Amsterdam. Van de Velde avait raison : il allait devenir un paria.

Il sortit à grands pas de la cour et franchit le pont qui enjambait les douves. Il ne savait pas où il allait, mais il obliqua vers le rivage et resta sur la plage à regarder la mer. Peu à peu, il se calma et réfléchit à la façon d'échapper au mépris et au ridicule.

Je vais me suicider, résolut-il, c'est la seule solution. Puis, presque tout de suite, sa nature profonde se révolta contre une telle décision. Il se souvint combien il avait méprisé un de ses camarades officiers qui, à propos d'une femme, s'était tiré une balle dans la bouche.

— C'est de la lâcheté! dit-il à haute voix. Très peu pour moi.

Il savait cependant qu'il ne pourrait jamais obéir à l'ordre de Van de Velde de retourner en Hollande. Mais il lui était aussi interdit de rester à Bonne-Espérance ou de se rendre dans une possession hollandaise, où que ce fût sur le globe. Il était un réprouvé et devait trouver un pays où l'on ignorait sa disgrâce.

Il fixa son regard sur les navires ancrés dans la baie de la Table.

Parmi eux se trouvait le *Weltevreden*, sur lequel Van de Velde voulait le renvoyer en Hollande. Son œil se déplaça vers les trois bâtiments hollandais, sur lesquels il ne pouvait s'embarquer. Il y avait cependant deux bateaux étrangers. L'un était un négrier portugais en route pour les marchés à esclaves de Zanzibar. L'idée même de naviguer sur un négrier lui répugnait — il sentait la puanteur du navire depuis la plage. L'autre bâtiment était une frégate anglaise, apparemment de fabrication récente et bien équipée. Son gréement paraissait neuf et sa peinture n'était que légèrement abîmée par les bourrasques de l'Atlantique. Il avait l'allure d'un bâtiment de guerre — quinze sabords de batterie sur le côté —, mais Schreuder avait entendu dire qu'il appartenait à un particulier et que c'était un navire de commerce. Son nom était visible sur le tableau d'arrière : le *Golden Bough*. Schreuder en ignorait cependant la provenance et la destination. Il savait néanmoins où se procurer cette information et, ajustant son chapeau sur sa perruque, il partit le long du rivage en direction d'un groupe de taudis qui faisaient office de bordels et de débits de boissons pour les marins.

Même à cette heure matinale, la taverne était bondée et la salle sans fenêtres sentait la fumée, l'alcool à bon marché et l'humanité mal lavée. La plupart des prostituées étaient des Hottentotes mais il y avait une ou deux femmes blanches, trop vieilles et vérolées pour travailler, même dans les ports de Rotterdam ou de Saint-Paul. Elles avaient réussi à trouver un bateau pour les emmener vers le sud et avaient débarqué là comme des rats pour y vivoter dans cet endroit sordide avant que la syphilis ne les ait entièrement consumées.

La main sur la garde de son épée, Schreuder s'assit à une petite table qu'il libéra d'une parole tranchante et d'un regard hautain. Il se fit apporter une chope de bière par une des serveuses au visage défait.

— Qui sont les marins du *Golden Bough* ? demanda-t-il en posant une pièce sur la table crasseuse.

La souillon rafla la monnaie et la fourra à l'intérieur de sa robe pas très nette entre ses deux mamelles pendantes avant de désigner d'un signe de tête trois hommes assis à une table à l'autre bout de la salle.

— Servez à ces messieurs une autre tournée de la pisse qu'ils boivent et dites-leur que c'est moi qui rince.

Quand il sortit de la taverne une demi-heure plus tard, Schreuder connaissait la destination du *Golden Bough*, le nom et le caractère du capitaine. Il descendit vers la plage d'un pas nonchalant et loua une barque pour aller jusqu'à la frégate.

L'homme de quart du *Golden Bough* le repéra dès qu'il s'écarta du rivage et comprit à sa tenue et à son maintien que c'était un homme important. Lorsque Schreuder héla le pont de la frégate et demanda la permission de monter à bord, un officier subalterne, un robuste Gallois au visage fleuri, l'accueillit avec circonspection à la coupée et le conduisit à la cabine de poupe, où le capitaine Christopher Llewellyn se leva pour le saluer. Après s'être rassis, il offrit à Schreuder une chope de bière brune. Il était manifestement soulagé de constater que son visiteur s'exprimait correctement en anglais. Llewellyn le considéra bientôt comme un gentleman et un égal, se détendit et parla librement.

Ils évoquèrent d'abord les récentes hostilités entre leurs deux pays et exprimèrent leur satisfaction de ce qu'une paix honorable avait été conclue, puis parlèrent du commerce maritime dans les océans de l'Orient, des puissances temporelles et des politiques qui gouvernaient les Indes orientales et l'Inde transgangétique. Ces politiques étaient étroitement dépendantes des rivalités entre puissances européennes dont les navires marchands et les bâtiments de guerre naviguaient de plus en plus nombreux sur les mers asiatiques.

— Les conflits religieux perturbent également les pays d'Orient, fit remarquer Llewellyn. Je me rends moi-même en Ethiopie pour répondre à la demande d'aide militaire lancée par le Prêtre-Jean, le roi chrétien, pour lutter contre les forces de l'Islam.

En entendant parler de guerre en Orient, Schreuder se redressa un peu sur sa chaise. C'était un soldat, sans emploi pour le moment, et la guerre était son métier.

— Je n'ai pas entendu parler de ce conflit. Voulez-vous m'en dire davantage, capitaine ?

— Le Grand Moghol a envoyé sa flotte et une armée sous le commandement de son frère cadet, Sadiq Khan Jahan, pour prendre au roi chrétien les régions côtières de la Corne de l'Afrique... Dites-moi, colonel, avez-vous une bonne connaissance de la religion islamique ?

— Naturellement, acquiesça Schreuder, parmi les hommes que j'ai eus sous mes ordres depuis trente ans, beaucoup étaient musulmans. Je parle arabe et j'ai étudié l'Islam.

— Vous n'êtes donc pas sans savoir qu'un des préceptes de cette religion militante, est le *Hadj*, le pèlerinage à La Mecque, lieu de naissance du prophète, ville située non loin du rivage oriental de la mer Rouge.

— Ah! dit Schreuder. Je vois où vous voulez en venir. Tout pèlerin venu du royaume du Grand Moghol en Inde est forcé, en contournant la Corne de l'Afrique, de passer par la mer Rouge, ce qui aboutit à un affrontement des deux religions dans la région. C'est cela?

— Tout à fait, colonel. Je vous félicite pour votre intelligence des implications religieuses et politiques de la situation. C'est précisément le prétexte invoqué par le Grand Moghol pour attaquer le Prêtre-Jean. Bien sûr, les Arabes commerçaient déjà avec l'Afrique avant la naissance des deux Sauveurs, Jésus-Christ et Mahomet. Depuis leur tête de pont sur l'île de Zanzibar, ils ont progressivement étendu leur domination sur le continent. Ils envisagent maintenant la conquête et l'assujettissement du cœur de l'Ethiopie chrétienne.

— Si je puis me permettre, quel rôle entendez-vous jouer dans ce conflit? demanda Schreuder.

— J'appartiens à un ordre de chevalerie maritime, les chevaliers de l'Ordre de saint Georges et du Saint-Graal, voué à la défense de la foi chrétienne et des lieux saints. Nous sommes les successeurs des Templiers.

— Je connais votre ordre et plusieurs de ses membres. Notamment, le comte de Cumbria.

— Ah! lâcha Llewellyn en faisant la grimace. Il n'est pas le membre le plus représentatif de notre confrérie.

— Il m'a également été donné de rencontrer Sir Francis Courteney, enchaîna Schreuder.

— Je le connais bien, s'exclama Llewellyn avec un enthousiasme sincère. C'est un gentleman et un excellent marin. Savez-vous, par hasard, où je puis trouver Franky? Cette guerre de religion dans la Corne de l'Afrique va l'attirer comme une abeille l'est par le miel. A eux deux, nos navires constitueraient une force formidable.

— Je crains que Sir Francis n'ait été victime de la récente guerre entre nos deux pays, annonça Schreuder avec diplomatie.

— Cette nouvelle m'afflige profondément, fit Llewellyn l'air égaré avant de sombrer dans le silence. Pour répondre à votre question, colonel Schreuder, reprit-il après un moment, je suis en route pour la Corne de l'Afrique à l'appel du Prêtre-Jean et afin de repousser l'assaut de l'Islam. J'ai l'intention de partir ce soir même avec la marée.

— Le Prêtre doit sans doute avoir besoin d'une aide militaire aussi bien que navale, n'est-ce pas? demanda Schreuder à brûle-pourpoint en essayant de dissimuler son excitation. Considéreriez-vous favorablement ma requête si je sollicitais mon embarquement à bord de votre navire jusqu'au théâtre des hostilités ? Je suis, moi aussi, déterminé à offrir mes services.

— Une décision soudaine, monsieur, dit Llewellyn éberlué. N'avez-vous donc point d'obligations à terre ? Vous est-il possible de vous embarquer dans un délai aussi bref ?

— En fait, capitaine, votre présence ici semble être un signe du destin. Je viens aujourd'hui même de me libérer des obligations que je vous ai dites. C'est comme si j'avais eu la prémonition que le devoir devait m'appeler. Me voilà prêt à répondre à cet appel. C'est avec plaisir que je paierais en pièces d'or mon passage et celui de la dame qui doit devenir mon épouse.

L'air indécis, Llewellyn se gratta la barbe.

— Je n'ai qu'une petite cabine libre et elle ne convient guère à des personnes de qualité.

— Je paierais dix guinées anglaises pour avoir le privilège de naviguer avec vous, assura Schreuder et le visage du capitaine s'éclaira.

— Je serais très honoré de votre compagnie et de celle de votre dame. Je ne puis cependant retarder mon départ en aucune façon et dois impérativement partir avec la marée. Je vais vous faire reconduire à terre par une chaloupe qui vous attendra sur la plage.

Pendant le trajet, Schreuder était en proie à la plus intense euphorie. Servir un potentat oriental au cours d'une guerre de religion lui offrirait sans aucun doute des occasions de se couvrir de gloire et de s'enrichir bien au-delà de tout ce qu'il aurait pu espérer au service de la Compagnie des Indes orientales. Il avait la possibilité d'échapper à la disgrâce et à l'ignominie. Après cette guerre, il pourrait toujours retourner en Hollande, couvert d'or et de gloire. La chance qu'il attendait depuis toujours se présentait et, avec la femme qu'il aimait plus que tout à ses côtés, il allait la saisir au vol.

Dès que la chaloupe toucha le sable, il sauta à terre et jeta une piécette d'argent au maître d'équipage.

— Attendez-moi là, lança-t-il en se dirigeant à grands pas vers le château.

Son serviteur l'attendait dans son logement et il lui donna pour instructions d'empaqueter toutes ses affaires, de les faire porter sur la plage et charger à bord de la chaloupe du *Golden Bough*. Toute la garnison semblait déjà au courant de son renvoi. Son domestique ne fut pas surpris par ses ordres et personne ne trouverait donc étrange qu'il déménage.

Il appela son valet d'écurie et lui ordonna de seller le cheval qui lui restait. Tandis qu'il attendait qu'on lui amène sa monture, il se regarda dans le petit miroir de sa garde-robe, arrangea son uniforme, brossa sa perruque et redressa ses moustaches. Il se sentit envahi par l'excitation et un sentiment de libération. Lorsque le gouverneur se rendrait compte que Katinka et lui étaient partis, le *Golden Bough* aurait déjà pris le large depuis longtemps, en route pour l'Orient.

Il descendit précipitamment l'escalier, sortit dans la cour où le valet tenait le cheval et sauta en selle. Il était très pressé, impatient de se trouver au loin, aussi poussa-t-il sa monture au galop le long des avenues qui menaient à la résidence du gouverneur. Sa hâte n'était cependant pas telle qu'elle lui retirait toute prudence. Il ne remonta pas l'allée centrale menant sur le devant du bâtiment à travers la pelouse, mais prit l'allée latérale qui traversait le bosquet de chênes et qu'empruntaient esclaves et fournisseurs. Quand il fut assez près pour que le bruit des sabots fût entendu depuis la résidence, il ramena son cheval au pas et conduisit tranquillement l'animal à l'écurie, derrière les cuisines. Lorsqu'il mit pied à terre, un valet se précipita pour prendre le cheval et Schreuder longea le mur de la cuisine pour pénétrer dans les jardins par une porte dérobée.

Il jeta un coup d'œil circulaire car les jardiniers travaillaient souvent dans cette partie de la propriété mais, n'en voyant aucun, franchit la pelouse sans traîner et entra dans la résidence par la porte à double battant qui ouvrait sur la bibliothèque. La longue pièce aux murs tapissés de livres était déserte.

Schreuder connaissait bien les lieux pour avoir assez souvent rendu visite à Katinka pendant que son mari assumait ses fonctions au château. Il se rendit d'abord dans son salon de lecture, qui donnait sur la pelouse et, au loin, sur la baie et le bleu de l'Atlantique. C'était la tour d'ivoire de Katinka, mais cet après-midi-là, elle ne s'y trouvait pas. A genoux devant les étagères, une esclave prenait les livres un à un et astiquait leur reliure de cuir avec un chiffon à poussière.

— Où est ta maîtresse? demanda Schreuder, et comme elle le regardait bouche bée d'un air stupide, il répéta : Où est Mevrouw Van de Velde?

— La maîtresse est dans sa chambre. Mais on ne doit pas la déranger, elle l'a strictement défendu. Elle n'est pas bien, répondit la fille, visiblement troublée, en se relevant à la hâte.

Schreuder tourna les talons et alla au bout du couloir. Il abaissa doucement la poignée de la porte du fond, mais elle était fermée de l'intérieur. Il poussa une exclamation d'impatience. Il perdait du temps et savait que Llewellyn n'hésiterait pas à partir sans lui quand la marée commencerait à redescendre. Il remonta précipitamment le couloir, sortit sur la longue véranda par les portes vitrées et revint vers la chambre à coucher principale. Les volets des fenêtres du boudoir de Katinka étaient fermés et il s'apprêtait à y donner du poing quand il se ravisa, ne voulant pas alerter les esclaves. Il tira son épée, glissa la lame entre les persiennes et souleva la clenche. Il ouvrit le volet sans difficulté et enjamba le rebord de la fenêtre.

Le parfum de Katinka assaillit ses narines et, l'espace d'un instant, il se sentit pris de vertige tant il l'aimait et la désirait. Puis, avec une joie soudaine, il se souvint qu'ils n'allaient pas tarder à se retrouver seuls, à partir tous les deux, main dans la main, vers la fortune et une nouvelle vie. Il traversa la pièce en marchant à pas légers sur le parquet pour ne pas l'effrayer et écarta doucement les rideaux de la porte de communication avec la chambre. Là aussi les volets étaient clos et la pièce plongée dans la pénombre. Il s'arrêta quelques instants pour laisser à ses yeux le temps de s'habituer à la semi-obscurité et vit que le lit était défait.

Puis, dans la lumière incertaine, il distingua l'éclat nacré de sa peau blanche au milieu des draps en désordre. Elle était nue et lui tournait le dos, ses cheveux blond doré tombant en cascade sur ses fesses parfaites. Envahi par le désir, il fut incapable de bouger ni même de respirer pendant quelques secondes.

C'est alors qu'elle tourna la tête et le regarda. Elle écarquilla les yeux et pâlit brusquement.

— Espèce de porc! dit-elle doucement. Comment osez-vous venir m'espionner?

Elle s'exprimait d'une voix basse, pleine de mépris et de fureur. Schreuder recula, stupéfait. Elle était sa maîtresse et il ne comprenait pas comment elle pouvait lui parler ainsi et lui lancer un tel regard de mépris et de colère. Il vit ensuite que ses seins nus étaient luisants de sueur et qu'elle chevauchait une silhouette masculine. Le corps de l'homme était musclé et ferme, celui d'un gladiateur.

Katinka se dégagea brusquement et se retourna pour faire face à Schreuder. Elle resta debout à côté du lit, frémissant d'indignation, l'intérieur humide de ses cuisses affirmant sa débauche.

— Que faites-vous dans ma chambre? dit-elle d'une voix sifflante.

416

— J'étais venu pour vous emmener avec moi, répondit-il stupidement, mais ses yeux tombèrent sur le corps de l'homme.

Les poils de son pubis étaient mouillés et son sexe pointait vers le plafond, épais, gonflé et couvert de fluide visqueux et brillant. Il se redressa et regarda Schreuder avec un regard inexpressif. Un sentiment d'horreur et de dégoût indescriptibles envahit Schreuder. Katinka, la femme de sa vie, était en train de copuler avec Slow John, le bourreau.

Katinka s'était remise à parler mais ses mots n'avaient guère de sens pour lui.

— Vous êtes venu pour m'emmener ? Qu'est-ce qui a bien pu vous laisser croire que je partirais avec vous, le bouffon de la Compagnie, la risée de toute la colonie ? Sortez d'ici, espèce d'imbécile. Retournez vers l'ombre et la honte, retournez dans votre élément.

Slow John se leva.

— Vous l'avez entendue. Sortez immédiatement ou je vous mets dehors.

Ce ne furent pas les paroles mais la vue du pénis de Slow John toujours en érection qui rendit fou Schreuder. Sa colère, qu'il avait été capable de contenir jusque-là, le submergeait maintenant. A l'humiliation, aux insultes et au rejet qu'il avait subis ce jour-là venait s'ajouter la fureur de la jalousie.

Slow John se baissa vers ses vêtements entassés par terre près du lit et se redressa avec une serpette dans la main droite.

— Je vous ai averti, dit-il de sa voix profonde et mélodieuse, sortez d'ici sur-le-champ.

En un unique mouvement fluide, l'épée de Neptune jaillit de son fourreau telle une chose vivante. Slow John n'était pas un soldat. Ses victimes lui étaient toujours livrées attachées et enchaînées. Il n'avait jamais affronté un homme comme Schreuder en combat singulier. Il bondit en avant, le couteau bas devant lui, mais Schreuder lui donna un petit coup d'épée rapide au poignet, sectionnant les tendons, de sorte que les doigts de l'homme s'ouvrirent involontairement et que le couteau tomba par terre.

Schreuder frappa ensuite au cœur. Slow John n'eut ni le temps ni la possibilité d'éviter le coup. La pointe de l'épée le toucha au centre de sa large poitrine et la lame s'enfonça jusqu'au pommeau. Les deux hommes étaient debout l'un en face de l'autre, unis par l'arme. Le sexe de Slow John fléchit et se mit à pendre, blanc et flasque. Ses yeux devinrent vitreux et aveugles comme deux cailloux jaunes. Au moment où il tombait à genoux, Katinka se mit à hurler.

Schreuder arracha l'épée de la poitrine du bourreau, la lame maculée de sang. Katinka cria de nouveau en voyant un jet écarlate s'échapper de la blessure de Slow John, qui s'effondra de tout son long sur le carrelage.

— Ne criez pas, rugit Schreuder qui, toujours enragé, s'avança vers elle, l'épée levée. Vous m'avez trompé avec cet individu. Vous saviez que je vous aimais. Je venais vous chercher. Je voulais vous emmener au loin avec moi.

Elle recula à son approche, les deux poings serrés contre ses joues, et poussa un cri hystérique.

— Ne criez pas, répéta-t-il. Taisez-vous. Je ne supporte pas quand vous faites ça.

Le son terrifiant résonnait douloureusement dans sa tête, mais elle battit en retraite et cria de plus belle. Il fallait qu'il la fasse taire.

— Arrêtez! ordonna-t-il en essayant de l'attraper par le poignet, mais elle était trop rapide pour lui et réussit à se dégager.

Elle cria encore plus fort et la rage de Schreuder brisa ses entraves comme quelque terrible animal féroce qu'il ne maîtrisait pas. L'épée vola sans que son cerveau ou sa main le lui aient commandé et il frappa le ventre satiné juste au-dessus du mont de Vénus.

Son cri se mua en un hurlement atroce et elle agrippa la lame tandis qu'il l'arrachait de sa chair d'un coup sec. Elle lui coupa les paumes jusqu'à l'os. Schreuder la frappa encore deux fois au ventre pour la faire taire.

— Silence! gronda-t-il.

Elle se retourna et tenta de fuir vers son boudoir, mais il lui porta un coup d'épée dans le dos, au-dessus des reins, retira la lame et frappa entre les épaules. Elle tomba et roula sur le dos alors qu'il frappait toujours. Chaque fois la lame lui perçait le corps et venait heurter le carrelage sur lequel elle se tortillait.

— Taisez-vous! hurla-t-il, et il frappa jusqu'à ce que cessent les cris et les sanglots de Katinka. Même alors, il ne s'arrêta pas, debout dans une flaque de sang, son uniforme constellé de gouttes rouges, son visage et ses bras éclaboussés de sang, si bien qu'il faisait penser à un pestiféré couvert d'éruptions.

Puis, peu à peu, sa rage s'épuisa et il recula en titubant contre le mur blanc qu'il barbouilla du sang de la jeune femme.

— Katinka! murmura-t-il. Je ne voulais pas te faire de mal. Je t'aimais.

Elle était couchée dans une mare de sang. Ses blessures ressemblaient à des petites bouches rouges ouvertes dans sa peau blanche. Le sang continuait de couler de chacune d'elles. Il n'avait jamais imaginé qu'il pût y avoir autant de sang dans ce corps mince et blanc. Sa tête reposait dans une flaque écarlate et ses cheveux étaient teintés de rouge. Son visage se tordait en un rictus de terreur et de douleur.

— Katinka, ma chérie, je t'en prie, pardonne-moi.

Il s'avança vers elle, marchant dans la flaque de sang qui s'élargissait sur le carrelage. Puis, l'épée à la main, il s'arrêta devant la glace fixée au mur opposé en y apercevant une apparition barbouillée de sang lui renvoyer son regard.

— Oh, doux Jésus, qu'ai-je fait? souffla-t-il en détachant ses yeux du miroir.

Il s'agenouilla devant le corps de la femme qu'il aimait et essaya de le soulever, mais il était flasque, glissa de ses bras et retomba dans la mare de sang.

Il se releva et s'écarta d'elle.

— Je ne voulais pas que tu meures. Tu m'as mis en colère. Je t'aimais, mais tu as été infidèle.

Il vit de nouveau son propre reflet dans le miroir.

— Oh, mon Dieu, que de sang!

Il essuya de ses mains poisseuses sa veste puis son visage, ne réussissant qu'à étaler davantage le sang en un grotesque masque écarlate.

Pour la première fois, il pensa à la fuite, à la chaloupe qui l'attendait sur la grève et à la frégate au mouillage dans la baie.

— Je ne peux pas traverser l'agglomération ni monter à bord dans cet état!

Il se dirigea en titubant vers le vestiaire du gouverneur et ôta sa veste. Une cuvette pleine d'eau s'y trouvait; il y plongea ses mains et s'aspergea le visage. Puis il trempa un gant de toilette dans l'eau devenue rose et frotta ses bras et le devant de ses hauts-de-chausses.

— Que de sang! répétait-il tout en se nettoyant tant bien que mal. Il trouva une pile de chemises blanches sur l'une des étagères et en enfila une sur sa poitrine humide. Van de Velde était corpulent et elle lui allait assez bien. Il constata que les taches de sang ne se voyaient pas trop sur la serge sombre de ses hauts-de-chausses. Sa perruque était elle aussi tachée; il l'enleva et la lança contre le mur, puis en choisit une autre dans la rangée disposée sur des formes en bois. Il endossa un manteau de laine qui lui descendait jusqu'aux mollets et prit une minute pour nettoyer la lame et le saphir de l'épée de Neptune avant de la remettre au fourreau. Quand il se regarda à nouveau dans la glace, il estima que son apparence n'avait plus rien de choquant. Une pensée lui traversa alors l'esprit : il ramassa sa veste, arracha les étoiles et les décorations des revers, les enveloppa dans un mouchoir qu'il trouva sur une étagère et les fourra dans la poche intérieure du manteau.

Il s'arrêta sur le pas de la porte du vestiaire et regarda pour la dernière fois le corps de sa bien-aimée. Son sang qui coulait toujours atteignit la petite mare dans laquelle Slow John était étendu. Leurs sangs se confondirent et Schreuder éprouva un sentiment de sacrilège en voyant se mêler le pur et le vil.

— Je ne voulais pas que cela arrive, dit-il, au désespoir. Pardonne-moi, ma chérie. Je voulais que tu partes avec moi.

Il franchit avec précaution la mare de sang, se dirigea vers la fenêtre aux volets clos et passa par la véranda. Emmitouflé dans le manteau, il traversa à grands pas les jardins jusqu'à la petite porte de l'écurie et appela le valet, qui s'empressa de lui amener son cheval.

Schreuder descendit l'avenue sur sa monture et traversa le champ de parade en regardant droit devant lui. La chaloupe était toujours sur la plage, et le maître d'équipage lui lança :

— Nous pensions que vous ne viendriez plus. On est en train d'embraquer la chaîne d'ancre et de monter les vergues.

Lorsqu'il grimpa à bord du *Golden Bough*, le capitaine Llewellyn et son équipage étaient si occupés à remonter l'ancre et mettre le navire sous voiles qu'ils ne firent pas attention à lui. Un aspirant le conduisit à sa petite cabine, puis le laissa seul et s'éloigna en hâte. Ses malles avaient été rangées sous l'étroite couchette. Schreuder se dépouilla de ses vêtements souillés et trouva un uniforme propre dans l'une des malles. Avant de l'endosser, il accrocha ses étoiles et ses décorations sur les revers. Il fit ensuite un paquet de son linge sale et chercha quelque chose pour le lester. Manifestement la mince cloison devait être démontée lorsqu'on donnait le branle-bas de combat et sa cabine faisait partie de la batterie. Une couleuvrine occupait la majeure partie de l'espace disponible et, à côté d'elle, des boulets de canon étaient empilés en une pyramide. Il flanqua l'un d'eux dans le paquet de vêtements ensanglantés, attendit que le bateau tienne le vent et s'élance dans la baie.

Il ouvrit alors le sabord de batterie et laissa tomber le paquet par cinquante brasses de fond. Quand il monta sur le pont, ils se trouvaient déjà à une lieue du rivage et remontaient le vent de sud-est au plus près avant de virer de bord pour doubler le cap.

Schreuder regarda en direction de la terre et, au pied de l'imposante montagne, distingua le toit de la résidence du gouverneur au milieu des arbres. Il se demanda si l'on avait déjà découvert le corps de Katinka ou si elle était toujours étendue, unie dans la mort avec son amant indigne. Il resta accoudé au bastingage de poupe jusqu'à ce que la montagne de la Table ne soit plus qu'une lointaine silhouette bleutée ressortant sur le ciel du soir.

— Adieu, ma chérie, murmura-t-il.

C'est seulement à minuit, quand il fut allongé sur sa couchette, qu'il prit conscience du caractère désespéré de sa situation. Sa culpabilité était évidente. Tous les navires qui allaient quitter la baie de la Table porteraient la nouvelle à travers les océans vers tous les ports du monde civilisé. Dorénavant, il était un fugitif et un hors-la-loi.

Hal se réveilla avec un sentiment de paix rarement connu auparavant. Il était étendu les yeux clos, trop paresseux et trop faible pour les ouvrir. Il se rendit compte qu'il était au chaud et au sec, allongé sur une confortable litière. Il s'était attendu à ce que la puanteur du donjon assaille ses narines, celle de la paille humide et pourrie, du seau hygiénique et des hommes qui ne s'étaient pas lavés depuis douze mois, serrés les uns contre les autres dans ce trou fétide. Au lieu de cela, il sentit une agréable odeur de fumée, celle du cèdre en train de brûler.

Soudain, les souvenirs lui revinrent en foule et il se souvint de leur évasion. Se rappelant qu'il n'était plus prisonnier, il resta couché à savourer cette idée. D'autres odeurs et des sons lui parvinrent. Il s'amusa à les identifier sans ouvrir les yeux. Il y avait l'odeur de la litière d'herbe fraîche sur laquelle il était couché et celle de la couverture en fourrure qui lui tenait chaud, le fumet de la viande en train de griller sur la braise et un autre parfum séduisant qu'il n'arrivait pas à définir — un mélange de fleurs sauvages et de musc léger qui l'excitait étrangement et ajoutait à son bien-être.

Il ouvrit les yeux lentement et avec circonspection, et fut ébloui par la lumière forte qui entrait par l'ouverture de l'abri dans lequel il se trouvait. Il regarda autour de lui et vit qu'il avait dû être construit contre le flanc de la montagne, car une paroi rocheuse lisse en formait le fond et seuls les murs du côté de l'entrée étaient un boisage enduit d'argile rouge. Le toit était en chaume. Des pots en terre et des outils rudimentaires s'entassaient contre la paroi du fond. Un arc et un carquois étaient suspendus à un crochet près de la porte, à côté de son épée et de ses pistolets.

Il entendit le murmure d'un torrent de montagne, puis un rire de femme, plus joyeux et charmant que le gazouillis de l'eau. Il se souleva sur un coude, stupéfait par l'effort que cela lui demandait, et essaya de regarder par la porte. Un rire d'enfant se mêlait à celui de la femme. Au cours de sa longue captivité, il n'avait rien entendu de pareil et ne put s'empêcher de glousser de plaisir.

La femme cessa de rire et il y eut un rapide mouvement à l'extérieur de la hutte. Une silhouette jeune et souple se découpa dans l'ouverture. Bien qu'il ne pût voir son visage, il sut tout de suite qui c'était.

— Bonjour, Gundwane, vous avez dormi longtemps, mais avez-vous bien dormi ? demanda Sukeena avec espièglerie, tenant un bébé sur sa hanche, ses cheveux sombres lui tombant jusqu'à la taille. C'est Bobby, mon neveu, ajouta-t-elle en secouant légèrement le bébé, qui se mit à gazouiller.

— Combien de temps ai-je dormi ? demanda Hal en faisant le geste de se lever.

Elle confia le bébé à quelqu'un d'autre, vint prestement s'agenouiller à côté de la litière, et l'empêcha de bouger en posant sa petite main chaude sur sa poitrine.

— Doucement, Gundwane. Vous avez eu un sommeil fiévreux pendant plusieurs jours.

— Je vais bien maintenant, dit-il, reconnaissant alors le mystérieux parfum qu'il avait remarqué un peu plus tôt : celui de la peau douce d'une femme, des fleurs dans ses cheveux.

— Pas encore, objecta-t-elle.

Il la laissa reposer doucement sa tête sur la litière, puis la fixa des yeux et elle sourit avec spontanéité.

— Je n'ai jamais rien vu d'aussi beau que vous, dit-il, puis il leva la main et se toucha la joue. Ma barbe !

— Vous ne l'avez plus, fit-elle dans un rire en s'asseyant, les jambes repliées sous elle. J'ai volé un des rasoirs du gouverneur spécialement à cet effet. (Elle pencha la tête d'un côté et l'étudia.) Sans barbe, vous aussi vous êtes beau, Gundwane.

Elle rougit légèrement en mesurant la signification de ses paroles et Hal regarda avec ravissement ses joues s'empourprer. Elle tourna alors toute son attention vers la jambe blessée, tira la couverture pour l'examiner et défit le pansement.

— Ah ! murmura-t-elle en la tâtant légèrement. Elle cicatrise à merveille, avec la modeste contribution de mes remèdes. Vous

422

avez eu de la chance. Les morsures de chien sont toujours mauvaises, et la rude épreuve à laquelle vous avez mis votre jambe aurait pu vous tuer ou vous laisser infirme pour le restant de vos jours.

Hal sourit à ses propos en s'installant confortablement pour se laisser soigner.

— Avez-vous faim ? demanda-t-elle en refaisant le pansement.

Hal se rendit compte qu'il était affamé. Elle lui apporta un perdreau cuit à la braise et, assise en face de lui, le regarda avec un air possessif le dévorer.

— Vous n'allez pas tarder à reprendre vos forces. Vous mangez comme un lion, dit-elle en souriant avant de ramasser les restes du repas et de se lever. Aboli et vos autres marins ont demandé à vous voir. Je vais les appeler.

— Attendez un peu ! dit Hal.

Il ne voulait pas que ces instants d'intimité prennent si vite fin. Elle se rassit près de lui et le regarda dans l'expectative.

— Je ne vous ai pas remerciée, dit-il maladroitement. Sans vous, je serais probablement mort de la fièvre.

Elle sourit et dit :

— Je ne vous ai pas remercié non plus. Sans vous, je serais encore esclave.

Pendant quelques instants ils se regardèrent sans rien dire, examinant ouvertement le visage de l'autre en détail.

— Où sommes-nous, Sukeena ? demanda-t-il enfin en désignant la hutte.

— C'est la case de Sabah. Il nous l'a prêtée et est allé s'installer avec les autres.

— Nous sommes donc dans les montagnes ?

— Loin à l'intérieur, acquiesça-t-elle. Dans un endroit qui n'a pas de nom, où les Hollandais ne pourront jamais nous retrouver.

— J'aimerais voir, dit-il.

Elle sembla perplexe, puis hocha la tête. Elle l'aida à se mettre debout et lui offrit son épaule. Hal s'y appuya et sautilla jusqu'à l'entrée de l'abri.

Là, il se laissa glisser à terre, s'adossa au montant de la porte en cèdre brut et regarda autour de lui tandis que Sukeena s'asseyait à ses côtés. Pendant un long moment, aucun des deux ne parla. Hal inspirait profondément l'air vif des hauteurs, embaumé par les fleurs sauvages qui poussaient à profusion alentour.

— C'est paradisiaque, dit-il enfin.

Ils étaient entourés de splendides pics rocheux. Des lichens coloraient les falaises et les gorges de toutes les teintes de la palette d'un peintre. Les derniers rayons du soleil tombaient sur les sommets de l'autre côté de la vallée et les couronnaient d'un éclat doré. L'ombre portée par le pic dressé derrière eux avait pris une somptueuse nuance violette. L'eau du ruisseau qui courait un peu plus bas était aussi pure que l'air qu'ils respiraient, et Hal voyait des poissons filer comme des ombres sur le fond sablonneux, agitant leur queue sombre pour rester dans l'axe du courant.

— C'est étrange, je n'ai jamais vu cet endroit ni aucun autre semblable, et pourtant, j'ai l'impression de le connaître. J'ai l'impression de revenir au pays, comme si j'attendais ce retour.

— Ce n'est pas étrange, Henry Courteney. Moi aussi, j'attendais, dit-elle en se tournant vers lui et en le regardant dans les yeux. Je vous attendais. Je savais que vous alliez venir. Les astres me l'avaient dit. Le premier jour où je vous ai vu sur le champ de parade, j'ai su que c'était vous.

Cette simple déclaration suscitait tant de réflexions que Hal retomba dans un long silence, les yeux fixés sur son visage.

— Mon père savait lui aussi lire dans les astres, dit-il finalement.

— Aboli me l'a dit.

— Vous êtes donc capable de prédire l'avenir en observant le ciel, Sukeena.

Elle ne démentit pas.

— Ma mère m'a appris beaucoup de choses. Je vous ai vu de loin.

Hal ne remit pas en question cette affirmation.

— Vous devez savoir par conséquent ce qui va advenir de nous, de vous et de moi ?

— Il n'est pas besoin d'être grand clerc pour le savoir, Gundwane, dit-elle avec un sourire espiègle en glissant son bras mince sous le sien. Mais je peux vous dire bien d'autres choses futures.

— Dites-les-moi.

— Nous aurons tout le temps plus tard, fit-elle en souriant de nouveau et en secouant la tête. Nous aurons tout le temps de parler en attendant que votre jambe soit guérie et que vous retrouviez vos forces. Pour l'instant, je vais chercher les autres. Je ne peux pas leur refuser ce plaisir plus longtemps, ajouta-t-elle avant de se lever.

Tous arrivèrent immédiatement, Aboli le premier. Il salua Hal dans la langue de la forêt.

— Je te vois bien, Gundwane. Je pensais que tu ne te réveillerais jamais.

— Sans ton aide, c'est effectivement ce qui aurait pu m'arriver.

Puis vinrent le grand Daniel, Ned et les autres. Ils marmonnèrent gauchement leurs congratulations et s'accroupirent autour de lui en demi-cercle. Ils ne s'y entendaient guère pour exprimer leur émotion par des mots, mais ce qu'il lut dans leurs yeux lui réchauffa le cœur et le réconforta.

— Voilà Sabah, que vous connaissez déjà, dit Althuda en guise de présentation.

— Enchanté, Sabah! dit Hal en lui serrant chaleureusement la main. Je n'ai jamais été plus heureux de rencontrer quelqu'un que je ne l'ai été l'autre jour dans la gorge.

— J'aurais aimé vous venir en aide plus tôt, mais nous n'étions qu'une poignée et les ennemis étaient aussi nombreux que les tiques sur le ventre d'une antilope au printemps, répondit Sabah en hollandais tout en s'asseyant avec les autres avant de se lancer dans des explications. Nous n'avons pas eu la vie facile, ici dans les montagnes, et ne disposions pas des services d'une guérisseuse comme Sukeena. Alors que nous étions dix-neuf au départ, nous ne sommes plus que huit, dont une femme et un enfant. Je savais qu'il était inutile de nous battre en terrain découvert, car nous avons utilisé toute notre poudre en chassant. Nous étions cependant certains qu'Althuda vous ferait passer par la gorge sombre et nous avons préparé l'avalanche de pierres, sachant que les Hollandais vous suivraient.

— Vous avez agi avec courage et sagesse, remercia Hal.

Althuda alla chercher sa compagne. C'était une jolie fille, petite et à la peau plus foncée que la sienne, mais Hal voyait bien qu'Althuda était le père de l'enfant qu'elle portait sur sa hanche.

— Voici Zwaantie, ma femme, et mon fils Bobby.

Hal tendit les mains, prit le bébé que lui donnait Zwaantie et le posa sur ses genoux; le petit garçon le regarda d'un air solennel de ses grands yeux noirs.

— C'est un beau gars, et fort, complimenta Hal.

Le père et la mère sourirent avec fierté. Zwaantie reprit l'enfant et l'installa sur son dos comme les Africaines, puis Sukeena et elle allumèrent un feu et entreprirent de préparer le dîner — gibier et baies — pendant que les hommes discutaient avec calme et sérieux.

Sabah exposa d'abord la situation à Hal, étoffant le bref compte rendu qu'il lui avait déjà fait. Hal ne tarda pas à comprendre que, en dépit de la beauté des lieux en cette période estivale et de l'apparente abondance du repas que préparaient les femmes, les montagnes n'étaient pas toujours aussi hospitalières. Durant l'hiver, une épaisse couche de neige recouvrait même les vallées et le gibier devenait rare. Ils n'osaient cependant pas s'installer plus bas, de crainte d'être aperçus par les tribus de Hottentots et que leur présence soit signalée aux Hollandais de Bonne-Espérance.

— Les hivers sont rudes, dit Sabah pour résumer. Si nous passons ici le suivant, nous ne serons pas nombreux à être encore vivants l'été prochain.

Au cours de leur captivité, les marins de Hal avaient appris assez de hollandais pour suivre les propos de Sabah, et lorsqu'il eut fini de parler, tous restèrent silencieux à regarder le feu d'un œil morne, mâchant d'un air triste la nourriture que leur apportaient Sukeena et Zwaantie.

Puis toutes les têtes se tournèrent vers Hal. Daniel exprima la pensée de tous en demandant :

— Qu'allons-nous faire, Sir Henry ?

— Etes-vous des marins ou des montagnards ? répondit celui-ci, et tous les hommes se mirent à rire.

— Nous sommes tous nés dans des ports et c'est de l'eau de mer qui coule dans nos veines, fit Ned Tyler.

— Il va donc falloir que je vous ramène au bord de la mer et que je vous trouve un bateau, n'est-ce pas ? dit Hal.

Ils parurent déconcertés par ces paroles, mais certains se mirent à glousser, bien que sans conviction.

— Maître Daniel, je veux un manifeste de toutes les armes, des réserves de poudre et autres marchandises dont nous disposons, demanda Hal vivement.

— Nous n'avons pas grand-chose, capitaine. Quand nous avons abandonné les chevaux, il nous restait juste assez de force pour porter nos carcasses jusqu'ici.

— Quelle quantité de poudre ?

— Seulement celle que nous avions dans nos flasques.

— Lorsque vous êtes partis en avant, les chevaux en portaient deux barils pleins.

— Chacun pesait cinquante livres, dit Daniel, confus. Plus que nous ne pouvions porter.

— Je vous ai pourtant vu marcher avec deux fois ce poids sur les épaules, fit remarquer Hal avec colère, l'air déçu. Sans réserves de poudre, nous sommes sans défense dans ce pays sauvage et à la merci des bêtes et des tribus qui y pullulent.

— Daniel a porté mes sacoches jusqu'en haut de la gorge obscure, intervint Sukeena d'une voix douce en prenant sa défense. Personne d'autre n'aurait pu le faire.

426

— Je suis désolé, capitaine, marmonna Daniel.

— Il n'y a rien dans mes sacoches qui ne soit indispensable, reprit Sukeena. Notamment les remèdes qui ont sauvé votre jambe et sauveront ceux d'entre nous victimes de blessures et des fièvres.

— Merci, princesse, murmura Daniel en la regardant comme l'aurait fait un bon chien.

« Il aurait remué la queue s'il en avait eu une », pensa Hal, qui sourit et donna une tape sur l'épaule de Daniel.

— Je ne vous reproche rien, Danny. Nul autre n'aurait pu mieux faire.

Tous se détendirent et sourirent, puis Ned demanda :

— Parliez-vous sérieusement, capitaine, quand vous nous promettiez de trouver un bateau ?

— C'est assez pour ce soir, dit Sukeena en se levant. Il doit d'abord reprendre des forces avant que vous le harceliez de nouveau. Il faut que vous le laissiez, maintenant. Vous pourrez revenir le voir demain.

L'un après l'autre, ils vinrent serrer la main de Hal et lui bafouiller quelques paroles d'encouragement, puis ils s'éloignèrent dans l'obscurité vers les huttes éparpillées dans le fond du vallon. Quand le dernier fut parti, Sukeena jeta une bûche dans le feu puis vint s'asseoir près de lui. Hal passa spontanément son bras autour d'elle. Sukeena posa sa tête sur son épaule. Elle soupira doucement, avec satisfaction, et ils restèrent silencieux un moment.

— J'aimerais rester ainsi pour toujours, mais il se peut que les astres ne le permettent pas, murmura-t-elle. Notre amour ne durera peut-être guère plus qu'un jour d'hiver.

— Ne dites pas des choses pareilles, ordonna Hal. Jamais.

Tous deux contemplèrent les étoiles. Elles étaient si brillantes sur ces hauteurs qu'elles éclairaient les cieux d'une luminescence pareille à la nacre d'un coquillage. Hal les regarda avec une crainte mêlée de respect et réfléchit à ce qu'elle avait dit. Il se sentit envahi par un sentiment d'impuissance et de tristesse, et frissonna.

Immédiatement, elle se redressa et dit à voix basse .

— Vous êtes en train de vous refroidir. Venez, Gundwane, rentrons !

Elle l'aida à se mettre debout et le conduisit à l'intérieu de la hutte, jusqu'à la couche d'herbes fraîches. Elle l'étendit sur la litière puis alluma la mèche de la petite lampe à huile en argile qu'elle posa sur un rebord de la paroi rocheuse. Elle versa de l'eau bouillante dans une cuvette qu'elle mélangea avec de l'eau froide d'une cruche jusqu'à ce que la température lui convienne.

Ses mouvements étaient lents et mesurés. Appuyé sur un coude, Hal la regardait. Elle plaça le récipient d'eau chaude au milieu de la pièce puis y versa quelques gouttes d'une fiole en verre et mélangea le tout. Hal sentit le parfum subtil qui s'en dégageait.

Sukeena se releva, alla tirer le rideau en peau qui faisait office de porte et revint près du récipient. Elle retira les fleurs qu'elle avait dans les cheveux et les lança sur la couverture de peau, aux pieds de Hal. Sans le regarder, elle laissa retomber ses cheveux et les peigna jusqu'à ce qu'ils brillent comme une vague d'obsidienne. Elle commença à chanter dans sa langue tout en continuant à se peigner, une berceuse ou une chanson d'amour, Hal ne savait trop. Sa voix mélodieuse l'apaisait et le ravissait.

Elle posa son peigne et laissa sa tunique glisser de ses épaules, découvrant son buste qui luisait à la lumière de la lampe, ses seins, fermes comme deux pommes dorées. Lorsqu'elle lui tourna le dos, Hal se sentit frustré de ne plus les voir. Sa chanson n'était plus la même — sa cadence avait maintenant quelque chose de joyeux et d'enflammé.

— Que chantez-vous ? demanda Hal.

— C'est la chanson de noces du peuple de ma mère, répondit-elle en lui souriant par-dessus son épaule. La mariée dit qu'elle est heureuse et qu'elle aime son époux avec la force éternelle de l'océan et la patience des étoiles.

— Je n'ai jamais rien entendu d'aussi agréable, murmura Hal.

Avec des gestes à la lenteur voluptueuse, elle défit le sarong noué autour de sa taille et le lança de côté. Elle avait de jolies fesses à l'oval parfait. Elle s'accroupit près du récipient d'eau parfumée pour y tremper un linge et se livra à ses ablutions. Elle commença par les épaules et se lava les bras jusqu'à l'extrémité de ses doigts effilés.

Hal comprit que c'étaient des ablutions rituelles, qui participaient d'un cérémonial. Il observait avidement chacun de ses mouvements et elle lui lançait de temps en temps des regards timides. Ses cheveux étaient mouillés derrière les oreilles et des gouttes d'eau miroitaient sur ses joues et sa lèvre supérieure.

Elle se leva enfin et se tourna lentement vers lui. Il avait cru qu'elle avait un corps de garçon et constatait maintenant que ses formes étaient si féminines que son cœur bouillait de désir pour elle. Le ventre de Sukeena était plat et parfaitement lisse avec, à la base, un petit triangle de fourrure sombre, douce comme un chaton endormi.

Elle s'écarta du récipient et se sécha avec sa tunique de coton. Puis elle se dirigea vers la lampe à huile et se baissa pour souffler la mèche.

— Non! dit Hal. Ne l'éteignez pas. Je veux vous voir.

Elle vint finalement vers lui de sa démarche aérienne, se glissa sous la couverture et l'enlaça. Elle posa ses lèvres sur sa bouche; elles étaient douces, chaudes et humides, et son haleine, parfumée comme les fleurs qu'elle avait portées dans les cheveux, se mêla à la sienne.

— Je vous ai attendu toute ma vie, murmura-t-elle.

— C'est une longue attente, mais me voilà enfin, chuchota-t-il en réponse.

Le lendemain, elle lui montra fièrement les trésors qu'elle lui avait apportés dans ses sacoches. Elle avait réussi à se procurer tout ce qu'il lui avait demandé dans les messages transmis par Aboli. Il saisit vivement les cartes.

— Où vous les êtes-vous procurées, Sukeena? demanda-t-il, et elle fut ravie de voir toute la valeur qu'il leur attribuait.

— J'ai beaucoup d'amis dans la colonie, expliqua-t-elle. Quelques prostituées des tavernes sont même venues me voir pour que je les soigne — il faut dire que le Dr Saar tue plus de patients qu'il n'en guérit. Certaines de ces dames se rendent à bord des navires à l'ancre dans la baie pour les besoins de leur commerce et en rapportent des choses... qui ne leur sont pas toujours offertes par les marins. Lorsqu'un objet n'est pas boulonné au pont, elles estiment qu'il leur appartient, précisa gaiement Sukeena. Je leur ai demandé des cartes et elles m'ont rapporté celles-là. Est-ce bien celles que vous vouliez?

— C'est plus que je n'espérais, Sukeena. Celle-ci est très précieuse et celle-là aussi.

Ces cartes marines, extrêmement détaillées et couvertes d'annotations et d'observations rédigées dans une belle écriture, étaient manifestement les trésors de quelque navigateur. Elles représentaient avec un luxe de détails les côtes de l'Afrique méridionale et, par la connaissance qu'il avait de cette région, il pouvait constater combien elles étaient exactes. A sa stupéfaction, l'une d'elles indiquait la lagune des Eléphants; c'était la première fois qu'il la voyait sur une carte autre que celle de son père. La position était juste à quelques minutes d'angle près, et dans la marge, un croquis représentait la côte depuis la mer et une élévation des promontoires rocheux, manifestement fruits d'une observation directe.

La côte et le littoral immédiat avaient été cartographiés avec précision mais, comme toujours, l'intérieur des terres, laissé en blanc ou rempli par des notations hypothétiques et des symboles apocryphes de lacs et de montagnes que personne n'avait jamais vus. Le périmètre de la région montagneuse à l'intérieur de laquelle ils se trouvaient séquestrés avait été esquissé, comme si le cartographe l'avait observée depuis Bonne-Espérance ou False Bay, et en avait estimé la forme et l'étendue. Sukeena avait également mis la main sur un almanach de marins hollandais, publié à Amsterdam, qui décrivait les mouvements des corps célestes jusqu'à la fin de la décennie.

Hal laissa de côté ces précieux documents et prit le quadrant que Sukeena avait trouvé. C'était un modèle démontable, dont les différentes parties étaient rangées dans un étui en cuir, doublé de velours bleu. L'instrument lui-même était d'une fabrication extraordinairement soignée : bâti en bronze décoré de personnages incarnant les quatre points cardinaux, aiguilles et vis gravées et joliment travaillées. Une petite plaque de bronze fixée au couvercle de l'étui portait la mention gravée : « Cellini, Venezia ».

Un étui en cuir protégeait également la boussole qu'elle avait apportée ; le corps était en cuivre et l'aiguille aimantée, en or et ivoire à l'extrémité, si délicatement équilibrée qu'elle pivotait infailliblement vers le nord quand il faisait tourner doucement l'étui dans sa main.

— Tout cela vaut au moins vingt livres ! s'émerveilla Hal. Vous êtes une magicienne...

Il la prit par la main et la conduisit à l'extérieur. Assis à côté d'elle à flanc de montagne, il lui montra comment observer le soleil au zénith et marquer leur position sur la carte. Elle se réjouissait de la satisfaction qu'elle lui avait procurée et l'impressionna par la rapidité avec laquelle elle comprit l'art ésotérique de la navigation. Il se souvint ensuite qu'elle était astrologue et connaissait les cieux.

Grâce à ces instruments, ils pouvaient se déplacer avec assurance à travers ces contrées sauvages, et son rêve de trouver un bateau lui parut moins inaccessible que la veille. Il l'attira contre sa poitrine, l'embrassa et elle se blottit tendrement contre lui.

— Ce baiser est une récompense plus belle que les vingt livres dont vous avez parlé, mon capitaine.

— Si un baiser vaut vingt livres, ce que je vous réserve en vaut au moins cinq cents, dit-il en la renversant dans l'herbe.

Il firent l'amour et, longtemps après, elle lui sourit et murmura :

— Cela valait tout l'or du monde.

Lorsqu'ils revinrent au camp, ils constatèrent que Daniel avait rassemblé toutes les armes et qu'Aboli polissait les lames des épées et en affûtait le tranchant avec une pierre à grain fin qu'il avait trouvée dans le lit du torrent.

Hal examina soigneusement l'ensemble. Les sabres d'abordage et les pistolets étaient en nombre suffisant pour armer tous les hommes. Il n'y avait en revanche que cinq mousquets, tous des modèles standard de l'armée hollandaise, lourds et solides. Mais c'était la poudre, la corde à feu et les balles de plomb qui leur faisaient le plus défaut. Ils pouvaient toujours utiliser des petits cailloux en guise de projectiles, mais rien ne remplaçait la poudre. Il leur en restait moins de cinq livres, même pas de quoi tirer vingt coups.

— Sans poudre, plus question de tuer du gros gibier, déclara Sabah à Hal. Nous mangerons des perdreaux et des damans.

Il se servait du diminutif du mot hollandais *dasc*, le blaireau, pour désigner ces créatures au poil soyeux, pareilles à des lapins, qui foisonnaient dans les grottes et les failles des falaises.

L'urine provenant des colonies de damans coulait si abondamment le long de la falaise qu'en séchant elle recouvrait la roche d'un enduit épais qui brillait au soleil comme du caramel mais fleurait moins bon. Avec de l'attention et de l'habileté, il était possible d'attraper ces mammifères en quantité suffisante pour fournir à la petite troupe un aliment de survie. Leur chair était aussi succulente que celle du cochon de lait.

Depuis l'arrivée de Sukeena, leur alimentation s'était considérablement élargie grâce à sa connaissance des plantes et des racines comestibles. Chaque jour, Hal s'en allait avec elle et lui portait son panier pendant qu'elle fourrageait sur les pentes de la montagne. A mesure que sa jambe reprenait de la force, ils s'aventuraient plus loin et restaient un peu plus longtemps absents.

Les montagnes semblaient les envelopper de leur splendeur, fournissant l'écrin idéal pour le joyau étincelant de leur amour. Lorsque le panier était plein à ras bord, ils trouvaient des piscines naturelles dans les innombrables ruisseaux où ils se baignaient nus. Ils s'allongeaient ensuite côte à côte sur les rochers et se séchaient au soleil. Avec une lenteur voluptueuse, ils se caressaient et finissaient par faire l'amour. Puis ils bavardaient et exploraient l'esprit de l'autre aussi intimement qu'ils avaient exploré son corps, avant de faire à nouveau l'amour. Leur appétit mutuel paraissait insatiable.

— Oh! Où avez-vous appris à donner tant de plaisir à une femme? demanda Sukeena haletante. Qui vous a appris toutes ces choses que vous me faites?

— C'est tout simplement que nous nous accordons à merveille, dit Hal qui ne tenait pas à répondre à cette question. Nos corps sont faits l'un pour l'autre. Mon plaisir est de vous en donner, il est multiplié cent fois par le vôtre.

Le soir, lorsqu'ils se réunissaient autour du feu de camp, les hommes pressaient Hal de questions concernant les plans qu'il avait formés, mais il les éludait en riant de bon cœur ou en secouant la tête. Un plan d'action était bel et bien en train de germer dans son esprit mais il n'était pas encore prêt à le divulguer car de nombreux obstacles demeuraient. Pour l'heure, il préférait interroger Sabah et les cinq esclaves fugitifs qui, comme lui, avaient survécu à l'hiver dans les montagnes.

— Jusqu'où êtes-vous allés vers l'est, Sabah?

— Nous avons marché six jours dans cette direction en plein hiver pour essayer de trouver de la nourriture et un endroit où le froid soit moins cruel.

— Comment est le pays?

— Ce sont des montagnes comme celles-ci sur des lieues et des lieues. Ensuite, elles s'abaissent brusquement vers des plaines couvertes de forêts et de prés, et on aperçoit la mer à main droite.

Avec un petit bâton, Sabah entreprit de dessiner une carte sommaire sur le sol. Hal mémorisait ses descriptions, le questionnait et l'exhortait à se souvenir dans les moindres détails de ce qu'il avait vu.

— Etes-vous descendus dans les plaines?

— Nous avons parcouru une partie du chemin et avons rencontré d'étranges créatures qu'aucun homme n'a jamais vues — de gigantesques bêtes grises avec d'énormes cornes qui partent du nez. L'une d'elles a chargé en poussant des grognements et des sifflements terribles. Nous avons tiré avec nos mousquets, mais cela ne l'a pas arrêtée; elle a empalé la femme de Joannes avec une de ses cornes et l'a tuée.

Tous regardèrent le petit Joannes, un borgne qui s'était échappé avec Sabah. Il pleurait au souvenir de sa compagne défunte, et cela faisait un drôle d'effet de voir des larmes couler de son orbite vide. Ils restèrent silencieux un moment, puis Zwaantie enchaîna:

— Mon petit Bobby avait alors un mois et je ne pouvais lui faire courir un tel danger. Sans poudre pour nos mousquets, nous ne pouvions continuer. J'ai persuadé Sabah de faire demi-tour et nous sommes revenus ici.

— Pourquoi ces questions, capitaine ? Que projetez-vous ? s'enquit Daniel, mais Hal refusa de répondre.

— Je ne peux rien vous dire encore, mais ne perdez pas courage, les gars. Je vous ai promis de trouver un bateau, n'est-ce pas ? dit-il avec une assurance dans la voix qu'il ne possédait pas.

Le lendemain matin, sous prétexte de pêcher, il emmena Aboli et Daniel jusqu'à la première piscine naturelle, en amont du torrent. Lorsqu'ils furent hors de vue du camp, ils s'assirent côte à côte sur la berge rocheuse.

— Il est clair qu'à moins d'être mieux armés, nous sommes coincés dans ces montagnes, et nous y mourrons aussi lentement et sûrement que la plupart des hommes de Sabah. Nous devons absolument nous procurer de la poudre pour nos mousquets.

— Où la trouver ? Que suggérez-vous ? demanda Daniel.

— Je ne vois guère que la colonie, répondit Hal.

Ses deux compagnons le regardèrent avec incrédulité. Aboli rompit le silence :

— Tu projettes de retourner à Bonne-Espérance ? Même là, il sera impossible de mettre la main sur de la poudre. Peut-être réussiras-tu à en voler une livre ou deux aux pourpoints verts qui gardent le pont ou à l'un des chasseurs envoyés par la Compagnie, mais cela ne suffirait pas à nous permettre d'entreprendre une marche.

— Je projette de pénétrer à l'intérieur du château, dit Hal.

Les deux hommes rirent amèrement.

— Vous ne manquez pas de hardiesse ni de courage, capitaine, mais c'est de la folie, lança Daniel.

Aboli était du même avis :

— Si je pensais qu'il y a la moindre chance de réussir, j'irais là-bas avec joie, tout seul, dit-il de sa voix profonde. Mais, réfléchis, Gundwane. Je ne pense pas uniquement à l'impossibilité de se frayer un chemin à l'intérieur de l'armurerie. Supposons même que nous y parvenions et que le stock de poudre que nous avons détruit ait depuis été reconstitué grâce à des expéditions de Hollande. Supposons que nous soyons capables de nous enfuir avec une certaine quantité de poudre. Comment pourrions-nous transporter un seul baril à travers les plaines avec Schreuder et ses hommes à nos trousses ? Cette fois-ci, nous n'aurions plus les chevaux.

Hal savait au fond de lui que c'était de la folie, mais il avait espéré que cette proposition les amène à trouver une autre solution.

Aboli reprit finalement la parole :

— Tu nous as dit que tu étais en train de former des plans pour trouver un bateau. Si tu nous en parles, Gundwane, peut-être pourrons-nous t'aider à le mettre au point ?

Les deux hommes regardèrent Hal dans l'expectative.

— Où croyez-vous que soit le Busard en ce moment ? demanda celui-ci.

Aboli et Daniel parurent surpris.

— Si mes prières ont été exaucées, il doit être en train de griller en enfer à l'heure qu'il est, répondit ce dernier.

— Et toi, qu'en penses-tu ? Où irais-tu dénicher le Busard ? interrogea Hal en s'adressant à Aboli.

— Quelque part sur les sept océans. Là où il est attiré par l'odeur de l'or ou la perspective de prises faciles, comme le charognard dont il porte le nom.

— Oui ! dit Hal en lui donnant une bonne tape sur l'épaule. Mais où l'odeur de l'or a-t-elle des chances d'être la plus forte ? Pourquoi le Busard a-t-il acheté Jiri et nos autres compagnons noirs à la vente aux enchères ?

Aboli le regarda sans comprendre, puis un sourire se dessina lentement sur ses lèvres.

— La lagune des Eléphants ! s'exclama-t-il.

Le grand Daniel partit d'un rire tonitruant :

— Il a été attiré par le trésor des galions hollandais et a pensé que nos Africains pourraient l'y conduire.

— A quelle distance sommes-nous de la lagune ? demanda Aboli.

— Selon moi, à trois cents milles marins.

L'importance de la distance les plongea dans le silence.

— Cela fait une longue bordée, dit Daniel, sans poudre pour nous défendre en chemin ou combattre le Busard si nous arrivons à destination.

Aboli regarda Hal et lui demanda :

— Combien de temps prendra le voyage, Gundwane ?

— Si nous réussissons à parcourir dix milles par jour, ce dont je doute, peut-être un peu plus d'un mois.

— Le Busard sera-t-il encore là ou aura-t-il abandonné les recherches et pris la mer ? s'interrogea Aboli tout haut.

— Oui ! Et s'il est parti, qu'allons-nous devenir ? marmonna Daniel. Nous risquons de rester bloqués là-bas pour toujours.

— Préférez-vous rester bloqué ici, maître Daniel ? Voulez-vous mourir de froid et de faim dans ces montagnes perdues quand reviendra l'hiver ?

Ils se turent de nouveau.

— Je suis prêt à partir maintenant, dit finalement Aboli. Nous n'avons pas le choix.

— Et la jambe de Sir Henry ? Parviendra-t-il à marcher ?

— Laissez-moi encore une semaine, les gars, et je vous sèmerai tous.

— Que ferons-nous si nous trouvons le Busard près de la lagune ? demanda Daniel qui n'était pas encore convaincu. Il a un équipage d'une centaine de gredins bien armés et, si nous survivons tous, nous ne serons qu'une douzaine, armés de nos seules épées.

— Cela paraît équitable ! fit Hal en riant. Je vous ai vu combattre dans des conditions plus désavantageuses. Avec ou sans poudre, nous partons à la rencontre du Busard. Etes-vous des nôtres ou non, maître Daniel ?

— Naturellement, capitaine. Qu'est-ce qui vous fait croire que je ne le suis pas ? répondit Daniel offensé.

Le soir même, autour du feu de camp, Hal expliqua son plan aux autres. Quand il eut fini, il regarda leurs visages sombres.

— Je ne cherche à convaincre personne de nous accompagner. Aboli, Daniel et moi sommes décidés à partir, mais si certains d'entre vous souhaitent rester ici, nous leur laisserons la moitié des provisions, y compris celle de poudre, et nous ne leur en voudrons pas. Quelqu'un veut-il dire quelque chose ?

— Oui, dit Sukeena, sans lever les yeux de la nourriture qu'elle préparait. J'irai où que vous alliez.

— Bien dit, princesse ! s'exclama Ned Tyler en souriant. Je pars avec vous.

— Nous aussi ! lancèrent les marins à l'unisson. Nous partons tous.

Hal hocha la tête pour les remercier puis regarda le frère de Sukeena.

— Vous devez songer à votre femme et à votre enfant, Althuda. Que décidez-vous ?

L'inquiétude et le doute se lisaient dans les yeux de la petite Zwaantie qui donnait le sein à son bébé. Althuda l'aida à se lever et l'éloigna.

Quand ils furent partis, Sabah parla au nom des siens.

— Althuda est notre chef. Il nous a permis d'échapper à la captivité, et nous ne pouvons le laisser mourir de froid et de faim avec Zwaantie et le bébé dans cette région sauvage. Si Althuda part, nous partirons, mais s'il reste, nous devons rester avec lui.

— J'admire votre détermination et votre fidélité, Sabah, dit Hal.

Ils attendirent en silence et entendaient Zwaantie sangloter dans l'obscurité, en proie à la peur et à l'indécision. Après un long moment, Althuda la ramena près du feu, un bras passé autour de ses épaules, et ils reprirent leur place dans le cercle.

— Zwaantie n'a pas peur pour elle mais pour l'enfant, dit-il. Mais elle n'ignore pas que la meilleure chance que nous avons de nous en sortir est de partir avec vous, Sir Hal. Nous vous accompagnons.

— J'aurais eu beaucoup de peine si vous en aviez décidé autrement, Althuda, répondit Hal en souriant de plaisir. Nos chances de réussir sont bien supérieures si nous restons ensemble. Nous devons maintenant faire nos préparatifs et convenir du moment de notre départ.

Sukeena vint s'asseoir près de lui et parla avec fermeté.

— Votre jambe ne sera pas entièrement guérie avant cinq jours. Je ne vous permettrai pas de marcher avant.

— Quand la princesse dit quelque chose, déclara Aboli de sa voix profonde, seul un imbécile ne l'écouterait pas.

Hal et Sukeena mirent à profit ces quelques jours de répit pour ramasser des plantes et des racines afin de constituer une réserve de remèdes et de nourriture. Le traitement fit disparaître les derniers signes d'infection tandis que monter et descendre les flancs escarpés et accidentés de la montagne renforçait rapidement sa jambe.

La veille du jour prévu pour le départ, tous deux s'arrêtèrent au milieu de la journée pour se baigner, se reposer et faire l'amour dans l'herbe tendre au bord d'un torrent. Ils n'y étaient encore jamais venus et, alors que Hal était étendu au soleil, repu de plaisir, Sukeena remonta le ravin à quelque distance pour satisfaire un besoin naturel.

Hal la regarda s'accroupir derrière des buissons, reposa la tête, ferma les yeux et se laissa paresseusement glisser vers le sommeil. Le bruit familier du bâton à fouir de Sukeena en train de creuser le sol le sortit de sa torpeur. Quelques minutes plus tard, elle revint, toujours nue, une motte de terre jaune dans la main.

— Des cristaux en forme de fleurs ! Ce sont les premiers que je trouve dans ces montagnes. (Apparemment enchantée par sa découverte, elle retira de son panier quelques-unes des plantes les moins utiles pour y mettre les mottes de terre friable.) Certaines de ces montagnes doivent être des volcans éteints car ces cristaux sont vomis par la terre avec la lave.

Hal la regardait faire, plus intéressé par la façon dont son corps nu luisait au soleil et dont ses seins changeaient de forme tandis qu'elle maniait son bâton vigoureusement que par les mottes de terre jaune qu'elle arrachait au flanc du ravin.

— Quel usage faites-vous de cette terre? demanda-t-il sans bouger.

— Elle sert à beaucoup de choses. C'est un remède souverain contre les maux de tête et la colique. Mélangée à de la verveine, elle calme les palpitations du cœur et facilite les menstrues...

Sukeena énuméra les maux qu'elle pouvait soigner avec cette terre, qui, aux yeux de Hal, ne semblait pas posséder de vertu particulière et ressemblait à n'importe quelle autre terre sèche. Le panier était à présent si lourd que Hal dut le porter sur le chemin du retour.

Ce soir-là, pendant que la petite troupe assise autour du feu tenait conseil une dernière fois avant de commencer sa longue marche vers l'est, Sukeena broyait les mottes de terre dans le mortier rudimentaire qu'elle avait fabriqué et mélangeait la poudre à de l'eau contenue dans une casserole. Elle plaça celle-ci au-dessus du foyer et vint s'asseoir près de Hal au moment où il en terminait avec l'ordre de marche du lendemain et répartissait armes et munitions entre les hommes. Le poids et le volume du chargement de chacun dépendaient de son âge et de sa force.

Hal s'interrompit soudain et huma l'air.

— Par tous les saints! s'écria-t-il. Qu'y a-t-il dans cette casserole, Sukeena?

— Je vous l'ai dit, Gundwane. Ce sont ces fleurs jaunes.

Il se jeta sur elle, l'enlaça, la projeta en l'air et la reçut dans ses bras quand elle retomba dans un tourbillon de jupes.

— Ce ne sont pas des fleurs! Je reconnaîtrais cette odeur même en enfer, d'où elle vient!

Il l'embrassa jusqu'à ce qu'elle le repousse.

— Etes-vous devenu fou? fit-elle en riant et en essayant de reprendre son souffle.

— Fou d'amour pour vous, dit-il avant de se tourner vers ses hommes qui le regardaient avec stupéfaction. Les gars, la princesse a fait un miracle qui va nous sauver!

— Tu parles par énigmes, dit Aboli.

— Oui ! s'écrièrent les autres. Soyez clair, capitaine.

— Je vais vous expliquer les choses assez clairement pour que même ceux d'entre vous qui ont l'esprit le plus lent comprennent mes paroles, répondit Hal en riant de leur trouble. Sa casserole est pleine de soufre ! de soufre magique !

Ce fut Ned Tyler qui comprit le premier, car il était le maître artilleur. A son tour, il se leva d'un bond, se précipita vers le foyer et inhala les vapeurs de la casserole comme si c'était la fumée d'une pipe d'opium.

— Le capitaine a raison, les gars, cria-t-il avec jubilation. C'est bien du soufre.

Sukeena conduisit une petite équipe, dirigée par Aboli et Daniel, jusqu'au ravin où elle avait découvert le gisement de soufre et ils revinrent au camp en chancelant sous des paniers et des sacs en peau remplis de terre jaune.

Pendant que Sukeena supervisait le traitement du minerai par ébullition et filtrage des cristaux de soufre, Johannes et Zwaantie surveillaient les foyers où les rondins de cèdre étaient progressivement réduits à l'état de charbon de bois.

Hal et l'équipe de Sabah escaladaient les flancs escarpés de la montagne au-dessus du camp jusqu'aux falaises où une multitude de damans vivaient en colonies. Collés à la paroi comme des mouches sur un mur, les hommes de Sabah grattaient les cristaux ambrés de leur urine séchée. Les petits animaux déféquaient toujours aux mêmes emplacements et, tandis que leurs crottes dégringolaient en contrebas, l'urine coulait lentement et trempait la falaise. Par endroits, la couche qu'elle laissait en séchant atteignait plusieurs pieds d'épaisseur.

Ils descendaient les sacs remplis de ces dépôts odoriférants au pied de la falaise et les traînaient jusqu'au camp. Ils se relayaient pour entretenir les feux jour et nuit sous les marmites d'argile afin d'extraire le soufre de la terre broyée et le salpêtre des excrétions animales.

Ned Tyler et Hal, les deux artilleurs, tournaient autour des marmites fumantes comme deux alchimistes, filtrant le liquide et le réduisant à la chaleur. Ils faisaient ensuite sécher au soleil l'épaisse matière résiduelle. Le traitement des composés produisit des poudres cristallines qui emplirent trois grands pots.

Ecrasé, le charbon de bois formait une poudre noire homogène, tandis que le salpêtre était marron clair et fin comme du sel de mer. Quand Hal en plaça une pincée sur sa langue, il le trouva en fait aussi salé que l'eau de mer. Les fleurs de soufre étaient jaunes comme des jonquilles et presque inodores.

Toute la troupe des fugitifs se rassembla pour regarder Hal mélanger finalement les trois composants dans le mortier en pierre de Sukeena. Il mesura les proportions et commença par broyer ensemble le charbon de bois et le soufre, ceux-ci étant inertes et sans danger sans le dernier ingrédient. Puis il ajouta le salpêtre et le combina avec précaution au mélange primaire gris foncé jusqu'à obtenir une flasque pleine de ce qui ressemblait à de la véritable poudre à canon.

Aboli tendit un des mousquets à Hal qui mesura une charge, la versa délicatement dans le canon, bourra par-dessus un tampon fibreux d'écorce séchée et introduisit enfin un caillou bien rond qu'il avait ramassé dans le lit du torrent, évitant ainsi de gaspiller une balle de plomb pour effectuer l'essai.

Pendant ce temps-là, Daniel avait placé une cible en bois sur la berge opposée. Tandis que Hal mettait un genou en terre pour viser, les autres s'écartèrent de chaque côté, se bouchèrent les oreilles et attendirent en silence qu'il appuie sur la détente.

Il y eut un coup de tonnerre et un nuage de fumée aveuglant. La cible en bois vola en éclats et dégringola dans le torrent. Une acclamation joyeuse s'éleva de toutes les poitrines; ils s'embrassèrent en se donnant des grandes tapes dans le dos et dansèrent une gigue endiablée.

— C'est une poudre d'aussi bonne qualité que celle des arsenaux de Greenwich, estima Ned Tyler, mais il va falloir que nous la durcissions convenablement avant de la mettre dans les sacs pour la transporter.

A cette fin, Hal ordonna qu'on place un grand pot d'argile derrière un écran de verdure en lisière du camp et tous les hommes furent priés de s'en servir chaque fois que possible. Même les deux femmes allaient y apporter leur contribution. Lorsque le pot fut plein, on mouilla légèrement la poudre avec l'urine jusqu'à ce qu'elle constitue une pâte, mise ensuite à sécher au soleil en forme de briquettes. Celles-ci furent alors enveloppées dans des paniers en roseaux pour faciliter le transport.

— Nous broierons les briquettes au fur et à mesure de nos besoins, expliqua Hal à Sukeena. Désormais, nous n'avons plus à transporter une telle provision de poisson et de viande séchés car nous allons pouvoir chasser en cours de route. Si le gibier est aussi abondant que l'a affirmé Sabah, nous ne manquerons pas de viande fraîche.

Dix jours après la date prévue à l'origine, la petite troupe était prête à partir vers l'est. Hal, en tant que navigateur, et Sabah, qui avait déjà effectué le trajet, marchaient en tête de la colonne; Althuda et les trois mousquetaires restaient au milieu pour protéger les deux femmes et Bobby, tandis que, sous leur lourd fardeau, Aboli et Daniel menaient l'arrière-garde.

Sans tenter d'escalader les hauteurs, ils suivaient les vallées et franchissaient les cols entre les sommets. Hal évaluait les distances parcourues du regard et en fonction de la durée de leurs marches, puis déterminait la direction à suivre grâce à sa boussole. Il les notait ensuite sur sa carte chaque soir avant la tombée du jour.

Ils passaient la nuit à la belle étoile car la température était douce et ils étaient trop fatigués pour construire un abri. Lorsqu'ils s'éveillaient à l'aube, leurs couvertures de peau étaient trempées de rosée.

Comme l'avait dit Sabah, six jours de marche difficile leur furent nécessaires pour traverser le labyrinthe de vallées avant d'atteindre l'escarpement oriental et d'apercevoir les plaines en contrebas.

Loin sur leur droite, ils distinguaient le bleu de l'océan, qui se fondait à celui, plus pâle, du ciel, mais au-dessous d'eux ne s'étendait pas le pays de plaines que Hal avait attendu : il était entrecoupé de collines basses, de clairières herbeuses et vallonnées, de bandes de forêt vert foncé qui semblaient suivre le cours d'une multitude de petites rivières et s'entrecroisaient en faisant des méandres vers la mer.

A main gauche, une autre chaîne de montagnes bleues déchiquetées élevait parallèlement à la mer un rempart qui défendait le mystérieux arrière-pays du continent. Sur les plaines couvertes d'herbe dorée le regard aiguisé de Hal percevait des taches sombres qui se déplaçaient commes les ombres de nuages alors que le ciel était immaculé. Il distinguait les tourbillons de poussière qui suivaient les troupeaux de bêtes sauvages, et de temps à autre, les reflets du soleil sur des défenses d'éléphant ou des cornes de buffle.

— Cette contrée grouille de vie, murmura-t-il à Sukeena. Il semble qu'il y ait là-bas des animaux que l'homme n'a jamais vus. Peut-être même des dragons, des licornes et des griffons.

441

Sukeena frissonna alors que le soleil était haut.

— J'ai vu de telles créatures dessinées sur les cartes que je vous ai apportées, confirma-t-elle.

Devant eux partait une piste tracée par les larges empreintes des éléphants et marquée par les tas de leurs fumées jaunâtres, qui serpentait sur le flanc de la montagne et longeait les ravins profonds et les gorges dangereuses. Hal la suivit.

A mesure qu'ils descendaient, le paysage en contrebas se précisa. La masse sombre des ruminants, surmontée par une brume de poussière et des nuages d'oiseaux qui étincelaient au soleil, devait être celle des buffles noirs dont avait parlé Aboli, les féroces *nyati*. Chacun des trois troupeaux qu'il avait sous les yeux devait comporter plusieurs centaines de têtes.

Au-delà du troupeau de buffles le plus proche s'étaient rassemblés quelques éléphants. Hal se souvenait en avoir vu sur les berges de la lagune. Il devait y avoir au moins vingt femelles, chacune avec un petit sur les talons. Plus loin, trois ou quatre mâles solitaires se détachaient sur la plaine comme des tertres de granit gris : Hal n'en croyait pas ses yeux tant la taille de ces patriarches et de leurs défenses était énorme.

Il y avait aussi d'autres animaux, pas aussi gigantesques, mais néanmoins tout aussi massifs et gris. Il les prit d'abord pour des éléphants, mais à mesure que leur descente vers les terres basses se poursuivait, il parvint à distinguer leur grande corne noire qui décorait leur gros museau retroussé. Il se souvint alors de ce que Sabah lui avait dit de ces bêtes, dont l'une avait transpercé la femme de Johannes avec sa corne. Ces « rhénosters », comme les appelait Sabah, semblaient être des animaux solitaires, car ils se tenaient à l'écart les uns des autres, chacun à l'ombre de son arbre.

Tandis que Hal marchait en tête de la petite colonne, il entendit derrière lui ce pas léger qu'il en était arrivé à si bien connaître et à tant aimer. Sukeena avait quitté sa place au milieu de la file, comme elle le faisait si souvent lorsqu'elle trouvait un prétexte pour marcher avec lui pendant un moment.

Elle glissa sa main dans la sienne et avança à son rythme.

— J'avais envie d'entrer à vos côtés dans ce territoire nouveau, dit-elle avant de lever les yeux vers le ciel. Regardez, le vent tourne et vient du sud, les nuages se rassemblent au sommet des montagnes comme des bêtes sauvages à l'affût. Un orage se prépare.

Son avertissement s'avéra judicieux. Hal eut le temps de les conduire dans une caverne qui s'ouvrait à flanc de montagne afin de s'abriter. Ils restèrent là trois jours et trois nuits pendant que la tempête faisait rage. Quand ils ressortirent, la nature était toute propre et le ciel d'un bleu intense.

Avant que le *Golden Bough* ait gagné au large et pris sa route pour doubler le cap, le capitaine Christopher Llewellyn regrettait déjà d'avoir embarqué son passager payant.

Il avait constaté tout de suite que le colonel Cornelius Schreuder était un homme arrogant, tranchant et bien arrêté dans ses opinions. Il avait un point de vue sur tout, n'en démordait pas et n'hésitait jamais à l'exprimer. « Il se fait des ennemis aussi facilement qu'un chien attrape des puces », avait dit Llewellyn à son second.

Deux jours après avoir quitté la baie de la Table, Llewellyn avait invité Schreuder à dîner avec lui et quelques-uns de ses officiers dans sa cabine. C'était un homme cultivé qui menait une vie raffinée même en mer. Le produit des prises faites au cours de la dernière guerre contre les Hollandais lui permettait de satisfaire son goût pour les belles choses.

La construction et l'accastillage du *Golden Bough* avaient coûté presque deux mille livres, mais c'était vraisemblablement le plus beau bateau de ce type et de ce tonnage qui naviguait alors. Ses couleuvrines étaient toutes neuves et ses voiles de la meilleure toile. La cabine du capitaine était aménagée avec un luxe sans égal, mais les qualités de bâtiment de guerre du *Golden Bough* n'avaient pas été sacrifiées au luxe.

Au cours de sa traversée nord-sud de l'Atlantique, Llewellyn avait constaté, pour son plus grand plaisir, que son navire tenait la mer au-delà de toute espérance. Au large, toutes voiles dehors, sa coque fendait les flots et il pouvait serrer le vent de si près qu'il sentait avec délectation le pont gîter sous ses pieds.

La plupart de ses officiers avaient servi avec lui pendant la guerre et prouvé leur valeur et leur courage, mais l'un était cependant plus jeune. Il s'agissait du quatrième fils de George, vicomte de Winterton.

Lord Winterton était le navigateur-maître de l'Ordre, l'un des hommes les plus riches et les plus puissants d'Angleterre, à la tête d'une flotte de navires de course et de commerce. L'honorable Vincent Winterton avait été placé par son père sous la tutelle de Llewellyn pour effectuer sa première course. C'était un charmant jeune homme qui n'avait pas encore vingt ans, mais cultivé, avec des manières franches et engageantes qui l'avaient rendu populaire tant auprès des marins que de ses camarades officiers. Il faisait partie des invités de Llewellyn ce soir-là.

Au début, le dîner fut gai et animé car les Anglais se réjouissaient d'être à bord d'un si bon navire, avec gloire et fortune en perspective. Schreuder avait cependant un air lugubre et distant. Le deuxième verre les avait tous échauffés et Llewellyn lança :

— Vincent, mon garçon, pourquoi ne nous jouez-vous pas quelque chose ?

— Etes-vous disposé, monsieur, à entendre de nouveau mes miaulements ? répondit le jeune homme avec modestie, mais les autres le pressèrent de jouer :

— Allez, Vinny ! Chantez-nous un petit morceau !

Vincent Winterton se leva et alla s'asseoir à un petit clavicorde fixé par de grosses vis de cuivre à l'un des principaux couples du navire. Il écarta ses longues boucles épaisses et frappa un accord doux et argentin.

— Que voulez-vous que je vous chante ? demanda-t-il.

— « Greensleeves » ! suggéra l'un, mais Vincent fit une moue de désapprobation.

— Vous avez déjà entendu ça cent fois depuis notre départ, dit-il.

— « Mother Mine » ! s'écria un autre.

Vincent acquiesça, rejeta la tête en arrière et se mit à chanter d'une voix forte et juste qui sublima les paroles fades et tira des larmes de plusieurs convives, tandis que tous marquaient le rythme avec leurs pieds.

Schreuder s'était pris d'une antipathie immédiate et irraisonnée pour ce jeune homme, si aimable et apprécié de ses pairs, qui possédait l'assurance et la sérénité que lui procurait sa haute naissance. En comparaison, Schreuder se sentait vieillissant et laissé pour compte. Il n'avait jamais attiré l'admiration et l'affection de son entourage, comme le faisait manifestement ce jeune noble.

Il était assis avec raideur dans son coin, ignoré par ces hommes, qui avaient été encore ses ennemis mortels peu de temps auparavant et, il le savait, le méprisaient pour être un étranger obtus et un fantassin, qui n'appartenait pas à la confrérie élitiste des marins. Son antipathie se mua en haine pour le jeune homme dont le joli visage n'avait pas été marqué par les épreuves et dont la voix possédait le timbre et la couleur d'un son de cloche.

Après la chanson, il y eut un moment de silence, attentif et respectueux, puis un concert d'applaudissements. Schreuder sentit l'irritation l'envahir.

Les applaudissements duraient trop longtemps au goût du chanteur et il se leva avec un petit geste pour les prier d'arrêter.

— Des miaulements ? Non, monsieur, une insulte à la gent féline, dit Schreuder dans le silence qui suivit, à voix basse mais distinctement.

Il y eut un silence offusqué dans la cabine. Le jeune homme rougit et sa main tomba instinctivement sur le manche de la dague qu'il portait à sa ceinture ornée de pierreries.

— Vincent ! le rappela à l'ordre Llewellyn d'un ton brusque en secouant la tête.

A contrecœur, Winterton lâcha son arme, se força à sourire et s'inclina légèrement.

— Vous avez l'oreille fine. Je vous félicite pour votre bon goût, monsieur.

Il reprit sa place à la table et se détourna de Schreuder pour se lancer avec son voisin dans un échange de reparties enjouées. Le moment de gêne passé, les autres convives se détendirent et se joignirent à la conversation, en en excluant intentionnellement Schreuder.

Le cuisinier de Llewellyn était venu avec lui d'Angleterre, et le navire avait fait le plein de viandes et de légumes frais à Bonne-Espérance. La nourriture était aussi bonne que celle servie dans les restaurants et les brasseries de Fleet Street, la conversation aussi plaisante et le badinage vif et amusant, truffé de calembours et de mots d'argot à la mode. Schreuder était incapable d'en saisir l'essentiel et son ressentiment enflait comme un ouragan tropical.

Sa seule contribution à la conversation fut une remarque mordante à propos de la victoire hollandaise sur la Tamise et la prise du *Royal Charles*, la fierté de la marine anglaise, baptisé du nom de leur bien-aimé souverain. Le silence retomba et les membres de l'assistance fixèrent sur lui un regard glacial avant de reprendre leur conversation comme si de rien n'était.

Schreuder se consola avec le bordeaux et quand la bouteille qu'il avait devant lui fut vide, il attrapa une flasque de cognac. Sa résistance à l'alcool était aussi grande que son orgueil, mais ce jour-là elle semblait n'avoir pour effet que de le rendre plus agressif et irritable que de coutume. A la fin du repas, il brûlait d'en découdre et cherchait le moyen d'apaiser le sentiment de rejet et d'impuissance qui l'accablait.

Llewellyn proposa finalement un toast en l'honneur du roi. Tous se levèrent avec enthousiasme en baissant la tête pour ne pas toucher les poutres soutenant le pont, mais Schreuder resta assis.

— Voulez-vous vous lever, colonel, lança Llewellyn en tapant sur la table. Nous buvons à la santé du roi d'Angleterre.

— Merci, capitaine, je n'ai plus soif, répondit Schreuder en croisant les bras.

Les hommes grondèrent et l'un dit à haute voix :

— Laissez-moi m'occuper de lui, capitaine.

— Le colonel est invité à bord de ce navire, et aucun d'entre vous ne manquera de courtoisie envers lui, même s'il se comporte comme un rustre et transgresse les règles de la bienséance, dit Llewellyn d'un ton menaçant avant de se tourner vers Schreuder. Colonel, je vous demande pour la dernière fois de porter ce toast avec nous. Si vous ne le faites pas, nous sommes encore tout près de Bonne-Espérance et je donne immédiatement l'ordre de virer de bord et de mettre le cap sur la baie de la Table. Je vous rendrai le prix de votre passage et vous ferai débarquer sur la plage comme un tas de déchets de cuisine.

Schreuder dégrisa instantanément. Il ne s'attendait pas à une telle menace. Il avait espéré provoquer en duel l'un de ces mufles d'Anglais. Il leur aurait alors fait une démonstration d'escrime qui aurait effacé leurs sourires suffisants, mais la pensée d'être ramené sur le lieu de son crime et d'être livré à la vengeance du gouverneur Van de Velde le paralysa. Il se leva lentement, son verre à la main. Tous portèrent le toast et se rassirent dans un brouhaha de rires et de conversations.

— Quelqu'un a-t-il envie de faire une partie de dés ? suggéra Vincent Winterton, et tous d'acquiescer.

— Sauf si vous jouez gros, objecta l'un des officiers les plus âgés. La dernière fois, j'ai perdu presque vingt livres, soit tout ce que j'avais gagné lors de la prise du *Buurman*.

— Jouons des quarts de penny avec un plafond d'un shilling, proposa un autre.

Ils hochèrent la tête et sortirent leur bourse.

— Monsieur Winterton, interrompit Schreuder, je me ferais un plaisir de suivre toutes les mises vous aurez le cœur de proposer.

Il était pâle et le front luisant de sueur, mais c'était le seul effet visible produit par l'alcool ingurgité. Le silence tomba une nouvelle fois sur l'assistance tandis que Schreuder tirait de sa tunique une bourse en peau de porc. Il la posa nonchalamment sur la table et on entendit le tintement caractéristique des pièces d'or. Tous les hommes se raidirent.

— Nous jouons pour le plaisir et amicalement, gronda Llewellyn.

446

Mais Vincent Winterton demanda d'un ton léger :

— Combien avez-vous dans votre bourse, colonel ?

Schreuder défit le cordon et, d'un grand geste, versa en tas les lourdes pièces au milieu de la table où elles scintillèrent à la lumière de la lampe. Avec une expression triomphante, il regarda le cercle des visages. « Ils ne me prendront plus à la légère », pensa-t-il tout en déclarant :

— Vingt mille florins hollandais, soit plus de deux cents de vos livres anglaises.

C'était toute sa fortune et son cœur battait à tout rompre. Il se lançait dans cette folie presque malgré lui, comme s'il avait pu effacer avec de l'or le sentiment de culpabilité laissé par son terrible meurtre. L'énormité de la somme avait réduit au silence l'assistance — c'était plus que n'en pouvaient espérer gagner la plupart des officiers présents en une vie entière pleine de dangers.

— Je constate que vous aimez le risque, monsieur, dit Vincent Winterton en souriant gracieusement.

— Ah, les mises sont trop élevées, si je ne me trompe, lança froidement Schreuder avant de remettre les pièces dans sa bourse en faisant mine de se lever.

— Baste ! colonel, l'arrêta Vincent. Je n'ai pas ce qu'il faut ici, mais si vous voulez bien m'accorder quelques minutes...

Il se leva, salua et quitta la cabine. Tous restèrent assis en silence jusqu'au moment où il revint et posa devant lui un petit coffret en teck.

— Vous m'avez dit trois cents, n'est-ce pas ? dit-il en commençant à compter les pièces. Auriez-vous l'obligeance de tenir les enjeux, capitaine ? demanda Vincent poliment. Si le colonel est d'accord, naturellement ?

— Je n'y vois pas d'objection, répondit Schreuder en hochant la tête avec raideur avant de confier sa bourse à Llewellyn.

Il ne s'était pas attendu à ce que son défi soit relevé et commençait à regretter sa témérité. Une perte de cette importance était de nature à réduire la plupart des hommes à la mendicité, lui compris.

Llewellyn prit la bourse et la cassette, et les plaça devant lui. Puis Vincent ramassa le gobelet en cuir contenant les dés et le tendit à Schreuder.

— Nous jouons généralement avec ceux-là, monsieur, dit Vincent tranquillement. Voulez-vous y jeter un coup d'œil. S'ils ne vous conviennent pas, nous pourrons certainement en trouver d'autres qui seront davantage à votre goût.

Schreuder secoua le gobelet et fit rouler les dés sur la table, puis prit chaque cube d'ivoire et le tint devant la lumière de la lampe.

— Je n'y vois aucun défaut, dit-il avant de les remettre dans le gobelet. Il ne nous reste plus qu'à convenir du jeu. Voulez-vous la passe ?

— D'accord pour la passe anglaise. Quoi d'autre ? dit Vincent.

— Combien de coups ? Quels enjeux fixons-nous : une ou cinq livres ? s'enquit Schreuder.

— Un seul. Le coup le plus élevé désigne le lanceur, puis deux cents livres sur sa passe.

Schreuder fut stupéfié par cette proposition. Il s'était attendu à augmenter peu à peu ses enjeux, ce qui lui aurait laissé la possibilité de se retirer en sauvant les apparences si le sort lui devenait contraire. Il n'avait jamais entendu dire qu'une somme pareille ait été misée sur un seul coup.

L'un des amis de Vincent gloussa avec délectation.

— Par Dieu, Vinny ! Nous allons voir ce que cette tête de lard a dans le ventre.

Schreuder lui lança un regard mauvais, mais il se savait pris au piège. Pendant quelques instants encore, il chercha une issue mais Vincent murmura :

— J'espère bien que je ne vous ai pas mis dans l'embarras, colonel. Je vous avais pris pour un risque-tout. Préférez-vous que nous en restions là ?

— Je vous assure, répondit Schreuder avec froideur, que cela me convient parfaitement. Une passe à deux cents livres, je suis d'accord.

Llewellyn plaça un dé dans le gobelet et le tendit à Schreuder.

— Un dé pour désigner le lanceur. On lance de haut. C'est bien ce que vous avez décidé, messieurs ?

Les deux hommes acquiescèrent et Schreuder jeta son dé.

— Trois ! A vous, monsieur Winterton, annonça Llewellyn en remettant le dé dans le gobelet qu'il posa devant Vincent.

Celui-ci le secoua et lança du même mouvement.

— Cinq ! M. Winterton lance pour une passe anglaise à deux cents livres, dit le capitaine en mettant cette fois-ci les deux dés dans le gobelet. Le lanceur jette les dés pour décider du point à amener. Je vous en prie, monsieur Winterton.

Vincent prit le gobelet et fit rouler les dés.

— Sept !

Le courage de Schreuder le trahit. Sept était le point le plus facile à amener, puisque produit par de nombreuses combinaisons de dés. La chance lui était contraire, tous les spectateurs en avaient conscience et la joie se lisait sur leurs visages. Si Vincent amenait un autre sept ou un onze, il gagnait, ce qui était probable. S'il amenait le « kraps » — un et un ou un et deux — ou le douze, il perdait. Tout autre chiffre deviendrait sa « chance », et il lui faudrait continuer à lancer jusqu'à le répéter ou à amener l'une des combinaisons perdantes.

Schreuder se renversa contre le dossier de sa chaise et se croisa les bras comme pour se défendre contre une attaque brutale. Vincent lança ses dés.

— Quatre! annonça Llewellyn. La chance est maintenant quatre.

A l'exception de Vincent, tous les hommes assis autour de la table retinrent leur souffle. Il s'était donné la combinaison la plus difficile à réaliser. Le vent avait nettement tourné en faveur de Schreuder. Vincent devait à présent amener un quatre pour gagner; si le sept sortait, il perdait. Seules deux combinaisons donnaient un quatre alors qu'un grand nombre produisaient un sept.

— Vous avez toute ma sympathie, monsieur, dit Schreuder avec un sourire cruel. Sortir un quatre n'est pas une mince affaire.

— Les anges favorisent les vertueux, lâcha Vincent avec un sourire et un petit geste de main. Voulez-vous augmenter votre enjeu? Je monterais volontiers de cent livres.

C'était une offre téméraire avec si peu de chances de son côté, mais Schreuder n'avait plus un seul florin pour la saisir.

— En aucun cas je ne voudrais profiter d'un adversaire déjà à genoux, répondit-il en secouant sèchement la tête.

— Vous êtes un homme chevaleresque, colonel, dit Vincent avant de lancer.

— Dix, annonça Llewellyn.

C'était un nombre neutre. Vincent ramassa les dés, secoua le gobelet et lança de nouveau :

— Six!

Nouveau nombre neutre. Schreuder était raide comme un cadavre, son visage avait pris une teinte cireuse et il sentait des gouttelettes de sueur dégouliner sur son torse.

— Ce coup-ci sera en souvenir de toutes les jolies filles que nous avons connues, dit Vincent et les dés roulèrent avec bruit sur la table en chêne.

Pendant de longues secondes, personne ne bougea ni ne dit mot. Puis, de toutes les poitrines anglaises, s'éleva un hurlement qui dut alarmer l'homme de quart sur le pont et parvenir aux oreilles de la vigie au sommet du grand mât.

— Par Dieu! Deux paires de tétons! C'est le plus gentil petit quatre que j'aie jamais vu!

— M. Winterton a amené sa chance. M. Winterton a gagné, entonna Llewellyn en posant et la cassette et la lourde bourse devant lui, sa voix pratiquement couverte par les rires et les félicitations.

Cela dura plusieurs minutes durant lesquelles Schreuder resta assis aussi immobile qu'une bûche, le visage grisâtre et inondé de sueur.

Enfin, d'un geste de main, Winterton fit cesser les acclamations. Il se leva et se pencha vers Schreuder.

— Je vous salue, monsieur. Vous êtes un gentleman aux nerfs d'acier et extrêmement fair-play. Je vous offre mon amitié, dit Vincent avec sérieux en tendant sa main droite.

Schreuder la regarda avec dédain sans faire un geste et les sourires disparurent. Un lourd silence retomba sur la cabine.

— J'aurais dû examiner *vos* dés de plus près quand j'en avais la possibilité, dit Schreuder en insistant sur le pronom possessif. Pardonnez-moi, monsieur, mais j'ai pour règle de ne jamais serrer la main d'un tricheur.

Vincent recula vivement et regarda Schreuder avec incrédulité tandis que les autres restaient bouche bée.

Il fallut à Vincent un bon moment pour se remettre du choc provoqué par cette insulte inattendue; son jeune et joli visage avait pâli sous son hâle quand il répondit :

— Je vous serais profondément obligé de m'accorder réparation pour cette remarque, colonel Schreuder.

— Avec le plus grand plaisir, fit Schreuder en se levant avec un sourire de triomphe.

Le défi lui avait été lancé et le choix des armes lui appartenait donc. Il n'y aurait pas de singeries avec les pistolets, mais on utiliserait l'épée et ce jeune chiot d'Anglais aurait le plaisir de recevoir trente pouces d'acier dans le ventre.

— Voulez-vous me faire l'honneur d'être mon témoin? demanda Schreuder à Llewellyn.

— Certainement pas! répondit celui-ci en secouant la tête énergiquement. Je n'autorise jamais les duels à mon bord. Vous devrez vous trouver un autre témoin et patienter jusqu'à ce que nous fassions escale. Vous irez alors à terre régler votre affaire.

Schreuder se retourna vers Vincent.

— Je vous communiquerai le nom de mon témoin aussi tôt que possible, dit-il, et promets de vous accorder réparation dès que nous arriverons à bon port.

Il se leva et sortit de la cabine. Il entendait derrière lui leurs voix se perdre en conjectures et commentaires, et les vapeurs de cognac se mêlaient à sa rage, jusqu'à ce qu'il ait l'impression que ses tempes allaient éclater.

Le lendemain, un serviteur vint apporter ses repas à Schreuder, étendu comme un blessé de guerre sur la couchette de sa cabine et occupé à panser les terribles blessures de son orgueil et à apaiser la douleur intolérable provoquée par la perte de toute sa fortune. Le surlendemain, il monta sur le pont tandis que le *Golden Bough* courait bâbord amures et filait ouest-nord-ouest le long de la côte en saillie de l'Afrique du Sud.

Dès que sa tête apparut, l'officier de quart se détourna et fit mine de s'occuper des chevilles du renard de timonerie tandis que le capitaine Llewellyn levait sa longue-vue et étudiait les montagnes bleues qui se dressaient, menaçantes, à l'horizon vers le nord. Schreuder longea à pas mesurés le bastingage sous le vent, les officiers ignorant délibérément sa présence. Le domestique qui avait fait le service au dîner donné par le capitaine avait répandu la nouvelle du duel imminent, et l'équipage l'observait avec curiosité et se tenait soigneusement à l'écart de son chemin.

Une demi-heure plus tard, Schreuder s'arrêta brusquement devant l'officier de quart et lui demanda sans préambule :

— Monsieur Fowler, voulez-vous être mon témoin ?

— Je vous prie de m'excuser, colonel, mais M. Winterton est un ami. Ne m'en veuillez pas.

Les jours suivants, Schreuder sollicita successivement tous les officiers du bord pour le représenter, mais à chaque fois il essuya le même refus distant. Mis en quarantaine et humilié, il rôdait sur le pont comme un léopard traquant sa proie. Son esprit oscillait entre le remords et la souffrance suscités par le meurtre de Katinka, et le ressentiment éveillé par la façon dont le traitaient le capitaine et ses officiers. Sa colère monta, prête à déborder.

Le matin du cinquième jour, tandis qu'il arpentait le pont, un appel de la vigie le tira de ses sombres pensées. Le capitaine Llewellyn se dirigea vers le bastingage au vent et regardait fixement vers le sud-ouest lorsque Schreuder le rejoignit.

Pendant quelques instants, il n'en crut pas ses yeux en voyant le front énorme et menaçant de nuages noirs qui barrait l'horizon et s'approchait d'eux, semblable à l'avalanche qui avait balayé la gorge obscure.

— Vous feriez mieux de descendre dans votre cabine, colonel, conseilla Llewellyn. Nous allons essuyer un bon grain.

Schreuder ignora l'avertissement et resta au bastingage, subjugué par la charge des nuages. Autour de lui, le pont était en proie à une grande effervescence; l'équipage se précipitait pour ferler les voiles et virer afin que le *Golden Bough* affronte la tempête de face. Le vent arriva si vite qu'il prit le navire avant qu'ils aient eu le temps d'affaler les cacatois et le foc.

La tempête fondit en grondant avec furie et le bateau donna de la bande si fort que le bastingage sous le vent s'enfonça dans la mer, l'eau verte balayant le pont jusqu'à hauteur de la taille. Schreuder fut emporté par la lame et serait passé par-dessus bord s'il ne s'était pas agrippé aux haubans du grand mât.

Le foc et les cacatois se déchirèrent brusquement comme du parchemin et pendant une longue minute le navire couché par le vent se vautra sur son flanc. La mer s'engouffra par les écoutilles et on entendit le fracas de cloisons éventrées et la cargaison se déplacer dans un bruit de tonnerre. Des hommes se mirent à hurler, écrasés par une couleuvrine qui avait rompu sa brague et était ballottée d'un côté à l'autre de la batterie. D'autres marins, emportés par-dessus bord par les flots, criaient comme des âmes perdues précipitées au fond de l'enfer. L'air était saturé d'embruns et, aveuglé par ce brouillard blanc, Schreuder avait l'impression de se noyer bien qu'ayant la tête hors de l'eau.

Le *Golden Bough* se redressa lentement, remis d'aplomb par sa quille lestée de plomb, mais ses espars étaient brisés, ses haubans rompus, et ses voiles déchirées claquaient dans le vent. Certaines vergues cassées battaient contre les mâts. Gîtant fortement à cause de l'eau embarquée, le *Golden Bough* avait échappé à tout contrôle.

Haletant et suffoquant, à moitié noyé et trempé jusqu'aux os, Schreuder se traîna jusqu'à l'escalier des cabines pour se mettre à l'abri. De là, il regarda avec terreur et fascination le monde se dissoudre autour de lui en embruns argentés et vagues furieuses zébrées de longues traînées d'écume.

Pendant deux jours, le vent les assaillit sans relâche et, d'heure en heure, la mer devint plus grosse et plus agitée jusqu'au moment où les vagues qui se précipitaient sur eux semblaient plus hautes que le grand mât. A demi submergé, le *Golden Bough* était lent à se redresser pour les affronter, et lorsqu'elles le percutaient, elles se brisaient sur les ponts. Deux timoniers, attachés à la barre, luttaient pour garder le navire dans l'axe du vent, mais chaque vague qui balayait le pont s'abattait sur leur tête. Au bout de deux jours, tous les hommes étaient épuisés. Il était hors de question de dormir et il n'y avait que des biscuits secs pour toute nourriture.

Llewellyn s'était attaché au grand mât et de là dirigeait les efforts de ses officiers et de ses hommes d'équipage pour essayer de maîtriser le navire. Personne ne pouvait rester sur le pont sans aide et il était donc impossible d'armer les pompes principales, mais des équipes de matelots actionnaient frénétiquement les pompes auxiliaires pour tenter d'évacuer les six pieds d'eau embarqués à fond de cale. Aussi vite qu'ils pompaient, la mer s'engouffrait de nouveau par les sabords de batterie fracassés et les panneaux disjoints.

La terre se dressait toujours plus près côté sous le vent à mesure que la tempête poussait le navire à mâts et à cordes, et alors même que les hommes de barre s'évertuaient à l'en écarter, le *Golden Bough* s'en approchait inexorablement. Cette nuit-là, alors qu'ils étaient drossés vers les rochers, ils entendirent les déferlantes se briser dans un bruit de tonnerre, qui, d'heure en heure, devenait de plus en plus violent.

Quand l'aube du troisième jour arriva, ils aperçurent à travers le brouillard et l'écume la forme sombre et menaçante de la terre, les falaises et les caps déchiquetés à une lieue seulement par-delà les montagnes d'eau grise et furieuse qui se déplaçaient à la vitesse d'un cheval au galop.

Schreuder traversa le pont en se retenant au mât et aux haubans chaque fois qu'une vague submergeait le navire. L'eau de mer dégoulinait sur son visage, lui remplissait la bouche et les narines quand il lança, haletant, à Llewellyn :

— Je connais cette côte et le cap qui est devant nous.

— Nous allons avoir besoin de la bénédiction divine pour le doubler, cria Llewellyn. Nous sommes contre le vent.

— En ce cas, capitaine, priez le Tout-Puissant de tout votre cœur, car notre salut se trouve à cinq lieues au-delà, beugla Schreuder en clignant des yeux pour en chasser l'eau.

— Comment pouvez-vous en être si certain ?

— J'ai abordé cette côte et marché à travers le pays. J'en connais la moindre ondulation. Il y a une baie derrière ce cap, nous l'avons baptisée la baie des Buffles. Lorsqu'il y entrera, le navire sera déjà passablement protégé du vent. De l'autre côté de la baie se dressent deux promontoires rocheux qui gardent l'entrée d'une vaste lagune bien abritée. Nous y serons en sûreté, même avec une tempête pareille.

— Il n'y a aucune lagune indiquée sur mes cartes, objecta Llewellyn, partagé entre l'espoir et le doute.

— Grand Dieu, capitaine, vous devez me croire! hurla Schreuder, qui, en mer, ne se trouvait pas dans son élément naturel et, pour une fois, avait peur.

— Nous devons d'abord longer ces rochers, ensuite nous verrons si votre mémoire est fidèle.

Réduit au silence, Schreuder s'agrippait désespérément au mât et regardait avec horreur l'océan écarter ses lèvres écumantes et découvrir ses crocs de roc noir. Le *Golden Bough* était entraîné inexorablement vers ses mâchoires.

— Oh, Sainte Vierge, sauvez nos âmes! cria l'un des hommes de barre. Nous allons nous fracasser!

— Tenez ferme la barre en grand! rugit Llewellyn.

Tout près du flanc du navire, la mer s'ouvrit soudain et le récif en jaillit comme une baleine sortie de l'eau pour souffler. Des griffes de pierre donnèrent l'impression de se tendre vers le frêle bordé du bateau, si près que Schreuder put distinguer les masses de coquillages et d'algues qui recouvraient les rochers. Une vague plus grosse que les autres les souleva et les projeta sur le récif, mais les rochers disparurent sous la surface bouillante et le *Golden Bough* s'éleva comme un cheval de chasse devant une haie et passa par-dessus.

La quille toucha le roc. Le navire fut arrêté si brusquement que Schreuder lâcha le mât et fut projeté sur le pont, mais le bateau se dégagea et, soulevé sur la crête de la vague, glissa dans les eaux plus profondes au-delà du récif. Il se précipita en avant, la pointe du cap s'éloigna derrière lui et la baie s'ouvrit devant son étrave. Schreuder se releva et constata tout de suite que la puissance effrayante du vent avait été brisée par l'avancée de terre. Bien que le navire continuât à fendre les flots à toute allure, les timoniers en reprenaient le contrôle et Schreuder le sentit répondre aux sollicitations du gouvernail.

— Là! cria-t-il dans l'oreille de Llewellyn. Là! Droit devant!

— Doux Jésus! Vous avez raison. (A travers l'écume et les embruns, Llewellyn distinguait la forme des deux promontoires au-dessus de la proue du navire.) Abattez d'un quart! lança-t-il en se tournant vers les hommes de barre.

Leur expression terrifiée montrait combien ils répugnaient à obéir à cet ordre, mais ils laissèrent arriver et mirent le cap sur le premier promontoire de roche noire et les déferlantes.

— Conservez cette route! ordonna Llewellyn tandis que le *Golden Bough* traversait la baie à toute allure. Monsieur Winterton! rugit-il en direction de Vincent, accroupi non loin, une douzaine de matelots derrière lui à l'abri dans l'escalier des cabines. Nous devons larguer un ris sur le grand perroquet pour faciliter la manœuvre de la barre. Pouvez-vous vous en charger?

Il présenta son ordre sous forme de requête, car envoyer un homme en tête du grand mât par un vent pareil revenait presque à l'envoyer à la mort. Un officier doit mener ses hommes, et Vincent était le plus fort et le plus courageux de tous.

— Allez, les gars! cria-t-il sans hésiter. Une guinée d'or pour tous ceux qui arrivent avant moi à la vergue du grand perroquet.

Il se leva d'un bond, traversa le pont comme une flèche jusqu'aux haubans du grand mât et y grimpa à toute vitesse, suivi par ses hommes.

Le *Golden Bough* courait à travers la baie des Buffles comme un cheval fugitif.

— Regardez! hurla soudain Schreuder en montrant l'entrée de la lagune que l'on entrapercevait entre les promontoires.

Llewellyn leva la tête et regarda les minuscules silhouettes réparties le long de la haute vergue du grand mât qui s'escrimaient avec les ris. Il reconnut facilement celle, élancée et athlétique, de Vincent et sa chevelure sombre flottant dans le vent.

— Tu as été vaillant, murmura Llewellyn, mais dépêche-toi, mon gars. Envoie un bout de toile que je puisse manœuvrer.

Au même moment, la voile se déploya et se gonfla brusquement avec un bruit sec pareil à un coup de mousquet. Llewellyn crut un instant que la toile allait se déchirer, mais elle tint et il sentit immédiatement que le bateau changeait d'allure.

— Bonne Mère! Nous pouvons peut-être encore y arriver! dit-il d'une voix enrouée par le sel. La barre en grand! lança-t-il aux timoniers.

Le *Golden Bough* obéit volontiers et prit le vent par le travers. Il fila droit sur le promontoire ouest comme s'il allait se jeter à la côte, mais infléchit peu à peu sa course. Le passage s'ouvrit largement devant lui et, quand le navire fut abrité du vent par la terre, il reprit son aplomb et fila entre les deux promontoires, prit la marée montante, qui était forte, et franchit le chenal à toute vitesse pour entrer dans les eaux paisibles de la lagune, protégé du gros de la tempête.

Llewellyn regarda avec étonnement et soulagement les berges couvertes de forêt, puis il sursauta.

— Il y a déjà un navire au mouillage, dit-il en indiquant le fond de la lagune.

A côté de lui, Schreuder se protégea les yeux des rafales de vent qui tourbillonnaient autour des falaises.

— Je le connais ! s'écria-t-il. Je le connais bien. C'est le bateau de Lord Cumbria. C'est le *Goéland de Moray*.

— Des élands ! murmura Althuda, et Hal reconnut le mot hollandais pour élans mais ces animaux ne ressemblaient à aucun des grands cervidés à la robe rousse qu'il avait vus en Europe. Ils étaient énormes, plus gros même que le bétail élevé par son oncle Thomas à High Weald.

Althuda, Aboli et lui étaient à plat ventre dans une petite excavation couverte d'herbe. Le troupeau était disséminé au milieu d'un bosquet d'épineux. Hal dénombra cinquante-deux bêtes, mâles, femelles et veaux confondus. Les mâles étaient si lourds et gras que leur double menton se balançait d'un côté et de l'autre et que la chair de leur ventre et de leurs cuisses tremblait. A chaque pas, ils émettaient un curieux petit craquement.

— Ce sont leurs genoux qui font ce bruit, expliqua Aboli à l'oreille de Hal. Le Nkoulou Koulou, le dieu suprême de toutes choses, les a punis quand ils se sont vantés d'être les plus grands animaux de la famille des antilopes. Il leur a infligé ce défaut pour que les chasseurs les entendent de loin.

Hal sourit de cette croyance pittoresque, mais Aboli lui apprit autre chose qui effaça son sourire.

— Je connais ces bêtes, elles étaient extrêmement appréciées par les chasseurs de ma tribu, car un mâle comme celui que nous voyons en tête du troupeau a autour du cœur une telle masse de graisse blanche que deux hommes ne peuvent la porter.

Depuis des mois, aucun d'eux n'avait mangé de graisse, car tout le gibier qu'ils avaient réussi à tuer en était dépourvu. Ils en avaient grand besoin, et Sukeena avait averti Hal que le manque de matières grasses ne tarderait pas à les rendre vulnérables à la maladie.

Hal examina le mâle en tête du troupeau occupé à brouter les feuilles d'un arbre, dont il courbait vers le bas les branches les plus hautes à l'aide de ses grandes cornes spiralées. Contrairement aux femelles, au poil brun velouté, rayé de blanc en travers des épaules, le mâle était devenu gris-bleu avec les ans et il avait une touffe de poils plus foncés entre les cornes.

456

— Laissons le mâle tranquille, dit Aboli. Sa chair doit être dure. Vous voyez cette femelle derrière lui ? Elle est tendre et douce comme une vierge, et sa graisse se transformera en miel dans notre bouche.

Contre l'avis d'Aboli, qu'il savait être toujours judicieux, Hal sentit son instinct de chasseur attiré par le grand mâle.

— Si nous voulons traverser la rivière sans danger, nous avons besoin de toute la viande que nous pourrons emporter. Chacun de nous tirera sur sa proie, décida Hal. Je m'occupe du mâle, Althuda et toi, prenez des bêtes plus jeunes.

Il commença à s'avancer en rampant sur le ventre, suivi par les deux autres.

Depuis qu'ils étaient arrivés dans la plaine quelques jours plus tôt, ils avaient constaté que le gibier qui y vivait n'était guère effrayé par l'homme. Sa silhouette tant redoutée n'éveillait apparemment pas de peur particulière chez ces animaux, et ils laissaient les chasseurs venir à portée de mousquet avant de s'éloigner.

« C'est à cela que devait ressembler l'Eden avant la chute », pensa Hal tandis qu'il se rapprochait du mâle. La brise légère lui était favorable et les petites volutes de fumée que laissaient échapper leurs cordes à feu dérivaient dans la direction opposée au troupeau.

Il était à présent si près qu'il distinguait les cils qui protégeaient les grands yeux clairs de l'animal et les pattes rouge et or des tiques accrochées en grappes à la peau tendre de son ventre. L'éland essuyait délicatement avec sa langue bleue les jeunes feuilles des petites branches entre les épines.

A côté de lui, deux de ses jeunes femelles se nourrissaient sur le même arbre. L'une avait un veau sur ses talons, l'autre était grosse. Hal tourna lentement la tête et regarda ses deux compagnons aplatis à ses côtés. Il leur indiqua les femelles d'un lent mouvement des yeux ; Aboli hocha la tête et leva son mousquet.

Hal concentra de nouveau toute son attention sur le grand mâle, localisa l'omoplate sous la peau de l'épaule et fixa un point vers lequel viser. Il leva son mousquet, cala la crosse contre son épaule, conscient qu'Aboli et Althuda faisaient de même.

Le mâle fit un pas en avant et Hal attendit. L'animal s'immobilisa de nouveau et dressa la tête bien haut, ses longues cornes torsadées venant toucher son dos, afin d'atteindre les branches supérieures de l'arbre où poussaient les feuilles dentelées les plus tendres.

Hal tira et entendit les détonations des deux autres mousquets se confondre avec la déflagration du sien. Un écran tourbillonnant de fumée blanche lui boucha la vue. Il laissa tomber son arme, se leva d'un bond et courut voir ce qui se passait. A terre, une des femelles se débattait et donnait des coups de pied tandis que le sang jaillissait de sa gorge blessée ; l'autre s'éloignait en chancelant, l'une de ses pattes de devant brisée. Aboli courait déjà après elle, son sabre levé dans la main droite.

Le reste du troupeau s'enfuyait, masse brune et serrée qui s'éloignait rapidement dans la vallée, les veaux trébuchant derrière leur mère. Le grand mâle avait cependant laissé le troupeau, signe certain que la balle de plomb l'avait gravement touché. Il remontait la pente légère de la colline basse couverte d'herbe qui se trouvait devant eux. Mais sa démarche était courte, comme s'il était entravé. Il changea de direction, exposant son épaule massive, et Hal vit le sang couler de son flanc, rouge comme une oriflamme au soleil et bouillonnant à cause de l'air provenant de ses poumons.

Hal se mit à courir derrière à toute vitesse, par-dessus les touffes d'herbe. De sa blessure à la jambe, il ne restait plus qu'une cicatrice parfaitement refermée. La longue randonnée à travers montagnes et plaines l'avait renforcée, et il marchait à présent tout à fait normalement. A une encablure, le mâle s'éloignait, laissant derrière lui un léger nuage de poussière rougeâtre, puis le sang se mit à couler plus abondamment de sa blessure et marqua son passage d'une traînée brillante dans l'herbe argentée.

Hal rattrapa son retard ; il n'était plus qu'à une douzaine de pas derrière l'énorme bête, qui sentit sa présence et se retourna aux abois. Il s'attendait à ce qu'elle charge tête baissée. S'avançant tout près, il fit face à l'antilope et tira son sabre du fourreau, prêt à se défendre.

L'animal le regarda avec de grands yeux étonnés, sombres et noyés de larmes sous l'effet de la douleur. Le sang tombait goutte à goutte de ses narines et sa langue bleue pendait de côté. Il ne fit rien pour l'attaquer ou se défendre et Hal ne perçut aucune malveillance, aucune colère dans son regard.

— Pardonne-moi, murmura-t-il en faisant le tour de la bête à la recherche d'une ouverture, envahi par le remords en voyant la souffrance qu'il avait infligée à ce magnifique animal.

Il se précipita soudain et frappa. Dirigée par une main experte, la lame s'enfonça de toute sa longueur dans la chair du mâle, qui lança une ruade et pivota sur lui-même, arrachant le sabre de la main de Hal. Mais le coup avait porté au cœur et la bête s'affaissa lourdement sur ses genoux. Avec un long gémissement grave, elle bascula sur le côté et mourut.

Hal empoigna la garde de son sabre, retira la longue lame maculée de sang puis alla s'asseoir sur un rocher près de la carcasse. Il se sentait triste et en même temps étrangement transporté. Ces émotions contradictoires le déconcertaient et le troublaient, et il arrêta sa pensée sur la beauté et la majesté de l'animal qu'il avait transformé en une masse de chair inerte. Il sentit alors une main sur son épaule.

— Seuls les vrais chasseurs connaissent cette angoisse, Gundwane, grommela Aboli. C'est pourquoi les gens de ma tribu chantent et dansent afin de remercier les esprits pour le gibier qu'ils ont tué et gagner leur faveur.

— Apprends-moi ce chant et cette danse, Aboli, dit Hal, et son compagnon commença à psalmodier de sa belle voix profonde.

Quand il en eut saisi le rythme, Hal entonna le refrain, louant la beauté et la grâce de sa proie et la remerciant d'être morte pour que les chasseurs et les siens puissent vivre.

Aboli se mit à danser; il traînait les pieds, martelait le sol et chantait autour de la carcasse, et Hal l'accompagna dans sa danse. Il avait la poitrine serrée et sa vue se brouillait lorsque le chant prit fin. Ils s'assirent côte à côte dans les rayons obliques du soleil pour regarder la petite colonne des fugitifs, conduite par Sukeena, qui arrivait au loin.

Avant la nuit, Hal leur fit élever la palissade et s'assura que les brèches étaient colmatées avec des branches d'épineux.

Ils apportèrent les quartiers de viande d'éland et les entassèrent dans l'enclos pour les protéger des charognards. Ils ne laissèrent derrière eux que les abats, la tête, les sabots et les boyaux pleins de feuilles et d'herbe à moitié digérées. Lorsqu'ils s'éloignèrent, les vautours arrivèrent en sautillant ou en planant, la hyène et le chacal se précipitèrent pour se goberger, hurler et se disputer le festin.

Après qu'ils eurent tous mangé leur content de succulente viande d'éland, Hal attribua à Sukeena et à lui-même le tour de garde intermédiaire, qui commençait à minuit. C'était le plus pénible, car à cette heure-là, l'énergie de l'individu est au plus bas, mais ils aimaient avoir la nuit pour eux.

Tandis que les autres dormaient, ils se blottirent à l'entrée de la palissade sous une couverture en fourrure, un mousquet à portée de la main de Hal. Après avoir fait l'amour sans bruit afin de ne pas réveiller le reste de la troupe, ils contemplèrent le ciel et parlèrent à voix basse pendant que, tout là-haut, les astres accomplissaient leurs rondes lointaines et éternelles.

— Dites-moi la vérité, mon amour, qu'avez-vous lu dans les étoiles? Que nous réserve l'avenir? Combien de fils allez-vous me donner? (La main de Sukeena était immobile dans la sienne et il sentit que tout son corps se raidissait. Elle ne répondit pas, et il dut la questionner encore.) Pourquoi ne me dites-vous jamais ce que vous voyez dans le futur? Je sais que vous avez dressé nos horoscopes, car souvent, alors que vous pensiez que je dormais, je vous ai vue étudier et écrire dans votre petit livre bleu.

Elle posa ses doigts sur les lèvres de Hal.

— Taisez-vous, mon seigneur. Il y a bien des choses dans cette existence qu'il est préférable de garder cachées. Cette nuit et demain aimons-nous de tout notre cœur et de toutes nos forces. Tirons le meilleur de chaque jour que Dieu nous accorde.

— Vous m'inquiétez, ma douce. Nous n'aurons donc pas d'enfants?

Elle garda le silence une fois encore tandis qu'ils regardaient une étoile filante laisser sa brève traînée de feu à travers les cieux avant de périr sous leurs yeux. Puis elle soupira et murmura :

— Si, je vous donnerai un fils, mais...

La fin de la phrase ne put franchir ses lèvres.

— Il y a une grande tristesse dans votre voix, dit Hal d'un ton alarmé. Et pourtant, la pensée que vous allez porter mon fils me remplit de joie.

— Les astres sont parfois malveillants, chuchota-t-elle. Il arrive qu'ils accomplissent leurs promesses d'une manière inattendue ou déplaisante. La seule chose que je sais, c'est que le destin vous a réservé une tâche de grande conséquence. Il en a été décidé ainsi dès le jour de votre naissance.

— Mon père m'en parlait dans les mêmes termes, dit Hal en ruminant l'ancienne prophétie. Je suis prêt à affronter mon destin, mais j'ai besoin que vous m'aidiez et me souteniez comme vous l'avez déjà fait si souvent.

— La tâche qu'il vous a préparée implique un vœu et un talisman porteur de mystère et de pouvoir, expliqua-t-elle sans répondre à sa requête.

— Serez-vous à mes côtés, vous et mon fils? insista-t-il.

— Si je puis vous guider dans la voie que vous devez prendre, je le ferai de tout mon cœur et de toutes mes forces.

460

— Mais me suivrez-vous ?

— Je vous suivrai aussi loin que le permettront les astres, promit-elle. Je n'en sais et ne peux en dire plus.

— Vous... commença-t-il, mais elle posa ses lèvres sur les siennes pour le réduire au silence.

— Vous ne devez plus me questionner, l'avertit-elle. Joignez de nouveau votre corps au mien et laissons les astres à leurs affaires.

Vers la fin de leur veille, lorsque les Sept Sœurs eurent disparu derrière les collines et que le Taureau fut monté, haut et fier, dans le ciel, ils étaient étendus enlacés, parlant toujours à voix basse pour lutter contre la somnolence qui les envahissait. Ils étaient habitués aux bruits de la nuit — le gazouillis fluide des oiseaux nocturnes, le chœur de jappements des petits chacals roux, les horribles gloussements et les cris aigus des meutes de hyènes — mais soudain s'éleva un son qui les glaça jusqu'à la moelle, un monstrueux rugissement qui statufia tous les petits animaux et dont les collines renvoyèrent cent fois l'écho.

Involontairement, Sukeena se cramponna à Hal et s'écria :

— Oh, Gundwane, quelle est cette terrible créature ?

Elle n'était pas la seule à être terrorisée, tout le camp avait été réveillé en sursaut. Zwaantie se mit à crier et le bébé fit de même. Même les hommes s'étaient levés brusquement et invoquaient Dieu.

Aboli apparut à côté d'eux comme une ombre lunaire et calma Sukeena en posant une main sur son épaule tremblante.

— Ce n'est pas un fantôme mais bien une créature de ce monde, leur dit-il. On dit que même le plus courageux des chasseurs est effrayé trois fois par le lion. La première, quand il voit ses traces, la seconde, lorsqu'il l'entend rugir, la troisième, quand il se trouve face à face avec la bête.

Hal se leva précipitamment et appela les autres.

— Jetez des bûches dans le foyer. Allumez les cordes à feu de tous les mousquets. Placez les femmes et l'enfant au milieu de l'enclos.

Ils s'accroupirent en cercle derrière la fragile palissade, et pendant un moment le calme régna, plus total qu'il ne l'avait été de toute la nuit, car même les charognards avaient été réduits au silence par le puissant rugissement jailli de l'obscurité.

Ils attendaient, l'arme au poing, le regard fixé dans la nuit, au-delà de la lueur des flammes. Hal eut l'impression que la lumière vacillante du foyer lui jouait des tours, car tout à coup il crut voir une forme fantomatique glisser en silence au milieu des ombres.

Sukeena lui agrippa le bras et y planta ses ongles : elle aussi avait vu.

Brusquement le bruit terrifiant résonna de nouveau et fit se dresser leurs cheveux sur leur tête. Les femmes poussèrent un cri et les hommes frémirent, serrant plus fort leur arme, qui leur semblait à présent dérisoire.

— Là! chuchota Zwaantie, et cette fois-ci, ils ne pouvaient plus douter de la réalité de ce qu'ils avaient vu.

C'était la silhouette d'un monstrueux félin, dont l'encolure semblait aussi haute que l'épaule d'un homme, qui passait devant leurs regards de son pas silencieux. Les flammes éclairaient son pelage roux et luisant, transformaient ses yeux en émeraudes flamboyantes comme celles de la couronne de Satan. Un autre arriva, puis un troisième, défilant devant eux en une parade brève et menaçante avant de disparaître dans la nuit.

— Ils rassemblent leur courage, dit Aboli. Ils sentent l'odeur du sang et de la chair morte, et nous chassent.

— Devons-nous sortir de l'enclos et nous enfuir? demanda Hal.

— Non! répondit Aboli en secouant la tête. L'obscurité est leur domaine. Ils sont capables de voir lorsque la nuit nous rend aveugles. L'obscurité les enhardit. Nous devons rester là afin de voir d'où ils viennent.

De la nuit émergea alors une créature qui éclipsait les autres par sa taille. Elle avançait vers eux de sa démarche majestueuse, sa crinière noir et or la faisant paraître aussi énorme qu'une meule de foin.

— Est-ce que je tire? chuchota Hal à Aboli.

Le lion s'arrêta dans le cercle de lumière créé par le feu, écarta ses pattes de devant et baissa la tête. Sous leurs regards horrifiés, sa crinière se hérissa et sembla doubler de volume. Lorsqu'il ouvrit les mâchoires, ils virent luire ses dents d'ivoire, sa langue rouge se dérouler, et il rugit de nouveau.

Le son les frappa avec une force presque palpable, comme une vague poussée par la tempête, traumatisant leurs tympans et paralysant leurs sens. La bête était si près que Hal perçut sur son visage le souffle puissant de ses poumons. Il sentait le cadavre et la charogne.

— Du calme! lança Hal. Ne faites aucun bruit et ne bougez pas pour ne pas le provoquer.

Même les femmes et l'enfant obéirent. Ils retinrent leurs cris et restèrent assis, frappés de terreur. Ils demeurèrent ainsi sous le regard du lion ce qui leur parut être une éternité, jusqu'au moment où le petit Johannes n'y tint plus. Il hurla, prit son mousquet et se mit à tirer avec frénésie.

Juste avant que la fumée de poudre les aveugle, Hal put voir que la balle avait manqué l'animal, frappant le sol entre ses pattes. Ensuite le nuage de fumée tourbillonna autour d'eux et les grognements du lion furieux s'en échappèrent. Les deux femmes hurlaient et les hommes se bousculaient dans leur hâte à chercher refuge au fond de l'enclos. Seuls Hal et Aboli restèrent où ils étaient, mousquets pointés vers le nuage de fumée. Sukeena se blottit contre Hal mais ne s'enfuit pas.

Le lion émergea alors, lancé en pleine charge. Hal appuya sur la détente et son mousquet fit long feu. L'arme d'Aboli partit avec une détonation assourdissante, mais l'animal formait une cible trop mouvante et indistincte dans la fumée et les ténèbres. Le coup d'Aboli avait dû se perdre car le lion entra en trombe dans l'enclos en poussant des rugissements effroyables. Hal se jeta sur Sukeena, la couvrant de son corps, et le félin sauta par-dessus lui.

Il semblait avoir repéré Johannes au centre de la grappe d'hommes terrifiés. Ses énormes mâchoires se refermèrent sur ses reins et il le souleva comme un chat le ferait d'une souris. D'un bond, il franchit la palissade et disparut dans la nuit.

Ils entendirent Johannes hurler dans le noir, mais le lion ne le porta pas bien loin. Dès qu'il fut sorti du halo de lumière, il entreprit de le dévorer vivant. Ils entendirent ses os craquer sous les crocs de la bête, puis sa chair se déchirer. Les rugissements et les grognements se multiplièrent lorsque les lionnes se précipitèrent pour partager la proie. Elles mirent en pièces Johannes qui hurlait et sanglotait toujours. Ses cris s'affaiblirent progressivement, puis se turent complètement, et il n'y eut plus que les bruits horribles du festin.

Les femmes étaient devenues hystériques et, terrorisé, Bobby pleurait en tapant de ses petits poings la poitrine d'Althuda. Hal calma Sukeena, qui réagit rapidement au contact de son bras autour de ses épaules.

— Ne courez pas. Déplacez-vous doucement et asseyez-vous en cercle, les femmes au centre. Rechargez vos mousquets mais ne tirez pas avant que je vous le dise, dit Hal pour rallier ses gens avant de s'adresser à Daniel et à Aboli. C'est notre réserve de viande qui les attire. Quand ils en auront fini avec Johannes, ils reviendront à la charge.

— Tu as raison, Gundwane.

— Nous allons leur donner de la viande d'éland pour faire diversion. Aidez-moi.

Les trois hommes prirent l'un des énormes quartiers de viande crue, le portèrent en chancelant jusqu'à la limite de la zone éclairée par le foyer et le laissèrent tomber à terre.

— Ne courez pas, avertit Hal derechef, car de même que le chat poursuit la souris, ils se jetteront sur nous si nous nous enfuyons.

Ils rentrèrent dans l'enclos. Presque immédiatement, une lionne se rua sur le quartier de viande et le tira dans l'obscurité. Ils entendirent le tapage que faisaient les autres en essayant de lui prendre sa prise, puis en grognant et en se crachant dessus, quand tous se mirent à le dévorer.

Ce morceau de viande suffit pour que la troupe vorace de grands félins continue de manger et de se chamailler pendant une heure, mais quand ils recommencèrent à rôder en bordure de la zone éclairée et à lancer de fausses charges contre le groupe terrorisé, Hal dit :

— Nous devons encore leur donner à manger.

Il devint bientôt évident que les lions préféraient se contenter de ces aubaines plutôt que d'attaquer le camp, car lorsque les trois hommes traînèrent un autre quartier de viande à l'extérieur de la palissade, les bêtes attendirent qu'ils se retirent avant qu'une lionne sorte furtivement de l'obscurité pour l'emporter.

— Ce sont toujours les femelles qui sont les plus hardies, remarqua Hal pour distraire ses compagnons.

— Et les plus avides ! ajouta Aboli.

— Ce n'est pas notre faute si vous, les mâles, manquez de courage et n'êtes pas capables de subvenir à vos besoins, leur dit Sukeena aigrement, et presque tous se mirent à rire, mais sans grande conviction.

Deux fois encore au cours de la nuit, Hal et ses deux compagnons livrèrent aux lions des quartiers de viande d'élan. Enfin, quand l'aube dessina la cime des arbres sur le fond du ciel pâlissant, l'appétit des félins sembla calmé. Ils entendirent le rugissement du grand mâle s'évanouir au loin. Il rugit une dernière fois à une lieue du camp à l'instant où l'orbe doré du soleil émergeait audessus de la chaîne déchiquetée de montagnes qui courait parallèlement à la route qu'ils suivaient.

Hal et Althuda sortirent pour rassembler les restes du pauvre Johannes. Curieusement, les lions avaient laissé intactes sa tête et ses mains, et dévoré tout le reste. Hal ferma les yeux du mort puis Sukeena enveloppa ces restes pitoyables dans un linge et pria sur la tombe qu'ils creusaient. Hal plaça des grosses pierres sur le sol fraîchement retourné pour empêcher les hyènes de venir déterrer la dépouille de Johannes.

— Nous ne pouvons nous attarder ici plus longtemps, dit-il en aidant Sukeena à se relever. Nous devons partir sur-le-champ si nous voulons arriver au fleuve aujourd'hui. Il reste heureusement assez de viande pour ce que nous voulons faire.

Ils en attachèrent les derniers quartiers sur des perches pour les porter. Chancelant sous leur fardeau, ils reprirent leur marche à travers les collines et les prairies. Ils atteignirent le fleuve en fin d'après-midi et, du haut d'un promontoire, regardèrent en contrebas la large étendue d'eau verte qui avait déjà fait obstacle à leur progression.

Le *Golden Bough* jeta l'ancre à l'entrée de la lagune des Eléphants, et Llewellyn mit immédiatement son équipage au travail pour pomper l'eau hors des cales et réparer la coque et le gréement endommagés par la tempête. Le vent soufflait toujours avec rage au-dessus de leurs têtes mais, bien que la surface de la lagune fût agitée de vaguelettes écumantes, les promontoires brisaient le gros de sa force.

Cornelius Schreuder brûlait d'impatience d'aller à terre. Il n'avait qu'une envie : quitter le *Golden Bough* et fausser compagnie à ces Anglais qu'il en était venu à détester. Il considérait Lord Cumbria comme un ami et un allié, et avait hâte de le rejoindre et de lui demander d'être son témoin dans l'affaire d'honneur qui l'opposait à Vincent Winterton. Dans sa cabine, il fit ses malles à la hâte et, comme personne ne pouvait venir l'aider, il les traîna lui-même sur le pont. Debout près de la coupée avec tous ses bagages, il garda les yeux fixés sur le camp dressé sur le rivage par Cumbria.

Le Busard l'avait établi au même endroit que Sir Francis Courteney, là où Schreuder l'avait attaqué avec ses pourpoints verts. Une intense activité régnait au milieu des arbres. Schreuder avait l'impression que Cumbria creusait des tranchées et élevait des fortifications, et cela le rendait perplexe . il jugeait absurdes ces ouvrages défensifs alors qu'il n'y avait aucun ennemi à craindre en pareil lieu.

Llewellyn ne voulait pas quitter le *Golden Bough* avant de s'être assuré que les réparations étaient bien en train et que, à tous égards, le navire se trouvait en sûreté. Il confia finalement le commandement à son second, Arnold Fowler, et fit préparer une chaloupe.

— Capitaine Llewellyn, lança Schreuder en l'accostant au moment où il s'approchait du bastingage. J'ai décidé, sous réserve de l'accord de Lord Cumbria, de quitter votre navire et de m'installer sur le *Goéland de Moray*.

— Je savais que telle était votre intention, répondit Llewellyn en hochant la tête, et, en vérité, je doute que votre départ fasse verser beaucoup de larmes à bord. Je vais à terre pour chercher un endroit où remplir les barriques dans lesquelles de l'eau de mer s'est infiltrée pendant la tempête. J'en profiterai pour vous déposer avec vos bagages au camp de Cumbria. Voici la somme que vous m'aviez remise en paiement de votre passage. Pour m'épargner d'autres frictions et réflexions acrimonieuses, je préfère vous la restituer intégralement.

Schreuder se serait fait un plaisir de refuser cette offre avec dédain, mais ces quelques guinées étaient toute sa richesse ; il prit la petite bourse que lui tendait Llewellyn et marmonna à contrecœur :

— En cela au moins vous vous comportez en gentleman, monsieur. Je vous en suis redevable.

Ils descendirent dans la chaloupe, Llewellyn s'assit à l'arrière tandis que Schreuder trouva une place à l'avant, ignorant les sourires de l'équipage et les saluts ironiques que lui adressaient les officiers du navire depuis le gaillard d'arrière. Ils avaient parcouru la moitié de la distance qui les séparait de la plage lorsqu'une silhouette familière, un homme vêtu d'un plaid et d'un béret écossais enrubanné, sortit de la forêt d'un pas nonchalant, sa barbe et ses cheveux roux étincelants au soleil, et les regarda approcher les poings sur les hanches.

— Colonel Schreuder, par les gringuenaudes fumantes du diable ! rugit Cumbria en le reconnaissant. Voir votre mine épanouie me réjouit le cœur.

Dès que l'étrave eut touché le sable, Schreuder sauta à terre et serra la main tendue du Busard.

— Je suis surpris, mais ravi de vous trouver là, comte.

Le Busard jeta un coup d'œil par-dessus l'épaule du colonel et fit un large sourire.

— Oh ! Et n'est-ce pas là Christopher Llewellyn, mon bien-aimé confrère templier ! Ravi de vous voir, cousin, et que Dieu soit avec vous.

Llewellyn ne daigna pas sourire et se montra peu empressé à serrer la main que lui tendit Cumbria.

— Comment va, Cumbria ? Notre dernière conversation, dans la baie de Trincomalee, a été interrompue à un moment crucial lorsque vous êtes parti en proie à quelque désarroi.

— Ah, mais cela était il y a bien longtemps et en d'autres lieux, cousin, et je suis certain que nous pouvons être assez magnanimes pour pardonner et oublier cette affaire stupide et insignifiante.

— Cinq cents livres et la vie de vingt de mes hommes, ce n'est pas une affaire stupide et insignifiante aux yeux de mes comptables. Et je vous rappelle que je n'ai avec vous pas le moindre lien de parenté, quel qu'il soit, rétorqua Llewellyn d'un ton sec, irrité par le souvenir de cette ancienne agression.

Mais Cumbria le prit par l'épaule et dit à voix basse :

— *In Arcadia habito.*

Llewellyn était de toute évidence en proie à un conflit intérieur, mais il ne pouvait renier son serment de chevalier et il finit par répondre, les dents serrées :

— *Flumen sacrum bene cognosco.*

— Nous y voilà ! lança le Busard en éclatant de rire. Ce n'était pas si difficile que ça, n'est-ce pas ? A défaut d'être cousins, nous sommes toujours frères dans le Christ.

— J'aurais une attitude plus fraternelle à votre égard, monsieur, si j'avais mes cinq cents livres dans ma bourse.

— Je pourrais mettre en balance cette dette et les mauvaises blessures que vous avez infligées à mon gentil *Goéland* et à moi-même, répondit le Busard en tirant sa cape pour découvrir la large cicatrice qu'il avait au bras. Mais je suis indulgent et j'ai le cœur aimant, Christopher, et vous les aurez, je vous en donne ma parole. Jusqu'au dernier quart de penny, et les intérêts par-dessus le marché.

Llewellyn sourit froidement.

— J'attends pour vous remercier de sentir le poids de votre bourse entre mes mains.

Cumbria lut la détermination dans son regard calme et n'eut pas besoin d'un autre coup d'œil à la rangée de sabords de batterie et aux lignes nettes du *Golden Bough*, révélatrices de sa maniabilité, pour savoir que leurs forces n'étaient pas égales et qu'il essuierait un terrible pilonnage en cas d'affrontement, comme quatre ans plus tôt dans la baie de Trincomalee.

— Je ne vous blâme point de ne faire confiance à personne en ce monde corrompu qui est le nôtre, mais venez dîner à terre avec moi ce soir-même et vous aurez votre argent, je vous le jure.

— Merci de votre hospitalité, monsieur, fit Llewellyn en

hochant la tête d'un air résolu, mais je me souviens fort bien de la dernière fois où j'ai accepté l'une de vos invitations. J'ai à bord un excellent cuisinier qui me prépare des repas bien plus à mon goût. Je reviendrai cependant à la tombée de la nuit chercher la bourse que vous m'avez promise.

Il s'inclina et retourna à sa chaloupe. Le Busard le regarda s'éloigner avec une expression dubitative. L'embarcation traversa la lagune en direction de la petite rivière qui se jetait à l'autre bout.

— Ce Llewellyn a un sale caractère, grommela-t-il.

— Je n'ai jamais été aussi content de me débarrasser de quelqu'un, acquiesça Schreuder à côté de lui, et je suis bien aise de me trouver là sur la plage et de faire appel à votre amitié comme je le fais maintenant.

Cumbria lui lança un regard perspicace.

— Vous avez l'avantage sur moi, monsieur, dit-il. Qu'êtes-vous venu faire ici et que puis-je pour vous en bonne amitié ?

— Où pouvons-nous bavarder tranquillement ?

— Par ici, mon vieil ami et compagnon d'armes, répondit Cumbria en conduisant Schreuder jusqu'à sa case au milieu des arbres, où il lui versa une chope de whisky. Maintenant, racontez-moi tout cela. Pourquoi n'êtes-vous plus à la tête de la garnison de Bonne-Espérance ?

— Je vais être franc avec vous, comte. Me voilà dans de beaux draps. Le gouverneur Van de Velde m'accuse d'un crime que je n'ai pas commis. Vous savez combien sa jalousie et sa mauvaise volonté à mon égard avaient pris un tour obsessionnel, expliqua Schreuder.

— Je vous en prie, continuez, fit Cumbria sans s'engager en hochant la tête avec circonspection.

— Il y a dix jours, l'épouse du gouverneur a été assassinée dans un accès de débauche et de passion bestiale par le jardinier, bourreau de la Compagnie.

— Doux Jésus ! s'exclama Cumbria. Slow John ! Je savais que c'était un fou. Ça se voyait dans ses yeux. Un maniaque qui disait n'importe quoi ! Je suis attristé d'apprendre ce qui est arrivé à cette femme, une délicieuse petite caille. J'avais un os dans mes hauts-de-chausses rien qu'à regarder ses petits tétons.

— Van de Velde m'a accusé à tort de cet ignoble meurtre. J'ai été contraint de prendre la fuite sur le premier navire en partance avant qu'il ne me fasse emprisonner et placer sur le chevalet. Llewellyn m'a offert un passage pour l'Orient où j'étais déterminé à m'enrôler dans la guerre qui a éclaté dans la Corne de l'Afrique entre le Prêtre-Jean et le Grand Moghol.

Une étincelle brilla dans les yeux de Cumbria et il se pencha en avant sur son tabouret en entendant parler de guerre, comme une hyène alléchée par l'odeur du sang sur le champ de bataille. Les fouilles pour tenter de retrouver l'insaisissable trésor de Franky Courteney commençaient passablement à l'ennuyer, et la perspective de remplir ses cales de richesses sans se donner tant de peine mobilisait toute son attention. Mais il ne voulait pas montrer son impatience à ce fanfaron et il se promit de revenir sur le sujet ultérieurement.

— Vous êtes assuré de toute ma sympathie et de toute l'aide que je pourrai vous donner, dit-il avec une expression compréhensive.

Son esprit était en ébullition. Il sentait que Schreuder était coupable de ce meurtre qu'il niait avec tant de véhémence avoir commis, mais, coupable ou non, il était désormais un hors-la-loi et se mettait spontanément à sa merci.

Schreuder avait fait au Busard ample démonstration de ses qualités de soldat. C'était une précieuse recrue, d'autant plus qu'il serait entièrement à sa botte du fait du sang qu'il avait sur les mains. En tant que fugitif et meurtrier, le Hollandais ne pouvait plus se permettre d'être trop tatillon en matière de moralité.

« Lorsqu'une fille a perdu sa virginité, elle remonte ses jupes et se couche dans le foin avec plus d'empressement la seconde fois », se dit gaiement le Busard en prenant amicalement et fermement Schreuder par le bras.

— Vous pouvez vous en remettre à moi, mon ami, dit-il. Comment puis-je vous aider ?

— Je désire unir ma destinée à la vôtre et me mettre à votre service.

— Et vous serez le bienvenu, fit Cumbria en souriant avec un plaisir sincère.

Il venait de trouver un bon chien de chasse, peut-être pas d'une grande intelligence, mais féroce et imperméable à la peur.

— Je ne vous demande qu'une faveur en retour, ajouta Schreuder.

Le Busard laissa retomber sa main et se tint sur ses gardes. Il aurait dû se douter qu'il y avait un prix sous un si joli cadeau.

— Une faveur ?

— J'ai été traité de la façon la plus mesquine et la plus indigne à bord du *Golden Bough*. J'ai été escroqué d'une grosse somme à la passe anglaise par l'un des officiers du navire, insulté et injurié par le capitaine Llewellyn et ses hommes. Pour couronner le tout, après m'avoir floué, le tricheur m'a provoqué en duel. Il m'a été impossible de trouver quelqu'un à bord qui accepte d'être mon témoin, et Llewellyn a interdit que cette question d'honneur soit réglée avant que nous arrivions à bon port.

— Continuez, je vous en prie, dit Cumbria, dont les soupçons s'évanouissaient à mesure qu'il se rendait compte où Schreuder voulait en venir.

— Je serais extrêmement honoré et reconnaissant si vous consentiez à être mon témoin, comte.

— C'est tout ce que vous désirez obtenir de moi?

Il avait peine à croire que les choses aient été si faciles. Il voyait déjà les profits qu'il pourrait retirer de cette affaire. Il avait promis à Llewellyn ses cinq cents livres, et il allait les lui donner, mais uniquement après s'être assuré qu'il serait en mesure de les récupérer tout en faisant éventuellement main basse sur d'autres bénéfices.

Il jeta un coup d'œil vers la lagune. Le *Golden Bough*, ce puissant bâtiment de guerre, y était au mouillage. S'il parvenait à se l'approprier, il se trouverait à la tête d'une force navale sans beaucoup d'équivalents dans les mers de l'Orient. Si, en pleine guerre, il faisait son apparition au large de la Corne de l'Afrique avec ces deux vaisseaux, quel butin ne serait-il pas à même de recueillir?

— Ce sera pour moi un honneur et un plaisir d'être votre témoin, dit-il à Schreuder. Dites-moi le nom de ce faquin qui vous a provoqué, et je veillerai à ce que vous obteniez de lui réparation immédiatement.

Lorsque Llewellyn revint à terre à l'heure du dîner, il était accompagné de deux officiers et d'une douzaine de marins avec sabres et pistolets. Cumbria était sur la plage pour l'accueillir.

— J'ai la bourse que je vous ai promise, mon cher Christopher. Accompagnez-moi jusqu'à ma modeste résidence, nous prendrons une chope en l'honneur de notre amitié et en souvenir des moments agréables que nous avons eus par le passé. Mais ne voulez-vous pas d'abord me présenter à ces deux beaux messieurs?

— Monsieur Arnold Fowler, mon second. (Les deux hommes se saluèrent de la tête.) Et voici mon troisième officier, Vincent Winterton, fils de mon protecteur, le vicomte Winterton.

— Et également champion de passe anglaise, un champion dont la main demande à être surveillée quand elle lance les dés, fit Cumbria à Vincent avec un sourire.

Le jeune homme retira la main qu'il tendait.

— Je vous demande pardon, monsieur, mais que sous-entendez-vous par là? demanda-t-il sèchement.

— Uniquement que le colonel Schreuder m'a demandé d'être son témoin. Auriez-vous la bonté de me dire quel est le vôtre?

— J'ai cet honneur, coupa Llewellyn.

— En ce cas, nous avons beaucoup de choses à voir, mon cher Christopher. Suivez-moi, je vous prie, mais puisque ce sont des affaires de M. Winterton dont nous allons débattre, peut-être vaut-il mieux qu'il reste sur la plage.

Llewellyn suivit le Busard jusqu'à sa case et prit le tabouret qui lui était offert.

— Une chope d'eau de vie?

— Non, merci, répondit Llewellyn en secouant la tête. Venons-en sans tarder à ce qui nous amène ici.

— Vous avez toujours été quelqu'un d'impatient et de têtu, fit le Busard avant de se verser une chope et de boire une gorgée. Vous ne saurez jamais ce que vous manquez, ajouta-t-il après avoir fait claquer ses lèvres et s'être essuyé la moustache. C'est le meilleur whisky de toutes les îles britanniques. Mais, tenez, c'est pour vous.

Il posa une lourde bourse sur le tonneau qui leur servait de table. Llewellyn la prit et la soupesa pensivement.

— Recomptez si vous voulez, proposa le Busard. Je ne m'en offusquerai pas.

Il se redressa sur son tabouret et, tout en buvant sa chope à petites gorgées, regarda en souriant Llewellyn disposer les pièces d'or en piles sur le tonneau.

— Il y a bien cinq cents livres, et cinquante pour les intérêts. Je vous suis obligé, monsieur, dit Llewellyn dont l'expression s'était radoucie.

— Ce n'est pas cher payé pour me conserver votre amitié, Christopher, répondit Cumbria. Mais, passons maintenant à notre autre affaire. Comme je vous l'ai dit, je suis le témoin du colonel Schreuder.

— Et moi, celui de M. Winterton, confirma Llewellyn. Mon client s'estimera satisfait s'il reçoit des excuses de Schreuder.

— Vous savez fort bien, Christopher, qu'il ne lui en fera aucune. Je crains que les deux jeunes chiots aient à se battre pour régler cette histoire.

— Le choix des armes vous appartient, dit Llewellyn. Les pistolets à vingt pas, cela vous va?

— Cela m'irait mais mon client veut se battre à l'épée.

— Soit. Quel endroit et quel moment vous conviennent?

— Je vous laisse en décider.

— Je dois réparer ma coque et mon gréement. Des dégâts provoqués par la tempête. J'ai besoin de la présence de M. Winterton à bord pendant ces travaux. Puis-je vous suggérer dans trois jours, sur la plage au lever du soleil ?

Le Busard tira sur sa barbe tout en réfléchissant à cette proposition. Il lui fallait quelques jours pour prendre les dispositions auxquelles il pensait. Un report à trois jours lui convenait parfaitement.

— D'accord ! dit-il.

Llewellyn se leva immédiatement et plaça la bourse dans la poche de sa tunique.

— Comme je vous l'ai dit, monsieur, j'ai beaucoup à faire à bord.

Le Busard le regarda redescendre vers la plage et monter dans sa chaloupe. Tandis qu'on les ramenait vers le *Golden Bough*, Llewellyn et Winterton étaient en grande conversation.

« Une sacrée surprise attend le jeune Winterton. Il n'a certainement jamais vu le Hollandais une épée à la main pour avoir accepté aussi à la légère le choix des armes », pensa Cumbria en lampant les dernières gouttes de whisky qui restaient dans sa chope avant de sourire à nouveau. « Nous allons voir si nous ne pouvons pas réserver une petite surprise à Christopher Llewellyn également. » Il tapa avec sa chope sur le couvercle du tonneau et beugla :

— Envoyez-moi M. Bowles, et que ça saute.

Sam Bowles entra en se tortillant comme un chien battu pour se gagner les faveurs de son capitaine, les yeux froids et rusés.

— Sammy, mon garçon, dit Cumbria en lui donnant une claque sur le bras qui le brûla comme une piqûre d'abeille mais n'effaça pas son sourire. J'ai quelque chose à vous dire qui devrait être tout à fait à votre goût. Ecoutez-moi bien.

Sam Bowles s'assit en face de lui et inclina la tête pour ne pas manquer une parole. Une ou deux fois, il posa une question ou gloussa de plaisir et d'admiration tandis que Cumbria lui exposait son plan.

— Vous avez toujours voulu être à la tête de votre propre bateau. L'occasion vous en est donnée. Servez-moi bien et vous l'aurez. Capitaine Samuel Bowles. Quel effet cela vous fait-il d'entendre ça ?

— Un effet bien plaisant, Votre Grâce ! répondit Bowles en hochant la tête avec empressement. Et je ne vous décevrai pas.

— Je l'espère bien ! Sinon, ce serait la dernière fois, car vous danseriez sur un air de cornemuse, pendu à la grande vergue de mon *Goéland*.

Les berges étaient couvertes de saules et d'acacias au feuillage vert foncé vêtus d'un manteau de fleurs jaunes. La rivière large et profonde roulait lentement ses eaux vertes entre des promontoires rocheux. Tandis que, depuis les flancs escarpés de la vallée, ils regardaient les bancs de sable émergés, Sukeena frissonna et chuchota :

— Oh, quelles horribles créatures ! Ce sont sûrement les dragons dont on parle.

— Ce sont bel et bien des dragons, convint Hal en observant les crocodiles qui prenaient le soleil sur le sable blanc.

Il y en avait des dizaines, certains guère plus gros que des lézards, d'autres, de véritables monstres longs et larges comme des chaloupes, sans doute capables d'avaler un homme tout entier. Ils avaient vu combien ces bêtes étaient féroces lorsqu'ils avaient tenté de passer la rivière à gué une première fois : l'une avait saisi Billy Rogers entre ses terribles mâchoires et l'avait entraîné sous la surface. Ils n'avaient rien retrouvé de son corps.

— Je tremble à l'idée d'essayer de traverser encore avec ces créatures dans les parages, murmura Sukeena.

— Les gens de la tribu d'Aboli savent comment s'y prendre.

Sur le promontoire rocheux qui dominait le cours d'eau, hors d'atteinte des crocodiles, ils entassèrent au soleil la viande d'élan, qui commençait déjà à sentir mauvais. Hal envoya ensuite des hommes dans la forêt chercher des rondins de bois sec pouvant flotter haut sur l'eau. Suivant les instructions de Ned Tyler, ils les taillèrent avec leurs sabres, bien que Hal n'aimât pas voir les fines lames d'acier émoussées et ébréchées par ce travail. Pendant ce temps-là, Althuda découpa avec l'aide de Sukeena les peaux d'élan en longues lanières grosses comme le petit doigt.

Aboli se mit à la recherche de l'arbre dont il avait besoin, puis coupa des branches pour en faire des petits épieux, qu'il porta en fagots sur son dos jusqu'à l'endroit où travaillaient les autres. Daniel l'aida à tailler en pointe les deux extrémités de ces morceaux de bois vert et à les durcir dans le feu. Ensuite, en se servant d'un rondin comme gabarit, les deux hommes recourbèrent chacun des épieux jusqu'à former un cercle, les pointes se chevauchant. Tandis qu'ils les maintenaient en place, Hal attachait solidement les extrémités avec les lanières en peau d'élan. Lorsqu'ils les lâchaient avec précaution, les épieux étaient comme des ressorts bandés, prêts à se détendre d'un seul coup quand la lanière était rongée. A la tombée du soleil, ils disposaient de tout un stock de ces pièges.

Leur rencontre avec la troupe de lions leur avait servi de leçon, et ce soir-là, ils hissèrent les quartiers de viande sur les branches hautes d'un des arbres les plus grands. Ils élevèrent ensuite leur palissade bien en aval de la réserve de viande, s'assurèrent de sa solidité et en bloquèrent l'entrée avec des branches d'épineux.

Ils ne fermèrent guère l'œil de la nuit et restèrent étendus à écouter les hyènes et les chacals hurler et grogner sous l'arbre où était suspendue la viande, mais les lions ne revinrent pas. A l'aube, ils sortirent de l'enclos pour reprendre les préparatifs de leur traversée.

Ned Tyler acheva la construction du radeau en attachant ensemble les rondins de bois avec les lanières de peau.

— C'est un fragile esquif, fit remarquer Sukeena en le lorgnant avec une appréhension manifeste. L'un de ces grands dragons pourrait le retourner d'un coup de queue.

— Voilà pourquoi Aboli a préparé les pièges.

Ils retournèrent sur le promontoire où Althuda et Zwaantie aidaient Aboli à envelopper les petits cercles de bois vert dans une couche épaisse de viande avariée.

— Les crocodiles sont incapables de mâcher, leur expliqua Aboli tout en travaillant. Ces morceaux de viande ont la bonne taille pour qu'ils puissent l'avaler tout rond.

Lorsque les appâts furent prêts, ils les portèrent sur la rive. En approchant des bancs de sable où les grands sauriens étaient vautrés comme des troncs d'arbres échoués, ils se mirent à crier, à taper des mains et à tirer des coups de mousquet afin d'alarmer les énormes bêtes.

Elles se dressèrent sur leurs pattes courtes et massives, se dirigèrent d'un pas lourd dans leur élément naturel et glissèrent avec force éclaboussures dans le plan d'eau verte en soulevant des vagues qui allèrent se briser sur la rive opposée. Dès que le banc de sable fut désert, les hommes se précipitèrent et disposèrent les morceaux de viande nauséabonde au bord de l'eau. Ils se hâtèrent de faire demi-tour et remontèrent sur le promontoire où les femmes attendaient en sécurité.

Après un moment, les yeux protubérants des crocodiles commencèrent à émerger un peu partout à la surface du plan d'eau et à s'approcher lentement du banc de sable.

— Ce sont des animaux craintifs, dit Aboli avec haine et dégoût, mais, lorsqu'ils sentiront la viande, leur gloutonnerie ne tardera pas à prendre le pas sur leur peur.

Au même instant, l'un des plus gros reptiles se dressa hors de l'eau peu profonde et se dandina avec précaution vers le banc de sable, laissant derrière lui un sillon avec son énorme queue. Soudain, avec une rapidité et une agilité surprenantes, il se précipita en avant et s'empara d'un des morceaux de viande, puis ouvrit en grand ses mâchoires et l'avala. De leur observatoire, ils virent, subjugués, le gros morceau de viande disparaître dans sa gueule, puis former une protubérance sur la peau blanche et squameuse du cou. Le crocodile se retourna alors et se hâta de rentrer dans l'eau, mais immédiatement un deuxième en sortit et engloutit un autre morceau de viande. S'ensuivit une mêlée générale de longs corps ondulants et humides qui brillaient au soleil, sifflaient, claquaient des mâchoires et se marchaient les uns sur les autres en se disputant l'aubaine.

Lorsque toute la viande fut avalée, certains crocodiles rentrèrent dans l'eau mais beaucoup s'installèrent de nouveau sur le sable chaud d'où on les avait dérangés. Le calme retomba sur la berge et les martins-pêcheurs recommencèrent à passer comme des flèches ou à planer au-dessus de la rivière. Un gros hippopotame gris sortit sa tête de l'eau de l'autre côté et partit d'un rire rocailleux. Ses femelles s'assemblèrent autour de lui, leurs dos pareils à des rochers noirs et luisants.

— Ton plan n'a pas réussi, remarqua Sabah en hollandais. Les crocodiles se portent comme des charmes et sont prêts à tomber sur le premier d'entre nous qui s'approchera de l'eau.

— Un peu de patience, répondit Aboli. Il faut un certain temps avant que les sucs digestifs rongent les lanières en peau. Mais, à ce moment-là, les épieux vont se détendre d'un seul coup et leurs extrémités pointues leur transperceront les boyaux et les organes vitaux.

Il n'avait pas plus tôt fini son explication qu'un des crocodiles, le premier à s'être servi, laissa soudain échapper un terrible rugissement et arqua le dos jusqu'à ce que sa queue vienne claquer au-dessus de sa tête. Il gronda de nouveau et pivota brusquement sur lui-même pour se mordre le flanc de ses puissantes mâchoires. Ses dents jaunes et pointues déchirèrent la peau squameuse et arrachèrent des lambeaux de sa propre chair.

— Regardez! lança Aboli en se levant d'un bond. L'extrémité de l'épieu lui a percé le ventre.

En effet, la pointe noircie du bâton de bois vert dépassait d'une bonne main la peau couverte d'écailles. Tandis que le grand crocodile se tordait et sifflait dans les convulsions de l'agonie, un autre commença à fouetter l'air de sa queue, puis un troisième et un quatrième. Le plan d'eau était à présent couvert d'écume, les cris et rugissements épouvantables des sauriens blessés se répercutaient le long des falaises, chassant de leurs nids les aigles et les vautours effrayés.

— Beau travail, Aboli! Tu nous as dégagé la route, fit Hal en se levant précipitamment.

— Oui! Nous pouvons y aller, confirma Aboli. Mais dépêchez-vous et ne vous attardez pas dans l'eau ou près du bord, car il se peut que les pièges ne se soient pas encore déclenchés dans le ventre de quelques *ngwenya*.

Ils suivirent son conseil. Soulevant à plusieurs le radeau de fortune, ils le portèrent en toute hâte vers la berge et, dès qu'il fut à l'eau, jetèrent à bord les paniers de provisions, les sacoches de selle et les sacs de poudre, puis embarquèrent les deux femmes et le petit Bobby sur le frêle esquif. A moitié nus, les hommes poussèrent le radeau en travers du courant paresseux. Dès qu'ils eurent atteint la berge opposée, ils prirent leurs bagages et escaladèrent en vitesse la pente rocheuse pour s'éloigner de la berge.

Enfin hors de danger, ils purent alors s'embrasser, rire et se congratuler. Ils dressèrent le camp sur place et, à l'aube, Aboli demanda à Hal:

— A quelle distance sommes-nous encore de la lagune des Eléphants?

Celui-ci déroula sa carte et estima leur position.

— Nous sommes là, à cinq lieues de la côte et à moins de cinquante de la lagune. Si nous ne rencontrons pas de rivière aussi large que celle-ci et si nous marchons bien, nous devrions être là-bas dans cinq jours.

— Il ne nous reste plus qu'à bien marcher, dit Aboli en réveillant le reste de la petite troupe.

Ils ramassèrent leur chargement et, avec le soleil de face, reprirent l'ordre de marche qu'ils avaient conservé tout au long de leur pénible randonnée.

Peu avant l'aube, les quatre chaloupes du *Golden Bough*, pleines à craquer de matelots, se dirigeaient vers le rivage. A l'avant de chacune d'elles, un marin tenait haut une lanterne pour éclairer leur route, et leurs reflets dansaient comme des lucioles sur l'onde calme et noire du lagon.

— Llewellyn amène avec lui la moitié de son équipage ! exulta le Busard en voyant la flottille s'approcher de la plage.

— Il soupçonne quelque trahison, alors il vient en force, enchaîna Sam Bowles en riant.

— Quel invité grossier ! Nous suspecter d'une telle bassesse, fit le Busard en secouant la tête avec tristesse. Il mérite ce que lui réserve le destin.

— Il a divisé ses forces. Il y a au moins cinquante hommes dans ces baleinières, estima Bowles. Cela nous facilite la tâche. Tout devrait marcher comme sur des roulettes.

— Espérons-le, monsieur Bowles, grogna le Busard. Je vais à la rencontre de nos invités. N'oubliez pas, le signal est une fusée rouge. Attendez bien qu'elle soit lancée.

— Oui, capitaine !

Bowles salua et s'éloigna dans l'obscurité. Cumbria parcourut la plage à grands pas pour accueillir la chaloupe de tête. Tandis qu'elle approchait du rivage, il vit à la lumière de la lanterne que Llewellyn et Vincent Winterton étaient assis l'un à côté de l'autre à l'arrière. Tête nue, Vincent portait un manteau de laine sombre pour se protéger de la fraîcheur de l'aube. Ses cheveux tombaient dans le dos en une grosse natte. Il mit pied à terre à la suite de son capitaine.

— Bonjour, messieurs, lança Cumbria. Je vous félicite pour votre ponctualité.

— M. Winterton est prêt, répondit Llewellyn en saluant d'un signe de tête.

— Le colonel Schreuder vous attend. Par ici, je vous prie, dit le Busard. (Ils avancèrent côte à côte le long de la plage, suivis par les marins bien rangés en colonne.) Il est inhabituel de voir une telle foule de marsouins assister à un duel, fit-il remarquer.

— L'un des rares principes qui aient encore cours au-delà de la Ligne consiste à bien défendre ses arrières, rétorqua Llewellyn.

— Je vous comprends, gloussa Cumbria. Mais pour vous prouver ma bonne foi, je n'inviterai aucun de mes gars à se joindre à nous. Et moi-même, je ne suis pas armé.

Il écarta les mains et ouvrit sa tunique pour confirmer ses dires. Une bosse anodine dans le creux de ses reins cachait le pistolet dernier modèle fabriqué à Glasgow par Fallon, qu'il avait fourré dans sa ceinture. Le mécanisme de verrouillage était équipé d'une roue mue par un ressort, qui tournait lorsqu'on pressait sur la détente, et le percuteur lançait un flot d'étincelles dans le bassinet, faisant ainsi partir le coup. C'était une merveilleuse invention, dont le prix prohibitif expliquait cependant la faible diffusion. L'arme lui avait coûté plus de vingt livres, mais elle valait la dépense car il n'y avait pas de mèche pour trahir sa présence.

— Pour prouver à votre tour votre bonne foi, mon cher Christopher, voulez-vous avoir l'obligeance de garder vos hommes rassemblés de votre côté du carré sous votre surveillance directe ?

Peu après, ils parvinrent à une enceinte délimitée par des cordes où le sable avait été aplani. Une barrique d'eau avait été placée à chaque coin.

— Vingt pas par côté, déclara Cumbria à Llewellyn. Cela laisse-t-il assez de champ à votre client ?

Winterton examina le carré puis hocha la tête brièvement.

— C'est convenable, répondit Llewellyn à sa place.

— Il nous reste un peu de temps avant que le jour se lève, dit Cumbria. Mon cuisinier est en train de préparer des biscuits chauds et du vin épicé pour le petit déjeuner. Vous le partagerez bien avec nous ?

— Merci, comte. Une coupe de vin sera bienvenue.

Un steward apporta les coupes fumantes.

— Je vous prie de m'excuser, je vais m'occuper de mon client, dit Cumbria avant de s'incliner et de s'engager sur le sentier qui montait vers les arbres.

Il revint quelques minutes après, accompagné du colonel Schreuder. Ils allèrent se placer à l'autre extrémité du carré et discutèrent à voix basse. Finalement, Cumbria regarda le ciel, dit quelque chose à Schreuder, puis hocha la tête et se dirigea vers l'endroit où Llewellyn et Vincent attendaient.

— Il me semble que la lumière est maintenant suffisante. Vous êtes de mon avis, messieurs ?

— Nous pouvons commencer, répondit Llewellyn froidement.

— Mon client soumet son arme à votre examen, dit Cumbria en tendant l'épée de Neptune par la garde.

Llewellyn la prit et leva la lame damasquinée dans la lumière de l'aube.

— Une arme de luxe. Ces femmes nues ne seraient pas déplacées dans un lupanar, murmura-t-il de façon désobligeante en touchant les figures gravées représentant des nymphes. Du moins, la pointe n'est-elle pas empoisonnée et sa longueur est équivalente à celle de la lame de mon client.

Il tint les deux épées côte à côte pour les comparer puis tendit l'épée de Vincent à Cumbria pour qu'il l'examine.

— C'est équitable, reconnut celui-ci en la rendant.

— Des reprises de cinq minutes et arrêt du combat au premier sang versé? questionna Llewellyn en tirant sa montre en or du gousset de son gilet.

— Je crains que non, répondit Cumbria en secouant la tête. Mon client souhaite combattre sans qu'il y ait de pause jusqu'à ce que mort s'ensuive ou que l'un des deux demande grâce.

— Par Dieu, monsieur! s'exclama Llewellyn. Ces règles sont meurtrières.

— Si votre client fait dans sa culotte comme un gamin, il n'aurait pas dû proposer de jouer avec les grands, rétorqua Cumbria avec un haussement d'épaules.

— Je suis d'accord! lança Vincent. Nous nous battrons à mort, si c'est ce que souhaite le Hollandais.

— C'est en effet ce qu'il souhaite, monsieur, confirma Cumbria. Nous commencerons quand vous serez prêts. Voulez-vous donner le signal, capitaine Llewellyn?

Le Busard retourna auprès de Schreuder et, en quelques phrases laconiques, lui expliqua les règles. Celui-ci acquiesça et se baissa pour passer sous la corde. Il portait une chemise blanche de cotonnade légère, ouverte sur la poitrine pour montrer qu'il n'avait pas de gilet de protection. Le blanc était traditionnellement de rigueur pour offrir à l'adversaire une cible distincte et laisser voir le sang lorsqu'un coup portait.

De l'autre côté de la lice, Vincent défit le fermail de son manteau et le laissa tomber sur le sable. Il avait lui aussi revêtu une chemise blanche. L'épée à la main, il sauta avec légèreté par-dessus la corde et fit face à Schreuder à travers l'étendue de sable égalisé. Les deux hommes effectuèrent quelques exercices pour se dégourdir, et leurs lames sifflèrent et brillèrent dans la lumière matinale.

— Etes-vous prêt, colonel Schreuder? lança Llewellyn après quelques minutes, tenant haut un foulard de soie rouge.

— Prêt!

— Etes-vous prêt, monsieur Winterton?

— Prêt!

Llewellyn abaissa le foulard et un grondement s'éleva des rangs des marins du *Goéland* rassemblés de l'autre côté de la lice. Les deux combattants décrivirent des cercles l'un autour de l'autre en se rapprochant avec précaution et en agitant doucement la pointe de leur épée tendue. Soudain Vincent bondit et feinta en visant le cou de Schreuder, mais celui-ci para sans difficulté et arrêta sa lame. Pendant de longues secondes, ils poussèrent de toutes leurs forces en se regardant dans les yeux. Peut-être Vincent vit-il la mort dans le regard implacable de son adversaire et mesura-t-il la force de son poignet d'acier, car il rompit le premier. Tandis qu'il reculait, Schreuder le talonna par une série de ripostes qui firent briller sa lame comme un rayon de soleil.

C'était une démonstration éblouissante. Parant désespérément, Vincent perdait du terrain et finit par se retrouver acculé contre l'une des barriques qui marquaient les coins de la lice, à la merci de Schreuder. Brusquement, celui-ci cessa l'offensive, tourna le dos à son jeune adversaire avec mépris et revint vers le centre. Arrivé là, il se remit en garde et, l'épée levée, attendit que Vincent engage de nouveau.

A l'exception de Cumbria, tous les spectateurs étaient stupéfaits par la virtuosité du Hollandais. De toute évidence, Vincent Winterton était une fine lame, mais il avait dû faire appel à toute son habileté pour ne pas succomber à cette première attaque foudroyante. En son for intérieur, Llewellyn savait que Vincent y avait survécu, non pas à cause de son savoir-faire, mais parce que Schreuder l'avait bien voulu. Le jeune Anglais avait déjà été touché trois fois, deux coupures légères à la poitrine et une blessure plus profonde au bras gauche. Sa chemise avait été déchirée nettement aux trois endroits et commençait à être trempée de sang.

Vincent les regarda; l'expression de son visage reflétait le désespoir qu'il éprouvait en comprenant qu'il n'était pas de taille. Il releva la tête et regarda Schreuder qui l'observait, l'air grave et attentif, par-dessus la pointe de son épée et l'attendait, dans une position classique et arrogante.

Vincent se redressa, se mit en garde, essayant de sourire avec désinvolture tandis qu'il s'armait de courage pour courir à une mort certaine. Les rudes marins qui regardaient se seraient vraisemblablement mis à brailler en assistant à une course de taureaux ou à un combat de coqs, mais la terrible tragédie qui se déroulait sous leurs yeux leur imposait le respect et même eux se taisaient. Llewellyn ne pouvait pas laisser faire ça.

— Un instant! cria-t-il en sautant par-dessus la corde. (Il se dirigea à grandes enjambées vers les deux hommes et s'interposa, la main droite levée.) Colonel Schreuder, vous nous avez donné de bonnes raisons d'admirer votre habileté dans le maniement de l'épée. Vous avez été premier à verser le sang. Ne voulez-vous pas nous donner en outre une bonne raison de vous respecter en déclarant que votre honneur est satisfait?

— Que ce lâche me fasse des excuses devant toute l'assistance et je m'estimerai satisfait, répondit Schreuder, et Llewellyn se tourna pour en appeler à Vincent :

— Acceptez-vous de vous plier aux exigences du colonel? Je vous en prie, Vincent, faites cela pour moi et en considération de l'obligation que j'ai envers votre père.

Le visage de Vincent était d'une pâleur mortelle, le sang tachait sa chemise, rouge comme des roses de mai écloses.

— Le colonel vient de me traiter de lâche. Excusez-moi, capitaine, mais vous savez que je ne peux pas accepter ses conditions.

Llewellyn regarda tristement son jeune protégé.

— Il a l'intention de vous tuer, Vincent. C'est une honte de gaspiller ainsi une jeune vie.

— J'ai, moi aussi, l'intention de le tuer, dit Vincent, qui réussit à sourire, maintenant que le sort en était jeté, un sourire gai et insouciant. Ecartez-vous, je vous prie, capitaine.

Désespéré, Llewellyn sortit de la lice.

— En garde, monsieur! s'écria Vincent avant d'attaquer, frappant et parant pour sauver sa vie.

L'épée de Neptune formait devant lui un mur d'acier impénétrable, croisant et détournant sa lame avec une aisance qui faisait paraître infantiles ses tentatives les plus audacieuses. Schreuder ne se départit à aucun moment de son air grave. Quand enfin Vincent recula, essoufflé et haletant, son sang mêlé de sueur, il avait reçu deux autres blessures et un noir désespoir se lisait dans ses yeux.

Les marins du *Golden Bough* retrouvèrent finalement leur voix.

— Grâce! Espèce d'assassin! hurlèrent-ils. Soyez-en quitte et laissez la vie sauve au petit!

« Ils n'obtiendront rien du colonel Cornelius, pensa Cumbria en souriant, mais le vacarme qu'ils font va aider Sam à accomplir sa besogne. » Il jeta un coup d'œil vers le *Golden Bough*, à l'ancre dans la lagune. Tous les hommes qui se trouvaient encore à bord s'étaient rassemblés le long du bastingage et essayaient d'apercevoir le duel. Même la vigie en haut du grand mât avait tourné sa longue-vue vers la plage. Aucun n'avait vu les chaloupes qui, depuis la mangrove de la rive opposée, filaient vers leur navire. Il reconnut Sam Bowles sur le canot de tête, qui venait de disparaître sous la rentrée du *Golden Bough*. « Bon Dieu, Sam va le prendre sans tirer un seul coup de feu! » se dit Cumbria, triomphant en se retournant vers l'arène.

— Vous avez eu votre tour, monsieur, dit calmement Schreuder. A moi maintenant. En garde, s'il vous plaît.

En trois grandes enjambées, il avait parcouru l'espace qui les séparait. Son jeune adversaire encaissa le premier coup, puis para et bloqua le second, mais l'épée de Neptune était aussi rapide et insaisissable qu'un cobra enragé. Elle semblait hypnotiser Vincent par son étincelante danse mortelle et, rapide comme l'éclair, le contraignait peu à peu à céder du terrain. Chaque fois qu'il parait et battait en retraite, il se désunissait et perdait l'équilibre.

Puis Schreuder exécuta un coup que peu de fines lames auraient osé tenter hors de la salle d'armes. Il grippa les lames dans l'engagement prolongé classique ; les deux épées tournoyèrent ensemble, leurs tranchants raclant l'un contre l'autre avec un crissement à écorcher les oreilles. Aucun des deux hommes n'osait rompre, car cela revenait à concéder une ouverture. Et les épées tournaient en un cercle scintillant. C'était une épreuve de force et d'endurance. Le bras de Vincent était à présent lourd comme du plomb et la sueur coulait le long de son menton. Il était au désespoir et son poignet commençait à trembler et à céder sous l'effort.

Puis Schreuder immobilisa le cercle fatal. Il ne rompit pas mais se borna à serrer l'épée de Vincent dans une vis d'acier. Cette démonstration de force et de maîtrise était telle que Cumbria resta bouche bée.

Pendant quelques instants les duellistes demeurèrent sans bouger, puis lentement Schreuder poussa les deux pointes vers le haut jusqu'à ce qu'elles soient dirigées vers le ciel, les bras des deux hommes complètement tendus. Vincent ne pouvait rien faire. Il tenta de résister à la pression de l'autre épée mais son bras commença à faiblir, ses muscles à trembler. Dans son effort, il se mordit la langue et une goutte de sang apparut à la commissure de ses lèvres.

Cela ne pouvait plus durer.

— Tiens bon, Vincent ! s'écria Llewellyn au désespoir en voyant que le jeune homme était à bout de forces.

Ce fut en vain. Vincent rompit. Il désengagea, le bras droit tendu au-dessus de sa tête, la poitrine à découvert.

— Ha ! hurla Schreuder.

Son coup fut rapide comme une flèche lâchée par un arc. Il enfonça sa pointe à un pouce sous le sternum de Vincent et l'épée ressortit dans le dos. Pendant de longues secondes, Vincent resta pétrifié telle une statue de marbre. Puis ses jambes se dérobèrent sous lui et il s'effondra dans le sable.

— Assassin ! cria Llewellyn. (Il sauta dans l'arène, s'agenouilla près du jeune homme agonisant et le prit dans ses bras.) C'est de l'assassinat pur et simple! lança-t-il en levant les yeux vers Schreuder.

— Je dois considérer cela comme une requête, dit Cumbria en riant et en s'approchant par derrière de l'homme agenouillé. Et je suis heureux de vous obliger, cousin! Il tira le pistolet de derrière son dos, en dirigea le canon vers la nuque de Llewellyn et appuya sur la détente. Il y eut un jet d'étincelles, le pistolet rugit et sauta dans la main du Busard. Tirée à bout portant, la charge de plombs traversa le crâne de Llewellyn et lui arracha la moitié du visage. Il bascula en avant, le corps de Vincent dans les bras.

Cumbria jeta un rapide coup d'œil circulaire, et constata que la fusée rouge s'élevait déjà du bois, laissant une parabole de fumée grise sur le fond bleu pâle du ciel matinal, le signal donné à Sam Bowles et à son détachement d'abordage d'envahir les ponts du *Golden Bough*.

Dans le même temps, au-dessus de la plage, les artilleurs cachés parmi les arbres enlevaient les branches qui recouvraient leurs couleuvrines. Le Busard avait déterminé lui-même l'emplacement de la batterie de façon à ce qu'elle couvre l'extrémité de l'arène où les matelots du *Golden Bough* se tenaient sur quatre rangs. Les canons prenaient le groupe en enfilade et chacun était chargé de mitraille.

Les marins n'avaient pas encore aperçu la batterie cachée, mais ils se remettaient rapidement du choc d'avoir vu leurs officiers assassinés sous leur regard horrifié. Des cris d'indignation et de fureur s'élevèrent parmi eux, mais il n'y avait personne pour les commander, et, bien qu'ils aient tiré leurs sabres, ils hésitaient.

Le Busard prit le colonel Schreuder par le bras et l'entraîna hors de la lice en lui criant :

— Allez! Dépêchez-vous! Dégagez le terrain.

— Par Dieu, monsieur, vous avez assassiné Llewellyn! protesta le Hollandais, choqué. Il n'était pas armé! Il était sans défense!

— Nous reparlerons plus tard de ces subtilités, promit Cumbria tout en faisant un croche-pied à Schreuder et en le poussant en avant.

Les deux hommes tombèrent tête la première dans la petite tranchée que Cumbria avait creusée dans le sable, à l'instant même où, derrière eux, les marins du *Golden Bough* faisaient irruption à l'intérieur de l'arène.

— Que faites-vous donc? beugla Schreuder. Lâchez-moi immédiatement.

— Je suis en train de vous sauver la vie, espèce d'imbécile, lui cria Cumbria dans l'oreille en lui maintenant la tête sous le bord de la tranchée tandis que la première salve de mitraille partait dans un bruit de tonnerre du bosquet et balayait la plage.

Le Busard avait calculé la portée avec soin de façon à ce que le tir soit le plus meurtrier possible. La mitraille cueillit de plein fouet la phalange de marins, ratissa la plage en soulevant une tempête aveuglante de sable blanc et, au-delà, balaya en coup de vent les eaux calmes de la lagune. La plupart des hommes du *Golden Bough* furent abattus instantanément, mais quelques-uns restèrent debout, ahuris et étourdis, titubant comme des ivrognes sous l'effet de leurs blessures, du choc et du souffle d'air.

Cumbria sortit sa grande claymore du fond du trou où il l'avait cachée, se leva d'un bond et se précipita sur les derniers survivants, tenant son arme à deux mains. Il décapita le premier marin qu'il trouva sur son passage, à l'instant où ses hommes émergeaient au pas de charge du nuage de fumée en hurlant comme de beaux diables et en brandissant leur sabre.

Ils fondirent sur la troupe décimée et massacrèrent les marins, ne s'arrêtant même pas lorsque Cumbria s'écria :

— Assez! Faites grâce à ceux qui se rendent!

Ils frappèrent jusqu'à avoir les bras et le visage couverts de sang. Cumbria dut distribuer des coups de poing et du plat de son épée pour se faire entendre.

— Baste! Nous avons besoin d'hommes pour manœuvrer le *Golden Bough*. Epargnez-en une douzaine, bande de brutes!

Ils en laissèrent en vie moins qu'il n'en avait demandé. A la fin du carnage, il ne restait plus que neuf hommes, chevilles et poignets ligotés, étendus sur le ventre dans le sable comme des porcs à l'étalage sur la place du marché.

— Par ici! brailla de nouveau le Busard.

Il conduisit sa troupe au pas de charge le long de la plage, à l'endroit où avaient été échouées les chaloupes du *Golden Bough*. Ils s'y entassèrent et prirent les avirons. Tandis que Cumbria rugissait à l'avant comme un animal blessé, ils filèrent jusqu'à la frégate, s'amarrèrent à son flanc et grimpèrent en masse sur le pont, sabre au clair, pistolets armés.

Leur aide n'était plus nécessaire. Les hommes de Sam Bowles avaient fondu comme l'éclair sur le navire et l'avaient pris par surprise. Le pont était couvert de sang et jonché de cadavres. Sous le gaillard d'avant, quelques hommes de Llewellyn résistaient désespérément, encerclés par ceux de Bowles, mais quand ils virent le

Busard et sa troupe envahir le pont, ils jetèrent leurs armes. Ceux qui savaient nager plongèrent dans la lagune tandis que les autres tombaient à genoux et demandaient quartier.

— Epargnez-les, monsieur Bowles, cria Cumbria. J'ai besoin de marins !

Il n'attendit pas de voir exécuter son ordre, arracha un mousquet des mains de son voisin et courut jusqu'au bastingage. Les fuyards nageaient frénétiquement vers les palétuviers. Il visa soigneusement la tête de l'un d'eux et fit mouche. L'homme leva les mains et sombra, laissant une tache rosée à la surface. Les hommes qui entouraient Cumbria poussèrent des cris de joie et se joignirent à la partie de tir, choisissant leurs cibles et prenant des paris.

— Qui m'offre cinq shillings pour ce gredin à queue de cheval blonde ?

Sam Bowles arriva en souriant.

— Le navire est à vous, Votre Grâce, dit-il avec une petite révérence.

— Félicitations, monsieur Bowles, lança Cumbria en lui donnant une bourrade si chaleureuse qu'il faillit en tomber. Il doit en rester quelques-uns à l'intérieur. Faites-les sortir de là ! Essayez de les prendre vivants. Mettez une chaloupe à l'eau et ramenez aussi ceux-là ! dit-il en montrant les rares survivants qui nageaient toujours vers la mangrove. Je vais chercher les papiers du navire dans la cabine de Llewellyn. Appelez-moi lorsque vous aurez ligoté tous les prisonniers et que vous les aurez rassemblés sur le passavant.

Il ouvrit d'un coup de pied la porte fermée à clé de la cabine du capitaine et s'arrêta un instant pour en examiner l'intérieur. Elle était aménagée avec goût, avec des meubles en bois sculpté, des tentures de velours.

Sur le secrétaire, il trouva les clés du coffre-fort boulonné sous la confortable couchette. Dès qu'il l'eut ouvert, il reconnut la bourse qu'il avait donnée à Llewellyn.

— Merci infiniment, Christopher. Vous n'en aurez plus besoin, murmura-t-il en la glissant dans sa poche. Dessous, il y avait une autre bourse qu'il porta sur le secrétaire.

— Deux cent seize livres, cinq shillings et deux pence, compta-t-il. Cela servira à faire marcher l'intendance. C'est plutôt parcimonieux, mais toutes les contributions sont bienvenues.

Ses yeux se posèrent alors sur une petite boîte en bois rangée dans le fond du coffre. Il la prit et lut le nom gravé sur le couvercle : « L'Hon. Vincent Winterton ». Elle était fermée mais céda facilement sous la lame de sa dague. Le Busard sourit en voyant ce qu'elle contenait et laissa une poignée de pièces couler entre ses doigts.

— Voilà sans aucun doute ce que le bon colonel Schreuder a perdu au jeu, mais mieux vaut qu'il ne soit pas tenté de les remettre sur le tapis. Je vais m'occuper moi-même de son pécule.

Il prit une bouteille de cognac, s'en versa un verre, s'assit au bureau et parcourut les livres et les documents du navire. La lecture du journal de bord promettait d'être intéressante, et il la remit à plus tard. Il jeta un coup d'œil à un contrat d'association avec Lord Winterton, qui, semblait-il, était propriétaire du *Golden Bough*.

— Plus maintenant, vicomte, ricana Cumbria. J'ai le regret de vous informer qu'il m'appartient désormais.

Le manifeste de la cargaison s'avéra décevant. Le *Golden Bough* ne transportait pour l'essentiel que des marchandises bon marché destinées au troc — couteaux et haches, étoffe, verroterie et anneaux en cuivre. Cependant, il y avait aussi dans ses cales cinq cents mousquets et une bonne provision de poudre.

— Oh oh! Tu allais donc te livrer au trafic d'armes. Honte à toi, Christopher, s'exclama Cumbria d'un ton désapprobateur. Il va falloir que je trouve quelque chose de mieux pour remplir les cales au retour, se promit-il en buvant une rasade de cognac.

Il continua son travail de tri. Il y avait une lettre de Winterton dans laquelle il donnait son accord pour que le *Golden Bough* soit mis au service du Prêtre-Jean en tant que bâtiment de guerre, et aussi une lettre d'introduction auprès de lui, rédigée en style fleuri, et signée du Chancelier d'Angleterre, le comte de Clarendon, sous le Grand Sceau, qui recommandait Christopher Llewellyn au souverain d'Ethiopie en termes les plus flatteurs.

— Ah! Voilà qui est plus appréciable. En modifiant l'orthographe du nom, n'importe qui se laissera prendre!

Il replia soigneusement la lettre et rangea la boîte, les bourses, les livres et les documents dans le coffre-fort, puis suspendit la clé autour de son cou. Tout en finissant son cognac, il réfléchit aux diverses lignes de conduite qui s'offraient à lui.

Cette guerre dans la Corne de l'Afrique l'intriguait. Les alizés de sud-est n'allaient pas tarder à souffler sur l'océan des Indes. Depuis son empire du continent indien, le Grand Moghol en profiterait pour envoyer ses dhaws chargés de troupes et de trésors vers l'Inde transgangétique et ses entrepôts de la côte africaine. Les fidèles musulmans tireraient également parti des alizés pour traverser la mer d'Arabie pour leur pèlerinage annuel sur le lieu de naissance du prophète. Potentats et princes, ministres et riches marchands de tous les coins de l'Orient allaient s'embarquer, pensait-il, avec des offrandes destinées aux mosquées de La Mecque et de Médine.

Cumbria se laissa aller quelques minutes à rêver de rubis cœur-de-pigeon, de saphirs gros comme le poing, de tonnes d'argent et de lingots d'or. « Avec le *Goéland* et le *Golden Bough* naviguant de conserve, aucun prince païen d'Afrique ne pourra me résister. Je vais remplir mes cales de toutes ces richesses à côté desquelles le misérable petit trésor de Franky fera pâle figure », se consola-t-il. Il souffrait encore de ne pas avoir été capable de retrouver la cachette de Francis Courteney. « Lorsque je prendrai la mer, je laisserai ici les os de Jiri et des autres nègres pour marquer mon passage », se promit-il, l'air renfrogné.

Sam Bowles interrompit le cours de ses pensées.

— Je vous demande pardon, Votre Grâce, nous avons rassemblé tous les prisonniers. Du bon travail, aucun ne s'est échappé, annonça-t-il en passant la tête par la porte.

— Voyons donc ce que vous avez à m'offrir, répondit le Busard en se levant, content d'être tiré de ses sombres pensées.

Sur le passavant, les prisonniers ligotés étaient accroupis sur trois rangs.

— Quarante-deux marins aguerris et en pleine santé, pavoisa Bowles.

— Personne n'a été blessé? demanda le Busard avec incrédulité.

— Je savais que vous n'auriez pas envie de jouer les infirmières, répondit Bowles à voix basse. Les blessés, nous leur avons tenu la tête sous l'eau pour les aider à rejoindre plus vite le sein du Seigneur. Pour la plupart, c'était un bon geste.

— Votre compassion m'émerveille, grogna Cumbria, mais à l'avenir épargnez-moi les détails de ce genre. Vous savez que je suis un homme délicat.

Il chassa l'affaire de son esprit et considéra les prisonniers avec attention. En dépit des affirmations de Bowles, beaucoup avaient été sauvagement battus; ils avaient les yeux au beurre noir, les lèvres fendues et tuméfiées. La tête affaissée sur la poitrine, aucun ne le regardait.

Il parcourut lentement leurs rangs, tirant de temps à autre l'un des hommes par les cheveux pour examiner son visage. Arrivé au bout de la file, il revint sur ses pas et s'adressa à eux d'un ton jovial :

— Ecoutez-moi bien, mes petits voyous, j'ai une couchette pour chacun de vous. Joignez-vous à moi et vous aurez un shilling par mois, plus une part équitable des prises. Aussi vrai que je m'appelle Angus Cochran, nous allons avoir de pleins sacs d'or et d'argent à partager.

Nul ne répondit.

— Vous êtes sourds ou le diable a pris votre langue? lança-t-il en fronçant les sourcils. Qui veut naviguer avec Cochran de Cumbria?

Un lourd silence accueillit sa question. Il s'avança et désigna l'un des prisonniers parmi ceux qui avaient l'air le plus intelligent.

— Comment t'appelles-tu, mon garçon?

— Davey Morgan.

— Es-tu prêt à naviguer avec moi, Davey?

L'homme leva lentement la tête et regarda le Busard.

— J'ai vu de mes yeux le jeune M. Winterton assassiné et le capitaine abattu de sang-froid. Je ne naviguerai pas avec un pirate et un meurtrier.

— Pirate! s'écria le Busard. Tu oses me traiter de pirate, petite crapule? Tu es né pour servir de nourriture aux anguilles, et c'est ce que tu vas faire!

Il sortit son grand sabre de son fourreau et fendit le crâne de Davey Morgan jusqu'aux épaules. L'arme sanglante à la main, il parcourut à grandes enjambées les rangs des prisonniers.

— Y en a-t-il un autre parmi vous qui ose me traiter en face de pirate? (Aucun n'ouvrit la bouche, et Cumbria se tourna finalement vers Sam Bowles.) Enfermez-les dans la cale du *Golden Bough* et donnez-leur une demi-pinte d'eau et un biscuit par jour. Laissons-les réfléchir plus sérieusement à ma proposition. Dans quelques jours, nous en reparlerons et nous verrons si ces mignons ont des manières plus aimables.

Il prit Bowles à part et lui parla à voix basse.

— Il reste encore à réparer certains dégâts provoqués par la tempête, dit-il en désignant le gréement. C'est votre bateau à présent, vous êtes seul maître à bord. Faites le nécessaire immédiatement. Je souhaite quitter ce coin perdu dès que possible. Compris, capitaine Bowles?

Le visage de Sam Bowles s'illumina de plaisir en entendant ce titre.

— Vous pouvez compter sur moi, Votre Grâce.

Cumbria se dirigea vers la coupée et se laissa glisser dans l'une des chaloupes.

— Amenez-moi à la plage, marauds!

Il sauta par-dessus le plat-bord avant que l'embarcation ait touché le sable et pataugea jusqu'à la plage où l'attendait le colonel Schreuder.

— Comte, il faut que je vous parle, dit celui-ci.

— Votre conversation m'est toujours agréable, monsieur, répondit le Busard avec un sourire engageant.

— Le capitaine Llewellyn était... commença Schreuder, mais Cumbria le coupa.

— Llewellyn était un pirate de la pire espèce, prêt à me trahir. Je n'ai fait que me défendre, fit-il en s'interrompant brusquement pour remonter sa manche et montrer la grosse cicatrice violacée qui enlaidissait son épaule. Vous voyez ça? C'est ce que m'a valu la confiance que je lui ai accordée une fois. Si je n'avais pas pris les devants, ses ribauds nous seraient tombés dessus et nous auraient pourfendus sur place. Je suis certain que vous comprenez et m'êtes reconnaissant d'être intervenu. Vous en auriez fait autant à ma place.

Il désigna un groupe de ses hommes qui remontaient péniblement vers le bois en tirant par les jambes les corps de Vincent Winterton et de Llewellyn, dont la tête fracassée laissait une traînée sanglante dans le sable.

Consterné, Schreuder regarda l'équipe des fossoyeurs. Il avait perçu un avertissement et une menace dans les paroles de Cumbria. Au-delà de la première ligne d'arbres, une série de profondes tranchées avaient été creusées à l'endroit où Sir Francis Courteney avait naguère dressé son camp. Sa case n'existait plus et à sa place se trouvait un puits de vingt pieds de profondeur dans le fond duquel s'était infiltrée de l'eau saumâtre. Il y avait un autre grand trou là où s'élevait l'entrepôt à épices. On avait l'impression qu'une armée de mineurs avait travaillé parmi les arbres. Les hommes du Busard traînèrent les corps jusqu'au plus proche de ces puits et les y jetèrent sans cérémonie. Les cadavres tombèrent dans la mare qui occupait le fond dans un jet d'éclaboussures.

Schreuder semblait préoccupé et hésitant.

— J'ai du mal à croire que Llewellyn était tel que vous le décrivez... commença-t-il, mais Cumbria ne le laissa pas finir.

— Par Dieu, Schreuder, vous mettez ma parole en doute? Qu'est-il advenu de la belle détermination avec laquelle vous vouliez unir votre destinée à la mienne? Si mes actions vous offusquent, mieux vaut que nous nous séparions maintenant Je vous donnerai l'une des pinasses du *Golden Bough* et quelques pirates de Llewellyn pour vous aider à retourner à Bonne-Espérance. Vous préférez cela ?

— Non, monsieur, s'empressa de répondre Schreuder. Vous savez qu'il m'est interdit de retourner là-bas.

— Alors, colonel, que décidez-vous ? Faites-vous toujours cause commune avec moi ?

Schreuder hésitait, les yeux fixés sur la macabre besogne des équipes de fossoyeurs. Il n'ignorait pas que s'il contrariait Cumbria, il risquait fort de finir au fond d'un puits avec Llewellyn et les marins du *Golden Bough*. Il était pris au piège.

— Oui, répondit-il finalement.

Le Busard hocha la tête.

— Serrez-moi la main pour sceller notre accord, dit-il en tendant son énorme patte velue couverte de taches de rousseur.

Schreuder avança lentement la sienne et la serra. Comme Cumbria le lut dans ses yeux, il comprenait que, dorénavant, il était un paria. Le Busard savait à présent qu'il pouvait lui faire confiance. En acquiesçant au massacre des officiers et de l'équipage du *Golden Bough* et en fermant les yeux, il faisait de lui-même un pirate et un hors-la-loi. Il était à la botte du Busard.

— Venez avec moi, monsieur. Laissez-moi vous montrer ce que nous avons fait ici, dit Cumbria en changeant de sujet et en passant avec Schreuder à côté des fosses communes sans un autre regard aux cadavres. Vous savez, je connaissais très bien Francis Courteney — nous étions comme frères. Je reste persuadé que sa fortune est cachée dans les parages. Il possédait ce qu'il avait pris sur le *Standvastigheid* et le *Heerlycke Nacht*. Par tous les saints, il doit y avoir vingt mille livres enfouies quelque part dans le sable.

Sur ce, ils arrivèrent à la longue et profonde tranchée où, déjà, une quarantaine d'hommes de Cumbria étaient de nouveau à l'ouvrage avec leurs pelles. Parmi eux se trouvaient les trois Noirs qu'il avait achetés comme esclaves à Bonne-Espérance.

— Jiri, beugla le Busard. Matesi ! Kimatti !

Les trois hommes sursautèrent, laissèrent tomber leur pelle et, inquiets, sortirent précipitamment de la tranchée pour se présenter devant leur maître.

— Regardez-moi ces trois grands gaillards. Je les ai payés cinq cents florins chacun. C'est la plus mauvaise affaire que j'aie jamais faite. Vous avez devant les yeux la preuve vivante qu'un nègre est capable de bien faire trois choses seulement : forniquer, voler et mentir. C'est la vérité, hein, Jiri ? dit le Busard en partant d'un gros rire.

— Oui, seigneur, acquiesça Jiri avec un grand sourire. C'est la vérité de Dieu.

Le rire de Cumbria s'éteignit aussitôt.

— Que sais-tu de Dieu, espèce de païen ? rugit-il, et d'un grand coup de poing, il renvoya Jiri au fond de la tranchée. Reprenez votre travail tous les trois !

Ils ramassèrent leur pelle et se remirent à creuser frénétiquement. Cumbria les regardait, les mains sur les hanches.

— Ecoutez-moi bien, fils des ténèbres. Vous m'avez dit que le trésor que je cherche est enfoui ici. Alors, trouvez-le ou vous ne repartirez pas avec moi. Je vous enterrerai tous les trois dans la tombe que vous êtes en train de creuser avec vos mains de ramoneurs. Vous m'avez compris ?

— Nous avons compris, seigneur, répondirent-ils en chœur.

Cumbria prit amicalement Schreuder par le bras.

— J'en suis venu à accepter le fait qu'ils n'ont jamais su exactement où Franky avait caché son magot. Voilà plusieurs mois qu'ils me roulent dans la farine. Mes vauriens et moi en avons assez de jouer les taupes. Permettez-moi de vous offrir l'hospitalité dans ma modeste demeure et un verre de whisky, et vous pourrez me raconter tout ce que vous savez sur cette jolie petite guerre qui oppose le Grand Moghol et le Prêtre-Jean. Il me semble que vous et moi avons mieux à faire ailleurs qu'ici.

À la clarté du feu de camp, Hal considéra sa petite troupe qui, avec un appétit féroce, avalait son repas à base de viande fumée. La chasse avait été maigre ces derniers jours et la plupart étaient fatigués. Ses marins n'avaient jamais été esclaves. Le travail sur les murailles du fort de Bonne-Espérance ne les avait pas brisés ni effrayés. Il les avait au contraire endurcis et leur longue marche les trempait. Il ne pouvait espérer avoir de meilleurs hommes : c'étaient des guerriers rudes et aguerris. Quant à Althuda, il l'aimait et avait entière confiance en lui, mais il avait connu l'esclavage dès son enfance et certains de ses hommes ne seraient jamais des lutteurs. Sabah l'avait déçu et n'avait pas répondu à son attente. Il était devenu maussade et mettait des bâtons dans les roues, tirait au flanc et protestait lorsque Hal lui donnait des ordres, s'exclamant : « Je ne suis plus un esclave ! Personne n'a le droit de me commander ! »

« Sabah ne serait pas à la hauteur contre les hommes du Busard », pensa Hal, mais Sukeena vint s'asseoir près de lui; il leva la tête et lui sourit.

— Ne vous faites pas un ennemi de Sabah, chuchota-t-elle.

— Ce n'est pas mon intention, mais chacun d'entre nous doit accomplir son devoir, répondit-il en la regardant avec tendresse. Vous valez dix hommes comme lui, mais aujourd'hui je vous ai vue trébucher plus d'une fois et, quand vous pensiez que je ne vous regardais pas, j'ai lu de la douleur dans vos yeux. Etes-vous souffrante, ma bien-aimée ? Est-ce que la marche n'est pas trop rapide pour vous ?

— Vous êtes trop gentil, Gundwane, répondit-elle en lui souriant. Je marcherais à vos côtés jusqu'aux portes de l'enfer sans me plaindre.

— Je le sais et cela m'inquiète. Si vous ne vous plaignez jamais, comment saurai-je si vous n'allez pas bien ?

— Je vais bien, assura-t-elle.

— Jurez-le-moi, insista-t-il. Vous ne me cachez rien, n'est-ce pas ?

— Je vous le jure sur ce baiser, fit-elle en lui tendant ses lèvres. Je vais aussi bien que possible et vous allez en recevoir la preuve.

Elle le prit par la main et l'entraîna dans le coin sombre de l'enclos où elle avait installé leur couche.

Elle s'offrit à lui avec autant de volupté que d'habitude ; il y avait cependant en elle une étrange langueur qui le charma au plus fort de la passion mais qui le laissa ensuite troublé et perplexe. Il se rendait compte que quelque chose avait changé en elle mais ne savait trop ce que c'était.

Le lendemain, il l'observa attentivement durant leur longue journée de marche et il lui sembla que, lorsque le terrain devenait escarpé, son pas n'était plus aussi alerte qu'il l'avait été. Ensuite, quand la chaleur augmenta, elle faiblit et commença à se laisser distancer. Zwaantie vint à son aide dans un passage difficile de la piste d'éléphants qu'ils empruntaient, mais Sukeena la rabroua et repoussa sa main avec brusquerie. Hal ralentit imperceptiblement le pas pour lui permettre de souffler et avança l'heure de la pause de midi.

La nuit suivante, Sukeena dormit à son côté immobile comme une morte alors que lui ne trouvait pas le sommeil. Il était à présent certain qu'elle n'allait pas bien et essayait de lui dissimuler sa faiblesse. Sa respiration était si légère qu'il dut placer son oreille contre ses lèvres pour se rassurer. Il la tenait contre lui et son corps paraissait brûlant. Juste avant l'aube, elle gémit si pitoyablement qu'il se sentit envahi d'amour et d'inquiétude pour elle. Il finit par sombrer dans un sommeil de plomb. Quand il se réveilla en sursaut et tendit la main vers elle, il s'aperçut qu'elle était partie.

Il se dressa sur un coude et regarda autour de l'enclos. Le foyer n'était plus qu'une masse de braises, mais la pleine lune, bien qu'elle fût déjà basse sur l'horizon, éclairait suffisamment pour qu'il constate qu'elle n'était pas là. Il distinguait la forme sombre d'Aboli, assis à l'entrée de l'enclos, qui avait pris son tour de garde : l'étoile du matin était presque éclipsée par la clarté lunaire, mais elle brillait juste au-dessus de lui. Aboli était éveillé, car Hal l'entendait tousser doucement, puis il le vit ramener sa couverture de fourrure autour de ses épaules.

Hal se leva et alla s'accroupir à côté de lui.

— Où est Sukeena? demanda-t-il à voix basse.

— Elle est sortie il y a un petit moment.

— Par où est-elle allée?

— Vers le ruisseau.

— Tu ne l'en as pas empêchée?

— Pourquoi l'en aurais-je empêchée? questionna Aboli en le regardant avec curiosité.

— Ce n'était pas un reproche, chuchota Hal. Elle m'inquiète. J'ai l'impression qu'elle ne va pas bien. Ne l'as-tu pas remarqué?

— Peut-être, répondit Aboli hésitant. Les femmes sont filles de la lune, qui n'est pas loin d'être pleine; alors peut-être a-t-elle ses menstrues.

— Je vais la chercher, fit Hal en se levant.

Il descendit le sentier rocailleux qui menait à la petite piscine naturelle où ils s'étaient baignés la veille au soir. Il était sur le point de l'appeler quand il entendit un bruit qui le réduisit au silence et l'inquiéta. Le bruit recommença: c'étaient des gémissements de douleur. Il s'avança et la vit agenouillée sur la berge sablonneuse. Elle s'était débarrassée de sa couverture et le clair de lune donnait à sa peau nue la patine de l'ivoire poli. Pliée en deux et prise d'une convulsion, elle eut un haut-le-cœur et vomit sur le sable.

Affolé, il s'élança vers elle et se laissa tomber à genoux à ses côtés. Elle leva les yeux vers lui, l'air désespéré.

— Je ne veux pas que vous me voyiez ainsi, murmura-t-elle d'une voix rauque avant de se détourner et de recommencer à vomir.

Il passa son bras autour de ses épaules nues. Elle avait froid et tremblait.

— Vous êtes malade, souffla-t-il. Oh, mon amour, pour quelle raison ne me l'avez-vous pas dit franchement? Pourquoi avez-vous essayé de me le cacher?

— Vous n'auriez pas dû me suivre, dit-elle en s'essuyant la bouche du revers de la main. Je ne voulais pas que vous sachiez.

— Si vous êtes malade, je dois le savoir. Vous devez me faire assez confiance pour me le dire.

— Je ne voulais pas être un fardeau pour vous. Je ne voulais pas que vous ralentissiez la marche à cause de moi.

— Vous ne serez jamais un fardeau pour moi, dit-il en la prenant dans ses bras. Vous êtes le souffle qui m'anime et le sang qui coule dans mes veines. Maintenant, dites-moi sincèrement ce qui ne va pas, ma chérie.

Elle soupira et il la sentit frissonner contre lui.

— Oh, Hal, pardonnez-moi. Je ne voulais pas que cela arrive si vite. J'ai pris tous les remèdes que je connaissais pour l'éviter.

— Qu'est-ce qui se passe? Je vous en prie, dites-moi ce que c'est, implora-t-il, consterné.

— Je porte votre enfant. (Il la regarda avec stupéfaction, incapable de faire un geste ou de dire un mot.) Vous ne dites rien? Pourquoi me regardez-vous ainsi? Je vous en prie, ne soyez pas en colère contre moi.

Il la serra soudain contre sa poitrine de toutes ses forces.

— Ce n'est pas la colère qui me rend muet. C'est la joie. La joie de vous aimer, la joie que me donne le fils que vous m'avez promis.

Ce jour-là, Hal modifia l'ordre de marche et plaça Sukeena avec lui en tête de la colonne. Bien qu'elle protestât en riant, il lui prit son panier des mains et l'ajouta à sa propre charge. Ainsi soulagée, elle repartit d'un pas léger et le suivit sans difficulté. Il la prenait cependant par la main dans les passages difficiles, et elle le laissa faire en voyant le plaisir qu'il avait à la protéger et à la choyer.

— Vous ne devez pas le dire aux autres, chuchota-t-elle, sinon ils vont vouloir ralentir la marche pour moi.

— Vous êtes aussi forte qu'Aboli et le grand Daniel, lui assura-t-il, mais je ne leur dirai rien.

Ils gardèrent donc leur secret, marchant main dans la main avec un bonheur si évident que ne l'auraient-ils su avant, Zwaantie, Althuda et Aboli auraient deviné. Aboli arborait un sourire aussi large que s'il était le père et avait de telles attentions pour Sukeena que même Sabah finit par comprendre la raison de l'atmosphère nouvelle qui régnait au sein de la petite troupe.

La région qu'ils traversaient à présent était de plus en plus boisée. Certains arbres atteignaient une hauteur phénoménale et semblaient transpercer le ciel comme des flèches monstrueuses.

— Ils devaient déjà être vieux quand notre Seigneur Jésus est venu au monde! s'émerveilla Hal.

Grâce aux sages conseils d'Aboli, ils parvenaient à s'accorder avec cette terre sauvage et les animaux qui y abondaient. La peur ne les accompagnait plus constamment; Hal et Sukeena avaient appris à apprécier la nouveauté et la beauté de ce qui les entourait. Ils s'arrêtaient au sommet d'une colline pour contempler un aigle planer haut dans le ciel sur ses grandes ailes immobiles ou observer un oiseau aux teintes métalliques, gros comme le pouce, occupé à boire le nectar d'une fleur avec son bec recourbé aussi long que son corps.

La prairie grouillait d'animaux étranges qui défiaient l'imagination. Il y avait des troupeaux de ces antilopes bleues qu'ils avaient déjà vues de l'autre côté des montagnes et de chevaux sauvages avec des rayures noir, crème et roux. Ils apercevaient souvent devant eux parmi les arbres les énormes silhouettes sombres des rhinocéros à deux cornes, mais ils savaient que ces animaux redoutables étaient presque aveugles et qu'ils pouvaient éviter leur charge en s'écartant un peu de la piste.

Sur les zones à découvert au-delà de la forêt, ils virent des troupeaux de petites gazelles couleur cannelle, si nombreuses qu'elles se déplaçaient comme une traînée de fumée. Leurs flancs étaient zébrés par une bande horizontale marron foncé et des cornes en forme de lyre couronnaient leur tête délicate. Lorsque la vue des humains les effarouchait, elles s'éloignaient en caracolant avec des bonds d'une légèreté étonnante. Sur leur dos, leur poil se hérissait en une crête blanche comme neige. Chaque femelle était suivie d'un faon; Sukeena battit des mains et poussa une exclamation de plaisir en voyant les jeunes animaux donner des petits coups à la mamelle de leur mère ou faire des cabrioles avec les autres. Sachant à présent qu'elle aussi portait un enfant, Hal la regardait avec affection, partageait la joie que lui procurait ce charmant spectacle et se délectait du secret qu'ils croyaient garder bien caché.

Il fit le point et tous se rassemblèrent autour de lui pour le regarder marquer leur position sur la carte. La guirlande de points portés sur le lourd parchemin se dirigeait peu à peu vers une échancrure de la côte, que la carte hollandaise désignait comme la baie des Buffles, Buffels Baai.

— Nous ne sommes plus guère qu'à cinq lieues de la lagune, annonça Hal en levant les yeux de la carte.

Aboli acquiesça.

— En chassant ce matin, j'ai reconnu les collines qui sont devant nous. De là-haut, j'ai aperçu la frange de nuages bas qui marque la côte. Nous sommes tout près.

Hal hocha la tête.

— Nous devons avancer avec précaution. Nous courons le risque de tomber sur des marins du *Goéland* en train de fouiner.

L'endroit me semble approprié pour dresser un camp de base. Il y a de l'eau et du bois en abondance, et un point de vue dégagé depuis le sommet de cette colline. Demain matin, nous vous laisserons ici, Aboli et moi, et nous irons en éclaireurs pour voir si le *Goéland* est bel et bien au mouillage dans la lagune des Eléphants.

Une heure avant l'aube, Hal prit Daniel à part et lui confia la garde de Sukeena.

— Veillez bien sur elle, maître Daniel. Ne la perdez pas de vue.

— N'ayez crainte, capitaine. Elle sera en sûreté avec moi.

Dès qu'il y eut assez de jour pour voir la piste qui menait vers l'est, Hal et Aboli quittèrent le camp. Sukeena les accompagna un petit moment.

— Bon vent, Aboli, dit-elle en embrassant le grand Noir. Veille bien sur mon homme.

— Je veillerai sur lui aussi soigneusement que tu veilles sur son fils.

— Aboli, tu es un fieffé coquin! s'exclama-t-elle en lui tapant sur la poitrine avec espièglerie. Comment le sais-tu? Nous étions sûrs d'avoir bien gardé le secret. (Elle se tourna vers Hal en riant.) Il est au courant!

— Alors, tout est perdu, répondit Hal en secouant la tête. Dès qu'il sera né, ce fripon va s'approprier le bébé, comme il l'a fait avec moi.

Elle les regarda escalader la colline, mais dès qu'ils eurent disparu, son sourire s'évanouit et une larme coula le long de sa joue. Sur le chemin du retour, elle s'arrêta au bord du ruisseau pour se laver le visage. Quand elle rentra au camp, Althuda leva les yeux du sabre qu'il fourbissait et lui sourit, sans percevoir son chagrin. Il s'étonna qu'elle fût si belle et fraîche après une si longue randonnée.

La dernière fois qu'ils étaient venus là, Hal et Aboli avaient chassé sur ces collines qui dominaient la lagune et les avaient explorées. Ils connaissaient bien le parcours de la petite rivière et entrèrent dans la gorge profonde à une demi-lieue en amont de la lagune, puis suivirent une piste d'éléphants jusqu'à un gué. Mais ils n'allèrent pas plus bas.

— Si le *Goéland* est là, nous risquons de rencontrer des matelots chargés de la corvée d'eau, avertit Aboli.

Hal acquiesça et prit la tête en direction de l'autre côté de la gorge. Ils firent un grand détour par-derrière les collines, invisibles depuis la lagune.

Ils gravirent le versant ouest jusqu'à quelques pas du sommet. Hal savait que la caverne décorée de peintures rupestres où il avait badiné avec Katinka se trouvait juste de l'autre côté de la crête, et que de là, on avait une vue panoramique sur la lagune, les promontoires rocheux et, au-delà, l'océan.

— Avance en te cachant derrière les arbres, lui dit Aboli à voix basse.

— Je n'ai pas oublié tes leçons, dit Hal en souriant.

Il parcourut peu à peu les derniers mètres qui le séparaient de la crête, suivi par Aboli, et le paysage en contrebas de l'autre versant s'offrit progressivement à son regard. Il n'avait pas vu la mer depuis des semaines ; une sensation d'exaltation l'envahit au spectacle de cette immensité d'un bleu serein, semée de chevaux d'écume emportés par le vent de sud-est. C'était l'élément qui gouvernait son existence et il lui avait cruellement manqué.

— Pourvu qu'il y ait un bateau ! dit-il à voix basse. Mon Dieu, faites qu'il y ait un bateau !

Tandis qu'il continuait à monter, apparurent les promontoires, ces grands bastions de pierre grise qui gardaient l'entrée de la lagune. Il s'arrêta un instant pour se préparer à la terrible déception qui l'attendait au cas où le mouillage aurait été désert. Comme un joueur de passe anglaise, il avait misé sa vie sur ce coup de dés du destin. Il s'obligea à faire encore un pas, puis, le souffle coupé, prit le bras d'Aboli et le serra.

— Le *Goéland* ! murmura-t-il comme une action de grâce. Et il n'est pas seul ! Il y a un autre bateau avec lui.

Pendant un long moment, tous deux restèrent muets, puis Aboli dit à voix basse :

— Voilà le navire que tu leur as promis. Si tu arrives à le prendre, tu seras enfin capitaine, Gundwane.

Ils continuèrent en rampant puis, à plat ventre sur la crête de la colline, regardèrent la vaste lagune.

— Quel est l'autre bateau ? Je n'arrive pas à voir son nom d'ici, dit Hal.

— C'est un Anglais, il n'y a pas de doute, répondit Aboli. Personne d'autre ne croiserait de cette manière la vergue de son perroquet de misaine.

— Peut-être un gallois ? L'inclinaison de la proue, le mouvement de sa tonture. C'est ainsi qu'on construit les navires sur la côte ouest.

— C'est possible, mais quoi qu'il en soit, c'est un bâtiment de guerre. Regarde toutes ces pièces. Il n'a guère son pareil dans sa catégorie, murmura pensivement Aboli.

— Il est peut-être encore meilleur que le *Goéland*, dit Hal avec un regard de convoitise.

Aboli secoua la tête.

— Tu ne dois pas songer à le prendre, Gundwane. Il appartient certainement à un honnête capitaine anglais. Si tu mettais la main dessus, tu ferais de nous des pirates. Mieux vaut essayer le *Goéland*.

Ils restèrent une heure encore au sommet de la colline à tirer des plans à voix basse tout en examinant les deux navires et le camp dressé parmi les arbres au bord de la lagune.

— Par le ciel! s'exclama soudain Hal. Voilà le Busard en personne. Je reconnaîtrais entre mille cette tignasse rousse, ajouta-t-il d'une voix aiguë, pleine de haine et de colère. Il se rend sur l'autre navire. Regarde-le grimper à bord sans demander la permission, comme si c'était le sien.

— Qui est cet homme qui l'accueille à la coupée? demanda Aboli. Je jurerais que j'ai déjà vu cette démarche et ce crâne chauve qui brille au soleil.

— Ce n'est pas possible, s'étonna Hal, ce ne peut être Sam Bowles... et pourtant c'est bien lui. Il se passe là-bas quelque chose de bizarre, Aboli. Comment découvrir ce que c'est?

Tandis qu'ils regardaient le soleil entamer sa descente vers l'horizon, Hal essaya de maîtriser sa colère. Il y avait là les deux hommes responsables de la mort affreuse de son père. Il revit tous les détails de son martyre et sa haine pour Sam Bowles et le Busard s'amplifia au point de l'emporter sur la raison. Il avait envie de descendre les affronter pour venger les souffrances et la mort de son père.

« Il ne faut pas, se dit-il. Je dois d'abord penser à Sukeena et à l'enfant qu'elle porte. »

Aboli lui toucha le bras et montra le bas de la colline. Les rayons rasants du soleil avaient modifié l'angle des ombres projetées par les arbres de la forêt, si bien qu'ils voyaient plus distinctement ce qui se passait dans le camp.

— Le Busard est en train de creuser des fortifications, dit Aboli perplexe. Mais il ne semble pas avoir de plan préconçu. Les tranchées sont disposées n'importe comment.

— Et pourtant, tous ses hommes sont à l'ouvrage. Il doit bien avoir un plan... (Hal s'interrompit brusquement et éclata de rire.) Mais bien sûr! C'est pour cela qu'il est revenu à la lagune! Il est toujours à la recherche du trésor de mon père.

— Et il est loin du but, gloussa Aboli. Peut-être Jiri et Matesi l'ont-ils délibérément induit en erreur.

— Bon sang, c'est sûr, ces coquins l'ont mené en bateau. Cumbria n'en a pas eu pour son argent lorsqu'il les a achetés à l'encan. Ils lui font un pied-de-nez tout en feignant de s'aplatir devant lui et en lui donnant du « Monseigneur ». (Il sourit à cette pensée, puis reprit son sérieux.) Crois-tu qu'ils sont encore là ou que le Busard les a déjà tués ?

— Non, il va les garder en vie tant qu'il croit pouvoir tirer d'eux quelque chose. S'il ordonne encore des fouilles, c'est qu'il n'a pas perdu espoir. Selon moi, ils sont toujours vivants.

— Nous devons essayer de les repérer.

Pendant une heure encore, ils restèrent allongés en silence au sommet de la colline, puis Hal dit :

— La marée commence à descendre. La frégate inconnue tourne sur son ancre. (Ils la regardèrent s'incliner avec une grâce majestueuse devant le jusant.) Je vois maintenant son nom sur le tableau d'arrière, mais il est difficile à déchiffrer. Est-ce le *Golden Swan* ? Le *Golden Hart* ? Non, non, c'est le *Golden Bough*.

— Un joli nom pour un joli bateau, remarqua Aboli, qui sursauta alors et indiqua avec excitation le réseau de tranchées et de puits. Il y a des Noirs qui sortent de cette excavation, ils sont trois. Est-ce que c'est Jiri ? Tu as de meilleurs yeux que moi.

— Par le ciel ! C'est bien lui, avec Matesi et Kimatti.

— On les conduit vers la case près de la plage. Ce doit être là qu'ils les enferment pendant la nuit.

— Aboli, nous devons leur parler. Dès qu'il fera nuit, je descendrai et essaierai d'arriver jusqu'à la case. A quelle heure la lune va-t-elle se lever ?

— Une heure après minuit. Mais je ne te laisserai pas y aller. J'ai fait une promesse à Sukeena. De plus ta peau blanche se voit comme un miroir sous la lune. C'est moi qui irai.

Entièrement nu, Aboli s'éloigna en pataugeant de la rive opposée jusqu'à ce que l'eau atteigne son menton. Il se mit alors à nager la brasse sans un bruit, ne laissant derrière lui qu'un sillage lisse. Quand il atteignit l'autre rive, il resta caché dans l'eau jusqu'à avoir la certitude que le champ était libre. Il remonta ensuite en rampant rapidement et se blottit contre le tronc du premier arbre.

Un ou deux feux de camp brûlaient dans le bosquet ; il entendait des voix d'hommes et, de temps à autre, des bribes de chanson ou un éclat de rire. Les flammes éclairaient suffisamment pour qu'il aperçoive la case où étaient enfermés les esclaves. Devant elle, il distingua la lueur de la corde à feu d'un mousquet, ce qui lui permit donc de situer l'unique sentinelle, assise le dos appuyé contre un arbre, près de la porte de la case.

Ils sont insouciants, pensa-t-il. Un seul garde, et il semble dormir.

Il avança à quatre pattes, mais avant d'avoir atteint le mur arrière de la case, il entendit un bruit de pas, se précipita à couvert d'un autre arbre et s'accroupit. Deux matelots du Busard arrivaient dans sa direction sans se presser, en grande conversation.

— Je me refuse à naviguer avec cette petite fouine, déclara l'un. Il est du genre à vous égorger pour le plaisir.

— Un peu comme toi, McGregor.

— Oui, mais je ne me servirais pas d'une lame empoisonnée comme le ferait Sam Bowles.

— De toute façon, tu navigueras avec qui le Busard t'en donnera l'ordre, annonça son compagnon en s'arrêtant près de l'arbre où Aboli était caché et contre le tronc duquel il urina. Par les cornes du diable, même sous les ordres de Bowles, je ne serai pas fâché de ficher le camp d'ici. J'ai quitté notre bonne vieille Ecosse pour échapper à la mine, et me revoilà en train de creuser des trous.

Les deux hommes se remirent en marche. Aboli attendit qu'ils se soient éloignés pour ramper jusqu'à l'arrière de la case. Il constata qu'elle était en torchis, mais que l'argile se détachait par endroits du colombage de branches entrelacées. Il longea lentement le mur en sondant doucement chaque fissure avec une brindille jusqu'à en trouver une qui traverse la paroi. Il plaça ses lèvres contre l'ouverture et appela doucement Jiri.

Il entendit quelqu'un sursauter de l'autre côté du mur, puis murmurer avec effroi :

— C'est la voix d'Aboli ou c'est un fantôme ?

— Je suis vivant. Sens la chaleur de mon doigt... tu vois, ce n'est pas la main d'un mort.

Ils se parlèrent à voix basse pendant près d'une heure avant qu'Aboli ne s'en retourne comme il était venu vers la plage et se glisse comme une loutre dans l'eau de la lagune.

A l'est, l'aube peignait déjà le ciel en jaune citron et abricot lorsque Aboli remonta sur la colline jusqu'à l'endroit où il avait laissé Hal. Celui-ci n'était pas dans la caverne, mais quand Aboli se mit à siffler doucement comme un oiseau, il émergea de derrière les vignes vierges qui masquaient l'entrée, son sabre à la main.

— J'ai du nouveau, annonça Aboli. Pour une fois les dieux nous sont favorables.

— Raconte-moi! ordonna Hal avec impatience en remettant son sabre au fourreau.

Ils s'assirent côte à côte près de l'entrée de la grotte, d'où ils pouvaient balayer du regard toute la lagune, et Aboli rapporta en détail tout ce que Jiri avait eu le temps de lui dire.

Hal poussa une exclamation quand Aboli décrivit le massacre du capitaine du *Golden Bough* et de ses hommes, et la manière dont Sam Bowles avait noyé les blessés.

— Même pour le Busard, il y avait dans cette ignominie des relents infernaux.

— Tous n'ont pas été tués, dit Aboli. Jiri affirme que bon nombre de survivants sont enfermés dans la cale du *Golden Bough*. Il dit aussi que le Busard a donné le commandement du navire à Sam Bowles.

— Par le ciel, ce gredin est encore là! s'exclama Hal. Mais tout cela peut tourner à notre avantage. Le *Golden Bough* est devenu un navire de pirates et rien ne nous empêche plus de nous en emparer. Il n'en reste pas moins qu'il est dangereux d'aller débusquer le Busard dans sa tanière.

Il se plongea dans un long silence qu'Aboli se garda de troubler. Hal leva finalement les yeux; il avait manifestement pris une décision.

— J'ai juré à mon père de ne jamais révéler ce que je vais te montrer. Mais la situation a changé et je sais qu'il me pardonnerait. Suis-moi, Aboli.

Ils redescendirent la colline par l'arrière, puis obliquèrent vers la rivière. Ils trouvèrent une piste laissée par les babouins et la suivirent jusqu'en bas du flanc escarpé de la gorge. Hal se dirigea alors vers l'amont, et plus ils progressaient, plus les parois devenaient hautes et abruptes. En certains endroits, il leur fallait entrer dans l'eau et patauger le long de la falaise. Tous les cent mètres, Hal s'arrêtait pour se repérer, jusqu'au moment où il poussa un grognement de satisfaction en reconnaissant l'arbre mort. Il remonta sur la berge et commença l'escalade.

— Où allons-nous, Gundwane? demanda Aboli.

— Suis-moi.

Aboli haussa les épaules et se mit à grimper à sa suite. Hal lui tendit la main pour l'aider à monter sur l'étroite corniche qu'il n'avait pas vue d'en bas.

— Cela ressemble bien au repaire du capitaine Franky, fit-il. Si je ne me trompe, le Busard se serait épargné beaucoup de peine en cherchant de ce côté-ci au lieu de creuser des trous dans le bosquet.

— Par ici, dit Hal en avançant avec précaution le long de la corniche, le dos à la falaise, un à-pic de trente mètres à ses pieds.

Parvenu à l'endroit où la corniche s'élargissait et où la crevasse s'ouvrait dans la paroi, il s'arrêta pour examiner les grosses pierres qui bloquaient l'entrée.

— Personne n'est venu, pas même des singes, dit-il avec soulagement en commençant à enlever les pierres.

Quand il y eut assez d'espace pour passer, il se faufila à l'intérieur et chercha à tâtons le silex, le briquet et la bougie que son père avait placés sur un rebord à hauteur de la tête. L'amadou s'enflamma au troisième coup de briquet et Hal alluma la bougie.

En voyant tous les sacs et les coffres rangés contre la paroi, Aboli se mit à rire.

— Tu es riche, Gundwane. Mais à quoi te servent maintenant tout cet or et tout cet argent ? Tu ne peux même pas acheter une bouchée de nourriture ou un bateau pour les transporter.

Hal alla jusqu'au coffre le plus proche et en ouvrit le couvercle. Les lingots d'or scintillèrent à la lueur de la bougie.

— Mon père est mort pour me laisser cet héritage. J'aurais préféré qu'il vive et être un mendiant, dit-il en refermant violemment le couvercle. En dépit de ce que tu crois, je ne suis pas venu ici pour l'or, mais pour ça. (Il donna un coup de pied dans un baril de poudre.) Et ça ! fit-il en montrant les mousquets et les épées entassés dans le fond de la grotte. Et ça aussi ! ajouta-t-il en se dirigeant vers l'endroit où étaient empilés les cordes de chanvre et le madrier. (Il prit une longueur de corde et en éprouva la résistance en tirant dessus de toutes ses forces.) Elle est toujours solide et n'a pas pourri. Nous avons donc tout ce qu'il nous faut.

Aboli vint s'asseoir sur un coffre près de lui.

— Tu as un plan. Expose-le-moi, Gundwane.

Il écouta attentivement Hal lui expliquer ses intentions, hochant la tête ou émettant une suggestion de temps à autre.

Ils repartirent tout de suite après pour le camp de base et, parcourant la plus grande partie du chemin au petit trot ou en courant, y arrivèrent avant midi. Sukeena les vit gravir la colline et accourut à leur rencontre. Hal la fit tourner dans les airs puis, se ravisant soudain, la reposa avec précaution comme si elle était en verre filé et risquait de se casser.

— Excusez-moi, je vous ai traitée avec rudesse.

— Je suis à vous, vous pouvez me traiter comme il vous plaît et j'en serai toujours heureuse, dit-elle en l'embrassant. Dites-moi ce que vous avez trouvé. Y a-t-il un bateau dans la lagune ?

— Oui, un joli bateau, mais loin de l'être autant que vous.

Sur les instances de Hal, ils levèrent le camp et se mirent en route sur-le-champ. Aboli et lui marchaient en éclaireurs et conduisaient la petite troupe en direction de la lagune.

Lorsqu'ils parvinrent à la rivière et descendirent dans la gorge, Hal laissa là Daniel et tous les autres marins à l'exception de Ned Tyler. Ils ignoraient que la grotte où était caché le trésor ne se trouvait qu'à une encablure en amont.

— Attendez-moi là, maître Daniel. Je dois emmener les autres en lieu sûr. Cachez-vous bien. Je serai de retour à la nuit tombée.

Aboli accompagna le reste du groupe, que Hal conduisit de l'autre côté de la gorge avant de contourner les collines. Ils approchèrent des bancs de sable qui séparaient le continent de l'îlot où ils avaient naguère construit les brûlots.

L'après-midi tirait déjà à sa fin, et Hal les laissa se reposer jusqu'au crépuscule. Dès qu'il fit nuit, Hal prit Sukeena sur son dos et tous traversèrent en pataugeant les eaux peu profondes qui les séparaient de la petite île. Arrivés sur la terre ferme, ils s'enfoncèrent rapidement dans l'épaisse végétation afin de ne pas risquer d'être aperçus depuis le camp des pirates.

— Ne faites pas de feu, avertit Hal. Ne parlez qu'à voix basse. Zwaantie, empêchez Bobby de pleurer. Et qu'aucun ne s'éloigne. C'est Ned qui commandera en mon absence. Obéissez-lui.

Hal et Aboli poursuivirent la traversée de l'île jusqu'à la plage qui faisait face au camp. A l'endroit où ils avaient construit les brûlots, la végétation avait abondamment repoussé. Ils se mirent à la recherche des deux embarcations à double coque abandonnées là, qu'ils n'avaient pas utilisées pour attaquer le *Goéland*. Quand ils les eurent trouvées, ils les tirèrent près de la plage.

— Crois-tu qu'elles vont encore flotter ? demanda Aboli d'un air dubitatif.

— Ned a fait du bon travail et elles semblent assez solides. Si nous en retirons le combustible, elles auront moins de tirant d'eau.

Ils vidèrent les canots de leur cargaison de fagots de bois trempé dans le goudron.

— Voilà qui est mieux, dit Hal avec satisfaction. Elles seront plus légères et plus faciles à manœuvrer.

Ils les cachèrent de nouveau en les recouvrant de branchages.

— Il nous reste encore beaucoup à faire avant le lever du jour, dit Hal en revenant avec Aboli à l'endroit où la plupart des autres étaient déjà assoupis. Ne réveillez pas Sukeena, recommanda-t-il à Althuda. Elle est épuisée et doit se reposer.

— Où allez-vous ?

— Pas le temps de vous expliquer. Nous serons de retour avant l'aube.

Hal et Aboli traversèrent le chenal pour regagner le continent et traversèrent la forêt obscure en se hâtant, mais lorsqu'ils atteignirent la ligne des collines, Hal s'arrêta.

— Il faut que j'aille chercher quelque chose.

Il repartit en direction des lumières vacillantes du camp des pirates. Il avançait à pas comptés, faisait souvent halte pour se repérer et s'arrêta enfin au pied d'un grand arbre.

— C'est celui-là, dit-il.

De la pointe de son poignard, il sonda la terre meuble autour des racines, finit par toucher un objet métallique et s'agenouilla. Il creusa à mains nues, puis sortit la chaîne d'or qu'il leva pour l'éclairer à la lueur des étoiles.

— Le sceau de nautonier de ton père ! s'exclama Aboli, qui le reconnut tout de suite.

— Et aussi l'anneau et le médaillon avec le portrait de ma mère, dit Hal en se relevant et en essuyant la terre humide sur le verre qui protégeait la miniature. Avec ça, j'ai l'impression de retrouver mon intégrité, ajouta-t-il avant de laisser tomber ses trésors dans son petit sac de cuir.

— Partons d'ici avant d'être découverts.

Il était minuit quand ils descendirent de nouveau dans la gorge. Lorsqu'ils atteignirent la berge de la rivière, le grand Daniel leur envoya une sommation à voix basse.

— C'est nous, dit Hal, et tous sortirent de leur cachette. Restez là. Aboli et moi revenons tout de suite.

Tous deux partirent vers l'amont. Hal escalada en tête la paroi jusqu'à la corniche et se fraya son chemin à tâtons dans l'obscurité de la grotte. A la lueur de la bougie, ils attachèrent les sabres dix par dix et les entassèrent à l'entrée. Hal vida un coffre de son contenu, empila les lingots dans un coin de la caverne et rangea à la place vingt pistolets.

Puis ils roulèrent les barils de poudre à l'extérieur, installèrent le madrier, les poulies et les cordes. Hal redescendit au pied de la falaise et, une fois sur la berge, siffla doucement. Aboli fit descendre les armes et les barils.

Quand ils eurent fini, Aboli rejoignit Hal, et ils transportèrent leur lourd chargement jusqu'à l'endroit où attendaient Daniel et les autres marins.

— J'ai déjà vu ça quelque part, gloussa Daniel en promenant sa main sur les sabres.

— Ça aussi, je pense, dit Hal en lui donnant deux lourds barils à porter.

Tous portant une lourde charge, ils grimpèrent péniblement hors de la gorge, entassèrent leurs fardeaux et repartirent chercher le reste. Puis, ployant sous le poids, ils traversèrent la forêt. Hal fit un détour pour cacher deux barils de poudre, de la corde à feu et trois sabres dans la caverne aux peintures rupestres, puis ils reprirent leur chemin.

Lorsqu'ils rejoignirent Althuda et les autres sur la petite île, il faisait presque jour. Ils mangèrent la viande froide fumée que Sukeena et Zwaantie leur avaient préparée. Puis, tandis que les autres s'enroulaient dans leurs couvertures de fourrure, Hal prit Sukeena à part et lui montra le grand sceau de nautonier et le médaillon.

— Où les avez-vous trouvés, Gundwane?

— Je les avais cachés dans la forêt le jour où nous avons été capturés.

— Qui est cette femme? demanda-t-elle en examinant le portrait.

— C'est ma mère, Edwina Courteney.

— Oh, Hal, comme elle est belle! Vous avez les mêmes yeux qu'elle.

— J'espère que mon fils les aura aussi.

— Je vais faire de mon mieux. J'essaierai de tout mon cœur.

En fin d'après-midi, Hal réveilla ses hommes et leur assigna leurs tâches respectives.

— Sabah, prenez les pistolets, chargez-les puis mettez-les dans le coffre pour les garder au sec. Daniel va m'aider à charger les canots. Ned, emmenez les femmes jusqu'à la plage et expliquez-leur comment vous donner un coup de main quand le moment sera venu de mettre à l'eau le deuxième canot. Elles devront tout laisser ici. Nous n'aurons ni la place ni le temps d'embarquer un chargement excédentaire.

— Même mes sacoches? demanda Sukeena.

Hal hésita puis hocha la tête avec fermeté.

— Même vos sacoches.

Elle ne discuta pas et lui lança un regard soumis avant de suivre Ned à travers les arbres avec Zwaantie, qui portait Bobby sur son dos à la manière des Africaines.

— Viens avec moi, Aboli.

Hal le prit par le bras et ils se dirigèrent sans bruit vers l'extrémité la plus haute de l'île. Ils avancèrent à quatre pattes, puis, à plat ventre, examinèrent la plage de l'autre côté de la lagune, là où les chaloupes du *Goéland* et du *Golden Bough* avaient été tirées au sec, juste au-dessous du camp.

Hal exposa à son compagnon certains détails et les modifications qu'il avait apportées à son projet initial. Aboli hochait la tête par intermittence.

— C'est un plan simple et astucieux, et si les dieux sont cléments, cela marchera, conclut-il.

Tandis que le soleil se couchait, ils observaient les deux navires au mouillage dans le chenal et l'activité qui régnait sur la plage. Lorsqu'il fit sombre, les équipes qui avaient creusé tout le jour les tranchées du Busard s'arrêtèrent. Certains allèrent se baigner dans la lagune, d'autres regagnaient à la rame leur couchette à bord du *Goéland*.

La fumée des feux de camp s'élevait en volutes à travers les arbres et se répandait au-dessus de l'eau en un voile bleu pâle. Une odeur de poisson grillé parvenait jusqu'aux narines de Hal et d'Aboli. Les bruits portaient loin sur la lagune immobile. Ils entendaient les voix des hommes et parfois distinguaient même ce qu'ils disaient, un juron ou une violente dispute. A deux reprises, Hal eut la certitude de reconnaître la voix du Busard, mais ils ne le virent pas.

Au moment où l'obscurité commençait à tomber, une chaloupe s'écarta du *Golden Bough* et se dirigea vers la plage.

— C'est Sam Bowles qui est à l'arrière, fit Hal sur un ton de mépris.

— Le capitaine Bowles, si ce que m'a dit Jiri est exact, corrigea Aboli.

— Il est presque temps d'y aller, dit Hal tandis que les formes des navires se fondaient avec la masse sombre de la forêt. Tu sais ce que tu as à faire, Aboli, et que Dieu soit avec toi.

Il lui serra le bras rapidement.

— Et avec toi aussi, Gundwane.

Aboli se leva et entra dans l'eau. Sans bruit, il entreprit de traverser le chenal à la nage, laissant derrière lui une traînée phosphorescente à la surface sombre des flots.

508

Hal traversa les buissons en sens inverse et rejoignit ceux qui attendaient près des formes disgracieuses des brûlots. Il les fit asseoir autour de lui et leur exposa sa stratégie à voix basse. Puis, il leur demanda de répéter ses instructions et les corrigea quand ils se trompaient.

— Il ne nous reste plus qu'à attendre qu'Aboli ait fait son travail.

Celui-ci aborda sur la terre ferme et quitta rapidement la lagune, puis se déplaça silencieusement à travers la forêt. La brise tiède l'avait séché avant qu'il ait atteint la caverne. Il s'accroupit près des barils de poudre et fit ses préparatifs comme Hal le lui avait demandé.

Il coupa deux mèches en corde à feu. L'une n'avait qu'une brasse de long, la deuxième presque dix pieds. Il était difficile de prévoir avec exactitude leur temps de combustion : la première pouvait brûler en une dizaine de minutes, la seconde devait mettre presque trois fois plus de temps.

Il travailla prestement, et lorsque les deux barils furent prêts, il attacha les trois sabres sur son dos, chargea un baril sur chaque épaule et se faufila hors de la grotte. La nuit précédente, lorsqu'il était allé jusqu'à la case de Jiri et des autres esclaves, il avait remarqué que les hommes du Busard manquaient de vigilance. Après les longs mois sans histoires durant lesquels ils avaient campé là, ils étaient d'humeur insouciante. Il ne se fiait cependant pas à leur indolence.

Il se rapprocha du camp furtivement, jusqu'à pouvoir distinguer nettement les traits des marins assis autour des feux. Il reconnut bon nombre d'entre eux, mais Cumbria et Sam Bowles n'étaient pas là. Il plaça le premier baril dans un buisson à la périphérie du camp, aussi près qu'il osa approcher, puis, sans allumer la mèche, continua jusqu'à l'une des tranchées creusées par les hommes du Busard.

Il posa le baril muni de la mèche la plus longue au bord du trou et le recouvrit de sable et de terre provenant de la tranchée. Puis il laissa filer la mèche enroulée et en fit descendre l'extrémité dans l'excavation. Il s'accroupit là, fit écran avec son corps pour cacher le silex et le briquet afin que les étincelles ne donnent pas l'alerte pendant qu'il allumait la corde à feu. Quand elle brûla de manière régulière, il y porta la mèche et regarda celle-ci pendant une minute pour s'assurer qu'elle avait bien pris. Il sortit ensuite de la tranchée et retourna rapidement et sans faire de bruit jusqu'au premier baril, dont il alluma aussi la mèche.

« La première explosion va les mettre en fuite, avait expliqué Hal. Le deuxième baril leur explosera en plein visage. »

Aboli s'éloigna en vitesse. Il y avait toujours le risque que la flamme de l'une des mèches fasse un bond et mette le feu aux poudres prématurément. Lorsqu'il fut à bonne distance, il rejoignit le sentier qui descendait vers la plage et le suivit en restant aux aguets. A deux reprises, il dut s'en écarter, ayant vu à temps deux silhouettes sortir de la nuit et venir dans sa direction. Une autre fois, il ne fut pas assez rapide, mais, au culot, échangea un « Bonsoir ! » bourru avec le pirate qui le croisa.

Il aperçut la case en torchis que découpait la lueur des feux de camp et rampa jusqu'à l'arrière de la construction. Jiri répondit immédiatement à son appel chuchoté.

— Nous sommes prêts, frère, dit-il avec un accent déterminé et féroce qui n'avait plus rien de commun avec le ton plaintif de l'esclave.

Aboli posa les sabres, puis, avec le sien, sectionna la corde avec laquelle ils étaient attachés.

— Prends ! murmura-t-il.

Jiri passa la main par la fente dans le mur de torchis et Aboli lui passa les sabres.

— Attendez que le premier baril ait explosé.

— Compris.

Aboli rampa jusqu'au coin de la case et regarda autour de lui. Le gardien était assis à sa place habituelle devant la porte. Il ne dormait pas et fumait une pipe en argile à long tuyau. Aboli vit la lueur du tabac incandescent dans le fourneau chaque fois qu'il tirait une bouffée. Il s'accroupit derrière l'angle du mur et attendit.

Le temps passait si lentement qu'il commença à craindre que la mèche du premier baril ait été défectueuse et se soit éteinte avant d'atteindre la poudre. Il décida d'aller vérifier et s'apprêtait à se lever quand le souffle de l'explosion balaya le camp.

Il arracha des branches d'arbres et fit voler des nuages de cendres brûlantes et d'étincelles des feux de camp. Il frappa la case de torchis, fit tomber la moitié de la façade et emporta le toit de chaume. Projeté sur le dos, le garde se débattit pour essayer de se rasseoir, gêné par son gros ventre. Aboli se dressa près de lui, le cloua au sol en posant un pied sur sa poitrine, donna un coup de sabre et sentit la poignée vibrer dans sa main au moment où la

510

lame tranchait le cou de l'homme. Sa victime fut secouée d'un spasme puis resta étendue, immobile. D'un bond, Aboli se précipita sur la corde qui servait de poignée à la porte de la case. Tandis qu'il tirait dessus, de l'autre côté les trois prisonniers se jetaient de tout leur poids sur la porte, qui s'ouvrit brusquement.

— Par ici, mes frères, dit Aboli en les conduisant vers la plage. Dans le camp, c'était la débandade. Les hommes de Cumbria couraient à l'aveuglette dans le noir, juraient, lançaient des ordres et des cris d'alarme.

— Aux armes! Nous sommes attaqués.

— Restez où vous êtes, tonna la voix du Busard. Sus, les gars!

— Petey! Où es-tu mon bien-aimé? hurlait un blessé à l'adresse de son mignon. Je suis mort. A l'aide, Petey.

Des brandons avaient été pris dans les fourrés et le feu illuminait la scène de lueurs infernales. Les ombres des hommes qui couraient en tous sens et s'effrayaient mutuellement prenaient des dimensions monstrueuses. Quelqu'un tira un coup de mousquet et, immédiatement, une fusillade furieuse se déclencha parmi les marins frappés de panique et, tandis que les balles prélevaient leur tribut, les hurlements redoublèrent.

— Ces mécréants sont dans la forêt derrière nous! Par ici, mes braves! cria encore le Busard pour rallier ses troupes.

Immédiatement, des hommes montèrent de la plage en courant pour défendre le camp. Ils furent cueillis par les tirs de mousquet de leurs compagnons et ripostèrent.

En arrivant sur la plage, Aboli trouva des chaloupes tirées au sec, abandonnées par leurs équipages qui s'étaient précipités pour répondre à l'appel du Busard.

— Où rangent-ils leurs outils? demanda-t-il.

— Le magasin est par là, répondit Jiri en le conduisant au pas de course.

Les pelles, les haches et les barres de fer étaient entassées sous un auvent. Aboli remit son sabre au fourreau et prit une lourde barre de fer. Les trois autres suivirent son exemple, puis tous repartirent en courant jusqu'à la plage et s'en prirent aux chaloupes.

En quelques coups, ils eurent fracassé le fond des embarcations.

— Allons-y! Pas un instant à perdre! les pressa Aboli.

Ils jetèrent leurs outils et se précipitèrent vers le seul canot qu'ils avaient épargné. Ils le mirent à l'eau, sautèrent à bord et firent force de rames en direction de la forme sombre de la frégate, maintenant éclairée par les flammes de l'incendie.

Alors qu'ils n'étaient encore qu'à quelques mètres du rivage, une meute de pirates sortit du bois.

— Arrêtez! Revenez! hurla l'un.

— Ce sont ces trois singes. Ils sont en train de voler nos chaloupes.

— Ne les laissez pas s'échapper!

Ils entendirent claquer un coup de mousquet et une balle passa en vrombissant au-dessus de leurs têtes. Ils se baissèrent et ramèrent de plus belle. A présent, tous les pirates tiraient et les balles soulevaient des petites gerbes d'eau tout près de la chaloupe ou s'écrasaient avec un bruit mat contre sa coque.

Plusieurs pirates coururent jusqu'aux canots échoués, s'y entassèrent et se lancèrent à leur poursuite. Presque immédiatement, ils s'aperçurent avec consternation que leurs embarcations prenaient l'eau. Lorsqu'elles chavirèrent, rares étaient ceux à savoir nager, et les cris de rage se muèrent en appels au secours.

Au même moment, la seconde explosion balaya le camp. Elle fit encore plus de ravages que la première car, obéissant aux ordres du Busard, ses hommes chargeaient droit en direction du baril quand eut lieu la déflagration.

Hal n'avait pas attendu la première explosion pour lancer son brûlot. Avec l'aide de tous ses hommes, il tira la coque jusqu'à la plage. Libérée de son chargement, elle était bien plus légère et facile à manier. Ils y entassèrent les sabres et le coffre rempli de pistolets chargés.

Ils laissèrent Sabah pour la retenir et repartirent au pas de course chercher la seconde embarcation. Tandis qu'ils la tiraient vers le bord de l'eau, les deux femmes couraient à leurs côtés, et tous grimpèrent à bord. Daniel avait porté le petit Bobby et il le tendit à Zwaantie quand elle fut installée au fond du canot. Hal prit Sukeena dans ses bras, la déposa doucement à l'arrière et lui donna un dernier baiser.

— Restez à l'écart jusqu'à ce que nous ayons pris le navire. Ecoutez bien Ned, il sait ce qu'il faut faire.

Il la laissa et courut prendre le commandement du premier canot, où l'attendaient Daniel, Sparrow et Finch, ainsi qu'Althuda et Sabah. Il allait avoir besoin de tous les hommes en état de se battre pour prendre le *Golden Bough*.

Ils poussèrent l'embarcation dans le chenal puis, quand ils perdirent pied, commencèrent à nager en la dirigeant vers la frégate.

La marée était haute et n'allait pas tarder à tourner et à leur être favorable quand ils manœuvreraient le *Golden Bough* en direction du passage entre les promontoires.

Il faut commencer par le prendre! se dit Hal, cramponné au plat-bord, tout en fouettant l'eau de ses pieds.

A une encablure de la frégate, il chuchota :

— Baste! les gars. Pas la peine d'arriver tant qu'on n'est pas prêt à nous accueillir.

Ils attendirent là, accrochés au canot qui dérivait sans but. La nuit était calme et ils entendaient les hommes parler sur la plage et le gréement du *Golden Bough* claquer doucement tandis que le navire tirait sur son ancre et que ses mâts oscillaient imperceptiblement sur le fond du ciel étoilé.

— Peut-être Aboli a-t-il eu des ennuis, chuchota Daniel au bout d'un moment. Nous allons devoir aller à l'abordage tout seuls.

— Patience! répondit Hal. Aboli ne nous laissera pas tomber.

Ils patientaient dans l'eau noire, les nerfs tendus à l'extrême. Puis, de derrière eux, s'éleva un bruit léger d'éclaboussures. Hal tourna la tête et vit la silhouette du second canot glisser dans leur direction.

— Ned est trop impatient, dit Daniel.

— Il ne fait que suivre mes ordres, mais il ne doit pas nous dépasser.

— Comment l'arrêter?

— Je vais aller l'avertir, répondit Hal, qui lâcha le plat-bord et partit vers l'autre canot en nageant la brasse sans faire de bruit ni troubler la surface de l'eau.

Arrivé tout près, il appela Ned doucement.

— Oui, capitaine!

— Il y a du retard. Attendez ici et ne passez pas devant nous. Attendez la première explosion et allez ensuite vous accrocher à l'aussière d'ancre de la frégate.

— Oui, capitaine.

En levant les yeux vers la coque sombre, Hal vit une tête tournée vers lui. La peau dorée de Sukeena luisait au clair de lune, et il savait qu'il ne devait pas lui parler ni s'approcher plus près de crainte que son jugement ne soit perturbé, que son amour pour elle ne refroidisse son ardeur combative. Il fit demi-tour et repartit vers l'autre canot.

Au moment même où il le rejoignait et levait la main pour s'accrocher au plat-bord, le silence de la nuit fut brisé par le fracas de l'explosion, et les échos renvoyés par les collines parcoururent la lagune. Dans le bois obscur, des flammes s'élevèrent dans le ciel nocturne et, pendant quelques instants, éclairèrent la scène comme si c'était l'aube. Cette clarté permit à Hal de voir chaque espar et chaque bout de toile du *Golden Bough*, mais rien n'indiquait la présence d'hommes de quart ou de qui que ce soit d'autre à son bord.

— Allons-y, les gars, dit-il, et ils se remirent à pousser le canot avec une ardeur renouvelée.

En quelques minutes, ils eurent franchi la distance qui les séparait de la frégate. Mais pendant ce court laps de temps, la nuit s'était transfigurée : ils entendaient les cris et les coups de mousquet éclater sur la plage, les flammes de la forêt incendiée montaient en dansant vers le ciel et se reflétaient à la surface de l'eau autour d'eux. Hal craignait que cette clarté ne les fasse repérer depuis la frégate.

Avec soulagement, ils poussèrent leur embarcation dans l'ombre projetée par la coque du *Golden Bough*. Il regarda derrière lui et vit que l'autre canot se rapprochait : il atteignit l'aussière d'ancre de la frégate et, debout à l'avant, Sukeena agrippa la corde. Il était légèrement rassuré. Ned avait pour ordre de garder les femmes à l'écart tant qu'ils n'avaient pas pris le contrôle du *Golden Bough*.

Il constata avec satisfaction qu'une yole était amarrée contre le flanc de la frégate et qu'une échelle de corde pendait du pont à l'intérieur de l'embarcation. De plus, elle était vide et aucune tête n'apparaissait au bastingage du *Golden Bough*. Un bruit de voix venait cependant du pont. L'équipage avait dû se regrouper le long du bastingage qui faisait face à la plage et devait regarder avec consternation les flammes, les silhouettes courir en tous sens et les éclairs des coups de mousquet.

Ils poussèrent le brûlot jusqu'à ce qu'il vienne cogner doucement contre la coque de la yole. Pendant que les autres amarraient le canot, Hal effectua immédiatement une traction pour sortir de l'eau et escalada l'échelle de corde.

Comme il l'avait espéré, les hommes restés à bord étaient occupés à contempler la scène, mais leur nombre le consterna. Ils devaient être au moins une cinquantaine. Ils étaient cependant complètement absorbés par ce qui se passait à terre, et à l'instant où Hal s'apprêtait à faire un rétablissement par-dessus le bastingage, il y eut une autre explosion violente dans la forêt.

— Par Dieu, regardez-moi ça ! s'exclama l'un des pirates de Sam Bowles.

— Il y a du grabuge.

— Nos camarades ont besoin de nous.

— Je ne leur dois rien. Qu'ils ne comptent pas sur moi.

— Shamus a raison. Laissons le Busard s'en sortir tout seul.

Hal sauta sur le pont et, en une demi-douzaine de pas rapides, courut se mettre à l'abri du gaillard d'avant. Il s'y accroupit et surveilla le pont. Jiri avait dit à Aboli que l'équipage d'origine de la frégate était enfermé dans la cale principale. Mais l'écoutille était juste derrière les hommes de Sam Bowles rassemblés au bastingage.

Il jeta un coup d'œil par-dessus son épaule et vit la tête de Daniel apparaître à la coupée. Il était impossible d'attendre plus longtemps. Hal se releva d'un bond, courut jusqu'au surbau de l'écoutille et se laissa tomber à genoux derrière lui. Un maillet traînait sur le pont, mais il n'osa pas s'en servir pour enlever les clavettes. Les pirates l'auraient entendu et se seraient immédiatement jetés sur lui.

Il tapa doucement sur la boiserie avec la garde de son sabre et appela à voix basse :

— Ohé, les marins du *Golden Bough*, vous m'entendez ?

Une voix étouffée, avec un accent celtique prononcé, lui parvint tout de suite :

— Nous vous entendons. Qui êtes-vous ?

— Un honnête Anglais venu vous délivrer. Etes-vous prêts à vous battre avec nous contre le Busard ?

— Dieu vous bénisse ! Rien ne pourrait nous faire plus plaisir que de verser le sang de ce bâtard.

Hal regarda autour de lui. Daniel avait apporté un faisceau de sabres, Wally Finch et Stan Sparrow portaient les autres. Althuda se chargeait du coffret contenant les pistolets. Il le posa sur le pont et en souleva le couvercle. A première vue, les armes semblaient au sec et prêtes à servir.

— Nous vous avons apporté des armes, chuchota Hal à l'intention de son interlocuteur. Tenez-vous prêts à soulever le panneau quand j'aurai retiré les clavettes, puis sortez vous battre. *Golden Bough* sera notre cri de ralliement.

Il fit signe à Daniel et prit le lourd maillet. Daniel agrippa le bord du panneau et tira de toutes ses forces. Hal donna un coup de maillet et avec un bruit sec la clavette vola à travers le pont. En deux autres coups, il avait envoyé les clavettes restantes rebondir bruyamment sur les planches. Sous l'effet de la traction exercée par Daniel et de la poussée des captifs, le panneau s'ouvrit et les marins sortirent par l'écoutille comme des guêpes furieuses.

A ce vacarme subit derrière eux, les hommes de Sam Bowles se retournèrent, bouche bée. Il leur fallut un bon moment pour comprendre que leur navire était pris à l'abordage et que leurs prisonniers étaient libres. Mais Hal et Daniel leur faisaient déjà face, sabre au clair.

Derrière eux, Althuda se dépêchait d'allumer la corde à feu des pistolets tandis que Wally et Stan lançaient des sabres aux hommes libérés au fur et à mesure qu'ils se précipitaient hors de la cale.

Avec des cris rageurs, une meute de pirates conduite par Sam Bowles chargea à travers le pont. Ils étaient vingt contre deux et leur premier assaut obligea Daniel et Hal à lâcher du terrain. Mais les deux hommes continuaient à ferrailler et les retinrent assez longtemps pour que les marins du *Golden Bough* se jettent dans la bataille.

En quelques minutes, le pont fut grouillant de combattants si mêlés les uns aux autres que seuls leurs cris de guerre leur permettaient de distinguer leurs ennemis de leurs alliés.

« Cochran de Cumbria ! » hurlait Sam Bowles tandis que les hommes de Hal répondaient au cri de « Sir Hal et le *Golden Bough* ».

Les marins libérés étaient ivres de vengeance — non seulement à cause de leur emprisonnement mais aussi parce que leurs officiers avaient été massacrés et leurs compagnons blessés ignominieusement noyés. Hal et ses hommes avaient cent autres raisons d'être enragés et avaient attendu longtemps ce moment.

Les hommes de Sam Bowles étaient acculés. Ils savaient qu'ils ne pouvaient attendre aucun secours de leurs comparses partis à terre, ni espérer aucun quartier de leurs adversaires.

Les effectifs des deux camps étaient à peu près équivalents, mais peut-être l'équipage de la frégate avait-il été affaibli par son confinement dans la cale sombre et sans air. En première ligne, Hal se rendit compte que leurs ennemis prenaient le dessus. Ses hommes perdaient du terrain et battaient en retraite vers l'avant.

Il aperçut Sabah jeter son épée et se sauver vers l'écoutille pour se cacher à l'intérieur du navire. Hal éprouva de la haine pour lui. Il ne fallait qu'un seul lâche pour mettre une troupe en déroute. Mais Sabah n'atteignit pas l'écoutille. Un grand pirate à barbe noire lui donna un coup de sabre dans le creux des reins et la lame ressortit par son nombril.

Quelques heures de pratique supplémentaires auraient pu le sauver, pensa Hal fugitivement avant de concentrer toute son attention et toutes ses forces sur les quatre hommes qui s'avançaient vers lui pour l'attaquer avec des cris de hyène.

Hal en tua un, qui s'était découvert en levant le bras, en lui plantant son épée dans le cœur, et en désarma un autre d'un coup sur le poignet qui coupa net les tendons. L'homme lâcha son arme, courut en hurlant à travers le pont et se jeta par-dessus bord. Pris de peur, les deux autres assaillants reculèrent et, profitant de ce répit, Hal regarda autour de lui à la recherche de Sam Bowles.

Il l'aperçut à l'arrière de la meute, soigneusement en retrait de la mêlée, criant des ordres et des menaces à ses hommes, son visage de fouine déformé par une méchante grimace.

— Sam Bowles! Je t'ai dans ma ligne de mire, cria Hal par-dessus les têtes des combattants.

Sam le regarda et la terreur envahit ses yeux pâles.

— Je viens m'occuper de toi, rugit Hal en s'élançant vers lui.

Trois hommes se trouvaient sur son chemin. Profitant des quelques instants qu'il fallut à Hal pour les écarter à coups de sabre et se frayer un passage, Sam Bowles avait filé et s'était caché dans la cohue.

Les pirates vociféraient à présent autour de Hal comme des chacals encerclant un lion. Pendant un moment, il combattit au côté du grand Daniel et constata avec stupéfaction que ce dernier était blessé en une douzaine d'endroits. Il se rendit alors compte que la garde de son sabre lui collait à la main. Il comprit que c'était son propre sang. Lui aussi était blessé, mais dans le feu de l'action, il n'avait pas senti la douleur et avait continué de se battre.

— Attention derrière vous, Sir Hal! hurla Daniel.

Hal recula d'un bond, rompant l'engagement, et jeta un coup d'œil par-dessus son épaule. Le cri d'alarme de Daniel allait le sauver.

Sam Bowles se trouvait au bastingage du gaillard d'arrière qui surplombait le pont. Un lourd mortier en bronze dépassait par une fente du bastingage et Bowles, une mèche allumée à la main, faisait pivoter la petite pièce d'artillerie pour ajuster son tir. Il avait repéré Hal dans la foule des combattants et le mortier était pointé sur lui. Bowles toucha le bassinet avec sa mèche.

Une seconde avant que le coup parte, Hal bondit en avant, prit par la taille le pirate qui se trouvait devant lui et le souleva au-dessus du sol, s'en servant comme d'un bouclier. L'homme poussa un cri de surprise et, au même moment, une grêle de plombs balaya le pont. Hal sentit tressauter dans ses bras le corps du pirate frappé par une demi-douzaine de projectiles. Il était mort avant qu'il ne l'ait laissé choir.

Mais le coup avait fait de terribles ravages parmi les hommes du *Golden Bough* regroupés autour de Hal. Etendus dans une flaque de sang, trois donnaient des coups de pied convulsifs tandis que deux ou trois autres avaient été touchés et s'évertuaient à rester debout.

Les pirates constatèrent que cette attaque soudaine avait fait pencher la balance de leur côté et s'élancèrent, excités par les cris de Bowles. Comme un barrage qui se lézarde, les hommes de Hal commencèrent à lâcher. La déroute était imminente lorsque derrière la meute de pirates déchaînés émergea par-dessus le bastingage une énorme tête noire couverte de scarifications.

Aboli poussa un hurlement qui les pétrifia, puis enjamba le bastingage, suivi de près par trois autres énormes formes noires, chacune armée d'un sabre. Ils avaient tué cinq hommes avant que les pirates ne reprennent leurs esprits et s'apprêtent à faire face à ce nouvel assaut.

Ceux qui entouraient Hal reprirent courage : ils se rallièrent à ses cris rauques et, conduits par le grand Daniel, se jetèrent de nouveau dans la mêlée. Pris en tenailles entre Aboli et ses sauvages et les marins ragaillardis, les pirates désespérés prirent la fuite. Ceux qui ne savaient pas nager descendirent précipitamment par les écoutilles pour aller se réfugier à l'intérieur du navire tandis que les autres couraient vers le bastingage et se jetaient par-dessus bord.

La bataille était finie et la frégate, aux mains de Hal et des siens.

— Où est Sam Bowles ? cria celui-ci à Daniel.

— Je l'ai vu courir en bas.

Hal hésita quelques instants, luttant contre la tentation de se précipiter à sa suite pour se venger. Il écarta finalement cette idée et se consacra à sa tâche. « J'aurai le temps de m'occuper de lui plus tard », se dit-il.

Il gagna à grandes enjambées le gaillard d'arrière, place dévolue au capitaine, et parcourut son navire des yeux. Plusieurs de ses hommes déchargeaient leurs pistolets sur les fuyards qui nageaient en direction de la plage.

— Baste ! s'exclama-t-il. Paré à appareiller. Le Busard ne va pas tarder à nous tomber dessus.

Reconnaissant le ton de l'autorité, même les marins qu'il avait libérés se dépêchaient d'obéir à son ordre.

— Aboli et maître Daniel, amenez les femmes à bord, dit ensuite Hal en baissant la voix. Aussi vite que possible.

Tandis qu'ils couraient vers la coupée, il accorda toute son attention à la manœuvre. Des marins avaient déjà grimpé à mi-hauteur des haubans, d'autres actionnaient le cabestan pour remonter l'ancre.

— Pas le temps, leur cria Hal. Coupez l'aussière à la hache.

Des coups de hache répondirent immédiatement à son ordre et il sentit la frégate abattre sous le vent et s'orienter dans le sens du reflux. Il se tourna vers la coupée et vit Aboli déposer Sukeena sur le pont. Daniel portait le petit Bobby, qui pleurait contre sa poitrine, et Zwaantie.

La grand-voile se déploya au-dessus de la tête de Hal, claqua paresseusement et se gonfla sous la caresse de la douce brise nocturne. Hal se tourna vers la barre et constata avec satisfaction que Ned Tyler était déjà à son poste.

— Près et plein, monsieur Tyler, dit-il.

— Près et plein, capitaine.

— Droit sur le chenal principal !

— Oui, capitaine.

Ned ne put réprimer un sourire, que Hal lui rendit.

— Est-ce que ce bateau vous convient, monsieur Tyler ?

— Assez bien, répondit Ned rayonnant.

Hal prit le porte-voix et le pointa vers le ciel pour ordonner que les huniers soient envoyés eux aussi. Il sentit le navire bondir sous ses pieds et commencer à filer.

— Une merveille ! murmura-t-il. Elle vole comme un oiseau et a le vent pour amant.

Il se dirigea vers Sukeena qui était déjà agenouillée à côté d'un des marins blessés.

— Ne vous avais-je pas dit de laisser ces sacoches ?

— Oui, mon seigneur, répondit-elle en lui souriant gentiment. Mais je savais que vous plaisantiez... Vous êtes blessé, s'exclama-t-elle en se levant précipitamment. Laissez-moi vous soigner.

— Je suis égratigné, pas blessé. Ces hommes ont plus besoin de vos compétences que moi.

Il tourna les talons, alla au bastingage et regarda en direction de la plage. Le feu avait bien pris dans la forêt et la scène était à présent éclairée presque comme en plein jour. Il distinguait nettement les traits des hommes amassés sur le rivage. Ils trépignaient de colère et de dépit car ils avaient enfin compris que la frégate leur était soufflée sous le nez.

Hal repéra la gigantesque silhouette de Cumbria au premier rang. Il brandissait sa claymore et écumait de rage. Hal se moqua de lui et la fureur du Busard décupla.

— Il n'y aura pas un océan assez vaste pour te cacher, Courteney. Je te retrouverai, dussé-je y mettre cinquante ans, hurla-t-il d'une voix qui couvrait le vacarme de ses hommes.

Hal cessa de rire d'un seul coup en reconnaissant le personnage qui se tenait un peu plus haut sur la plage. Il n'en crut d'abord pas ses yeux, mais les flammes l'éclairaient si distinctement qu'il n'y avait aucun doute. Offrant un saisissant contraste au spectacle que donnaient le Busard et sa rage folle, Cornelius Schreuder se tenait les bras croisés et fixait Hal d'un œil froid qui le glaça jusqu'aux os. Leurs regards se croisèrent et ce fut comme s'ils s'étaient affrontés en duel.

Le vent tourbillonnait par-dessus les promontoires. Pris dans une rafale plus forte que les autres, le *Golden Bough* gîta légèrement et l'eau commença à gargouiller joyeusement sous son étrave. Le pont trembla et le navire s'éloigna de la plage. Hal accorda toute son attention au pilotage du navire afin de l'amener dans la bonne position avant de l'engager dans la passe dangereuse qui menait vers la mer. De longues minutes passèrent avant que Hal pût de nouveau regarder vers le rivage.

Il ne restait que deux hommes sur la plage, ceux que Hal haïssait le plus au monde, tous deux d'implacables ennemis. Le Busard était entré dans l'eau jusqu'à la taille, comme pour empêcher la distance de s'accroître entre la frégate et lui. Schreuder n'avait pas bougé et son immobilité reptilienne donnait autant le frisson que toute la mise en scène de Cumbria.

— Il te faudra les tuer un jour, dit une voix grave près de Hal.

— J'attends ce jour avec impatience, répondit celui-ci en regardant Aboli.

Il sentit sous ses pieds la première poussée de la mer qui s'engouffrait dans la passe. La clarté des flammes avait mis à mal sa vision nocturne, et il ne distinguait devant lui rien d'autre que le noir. Il lui fallait chercher son chemin à tâtons comme un aveugle à travers le redoutable chenal.

— Mouchez les lanternes ! ordonna-t-il.

Leur faible lumière était incapable de pénétrer l'obscurité et avait pour seul effet de l'éblouir.

— Un quart à bâbord ! lança-t-il à Ned Tyler.

— Un quart à bâbord !

— Rencontrez !

Il devina plutôt qu'il ne la vit la masse menaçante de la falaise se dresser devant eux, et il entendit les vagues se soulever et se briser sur le récif qui gardait l'entrée de la passe. Il jugeait de sa direction aux bruits de la mer, à la caresse du vent sur sa poitrine et au mouvement du pont sous ses pieds.

Un silence mortel régnait maintenant à bord du navire. Tous les hommes présents savaient qu'ils allaient affronter un vieil ennemi bien plus redoutable que le Busard ou n'importe quel autre humain.

— Etarquez les basses voiles du grand mât et de misaine, lança Hal aux hommes chargés des écoutes. Paré à envoyer les perroquets.

Une peur presque palpable s'était emparée du *Golden Bough* car le jusant le tenait à la gorge et l'équipage n'avait aucun moyen de ralentir sa course vers les falaises invisibles dans l'obscurité.

Puis ce fut le moment. Hal sentit la poussée vers l'arrière exercée par le récif sur l'étrave et le vent sur sa joue changer de direction à l'instant où le navire courait sur le rocher.

— Barre à tribord! dit Hal d'un ton brusque. En grand! Envoyez les perroquets.

Le *Golden Bough* pivota sur sa quille et ses huniers claquèrent dans le vent comme les ailes d'un vautour sentant la mort. Le navire poursuivit sa course dans le noir et tous les hommes présents sur le pont s'attendirent à ce que la coque soit déchirée par le récif.

Hal s'approcha du bastingage et regarda le ciel. Ses yeux s'habituaient à l'obscurité. Il vit au-dessus d'eux la ligne où le promontoire masquait les étoiles.

— La barre à zéro, monsieur Tyler, dit-il. Gardez le cap.

Le navire se stabilisa sur sa nouvelle route. En entendant l'écho des vagues qui se brisaient tout près contre la falaise, Hal sentit les battements de son cœur s'accélérer. Les poings sur les hanches, il attendit le choc contre le récif, mais au lieu de cela les lames de l'océan soulevèrent le navire et le *Golden Bough* répondit avec ardeur à cette poussée.

— Etarquez les perroquets, lança-t-il en haussant le ton pour que sa voix porte dans les haubans.

Les voiles cessèrent de claquer et de nouveau se fit entendre le bruissement régulier de la toile tendue.

Le *Golden Bough* leva son étrave tandis que le premier rouleau de l'océan glissait sous lui et, pendant quelques instants, nul n'osa croire que Hal les avait sortis du maelström.

— Rallumez les lanternes, dit-il doucement. Monsieur Tyler, virez plein sud. Nous allons gagner le large.

Le silence persistait lorsque du haut de la grande vergue une voix cria :

— Dieu est avec vous, capitaine! Nous sommes tirés d'affaire.

Les acclamations fusèrent alors de partout.

— Pour Sir Hal et le *Golden Bough*!

Ils poussèrent des vivats jusqu'à en avoir la gorge enrouée, et Hal entendit des voix inconnues crier son nom. Les marins qu'il avait délivrés l'acclamaient aussi fort que les autres.

Une petite main chaude se glissa dans la sienne et, baissant les yeux, il vit le visage de Sukeena qui rayonnait à la lumière de la lanterne de l'habitacle.

— Ils vous aiment déjà presque autant que moi, dit-elle en le tirant doucement par la main. Vous ne voulez pas m'accompagner à un endroit où je puisse examiner vos blessures?

Hal ne voulut pas quitter le gaillard d'arrière. Il avait envie de se délecter encore des bruits de son nouveau navire, de sentir sa coque sous ses pieds et la mer en dessous. Il garda donc Sukeena à son côté tandis que le *Golden Bough* poursuivait sa course sous le ciel étoilé.

Un peu plus tard, Daniel vint les rejoindre en traînant derrière lui un vil personnage. Pendant un moment Hal ne le reconnut pas, puis la voix pleurnicharde l'emplit de mépris.

— Gentil Sir Henry, ayez pitié d'un ancien compagnon de route.

— Sam Bowles, dit Hal en essayant de se maîtriser, tu as assez de sang innocent sur la conscience pour permettre à une frégate de rester à flot.

— Vous êtes injuste avec moi, Sir Henry. Je ne suis qu'un pauvre diable ballotté par les tempêtes de la vie, noble Sir Henry. Je n'ai jamais voulu faire de mal à qui que ce soit.

— Je m'occuperai de lui demain matin. Enchaînez-le au grand mât et faites-le garder par deux hommes, ordonna Hal. Assurez-vous cette fois-ci qu'il ne nous file pas entre les doigts et ne nous frustre pas de nouveau d'une vengeance amplement méritée.

A la lumière de la lanterne, il regarda deux de ses hommes enchaîner Sam Bowles au pied du mât et se poster à côté de lui, sabre au clair.

— Mon petit frère Peter faisait partie de ceux que tu as noyés, dit le plus âgé des deux à Bowles. Au moindre prétexte, je t'enfonce cette lame dans le ventre.

Hal laissa le commandement à Daniel et, emmenant Sukeena avec lui, descendit à la cabine principale. Elle n'eut de cesse de laver et de panser ses blessures, bien qu'aucune ne fût assez sérieuse pour l'inquiéter. Quand elle eut fini, Hal la conduisit dans la petite cabine voisine.

— Vous allez pouvoir vous reposer ici sans être dérangée, dit-il en la déposant sur la couchette et, malgré ses protestations, il tira sur elle une couverture de laine.

— Des blessés ont besoin de mes soins, dit-elle.

— Votre enfant et moi en avons encore plus besoin, répondit Hal avec fermeté.

Il l'obligea avec douceur à poser sa tête sur l'oreiller. Elle soupira et s'endormit presque tout de suite.

Une fois dans la cabine principale, il s'assit au bureau de Llewellyn. Une bible reliée en cuir noir y était posée. Durant toute sa captivité, Hal n'avait pas eu l'occasion de tenir le livre sacré entre ses mains. Il l'ouvrit à la page de garde et lut l'inscription, rédigée en une vigoureuse écriture penchée : « Christopher Llewellyn esq., né le 16 octobre de l'an de grâce 1621. »

Puis, dessous, une note plus récente : « Consacré chevalier nautonier du Temple de l'Ordre de saint Georges et du Saint-Graal le 2 août 1643 ».

Le fait de savoir que l'homme qui avait commandé ce navire était lui aussi un chevalier de l'Ordre procura à Hal un grand plaisir et renforça sa résolution. Pendant une heure il tourna les pages de la Bible et relut les versets édifiants et familiers en fonction desquels son père lui avait appris à gouverner sa vie. Après l'avoir refermée, il entreprit de fouiller la cabine à la recherche des journaux et des documents de bord. Il ne tarda pas à découvrir le coffre-fort installé sous la couchette. Les clés étant introuvables, il appela Aboli pour l'aider à forcer le couvercle, puis il le renvoya. Il passa le reste de la nuit assis au bureau de Llewellyn à examiner les livres de bord et les papiers à la lueur de la lanterne. Il était si absorbé par sa lecture que, lorsqu'Aboli vint le chercher une heure après le lever du soleil, il leva les yeux avec surprise.

— Quelle heure est-il ?

— La deuxième cloche du premier quart vient de sonner. Les hommes te réclament, capitaine.

Hal se leva, s'étira et se frotta les yeux, puis entra dans la cabine où Sukeena dormait encore.

— Il serait bon que tu parles aux nouveaux dès que possible, Gundwane, dit Aboli dans son dos.

— Oui, tu as raison.

— Daniel et moi leur avons déjà expliqué qui tu étais, mais tu dois maintenant les convaincre de naviguer sous tes ordres. S'ils refusent de t'accepter comme capitaine, nous ne pourrons pas faire grand-chose. Ils sont trente-quatre et nous, six seulement.

Hal alla jusqu'au petit miroir accroché à la cloison au-dessus du nécessaire à toilette. Quand il se vit dans la glace, il sursauta.

— Doux Jésus, Aboli, j'ai un tel air de pirate que je ne me ferais pas confiance à moi-même !

Sukeena avait dû entendre, car elle apparut soudain dans l'encadrement de la porte, la couverture drapée autour de ses épaules.

— Dis-leur que nous arrivons dans une minute, Aboli. Je vais faire de mon mieux pour le rendre plus présentable.

Lorsque Hal et Sukeena arrivèrent ensemble sur le pont, les hommes rassemblés sur le passavant du navire n'en crurent pas leurs yeux. La transformation était extraordinaire. Hal était rasé de près et habillé de vêtements simples mais propres trouvés dans la garde-robe de Llewellyn. Sukeena avait peigné, huilé et natté ses cheveux et elle s'était confectionné une jupe longue avec l'une des tentures en velours de la cabine qu'elle avait drapée autour de sa taille et de ses hanches de jeune fille. Le jeune Anglais de haute taille et la beauté orientale formaient un couple magnifique.

Hal laissa Sukeena en haut de l'escalier des cabines et se dirigea vers les hommes à grandes enjambées.

— Je m'appelle Henry Courteney. Je suis anglais comme vous. Je suis marin comme vous.

— Pour sûr, vous l'êtes, capitaine, lança l'un. Nous vous avons vu piloter un navire que vous ne connaissiez pas et le mener à travers la passe dans l'obscurité. Vous êtes assez marin pour remplir ma chope et me réchauffer les boyaux.

— J'ai navigué avec Sir Francis, votre père, sur le vieux *Lady Edwina*, fit un autre. C'était un marin, un rude combattant et un honnête homme par-dessus le marché.

— La nuit dernière, si mon compte est bon, vous avez abattu sept gredins du Busard. Vous êtes bien le fils de votre père.

Tous se mirent à l'acclamer, si bien qu'il lui fut impossible de parler pendant un bon moment. Il leva finalement la main pour réclamer le silence.

— Je dois vous dire tout de suite que j'ai lu le journal de bord du capitaine Llewellyn, et aussi la charte que lui ont accordée les propriétaires du navire. Je sais donc quels étaient la destination du *Golden Bough* et l'objet de son voyage. (Il s'arrêta quelques instants et regarda leurs visages francs et tannés.) Nous avons le choix, vous et moi. Ou bien nous nous disons que nous avons été mis en déroute par le Busard et rentrons en Angleterre. (Ils grognèrent et poussèrent des cris de protestation jusqu'à ce que Hal levât de nouveau la main.) Ou bien je peux reprendre à mon compte la charte du capitaine Llewellyn et l'accord qu'il a conclu avec les propriétaires du *Golden Bough*. De votre côté, vous pouvez signer avec moi dans les termes mêmes et avec la même part sur les prises dont vous étiez convenus avec lui. Avant que vous me répondiez, souvenez-vous que nous risquons fort de tomber de nouveau sur le Busard et que nous aurons à nous battre encore contre lui.

— Conduisez-nous à lui, capitaine, nous nous battrons aujourd'hui même.

— Non, les gars. Nous sommes en sous-effectif et j'ai besoin d'apprendre à gouverner ce navire avant de le combattre une nouvelle fois. Nous affronterons le *Goéland* le jour et à l'endroit que j'aurai choisis, dit Hal avec détermination. Ce jour-là, nous suspendrons la tête du Busard en haut du grand mât et partagerons son butin.

— Je suis des vôtres, capitaine, cria un marin dégingandé aux cheveux blonds. Je ne sais pas écrire mon nom, mais apportez-moi le livre de bord et j'y apposerai une croix noire si grosse qu'elle effraiera le diable lui-même.

Tous partirent d'un énorme éclat de rire.

— Apportez-nous le livre et signons.

— Nous sommes avec vous, j'en fais le serment.

Hal réclama de nouveau le silence.

— Vous allez venir l'un après l'autre dans ma cabine, afin que je puisse connaître votre nom et vous serrer la main.

Il se tourna vers l'arrière et montra la côte africaine, déjà basse sur l'horizon.

— Nous avons pris le large. Grimpez dans la mâture et amenez le navire sur sa route vers la Corne de l'Afrique.

Ils se précipitèrent dans les haubans et le long des vergues. La toile se gonfla, brillante comme un cumulus.

— Quel cap, capitaine ? demanda Ned Tyler.

— Nord-est, monsieur Tyler, répondit Hal.

Il sentit le navire s'élancer et se tourna pour regarder le sillage creuser dans les rouleaux une traînée d'écume étincelante.

Chaque fois qu'un des matelots passait au pied du grand mât, où Sam Bowles était enchaîné comme un singe en captivité, il s'arrêtait pour lui cracher dessus.

Aboli vint voir Hal pendant le quart de la matinée.

— Nous devons nous occuper maintenant de Sam Bowles. Les hommes s'impatientent. L'un d'eux va finir par lui planter un couteau entre les côtes.

— Ça me simplifierait la tâche, dit Hal en levant les yeux de la liasse de cartes et du livre de navigation qu'il avait trouvés dans la malle de Christopher Llewellyn.

Il savait que son équipage allait vouloir se venger de Sam Bowles et la tâche qui l'attendait ne l'enthousiasmait guère.

— J'arrive tout de suite, dit-il avec un soupir, se rendant finalement aux arguments d'Aboli. Rassemble les hommes sur le passavant.

Il espérait que Sukeena se trouvait toujours dans la petite cabine adjacente au magasin de poudre, qu'elle avait transformée en infirmerie et où deux blessés étaient encore entre la vie et la mort, mais quand il arriva sur le pont, elle vint à sa rencontre.

— Vous devriez rentrer, princesse, lui dit-il doucement. Ce n'est pas un spectacle pour vous.

— Ce qui vous touche me touche aussi. Votre père était une partie de vous-même et sa mort me concerne donc. J'ai perdu le mien dans des circonstances tragiques, mais je l'ai vengé. Je veux vous voir venger la mort de votre père.

— Très bien, acquiesça Hal. Amenez le prisonnier !

Il fallut traîner Sam Bowles devant ses juges, car ses jambes n'arrivaient pas à le porter et ses larmes se mêlaient à la salive des crachats.

— Je ne voulais pas faire de mal, plaida-t-il. Croyez-moi, mes amis. C'est ce démon de Cumbria qui m'a obligé.

— Tu riais pendant que tu tenais la tête de mon frère sous l'eau, hurla l'un des marins.

Tandis qu'on tirait Bowles devant Aboli, les bras croisés sur la poitrine, celui-ci le regarda avec des yeux étrangement brillants.

— Souviens-toi de Francis Courteney! gronda-t-il. Souviens-toi de ce que tu as fait à l'homme le plus noble qui ait jamais navigué sur les océans.

Hal avait préparé une liste des crimes dont Sam Bowles devait répondre. A l'énoncé de chacun, les hommes demandaient vengeance. Hal lut finalement le dernier chef d'accusation de cette effroyable énumération :

— A la vue de tes camarades et compagnons, tu as assassiné en les noyant les marins blessés du *Golden Bough* qui avaient survécu à ton embuscade traîtresse. Tu as entendu les accusations relevées contre toi, dit-il sévèrement en repliant le document. Qu'as-tu à dire pour ta défense, Sam Bowles?

— Ce n'est pas ma faute! Je jure que je ne l'aurais pas fait si je n'avais pas craint pour ma vie.

Les cris de l'équipage le firent taire, et il fallut à Hal plusieurs minutes pour obtenir le silence.

— Tu ne nies donc pas les accusations portées contre toi?

— Comment pourrait-il les nier? cria l'un des hommes. Nous l'avons vu de nos propres yeux.

Sam Bowles pleurait à chaudes larmes.

— Pour l'amour de Dieu, ayez pitié, Sir Henry. Je sais que j'ai commis des erreurs, mais donnez-moi une chance et vous aurez jusqu'à la fin de vos jours le serviteur le plus dévoué et aimant.

La vue de Bowles écœurait profondément Hal. Une image lui apparut soudain, celle de son père porté vers le gibet sur une civière, son corps brisé et déformé par le chevalet, et il se mit à trembler.

Près de lui Sukeena sentit qu'il souffrait. Elle posa doucement la main sur son bras pour l'apaiser. Il prit une profonde inspiration et chassa les vagues noires de chagrin qui menaçaient de le submerger.

— Sam Bowles, tu t'es reconnu coupable de tous les forfaits énumérés. Souhaites-tu dire quelque chose avant que je prononce ta sentence?

Il regarda Bowles dans les yeux et vit s'opérer une étrange transformation. Il comprit que ses larmes étaient fausses. Une autre partie de son âme se reflétait dans son regard, une telle méchanceté que Hal se demanda s'il regardait bien dans les yeux d'un être humain et non dans ceux d'une bête sauvage aux abois.

— Vous croyez me haïr, n'est-ce pas, Henry Courteney ? Vous ne savez pas ce qu'est vraiment la haine. Je me réjouis à la pensée de votre père hurlant de douleur sur le chevalet. A cause de Sam Bowles. Souvenez-vous-en chaque jour de votre vie. Sam Bowles peut mourir, mais c'est à cause de lui que cela est arrivé ! cria-t-il la bave aux lèvres, emporté par sa passion mauvaise. C'est mon bateau, mon propre bateau. J'aurais été le capitaine Sam Bowles si vous ne me l'aviez pas pris. Que le diable vous emporte, Henry Courteney. Qu'il danse sur le cadavre pourrissant de votre père !

Hal se détourna du révoltant spectacle, essayant de ne pas prêter l'oreille à ces invectives.

— Monsieur Tyler, lança-t-il assez haut pour que tout l'équipage entende malgré les vociférations de Bowles. Ne perdons pas davantage de temps avec cette affaire. Qu'on pende le prisonnier immédiatement. Capelez une corde à la grand-vergue...

— Gundwane ! Attention derrière toi ! rugit Aboli en s'élançant pour intervenir.

Sam Bowles avait attaché une gaine de cuir à l'intérieur de sa cuisse, cachée par ses braies. La lame du stylet miroita dans sa main comme un éclat de cristal. Rapide comme l'éclair, il le lança d'un revers du poignet.

Au cri d'Aboli, Hal avait commencé à se retourner, mais Bowles fut plus rapide. Le poignard fendit l'air et Hal grimaça, s'attendant à être transpercé par la lame. Il douta un instant de ses sens car il ne sentit aucun choc.

Il baissa les yeux et vit que Sukeena avait tendu le bras pour parer le coup. La lame l'avait touchée un pouce au-dessous du coude et s'était enfoncée jusqu'à la garde.

— Doux Jésus, protégez-la ! lâcha-t-il en la prenant dans ses bras, le regard fixé sur le manche du stylet qui dépassait de son bras.

Aboli atteignit Sam Bowles à l'instant où il lâchait le stylet et il l'envoya au sol d'un coup de poing. Ned Tyler et une douzaine d'hommes bondirent pour s'emparer de lui et le relevèrent. Bowles était à moitié assommé par le coup et du sang coulait au coin de sa bouche.

— Capelez une corde à la grand-vergue, cria Ned Tyler.

Un homme se précipita dans les haubans pour exécuter l'ordre. Il courut le long de la vergue, et une minute après, une corde pendait à une poulie et son extrémité tomba sur le pont.

— La lame est entrée profondément, murmura Hal en prenant avec tendresse le bras blessé de Sukeena qu'il tenait embrassée contre sa poitrine.

— C'est une lame fine et aiguisée, dit Sukeena en lui souriant courageusement. Je l'ai à peine sentie. Retirez-la d'un seul coup, mon chéri, et la plaie guérira bien.

— Viens m'aider. Tiens-lui le bras, lança Hal à Aboli, qui arriva immédiatement.

Il saisit le manche gravé et, d'un mouvement rapide, tira sur la lame. Elle sortit du bras de Sukeena avec une facilité surprenante.

— Ce n'est rien, dit-elle à voix basse, mais ses joues étaient pâles et des larmes perlaient sur ses cils.

Hal la prit dans ses bras et se dirigea vers l'escalier des cabines de poupe. Un cri l'arrêta.

Sam Bowles était debout sous la corde. Ned Tyler l'ajustait autour de son cou tandis que quatre hommes attendaient, prêts à tirer à l'autre bout.

— Votre catin est morte, Henry Courteney. Tout comme votre faquin de père. Sam Bowles les a tués tous les deux. Gloire à lui. Souvenez-vous de moi dans vos prières, capitaine Courteney. De toute façon, vous ne m'oublierez jamais !

— Ce n'est qu'une petite coupure. La princesse est forte et courageuse. Elle vivra, murmura Ned avec colère à l'oreille de Bowles. Celui qui est mort, c'est toi, Sam Bowles.

Il se recula et fit signe à ses hommes, qui s'éloignèrent avec l'extrémité de la corde, leurs pieds nus frappant le pont à l'unisson.

A l'instant où la corde allait se tendre et lui couper la respiration, Bowles cria encore :

— Regardez bien le poignard qui a tué cette garce, capitaine. Pensez à Sam Bowles quand vous l'essaierez.

La corde se serra autour de son cou et l'arracha du sol, l'étranglant avant que la parole suivante ait atteint ses lèvres.

L'équipage hurla comme une meute de loups en le voyant s'élever en tournoyant dans les airs puis se balancer au bout de la corde au rythme du roulis. Il donna des coups de pied convulsifs qui firent tinter les chaînes de ses chevilles comme des grelots.

Il était encore animé de convulsions et sa gorge continuait de gargouiller lorsque son cou vint se bloquer contre la poulie au bout de la grand-vergue.

— Laissez-le là toute la nuit, ordonna Ned Tyler. Nous couperons la corde et l'enverrons aux requins demain matin. (Il se baissa ensuite pour ramasser le stylet sur le pont à l'endroit où Hal l'avait laissé tomber. Il examina la lame tachée de sang et son visage devint grisâtre.) Mon Dieu, faites qu'il n'en soit pas ainsi! (Il leva les yeux vers le cadavre de Bowles.) Ta mort a été trop douce. S'il n'avait tenu qu'à moi, je t'aurais tué cent fois.

Hal étendit Sukeena sur la couchette de la cabine principale.

— Il faudrait que je cautérise la plaie mais le fer chaud risquerait de laisser une cicatrice, dit-il en s'agenouillant à côté de la couchette pour examiner la blessure de près. Elle est profonde mais ne saigne presque pas.

Il pansa son bras avec un linge blanc qu'Aboli avait trouvé dans le coffre de bord.

— Apporte-moi ma sacoche, demanda Sukeena, et Aboli partit tout de suite la chercher.

Dès qu'ils furent seuls, Hal se pencha vers elle et embrassa sa joue pâle.

— Vous avez arrêté le coup de Sam pour me sauver, murmurat-il, son visage contre le sien. Vous avez risqué votre vie et celle de notre enfant pour moi. Ce n'était pas une bonne affaire, mon amour.

— Je recommencerais si...

Elle s'interrompit brusquement et il la sentit suffoquer et se raidir dans ses bras.

— Que se passe-t-il, ma bien-aimée?

Il se recula et regarda son visage, couvert de gouttelettes de sueur pareilles à de la rosée sur les pétales d'une rose.

— Vous avez mal?

— Ça brûle, chuchota-t-elle. Ça brûle davantage que le fer chaud.

Il enleva précipitamment le pansement et vit combien la blessure avait évolué pendant le temps de leur étreinte. Le bras enflait à vue d'œil comme un de ces poissons qui gonflent quand ils sont menacés.

Sukeena leva son bras et le maintint contre sa poitrine. Elle gémissait sous l'effet de la douleur qui, irradiant de la blessure, envahissait sa poitrine comme du plomb fondu.

— Je ne comprends pas ce qui se passe, dit-elle en commençant à se tordre sur la couchette. Ce n'est pas normal. Regardez comme ça change de couleur.

Frappé d'impuissance, Hal voyait son joli bras se boursoufler et se décolorer avec des traînées violettes qui, du coude, remontaient jusqu'à l'épaule. Un liquide jaune visqueux commença à sourdre de la plaie.

— Que puis-je faire ? souffla-t-il.

— Je ne sais pas, dit-elle, désespérée. Je ne comprends pas. (Elle fut prise d'un spasme de douleur et son dos s'arqua. Puis cela s'arrêta.) Il me faut absolument ma sacoche, supplia-t-elle. Cette douleur est insupportable. J'ai une poudre à base d'opium.

Hal se leva d'un bond et se précipita vers la porte.

— Aboli, où es-tu passé ? cria-t-il. Apporte le sac en vitesse !

Ned Tyler se trouvait près de la porte. Il tenait un objet dans sa main, une étrange expression sur le visage.

— Capitaine, il faut que je vous montre quelque chose, dit-il.

— Pas maintenant, ami, pas maintenant. Aboli, dépêche-toi !

Aboli dévala l'escalier des cabines, portant la sacoche.

— Qu'est-ce qu'il y a, Gundwane ?

— C'est Sukeena ! Quelque chose ne va pas. Elle a besoin de médicament...

— Capitaine ! lança Ned Tyler en bousculant Aboli pour entrer dans la cabine et en prenant Hal par le bras avec insistance. Ça ne peut pas attendre. Regardez le poignard. Regardez la pointe !

Il leva le stylet et les autres regardèrent.

— Mon Dieu ! murmura Hal. Pourvu que...

Une étroite rainure qui courait le long de la lame était pleine d'une pâte noire pareille à du goudron qui, en séchant, était devenue dure et brillante.

— C'est du poison, dit Ned à voix basse.

Hal sentit le pont se balancer sous ses pieds comme si le *Golden Bough* avait été pris par une grosse vague, et sa vision s'obscurcit.

— Ce n'est pas possible, dit-il. Aboli, dis-moi que ce n'est pas possible.

— Sois fort. Sois fort pour elle, Gundwane, murmura Aboli en lui étreignant le bras.

Ce geste calma Hal et sa vue redevint normale, mais quand il essaya de prendre une inspiration, l'épouvante lui serrait la poitrine comme dans un étau.

— Je ne peux pas vivre sans elle, dit-il comme un enfant affolé.

— Ne le lui montrez pas, dit Aboli. Ne lui rendez pas la séparation plus pénible qu'elle ne l'est déjà.

Hal le regarda sans comprendre. Puis il commença à saisir ce qui allait se passer, la signification de cette rainure dans la lame d'acier et les menaces proférées par Sam Bowles après qu'on lui eut passé la corde au cou.

— Sukeena va mourir, fit-il, ahuri.

— Cela va être plus dur pour toi, Gundwane, que tous les combats que tu as soutenus jusqu'ici.

Dans un effort surhumain, Hal lutta pour reprendre le contrôle de lui-même.

— Ne lui laissez pas voir le poignard, dit-il à Ned Tyler. Allez jeter par-dessus bord cet objet maudit !

Quand il revint auprès de Sukeena, il tenta de cacher son désespoir sans fond.

— Aboli vous a apporté vos sacoches, annonça-t-il en s'agenouillant de nouveau près d'elle. Dites-moi comment préparer la potion.

— Oh, faites vite, supplia-t-elle, prise d'un autre spasme. Le flacon bleu. Deux mesures dans un gobelet d'eau. Pas plus, c'est très puissant.

Sa main trembla violemment lorsqu'elle essaya de prendre le gobelet. Elle n'avait plus que l'usage d'une seule main : son bras blessé était enflé et violet, ses doigts naguère délicats, si gonflés que la peau menaçait d'éclater. Elle eut du mal à tenir le gobelet et Hal le maintint à ses lèvres pendant qu'elle avalait la potion avec une précipitation pathétique.

Après cet effort, elle retomba en arrière et se tordit sur la couchette, trempant les draps de sueur. Hal s'allongea près d'elle et la tint contre sa poitrine, essayant de lui apporter un réconfort mais sachant trop combien sa tentative était vaine.

Après un moment, la fleur de pavot parut faire son effet. Sukeena s'agrippa à lui et pressa son visage contre son cou.

— J'agonise, Gundwane.

— Ne dites pas une chose pareille.

— Je savais depuis des mois que cela arriverait. Je l'avais vu dans les astres. C'est pour cette raison que je ne pouvais répondre à votre question.

— Sukeena, mon amour, je vais mourir avec vous.

— Non, dit-elle d'une voix un peu plus forte. Vous allez continuer à vivre. Je vous ai accompagné aussi longtemps qu'il m'était permis de le faire. Mais les Parques vous ont réservé une destinée particulière. (Elle se reposa un moment et Hal crut qu'elle était tombée dans le coma, mais elle se remit à parler.) Vous vivrez. Vous aurez plusieurs fils beaux et forts, et leurs descendants prospéreront sur cette terre d'Afrique qu'ils feront leur.

— Je ne veux avoir d'enfants que de vous, dit-il. Vous m'avez promis un fils.

— Chut, mon amour, car le fils que je vous donne vous brisera le cœur.

Elle fut prise d'une terrible convulsion et hurla de douleur. Puis, alors qu'elle semblait ne pouvoir en supporter davantage, elle retomba en arrière et se mit à sangloter. Il la tenait dans ses bras et ne trouvait pas de mots pour exprimer son chagrin.

Les heures passèrent, et par deux fois il entendit la cloche du navire annoncer les changements de quart. Il sentait qu'elle s'affaiblissait de plus en plus. Ensuite, une série de violentes convulsions la mirent au supplice. En retombant dans ses bras, elle murmura :

— Le fils que je vous avais promis est né.

Ses yeux étaient clos et des larmes s'échappaient d'entre ses cils. Pendant une longue minute, il ne comprit pas le sens de ses paroles, puis, avec appréhension, tira la couverture.

Entre ses cuisses tachées de sang gisait un fœtus luisant d'humidité relié à elle par le cordon ombilical. La petite tête n'était qu'à demi formée, ses yeux ne s'ouvriraient jamais et sa bouche ne prendrait jamais le sein ni ne crierait ni ne rirait. Mais Hal vit que c'était bel et bien un fils.

Il la reprit dans ses bras; elle ouvrit les yeux et sourit avec douceur.

— Excusez-moi, mon amour. Il faut maintenant que je m'en aille. Si vous oubliez tout le reste, rappelez-vous seulement que je vous ai aimé comme aucune autre femme ne pourra jamais le faire.

Elle ferma les yeux et il sentit la vie s'échapper de son corps et l'immobilité l'envahir.

Il resta auprès d'eux, sa femme et son fils, presque jusqu'à minuit. Althuda apporta alors un rouleau de toile, une aiguille de voilier et du fil. Hal plaça l'enfant mort-né dans les bras de Sukeena et l'y attacha en l'enroulant dans un linge. Puis Althuda et lui enveloppèrent les deux morts dans un linceul de toile neuve qu'ils cousirent après avoir déposé un boulet de canon aux pieds de Sukeena.

A minuit, Hal porta la femme et l'enfant dans ses bras sur le pont. Sous la brillante lune africaine, il les offrit tous deux à la mer océane. Ils disparurent sous la surface, laissant à peine une ride dans le sillage du bateau.

— Au revoir, mon amour, murmura-t-il. Au revoir, mes deux bien-aimés.

Puis il rentra dans sa cabine, ouvrit la bible de Llewellyn, chercha un réconfort dans ses pages mais n'en trouva aucun.

Pendant six longs jours, il resta assis tout seul près de la fenêtre de sa cabine et ne toucha pas à la nourriture que lui apportait Aboli. Il lisait parfois la bible mais la plupart du temps gardait le regard fixé sur le sillage du navire. Chaque jour, à midi, il montait sur le pont l'air sombre et défait, et faisait le point, puis donnait ses ordres à l'homme de barre avant de rentrer dans sa cabine pour être seul avec son chagrin.

A l'aube du septième jour, Aboli vint le voir :

— Le chagrin est chose naturelle, Gundwane, mais tu t'y complais. Tu délaisses ta tâche et ceux qui ont placé en toi leur confiance. Maintenant, c'est assez.

— Ce ne sera jamais assez, répondit Hal en le regardant. Je la pleurerai jusqu'à mon dernier jour. (Il se leva et la cabine se mit à tanguer autour de lui car il était affaibli par le chagrin et le manque de nourriture. Il attendit que la tête cesse de lui tourner.) Tu as raison, Aboli. Apporte-moi une écuelle de nourriture et une chope de petite bière.

Il se sentit mieux après avoir mangé. Il se lava, se rasa, changea de chemise et se fit une grande tresse. Il vit qu'il y avait des cheveux blancs dans ses mèches noires. Quand il se regarda dans la glace, c'est à peine s'il reconnut ce visage tanné qui lui rendait son regard, ce nez busqué comme un bec d'aigle et il n'y avait plus un atome de chair pour couvrir les pommettes saillantes et adoucir la ligne implacable de la mâchoire. Ses yeux, verts comme des émeraudes, avaient l'éclat adamantin de cette pierre. « Je n'ai que vingt ans, pensa-t-il, et pourtant j'ai déjà l'air d'en avoir le double. »

Il prit son épée sur le bureau et la glissa dans son fourreau.

— Fort bien. Je suis prêt à assumer de nouveau mes devoirs, dit-il, et Aboli le suivit sur le pont.

Le maître d'équipage qui tenait la barre le salua, et les hommes de quart se poussèrent du coude. Sa présence n'avait pas échappé aux marins, mais aucun ne regarda dans sa direction. Hal resta un moment au bastingage à examiner avec attention le pont et le gréement.

— Maître d'équipage, tenez votre auloffée, bon sang ! lança-t-il sèchement au timonier.

La chute arrière de la grand-voile frissonnait à peine, mais Hal l'avait remarqué et les hommes de quart, accroupis au pied du grand mât, se sourirent subrepticement. Le capitaine était revenu à son poste.

Ils ne tardèrent pas à comprendre tout ce que cela augurait. Hal s'entretint en particulier avec chaque homme d'équipage dans sa cabine. Après leur avoir demandé leur nom et leur lieu de naissance, il les questionnait habilement sur leurs états de service tout en les observant afin de les jauger.

Trois d'entre eux sortaient du lot; ils avaient tous été chefs de quart du temps du capitaine Llewellyn. John Lovell, le maître d'équipage, était celui qui avait servi sous les ordres de Sir Francis.

— Vous garderez votre grade, lui dit Hal.

— Ce sera un plaisir d'être sous vos ordres, capitaine, répondit Lovell en souriant.

— J'espère que vous serez encore du même avis dans un mois.

Les deux autres étaient William Stanley et Robert Moone, tous deux patrons d'une chaloupe. Hal aimait leur allure : Llewellyn avait l'œil pour juger les hommes, pensa-t-il en leur serrant la main.

Le grand Daniel était son autre maître d'équipage, et Ned Tyler, qui savait lire et écrire, son second. Althuda, l'un des rares à bord dans ce cas, fut chargé de tenir à jour les documents. Pour Hal, il était son dernier lien avec Sukeena; il éprouvait pour lui une grande affection et voulait le garder à ses côtés. Ils pouvaient ainsi partager leur chagrin.

John Lovell et Ned Tyler parcoururent la liste de service du navire avec Hal et l'aidèrent à établir le rôle de quart, la liste nominale grâce à laquelle chacun savait pour quel quart il était désigné et quel était son poste en fonction des diverses manœuvres.

Après quoi, Hal inspecta le navire. Il commença par le pont principal et, avec ses deux maîtres d'équipage, ouvrit chaque panneau. Il grimpa et rampa dans toutes les parties du navire, du fond des cales à la tête du grand mât. Dans le magasin, il ouvrit trois barils au hasard et évalua la qualité de la poudre à canon et de la corde à feu.

Manifeste en main, il vérifia la cargaison et fut agréablement surpris par le nombre de mousquets et de plombs que transportait le *Golden Bough*, ainsi que par la grande quantité de marchandises.

Il ordonna ensuite qu'on mette en panne et qu'on lui fasse faire le tour du navire sur une chaloupe afin de juger de son état. Il déplaça plusieurs couleuvrines vers des sabords situés à l'arrière et fit monter la cargaison sur le pont pour répartir les charges différemment. Il fit faire l'exercice à l'équipage : hisser les voiles et modifier leur orientation, naviguer le *Golden Bough* dans toutes les directions du compas et sous toutes les allures. Ces grandes manœuvres se poursuivirent pendant presque une semaine, pendant laquelle il appelait les hommes à midi ou au milieu de la nuit pour réduire ou augmenter la toile, et pousser le navire à sa vitesse maximale.

Il ne tarda pas à connaître la frégate aussi intimement qu'une maîtresse. Il détermina jusqu'où elle pouvait aller au près et constata qu'elle aimait naviguer toutes voiles dehors par vent arrière. Il fit humidifier ses voiles pour qu'elles tiennent mieux le vent, puis, quand elle fut pleinement lancée, mesura sa vitesse avec le loch. Il trouva comment tirer d'elle quelques mètres de vitesse supplémentaires à force de cajoleries, et la faire répondre aux sollicitations de la barre comme un bon cheval de chasse réagit aux rênes.

L'équipage s'exécuta sans rechigner. Aboli entendit les hommes parler entre eux dans le poste avant. Loin de se plaindre, ils appréciaient ce changement par rapport au commandement moins exigeant du capitaine Llewellyn.

— Le jeune est un vrai marin. Le bateau l'adore. Il peut amener le *Golden Bough* jusqu'à ses limites et le faire voler sur les flots, il peut y arriver, c'est sûr.

— Nous aussi, il aime bien nous amener jusqu'à nos limites, opina l'autre.

— Haut les cœurs, bande de paresseux, je crois que des primes exceptionnelles nous attendent à la fin de ce voyage.

Hal leur fit ensuite manœuvrer les couleuvrines, les sortir, les rentrer jusqu'à ce qu'ils soient en nage. On jeta une barrique à la mer pour que les artilleurs puissent s'exercer et, quand la cible vola en éclats, le coup fut salué par un concert d'acclamations.

Entre-temps, Hal leur imposait de s'entraîner au sabre et à la pique. Il se joignait à eux et, nu jusqu'à la taille, se mesurait à Aboli, Daniel ou John Lovell, qui était la plus fine lame du nouvel équipage.

Le *Golden Bough* contourna le renflement du continent africain méridional et mit le cap au nord. A chaque nouvelle lieue parcourue, la mer changeait à présent d'apparence. Les eaux prirent une vive nuance indigo qui déteignit sur le ciel. Elles étaient si claires qu'en se penchant à l'avant, Hal vit des marsouins nager devant l'étrave à quatre brasses de profondeur et folâtrer comme une meute d'épagneuls avant d'effectuer des sauts carpés hors de l'eau.

Il apercevait alors leur narine sur le dessus de leur tête, ouverte pour respirer, et ils le regardaient de leur œil joyeux avec un sourire entendu.

Filant devant eux sur leurs ailes argentées, les poissons volants formaient leur escorte et, telles de gigantesques balises, les montagnes de cumulus leur indiquaient toujours le nord.

Quand ils traversèrent les grands calmes, Hal ne laissa pas son équipage au repos. Il fit descendre les chaloupes et organisa une course entre les équipes de quart. A la fin, les hommes durent prendre le *Golden Bough* à l'abordage comme s'il avait été un navire ennemi défendu par Aboli, Daniel et lui.

Dans la bonace et la chaleur des tropiques, tandis que le *Golden Bough* roulait sur la houle paresseuse et que les voiles pendaient et claquaient doucement, il fit grimper les matelots en tête du grand mât en vagues successives, avec un supplément de rhum pour les plus rapides.

Après quelques semaines, les hommes amincis étaient au mieux de leur forme, leur moral était au plus haut et ils brûlaient de se battre. Hal était cependant en proie à un souci tenace dont il ne s'ouvrait à personne, pas même à Aboli. Chaque soir, n'osant pas dormir de crainte d'être hanté dans son sommeil par le chagrin et le souvenir de la femme et de l'enfant qu'il avait perdus, il s'asseyait à son bureau et étudiait les cartes pour tenter de trouver une solution au problème.

Il avait à peine quarante hommes sous ses ordres, suffisamment pour suffire à la manœuvre, mais trop peu pour engager le navire dans un combat. S'ils se rencontraient de nouveau, le *Busard* serait à même d'envoyer une centaine d'hommes sur le pont du *Golden Bough*. Pour pouvoir se défendre, sans parler de se mettre au service du Prêtre-Jean, Hal devait donc augmenter son effectif.

En lisant les cartes, il ne trouvait guère de ports où pouvoir enrôler des marins compétents. La plupart étaient sous le contrôle des Portugais et des Hollandais, et une frégate anglaise n'y serait vraisemblablement pas la bienvenue, surtout si son capitaine avait pour intention de convaincre leurs marins d'entrer à son service.

Les Anglais n'avaient pas réellement pénétré cet océan lointain. Quelques marchands britanniques possédaient des fabriques sur le continent indien, mais ils étaient sous la coupe du Grand Moghol. De plus, aller jusqu'à eux impliquait de se dérouter de plusieurs milliers de milles.

Hal savait que sur la côte sud-est de l'île de Saint-Laurent, appelée aussi Madagascar, les comtes français de l'Ordre du Saint-

Graal disposaient d'un havre sûr, qu'ils nommaient Fort Dauphin. S'il y faisait escale, il pouvait espérer y être bien accueilli en tant que membre de l'Ordre, mais n'avait pas à attendre grand-chose de plus, à moins qu'à la suite de circonstances exceptionnelles comme un cyclone, ils aient fait naufrage. Il décida pourtant de tenter sa chance, de faire escale à Fort Dauphin, et mit le cap sur l'île.

Tandis qu'ils faisaient route vers Madagascar, l'Afrique se trouvait toujours à bâbord. A certains moments, la terre apparaissait au loin, bleutée comme un rêve; à d'autres, elle était si proche qu'ils sentaient son parfum particulier. C'était l'odeur poivrée des épices et celle, riche, de la terre, pareille à l'arôme de biscuits cuits au four.

Jiri, Matesi et Kimatti se rassemblaient souvent au bastingage et, montrant du doigt les collines vertes et les lignes dentelées des déferlantes, parlaient doucement entre eux dans la langue de la forêt. Quand il avait une heure de répit, Aboli grimpait en tête de mât et regardait la terre. Lorsqu'il en redescendait, il avait l'air triste et seul.

Les jours passaient et rien n'indiquait la présence d'autres hommes. Ils n'apercevaient aucune ville, aucun port le long de la côte, et pas la moindre voile n'était en vue, pas même une barque ou un dhaw faisant du cabotage.

C'est seulement lorsqu'ils furent à moins de cent lieues du cap Sainte-Marie, la pointe méridionale de l'île, qu'ils virent un autre navire. Hal ordonna le branle-bas de combat, fit charger les couleuvrines de mitraille et allumer les cordes à feu, car au-delà de la Ligne il n'osait faire confiance à aucun bâtiment.

Lorsqu'ils furent presque à portée de voix de l'autre bateau, celui-ci envoya les couleurs. Hal se réjouit de voir flotter l'Union Jack et la croix pattée de l'Ordre en tête du grand mât. Il répondit en arborant les mêmes pavillons et les deux navires mirent en panne.

— Comment s'appelle votre navire? demanda Hal.

La réponse revint portée par la houle.

— La *Rose de Durham*. Capitaine Welles.

C'était un navire marchand, mais armé de douze canons de chaque côté.

On mit une chaloupe à la mer et Hal se fit conduire jusqu'à la *Rose de Durham*. Le capitaine, un homme alerte d'une cinquantaine d'années aux allures de lutin, l'accueillit à la coupée.

— *In Arcadia habito*, dit-il.

— *Flumen sacrum bene cognosco*, répondit Hal, et ils se donnèrent la poignée de main des chevaliers du Temple.

Le capitaine Welles invita Hal dans sa cabine où ils burent une chope de cidre et échangèrent des nouvelles avec avidité. Welles était parti depuis quatre semaines de la manufacture anglaise de Saint-George près de Madras, sur la côte est de l'Inde transgangétique, avec une cargaison de tissu. Il avait l'intention de l'échanger contre des esclaves sur la côte de Gambie, en Afrique de l'Ouest, puis de traverser l'Atlantique vers les Caraïbes où il troquerait ses esclaves contre du sucre avant de rentrer en Angleterre.

Hal l'interrogea sur la possibilité de trouver des marins dans les manufactures anglaises du Carnatic, cette étendue de côtes qui s'étend des Ghâts de l'Est à la côte de Coromandel, mais Welles secoua la tête.

— Il vous faudra passer au large. Quand j'ai quitté la région, le choléra faisait rage dans chaque village et manufacture. Chaque homme que vous embarqueriez risquerait d'apporter la mort avec lui.

Hal frissonna à la pensée des ravages que cette épidémie ferait parmi son équipage déjà insuffisant si elle se déclarait à bord du *Golden Bough*. Mieux valait éviter ces ports infestés par les fièvres.

Devant une seconde chope de cidre, Welles fit le premier compte rendu digne de foi du conflit qui se déroulait dans la Corne de l'Afrique.

— Sadiq Khan Jahan, le frère cadet du Grand Moghol, est arrivé au large de la côte avec une grande flotte. Il a uni ses forces à celle de Ahmed ibn Ibrahim al-Rhazi, surnommé le Gragne, le Gaucher, le sultan des Arabes d'Oman qui tient sous sa domination les terres voisines de l'empire du Prêtre-Jean. Tous deux ont déclaré la *jihad*, la guerre sainte, et ils ont fondu comme la tourmente sur les chrétiens.

— J'ai l'intention d'aller offrir mes services au Prêtre-Jean pour l'aider à résister aux païens, dit Hal.

— C'est une nouvelle croisade et votre intention est noble, le félicita Welles. Bon nombre des reliques les plus sacrées de la Chrétienté sont entre les mains des pères qui vivent dans la ville éthiopienne d'Aksoum et dans des monastères cachés dans les montagnes. S'ils tombaient entre les mains des païens, ce serait un jour sombre pour la Chrétienté.

— Si vous ne pouvez vous-même vous lancer dans cette croisade, seriez-vous disposé à mettre à ma disposition une douzaine de vos hommes? Je souffre d'un manque cruel de bons marins.

— Un long voyage m'attend, et mon équipage risque fort de subir de lourdes pertes lorsque nous aborderons la côte infestée de la Gambie et traverserons l'Atlantique, marmonna Welles en regardant au loin.

— Songez à votre serment, insista Hal.

Welles hésita, puis haussa les épaules.

— Je vais rassembler mon équipage, et vous pourrez leur demander s'il y a parmi eux des hommes disposés à participer à l'aventure.

Hal le remercia, conscient que Welles ne risquait pas grand-chose. Après une expédition de deux ans, rares seraient les marins à renoncer à leur part de profits et à la perspective d'un retour prochain en Angleterre pour s'engager dans une guerre aux côtés d'un potentat étranger, fût-il chrétien. Deux hommes seulement répondirent à l'appel de Hal, et Welles parut soulagé d'être débarrassé d'eux. Hal supposa que c'étaient des fauteurs de troubles et des contestataires, mais il ne pouvait se permettre de faire la fine bouche.

Avant de se séparer, il tendit à Welles deux paquets de lettres cousus dans de la toile. L'un était destiné au vicomte Winterton. Dans la longue lettre qu'il lui avait écrite, Hal exposait les circonstances dans lesquelles le capitaine Llewellyn avait été assassiné, et la manière dont il avait pris le *Golden Bough*. Il promettait de se conformer aux termes de la charte d'origine.

La seconde lettre était adressée à son oncle, Thomas Courteney, à High Weald, pour l'informer de la mort de son père et lui annoncer qu'il avait hérité de son titre. Il demandait à son oncle de continuer à gérer la propriété pour son compte.

Lorsqu'il prit finalement congé de Welles, les deux nouvelles recrues l'accompagnèrent à bord du *Golden Bough*. Depuis le gaillard d'arrière, Hal regarda les huniers de la *Rose de Durham* disparaître sous l'horizon sud. Après quelques jours, les collines de Madagascar apparurent devant eux, au nord.

Ce soir-là, comme de coutume, Hal monta sur le pont à la fin du second quart de nuit pour regarder le renard de la timonerie et parler avec l'homme de barre. Trois formes sombres l'attendaient au pied du grand mât.

— Jiri et les autres désirent te parler, Gundwane, lui annonça Aboli.

Ils s'assemblèrent autour de lui et Jiri prit la parole le premier en s'exprimant dans la langue de la forêt.

— J'étais déjà un homme quand les marchands d'esclaves m'ont emmené. J'étais assez âgé pour me souvenir bien mieux qu'eux de ma terre natale, dit-il doucement en désignant Aboli, Kimatti et Matesi, qui acquiescèrent tous trois.

— Nous étions encore enfants, convint Aboli.

— Ces derniers jours, lorsque j'ai senti la terre et revu les collines verdoyantes, d'anciens souvenirs depuis longtemps oubliés me sont revenus. Je suis certain maintenant, au plus profond de mon cœur, de pouvoir retrouver le chemin du grand fleuve sur les berges duquel vivait ma tribu quand j'étais enfant.

Hal resta silencieux un moment, puis demanda :

— Pourquoi me dire tout cela, Jiri ? Souhaitez-vous retourner auprès de votre peuple ?

Jiri hésita.

— C'est si vieux, dit-il. Mon père et ma mère ont été tués par les négriers. Mes frères et mes amis sont eux aussi partis, emmenés les chaînes aux pieds... Non, capitaine, je ne puis retourner là-bas car vous êtes maintenant mon chef comme l'a été avant vous votre père, et eux sont mes frères, reprit-il après quelques instants en désignant Aboli et les deux autres.

Aboli parla à son tour.

— Si Jiri est capable de nous conduire au grand fleuve, si nous pouvons retrouver notre tribu, il se pourrait bien que nous y trouvions une centaine de guerriers pour remplir le rôle de quart du navire.

Hal le regarda avec stupéfaction.

— Une centaine d'hommes ? Des hommes à même de se battre aussi bien que les quatre coquins que vous êtes ? En ce cas, les astres me sourient de nouveau !

Il les emmena dans sa cabine, alluma les lanternes et étala ses cartes sur le bureau. Ils firent cercle autour d'elles et les Africains tâtèrent du doigt les feuilles de parchemin en émettant des commentaires de leurs voix sonores tandis que Hal expliquait la signification des lignes dessinées sur les cartes aux trois hommes qui, contrairement à Aboli, ne savaient pas lire.

Lorsque la cloche du navire sonna le commencement du quart du matin, Hal monta sur le pont et appela Ned Tyler.

— Nouveau cap, monsieur Tyler. Plein sud. Notez-le sur le renard.

Ned était manifestement ébahi par cet ordre de faire demi-tour, mais il ne demanda pas d'explications.

— Plein sud, confirma-t-il.

Hal eut pitié de lui car il était évident que la curiosité le démangeait comme un chardon glissé dans ses hauts-de-chausses.

— Nous repartons vers la côte africaine, dit-il.

Ils traversèrent le large bras de mer qui sépare Madagascar du continent, qui apparut au-dessus de l'horizon comme une traînée bleue. A bonne distance, ils virèrent et longèrent de nouveau la côte.

Aboli et Jiri passaient la majeure partie de leurs journées à la vigie, les yeux fixés sur la terre. A deux reprises, Jiri descendit demander à Hal de s'approcher du rivage afin d'explorer ce qui ressemblait à l'embouchure d'un grand fleuve. La première fois, il s'avéra que c'était un cul-de-sac, et la seconde, lorsqu'ils eurent mouillé au large du delta, Jiri ne reconnut pas les lieux.

— Il est trop petit. Le fleuve que je cherche a une quadruple embouchure.

Ils remontèrent l'ancre et reprirent la mer en direction du sud. Hal commençait à douter des capacités de mémoire de Jiri, mais il persévéra. Quelques jours après, il remarqua l'excitation à laquelle étaient en proie les deux hommes à la vigie, qui faisaient des grands gestes en se montrant la côte. Matesi et Kimatti, qui, n'étant pas de quart, paressaient sur le gaillard d'avant, se levèrent d'un bond, grimpèrent à toute vitesse dans les haubans et, accrochés au gréement, fixèrent la terre avec avidité.

Hal se dirigea à grandes enjambées vers le bastingage et leva la longue-vue cerclée de cuivre de Llewellyn. Le delta d'un grand fleuve se déployait devant lui. Les eaux marron déversées par les divers bras du fleuve charriaient les détritus des marais et des terres inconnues où il devait prendre sa source. Des escadrons de requins venaient s'en nourrir et leurs ailerons triangulaires faisaient des zigzags dans le courant.

Hal fit redescendre Jiri et lui demanda comment les gens de sa tribu appelaient ce fleuve.

— Ils lui donnent plusieurs noms car il se jette dans la mer en formant de nombreuses rivières. Ils l'appellent Muselo, Inhamessingo et Chinde. Mais le bras le plus important est le Zambéré.

— Ce sont de beaux noms, reconnut Hal. Mais êtes-vous certain que ce fleuve comporte quatre embouchures différentes?

— J'en jurerais sur la tête de mon père.

Tandis qu'ils s'approchaient du rivage, Hal avait placé deux hommes à l'avant pour effectuer des sondages, et dès que le fond commença à remonter fortement, il jeta l'ancre par douze brasses de profondeur. Il ne voulait pas courir le risque de s'aventurer dans les chenaux étroits et convolutés du delta. Mais il était un autre risque qu'il se refusait aussi à prendre.

Son père lui avait dit que les deltas tropicaux présentaient un danger pour la santé de l'équipage. S'ils respiraient l'air nocturne des marécages, ils ne tardaient pas à être en proie à la fièvre mortelle qu'il transportait, appelée avec justesse malaria, le « mauvais air ».

Les sacoches de Sukeena, qui, avec la broche en jade de sa mère, étaient tout ce qu'elle avait laissé à Hal, contenaient une bonne quantité de poudre de quinquina. Il avait également découvert un grand pot de cette précieuse substance dans les magasins de Llewellyn. C'était le seul remède contre la malaria, maladie à laquelle les marins étaient confrontés sur tous les rivages connus, des jungles de Batavia et de l'Inde transgangétique aux canaux de Venise, aux marais de Virginie et aux Caraïbes dans le Nouveau Monde.

Hal ne voulait pas que tout son équipage affronte ces dangers. Il ordonna qu'on sorte de la cale les deux pinasses en pièces détachées et qu'on les remonte. Il désigna ensuite leurs équipages, qui comprenaient Daniel et, naturellement, les quatre Africains. Il fit placer un fauconneau à l'avant de chaque embarcation et deux mortiers à l'arrière.

Tous les hommes de l'expédition étaient armés jusqu'aux dents et ils emportaient avec eux quatre lourdes caisses d'articles de troc : couteaux et ciseaux, petits miroirs, rouleaux de fil de cuivre et perles en verre de Venise.

Hal confia le commandement du *Golden Bough* à Ned Tyler et à Althuda et leur ordonna de rester à l'ancre à bonne distance du rivage en attendant leur retour. Le signal de détresse était une fusée rouge : Ned ne devait envoyer les chaloupes à leur recherche que dans le cas où il la voyait.

— Il se peut que nous restions partis plusieurs jours, voire des semaines, avertit Hal. Ne vous impatientez pas. Restez où vous êtes tant que vous n'avez pas reçu la consigne contraire.

Il prit le commandement du canot de tête, dans lequel se trouvaient aussi Aboli et les autres Africains. Le grand Daniel suivait dans la seconde embarcation.

Hal explora chacun des quatre bras du fleuve. Le niveau de l'eau paraissait très bas et des bancs de sable obstruaient presque certains accès. Il n'ignorait pas le danger représenté par les crocodiles et ne voulut pas courir le risque d'envoyer des hommes à terre pour haler les pinasses. Il finit par choisir le bras du fleuve dont le débit était le plus important. Poussé par les avirons et la brise de mer qui gonflait la voile à bourcet, ils réussirent à franchir les bancs de sable et entrèrent dans l'univers silencieux et étouffant des marais.

De chaque côté du chenal, de grands papyrus et des palétuviers formaient de hautes murailles qui réduisaient considérablement leur visibilité et les déventaient. Ils ramaient régulièrement en suivant les méandres du chenal. Après chaque courbe, la même vision monotone s'offrait à eux. Hal se rendit compte presque tout de suite combien il était aisé de se perdre dans ce labyrinthe et il marqua chaque bras du chenal par des bandes de toile attachées aux branches hautes des palétuviers.

Pendant deux jours ils progressèrent à l'aveuglette vers l'ouest, guidés uniquement par la boussole et le sens du courant. Des troupeaux de grandes femelles hippopotames pataugeaient sur les plans d'eau ; à leur approche, elles ouvraient leur gueule rose et beuglaient comme pour se moquer d'eux. Au début, ils les évitaient soigneusement, mais quand ils commencèrent à s'habituer à elles, Hal ignora leurs avertissements et manifestations de colère, et continua son chemin.

Cette bravade sembla d'abord justifiée et les animaux s'immergèrent en les voyant se diriger vers eux. Ils franchirent ensuite une nouvelle courbe et débouchèrent sur un grand plan d'eau verte. Au centre, sur un haut-fond vaseux, se tenait une énorme femelle avec, à son côté, un nouveau-né pas plus gros qu'un cochon. Elle mugit de façon menaçante tandis qu'ils ramaient dans sa direction, mais les hommes se mirent à rire et Hal lança depuis l'étrave :

— Veuillez vous écarter, vieille dame, nous ne voulons pas vous faire de mal mais nous désirons passer.

Le grand animal baissa la tête et, tout en poussant des grognements belliqueux, chargea dans la boue en un galop furieux et gauche qui projetait en l'air des paquets de boue. Dès qu'il se rendit compte que la bête attaquait pour de bon, Hal prit précipitamment la corde à feu rangée dans un pot à ses pieds.

Il saisit la poignée du fauconneau et le fit pivoter vers l'avant, mais l'hippopotame arriva dans l'eau, plongea à toute vitesse et disparut sous la surface. Hal tournait le canon dans tous les sens en guettant l'animal, mais seule une ride apparaissait en surface à l'aplomb de l'endroit où il nageait.

— Il vient droit sur nous ! cria Aboli. Attends d'avoir une bonne cible, Gundwane.

Mèche allumée en main, Hal scruta l'eau claire et vit un spectacle étonnant. L'hippopotame se déplaçait au fond en un lent galop en soulevant des tourbillons de vase à chaque enjambée. Il se trouvait à une brasse de profondeur et le tir ne pouvait l'atteindre.

— Il est passé sous le canot! cria Hal à Aboli.

— Attention! avertit celui-ci. C'est comme ça qu'ils détruisent les pirogues.

Il n'avait pas plus tôt terminé sa phrase qu'ils entendirent un grand craquement sous leurs pieds et la lourde embarcation avec ses dix rameurs fut soulevée hors de l'eau.

Ils furent éjectés de leur banc et Hal serait passé par-dessus bord s'il ne s'était pas cramponné au plat-bord. Le canot retomba avec fracas et de nouveau Hal empoigna la queue de son fauconneau.

La charge de l'animal aurait sans doute défoncé la coque d'une embarcation plus légère ou d'une pirogue indigène, mais la pinasse, destinée à affronter la mer du Nord, était de construction robuste.

Tout près du canot, l'énorme tête grise émergea brusquement, la bouche béante telle une grotte rose bordée de crocs d'ivoire longs comme l'avant-bras. Avec un beuglement qui ébranla l'équipage par sa férocité, l'hippopotame se précipita sur eux la gueule ouverte.

Hal fit pivoter le fauconneau jusqu'à presque toucher la tête de l'animal. Le coup partit. De la fumée et des flammes jaillirent directement dans sa gorge et ses mâchoires se refermèrent avec un claquement. La bête disparut dans un tourbillon pour réapparaître quelques secondes plus tard à mi-chemin du haut-fond où se tenait son petit, délaissé et abasourdi.

Le gigantesque corps arrondi sortit à demi de l'eau en une convulsion gargantuesque puis retomba et plongea dans la mort en laissant un long sillage pourpre sur son passage.

Les hommes ramèrent avec une ardeur nouvelle et l'embarcation franchit à toute vitesse la courbe suivante, suivie de près par celle de Daniel. La pinasse de Hal prenait l'eau, mais un matelot se mit à écoper, ce qui leur permit de continuer jusqu'à un endroit où ils pourraient l'échouer et la retourner afin d'effectuer les réparations nécessaires. Ils reprirent ensuite leur progression le long du chenal.

Des nuées de gibier d'eau s'élevaient des denses massifs de papyrus qui les entouraient ou restaient accrochées aux branches des palétuviers. Ils reconnaissaient les hérons, les canards et les oies, mais il y avait aussi des dizaines d'autres espèces d'oiseaux qu'ils n'avaient encore jamais vues. Ils aperçurent à plusieurs reprises une curieuse antilope aux longs poils bruns et rudes, aux cornes en forme de spirale à l'extrémité blanche, qui semblait avoir élu domicile dans ces profonds marécages. A la tombée du jour, ils en surprirent une en lisière des massifs de papyrus. D'un long tir de mousquet, Hal eut la chance de l'abattre. La forme démesurément oblongue de ses sabots les étonna. Ils devaient remplir la même fonction que les nageoires des poissons, se dit Hal, et offrir à l'animal un point d'appui solide dans la boue et les roseaux. La chair de l'antilope était tendre et savoureuse, et les hommes, depuis longtemps privés de nourriture fraîche, la mangèrent avec délectation.

Les nuits, alors qu'ils dormaient à même le pont, étaient bruissantes du vol d'immenses nuées d'insectes, et à l'aube, ils avaient le visage gonflé et couvert de cloques rouges.

Le troisième jour, les papyrus cédèrent peu à peu la place à des plaines inondées dépourvues de végétation. La brise écartait les nuées d'insectes et gonflait de nouveau leur voile. Ils progressaient plus rapidement et arrivèrent à l'endroit où les autres bras du delta se rejoignaient pour former un cours d'eau de près de trois encablures de large.

Les plaines inondées qui s'étendaient sur chaque berge de ce puissant fleuve étaient couvertes d'abondants herbages verdoyants où paissaient d'immenses troupeaux de buffles, si nombreux qu'il était impossible de les compter. Ils formaient un tapis mouvant à perte de vue, comme le constata Hal en grimpant au mât de la pinasse. Ces troupeaux étaient si denses que, par endroits, ils cachaient complètement la prairie, véritables rivières et lacs noirs de chair bovine.

La lisière de ces troupeaux bordait les rives du fleuve, et les bêtes les regardaient glisser sur l'eau en levant haut leur museau baveux malgré le poids de leurs cornes basses et lourdes. Hal rapprocha son embarcation de la berge et tira dans le tas un coup de fauconneau, abattant deux jeunes femelles. Ce soir-là, pour la première fois, ils campèrent à terre et se régalèrent de steaks de buffle cuits à la braise.

Pendant des jours, ils remontèrent le majestueux fleuve vert, et peu à peu les plaines inondées firent place à des forêts entrecoupées de clairières. Le fleuve se rétrécit, devint plus profond, et le courant plus puissant ralentit leur progression. Le huitième soir, ils mirent pied à terre pour camper dans un bosquet de grands figuiers.

Ils tombèrent presque tout de suite sur des vestiges d'habitation humaine : des palissades à moitié pourries, faites de lourds rondins. L'intérieur était partagé en enclos, qui, pensa Hal, avaient dû servir à parquer du bétail.

— Les négriers! dit Aboli avec amertume. C'est dans des enclos de ce genre qu'ils ont enchaîné les miens comme des bêtes. C'est dans l'un de ces *bomas*, peut-être celui-là même, que ma mère est morte de chagrin.

Le lieu avait été abandonné depuis longtemps, mais Hal ne put se résoudre à dresser le camp en un lieu qui avait été témoin de tant de souffrances humaines. Ils continuèrent encore une lieue en amont et trouvèrent une petite île sur laquelle bivouaquer. Le lendemain matin, ils reprirent leur progression sans relever aucun autre signe du passage des hommes dans les forêts et les prairies qui bordaient le fleuve.

— Les négriers ont écumé la région, dit tristement Aboli. C'est pourquoi ils ont abandonné les lieux et sont partis ailleurs. Il semble qu'aucun membre de ma tribu n'ait survécu. Mieux vaut abandonner nos recherches, Gundwane, et faire demi-tour

— Non, Aboli, nous continuons.

— Le souvenir du désespoir et de la mort plane tout autour de nous. Ces forêts ne sont habitées que par les fantômes de mon peuple.

— Je déciderai du moment de notre retour, et ce moment n'est pas encore venu, dit Hal.

Il commençait à être fasciné par ce pays inconnu et les bêtes sauvages qui y abondaient.

Il éprouvait l'envie de poursuivre inlassablement leur voyage et de suivre le grand fleuve jusqu'à sa source.

Le lendemain, Hal aperçut une chaîne de collines basses à une courte distance au nord du fleuve. Il donna l'ordre d'accoster et laissa Daniel et les marins réparer la coque endommagée par l'hippopotame. En compagnie d'Aboli, il partit gravir les collines pour avoir une vue panoramique de la région. Elles étaient plus éloignées qu'elles n'avaient semblé, car les distances sont trompeuses dans l'air limpide et la lumière forte du soleil d'Afrique. C'est en fin d'après-midi seulement qu'ils atteignirent la crête. Les forêts et les collines s'étendaient à perte de vue et se succédaient pareilles à elles-mêmes comme les images reflétées à l'infini par des miroirs teintés de bleu.

Ils restaient assis, réduits au silence par l'immensité de ce pays sauvage. Hal se leva finalement à contrecœur.

— Tu as raison, dit-il. Cette région est inhabitée. Retournons au bateau.

Il éprouvait cependant une étrange répugnance à tourner le dos à cette terre fascinante. Plus que jamais, il se sentait attiré par son mystère et ses vastes espaces.

« Vous aurez plusieurs fils beaux et forts, et leurs descendants prospéreront sur cette terre d'Afrique qu'ils feront leur », avait prophétisé Sukeena.

Il n'aimait pas encore ce pays. Il était trop sauvage, trop différent de tout ce qu'il avait connu sous les climats plus cléments d'Europe, mais sa magie faisait déjà son effet. Le silence du crépuscule tomba sur les collines en ces instants où la nature retient son souffle devant l'avance insidieuse de la nuit. Une dernière fois, il balaya du regard l'horizon où, tels de monstrueux caméléons, les collines changeaient de couleur. Sous ses yeux, elles prirent la nuance du saphir, devinrent azur puis bleues comme le dos des martins-pêcheurs. Il se raidit soudain.

— Regarde! dit-il en agrippant le bras d'Aboli.

Au pied de la chaîne suivante, une fine colonne de fumée s'élevait de la forêt dans l'air mauve du soir.

— Des hommes! murmura Aboli. Tu as eu raison de ne pas faire demi-tour tout de suite, Gundwane.

Ils descendirent la colline dans l'obscurité et se déplacèrent à travers la forêt comme des ombres. Hal les conduisait en se dirigeant aux étoiles, l'œil fixé sur la Croix du Sud suspendue au-dessus de la colline au pied de laquelle ils avaient repéré la colonne de fumée. A minuit passé, après avoir avancé en prenant de plus en plus de précautions, Aboli s'arrêta si brusquement que Hal faillit se heurter à lui.

— Ecoute! dit-il.

Ils restèrent silencieux pendant de longues minutes.

— Je n'entends rien, dit finalement Hal.

— Attends! insista Aboli.

Hal entendit alors. C'était un son autrefois familier, mais il ne l'avait pas entendu depuis leur départ de Bonne-Espérance — le meuglement lugubre d'une vache.

— Mon peuple est un peuple de pasteurs, chuchota Aboli. Leur bétail est leur plus grande richesse.

Ils s'approchèrent avec prudence jusqu'à sentir l'odeur de la fumée et celle des enclos à bétail. Hal aperçut la lueur des braises du feu de camp, contre laquelle se découpait la silhouette d'un homme assis, enveloppé dans une couverture de fourrure.

Ils se couchèrent à même le sol et attendirent l'aube. Cependant, bien avant les premières lueurs du jour, le camp commença à s'animer. L'homme de garde se leva, s'étira, toussa et cracha sur les cendres. Il jeta ensuite du bois sur le foyer à demi éteint et s'agenouilla pour souffler dessus. Les flammes jaillirent et, dans leur clarté, Hal vit que ce n'était qu'un gamin. Nu à l'exception de son pagne, le garçon s'éloigna du feu et se rapprocha de l'endroit où ils étaient cachés. Il écarta son pagne et urina dans l'herbe en jouant à viser des feuilles séchées avec le jet liquide. En riant, il essaya de noyer un scarabée qui décampait.

Il retourna ensuite près du feu et lança en direction d'un abri en branchages couvert de paille :

— Le jour se lève. Il est temps de faire sortir les troupeaux.

Sa voix était haute et claire, et Hal fut enchanté de constater qu'il comprenait tout ce que disait le garçon dans cette langue de la forêt qu'Aboli lui avait apprise.

Deux enfants du même âge sortirent à quatre pattes de la hutte en frissonnant, marmonnant et se grattant, et tous les trois se dirigèrent vers l'enclos à bétail. Ils parlèrent aux bêtes comme si elles aussi étaient des enfants, leur caressèrent la tête et leur tapotèrent les flancs.

Au fur et à mesure que la lumière devenait plus forte, Hal se rendit compte que ces bovins étaient très différents de ceux qu'il avait connus à High Weald. Ils étaient plus grands et élancés, avec de grosses bosses sur les épaules. L'envergure de leurs cornes était monstrueuse et leur poids semblait excessif, même pour leur carcasse massive.

Les garçons choisirent une vache et écartèrent le veau de son pis. Puis l'un d'eux entreprit de la traire, dirigeant les jets de lait dans une calebasse. Pendant ce temps-là, les deux autres passaient une lanière de cuir autour du cou d'un bouvillon. Ils le serrèrent, et quand les vaisseaux sanguins saillirent, l'un des enfants perça une veine de la pointe d'une flèche. Le premier enfant arriva en courant avec la calebasse à moitié remplie de lait et en tint l'ouverture sous le flot de sang rouge qui jaillissait de la veine.

Lorsque la calebasse fut pleine, un gamin étancha le sang de la petite blessure sur le cou du bouvillon avec une poignée de terre, puis le libéra. L'animal s'éloigna d'un pas nonchalant, nullement affecté par la saignée. Les garçons agitèrent vigoureusement la calebasse, qui passa ensuite de main en main, chacun buvant à son tour une bonne dose du mélange de lait et de sang avant de claquer des lèvres et d'émettre un soupir satisfait.

Ils étaient si absorbés par leur petit déjeuner qu'aucun ne remarqua ni Aboli ni Hal avant que ceux-ci ne les saisissent à bras-le-corps par derrière et les soulèvent de terre. Les gamins poussèrent des cris aigus et donnèrent des coups de pied frénétiques.

— Du calme, petit babouin, ordonna Aboli.

— Des marchands d'esclaves ! pleurnicha le plus âgé en voyant la peau blanche de Hal. Nous sommes capturés par des marchands d'esclaves !

— Ils vont nous manger ! glapit le plus jeune.

— Nous ne sommes pas des marchands d'esclaves ! dit Hal. Et nous ne vous ferons aucun mal.

Ces paroles rassurantes n'eurent pour effet que d'amener le trio au paroxysme de la terreur.

— C'est un démon, il parle la langue du ciel.

— Il comprend tout ce que nous disons. C'est un démon albinos.

— Il va certainement nous manger, comme ma mère me l'a dit.

Aboli tint l'aîné à bout de bras et lui lança un regard furieux :

— Comment t'appelles-tu, petit singe ?

— Regardez ses scarifications, hurla le gamin terrorisé. Il est tatoué comme les Monomatapas, les élus du ciel.

— C'est le grand Mambo !

— Ou le fantôme du Monomatapa, mort il y a très longtemps.

— Je suis en effet un grand chef, reconnut Aboli, et tu vas me dire ton nom.

— Je m'appelle Tweti... Oh, Monomatapa, épargne-moi, je suis encore tout petit. Tu ne ferais de moi qu'une seule bouchée avec tes puissantes mâchoires.

— Conduis-moi à ton village, Tweti, et je t'épargnerai toi et tes frères.

Après un moment, les enfants commencèrent à croire qu'ils n'allaient être ni mangés ni réduits en esclavage, et sourirent timidement aux propositions de Hal. Ils ne tardèrent pas à rire de plaisir à l'idée d'avoir été choisis par le grand chef et l'étrange albinos pour qu'ils les conduisent au village.

Poussant le bétail devant eux, ils empruntèrent une piste à travers les collines et débouchèrent brusquement sur un petit village entouré de champs où poussaient quelques plants de mil tout en hauteur. Les cases en forme de ruche au joli toit de chaume étaient désertes. Devant chacune, de la nourriture cuisait dans un pot d'argile posé sur le feu, il y avait des veaux dans les enclos, des paniers d'osier, des armes et tout un attirail étaient éparpillés là où les habitants les avaient laissés tomber en prenant la fuite.

— Sortez de votre cachette ! Venez voir ! Un grand Mambo de notre tribu est revenu de la mort pour nous rendre visite ! glapirent les trois garçons en direction des buissons environnants.

Une vieille femme fut la première à émerger timidement d'un fourré d'herbe à éléphant, vêtue en tout et pour tout d'un pagne en cuir graisseux. L'une de ses orbites était vide et une unique dent jaune garnissait le devant de sa bouche. Ses mamelles pendantes battaient sur son ventre ridé, scarifié de tatouages rituels.

Elle regarda le visage d'Aboli et courut se prosterner devant lui, puis, levant l'un de ses pieds, elle le posa sur sa tête.

— Puissant Monomatapa, psalmodia-t-elle, tu es l'élu du ciel. Je ne suis qu'un insecte inutile, un cancrelat, devant ta gloire.

Seul, ou deux par deux, puis par groupes plus importants, les autres habitants du village sortirent de leur cachette pour venir s'assembler devant Aboli, s'agenouiller à ses pieds et se couvrir la tête de poussière et de cendre en signe de respect.

— Ne laisse pas cette adulation te tourner la tête, ô toi l'élu du ciel, lui dit aigrement Hal en anglais.

— Je t'accorde une dispense par faveur spéciale, répondit Aboli sans se départir de son sérieux. Tu n'es pas obligé de t'agenouiller en ma présence ni de te saupoudrer la tête de poussière.

Les villageois leur apportèrent des tabourets sculptés et leur offrirent des calebasses de lait fermenté mélangé à du sang frais, de la bouillie de mil, des oiseaux et des termites grillés et des chenilles rôties à la braise.

— Tu dois manger un peu de tout ce qui t'est offert, prévint Aboli, sans quoi ils seraient très offensés.

Hal avala avec un haut-le-cœur quelques gorgées du cocktail à base de sang et de lait pendant qu'Aboli en lampait toute une calebasse. Il trouva les autres mets plus savoureux — les chenilles avaient le goût de l'herbe fraîche et les termites étaient aussi délicieux et croustillants que des noisettes grillées.

Quand ils eurent mangé, le chef du village s'avança à quatre pattes pour répondre aux questions d'Aboli.

— Où se trouve la ville du Monomatapa?

— Elle est à deux jours de marche en direction du soleil couchant.

— J'ai besoin de dix hommes solides pour m'y conduire.

— A tes ordres, ô Mambo.

Les dix hommes demandés furent prêts à partir dans l'heure qui suivit; le petit Tweti et ses compagnons pleurèrent amèrement, déçus de ne pas avoir été choisis pour cet honneur et d'être renvoyés à leur basse tâche de vachers.

La piste qu'ils suivirent vers l'ouest traversait des forêts de grands arbres élégants entrecoupées d'étendues de savane. Ils commencèrent à rencontrer en plus grand nombre des troupeaux de bovins à bosse conduits par de jeunes garçons tout nus. Ils paissaient en compagnie d'antilopes, dont certaines étaient d'allure presque chevaline, mais avec des robes rouan vineux ou noires et des cornes recourbées comme des cimeterres vers l'arrière au point de toucher leurs flancs.

A plusieurs reprises, ils croisèrent dans la forêt des éléphants, des petites hardes de femelles et d'éléphanteaux. A un moment donné, ils passèrent à une encablure d'un mâle décharné qui se tenait sous un faux acacia en forme d'ombrelle, isolé au milieu de la savane. Le patriarche ne sembla pas effrayé par leur présence mais déploya comme des étendards ses oreilles déchiquetées et leva ses défenses recourbées pour les fixer de ses petits yeux.

— Il faudrait deux hommes pour porter l'une de ces défenses, dit Aboli, et sur les marchés de Zanzibar, elles iraient chercher jusqu'à trente livres anglaises.

Ils dépassèrent un grand nombre de villages aux cases en forme de ruche, pareils à celui où vivait Tweti. La nouvelle de leur arrivée les avait manifestement précédés car leurs habitants sortaient pour regarder les tatouages d'Aboli avec une crainte mêlée de respect, puis se prosternaient devant lui et se couvraient de poussière.

Chaque chef local implorait Aboli d'honorer son village en passant la nuit dans la nouvelle case que l'on avait construite spécialement pour lui dès que l'on avait reçu la nouvelle de sa venue. Ils leur offraient à manger et à boire, des calebasses de sang et de lait mélangés et des pots d'argile pleins de bière de mil moussante.

Ils présentaient des cadeaux — pointes de lance et fers de hache, une petite défense d'éléphant, capes et sacs en cuir tanné. Aboli les touchait pour signifier qu'il les acceptait puis les rendait au donateur.

On lui apportait des jeunes filles pour qu'il fasse son choix, jolies nymphes avec des bracelets en fil de cuivre aux poignets et aux chevilles, et de minuscules tabliers en perles de verre coloré qui dissimulaient à peine leur sexe. Elles gloussaient, portaient à leur bouche leurs mains fines et lorgnaient Aboli de leurs immenses yeux sombres avec une crainte respectueuse. Leurs petits seins rebondis étaient oints de graisse de vache et d'argile rouge, et leurs fesses rondes et nues tressautaient à chaque pas quand Aboli les renvoyaient, déçues. Elles lui lançaient des regards par-dessus leur épaule nue avec regret et vénération. Quel n'eût pas été leur prestige si elles avaient été choisies par le Monomatapa !

Le deuxième jour, ils arrivèrent en vue d'une autre chaîne de collines de granit aux contours plus déchiquetés et aux versants escarpés. A mesure qu'ils approchaient, ils constatèrent que le sommet de chacune était fortifié par des murs de pierre.

— Voici la grande cité du Monomatapa. Elle est construite sur les collines pour résister aux assauts des marchands d'esclaves, et ses régiments de guerriers sont toujours prêts à les repousser.

Une foule de gens vint les accueillir, des centaines d'hommes et de femmes arborant parures en verroterie et bijoux en ivoire sculpté. Les plus âgés portaient des coiffes en plumes d'autruche et des pagnes en queues de vache. Tous les hommes étaient armés de lances et avaient des arcs de guerre en bandoulière. Ils poussaient des murmures respectueux quand ils voyaient le visage d'Aboli et se jetaient à terre devant lui en tremblant pour qu'il leur marche sur le corps.

Portés par cette multitude, ils gravissaient lentement le sentier qui conduisait au sommet de la plus haute des collines en franchissant une série de portes. A chacune d'elles, une partie de la foule restait en arrière, jusqu'au moment où, à l'approche du dernier glacis avant la forteresse qui se dressait au sommet, ils ne furent plus escortés que par une poignée de chefs, de guerriers et d'hommes de haut rang, membres du conseil, revêtus de tous les insignes et de toutes les parures propres à leur fonction.

Ceux-là aussi s'arrêtèrent à la dernière porte; un noble ancien aux cheveux gris et à l'œil aquilin prit Aboli par la main et le conduisit dans la cour intérieure. Hal écarta d'un haussement d'épaules les conseillers qui voulaient l'empêcher de passer et entra dans la cour aux côtés de son compagnon.

Le sol était en argile mélangée à du sang et à de la bouse de vache, puis ragréée jusqu'à ce qu'elle sèche et prenne l'apparence d'un marbre rouge poli. Des cases entouraient la cour, bien plus grandes que celles que Hal avait vues jusque-là, et dont le splendide toit de chaume doré présentait des dessins complexes. Leur entrée était décorée de ce qui, au premier coup d'œil, semblait être des globes d'ivoire, et c'est seulement lorsqu'ils eurent à moitié traversé la cour que Hal se rendit compte que c'étaient des crânes humains, et que de hautes pyramides formées de centaines d'autres crânes s'élevaient à intervalles réguliers sur le pourtour de l'enceinte.

Près de chaque pyramide était planté un grand poteau sur l'extrémité pointue duquel était empalé un homme ou une femme. La plupart étaient morts depuis longtemps et dégageaient une odeur de décomposition, mais un ou deux remuaient encore en geignant pitoyablement.

Le vieil homme les arrêta au centre de la cour. Hal et Aboli restèrent là en silence pendant un moment, puis une étrange cacophonie d'instruments de musique primitifs et de voix discordantes leur parvint de l'intérieur de la case la plus imposante qui leur faisait face. Une procession en sortit : les participants rampaient et se tortillaient sur le sol d'argile polie, le corps et le visage enduits d'argile colorée et peints de motifs fantastiques. Ils étaient couverts de charmes, d'amulettes et de fétiches magiques, de peaux de reptiles, d'os et de crânes d'hommes et d'animaux, et de tout l'attirail macabre des sorciers et des sorcières. Ils gémissaient, hurlaient et bafouillaient de façon incohérente, roulaient des yeux, claquaient des dents, tapaient sur des tam-tams et grattaient des harpes à une seule corde.

Deux femmes les suivaient, toutes deux complètement nues, la première, parvenue à maturité, avec une poitrine généreuse, le ventre marqué par les vergetures de la grossesse. L'autre était une jeune fille, mince et gracieuse, au doux visage joufflu et aux dents d'une blancheur étincelante que découvraient ses lèvres charnues. C'était la plus ravissante de toutes celles que Hal avait vues depuis leur entrée sur le territoire du Monomatapa. Elle avait la taille fine, les hanches pleines et la peau pareille à du satin noir. Elle se mit à quatre pattes, les fesses tournées vers eux. Mal à l'aise, Hal changea de position tandis que les replis les plus intimes de son anatomie étaient exposés à son regard. Même en ces circonstances marquées par le danger et l'incertitude, il n'était pas insensible à sa nubilité.

— Ne montre aucune émotion, l'avertit Aboli à voix basse sans remuer les lèvres. Si tu tiens à la vie, reste de marbre.

Les sorciers se turent et pendant un moment tout le monde garda le silence. Puis un personnage corpulent vêtu d'une cape en peau de léopard sortit de la case en se baissant. Il était coiffé d'un haut chapeau de la même fourrure mouchetée qui exagérait encore sa taille déjà formidable.

Il s'arrêta sur le pas de la porte et leur lança un regard furieux. Tous les sorciers et sorcières accroupis à ses pieds poussèrent des gémissements de stupéfaction et se couvrirent les yeux comme si sa beauté et sa majesté les avaient aveuglés.

Hal lui rendit son regard. Il lui était difficile de suivre le conseil donné par Aboli de rester impassible car le visage du Monomatapa portait exactement les mêmes tatouages que celui qu'il avait connu depuis son enfance, l'énorme visage rond d'Aboli.

Aboli rompit le silence.

— Je te vois, grand Mambo. Je te vois, mon frère. Je te vois, N'Pofho, fils de mon père.

Le Monomatapa plissa légèrement les yeux mais le dessin de ses scarifications ne changea pas d'un cheveu, comme si elles avaient été taillées dans de l'ébène. D'un pas lent et majestueux, il se dirigea vers la jeune fille agenouillée et s'assit sur son dos arqué comme si elle avait été un banc. Ses yeux pleins de colère ne quittaient pas Aboli et Hal, et le silence traîna en longueur.

Soudain, il fit un signe d'impatience à la femme qui se tenait près de lui. Elle prit l'une de ses mamelles dans sa main et, plaçant le mamelon gonflé entre ses lèvres épaisses, lui donna le sein. Il but son lait puis la repoussa en s'essuyant la bouche avec la paume de sa main. Ragaillardi par le liquide tiède, il s'adressa à son principal devin. « Parle-moi de ces étrangers, Sweswe ! ordonna-t-il. Fais-moi une prophétie, ô bien-aimé des esprits ténébreux ! »

Le plus vieux et le plus laid des sorciers se leva précipitamment et se mit à tourner sur lui-même comme une toupie. Il poussait des cris perçants et effectuait de grands bonds en agitant la crécelle qu'il avait à la main. « Trahison ! » hurlait-il en postillonnant. « Sacrilège ! Qui ose prétendre être lié par le sang au Fils des Cieux ? » Il caracolait devant Aboli comme un singe savant sur ses jambes maigres. « Je flaire la trahison ! » Il lança sa crécelle aux pieds d'Aboli et prit brusquement un fouet en queue de vache à sa ceinture.

— Je flaire la sédition ! (Il brandit son fouet et commença à trembler de tous ses muscles.) Qui est celui qui ose imiter le tatouage sacré ? lança-t-il en faisant les yeux blancs. Attention ! Car le fantôme de ton père, le grand Holomima, exige le sang du sacrifice ! cria-t-il d'une voix perçante en se préparant à sauter au visage d'Aboli pour le frapper de son fouet de magicien.

Aboli fut plus rapide. Le sabre jaillit de son fourreau comme un être vivant, étincela au soleil et la tête du sorcier tomba par terre. Renversée sur le sol d'argile, elle regardait le ciel, les yeux écarquillés de stupéfaction, les lèvres frémissantes et agitées d'un mouvement convulsif en essayant de lancer une nouvelle imprécation.

Le corps décapité resta quelques instants sur ses jambes tremblantes. Du cou tranché, le sang jaillit haut dans les airs, le fouet s'échappa de la main inerte et le corps bascula lentement sur sa propre tête.

— Le fantôme de ton père Holomima exige le sang du sacrifice, dit Aboli à voix basse. Regarde ! Moi, Aboli, son fils, je le lui ai donné.

Pendant ce qui sembla être une éternité à Hal, aucune des personnes présentes dans l'enceinte royale ne parla ni ne bougea. Puis le Monomatapa commença à frémir de tout son corps. Son ventre se mit à trembloter et ses bajoues à s'agiter spasmodiquement. Son visage était déformé par ce qui semblait être une rage folle.

Hal posa sa main sur la garde de son sabre.

— Si c'est vraiment ton frère, je vais le tuer à ta place, chuchota-t-il à Aboli. Couvre-moi sur l'arrière et nous nous fraierons un chemin hors d'ici à coups de sabre.

Mais le Monomatapa ouvrit grande la bouche et s'esclaffa :

— Le tatoué a fait le sacrifice qu'exigeait Sweswe! brailla-t-il.

Emporté par un accès d'hilarité, il lui fut impossible de parler pendant un long moment. Il était secoué de grands éclats de rire, suffoquait en essayant de reprendre haleine, se tenait les côtes puis riait à en pleurer.

— Vous l'avez vu debout là, devant nous, sans sa tête pendant que sa bouche essayait de parler? rugit-il.

Prise d'une joie communicative, la troupe rampante de sorciers laissa échapper des glapissements et des cris aigus.

— Les cieux se désopilent! Et tous les hommes sont heureux, gémissaient-ils.

Soudain, le Monomatapa cessa de rire.

— Apportez-moi la tête stupide de Sweswe! ordonna-t-il.

Le membre du conseil qui les avait conduits là s'empressa d'obéir. Il récupéra la tête et s'agenouilla devant le roi pour la lui remettre.

Le Monomatapa la tint par ses nattes de cheveux frisés et emmêlés, fixa les grands yeux vides et se remit à rire.

— Faut-il être stupide pour ne pas reconnaître le sang des rois! Comment n'as-tu pas reconnu mon frère Aboli à son port majestueux et son tempérament bouillant? (Il lança la tête dégoulinante de sang aux autres magiciens, qui s'égaillèrent.) Tirez une leçon de la bêtise de Sweswe, les admonesta-t-il. N'émettez plus de fausses prophéties. Ne me racontez plus de sornettes! Hors d'ici, tous! Ou bien je demande à mon frère un autre sacrifice.

Ils détalèrent dans un véritable tohu-bohu; le Monomatapa quitta son trône vivant et s'avança vers Aboli, un large sourire sur son large visage tatoué.

— Aboli, mon frère mort depuis si longtemps et qui revient vivant! dit-il en l'embrassant.

L'une des cases situées sur le pourtour de la cour fut mise à leur disposition et une procession de jeunes filles leur fut envoyée, chacune portant en équilibre sur sa tête un pot d'argile contenant de l'eau chaude pour que les deux hommes puissent faire leur toilette. D'autres apportaient des plateaux où étaient empilés de beaux vêtements pour remplacer les leurs, salis par le voyage, des pagnes en cuir tanné décorés de perles et des capes de fourrure emplumées.

Lorsqu'ils se furent lavés et changés, de nouvelles jeunes filles arrivèrent avec des calebasses d'hydromel et de l'habituel cocktail de lait et de sang, ainsi que des plats chauds.

Quand ils eurent mangé, le conseiller aux cheveux argentés vint à eux. Avec une grande civilité et des marques de respect, il s'accroupit aux pieds d'Aboli.

— Tu étais bien trop petit la dernière fois que tu m'as vu pour te souvenir de moi, mais je m'appelle Zama et j'étais l'Induna de ton père, le grand Monomatapa Holomima.

— J'en suis désolé, Zama, mais j'ai presque tout oublié de ce temps-là. Je me souviens de mon frère M'Pofho. Je me souviens que la scarification et la circoncision que nous avons subies ensemble étaient douloureuses et qu'il criait plus fort que moi.

Zama sembla contrarié et secoua la tête comme pour mettre en garde Aboli contre une telle légèreté dans ses propos sur le roi.

— Tout cela est exact, sauf que le Monomatapa n'a jamais crié, corrigea-t-il. J'étais présent à la cérémonie, et c'était moi qui vous tenais la tête pendant que le fer rouge du couteau vous brûlait les joues et entaillait la peau de votre prépuce.

— Maintenant que tu le dis, je me souviens vaguement du contact de tes mains et de tes paroles de réconfort. Je t'en remercie, Zama.

— N'Pofho et toi étiez jumeaux. C'est pour cela que votre père a ordonné que vous portiez le tatouage royal. C'était une innovation. Jamais jusque-là deux fils du roi n'avaient été scarifiés au cours de la même cérémonie.

— Je n'ai pas grand souvenir de mon père, si ce n'est qu'il était grand et fort. Je me souviens combien les marques de son visage me faisaient peur.

— C'était un homme fort et terrible, convint Zama.

— Je me rappelle de la nuit où il est mort, des cris, des coups de mousquet et des flammes.

— J'étais là quand les marchands d'esclaves sont venus avec leurs chaînes d'affliction, dit le vieil homme, les yeux mouillés de larmes. Tu étais si jeune, Aboli! Je m'étonne que tu t'en souviennes encore.

— Parle-moi de cette nuit-là.

— Conformément à mon habitude et à ma fonction, je dormais à l'entrée de la case de ton père. J'étais près de lui quand il a été frappé par une balle. (Zama se tut à ce souvenir, puis il leva de nouveau les yeux.) Etendu agonisant, il m'a dit : « Va-t'en, Zama. Sauve mes fils. Sauve le Monomatapa ! » et je me suis empressé d'obéir.

— Tu as tenté de me sauver ? demanda Aboli.

— J'ai couru jusqu'à la case où vous dormiez, ton frère, ta mère et toi. J'ai essayé de t'arracher à ta mère, mais elle n'a pas voulu te laisser partir, car tu avais toujours été son préféré. « Prends N'Pofho ! » m'a-t-elle ordonné. J'ai donc emmené ton frère et j'ai couru dans l'obscurité. J'ai entendu ta mère hurler, mais j'avais son autre enfant dans les bras, et revenir en arrière eût signifié l'esclavage pour nous tous et l'extinction de la lignée royale. Pardonne-moi, Aboli, mais je vous ai laissés, toi et ta mère, et j'ai continué à courir et je me suis échappé dans les collines avec N'Pofho.

— Tu n'as rien à te reprocher.

Zama regarda autour de lui avec précaution, puis ses lèvres remuèrent silencieusement :

— Je n'ai pas fait le bon choix. C'est toi que j'aurais dû emmener, articula-t-il.

Il changea d'expression, se pencha en avant comme pour dire encore quelque chose, puis se recula à contrecœur, n'osant pas poursuivre ce jeu dangereux, avant de se relever lentement.

— Excuse-moi, Aboli, fils d'Holomima, mais il faut que je parte.

— Je te pardonne tout, dit Aboli à voix basse. Je sais ce que tu as dans le cœur. Réfléchis à ceci, Zama : un autre lion rugit au sommet de la colline qui aurait pu être mienne. Ma vie est maintenant liée à un nouveau destin.

— Tu as raison, Aboli, et je suis un vieillard. Je n'ai plus ni la force ni le désir de changer ce qui ne peut l'être. Le Monomatapa t'accordera une nouvelle audience demain matin. Je viendrai te chercher... N'essaie pas, je t'en prie, de quitter l'enceinte royale sans la permission du roi, ajouta-t-il en baissant légèrement la voix.

Quand il fut parti, Aboli sourit :

— Zama nous demande de ne pas nous en aller. Ce serait difficile. As-tu vu les gardes postés à chacune des entrées ?

— Bien sûr, il est difficile de ne pas les voir.

Hal se leva de son tabouret en ébène sculpté et se dirigea vers la porte basse de la case. Il dénombra une vingtaine d'hommes en poste près de l'entrée. C'étaient tous des guerriers magnifiques, grands et musclés, chacun armé d'une lance et d'une hache de guerre. Ils portaient de longs boucliers en cuir de bœuf moucheté noir et blanc et des coiffes en plumes de grue.

— Il va être plus ardu de quitter les lieux que d'y entrer, dit Aboli sombrement.

Au coucher du soleil, une autre procession de jeunes filles apporta le repas du soir.

— Je comprends pourquoi ton frère est si grassouillet, fit remarquer Hal devant cette surabondance de nourriture.

Quand leur appétit fut satisfait, les filles se retirèrent avec les plats et les pots, et Zama revint. Il tenait deux jeunes filles par la main. Elles s'agenouillèrent devant Hal et Aboli. Hal reconnut dans la plus jolie et la plus coquine celle qui avait servi de trône au roi.

— Le Monomatapa vous envoie ces deux femelles pour adoucir vos rêves avec le miel de leurs reins, déclara Zama avant de se retirer.

Avec consternation, Hal vit la jolie fille lever la tête et lui sourire timidement. Elle avait un visage paisible, des lèvres pleines et de grands yeux sombres. Ses cheveux tressés en fines nattes ornées de perles lui tombaient sur les épaules, son corps tout en rondeurs était soigneusement huilé. Elle avait la poitrine et les fesses nues, et ne portait qu'un petit cache-sexe, lui aussi décoré de perles.

— Je te vois, Grand Seigneur, chuchota-t-elle, et mes yeux sont troublés par la splendeur de ta présence.

Elle s'approcha comme un petit chat et posa sa tête sur les genoux de Hal.

— Tu ne peux pas rester là, lâcha celui-ci en se levant précipitamment. Tu dois t'en aller tout de suite.

La fille le regarda avec désolation et ses yeux noirs s'emplirent de larmes.

— Je ne te plais donc pas, Noble Seigneur? murmura-t-elle.

— Tu es très jolie, bredouilla Hal, mais...

Il ne savait comment lui expliquer qu'il était lié par le souvenir d'une autre.

— Laisse-moi rester avec toi, ô Seigneur, implora la jeune fille d'un ton pathétique. Si tu me renvoies, on me livrera au bourreau et je mourrai sur le pal. Je t'en prie, permets-moi de vivre. Aie pitié d'une femelle indigne, ô Glorieux Visage Pâle.

— Que faire? demanda Hal en se tournant vers Aboli.

— Renvoie-la, répondit celui-ci en haussant les épaules. Comme elle l'a dit, elle est indigne. Tu n'auras qu'à te boucher les oreilles pour ne pas l'entendre hurler quand elle sera suppliciée.

— Ce n'est pas drôle, Aboli. Tu sais bien que je ne peux pas trahir la mémoire de la femme que j'aime.

— Sukeena est morte, Gundwane. Je l'aimais aussi comme une sœur, mais maintenant elle est morte. Cette enfant est vivante, mais elle ne le sera plus demain au coucher du soleil si tu ne la prends pas en pitié. Sukeena n'a pas exigé de toi un tel vœu.

Aboli se pencha vers la jeune fille, la prit par la main et la fit se relever.

— Je ne peux t'être d'aucune autre aide, Gundwane. Tu es un homme et Sukeena le savait bien. Elle partie, il lui semblerait juste que tu vives ta vie en homme.

Il emmena l'autre fille dans le fond de la case où étaient posés un tas de couvertures de fourrure et deux repose-tête en bois sculpté. Il la fit se coucher et tira le rideau de cuir pour les cacher.

— Comment t'appelles-tu ? demanda Hal à la jeune fille accroupie à ses pieds.

— Mon nom est Inyosi, l'Abeille, répondit-elle. Ne m'envoyez pas à la mort, s'il vous plaît.

Elle rampa jusqu'à lui, entoura ses jambes de ses bras et posa sa tête sur son giron.

— Je ne peux pas, murmura-t-il. J'appartiens à une autre.

Mais il n'était vêtu que de son pagne et le souffle de la fille était tiède et doux sur son ventre, et elle lui caressait les jambes.

— Je ne peux pas, répéta-t-il désespérément, mais une des petites mains d'Inyosi se glissa sous son pagne.

— La grande lance de votre virilité ne dit pas la même chose que votre bouche, Puissant Seigneur, ronronna-t-elle.

Hal laissa échapper un grognement étouffé, la prit dans ses bras et la porta précipitamment à l'endroit où sa couche de fourrure avait été installée.

Inyosi fut d'abord stupéfaite par sa fougue, puis elle poussa un cri joyeux et répondit à ses baisers et aux mouvements de son bassin.

A l'aube, au moment où elle s'apprêtait à partir, elle murmura :

— Vous m'avez sauvé la vie. En retour, je dois tenter de sauver la vôtre... Pendant qu'il était assis sur mon dos, j'ai entendu le Monomatapa parler à Zama, chuchota-t-elle, ses lèvres contre les siennes, après lui avoir donné un dernier baiser. Il croit qu'Aboli est venu lui réclamer le Trône du Ciel. Demain, au cours de l'audience à laquelle il vous a convoqués, Aboli et vous, il donnera l'ordre à ses gardes du corps de s'emparer de vous et de vous jeter en bas de la falaise, là où les hyènes et les vautours attendent les cadavres pour les dévorer... Je ne veux pas que vous mouriez, mon seigneur, vous êtes si beau, ajouta-t-elle, blottie contre sa poitrine.

Elle quitta ensuite la couche et partit en silence dans l'obscurité. Hal alla ranimer le foyer en y jetant un fagot. La fumée s'éleva à travers le trou ménagé au milieu du toit de la case et les flammes en éclairèrent l'intérieur d'une clarté vacillante.

— Aboli? Tu es seul? Il faut que je te parle immédiatement, dit-il, et Aboli sortit de derrière la tenture.

— Elle dort, mais parle anglais.

— Ton frère a l'intention de nous faire tuer au cours de l'audience d'aujourd'hui.

— C'est la fille qui te l'a dit? demanda Aboli, et Hal hocha la tête d'un air coupable à l'aveu implicite de son infidélité.

Aboli sourit.

— La petite Abeille t'a donc sauvé la vie. Sukeena s'en réjouirait. Tu n'as pas à te sentir coupable.

— Si nous tentons de nous échapper, ton frère va envoyer une armée à nos trousses. Nous n'arriverons jamais jusqu'au fleuve.

— Tu as un plan, Gundwane?

Zama vint les chercher pour les conduire à l'audience royale. Ils quittèrent la pénombre de la grande case pour entrer dans la lumière aveuglante et Hal s'arrêta un instant pour regarder la foule.

Il ne pouvait qu'en estimer le nombre, mais un régiment entier de gardes du corps ceinturait la cour, peut-être un millier de grands guerriers que leurs hautes coiffes en plumes de grue transformaient en géants. La brise matinale agitait leurs plumes et les larges lames de leurs lances étincelaient au soleil.

Derrière eux, les nobles de la tribu occupaient tout l'espace disponible et s'alignaient sur le dessus de la muraille de granit qui entourait la citadelle. Une centaine d'épouses royales étaient rassemblées à l'entrée de la case du roi, certaines si grosses et si chargées de bracelets et de parures qu'elles ne pouvaient marcher sans être aidées et s'appuyaient lourdement sur leurs servantes. Lorsqu'elles se déplaçaient, leurs fesses roulaient comme des vessies remplies de graisse.

Zama dirigea Hal et Aboli au centre de la cour et les y laissa. Un lourd silence tomba sur la foule et nul ne bougea jusqu'à ce que, brusquement, le capitaine des gardes lance un appel strident dans sa corne de koudou spiralée à l'instant où le Monomatapa apparaissait sur le seuil de sa case.

Un soupir plaintif parcourut la foule et, avec ensemble, tous se jetèrent à plat ventre en se couvrant le visage. Seuls Hal et Aboli restèrent debout.

Le Monomatapa se dirigea à grandes enjambées vers son trône vivant et s'assit sur le dos nu d'Inyosi.

— Parle le premier! souffla Hal du coin des lèvres. Ne lui laisse pas le temps de donner l'ordre de nous exécuter.

— Je te vois, mon frère! lança Aboli, et ce manquement au protocole fit frémir les courtisans. Je te vois, Grand Seigneur des Cieux! (Le Monomatapa fit comme s'il n'avait pas entendu.) Je t'apporte le salut du fantôme de notre père, Holomima, qui a été Monomatapa avant toi.

Le frère d'Aboli eut un mouvement de recul comme si un cobra s'était dressé devant lui.

— Tu parles aux fantômes? demanda-t-il d'une voix qui tremblait légèrement.

— Notre père est venu me rendre visite une nuit. Il était grand comme un baobab, et il avait l'air terrible avec ses yeux de feu, sa voix pareille au tonnerre. Il est venu me mettre en garde.

En proie à une terreur superstitieuse, l'assemblée se mit à gémir.

— Te mettre en garde? fit le Monomatapa d'une voix rauque, les yeux fixés sur son frère avec un respect mêlé d'appréhension.

— Notre père craint pour nos vies, la tienne et la mienne. De grands dangers nous menacent.

Certaines des opulentes épouses du roi poussèrent des cris et l'une tomba à terre, la bouche écumante, prise de convulsions.

— De quels dangers s'agit-il, Aboli? demanda le roi en jetant un regard apeuré autour de lui, comme s'il avait cherché à repérer un assassin parmi ses courtisans.

— De même que nous avons été unis dans la naissance, a dit notre père, toi et moi sommes unis dans la vie. Si l'un prospère, l'autre aussi.

Le Monomatapa hocha la tête.

— Qu'a-t-il dit encore?

— Il a dit que nous serons unis dans la mort comme nous l'avons été dans la vie. Il a prophétisé que nous mourrons le même jour mais que ce jour serait celui de notre choix.

Inondé de sueur, le visage du roi prit une curieuse teinte grisâtre. Les anciens lancèrent des cris perçants et ceux qui se trouvaient le plus près de lui tirèrent des petits couteaux et se lacérèrent la poitrine et les bras, répandant leur sang par terre pour protéger le roi de la sorcellerie.

— Je suis bouleversé par ces paroles prononcées par notre père, poursuivit Aboli. J'aimerais pouvoir rester ici au Pays du Ciel pour te protéger du destin. Mais, hélas, le spectre de mon père m'a en outre averti que si je restais un jour de plus ici, je mourrais, et le Monomatapa avec moi. Il faut que je parte tout de suite pour ne plus revenir. C'est notre seule chance de survivre à cette malédiction.

— Qu'il en soit fait ainsi, dit le Monomatapa en se levant, le doigt tendu vers lui. Tu dois partir aujourd'hui même.

— Mon frère bien-aimé, je ne peux hélas pas m'en aller sans que tu m'aies accordé la faveur que je suis venu solliciter de toi.

— Parle, Aboli ! Que désires-tu ?

— Il me faut cent cinquante de tes meilleurs guerriers pour me protéger, car un ennemi redoutable m'attend. Sans eux, je cours à une mort certaine, et ma mort annoncera celle du Monomatapa.

— Fais ton choix ! beugla le roi. Choisis mes meilleurs *Amadodas* et emmène-les avec toi. Ils sont tes esclaves, agis avec eux à ta guise. Mais va-t'en avant le coucher du soleil. Quitte mon pays pour toujours.

Hal franchit la barre dans la pinasse de tête et sortit du delta par le bras du fleuve appelé Musela, suivi de près par le grand Daniel. Le *Golden Bough* était à l'ancre par dix brasses de fond, à l'endroit même où ils l'avaient laissé. Lorsqu'il les vit approcher, Ned Tyler ordonna le branle-bas de combat et sortit les canons. Les pinasses étaient si chargées qu'elles n'avaient plus que quelques centimètres de franc-bord, si basses sur l'eau que, de loin, elles ressemblaient à des pirogues de guerre. Les lances scintillantes et les coiffes ondulantes des amadodas renforçaient cette impression et Ned fit tirer un coup de semonce. Entendant le canon et voyant le boulet soulever un jet d'écume à une encablure devant eux, Hal se dressa à l'avant de son embarcation et agita la croix pattée.

— Par Dieu ! lança Ned stupéfait. C'est sur le capitaine que nous tirons !

— Je ne suis pas près d'oublier l'accueil que vous nous avez réservé, monsieur Tyler, lui dit Hal en franchissant la coupée. Je m'attendais plutôt à un salut à quatre coups.

— Je vous demande pardon, capitaine. Je vous avais pris pour une horde de sauvages.

— C'est ce que nous sommes, monsieur Tyler, c'est exactement ce que nous sommes ! répondit Hal avec un sourire en voyant le maître d'équipage assister éberlué à l'arrivée sur leur pont d'une multitude de magnifiques guerriers. Croyez-vous que nous pourrons en faire des marins, monsieur Tyler ?

Dès qu'ils eurent pris le large, Hal mit de nouveau le cap au nord et remonta le bras de mer entre Madagascar et le continent. Ils filaient vers Zanzibar, le centre de tous les échanges commerciaux pratiqués sur cette côte. Il espérait y recueillir de nouvelles informations sur la guerre sainte qui se déroulait dans la Corne de l'Afrique et, avec un peu de chance, apprendre où se trouvait le *Goéland de Moray*.

Les Amadodas s'acclimataient à leur nouvelle vie. A bord du *Golden Bough*, tout était nouveau pour eux. Aucun n'avait vu la mer auparavant. Ils avaient cru que les pinasses étaient les plus grands bateaux jamais construits par l'homme, et ils étaient stupéfaits par la taille du navire, la hauteur de ses mâts et la surface de ses voiles.

La plupart furent immédiatement en proie au mal de mer et il leur fallut plusieurs jours pour s'amariner. La nourriture du bord à base de biscuit et de viande en saumure leur donnait la diarrhée et ils avaient faim de leur bouillie de mil et de leur mélange de lait et de sang. Ils ne s'étaient jamais trouvés confinés dans un si petit espace et soupiraient après leur savane.

Ils souffraient du froid, car même sur ces mers tropicales, les alizés étaient frais et le courant chaud du Mozambique était loin d'atteindre la température qui régnait sur les plaines de l'intérieur brûlées par le soleil. Hal ordonna à Althuda, responsable des magasins du navire, de mettre à leur disposition des rouleaux de toile à voile et Aboli leur montra comment se confectionner des culottes et des vestes.

Ils ne tardèrent pas à oublier ces désagréments quand Aboli envoya quelques-uns d'entre eux à la suite de Jiri, de Matesi et de Kimatti pour prendre des ris. A une centaine de pieds au-dessus du pont et des vagues, balancés au rythme des amples mouvements de pendule du grand mât, pour la première fois de leur vie, ces guerriers, qui tous avaient tué leur lion, connurent la peur.

Aboli grimpa à leur suite jusqu'à l'endroit où ils étaient cramponnés aux haubans, paralysés par la terreur, et lança :

565

— Regardez-moi ces effarouchés! Je croyais qu'on pourrait trouver un homme parmi eux, mais je m'aperçois qu'ils doivent s'accroupir pour pisser.

Il se mit debout sur la vergue et se moqua d'eux, puis courut jusqu'au bout de l'espar et y effectua une petite danse de guerre. L'un des Amadodas ne put supporter plus longtemps ces railleries : il lâcha le hauban auquel il s'agrippait et alla en traînant des pieds jusqu'à Aboli qui le regardait les poings sur les hanches.

— Enfin un homme! dit celui-ci en riant et l'embrassant.

La semaine suivante, trois Amadodas tombèrent du gréement en tentant d'imiter cet exploit. Deux chutèrent dans la mer, et avant que Hal ait eu le temps de mettre en panne pour aller les chercher, les requins les avaient emportés. Le troisième eut une fin moins dramatique, tué sur le coup en tombant sur le pont. Il n'y eut pas d'autres accidents et les amadodas, habitués depuis l'enfance à grimper aux arbres les plus grands pour récolter du miel ou dénicher des œufs d'oiseaux, ne tardèrent pas évoluer avec aisance en haut des mâts de hune.

Lorsque Hal fit remonter de la cale des faisceaux de lances et les leur distribua, ils se mirent à danser et à pousser des cris de joie à la vue de leur arme favorite. Aboli adapta leurs tactiques et leurs formations de combat à l'espace réduit du *Golden Bough* et leur montra comment former la classique tortue des Romains, leurs boucliers serrés les uns contre les autres comme les écailles de ce reptile. En adoptant cette formation, ils étaient capables de lancer un assaut irrésistible sur le pont d'un bâtiment ennemi.

Hal leur ordonna d'installer un lourd paillet d'étoupe sous le ravalement du gaillard d'avant pour servir de cible. Lorsque les Amadodas eurent bien en main les lourdes lances, ils furent capables de toucher au but en les lançant depuis l'arrière du navire. Ils se livrèrent à cet exercice avec une fougue telle que deux d'entre eux furent mortellement blessés avant que Hal n'ait eu le temps de leur faire comprendre qu'il s'agissait de batailles fictives et qu'ils ne devaient pas lutter à mort.

Il fallut ensuite leur apprendre à manier l'arc anglais. Les leurs étaient courts et légers en comparaison; ils regardèrent d'un air sceptique cette arme de six pieds de long, éprouvèrent sans y croire sa tension formidable et secouèrent la tête. Hal prit un arc des mains de l'un d'entre eux et ajusta une flèche. Il leva les yeux vers l'unique goéland qui planait au-dessus du grand mât.

— Si je l'abats, est-ce que vous êtes capables de le manger tout cru? demanda-t-il, déclenchant une tempête de rires.

— J'avalerai aussi les plumes! cria un grand Amadoda nommé Ingwe, le Léopard.

D'un mouvement fluide, Hal tendit l'arc et tira. La flèche monta en décrivant une courbe dans le vent et tous poussèrent un cri de stupéfaction en la voyant percer la poitrine blanche de l'oiseau, qui replia ses ailes et dégringola sur le pont dans un enchevêtrement de plumes et de pieds palmés. Un guerrier le ramassa et la carcasse transpercée passa de main en main au milieu de commentaires étonnés.

— Ne lui abîmez pas les plumes, vous gâcheriez le dîner d'Ingwe, lança Hal.

Dès ce moment, ils furent pris d'une passion pour cette arme et en quelques jours ils étaient devenus des archers de première force. Hal traîna une barrique à une encablure du navire et les amadodas s'exercèrent à tirer dessus, d'abord un à un, puis par vagues, comme les archers anglais. Lorsqu'on remonta la barrique sur le pont, elle était hérissée comme un porc-épic. Ils avaient récupéré les trois quarts de leurs flèches.

Dans un domaine seulement, les Amadodas ne montrèrent aucune aptitude : ils furent incapables de servir les couleuvrines. Malgré les menaces et les railleries dont les accablait Aboli, ils ne parvenaient pas à s'en approcher sans une crainte superstitieuse. « C'est de la sorcellerie, c'est le tonnerre des cieux », criaient-ils chaque fois qu'on tirait une bordée.

Hal établit un nouveau rôle de quart dans lequel les postes de combat étaient définis de telle façon que les marins européens servaient les batteries tandis que les amadodas s'occupaient de manœuvrer les voiles et formaient le détachement d'abordage.

Un banc de nuages immobiles signalait l'île de Zanzibar à vingt lieues devant eux. Une frange de cocotiers bordait la plage blanche de la baie, mais les murailles massives de la forteresse étaient plus blanches encore, aussi éblouissantes qu'un glacier au soleil. La citadelle avait été construite un siècle plus tôt par les Portugais, et dix ans auparavant elle leur permettait encore d'assurer leur suprématie sur les routes commerciales à l'ouest du continent africain.

Conduits par leur sultan guerrier Ahmed le Gragne, le Gaucher, les Arabes étaient ensuite arrivés sur leurs dhaws, avaient attaqué les Portugais et chassé leur garnison avec de lourdes pertes. Cette défaite avait marqué le début du déclin de l'influence portugaise sur la côte et les Arabes étaient devenus la première nation commerçante de la région.

Hal examina la citadelle avec sa longue-vue et remarqua la bannière de l'Islam qui flottait sur la tour et les canons en rangs serrés en haut des murs. Ces bouches à feu pouvaient tenir en respect n'importe quel bâtiment ennemi qui eût tenté d'entrer dans la baie.

Il sentit un frisson lui parcourir la colonne vertébrale en songeant que s'il s'enrôlait sous la bannière du Prêtre-Jean, il deviendrait l'ennemi d'Ahmed le Gragne. Le jour viendrait peut-être où ces énormes canons tireraient sur le *Golden Bough*. En attendant, il devait profiter de sa neutralité actuelle pour pénétrer dans le camp arabe et réunir le plus d'informations possible.

Le port était encombré de petits bateaux, la plupart des dhaws appartenant à des musulmans venus des Indes, d'Arabie et de Mascate. Deux grands bâtiments se détachaient de cette multitude : l'un battait pavillon espagnol, l'autre français, mais Hal n'en reconnut aucun.

Tous ces navires de commerce étaient attirés à Zanzibar par les richesses de l'Afrique : l'or de Sofala, la gomme arabique, l'ivoire et le flot continu d'humanité qui approvisionnait les marchés d'esclaves. C'était là que sept mille hommes, femmes et enfants étaient mis en vente chaque saison, lorsque, portés par les alizés, les vaisseaux convergeaient de tout l'océan Indien et du cap de Bonne-Espérance.

Hal salua la forteresse avec son pavillon puis pilota le *Golden Bough* sous huniers vers le mouillage. Sur son ordre, l'ancre fut jetée dans l'eau claire et les voiles ramenées et ferlées par les bouillants amadodas d'Aboli. Presque immédiatement, le navire fut assiégé par une véritable flottille qui proposait toutes les marchandises possibles et imaginables, depuis les fruits frais et l'eau jusqu'à des garçonnets. Les propriétaires de ces derniers leur ordonnaient de se pencher sur les bancs de nage en relevant leur djellaba afin de montrer leurs petites fesses brunes pour le plus grand plaisir des marins du *Golden Bough* agglutinés au bastingage.

— Qui veut des mignons ? haranguaient en pidgin les proxénètes. Des jolis petits derrières doux comme des mangues mûres !

— Monsieur Tyler, faites descendre une chaloupe, ordonna Hal. Je vais à terre. J'emmène avec moi Althuda, maître Daniel et dix de vos meilleurs hommes.

Ils gagnèrent l'embarcadère sous les murs de la citadelle et Daniel descendit le premier pour ouvrir un passage dans la foule des commerçants qui arrivaient en masse sur le quai pour proposer leurs marchandises. Il connaissait les lieux pour y être déjà venu avec Sir Francis, et il montra donc le chemin. Les marins de Hal formèrent une phalange autour de lui et ils s'enfoncèrent dans les ruelles étroites de la ville.

Ils traversèrent des bazars et des souks noirs de monde où les marchands exposaient leur stock. Commerçants et marins fraîchement débarqués examinaient des tas de défenses d'éléphants, des pains odoriférants de gomme arabique, des bottes de plumes d'autruche et des cornes de rhinocéros. Ils marchandaient le prix de tapis de Mascate et des piquants de porc-épic remplis de paillettes d'or provenant de Sofala et des rivières de l'intérieur du continent. Les marchands d'esclaves présentaient des rangées d'êtres humains aux acheteurs éventuels pour qu'ils leur examinent les dents, palpent les muscles des hommes ou soulèvent les pagnes des jeunes filles.

Ils quittèrent cette zone commerçante et le grand Daniel les conduisit ensuite à travers un autre quartier de la ville où les maisons de chaque côté des ruelles se rejoignaient presque au-dessus de leur tête, arrêtant la lumière du jour. La puanteur des excréments humains charriés par les égouts à ciel ouvert faillit les suffoquer.

Daniel s'arrêta devant une porte en acajou cloutée et décorée de motifs islamiques complexes, et tira la corde de la cloche. Quelques minutes après, ils entendirent qu'on tirait les verrous et la lourde porte s'ouvrit en grinçant. Une demi-douzaine de petits garçons et de fillettes entre cinq et dix ans les regardèrent d'un air interrogateur.

— Bienvenus! Bienvenus! s'exclamèrent-ils avec un curieux accent anglais. Qu'Allah le Miséricordieux vous bénisse, milord. Puisse chacun de vos jours être parfumé de jasmin sauvage.

Une petite fille prit Hal par la main et le conduisit dans la cour intérieure. Une fontaine murmurait en son centre et l'air était rempli du parfum des frangipaniers et des fleurs jaunes de tamarinier. Un personnage de haute taille, vêtu d'une ample djellaba blanche et coiffé à la mode arabe, se leva d'un tas de tapis en soie où il était allongé.

— J'ajoute mille mots de bienvenue à ceux de mes enfants, mon bon capitaine, et puisse Allah vous couvrir de richesses et de bienfaits, dit-il avec un accent du Yorkshire. J'ai vu votre élégant navire à l'ancre dans la baie et je savais que vous ne tarderiez pas à me rendre visite.

Il tapa dans ses mains et une file d'esclaves apparut, chacun

portant un plateau avec des sorbets et du lait de coco dans des verres de couleur, des petits bols remplis de friandises et de pistaches grillées.

Le consul envoya Daniel et ses marins avec les domestiques à l'arrière de la maison.

— On leur servira des rafraîchissements, dit-il.

Hal lança à Daniel un regard entendu que comprit le maître d'équipage : il n'y avait pas d'alcool chez les musulmans, mais il y avait des femmes et il convenait de surveiller les marins. Hal garda Althuda avec lui : il pouvait être nécessaire de rédiger des documents ou de prendre des notes.

Le consul les conduisit dans un coin retiré de la cour.

— Permettez-moi de me présenter : je suis William Grey, consul de Sa Majesté dans le sultanat de Zanzibar.

— Henry Courteney, pour vous servir, monsieur.

— J'ai connu un Sir Francis Courteney. Peut-être êtes-vous apparentés ?

— Je suis son fils, monsieur.

— Ah, fort bien ! Un homme honorable. Veuillez lui présenter mes respects quand vous le verrez.

— Il est mort tragiquement pendant la guerre hollandaise.

— Mes condoléances, Sir Henry. Asseyez-vous, je vous prie.

Des tapis en soie aux splendides motifs avaient été disposés à l'intention de Hal. Le consul s'assit en face de lui. Lorsqu'ils furent installés, un esclave apporta à Grey un narguilé.

— Une bonne pipe de *bhang* est un remède souverain contre les troubles hépatiques et la malaria, qui est un fléau sous ces climats. Voulez-vous vous joindre à moi, monsieur ?

Hal refusa car il connaissait les effets du chanvre indien et voulait garder l'esprit clair.

Tout en tirant sur l'embout par petites bouffées, Grey l'interrogea avec finesse sur ses récents déplacements et ses projets. Hal répondait avec politesse mais de façon évasive. Comme deux duellistes, ils croisaient le fer en attendant une ouverture. L'eau glougloutait dans le récipient en verre du narguilé, la fumée parfumée s'étirait à travers la cour et Grey devenait de plus en plus affable et expansif.

— Vous vivez à la manière d'un grand cheik, dit Hal en essayant de se montrer un peu flatteur.

— Croiriez-vous qu'il y a quinze ans encore je n'étais qu'un modeste employé de la Compagnie anglaise des Indes orientales ? répondit Grey avec satisfaction. Lorsque mon navire a fait naufrage sur le récif de corail de Sofala, j'ai échoué ici. (Il haussa les épaules et fit un geste qui était davantage celui d'un Oriental que d'un Anglais.) Comme on dit, Allah m'a souri.

— Vous avez embrassé la religion islamique? demanda Hal sans laisser paraître la répugnance que lui inspirait l'apostat.

— Je crois en le Dieu unique et en Mahomet, son prophète, acquiesça Grey.

Hal se demanda dans quelle mesure sa décision avait tenu à des considérations d'ordre politique et pratique. Grey, le chrétien, n'aurait pas prospéré à Zanzibar comme Grey, le musulman, l'avait manifestement fait.

— La plupart des Anglais qui font escale à Zanzibar ont une chose en tête, poursuivit celui-ci. Ils viennent ici pour commercer, et le plus souvent pour acheter des esclaves. Ce n'est malheureusement pas la meilleure époque pour ce genre d'acquisition. Les alizés ont amené jusqu'ici les dhaws de l'Inde transgangétique et d'au-delà. Ils ont déjà emporté les plus beaux spécimens et il ne reste plus que la lie. J'ai cependant dans mes négreries deux cents créatures de premier choix, ce que vous trouverez de mieux à mille milles de navigation à la ronde.

— Merci, monsieur, le commerce des esclaves ne m'intéresse pas, dit Hal.

— C'est une attitude fort regrettable, monsieur. Je puis vous assurer que l'on peut encore faire de grandes fortunes dans ce commerce. Les planteurs de canne à sucre du Brésil et des Caraïbes réclament de la main-d'œuvre à cor et à cri pour travailler dans leurs champs.

— Merci encore. Je ne pratique pas ce genre d'affaires.

Hal savait à présent sans l'ombre d'un doute comment Grey avait bâti sa fortune. Son poste de consul était secondaire par rapport à celui d'agent et d'intermédiaire des marchands européens qui faisaient escale à Zanzibar.

— Il est un autre secteur extrêmement lucratif où je pourrais vous être utile, reprit Grey avant de marquer une pause avec tact. J'ai observé votre navire depuis ma terrasse lorsque vous avez jeté l'ancre et j'ai remarqué qu'il était bien armé. On est fondé à croire que c'est un bâtiment de guerre. (Hal hocha la tête évasivement, et Grey enchaîna.) Peut-être ignorez-vous que le sultan d'Oman, Ahmed le Gragne, bien-aimé d'Allah, est en guerre contre l'empereur d'Éthiopie.

— Je l'ai entendu dire.

— La guerre fait rage sur terre et sur mer. Le sultan a délivré des lettres de marque aux capitaines désireux de joindre leurs forces aux siennes. Ces mandats ont été réservés pour la plupart à des capitaines musulmans. Je jouis cependant d'une grande influence à la cour du sultan. Peut-être pourrais-je vous obtenir un mandat. Il va de soi qu'une telle faveur ne s'obtient pas sans bourse délier. Il m'en coûterait deux cents livres pour vous faire délivrer une lettre de marque, monsieur.

Hal était sur le point de refuser avec indignation cette proposition de rallier le camp des païens dans une guerre contre le Christ et ses défenseurs, mais son instinct l'avertit de n'en rien faire pour le moment.

— Il se pourrait donc, monsieur, qu'il y ait quelque profit à en retirer ? dit-il pensivement.

— Naturellement. Il est possible de mettre la main sur de grandes richesses. L'empire du Prêtre-Jean est l'un des plus anciens bastions de la foi chrétienne. Pendant plus de mille ans l'or et les offrandes des pèlerins et des fidèles se sont accumulés dans les trésors des églises et des monastères. Le prêtre lui-même est aussi riche qu'un souverain européen. On dit qu'il y a plus de vingt tonnes d'or dans son trésor d'Aksoum.

Grey respirait avec difficulté à cette pensée.

— Pourriez-vous m'obtenir un mandat du sultan ? demanda Hal en se penchant en avant avec un empressement feint.

— Mais certainement, monsieur. Il y a à peine un mois, j'ai réussi à en obtenir un pour un Ecossais. (Une idée traversa brusquement l'esprit de Grey, dont le visage s'illumina.) Si je faisais de même avec vous, peut-être pourriez-vous joindre vos forces. Avec deux bâtiments de guerre comme les vôtres, vous formeriez une escadre assez puissante pour prendre n'importe quel navire envoyé contre vous par le Prêtre-Jean.

— L'idée est captivante, fit Hal avec un sourire encourageant, essayant de ne pas montrer trop d'intérêt, car il avait deviné qui pouvait être cet Ecossais. Mais dites-moi, qui est cet homme dont vous parlez ?

— Un gentilhomme et un excellent marin, répondit Grey avec enthousiasme. Il est parti de Zanzibar en direction de la Corne il y a moins de cinq semaines.

— Peut-être pourrai-je le rattraper et joindre mon navire au sien, réfléchit Hal à voix haute. Dites-moi quel est son nom et sa condition, monsieur.

Grey jeta un coup d'œil circulaire dans la cour avec des airs de conspirateur, puis baissant la voix :

— C'est un homme de haute naissance, le comte de Cumbria, dit-il en se penchant en avant et en se frappant les genoux afin de souligner l'importance de sa révélation. Voilà, monsieur. Qu'en pensez-vous ?

— Je suis grandement impressionné ! répondit Hal sans avoir besoin de dissimuler son excitation. Mais croyez-vous vraiment pouvoir m'obtenir aussi une lettre de marque ? Et dans l'affirmative, combien de temps cette démarche va-t-elle prendre ?

— Les choses ne se font jamais rapidement en Arabie, dit Grey évasivement. Mais il est toujours possible d'aller plus vite avec quelques bakchichs. Disons deux cents livres de plus, soit quatre cents en tout, et je crois pouvoir vous remettre le mandat demain soir. Il va de soi qu'il me faut votre règlement à l'avance.

— C'est une grosse somme, fit Hal en fronçant les sourcils.

A présent qu'il savait où allait le Busard, il n'avait qu'une envie : retourner au plus vite sur le *Golden Bough* et se lancer à sa poursuite. Mais il se maîtrisa, voulant auparavant tirer de Grey toutes les informations possibles.

— En effet, reconnut celui-ci, c'est une grosse somme. Mais songez aux profits qu'elle engendrera. Vingt tonnes d'or attendent celui qui aura le courage de s'emparer du trésor du Prêtre. Et ce n'est pas tout. Il y a aussi les joyaux et autres merveilles envoyés en tribut à l'empire depuis plus de mille ans, les trésors des églises coptes — les reliques de Jésus-Christ, de la Vierge, des apôtres et des saints. La rançon qu'ils représentent est sans limite, précisa Grey, l'œil brillant. On affirme... (Il s'interrompit et baissa de nouveau la voix.) On affirme que le Prêtre-Jean est le gardien du Saint-Graal.

— Du Saint-Graal, répéta Hal en pâlissant.

— Oui, oui ! Le Saint-Graal ! reprit Grey, ravi de voir la réaction de son interlocuteur. Le précieux calice que les chrétiens cherchent depuis la crucifixion.

Hal secoua la tête et regarda Grey avec une stupéfaction non feinte. Il éprouvait un sentiment de déjà vu qui le laissait sans voix. Les prophéties de son père et de Sukeena lui revinrent brusquement à l'esprit. Il savait dans son for intérieur que cela entrait dans la destinée qu'ils lui avaient prédite. Grey prit son silence et son mouvement de tête pour du scepticisme.

— Je vous assure, monsieur, que la présence du Saint-Graal est la raison première pour laquelle le Grand Moghol et Ahmed le Gragne ont attaqué l'empire d'Ethiopie. Je le tiens de la bouche même du sultan. Lui aussi est persuadé que la relique est gardée par le Prêtre-Jean. L'un des plus puissants ayatollahs de l'Islam l'a prophétisé et lui a transmis la parole d'Allah selon laquelle, s'il parvient à arracher le Graal au Prêtre, sa dynastie sera investie d'une puissance inouïe et annoncera le triomphe de l'islam sur toutes les fausses religions du monde.

Hal le regarda, atterré. Il était bouleversé et il lui fallut faire un immense effort pour écarter de son esprit la terrible perspective qu'était l'assujettissement de la Chrétienté et rassembler ses pensées.

— Où la relique est-elle cachée? demanda-t-il d'une voix rauque.

— Personne, en dehors du Prêtre-Jean et de ses moines, ne le sait avec certitude. Certains disent à Aksoum, d'autres à Gondar, d'autres encore affirment qu'elle est gardée dans un monastère sur les montagnes.

— Peut-être est-elle déjà tombée entre les mains du Gragne ou du Moghol? Peut-être la guerre est-elle déjà perdue ou gagnée? suggéra Hal.

— Non, non! s'écria Grey avec véhémence. Un dhaw est arrivé du golfe d'Aden ce matin même. Les nouvelles qu'il apporte ont moins de huit jours. Il semble que les armées victorieuses de l'Islam aient été arrêtées à Mitsiwa. Un certain Nazet, un puissant général, s'est distingué dans les rangs des chrétiens et, bien qu'il soit un tout jeune homme, les armées de Tigréens et de Gallas se rallient sous son étendard. (En constatant avec quelle délectation Grey rapportait ces revers de la cause de l'Islam, Hal avait l'impression que le consul jouait sur les deux tableaux.) Nazet a repoussé les armées du Gragne et du Moghol. Ils sont face à face devant Mitsiwa et rassemblent leurs forces pour la bataille finale, qui décidera de la victoire. C'est loin d'être encore terminé. Lorsque vous aurez en main la lettre de marque que je vais vous procurer, je vous conseille sincèrement, mon jeune ami, de faire voile au plus vite vers Mitsiwa afin d'arriver à temps pour participer au partage du butin.

— Je dois réfléchir à tout cela, dit Hal en se levant. Si je décide d'accepter votre offre généreuse, je reviendrai demain avec les quatre cents livres pour acheter mon mandat.

— Vous serez toujours le bienvenu chez moi.

— Reconduisez-moi au bateau aussi vite que vous le pourrez, lança Hal à Daniel dès que les grandes portes se furent refermées derrière eux. Je veux appareiller avec la marée de ce soir.

Ils n'avaient pas atteint le premier bazar qu'Althuda prit Hal par le bras.

— Il faut que je retourne là-bas. J'ai oublié mon journal dans la cour.

— Je suis extrêmement pressé, Althuda. Le Busard a déjà un mois d'avance sur nous, mais je sais maintenant avec certitude où le trouver.

— Je dois récupérer mon journal. Rentrez au bateau. Je ne tarderai pas. Renvoyez-moi la chaloupe, je l'attendrai sur l'embarcadère. Je serai de retour avant que vous leviez l'ancre.

— Ne me mettez pas en retard, Althuda. Je ne peux pas attendre.

Hal le laissa partir à contrecœur et pressa le pas pour rattraper Daniel. Arrivé sur le *Golden Bough*, il renvoya la chaloupe à terre pour qu'elle attende Althuda et donna les ordres pour préparer le navire à prendre la mer. Il descendit ensuite à sa cabine et étala sur le bureau les cartes et les instructions de navigation pour gagner le golfe d'Aden et la mer Rouge.

Il les avait étudiées chaque jour depuis qu'il était à bord du *Golden Bough* et n'eut aucun mal à situer tous les noms de lieux mentionnés par Grey. Il détermina sa route pour doubler la pointe de la Corne et franchir le golfe d'Aden et le détroit de Bab el Mandeb pour gagner le sud de la mer Rouge. Les centaines de petites îles éparpillées le long de la côte éthiopienne constituaient de parfaits repaires de corsaires.

Il lui fallait éviter les flottes du Moghol et du sultan tant qu'il n'avait pas rejoint la cour du Prêtre pour y obtenir son mandat. Il ne pouvait attaquer les musulmans avant d'avoir le document entre les mains. Sinon, il courrait le risque de subir le même sort que son père et d'être accusé de piraterie en haute mer.

Peut-être parviendrait-il à entrer en liaison avec l'armée chrétienne de ce général Nazet dont avait parlé Grey et à mettre le *Golden Bough* à sa disposition. Quoi qu'il en soit, il supputa que les transports de troupe de l'armée musulmane devaient être très nombreux dans ces mers et qu'ils seraient des proies faciles pour une frégate rapide hardiment manœuvrée. Grey avait vu juste sur un point : fortune et gloire l'attendaient.

Il entendit la cloche marquer la fin du quart, laissa ses cartes et remonta sur le pont. Il sut tout de suite au changement d'attitude du navire que la marée commençait à descendre.

Il regarda en direction du port et, même à pareille distance, reconnut la silhouette d'Althuda sur l'embarcadère. Il était en grande conversation avec Stan Sparrow, qui était reparti l'attendre avec la chaloupe.

— Bon sang, grommela Hal. Il perd du temps à bavarder.

Il consacra ensuite toute son attention au navire, observa ses hommes grimper rapidement dans la mâture pour se préparer à larguer les voiles. Quand il regarda de nouveau vers le port, il vit que la chaloupe arrivait contre le flanc du navire.

Althuda grimpa immédiatement à l'échelle et se présenta devant Hal, le visage grave.

— Je suis venu chercher Zwaantie et mon fils, et vous dire au revoir, dit-il d'un ton solennel.

— Je ne comprends pas, répondit Hal, atterré.

— Le consul Grey m'a engagé comme secrétaire. J'ai l'intention de rester à Zanzibar avec ma famille.

— Mais pourquoi, Althuda ? Pourquoi ?

— Comme vous le savez, Sukeena et moi avons été élevés comme disciples de Mahomet, le prophète d'Allah. Vous avez l'intention de faire la guerre aux armées de l'Islam au nom du dieu chrétien, et je ne peux donc pas vous suivre plus longtemps.

Althuda tourna les talons et se dirigea vers le gaillard d'avant. Il en ressortit quelques minutes plus tard, accompagné de Zwaantie avec Bobby dans les bras. Zwaantie pleurait silencieusement, mais elle ne regarda pas Hal. Althuda s'arrêta à la coupée et tourna les yeux vers lui.

— Je regrette cette séparation et chérirai le souvenir de l'amour que vous avez porté à ma sœur. J'appelle sur vous la bénédiction d'Allah, dit-il avant de suivre Zwaantie dans la chaloupe.

Hal les vit regagner le quai et gravir les marches de pierre. Althuda ne se retourna pas; sa petite famille et lui disparurent dans la foule des marchands et de leurs esclaves.

Hal était si attristé qu'il ne s'était pas rendu compte que la chaloupe était de retour. Elle était déjà hissée à bord et Ned Tyler attendait ses ordres près de la barre.

— Remontez l'ancre, je vous prie, monsieur Tyler. Envoyez les huniers et gagnez le chenal.

Il jeta un dernier regard vers la terre. Il se sentait affligé car Althuda avait rompu le dernier lien qui l'unissait encore à Sukeena.

— Elle est partie, murmura-t-il. Maintenant, elle est vraiment partie.

Il tourna résolument le dos à la citadelle blanche et regarda devant lui les monts Usambara sur le continent, silhouette basse et bleue à l'horizon.

— Faites route bâbord amures, monsieur Tyler. Toutes voiles dehors. Cap au nord-est pour parer l'île de Pemba. Notez-le sur le renard.

Le vent était régulier; douze jours plus tard ils doublèrent le cap Guardafui, à la pointe de la Corne de l'Afrique et le golfe d'Aden s'ouvrit devant eux. Hal ordonna le changement de cap et ils filèrent vers l'ouest.

Les falaises et les collines de roche rouge du golfe d'Aden formaient les mâchoires de l'Afrique. Le *Golden Bough* y entra, sa toile gonflée par les derniers souffles des alizés. La chaleur, étouffante, eût été insupportable sans le vent. La mer était d'un bleu particulièrement vif où se reflétaient les ventres blancs des sternes qui tournoyaient dans leur sillage.

Les rivages rocheux se resserraient au loin pour former le goulot de Bab el Mandeb. Ils franchirent le détroit de jour et Hal réduisit la toile, car les eaux de la mer Rouge étaient traîtresses, semées d'innombrables îlots et de récifs de coraux. A l'est s'étendaient les régions torrides d'Arabie, à l'ouest, les rivages de l'Ethiopie et l'empire du Prêtre-Jean.

Ils commencèrent à croiser d'autres navires sur cette mer encombrée. Chaque fois que la vigie hélait le gaillard d'arrière, Hal grimpait lui-même dans la mâture en espérant voir les huniers d'un trois-mâts gréé carré apparaître à l'horizon et reconnaître l'allure du *Goéland de Moray*. Il était immanquablement déçu. C'était toujours des dhaws qui s'enfuyaient devant l'inquiétante et haute silhouette du *Golden Bough* pour chercher refuge dans les eaux peu profondes où la frégate ne pouvait les suivre.

Hal ne tarda pas à mesurer le manque de précision des cartes héritées de Llewellyn. Certaines des îles au large desquelles ils passaient n'étaient pas indiquées, d'autres l'étaient à des lieues de leur véritable position. Les profondeurs indiquées se révélaient purement fantaisistes. Hal n'osait continuer au milieu des récifs et des îles par une nuit sans lune. Au crépuscule, il mouilla sous le vent d'une des îles les plus importantes.

— Aucune lumière, avertit-il Ned Tyler, et que l'équipage ne fasse pas de bruit.

— Il est impossible de faire taire les hommes d'Aboli, capitaine. Ils jacassent comme des pies.

— Je vais en toucher un mot à Aboli, dit Hal avec un sourire.

Quand il remonta sur le pont au début du premier quart du soir, le navire était silencieux et plongé dans l'obscurité. Il effectua sa ronde et s'arrêta pour parler quelques minutes à Aboli, qui était de quart. Il alla ensuite au bastingage et se perdit dans la contemplation des cieux, émerveillé par la splendeur des astres.

Il entendit soudain un bruit bizarre et crut pendant quelques instants qu'il venait du navire. Il se rendit compte ensuite que c'étaient des voix humaines qui parlaient dans une langue qu'il ne connaissait pas. Il se dirigea rapidement vers l'arrière : les voix étaient plus proches et distinctes. Il entendit les craquements d'un gréement et l'eau éclaboussée par des rames.

Il alla retrouver précipitamment Aboli.

— Rassemble un détachement d'abordage. Dix hommes, murmura-t-il. Pas un bruit. Lancez la chaloupe.

En quelques minutes Aboli s'était exécuté. Dès que le canot toucha l'eau, ils sautèrent dedans et s'éloignèrent, Hal à la barre. Il avançait à l'aveuglette vers l'île invisible.

— Assez ramé! chuchota-t-il après un moment.

Les hommes se reposèrent sur leurs avirons et les minutes s'écoulèrent. Soudain, tout près, ils entendirent quelque chose cogner sur un pont en bois et une exclamation de douleur ou de mécontentement. Hal plissa les yeux dans cette direction et aperçut la tache pâle d'une petite voile latine se détacher sur le ciel étoilé.

— Tous en même temps. Sus! murmura-t-il.

La chaloupe bondit en avant. Aboli se tenait à la proue avec un grappin et une ligne. Le petit dhaw qui émergea brusquement de l'obscurité était à peine plus haut sur l'eau que la chaloupe. Aboli lança le grappin par-dessus son bastingage et tira sur la ligne.

— C'est bon, grogna-t-il. A l'abordage, les gars!

Les hommes lâchèrent les avirons et, avec des hurlements à glacer le sang, grimpèrent sur le pont du bateau inconnu, accueillis par des cris de consternation et de terreur. Hal attacha la barre, prit la lanterne occultée et se précipita à la suite de ses marins pour refréner leurs instincts belliqueux. Lorsqu'il ouvrit le volet de la lanterne et éclaira autour de lui, il constata que l'équipage du dhaw était déjà maîtrisé, ses hommes étendus sur le pont : une douzaine de marins à la peau sombre, à demi nus, parmi lesquels se trouvait un homme plus âgé en robe blanche que Hal prit pour le capitaine.

— Amenez-moi celui-là, ordonna-t-il.

Ils traînèrent le captif jusqu'à lui et Hal vit qu'il avait une longue barbe, qui lui descendait presque jusqu'aux genoux, et un grand nombre de croix coptes et de chapelets pendaient sur sa poitrine. Sa mitre carrée était brodée de fils d'or et d'argent.

— Ça va comme ça! lança-t-il aux hommes qui le tenaient. Traitez-le avec ménagement. C'est un prêtre.

Ils s'empressèrent de lâcher le prisonnier qui remit de l'ordre dans sa robe, peigna sa barbe avec ses doigts puis se dressa de toute sa hauteur et considéra Hal avec une froide dignité.

— Parlez-vous anglais, père? demanda Hal.

L'homme dévisageait Hal et, même dans la lumière incertaine de la lanterne, son regard était glacial et perçant. Il ne semblait pas avoir compris.

— Qui êtes-vous? interrogea Hal derechef en recourant au latin.

— Je suis Fasilidès, evêque d'Aksoum, confesseur de Sa Majesté Iyasou, empereur chrétien d'Ethiopie, répondit-il en un latin impeccable.

— J'implore humblement votre pardon, Votre Grâce. J'avais pris ce bateau pour un maraudeur musulman. Accordez-moi votre bénédiction.

Hal posa un genou au sol. Peut-être en fais-je trop, pensa-t-il, mais l'évêque a l'air d'accepter cela comme un dû. Il fit le signe de la croix sur la tête de Hal puis posa deux doigts sur ses sourcils.

— *In nomine patris, et filio et spiritu sancto*, entonna-t-il en tendant à Hal sa bague pour qu'il la baise.

Il semblait suffisamment amadoué pour que celui-ci profite de l'avantage.

— Cette rencontre est tout à fait providentielle, Votre Grâce, dit-il en se relevant. Je suis chevalier du Temple de l'Ordre de saint Georges et du Saint-Graal et viens mettre mon navire et son équipage à la disposition du Prêtre-Jean, le très chrétien empereur d'Ethiopie, dans sa guerre sainte contre les forces de l'Islam. En

580

tant que confesseur de Sa Majesté, peut-être pourrez-vous me conduire à sa cour.

— Il est envisageable d'arranger une audience, dit Fasilidès d'un air important.

Il perdit cependant un peu de son aplomb et ses manières s'adoucirent lorsque l'aube révéla à son regard la puissance et la magnificence du *Golden Bough*, et il devint encore plus aimable quand Hal l'invita à bord et lui offrit l'hospitalité pour le reste du voyage.

Hal se demandait ce que faisait l'évêque d'Aksoum à rôder nuitamment autour des îles dans un petit bateau de pêche qui sentait le poisson, et Fasilidès redevint hautain et distant quand il l'interrogea.

— Je n'ai pas la liberté de parler d'affaires d'Etat, qu'elles soient temporelles ou spirituelles.

L'évêque fit venir à bord du *Golden Bough* ses deux serviteurs et l'un des pêcheurs du dhaw afin qu'il serve de pilote, puis s'installa confortablement dans la petite cabine adjacente à celle de Hal. Avec un pilote local à bord, celui-ci fut à même de gagner Mitsiwa avec diligence, sans même daigner réduire la toile au coucher du soleil.

Il invita Fasilidès à dîner et le bon prélat témoigna d'un goût prononcé pour le vin et le cognac de Llewellyn. Hal faisait en sorte que son verre soit constamment rempli, exploit qui tenait du tour de passe-passe. La dignité de Fasilidès diminuait au même rythme que le niveau de la carafe de cognac et il répondait aux questions de Hal avec de moins en moins de réserve.

— L'empereur est avec le général Nazet au monastère de Saint-Luc dans les collines au-dessus de Mitsiwa et je vais l'y retrouver, expliqua-t-il.

— J'ai entendu dire que l'empereur avait remporté une grande victoire contre les païens à Mitsiwa...

— Une grande et splendide victoire! s'enthousiasma Fasilidès. A l'époque de Pâques, les païens ont traversé le détroit de Bab el Mandeb avec une puissante armée, puis ils ont longé la côte vers le nord en prenant tous les ports et les forts. Notre empereur Kaleb, père d'Iyasou, est tombé au cours d'une bataille et la plus grande partie de notre armée a été dispersée et détruite. Les dhaws de guerre du Gragne ont attaqué notre flotte par surprise dans la baie d'Adulis et ont pris ou incendié vingt de nos meilleurs navires. Lorsque ensuite les païens ont aligné cent mille hommes devant Mitsiwa, il semblait que Dieu avait abandonné l'Ethiopie.

(Les yeux de Fasilidès s'emplirent de larmes et il dut prendre une bonne rasade de cognac pour se remettre.) Mais Il est le Dieu unique, fidèle à son peuple, et Il a envoyé un guerrier pour conduire notre armée défaite. Nazet est descendu des montagnes à la tête de l'armée d'Amhara pour joindre ses forces aux nôtres. Son avant-garde portait le Tabernacle sacré de Marie, mère de Dieu. Ce talisman est comme la foudre entre les mains de Nazet. Face à son avancée, ce fut la débandade parmi les païens.

— Quel est ce talisman dont vous parlez, Votre Grâce? Est-ce une relique sacrée?

L'évêque baissa la voix, tendit la main par-dessus la table pour prendre celle de Hal et le regarda dans les yeux.

— C'est une relique de Jésus-Christ, la plus puissante de toute la Chrétienté. Le Tabernacle de Marie contient la Coupe de Vie, le Saint-Graal, avec laquelle le Christ a pris son dernier repas. Ce même calice dans lequel Joseph d'Arimathie a recueilli le sang du Sauveur cloué sur la Croix, dit-il les yeux fixés sur le visage de Hal avec une ferveur fanatique si intense que celui-ci, pris d'une crainte et d'un respect religieux, en eut la chair de poule.

— Où se trouve le Tabernacle, maintenant? L'avez-vous vu? Existe-t-il vraiment? demanda-t-il d'une voix rauque, serrant à son tour la main de Fasilidès avec une telle force que le vieillard grimaça.

— J'ai prié sur le Tabernacle qui contient le calice, mais nul ne peut poser les yeux ou les mains sur le calice lui-même.

— Où est-il? répéta Hal, emporté par l'excitation. J'en ai entendu parler toute ma vie. L'ordre de chevalerie auquel j'appartiens a pour symbole ce fabuleux calice. Où puis-je le trouver et me prosterner devant lui?

L'excitation de Hal sembla dégriser Fasilidès et il se recula, dégageant sa main.

— Il est des choses qui ne peuvent être révélées, dit-il.

Il était redevenu distant. Hal comprit qu'il eût été maladroit d'insister et changea de sujet pour relancer la conversation.

— Parlez-moi de la bataille navale de la baie d'Adulis, suggéra-t-il. Tout ce qui touche à la mer passionne un marin. Y avait-il un grand navire semblable à celui-ci combattant avec l'escadre musulmane?

L'évêque se détendit un peu.

— Il y avait une multitude de navires dans les deux camps, une tempête de feu et beaucoup de morts.

— Un trois-mâts gréé carré, battant pavillon à croix pattée écarlate? insista Hal. Avez-vous entendu parler d'un tel navire?

Mais, de toute évidence, le prélat n'aurait pas su reconnaître une frégate d'une quinquérème.

— Peut-être les amiraux et les généraux pourront-ils répondre à ces questions lorsque nous arriverons au monastère de Saint-Luc ? dit-il en haussant les épaules.

Dans l'après-midi du lendemain, ils passèrent entre l'entrée de la baie d'Adulis et l'île Dahlak. Fasilidès avait dit vrai. La mer était encombrée de navires. Une forêt de mâts et de gréements se détachait sur le fond des collines de roche rouge qui entouraient la baie. En haut de chaque mât flottait la bannière de l'Islam et les flammes du sultan d'Oman et du Grand Moghol.

Hal fit mettre en panne, grimpa sur la grande vergue et s'assit là pendant une heure, l'œil collé à sa longue-vue. Il était impossible de dénombrer les navires à l'ancre dans la baie, les eaux bouillonnaient, sillonnées par des petits bateaux qui transportaient à terre le matériel et les provisions d'une grande armée. Quand il redescendit sur le pont et donna l'ordre de repartir, Hal était du moins certain d'une chose : il n'y avait pas de trois-mâts gréé carré dans la baie d'Adulis.

Les restes de la flotte de l'empereur Iyasou étaient éparpillés près de Mitsiwa. Hal fit jeter l'ancre à bonne distance de ces coques brûlées et fracassées, et Fasilidès envoya un de ses serviteurs à terre dans la chaloupe.

— Je lui ai demandé de s'assurer que Nazet a maintenu son quartier général au monastère, et si tel est le cas, nous devrons trouver des chevaux pour nous y rendre.

Pendant qu'ils attendaient le retour du serviteur, Hal prit des dispositions en prévision de son absence temporaire du *Golden Bough*. Il décida d'emmener seulement Aboli avec lui et confia le commandement du navire à Ned Tyler.

— Ne restez pas à l'ancre, car c'est une côte sous le vent et vous seriez en position de faiblesse si le Busard vous surprenait ici, le mit-il en garde. Patrouillez au large de la côte et considérez tout navire comme un ennemi. Si vous rencontrez le *Goéland de Moray*, vous ne devez en aucun cas déclencher les hostilités. Je reviendrai aussi vite que possible. Je signalerai mon retour par une fusée rouge. Lorsque vous la verrez, envoyez un canot à terre pour me chercher.

Pendant le reste de la journée et la nuit suivante, Hal fut en proie à une grande agitation, mais aux premières lueurs du jour, la vigie héla le pont.

— Un petit dhaw sort de la baie dans notre direction !

Hal entendit le cri depuis sa cabine et monta en hâte sur le pont. Même sans sa longue-vue, il reconnut le serviteur de Fasilidès à l'avant de l'embarcation et envoya chercher l'évêque. Lorsque celui-ci arriva sur le pont, les effets de ses excès de boisson de la veille étaient encore apparents, mais son serviteur et lui échangèrent quelques phrases en langue guèze. Il se tourna vers Hal.

— L'empereur et le général Nazet sont toujours au monastère. Des chevaux nous attendent sur la plage. Nous pouvons être là-bas à midi. Mon serviteur a acheté des vêtements pour vous et votre valet afin que vous vous fassiez moins remarquer.

Hal redescendit dans sa cabine pour passer le sarouel et les bottes en cuir souple à pointe relevée. Par-dessus la chemise de coton, il enfila un dolman brodé qui descendait à mi-cuisse. Le serviteur de l'évêque lui montra comment nouer son turban, sur lequel il posa le casque d'acier poli en forme d'oignon, qui se terminait en pointe, damasquiné de croix coptes.

Quand Aboli et lui remontèrent sur le pont, l'équipage les regarda bouche bée et Fasilidès hocha la tête d'un air approbateur.

— Personne ne remarquera que vous êtes un Franc, dit-il.

La chaloupe les déposa sur la plage au pied des falaises, où les attendait une escorte armée. Les montures étaient des chevaux arabes à la crinière et la queue longues et flottantes, aux larges narines et aux jolis yeux caractéristiques de leur race. Les selles en bois étaient taillées d'un seul bloc et décorées de cuivre et d'argent, les couvertures de selle et les rênes brodées de fils métalliques.

— La route est longue jusqu'au monastère, les avertit Fasilidès. Nous n'avons pas de temps à perdre.

Ils gravirent le sentier qui escaladait la falaise et débouchèrent sur le terrain plat qui s'étendait jusqu'à Mitsiwa.

— C'est là que nous avons remporté la victoire ! pavoisa Fasilidès en se dressant sur ses étriers pour montrer la sinistre plaine d'un grand geste.

Bien que la bataille ait eu lieu plusieurs semaines auparavant, les charognards planaient toujours au-dessus de la plaine comme un nuage noir tandis que les chacals et les chiens errants grondaient, perchés sur des monceaux d'ossements, et arrachaient les lambeaux de chair calcinée par le soleil qui y étaient encore accrochés. Des mouches bleues emplissaient l'air comme des essaims de guêpes. Elles se posaient sur le visage de Hal, essayaient de s'abreuver à ses yeux et lui chatouillaient les narines. Leurs vers blancs se tortillaient si nombreux sur les cadavres en putréfaction que ceux-ci donnaient l'impression de bouger comme des corps vivants.

Des charognards humains étaient aussi à l'œuvre sur l'immense champ de bataille, des femmes et leurs enfants en longues robes poussiéreuses, le nez et la bouche couverts pour se protéger de la puanteur. Chacun portait un panier pour transporter leur moisson de boutons, piécettes, bijoux, poignards et bagues qu'ils arrachaient aux doigts squelettiques des cadavres.

— Dix mille ennemis tués ! dit Fasilidès sur un ton triomphant en les conduisant sur une piste qui longeait les murs de la ville de Mitsiwa. Nazet est trop bon guerrier pour avoir enfermé notre armée derrière ces murailles. Depuis ces hauteurs, il commande la région, ajouta-t-il en désignant les premiers contreforts des montagnes.

Au-delà de la ville, sur la plaine dégagée, campait l'armée victorieuse de l'empereur Iyasou, immense ville de tentes en cuir, de cabanes construites à la hâte et d'abris de pierre et de chaume, qui s'étendait sur cinq lieues entre la mer et les collines. Chevaux, chameaux et bœufs formaient de vastes troupeaux au milieu de ces logements rudimentaires, et un nuage de poussière et de fumée bleutée dégagée par les feux de bouses séchées voilait le bleu du ciel. Les relents d'ammoniac provenant des files d'animaux, la fumée et la puanteur des monceaux d'ordures pourrissant au soleil du désert, l'odeur des excréments et de l'urine, des charognes et des hommes mal lavés, rivalisaient avec les émanations du champ de bataille.

Ils passèrent à côté d'escadrons de cavalerie montés sur de magnifiques chevaux à la longue crinière et à la queue fièrement arquée. Vêtus d'étranges armures et d'uniformes aux couleurs de l'arc-en-ciel, les cavaliers étaient armés d'arcs, de lances et de fusils afghans à canon long, dont la crosse incurvée était incrustée de pierres précieuses.

Eparpillée sur une lieue de sable et de roc, l'artillerie était composée de centaines de pièces. Certains des canons de siège, de dimensions colossales, avaient la forme de dauphins ou de dragons montés sur des affûts tirés par une centaine de bœufs chacun. Les chariots de munitions, chargés de barils de poudre, étaient disposés en carrés.

Des régiments de fantassins effectuaient marches et contremarches. Ils avaient ajouté à leurs propres uniformes, déjà diversifiés et exotiques, le butin du champ de bataille, si bien qu'il n'y avait pas deux hommes vêtus de la même manière. Leurs écus et boucliers étaient carrés, ronds ou ovales, en cuivre, bois ou cuir. Ils avaient un profil de faucon, la peau sombre, la barbe argentée comme le sable de la plage ou noire comme les ailes des corbeaux qui planaient au-dessus du camp.

— Soixante mille hommes, dit Fasilidès. Avec le Tabernacle et Nazet à leur tête, aucun ennemi ne peut leur résister.

Les prostituées qui n'étaient pas occupées à écumer le champ de bataille étaient presque aussi nombreuses que les hommes. Elles s'occupaient des feux de camp et se prélassaient à l'ombre clairsemée des chariots à bagages. Le voile des grandes Somaliennes leur donnait un air mystérieux, les Gallas avaient les seins nus et le regard assuré. Certaines remarquaient la silhouette virile de Hal, ses larges épaules, et lui lançaient des invites inintelligibles, mais dont la signification était rendue évidente par les gestes obscènes qui les accompagnaient.

— Non, Gundwane, lui chuchota Aboli à l'oreille. N'y songe même pas, car les Gallas excisent leurs femmes. Là où tu t'attends à trouver un accueil avenant et bien « huilé », tu ne rencontres que sécheresse.

Cette assemblée d'hommes, de femmes et de bêtes était si dense qu'ils en étaient réduits à marcher au pas. Lorsque les fidèles reconnaissaient l'évêque, ils s'attroupaient autour de lui et tombaient à genoux sur le passage de son cheval pour implorer sa bénédiction.

Ils finirent par sortir de ce marais humain et éperonnèrent leurs chevaux sur la piste escarpée qui partait à l'assaut des collines. Fasilidès galopait en tête, sa robe tourbillonnant autour de sa silhouette maigre et noueuse, sa barbe flottant par-dessus son épaule. Arrivé sur la crête, il serra la bride à son coursier et montra le sud.

— Là! s'écria-t-il. Voilà la baie d'Adulis et là, devant le port de Zula, voici l'armée musulmane.

Hal se protégea les yeux de la réverbération et vit un nuage de poussière et de fumée que perçaient les reflets du soleil sur les trains d'artillerie et les armes d'une autre armée immense.

— A la tête de combien d'hommes se trouve le Gragne?

— Tel était l'objet de ma mission lorsque vous m'avez rencontré : trouver une réponse à cette question en interrogeant nos espions.

— Alors, combien? insista Hal

— La réponse à cette question est réservée aux oreilles du général Nazet, fit Fasilidès en riant avant de talonner son cheval.

Ils continuèrent leur ascension sur la piste rocailleuse et parvinrent à la deuxième crête.

— Voilà le monastère de Saint-Luc, annonça Fasilidès.

Il était accroché au sommet d'une colline déchiquetée. Ses murs étaient hauts et aucun ornement, colonne ou architrave, ne venait alléger leur austère ligne carrée. L'un des cavaliers de l'escorte souffla dans une corne de bélier, et la porte de bois massif s'ouvrit brusquement devant eux. Ils entrèrent au galop dans la cour intérieure. Des valets d'écurie se précipitèrent pour prendre leurs chevaux.

— Par ici! ordonna Fasilidès avant de les précéder par une porte étroite dans un dédale de passages et d'escaliers.

Leurs bottes claquaient sur le sol pavé et résonnaient dans les couloirs et les salles noircies par la fumée. Ils se retrouvèrent soudain dans une chapelle sombre comme une caverne, dont le dôme se perdait dans l'obscurité. Des centaines de cierges à la flamme vacillante et la lueur des encensoirs suspendus éclairaient les tapisseries représentant saints et martyrs, les bannières en lambeaux des ordres monastiques et les icônes incrustées de joyaux.

Fasilidès s'agenouilla devant l'autel où se dressait une croix copte en argent haute de six pieds. Hal s'agenouilla près de lui mais Aboli resta en arrière, bras croisés sur la poitrine.

— Dieu de nos pères, Seigneur des armées! pria l'évêque en latin pour que Hal en fasse son profit. Nous vous remercions pour votre générosité et la grande victoire sur les païens que vous nous avez accordée. Nous confions à vos soins votre serviteur ici présent, Henry Courteney. Puisse-t-il réussir dans ses entreprises au service du Dieu vrai et unique, et puissent ses armes l'emporter sur celles des incroyants.

A peine Hal eut-il achevé la série de ses génuflexions et de ses amen, que l'évêque était déjà debout et l'entraînait vers un autel plus petit sur le côté de la nef.

— Attendez là! dit-il.

Il se dirigea vers une tenture murale en laine de couleurs vives, l'écarta et disparut par une porte basse. En regardant autour de lui, Hal vit que les abords du petit autel étaient plus richement décorés que l'austère et sombre nef. L'autel lui-même était doré à la feuille avec un métal jaune qui pouvait être du cuivre mais qui brillait à la lueur de la bougie comme de l'or pur. De grosses pierres de couleur décoraient la croix. Ce n'était peut-être que du verre, mais il semblait à Hal qu'elles avaient l'éclat de l'émeraude, du rubis et du diamant. Les étagères qui couvraient les murs jusqu'au plafond voûté ployaient sous les offrandes des nobles et riches pénitents et suppliants. Certaines n'avaient pas dû être touchées depuis des siècles car elles étaient recouvertes d'une épaisse couche de poussière et de toiles d'araignée qui en dissimulait la nature. Cinq moines vêtus de robes sales et en loques priaient à genoux devant une Vierge noire avec, dans les bras, un petit Jésus noir lui aussi. Ils ne levèrent pas les yeux et ne se laissèrent pas distraire de leurs dévotions par cette intrusion.

Hal et Aboli se tenaient l'un à côté de l'autre appuyés à un pilier de pierre à l'arrière de l'autel, et les minutes passèrent. L'encens et la vieillerie des lieux rendaient l'air lourd et oppressant, la psalmodie des moines exerçait un effet hypnotique. Hal sentit le sommeil l'envahir et il dut faire effort pour le chasser et empêcher ses yeux de se fermer.

Ils entendirent soudain le trottinement de pieds nus derrière la tenture. Hal se redressa : un petit garçon avait émergé de dessous le rideau et se précipitait vers l'autel avec une exubérance de jeune chien. Il s'arrêta en dérapant sur les dalles. Il avait quatre ou cinq ans et était vêtu d'une simple robe en coton blanc. Il tournait la tête en tous sens pour regarder l'autel et les boucles de ses cheveux noirs et brillants voletaient autour de sa tête. Il avait les yeux sombres, aussi grands que ceux des saints dont les portraits stylisés étaient accrochés au mur derrière lui.

Ayant aperçu Hal, il courut dans sa direction et s'arrêta devant lui. Il le regarda avec un air si solennel que Hal, enchanté par ce joli lutin, posa un genou à terre afin qu'ils puissent s'examiner mutuellement à loisir.

Le garçon dit quelque chose dans la langue guèze, que Hal reconnaissait à présent. C'était de toute évidence une demande mais il n'avait pas la moindre idée de son objet.

— Toi-même ! dit-il en riant, mais l'enfant était sérieux et reposa sa question.

Hal haussa les épaules et le petit garçon tapa du pied par terre puis répéta sa requête.

— Oui ! dit Hal en hochant la tête énergiquement.

L'enfant rit de plaisir et applaudit. Hal se releva mais le gamin écarta les bras et lança un commandement qui ne pouvait signifier qu'une seule chose : « Prends-moi dans les bras ! » Hal se pencha et s'exécuta. Le garçonnet le regarda dans les yeux et parla de nouveau, montrant du doigt son visage avec tant de fougue qu'il faillit lui flanquer son index dans l'œil.

— Je ne comprends pas ce que tu dis, mon petit, dit Hal gentiment.

Fasilidès était arrivé derrière lui en silence et il annonça solennellement :

— Sa Très Chrétienne Majesté, Iyasou, Roi des rois, souverain des Gallas et des Amharas, défenseur de la foi du Christ crucifié, a remarqué que vos yeux sont d'un vert étrange comme il n'en a encore jamais vu.

Hal regarda le visage angélique de l'empereur qu'il tenait dans ses bras.

— C'est le Prêtre-Jean ? demanda-t-il sur un ton de profond respect.

— En effet, répondit l'évêque. Vous venez de lui promettre de l'emmener faire un tour sur votre grand navire, que je lui avais décrit.

— Voulez-vous dire à l'empereur que je serais grandement honoré de l'avoir comme invité à bord du *Golden Bough* ?

Iyasou se tortilla soudain pour descendre des bras de Hal, le prit par la main et l'entraîna vers la porte dérobée. Ils longèrent un grand couloir éclairé par des torches plantées dans des supports en fer fixés au mur de pierre. Deux gardes armés se trouvaient au bout, mais l'empereur lança un ordre de sa petite voix aiguë et ils s'écartèrent pour laisser passer Sa minuscule Majesté en la saluant. Iyasou avait conduit Hal dans une longue salle.

D'étroites embrasures s'ouvraient dans la partie supérieure des murs par où la lumière intense du désert tombait en rayons d'or nettement découpés. Toute la longueur de la salle était occupée par une grande table à laquelle cinq hommes étaient assis.

C'étaient tous des gens de guerre — leur maintien et leur tenue en attestaient : ils portaient cotte de mailles et cuirasse ; certains avaient un casque en acier sur la tête et une tunique sur leur armure, blasonnée de croix ou autres symboles héraldiques.

Le plus jeune et le plus simplement vêtu, mais cependant le plus impressionnant et imposant de tous se trouvait à une extrémité de la table. Les yeux de Hal furent immédiatement attirés par sa silhouette mince et élégante.

Iyasou l'entraîna impatiemment vers lui, jacassant en langue guèze, et le guerrier les regarda venir avec un regard franc et assuré. Bien qu'il donnât l'impression d'être grand, il avait en fait une tête de moins que Hal. Un rayon de soleil l'éclairait par-derrière et l'entourait d'une auréole dorée dans laquelle voltigeaient des grains de poussière.

— Etes-vous le général Nazet ? demanda Hal en latin.

Le général hocha la tête. Son épaisse chevelure bouclée formait autour de sa tête une couronne sombre. Il portait une tunique blanche sur sa cotte de mailles, mais même sous ce volumineux harnachement, sa taille était étroite et son dos, droit et souple.

— C'est moi-même, confirma-t-il d'une voix basse et rauque, mais étrangement musicale.

Hal fut stupéfait de constater combien il était jeune. Sa peau sans défaut avait la teinte ambrée de la gomme arabique. Nulle trace de barbe ou de moustache n'ombrait sa joue lisse ou l'ourlet plein de fierté de ses lèvres pleines. Son nez était aquilin, ses narines finement ciselées.

— Je suis Henry Courteney, se présenta Hal, le capitaine anglais du *Golden Bough*.

— L'évêque Fasilidès m'a déjà parlé de vous, dit le général. Peut-être préférez-vous parler votre langue... Je dois admettre que mon latin est moins bon que le vôtre, capitaine, ajouta-t-il en passant à l'anglais.

Hal le regarda bouche bée et Nazet sourit.

— Mon père a été ambassadeur au palais du doge de Venise. J'ai passé la majeure partie de mon enfance sous vos latitudes et j'y ai appris les langues diplomatiques, le français, l'italien et l'anglais.

— Vous m'en voyez ébahi, général, admit Hal, et tout en reprenant ses esprits, il remarqua les yeux couleur du miel et les longs cils, épais et recourbés, pareils à ceux d'une fille.

Il ne s'était jamais senti attiré sexuellement par un garçon. Pourtant, en ce moment même, alors qu'il regardait ces nobles traits, cette peau dorée et ces yeux brillants, il se rendit compte qu'il était oppressé et respirait avec difficulté.

— Je vous en prie, asseyez-vous, capitaine.

Nazet indiqua le tabouret voisin. Ils étaient assis si près l'un de l'autre que Hal sentait son odeur. Nazet n'utilisait pas de parfum, son odeur était naturellement chaude et musquée. Avec un sentiment de culpabilité, il reconnut combien l'attraction qu'il éprouvait pour cet homme était contre nature, et il s'écarta de lui autant que le lui permettait son tabouret bas.

L'empereur grimpa sur les genoux du général Nazet et lui tapota la joue en débitant un flot de paroles de sa voix d'enfant, sur quoi le général rit doucement et répondit en guèze sans quitter des yeux le visage de Hal.

— Fasilidès m'a dit que vous étiez en Ethiopie pour offrir de servir la cause de l'empereur Très Chrétien.

— C'est exact. Je suis venu prier Sa Majesté de m'accorder une lettre de marque afin de pouvoir lutter contre les ennemis du Christ avec mon navire.

— Vous arrivez au moment le plus opportun, fit Nazet en hochant la tête. Fasilidès vous a-t-il parlé de la défaite que notre flotte a essuyée dans la baie d'Adulis ?

— Oui, mais aussi de votre magnifique victoire de Mitsiwa.

— L'une compense l'autre, répondit Nazet. Si le Gragne commande la mer, il peut indéfiniment ramener du renfort d'Arabie et des territoires du Moghol pour reconstituer son armée dévastée. Il a d'ores et déjà comblé les pertes que nous lui avons infligées à Mitsiwa. J'attends moi-même des renforts des montagnes et je ne suis donc pas encore prêt à attaquer son camp de Zula. Chaque jour, son armée est alimentée par mer et devient plus forte.

— Je comprends la situation, dit Hal en penchant la tête.

Quelque chose dans la voix du général le troublait : plus Nazet s'échauffait, plus son timbre changeait. Hal fit un effort pour concentrer son attention sur les paroles de son interlocuteur.

— Une autre menace plane sur moi depuis peu, poursuivit Nazet. Le Gragne a engagé un bâtiment étranger plus puissant que tous ceux dont nous disposons.

Hal sentit ses poils se dresser sur ses bras.

— Quelle sorte de navire est-ce là ? demanda-t-il doucement.

— Je ne suis pas marin, mais mes amiraux me disent que c'est une frégate gréée carrée, répondit Nazet en jetant à Hal un regard pénétrant. Il doit être semblable au vôtre.

— Connaissez-vous le nom de son capitaine ?

Nazet secoua la tête.

— La seule chose que je sais, c'est qu'il inflige de terribles pertes à nos dhaws de transport sur lesquels je compte pour nous approvisionner à partir du nord.

— Quel pavillon bat-il ? insista Hal.

Nazet dit quelques mots rapides en guèze à l'un de ses officiers, puis se retourna vers lui.

— La flamme du sultan d'Oman, mais aussi un pavillon avec une croix rouge de forme inhabituelle sur fond blanc.

— Je crois connaître ce maraudeur, dit Hal l'air mécontent, et je lancerai mon navire contre le sien à la première occasion — si Sa Majesté Très Chrétienne daigne m'accorder un mandat pour pratiquer la guerre de course aux côtés de sa flotte.

— A la demande de Fasilidès, j'ai déjà ordonné aux scribes de la cour de rédiger votre mandat. Nous n'avons qu'à nous mettre d'accord sur les termes et je signerai au nom de l'empereur... Mais, venez, laissez-moi vous montrer en détail quelles sont les positions respectives de notre armée et de celle du Gragne.

Nazet se leva de son tabouret et précéda Hal jusqu'à l'autre bout de la salle, suivi des officiers. Ils entourèrent la table ronde sur laquelle avait été dressée une maquette en argile peinte représentant de manière très détaillée la mer Rouge et les territoires riverains. Chaque ville et port s'y trouvaient indiqués avec précision ; des modèles réduits de navires en bois sculpté naviguaient sur les eaux bleues tandis que des soldats en ivoire aux uniformes magnifiquement peints symbolisaient les régiments de cavalerie et d'infanterie.

Pendant qu'ils examinaient posément la maquette, l'empereur traîna un tabouret jusqu'à la table et grimpa dessus pour atteindre les modèles réduits. Avec des cris de joie et en imitant le hennissement des chevaux et les coups de canon, il entreprit de déplacer les figurines. Nazet tendit la main pour l'en empêcher. Elle était mince, lisse et menue, ses longs doigts effilés et ses ongles rose nacré. Hal comprit soudain.

— Vierge Marie, mais vous êtes une femme ! lâcha-t-il malgré lui.

Nazet leva les yeux vers lui et ses joues s'assombrirent sous l'effet de la contrariété.

— Je vous conseille de ne pas me dénigrer du fait de mon sexe, capitaine. Vous vous souvenez certainement de la leçon qu'une femme a donnée aux Anglais à Orléans.

— Oui, mais c'était il y a deux cents ans et nous l'avons brûlée ensuite pour les ennuis qu'elle nous a causés ! rétorqua-t-il, puis il adopta un ton apaisant. Je ne voulais pas vous offenser, général. Cela ne fait qu'ajouter à l'admiration que j'avais déjà conçue pour vos qualités de chef.

Nazet ne se laissa pas si facilement amadouer et c'est sur un ton vif et sérieux qu'elle décrivit les positions tactiques et stratégiques des deux armées et lui montra où le *Golden Bough* serait le plus utile. Elle ne le regardait plus en face et le dessin de ses lèvres charnues s'était durci.

— J'entends que vous vous placiez directement sous mon commandement et, à cette fin, j'ai demandé à l'amiral Senec de définir un ensemble simple de signaux — fusées et lanternes, de nuit ; pavillons et fumée, de jour — qui me permettra de vous transmettre mes ordres depuis le rivage. Avez-vous quelque objection ?

— Non, général, aucune.

— Quant à votre part des prises, deux tiers iront au Trésor impérial, le solde vous reviendra, à vous et à votre équipage.

— Il est de coutume de réserver la moitié des prises au navire, objecta Hal.

— Capitaine, dit Nazet froidement, sur ces mers, la coutume est établie par Sa Majesté Très Chrétienne.

— Il ne me reste donc qu'à m'incliner, répondit Hal avec un sourire ironique, qui laissa Nazet de marbre.

— Tout le matériel de guerre sera acheté par le Trésor, de même que tous les navires ennemis seront acquis par la marine.

Elle tourna les yeux vers le scribe qui venait d'entrer dans la salle et s'inclinait devant elle avant de lui tendre un document rédigé sur un parchemin jaunâtre et raide. Nazet le parcourut rapidement puis prit la plume que lui tendait le scribe, remplit les blancs et signa « Judith Nazet » en adjoignant une croix à son nom.

— C'est écrit en guèze, expliqua-t-elle en séchant l'encre avec un peu de sable, mais je vous ferai préparer une traduction pour notre prochaine rencontre. En attendant, je vous assure que les termes de cette lettre sont exactement ceux dont nous sommes convenus.

Elle roula le document, le serra avec un ruban et le tendit à Hal.

— Votre parole me suffit, dit celui-ci en glissant le rouleau dans la manche de sa tunique.

— Je suis persuadée que vous avez hâte de rejoindre votre navire, capitaine. Je ne vous retiendrai pas davantage.

Après lui avoir ainsi signifié son congé, elle sembla complètement oublier son existence et accorda de nouveau toute son attention à ses officiers et à la maquette d'argile.

— Vous avez parlé d'un système de signaux, général, fit remarquer Hal.

Malgré son attitude intransigeante, il éprouvait une étrange répugnance à la quitter et se sentait attiré par elle comme l'aiguille d'une boussole l'est vers le nord.

— L'amiral Senec vous fera parvenir un recueil de signaux avant que vous n'appareilliez, dit-elle sans lever les yeux. L'évêque Fasilidès va vous accompagner à l'endroit où vous attendent les chevaux. Adieu, capitaine.

En parcourant le long couloir aux côtés de l'évêque, Hal dit à voix basse :

— Le Tabernacle de Marie est ici au monastère. Est-ce que je me trompe ?

Fasilidès s'arrêta net et le regarda d'un air interrogateur.

— Comment l'avez-vous appris ? Qui vous l'a dit ?

— Je suis un homme pieux. J'aimerais poser les yeux sur cet objet sacré, dit Hal. Pouvez-vous me permettre de réaliser ce vœu ?

Fasilidès tira nerveusement sur sa barbe.

— Peut-être. Nous allons voir. Suivez-moi.

Il conduisit Hal à l'endroit où Aboli attendait, puis tous deux suivirent l'évêque dans un autre dédale d'escaliers et de passages avant de s'arrêter devant une porte gardée par quatre prêtres en robe et turban.

— Cet homme est-il chrétien ? demanda Fasilidès en regardant Aboli. (Hal secoua la tête.) Il doit donc rester ici.

L'évêque prit Hal par le bras et le conduisit jusqu'à la porte. Il dit quelques mots en guèze à l'un des prêtres et le vieil homme sortit une énorme clé noire de dessous sa robe et tourna le verrou. Fasilidès précéda Hal dans la crypte au sol dallé qui s'ouvrait de l'autre côté.

Le Tabernacle se trouvait au centre, entouré par une forêt de cierges allumés dans de grands chandeliers en cuivre à branches multiples.

Hal se sentit envahi par un sentiment de respect et de grâce. Il savait qu'il vivrait là l'un des moments suprêmes de sa vie, peut-être même celui qui était la raison de sa naissance et de son existence.

Le Tabernacle était un petit coffre carré supporté par quatre pieds sculptés comme des pattes de lion. Il était recouvert d'un tapis brodé d'or et d'argent patiné par les ans. A chaque extrémité du couvercle était agenouillée une statuette dorée représentant un ange, la tête baissée et les mains jointes dans la prière. C'était un objet d'une beauté exquise.

Hal tomba à genoux dans la même attitude que les anges dorés.

— Seigneur, Dieu des armées, je suis venu sur votre ordre, commença-t-il à prier à haute voix.

Après un long moment, il se signa et se releva.

— Puis-je voir le calice ? demanda-t-il avec déférence, mais Fasilidès secoua la tête.

— Moi-même, je ne l'ai jamais vu. Il est trop saint pour des yeux de mortel. Il vous aveuglerait.

De nuit, le pilote éthiopien guida le *Golden Bough* sous ses seuls huniers, en direction du sud. Tandis qu'un homme envoyait la sonde, ils se glissèrent entre l'île Dahlak et la baie d'Adulis.

Dans le noir, Hal écoutait anxieusement le sondeur annoncer les profondeurs : « La ligne ne touche pas le fond ! », et encore « La ligne ne touche pas le fond ! », puis de nouveau le ploc du plomb touchant l'eau devant l'étrave. La voix du sondeur monta soudain :

— Vingt brasses !

— Monsieur Tyler ! aboya Hal. Prenez un autre ris dans vos huniers. Préparez-vous à jeter l'ancre !

— Dix brasses !

— Ferlez toute la toile. Jetez l'ancre !

Le *Golden Bough* glissa sur son erre quelques instants avant de faire tête sur son ancre.

— Occupez-vous du pont, monsieur Tyler, dit Hal, je vais en haut.

Il grimpa dans les haubans jusqu'en tête du grand mât sans marquer de pause et fut satisfait de constater que sa respiration était régulière et à peine plus rapide quand il atteignit le nid-de-pie.

— Je te vois, Gundwane ! lança Aboli en lui faisant de la place.

Hal s'installa près de lui et regarda d'abord la terre. L'île Dahlak formait une masse plus sombre dans la nuit, mais ils étaient à une bonne encablure de ses rochers. Il dirigea ensuite son regard vers l'ouest et vit l'étendue de la baie d'Adulis, dont le contour était nettement dessiné par les feux de camp de l'armée du Gragne, installée autour du petit port de Zula. Les eaux de la baie miroitaient sous les lanternes de la flotte musulmane au mouillage. Il essaya de dénombrer ces feux mais abandonna parvenu à soixante-quatre. Il se demanda si le *Goéland de Moray* était parmi ces navires et sentit son estomac se nouer à cette pensée.

Il se tourna vers l'est et vit la première promesse de l'aube découper les montagnes déchiquetées d'Arabie, depuis laquelle convergeaient les dhaws de transport du Gragne chargés d'hommes, de chevaux et de provisions pour ses légions.

Sur la mer sombre, il vit clignoter comme des lucioles les lanternes d'autres bateaux qui, portés par la brise nocturne, voguaient vers la baie d'Adulis.

— Est-ce que tu arrives à les compter ? demanda Hal.

Aboli se mit à rire.

— Je n'ai pas le regard aussi perçant que le tien, Gundwane. Il y en a certainement beaucoup, attendons l'aube pour découvrir combien ils sont.

Ils attendaient en silence comme de vieux compagnons et tous deux sentirent la fraîcheur de l'aube chassée par la perspective d'une bataille probable car les navires ennemis grouillaient sur cet étroit bras de mer.

A l'orient, le ciel commença à rougeoyer comme une forge. Les rochers de l'île toute proche émergeaient de l'obscurité, blanchis par les fientes des oiseaux de mer qui s'y juchaient depuis des siècles. Les oiseaux s'élancèrent de leurs perchoirs et s'envolèrent. En formations en delta, ils traversèrent le ciel en poussant des cris aigus obsédants. Les yeux levés vers eux, Hal sentit la brise matinale lui caresser les joues de ses doigts frais. Comme il s'y était attendu, elle venait de l'ouest. Il avait la flottille de dhaws sous le vent et à sa merci.

Le soleil levant enflamma la cime des montagnes. Loin derrière les rochers bas de l'île, une voile se mit à luire sur l'eau sombre, puis une autre et, le cercle de leur vision s'élargissant, bientôt une douzaine.

Hal donna une tape sur l'épaule d'Aboli.

— Il est temps de se mettre à l'ouvrage, mon vieil ami, dit-il avant de se laisser glisser le long des haubans.

Dès qu'il eut touché le pont, il lança au timonier :

— Levez l'ancre, monsieur Tyler. Tout le monde en haut pour envoyer les voiles.

Libéré de son ancre, le *Golden Bough* envoya sa toile et vira en lofant. L'eau bruissant sous son étrave et écumant dans son sillage, il s'élança de derrière l'île Dahlak.

Il faisait à présent suffisamment jour pour que Hal distingue nettement ses proies éparpillées sur les flots semés de moutons. Il chercha avidement l'empilement de toile d'un grand navire parmi elles, mais ne vit que les voiles latines uniques des dhaws arabes.

Les plus proches d'entre eux ne semblaient pas alarmés par l'apparition du *Golden Bough*, de sa haute pyramide de voiles qui barrait l'entrée de la baie d'Adulis. Ils tenaient leur cap et, tandis que la frégate venait sur le premier, Hal vit l'équipage et les passagers alignés au bastingage qui les regardaient arriver. Certains avaient grimpé au mât et les saluaient.

Hal s'arrêta près de la barre et dit à Ned Tyler :

— Il est fort probable qu'ils n'aient vu qu'un seul autre navire comme le nôtre dans les parages et que ce soit le *Goéland*. Ils nous prennent pour des alliés.

Il leva les yeux vers ses hommes accrochés dans le gréement, prêts à manipuler l'énorme masse de toile. Puis il regarda le pont où les artilleurs s'activaient autour des couleuvrines tandis que leurs auxiliaires se hâtaient de remonter la poudre de la cale.

— Monsieur Fisher ! cria-t-il. Chargez une batterie de chaque côté avec un boulet, toutes les autres avec boulets enchaînés et mitraille.

Le grand Daniel sourit, découvrant ses dents noires, et salua. Hal désirait seulement endommager les bateaux ennemis, et non les envoyer par le fond ou les incendier. Même les plus petits d'entre eux seraient payés une bonne somme par le Trésor de Sa Très Chrétienne Majesté s'il parvenait à les prendre et à les livrer à l'amiral Senec à Mitsiwa. Les deux couleuvrines chargées d'un boulet seraient gardées en réserve.

Le premier dhaw était à présent si près que Hal distinguait l'expression des visages des marins. Ils étaient une douzaine, vêtus de burnous passés au soleil et déchirés. La plupart continuaient de sourire et de faire des signes, mais le vieil homme qui tenait la barre cherchait désespérément une échappatoire pour éviter le grand navire qui fonçait sur son petit bateau.

— Envoyez les couleurs, je vous prie, monsieur Tyler, ordonna Hal.

Il regarda la croix pattée se déployer en même temps que la croix copte sur fond bleu roi. L'équipage du dhaw vit avec consternation flotter le pavillon ennemi.

— A vos postes, maître Daniel ! lança Hal.

Les sabords de batterie du *Golden Bough* s'ouvrirent avec fracas et la coque résonna du grondement des affûts tandis que pointaient les gueules de bronze des couleuvrines.

— Je vais le croiser par tribord. Ouvrez le feu quand vous l'aurez face à vous, maître Daniel !

Celui-ci se précipita à l'avant et prit le commandement de la première batterie tribord. Hal le vit passer rapidement d'une couleuvrine à la suivante afin de vérifier leur hausse, enfoncer les cales pour baisser leur canon. Ils allaient tirer presque à bout portant sur le dhaw.

Le *Golden Bough* fonçait sans bruit sur le petit bateau.

— Virez lentement un quart à bâbord, dit calmement Hal au timonier.

Quand ils virent les gueules menaçantes des canons, les hommes du dhaw s'éloignèrent précipitamment du bastingage et se jetèrent à plat ventre derrière le mât ou s'accroupirent à l'abri des ballots et des barriques qui encombraient le pont.

Les pièces tirèrent toutes en même temps avec un bruit de tonnerre, et tous les coups portèrent. Le pied du grand mât fut arraché en une tempête d'éclats de bois et le gréement s'écroula et resta suspendu sur le flanc du bateau dans un enchevêtrement de cordes et de toile. Le vieil homme de barre se volatilisa comme par enchantement, ne laissant derrière lui qu'une traînée rouge sur le pont.

— Cessez le feu! beugla Hal pour se faire entendre après le bruit assourdissant de la décharge.

Le dhaw était gravement endommagé : il abattait rapidement, le gouvernail emporté, le mât tombé par-dessus bord. Le *Golden Bough* le laissa dans son sillage, ballotté par les flots.

— Gardez votre cap, monsieur Tyler.

La frégate fila droit sur la flottille éparpillée devant eux sur les flots bleus. A bord de chacun des petits navires, on avait vu les couleurs impériales flotter en tête du grand mât de la frégate et le sort impitoyable qu'elle avait réservé au premier dhaw; tous mettaient la barre au vent, viraient et fuyaient devant le *Golden Bough*.

— Cap sur le navire droit devant! dit Hal tranquillement, et Ned Tyler vira d'un quart.

Le pont du dhaw pris en chasse par Hal, l'un des plus grands, était noir de monde. Trois cents hommes au moins s'entassaient à bord, estima Hal. La traversée était courte et le capitaine avait pris le risque d'embarquer plus de troupes qu'il n'était prudent de le faire.

Un cri de défi amorti par la distance parvint aux oreilles de Hal : « Allah Akbar! Allah est grand! » Les casques d'acier des guerriers arabes miroitaient au soleil et ils brandissaient leurs longs cimeterres incurvés. Leurs mousquets firent feu, des bouffées de fumée s'échappèrent le long du dhaw et une balle vint s'écraser avec un bruit sourd sur le mât derrière Hal.

— Tous les hommes à bord sont des soldats, dit Hal d'une voix forte. (Il n'avait pas besoin d'ajouter que si le dhaw atteignait le rivage occidental de la mer Rouge, ils marcheraient contre Judith Nazet.) Envoyez-leur une volée de boulets, maître Daniel!

Les lourds boulets de fer balayèrent le transport de troupe du pont jusqu'à la quille et le coupèrent en deux comme du petit bois. La mer s'engouffra dans sa coque éventrée, il chavira et les flots furent soudain couverts par les têtes des rescapés qui tentaient d'échapper à la noyade.

— Cap sur ce bateau à flamme argentée, lança Hal sans se retourner, fonçant à travers la flottille comme un barracuda au milieu d'un banc de poissons volants.

Aucun dhaw ne pouvait les battre de vitesse. Poussé par ses

montagnes de voiles blanches, le *Golden Bough* se précipitait sur eux comme s'ils avaient été à l'ancre et ses canons vomissaient des torrents de flammes et de fumée. Eventrés, certains des petits bateaux coulaient immédiatement ; la frégate en laissait d'autres dans son sillage, mât arraché, voiles pendant sur le côté. Lorsqu'ils voyaient les couleuvrines pointées vers eux, des marins se jetaient par-dessus bord, préférant affronter les requins.

Plusieurs dhaws tentaient d'atteindre l'île la plus proche et de jeter l'ancre dans les eaux peu profondes où le *Golden Bough* ne pouvait les suivre. D'autres encore filaient délibérément vers la terre et leur équipage plongeait pour regagner la plage à la nage.

Seuls les bateaux qui se trouvaient le plus à l'est et le plus près de la côte arabe avaient un avantage sur la frégate et une chance de lui échapper. Hal jeta un coup d'œil en arrière et vit la surface de l'eau semée de coques endommagées. Chaque mille vers l'est l'éloignait de Mitsiwa.

— Aucun de ceux-là ne sera pressé de revenir ! dit-il en regardant les fuyards filer vers l'Arabie. Monsieur Tyler, ayez la bonté de virer de bord et de venir sur tribord amures en serrant le vent. (C'était la meilleure allure du *Golden Bough*.) Pas un seul dhaw de toute l'Arabie n'est capable de remonter aussi près que mon pursang ! cria-t-il en voyant une vingtaine de voiliers tenter de s'échapper par l'ouest.

Le *Golden Bough* fit demi-tour pour se lancer à la poursuite de la flottille débandée ; en le voyant arriver sur eux, certains dhaws amenaient à présent leur grande voile triangulaire et l'équipage poussait des cris pour implorer la protection d'Allah.

En arrivant à la hauteur de chacun, Hal mettait en panne et lançait une chaloupe avec un équipage de prise comprenant un Européen et six Amadodas.

— Si sa cargaison est sans valeur, emmenez l'équipage et mettez-y le feu.

En fin d'après-midi, le *Golden Bough* remorquait cinq grands dhaws et sept autres voguaient de conserve avec lui vers Mitsiwa avec un gréement de fortune et un équipage de prise à leur bord. Tous transportaient une lourde cargaison de matériel de guerre. Derrière eux, la fumée des coques incendiées obscurcissait le ciel et la mer était jonchée d'épaves.

Du sommet des falaises, le général Nazet monté sur son étalon arabe noir regardait cette flottille hétéroclite entrer dans la rade de Mitsiwa.

— Je comprends pourquoi vous appelez cet Anglais El Tazar !

C'est effectivement un barracuda, dit-elle finalement à l'amiral Senec à ses côtés en repliant sa longue-vue.

Elle se détourna ensuite pour qu'il ne voie pas le sourire pensif qui adoucissait ses jolis traits. El Tazar. Ce nom lui va bien, pensat-elle. Puis, il lui vint une autre idée sans rapport avec la première : « Je me demande s'il est aussi ardent en amour qu'à la guerre. » C'était la première fois depuis que Dieu l'avait choisie pour conduire ses légions contre les païens qu'elle regardait un homme avec des yeux de femme.

Le colonel Cornelius Schreuder mit pied à terre devant la grande tente de soie rouge et jaune. Un valet d'écurie prit son cheval et il s'arrêta quelques instants pour jeter un regard circulaire sur le camp. La tente royale avait été dressée sur un petit tertre qui dominait la baie d'Adulis. La brise de mer rafraîchissait l'air et permettait de respirer. Dans la plaine en contrebas, autour du port de Zula, là où bivouaquait l'armée musulmane, les pierres se fendaient et miroitaient sous l'effet de la chaleur.

La baie était pleine de bateaux, mais les mâts immenses du *Goéland de Moray* dominaient tous les autres. Le comte de Cumbria était arrivé avec son navire la nuit précédente et le colonel l'entendait monter le ton dans la discussion qui se déroulait sous la tente. Un rictus déforma ses lèvres, il ajusta l'épée damasquinée d'or pendue à son côté et se dirigea résolument vers l'entrée de la tente. Un grand subadar s'inclina devant lui avant de l'introduire. Toutes les troupes musulmanes le connaissaient bien : durant la courte période pendant laquelle il avait servi avec eux, son audace était devenue légendaire parmi les armées du Moghol.

L'intérieur de la tente était spacieux et somptueusement meublé. D'épais tapis de soie aux superbes couleurs recouvraient le sol et des draperies, en soie elles aussi, formaient un écran à la chaleur. Les tables basses en ivoire et en bois précieux supportaient des vases en or massif.

Le frère du Grand Moghol, le maharajah Sadiq Khan Jahan, trônait au milieu d'une pile de coussins. Il portait une tunique ouatinée de soie jaune, des pantalons rayés rouge et or, de longues babouches écarlates à boucles d'or et à bout recourbé et un turban jaune attaché au-dessus de ses sourcils par une émeraude de la taille d'une noix. Il était rasé de près, une fine moustache soulignait sa lèvre supérieure comme un trait de maquillage et accentuait l'impression d'irascibilité qu'elle trahissait. Un cimeterre

600

était posé sur ses genoux, dans un fourreau si richement incrusté de pierres précieuses que leur éclat en était presque aveuglant. Il tenait un faucon sur sa main gantée, un magnifique faucon sacre du désert. Il leva l'oiseau et lui embrassa le bec aussi tendrement que s'il avait été une jolie femme — ou plutôt, pensa Schreuder, l'un des jolis petits danseurs.

Légèrement en retrait était assis Ahmed ibn Ibrahim al-Rhazi, plus connu sous le sobriquet du « Gragne », le Gaucher. Large d'épaules au point de sembler difforme, il avait un cou de taureau et portait un casque d'acier, une cuirasse et des bracelets du même métal. Sa barbe était teinte au henné, rouge comme celle du Prophète. Sous ses sourcils broussailleux, son regard paraissait aussi froid et implacable que celui d'un aigle.

Derrière ce couple mal assorti étaient assis une foule de courtisans et d'officiers, tous magnifiquement vêtus. Agenouillé aux pieds du prince moghol, le front contre terre, un traducteur s'évertuait à suivre le flot d'invectives du Busard.

Celui-ci était debout devant le prince, les poings sur les hanches. Il portait une armure par-dessus son plaid et un chapeau enrubanné ; sa barbe était plus broussailleuse et flamboyante que les boucles teintes qui couvraient le menton du Gragne. Il se retourna avec soulagement lorsque Schreuder entra et salua cérémonieusement le prince puis le sultan.

— Dieu soit loué, colonel. J'ai besoin de vous pour faire entendre raison à ces deux belles dames. Ce singe est en train de raconter des bêtises et déforme ce que je leur dis, ajouta-t-il en poussant du pied le traducteur. (Il savait que Schreuder avait séjourné longtemps en Orient et que l'arabe faisait partie des langues qu'il parlait couramment.) Dites-leur que je suis venu ici pour faire des prises et non pour opposer mon *Goéland* à un navire de force égale qui risque de le foudroyer sous mes pieds. Ils veulent que je combatte le *Golden Bough*.

— Donnez-moi de plus amples précisions, suggéra Schreuder, cela me permettra de mieux vous aider.

— Le *Golden Bough* vient d'arriver dans les parages... sous les ordres du jeune Courteney, je présume, expliqua le Busard.

A cette nouvelle, le visage de Schreuder s'assombrit.

— Nous ne serons donc jamais débarrassés de lui ! dit-il.

— Il semble que non, gloussa Cumbria. Quoi qu'il en soit, il arbore la croix blanche de l'Empire et fait des coupes claires parmi les transports du Gragne. Il a envoyé par le fond et pris vingt-trois navires en une semaine et aucun capitaine musulman ne quittera le port tant qu'il est en vue. A lui tout seul, il fait le blocus de toute la côte d'Ethiopie, fit-il avec, malgré lui, un hochement de tête admiratif. Depuis les falaises au-dessus de Tenwera, je l'ai vu fondre sur une flottille de dhaws de guerre. Il les a taillés en pièces. Par Dieu, il manœuvre son navire mieux que Franky n'a jamais pu le faire. Il décrivait des cercles autour de ces musulmans et les tirait comme des pigeons. La flotte d'Allah le Miséricordieux tout entière est coincée au port et le Gragne est à court de renforts et de ravitaillement. Les musulmans ont surnommé le jeune Courteney « El Tazar », le Barracuda, et aucun n'osera prendre la mer pour l'affronter. (Son sourire s'évanouit et son expression se fit lugubre.) Le *Golden Bough* est en parfait état et sa coque n'est pas couverte d'algues. Mon *Goéland* est en mer depuis près de trois ans. Ses membrures sont infestées de tarets. Je suis persuadé que, même avec sa meilleure allure, il rend au moins trois nœuds au *Golden Bough*.

— Que voulez-vous que je dise à Son Altesse ? demanda Schreuder avec mépris. Que vous avez peur d'affronter le jeune Courteney ?

— Personne ne me fait peur. Mais je n'ai rien à gagner dans cette affaire. Hal Courteney ne m'est pas supérieur, mais si nos deux navires s'affrontent, il peut me faire grand tort, à moi et à mon *Goéland*. S'ils veulent que je le combatte, il faut qu'ils en remettent sur le tapis.

Schreuder se tourna vers le prince et lui expliqua tout cela en termes diplomatiques. Sadiq Khan Jahan l'écoutait, impassible, en caressant son faucon qui gonflait ses plumes et fermait ses yeux jaunes. Lorsque Schreuder eut fini, le prince se tourna vers le Gragne.

— Comment dites-vous que l'on surnomme ce fanfaron à barbe rousse ?

— Le Busard, Votre Altesse, répondit le Gragne d'une voix rauque.

— Le nom est bien choisi car, apparemment, il préfère picorer les yeux des faibles et des mourants et piller les restes des créatures plus féroces plutôt que de tuer lui-même. Ce n'est pas un faucon.

Le Gragne acquiesça et le prince s'adressa à Schreuder.

— Demandez à ce noble oiseau de proie combien il réclame pour combattre El Tazar.

— Dites à ce joli garçon que je veux un lack de roupies en pièces d'or et que je le veux avant de quitter le port, répondit Cumbria.

(Même Schreuder fut stupéfait de son audace. Un lack représentait cent mille roupies.) Vous voyez, poursuivit le Busard avec amabilité, le prince est prêt à se déculotter et j'ai bien l'intention de l'honorer, mais pas de la façon qui lui plaît.

Schreuder écouta la réponse du prince, puis se tourna vers Cumbria.

— Il dit qu'avec un lack vous pourriez construire vingt navires comme le *Goéland*.

— C'est fort possible, mais ce n'est pas avec ça que je pourrai me racheter la paire de grelots que Hal Courteney risque de m'emporter d'un coup de couleuvrine.

Le prince sourit à cette saillie.

— Dites au Busard qu'il doit les avoir perdus depuis longtemps, mais qu'il fait un bel eunuque. Je pourrais toujours lui trouver une place dans mon harem.

Cumbria partit d'un gros rire mais secoua la tête.

— Dites-le à cette femmelette : sans or, le Busard prend son essor.

Le prince et le Gragne parlèrent à voix basse avec force gestes, puis semblèrent avoir pris une décision.

— J'ai une autre proposition que le courageux capitaine trouvera peut-être plus à son goût. Il prendra un moins grand risque et recevra quand même le lack qu'il demande. Je laisse au sultan le soin de vous expliquer cela en privé, dit le prince en se levant.

Il se retira derrière les rideaux dans le fond de la tente avec toute sa suite, laissant seuls les deux Européens et le sultan.

Le Gragne fit signe aux deux hommes de se rapprocher et de s'asseoir en face de lui.

— Ce que j'ai à vous dire ne doit être entendu par personne d'autre, annonça-t-il (Il rassembla ses pensées tout en caressant la cicatrice laissée par un coup de lance qui, partant de l'oreille, disparaissait dans le col haut de sa tunique. La moitié de ses cordes vocales avaient été sectionnées, et il parlait d'une voix rauque et sifflante.) L'empereur a été tué devant Suakin, et Iyasou, son tout jeune fils, a hérité de la couronne du Prêtre-Jean. Ses armées étaient en déroute quand est apparue une prophétesse. Elle a proclamé qu'elle avait été choisie par le dieu chrétien pour conduire ses armées. Elle est descendue des montagnes à la tête de cinquante mille hommes en portant devant elle une relique qu'on appelle le Tabernacle de Marie. Ses armées, inspirées par un fanatisme religieux, ont réussi à nous arrêter à Mitsiwa. (Schreuder et Cumbria hochèrent la tête. Ils savaient tout cela.) Allah me donne à présent la possibilité de m'emparer à la fois du talisman et de la personne du petit empereur.

Le Gragne se renversa en arrière et se tut, observant attentivement les visages des deux Blancs.

— Si vous tenez le Tabernacle et l'empereur, les armées de Nazet fondront comme neige au soleil, dit Schreuder à voix basse.

Le Gragne acquiesça.

— Un moine renégat est venu nous offrir de conduire une petite troupe commandée par un homme courageux jusqu'à l'endroit où sont cachés le Tabernacle et l'empereur. Lorsque l'enfant et le talisman seront entre nos mains, j'aurai besoin d'un navire puissant et rapide pour les transporter à Mascate avant que Nazet ne tente de les reprendre... Vous êtes, colonel, l'homme courageux qu'il me faut. Si vous réussissez, vous recevrez aussi un lack, dit-il en se tournant vers Schreuder avant de s'adresser à Cumbria. Votre navire est celui qui peut les conduire à Mascate. Lorsque vous les aurez déposés là-bas, il y aura un autre lack pour vous... Je vous paie pour fuir El Tazar et non pour l'affronter, ajouta-t-il avec un sourire glacial. Avez-vous assez d'estomac pour accomplir cette tâche, mon brave Busard ?

L e *Golden Bough* filait plein sud, ses voiles embrasées par les derniers rayons du soleil comme une tour dorée.

« Le *Goéland de Moray* est au mouillage dans la baie d'Adulis, avaient rapporté les espions de Fasilidès, et son capitaine se trouve à terre. Il siègerait en conseil avec le Gragne. »

Mais l'information datait déjà de deux jours.

Le Busard sera-t-il encore là, ne cessait de se demander Hal en examinant ses voiles. Le *Golden Bough* ne pouvait envoyer un pouce de toile supplémentaire et chaque voile portait gentiment. L'étrave fendait les flots et la coque vibrait sous les pieds comme une créature vivante. Si je le trouve encore à l'ancre, nous l'aborderons même dans le noir, songea Hal en parcourant le pont pour vérifier l'arrimage de ses canons. Les marins européens le saluaient en se touchant le front tandis que les Amadodas assis sur leurs talons lui souriaient en portant la main droite à la poitrine. Ils étaient comme des chiens de chasse qui sentent l'odeur du cerf et Hal savait qu'ils ne reculeraient pas quand il amènerait le *Golden Bough* contre le flanc du *Goéland* et les conduirait à l'abordage.

Le soleil descendait vers l'horizon et éteignait ses flammes dans la mer. Le jour tombait et les contours de la terre se fondaient dans l'obscurité.

La lune se lèvera dans deux heures, pensa Hal, en s'arrêtant devant l'habitacle pour vérifier le cap. A ce moment-là, nous serons déjà dans la baie d'Adulis. Il leva les yeux vers Ned Tyler, dont le visage était éclairé par la lanterne du compas.

— Hissez la nouvelle toile, ordonna-t-il.

La toile était étalée sur le pont, les écoutes déjà passées dans les poulies et les filoirs, mais il fallut une heure de travail pénible et périlleux avant que les voiles blanches soient affalées et rangées, et que les voiles barbouillées de poix soient hissées sur les vergues et larguées.

Noire était la coque du *Golden Bough* et noire sa toile. Le navire pourrait entrer dans la baie d'Adulis sans luire au clair de lune et prendre par surprise la flotte de l'Islam.

Faites que le Busard soit là, priait Hal en silence. Mon Dieu, faites qu'il ne soit pas parti.

La baie s'ouvrit lentement devant eux et ils virent les lanternes de la flotte ennemie, pareilles aux lumières d'une grande ville. Au-delà, les feux de camp de l'armée du Gragne éclairaient par en dessous le nuage bas de poussière et de fumée.

— Courez bâbord amures, monsieur Tyler. Entrez dans la baie.

Le navire vint dans le vent et fila rapidement vers la flotte au mouillage.

— Prenez un ris sur vos grand-voiles et ferlez tous vos huniers, je vous prie, monsieur Tyler.

La course de la frégate se ralentit et le bruissement de la vague de l'étrave s'amenuisa tandis qu'ils adoptaient la voilure de combat. Hal se dirigea vers l'avant et Aboli émergea de l'obscurité.

— Tes archers sont prêts ? demanda Hal.

— Ils le sont, Gundwane.

Hal les distinguait à présent, formes sombres tapies le long du bastingage entre les couleuvrines, leurs flèches posées sur le pont.

— Garde-les à l'œil ! avertit Hal, sachant que le seul travers des Amadodas dans la bataille était de se laisser emporter par leur fureur guerrière.

Poursuivant sa tournée, il trouva le grand Daniel sur le passavant occupé à vérifier que toutes les cordes à feu allumées étaient bien cachées dans les tubes afin de ne pas alerter l'ennemi.

— Bonsoir, maître Daniel. Vos hommes ne se sont jamais battus de nuit. Tenez-les bien en bride. Ne les laissez pas ouvrir le feu de manière anarchique.

Il retourna vers la barre. Le navire entrait dans la baie sans bruit, ombre sur l'eau noire. La lune se leva derrière eux, éclairant la scène d'un éclat argenté, et Hal put alors discerner les formes de la flotte ennemie. Il savait cependant que son propre navire était toujours invisible.

Ils continuaient de glisser sur les flots et étaient à présent assez près pour entendre les bruits provenant des bateaux au mouillage : les voix d'hommes qui chantaient, priaient et se disputaient, le grincement des avirons et le gréement qui battait au rythme du roulis. Quelqu'un donnait des coups de maillet.

Hal plissait les yeux pour tenter d'apercevoir les mâts du *Goéland de Moray*, mais s'il était dans la baie, il ne pourrait le repérer avant que la première bordée n'ait percé l'obscurité.

— Grand dhaw droit devant, annonça à voix basse Ned Tyler. Nous allons le longer sur tribord.

— Prêt, maître Daniel! lança Hal. Sur le navire à tribord, feu quand vous l'aurez dans votre champ.

Ils approchèrent silencieusement du dhaw et, quand il fut en plein par le travers, la bordée du *Golden Bough* illumina la nuit comme un éclair horizontal et les collines du désert renvoyèrent l'écho du tonnerre assourdissant des canons. Les coques et les mâts de toute la flotte ennemie furent éclairés un bref instant et Hal sentit la déception l'envahir.

— Le *Goéland* est parti, lâcha-t-il.

Une fois de plus le Busard lui échappait. Une nouvelle occasion se présentera, se dit-il pour se consoler. Il écarta résolument ces pensées et tourna toute son attention vers la bataille qui s'annonçait comme une reconstitution théâtrale de l'enfer.

Après que la première bordée eut frappé la proie, Aboli passa à l'action sans attendre les ordres. Touchés par les mèches, les bouts de corde de chanvre trempés dans la poix que les Amadodas avaient enroulés derrière la pointe de leurs flèches crépitèrent et s'enflammèrent, éclairant le pont d'une guirlande de flammes.

Les archers lâchèrent leurs flèches, qui décrivirent une parabole flamboyante et vinrent se ficher dans la coque et le pont d'un autre navire. Tandis que des cris de terreur et de douleur s'élevaient du dhaw fracassé, le *Golden Bough* poursuivait sa course parmi la flotte ennemie.

— Navires à un quart de part et d'autre de votre étrave, lança Hal au timonier. Passez entre les deux.

En arrivant à leur hauteur, la frégate gîta d'un côté puis de l'autre au moment où les bordées étaient lâchées, et une pluie de flèches enflammées tomba sur les deux bateaux.

Derrière eux, le premier dhaw touché était en flammes, éclairant la baie et les cibles des artilleurs du *Golden Bough*.

« El Tazar! » Hal eut un sourire sinistre en entendant des voix crier son surnom d'un navire à l'autre. Pris de panique, les marins arabes essayaient de couper leur aussière d'ancre pour s'échapper. A présent, cinq dhaws incendiés dérivaient au milieu des autres.

Quelques navires ennemis tiraient au hasard, sans prendre le temps de viser la frégate. Des boulets perdus déchiraient l'air au-dessus de leur tête, d'autres, dirigés trop bas, glissaient sur l'eau ou frappaient des navires alliés.

Les flammes sautaient de dhaw en dhaw et toute l'étendue de la baie était éclairée comme en plein jour. Hal chercha de nouveau des yeux les grands mâts du *Goéland*. Si le navire de Cumbria avait été là, il aurait déjà mis à la voile et ne serait pas passé inaperçu. Mais Hal ne le voyait nulle part ; avec colère, il s'employa à semer la destruction dans la flotte musulmane.

Derrière eux, l'un des bateaux incendiés devait transporter plusieurs centaines de tonnes de poudre destinée à l'artillerie du Gragne. Il se volatilisa en une énorme colonne de fumée noire et de flammes rougeoyantes, comme si le diable avait brusquement ouvert les portes de l'enfer. La colonne de fumée tourbillonnante s'élevait dans le ciel nocturne, si haut qu'on n'en voyait pas la fin. La déflagration balaya la flotte et détruisit les dhaws les plus proches, fracassant leurs membrures et les couchant sur le flanc.

Le souffle de l'explosion passa en rugissant au-dessus de la frégate ; pendant quelques instants, ses voiles furent prises à contre et le navire perdit son erre. Puis la brise de terre gonfla de nouveau sa toile et il reprit sa course vers le cœur de la flotte ennemie.

Chaque fois que les salves du *Golden Bough* éclataient, Hal hochait la tête avec une sombre satisfaction. Il y eut soudain une déflagration épouvantable et un unique jaillissement de flammes : toutes les pièces avaient tiré en même temps. Même les Amadodas d'Aboli décochaient leurs flèches enflammées avec ensemble et elles retombaient en un nuage embrasé. Le feu des navires ennemis était au contraire de plus en plus désordonné.

Les énormes canons de siège du Gragne commencèrent à tirer depuis la terre à mesure que les artilleurs encore à moitié endormis arrivaient dans les redoutes. Chaque décharge était comme un coup de tonnerre, qui couvrait même le vacarme des bordées de la frégate. Chaque fois que les puissantes batteries vomissaient leur éclair de feu à travers la baie, Hal souriait. Les artilleurs ne pouvaient en aucun cas distinguer les voiles noires du *Golden Bough* au milieu de la fumée et de la confusion générale. Ils tiraient sur leur propre flotte et Hal vit au moins un navire ennemi réduit en pièces par un seul boulet.

— Paré à virer ! ordonna-t-il, profitant d'un des rares instants de silence.

Le rivage approchait rapidement, et la frégate n'allait pas tarder à se trouver enfermée au fond de la baie. Là-haut, dans la mâture, les hommes effectuèrent une manœuvre parfaite, l'étrave décrivit un grand arc de cercle puis se stabilisa en direction de l'ouverture de la baie.

Hal s'avança sur le pont illuminé par les navires incendiés.

— Le Gragne se rappellera sans doute longtemps de cette nuit, lança-t-il d'une voix forte pour que ses hommes l'entendent.

Ils l'acclamèrent tout en tirant sur les bragues des couleuvrines ou en bandant leur arc : « Le *Bough* et Sir Hal ! » Puis une voix cria « El Tazar ! » et tous reprirent en chœur avec une telle ardeur que le Gragne et le prince moghol durent les entendre devant la tente de soie où ils contemplaient le désastre depuis les hauteurs.

« El Tazar ! El Tazar ! »

Hal fit un signe de tête au timonier :

— Regagnez le large, je vous prie, monsieur Tyler.

Tandis qu'ils se frayaient leur route au milieu des bateaux en flammes et des épaves et sortaient lentement de la baie, un boulet tiré depuis un dhaw traversa le bastingage et balaya le pont. Il passa miraculeusement entre un artilleur et un groupe d'archers sans en toucher aucun. Mais Stan Sparrow commandait une batterie près du bastingage opposé et le projectile lui sectionna les deux jambes juste au-dessus des genoux.

Instinctivement, Hal s'élança à son secours, avant de stopper net. Ce n'était pas le rôle du capitaine de s'occuper des morts et des blessés, mais la tristesse l'envahit. Stan Sparrow avait été à ses côtés depuis le début et c'était un bon compagnon.

Lorsque les marins l'emportèrent, ils passèrent près de lui et Hal vit qu'il était d'une pâleur mortelle. Stan sombrait rapidement, mais ayant aperçu Hal, il fit un effort terrible pour le saluer.

— Ça a été magnifique, capitaine ! dit-il, et sa main retomba.

— Bonne chance, maître Stan.

Tandis qu'on l'emmenait, Hal se retourna vers la baie afin que nul ne pût voir son chagrin.

Longtemps après qu'ils eurent quitté la baie et mis le cap au nord en direction de Mitsiwa, le ciel nocturne était encore embrasé derrière eux. Les commandants de division vinrent un à un au rapport. Stan Sparrow était le seul tué mais trois autres hommes avaient été blessés par balle et un quatrième avait eu la jambe écrasée par le recul d'une couleuvrine. Ce n'est probablement pas cher payé, se dit Hal, et pourtant il pleurait la disparition de Stan Sparrow, conscient cependant de cette faiblesse.

Malgré son épuisement et les maux de tête provoqués par le fracas de la bataille et la fumée de la poudre, il était trop tendu pour trouver le sommeil. Il laissa la barre à Ned Tyler et alla à l'avant où l'air frais de la nuit l'apaisa.

Il s'y trouvait encore lorsque l'aube pointa et que le *Golden Bough* entra en rade de Mitsiwa. Il fut le premier à voir les trois fusées rouges monter dans le ciel sur les falaises au-dessus de la baie.

C'était un signal, un appel urgent de Judith Nazet. Envahi par l'appréhension, il se tourna vers Aboli, qui était de quart.

— Hisse trois lanternes rouges en tête de mât!

Il signifiait ainsi qu'il avait reçu le signal. Elle a entendu les coups de canon et vu les flammes, se dit-il sans y croire, et elle souhaite avoir un compte rendu de la bataille.

Il faisait grand jour quand ils arrivèrent près du mouillage. Toujours à l'avant, Hal vit le bateau qui s'éloignait rapidement de la plage pour venir à leur rencontre. A deux encablures, il reconnut la silhouette mince debout près du mât et sa tristesse s'envola.

Judith Nazet était tête nue et sa chevelure brune encadrait son visage. Elle portait une armure, une épée au côté et un casque sous le bras.

Hal regagna rapidement le gaillard d'arrière et donna un ordre au timonier :

— Mettez en panne et laissez le bateau venir contre notre flanc.

Judith Nazet grimpa sur le pont précipitamment avec grâce et agilité, et Hal vit que ses beaux traits étaient tirés.

— Je remercie Dieu de vous avoir fait revenir si vite, dit-elle d'une voix tremblant d'émotion. Une terrible catastrophe vient d'arriver. J'ai de la peine à trouver les mots pour vous expliquer.

On avait enveloppé les sabots des chevaux avec du cuir pour étouffer le bruit de leurs pas. Le prêtre chevauchait à côté de lui, mais Cornelius Schreuder avait pris la précaution d'attacher une chaînette d'acier autour de sa taille et une autre autour de sa cheville. L'homme avait le regard fuyant et un visage de fouine qui ne lui inspiraient pas confiance.

Ils progressaient en double file le long d'un vallon encaissé et, bien que la lune se fût levée une heure plus tôt, la chaleur emmagasinée dans la journée par la roche leur montait au visage par bouffées. Schreuder avait sélectionné les quinze hommes les plus sûrs de son régiment, et tous montaient des bêtes rapides. La sel-

610

lerie avait été elle aussi soigneusement protégée et les armes enveloppées dans du tissu pour éviter tout bruit.

Le prêtre leva soudain la main.

— Arrêtez-vous! chuchota Schreuder, retransmettant l'ordre à ses hommes.

— Il faut que j'aille en avant pour m'assurer que la voie est libre, dit le renégat.

— Je vais avec vous, annonça Schreuder en mettant pied à terre.

Il raccourcit la longueur de la chaîne puis, laissant le reste de la petite troupe au fond de l'oued, tous deux grimpèrent le versant abrupt du vallon.

— Voilà le monastère, fit le prêtre en montrant la masse sombre perchée sur la colline et qui cachait la moitié du ciel. Faites deux signaux, puis deux autres.

Schreuder leva sa lanterne, ouvrit le volet, lança les signaux et attendit. Rien ne se passa.

— Si vous vous moquez de moi, je vous décapite avec le revers de mon épée, grogna Schreuder, qui sentit le petit prêtre frissonner près de lui.

— Recommencez! supplia le prêtre.

Schreuder s'exécuta. Tout à coup un petit point lumineux brilla faiblement par deux fois en haut du mur, puis disparut.

— Nous pouvons continuer, chuchota le prêtre avec agitation, mais Schreuder l'arrêta.

— Qu'avez-vous dit à ceux qui vont nous aider à entrer?

— Que nous emmenions discrètement le Tabernacle et l'empereur dans un endroit sûr parce qu'un noble de la faction des Gallas complote de l'assassiner pour lui prendre sa couronne.

— C'est une bonne idée, murmura Schreuder.

Il fit redescendre le prêtre vers la berge où attendaient les chevaux et les soldats. Conduits par leur guide, ils poursuivirent leur chemin, grimpèrent le versant d'un autre ravin et arrivèrent sous les murs massifs.

— Laissez les chevaux ici, chuchota le prêtre d'une voix tremblante.

Les hommes de Schreuder descendirent de leur monture et tendirent les rênes à deux d'entre eux chargés de garder les chevaux. Schreuder rassembla sa troupe et la conduisit à la suite du prêtre jusqu'au mur. Une échelle de corde pendait de la muraille et, dans l'obscurité, Schreuder ne put en voir l'autre extrémité.

— J'ai rempli mon contrat, murmura le prêtre. Quelqu'un vous attend là-haut. Avez-vous ce qui m'a été promis?

— Vous avez fait ce qu'il fallait, admit volontiers Schreuder. Votre récompense se trouve dans la sacoche de ma selle. L'un de mes hommes va repartir avec vous jusqu'aux chevaux pour vous la donner.

Il tendit le bout de la chaîne à son lieutenant.

— Occupez-vous bien de lui, Ezéchiel, ordonna-t-il en arabe pour que le prêtre ne comprenne pas. Donnez-lui ce qui lui est dû.

Ezéchiel emmena l'homme et Schreuder attendit quelques minutes. Puis lui parvint un grognement de stupéfaction et le bruit léger de l'air s'échappant d'une gorge tranchée. Ezéchiel revint et essuya sa dague sur un pli de son turban.

— Du beau travail, dit Schreuder.

— Mon poignard est bien aiguisé, fit l'autre en remettant l'arme au fourreau.

Schreuder commença à grimper à l'échelle. Cinquante pieds plus haut, il parvint à une étroite embrasure ménagée dans la muraille. Elle était juste assez large pour qu'il pût y passer les épaules. Un autre prêtre l'attendait là, dans une cellule.

L'un après l'autre, ses hommes le suivirent et se glissèrent par la lucarne jusqu'au moment où il se trouvèrent tous entassés dans la pièce.

— Menez-nous d'abord jusqu'à l'enfant, ordonna Schreuder au prêtre.

Il plaça une main sur son épaule maigre et ils le suivirent à travers des couloirs sombres et tortueux, chacun tenant son prédécesseur par l'épaule.

Après des tours et des détours dans ce labyrinthe, ils descendirent finalement un escalier en colimaçon et virent une lumière qui venait d'en bas. Ils progressaient sans bruit et atteignirent une porte flanquée de deux torches qui vacillaient sur leur support. Deux gardes étaient recroquevillés sur le seuil, leurs armes posées près d'eux.

— Tuez-les! dit à voix basse Schreuder à l'intention d'Ezéchiel.

— Ils sont déjà morts, intervint le prêtre.

Schreuder en toucha un du pied : le bras du garde glissa sans vie sur le côté et le bol d'hydromel empoisonné qu'avait tenu sa main roula au sol.

Le prêtre tapa à la porte selon un signal convenu et la barre fut levée de l'autre côté. La porte s'ouvrit d'un seul coup sur une servante, les yeux agrandis par la terreur, qui tenait dans ses bras un enfant enveloppé dans une couverture.

— C'est lui? demanda Schreuder en soulevant un pli de la couverture et scrutant du regard le joli petit visage.

612

L'enfant dormait à poings fermés et ses boucles brunes étaient trempées de sueur.

— C'est lui, confirma le prêtre.

Schreuder empoigna le bras de la servante et la tira à l'extérieur de la pièce.

— Conduisez-moi maintenant auprès de l'autre chose, dit-il à voix basse.

Ils reprirent leur déambulation à travers le dédale de pièces sombres et d'étroits corridors jusqu'au moment où ils arrivèrent à une lourde porte cloutée devant laquelle gisaient quatre prêtres au corps tordu par la douleur qui accompagne la mort par empoisonnement. Le guide s'agenouilla près de l'un d'eux et fouilla dans sa robe de bure. Quand il se releva, il tenait une grosse clé de fer. Il l'introduisit dans la serrure et s'écarta.

Schreuder appela Ezéchiel à voix basse et lui confia la nourrice.

— Surveillez-la bien! dit-il.

Il s'avança ensuite vers la porte de la crypte et tourna la poignée de bronze. Lorsqu'il l'ouvrit, le prêtre félon et les soldats eux-mêmes reculèrent, éblouis par la clarté d'une multitude de cierges, aveuglante après l'obscurité.

Schreuder franchit le seuil et s'arrêta, hésitant. Il regarda le Tabernacle dans son écrin de tapisseries éclatantes. Les anges fixés au couvercle semblaient danser dans la lumière vacillante. Envahi par un sentiment religieux de crainte et de respect, il se signa instinctivement. Il essaya de faire un pas en avant pour prendre l'une des poignées du Tabernacle mais ce fut comme s'il en avait été empêché par une barrière invisible. Il respirait avec difficulté et se sentait oppressé. Poussé par une envie irrationnelle de tourner les talons et de partir en courant, il fit un pas en arrière avant de réussir à se maîtriser et sortit lentement de la crypte.

— Ezéchiel, dit-il d'une voix rauque. Je m'occupe de la femme et de l'enfant. Avec l'aide de Mustapha, allez prendre le coffre.

Les deux musulmans n'étaient retenus par aucun scrupule religieux : ils s'avancèrent avec empressement et saisirent les poignées. Le Tabernacle était étonnamment léger; ils l'emportèrent sans aucune peine.

— Nos chevaux nous attendent à la porte principale. Conduisez-nous là-bas, dit-il à leur guide en arabe.

Ils parcoururent rapidement les couloirs obscurs puis tombèrent sur un autre prêtre en robe blanche qui arrivait vers eux en traînant des pieds au détour d'un corridor. Dans la lumière incertaine des torches, il vit le Tabernacle entre les mains de deux soldats en armes, poussa un cri d'horreur devant un tel sacrilège et tomba à genoux. Schreuder tenait la femme de la main gauche et l'épée de Neptune dans la droite. Il tua le prêtre d'un seul coup en pleine poitrine.

Ils dressèrent l'oreille pendant quelques instants Personne n'avait donné l'alarme.

— Continuez! ordonna Schreuder.

Leur guide s'arrêta de nouveau brusquement.

— La porte n'est pas loin. Il y a trois hommes dans la salle des gardes juste à côté. Je dois vous laisser ici.

Schreuder distinguait en effet la lueur de leur lampe par la porte ouverte.

— Dieu soit avec vous! dit-il ironiquement, et l'homme s'éloigna à la hâte.

— Ezéchiel, posez le coffre et allez vous occuper des gardes.

Trois hommes s'avancèrent sans bruit pendant que Schreuder tenait la servante. Ezéchiel se glissa dans la salle des gardes. Le silence dura un moment puis quelque chose tomba par terre. Schreuder tressaillit, mais tout redevint silencieux et Ezéchiel ressortit.

— Ça y est!

— Vous vous faites vieux, vous devenez maladroit, le réprimanda Schreuder en les conduisant vers la porte massive.

La force de trois hommes fut nécessaire pour lever l'énorme barre de bois qui la fermait, puis Ezéchiel tourna la manivelle du treuil primitif et la porte s'ouvrit en grinçant.

— Restez bien groupés! avertit Schreuder.

Ils traversèrent le pont en courant et s'engagèrent sur le chemin caillouteux. Schreuder s'arrêta dans le clair de lune et siffla doucement une fois. On entendit un bruit étouffé de sabots et leurs comparses sortirent de derrière les rochers où ils étaient cachés en tenant les chevaux par la bride. Ezéchiel déposa le Tabernacle sur le bât excédentaire du cheval et l'y attacha. Puis tous sautèrent en selle. Schreuder se pencha et prit l'enfant endormi des bras de la servante. Le petit garçon se mit à brailler, mais Schreuder le calma et le cala fermement sur le pommeau de la selle.

— Allez-vous-en! ordonna-t-il à la nourrice. Nous n'avons plus besoin de vous.

— Je ne peux pas laisser mon petit chéri, dit-elle d'une voix aiguë et inquiète.

Schreuder se pencha de nouveau et, d'un coup d'épée, la tua net.

Il la laissa étendue sur la piste, et prit la tête de sa petite troupe vers le bas de la montagne.

— Deux prêtres du monastère ont réussi à suivre les ravisseurs, expliqua Judith Nazet.

Même face à ce désastre, sa voix était ferme, son regard calme et assuré. Hal admira sa force de caractère et comprit comment elle avait réussi à prendre le commandement d'une armée en déroute et à la rendre victorieuse.

— Où sont-ils maintenant? demanda-t-il, si bouleversé par la terrible nouvelle qu'il avait du mal à penser avec clarté et logique.

— Ils sont allés directement du monastère à Tenwera. Ils y sont parvenus il y a trois heures, juste avant l'aube, et un grand navire les attendait, au mouillage dans la baie.

— Les moines vous ont-ils décrit ce navire?

— Oui. C'est le bâtiment armé en course engagé par le Moghol. Celui dont nous avons parlé lors de notre dernière rencontre. Celui-là même qui a fait de tels ravages au sein de notre flotte de transporteurs.

— Le Busard! s'exclama Hal.

— Oui, c'est ainsi qu'on l'appelle, même ses alliés, acquiesça Judith. Mes gens ont vu une chaloupe emmener l'empereur et le Tabernacle jusqu'au navire. Dès qu'ils ont été à bord, le Busard a levé l'ancre et a pris la mer.

— Dans quelle direction?

— Après être sorti de la baie, il a mis le cap au sud.

— Oui, naturellement, dit Hal en hochant la tête. Il a dû recevoir l'ordre de transporter Iyasou et le Tabernacle jusqu'à Mascate, peut-être même jusqu'en Inde, dans le royaume du Grand Moghol.

— J'ai déjà envoyé un de nos navires les plus rapides à sa poursuite. Il n'est parti qu'une heure après lui et le vent est faible. Ce n'est cependant qu'un petit dhaw et il ne peut en aucun cas s'attaquer à un bâtiment aussi puissant. Mais si Dieu est miséricordieux, il pourra toujours le filer.

— Nous devons partir sur-le-champ, dit Hal en se tournant vers Ned Tyler. Virez et courez à contrebord. Envoyez toutes les voiles, chaque pouce de toile que vous pourrez hisser. Cap sud-sud-est vers Bab el Mandeb.

Il prit Judith par le bras — c'était la première fois qu'il la touchait — et la conduisit dans sa cabine.

— Vous êtes épuisée, dit-il. Je le vois à vos yeux.

— Non, capitaine. Ce n'est pas de l'épuisement que vous voyez, mais du chagrin. Si vous ne réussissez pas à nous sauver, tout est perdu. Notre roi, notre pays, notre foi.

— Je vous en prie, asseyez-vous, insista Hal. Je vais vous montrer ce que nous allons faire. (Il étala la carte devant elle.) Il se peut que le Busard file droit vers la côte occidentale de l'Arabie. En ce cas, nous avons perdu. Même avec ce navire, je ne peux espérer le rattraper avant qu'il ait atteint l'autre côté de la mer.

Le soleil du petit matin darda ses rayons à travers les fenêtres de poupe et fit ressortir cruellement les marques d'anxiété sur l'adorable visage de Judith. Il était pénible pour Hal de voir combien ses paroles faisaient souffrir la jeune femme, et il baissa les yeux vers la carte.

— Pourtant, je ne crois pas que c'est ce qu'il va faire. S'il faisait voile directement vers l'Arabie, l'empereur et le Tabernacle devraient effectuer un difficile et périlleux voyage pour atteindre Mascate ou l'Inde, reprit Hal en secouant la tête. Non, je suis convaincu qu'il va courir vers le sud par Bab el Mandeb. (Il posa son doigt sur l'entrée étroite de la mer Rouge.) Si nous y arrivons avant lui, il ne pourra pas nous éviter. Le passage est trop étroit. Nous devons pouvoir l'intercepter là-bas.

— Que Dieu nous l'accorde!

— J'ai un vieux compte à régler avec le Busard, dit Hal avec détermination. Il me démange de l'avoir sous le feu de mes canons.

Judith le regarda avec consternation.

— Vous ne pouvez tirer sur son navire.

— Que voulez-vous dire?

— Il a l'empereur et le Tabernacle à son bord. Vous ne pouvez prendre le risque de les toucher.

Lorsqu'il se rendit compte de la vérité de ces paroles, Hal sentit son courage lui manquer. Il lui faudrait approcher le *Goéland de Moray* sans pouvoir riposter aux bordées du Busard. Il n'osait imaginer ce qu'ils auraient à subir, les boulets déchirant la coque du *Golden Bough*, le massacre sur le pont, avant d'aborder le *Goéland*.

La frégate poursuivit sa route vers le sud. En fin du quart de la matinée, Hal rassembla tous ses hommes sur le passavant et leur expliqua ce qu'il allait exiger d'eux.

— Je ne veux rien vous cacher, les gars. Le Busard pourra nous canonner en plein bois et nous n'aurons pas la possibilité de riposter. (Tous restèrent silencieux et graves.) Mais songez combien il nous sera doux de nous lancer à l'abordage du *Goéland* et de porter le fer contre eux.

Ils l'acclamèrent, mais lorsqu'il les renvoya balancer les voiles et pousser le navire au maximum imaginable de sa vitesse, la peur se lisait dans leurs yeux.

— Vous les envoyez à la mort et ils vous acclament, dit Judith Nazet à voix basse quand ils furent seuls. Et vous dites que je suis une meneuse d'hommes...

Hal crut discerner dans sa voix autre chose que du respect.

Au milieu du premier quart de la soirée, il y eut un appel de la vigie :

— Voilier en vue ! Droit devant !

Le cœur de Hal se mit à battre plus vite. Se pouvait-il qu'ils aient déjà rattrapé le *Busard* ?

— Vigie ! Que distinguez-vous ? lança-t-il dans le porte-voix.

— Voile latine ! Un petit navire. Même route que nous.

Le cœur de Hal chavira.

— C'est peut-être le bateau que j'ai chargé de suivre le *Goéland*, dit Judith.

Peu à peu, ils gagnaient sur l'autre bâtiment, et en l'espace d'une demi-heure, ils en voyaient déjà la coque. Hal tendit sa longue-vue à Judith et elle l'examina attentivement.

— Oui, c'est bien mon navire de reconnaissance, dit-elle en baissant la longue-vue. Pouvez-vous envoyer la croix blanche pour les rassurer, puis nous amener assez près pour que je puisse leur parler ?

Ils passèrent si près qu'ils avaient une vue plongeante sur le pont de l'autre bateau. Judith cria quelque chose en guèze, puis écouta la réponse à moitié emportée par le vent. Elle se retourna vers Hal, les yeux brillants d'excitation.

— Vous aviez raison. Ils suivent le *Goéland* depuis l'aube. Il y a quelques heures encore, la tête de ses mâts était en vue, mais ensuite le vent a forci et il les a semés.

— Quel était son cap la dernière fois qu'ils l'ont vu ?

— Le même que depuis le matin : plein sud, droit sur le détroit de Bab el Mandeb.

Bien que Hal la conjurât de descendre se reposer dans sa cabine, Judith insista pour rester à ses côtés sur le gaillard d'arrière. Ils ne parlaient guère, car tous deux étaient en proie à une tension et une appréhension trop fortes, mais un sentiment de sympathie les envahit peu à peu. Chacun trouvait un réconfort dans la présence de l'autre ; ils puisaient dans une réserve commune de force et de détermination.

Toutes les cinq minutes, Hal levait les yeux vers ses voiles d'un noir funèbre, puis allait jusqu'à l'habitacle. Il n'avait aucun ordre à donner à Ned Tyler, car celui-ci barrait à la perfection.

Un lourd silence régnait sur le navire. Pas un marin ne criait ou ne riait. Les hommes qui n'étaient pas de quart ne sommeillaient pas à l'ombre de la grand-voile comme à leur habitude mais étaient rassemblés par petits groupes silencieux, attentifs à chacun des gestes, chacune des paroles de Hal.

Le soleil accomplit sa ronde majestueuse et descendit jusqu'à toucher les collines, loin vers l'ouest. La nuit tomba sur eux aussi furtivement qu'un assassin, et l'horizon s'estompa et se fondit avec le ciel de plus en plus sombre avant de disparaître complètement.

Dans l'obscurité, il sentit la main de Judith se poser sur son bras. Elle était douce et tiède, mais ferme.

— Ils nous échappent, mais ce n'est pas votre faute, dit-elle à voix basse. Vous avez fait tout ce qui était humainement possible.

— Je n'ai pas encore perdu la partie. J'ai foi en Dieu et confiance en moi.

— Mais dans le noir? Le Busard ne va certainement pas allumer ses feux de route, et demain à l'aube, il aura déjà franchi le Bab et gagné l'océan.

Il voulait lui dire que tout cela avait été décrété depuis longtemps, qu'il naviguait vers le sud pour accomplir son destin. Bien que cela pût lui sembler extravagant, il fallait qu'il le lui dise.

— Judith... commença-t-il en cherchant ses mots.

— Lumière droit devant! tonna la voix d'Aboli tout là-haut dans les ténèbres, avec une intonation qui donna à Hal la chair de poule.

Il passa son bras autour des épaules de Judith, qui ne se déroba pas mais au contraire se rapprocha de lui.

— Voici la réponse à votre question, chuchota-t-il.

— Dieu y a pourvu.

— Je dois aller dans la mâture. Peut-être nous réjouissons-nous trop vite et le diable nous joue-t-il un mauvais tour.

Il se dirigea à grandes enjambées vers Ned.

— Tous feux éteints, monsieur Tyler. Je donne la cale humide à celui qui allume une lanterne. Pas un bruit, que personne ne parle.

Il alla au grand mât et rejoignit Aboli dans le nid-de-pie.

— Où est cette lumière? Je ne vois rien.

— Elle a disparu, mais elle était presque droit devant.

— Peut-être était-ce un éblouissement?

— Attends, Gundwane. C'était une petite lumière, elle était très loin.

Les minutes passèrent, interminables, et soudain Hal la vit, une luminescence si légère, si ténue qu'il eut un doute, d'autant plus qu'Aboli ne semblait pas l'avoir aperçue. Hal détourna les yeux pour se reposer la vue, puis regarda de nouveau et vit qu'elle était toujours là, trop basse pour être une étoile, une étrange lueur presque surnaturelle.

— Je la vois maintenant, dit-il.

La lumière devint plus brillante, Aboli poussa une exclamation, et elle disparut une nouvelle fois.

— Peut-être n'est-ce pas le *Goéland*.

— Le *Busard* n'est certainement pas assez négligent pour avoir allumé ses feux de route.

— A moins que ce soit une lanterne dans la cabine de poupe ou le reflet de l'habitacle.

— Ou un de ses marins qui fume la pipe?

— Prions pour que ce soit l'une de ces possibilités. En ce cas, il se pourrait que ce soit bel et bien le *Busard*, dit Hal. Nous allons la suivre tant que la lune ne sera pas levée.

Ils restèrent là à scruter l'horizon. Parfois la lumière devenait plus distincte; à d'autres moments, elle n'était plus qu'une faible lueur et disparaissait souvent. Elle resta invisible pendant une demi-heure angoissante, puis brilla de nouveau, plus proche cette fois-ci.

— Nous gagnons sur lui, murmura Hal. D'après toi, à quelle distance sommes-nous maintenant?

— A une lieue, peut-être moins, répondit Aboli.

— Où est la lune? se demanda Hal en regardant vers l'est. Elle ne se lèvera donc jamais?

Il vit la première irisation par-delà les montagnes sombres d'Arabie, puis, timide comme une jeune épousée, la lune dévoila son visage et projeta un rayon argenté sur les flots. Chaque fibre de son corps tendue, Hal sentit sa poitrine se serrer.

Devant eux, une silhouette superbe émergea de la nuit, légère comme un nuage de brume opalescente.

— Le voilà! Le *Goéland de Moray*, droit devant! murmura-t-il en serrant le bras d'Aboli après avoir pris une profonde inspiration pour affermir sa voix. Descends avertir Ned Tyler et Daniel. Reste en bas jusqu'à ce qu'on voie le *Goéland* depuis le pont, puis viens me rejoindre ici.

Quand Aboli fut parti, il regarda la voilure du *Goéland*, forme pleine dans le clair de lune. Il ressentit une peur comme il en avait rarement connu dans sa vie, peur non seulement pour lui-même, mais aussi pour ces marins qui lui faisaient confiance, pour cette femme debout sur le pont et l'enfant à bord de l'autre navire. Comment pouvait-il espérer amener le *Golden Bough* contre le flanc du *Goéland* sans riposter à ses bordées ? Combien d'hommes allaient trouver la mort dans l'heure qui suivait et lesquels ? Il imagina Judith Nazet fauchée par la mitraille. « Seigneur, faites que cela n'advienne pas. Vous m'avez déjà enlevé plus que je ne peux en supporter. Qu'allez-vous encore me demander ? »

Il vit de nouveau la lumière à bord de l'autre vaisseau. Elle provenait des hautes fenêtres de poupe. Etaient-ce des chandelles ? Il s'efforça de deviner ce que c'était jusqu'à en avoir mal aux yeux. En vain.

Il sentit qu'on lui touchait le bras. Il n'avait pas entendu Aboli remonter.

— On voit le *Goéland* depuis le pont, dit-il à Hal à voix basse.

Envahi par une terreur religieuse à la vue de l'étrange lumière à la poupe du *Goéland*, Hal ne parvenait pas à quitter le nid-de-pie.

— Ce n'est ni une lanterne ni une chandelle, Aboli, dit-il. C'est le Tabernacle de Marie qui rayonne dans l'obscurité, le fanal qui est là pour me guider vers mon destin.

— Il est vrai que c'est une lumière surnaturelle, je n'en ai jamais vu de pareille, fit Aboli d'une voix tremblante. Mais comment le sais-tu, Gundwane ? Comment peux-tu être sûr que c'est le talisman qui irradie ainsi ?

— Je le sais, répondit simplement Hal.

A l'instant où il prononçait ces paroles, la lumière s'évanouit sous ses yeux et le *Goéland* fut plongé dans l'obscurité. Seul l'échafaudage imposant de ses voiles éclairées par le clair de lune restait visible.

— C'est un signe, murmura Aboli.

— Oui, c'est un signe, répéta Hal d'une voix de nouveau ferme et sereine. Dieu m'a fait un signe.

Ils redescendirent sur le pont, et Hal se dirigea directement vers la barre.

— C'est lui, monsieur Tyler.

— Oui, capitaine, c'est bien lui.

— Eteignez la lumière de l'habitacle et venez contre le flanc du *Goéland*. Avez-vous d'autres hommes de barre pour remplacer les morts ?

— Oui, Sir Hal.

Hal partit vers l'avant. La silhouette du grand Daniel émergea de l'obscurité.

— Les grappins, maître Daniel?

— Tout est en ordre, capitaine. Moi et dix de mes hommes les plus forts sommes prêts à les lancer.

— Non, Daniel, laissez cela à John Lovell. Aboli et vous avez mieux à faire. Venez avec moi.

Il conduisit Daniel et Aboli jusqu'au pied du grand mât où se tenait Judith Nazet.

— Vous accompagnerez tous les deux le général Nazet. Prenez dix de vos meilleurs marins. Ne vous laissez pas prendre dans la bagarre sur le pont. Descendez aussi vite que vous pourrez dans la cabine de poupe du *Goéland*. Vous y trouverez le Tabernacle et l'enfant. Rien ne doit vous détourner de ce but. C'est compris?

— Comment savez-vous où ils gardent l'empereur et le Tabernacle? demanda calmement Judith Nazet.

— Je le sais, répondit Hal avec une fermeté telle qu'elle se tint coite.

Il aurait voulu qu'elle reste dans un endroit sûr jusqu'à la fin de la bataille, mais il savait qu'elle refuserait — de plus, il n'y avait pas d'endroit sûr à bord de deux navires de cette puissance engagés dans un combat à mort.

— Et toi, que vas-tu faire, Gundwane? demanda doucement Aboli.

— Je vais m'occuper du Busard, fit Hal en tournant les talons.

Il se dirigea vers l'avant, s'arrêtant près de chaque division tapie derrière le bastingage pour parler à voix basse avec le maître d'équipage.

— Dieu vous aide, Samuel Moone. Peut-être allons-nous recevoir une ou deux bordées avant de nous lancer à l'abordage, mais pensez au plaisir qui vous attend sur le pont du *Goéland*. Ce sera une telle bataille que vous vous vanterez d'y avoir participé auprès de vos petits-enfants, dit-il à Jiri.

Il eut un mot pour chacun, puis se posta une fois de plus à l'avant pour observer le *Goéland*. Il ne se trouvait plus à présent qu'à une encablure, voguant sereinement, sa toile éclairée par la lune.

— Seigneur, faites qu'ils ne nous voient pas, murmura-t-il en levant les yeux vers ses voiles noires, haute pyramide sombre qui se détachait sur le ciel étoilé.

Lentement, terriblement lentement, l'écart entre les deux bâtiments diminuait. Il ne pourra plus nous échapper maintenant, pensa Hal avec une sombre satisfaction. Nous sommes trop près.

Soudain un cri affolé fut lancé par la vigie du *Goéland*.

— Voilier en vue! Droit derrière! C'est le *Golden Bough*!

Tout ne fut plus que hurlements et confusion sur le pont de l'autre navire. Le tambour battait furieusement pour donner le branle-bas de combat et on entendait le martèlement d'une multitude de pieds sur le pont. Les sabords de batterie s'ouvrirent avec fracas, puis il y eut le grondement des canons que l'on sortait. En vingt points différents du bastingage, on vit la lueur des cordes à feu allumées et leur reflet sur l'acier.

— Allumez les lanternes de bataille! beugla la voix du Busard qui pressait ses hommes pris de panique de rejoindre leur poste. A bâbord toute! Prenez ces faquins par le travers! Nous allons leur faire respirer l'odeur de la poudre et ils iront péter des flammes en enfer.

Les lanternes de bataille du *Goéland* brillèrent d'un seul coup, permettant aux artilleurs de faire leur travail. Dans leur lumière jaunâtre, Hal entrevit la tignasse rousse du Busard.

La silhouette du *Goéland* se modifia rapidement tandis qu'il venait dans le vent. Hal hocha la tête: le Busard avait agi d'instinct mais de manière mal avisée. A sa place, Hal aurait couru au large et envoyé le *Golden Bough* par le fond sans qu'il ait eu le temps de riposter. Il lui fallait maintenant de la chance et se dépêcher de tirer une bordée avant que le *Golden Bough* soit sur lui.

Hal eut un sourire. Le Busard était victime de son iniquité. Il n'avait vraisemblablement même pas imaginé que le *Golden Bough* ne pouvait tirer sur lui en raison de la présence de l'enfant et de l'antique relique. S'il avait commandé le navire de Hal, Cumbria n'aurait en effet nullement hésité à faire feu de toutes pièces.

Alors que le *Goéland* virait lentement, le *Golden Bough* fonçait sur lui et Hal espéra un moment qu'ils arriveraient contre son flanc avant de se trouver dans le champ de ses canons.

Ils parcouraient les cent derniers mètres et Ned avait déjà donné l'ordre de réduire la toile quand le *Goéland* acheva son mouvement giratoire, toutes ses couleuvrines pointées vers l'endroit où se tenait Hal.

Celui-ci fut aveuglé par l'éclair rougeoyant à l'instant où les batteries tiraient à bout portant sur le *Golden Bough*.

Le souffle de la déflagration heurta Hal si durement qu'il fut projeté en arrière et crut qu'il avait été touché par un boulet. Le pont disparut sous une tempête d'éclats de bois et le groupe d'Amadodas qui se trouvait près de lui fut frappé de plein fouet et anéanti. Le *Golden Bough* gîta fortement sous le choc, et une nappe de fumée étouffante enveloppa sa coque fracassée.

Seuls les cris et les gémissements des blessés et des agonisants troublèrent le terrible silence qui suivit le coup de tonnerre. Puis le mur de fumée fut emporté par la brise, et s'élevèrent les cris de l'équipage ennemi : « Le *Goéland* et Cumbria ! » Hal entendit alors le grondement des affûts tirés en arrière pour recharger les pièces.

Combien de mes gars sont morts ? se demanda Hal. Un quart ? La moitié ? Il balaya le pont du regard, mais l'obscurité lui cachait le bois arraché et les morts et les mourants.

Il entendit le grincement de la brague d'une couleuvrine que ses artilleurs avaient rechargée plus vite que les autres et ressortaient. Les deux navires étaient maintenant si près que Hal vit la gueule béante du canon qui dépassait de son sabord. Elle touchait presque le *Golden Bough* quand elle rugit de nouveau ; il entendit le bois se briser et les hommes hurler, déchiquetés par le boulet.

Puis, avant qu'une autre couleuvrine du *Goéland* ait pu être sortie, les deux navires se heurtèrent avec fracas. A la lumière des lanternes du *Goéland*, Hal vit les grappins lancés par-dessus son bord et les entendit racler sur le pont. Sans hésiter, il sauta sur le bastingage et franchit d'un bond l'espace étroit entre les deux navires. Il atterrit avec la légèreté d'un chat au milieu des hommes du Busard les plus proches et en tua deux avant qu'ils aient eu le temps de tirer leur sabre.

Ses marins le suivaient par vagues, emmenés par les Amadodas armés de piques et de haches. En quelques secondes, le pont du *Goéland* fut transformé en champ de bataille. Les hommes luttaient au corps à corps, hurlaient de rage et de terreur.

Aux cris de « El Tazar ! » répondaient ceux des pirates : « Le *Goéland* et Cumbria ! »

Hal fut affronté par quatre hommes en même temps et repoussé contre le bastingage jusqu'à ce que John Lovell charge par-derrière et en tue un d'un coup entre les omoplates. Hal en abattit un deuxième qui hésitait et les deux derniers partirent en courant. Il bénéficia de quelques instants pour regarder autour de lui. De l'autre côté du pont, le Busard brandissait sa claymore au-dessus de sa tête en poussant des cris de fureur et sabrait les hommes qu'il avait devant lui.

Puis, à la limite de son champ de vision, Hal vit luire le casque d'acier de Judith Nazet et, l'encadrant, les hautes silhouettes d'Aboli et de Daniel. Ils traversèrent le pont et disparurent dans l'escalier des cabines arrière. Ce moment de distraction aurait pu lui coûter la vie, car un ennemi le frappa avec sa pique, et il se retourna juste à temps pour esquiver le coup. Il se retrouva ensuite au cœur de la mêlée, emporté d'un côté et de l'autre du pont.

Il abattit un autre adversaire d'un coup dans le ventre, puis jeta un regard circulaire à la recherche du Busard. Il l'aperçut sur le passavant et cria : « Cumbria, me voilà ! » Mais dans le vacarme le Busard ne l'entendit pas, et Hal s'élança dans sa direction en se frayant un passage dans la foule des combattants.

Soudain, un hauban fut coupé net par un coup de hache qui avait manqué la tête à laquelle il était destiné, et la lanterne de bataille qui y était accrochée tomba sur le pont aux pieds de Hal. Il bondit en arrière pour éviter le jet d'huile brûlante qui lui sautait au visage, puis prit son élan et traversa les flammes pour rejoindre le Busard.

Il jeta un coup d'œil rapide alentour, mais Cumbria avait disparu et deux marins l'assaillaient. Il fit face et trancha les tendons d'un bras armé d'une épée qui le frappait d'estoc. Du même mouvement, il enfonça sa lame dans la gorge du deuxième attaquant.

Il rassembla ses esprits et regarda par-dessus son épaule. Les flammes répandues par la lanterne brisée avaient pris et éclairaient le pont. Elles remontaient le long du hauban vers le gréement. A travers elles, il vit Judith Nazet sortir de l'escalier des cabines. Elle était suivie de près par Daniel qui portait avec aisance le Tabernacle sur l'épaule, comme s'il avait été aussi léger qu'une bouée. Les anges dorés du couvercle étincelaient à la lumière des flammes.

Un marin se précipita vers Judith avec une pique et Hal poussa un cri d'horreur en voyant la pointe la frapper au côté. Elle déchira le coton léger de la tunique mais glissa sur la cotte de mailles qui était dessous. Judith pivota comme une panthère furieuse et son épée lança un éclair. Le coup fut si violent que la pointe de la lame ressortit à l'arrière du crâne du pirate.

Le regard ardent de Judith croisa celui de Hal à travers les flammes qui faisaient écran entre eux.

— Iyasou a disparu ! cria-t-elle.

— Suivez Daniel ! lança Hal. Quittez ce bateau et mettez le Tabernacle à l'abri sur le *Golden Bough*. Je retrouverai Iyasou.

Elle ne discuta pas ni n'hésita et, Daniel à ses côtés, courut au bastingage et sauta sur le pont du *Golden Bough*. A coups d'épée, Hal se fraya un chemin vers l'escalier des cabines afin d'accéder aux ponts inférieurs où l'enfant devait avoir été caché, mais une phalange d'Amadodas conduits par Jiri traversa le pont et lui coupa le passage. Les guerriers africains avaient formé la tortue, leurs piques pointées entre leurs boucliers joints ; les pirates ne pouvaient résister à leur charge.

Dans chaque bataille arrive un moment où son issue se décide et ce moment était venu : les marins du *Goéland* se dispersaient devant cet assaut furieux. Les hommes du Busard étaient vaincus.

« Il faut que je trouve Iyasou et l'emmène hors du *Goéland* avant que les flammes ne gagnent le magasin de munitions », se dit Hal. Il se tourna vers la coupée du gaillard d'avant et jugea que l'accès aux ponts inférieurs y serait le plus facile. A cet instant, un hurlement l'arrêta net.

Eclairé par la lumière vacillante des flammes, le Busard se dressait tout là-haut.

— Courteney ! rugit-il. C'est cela que vous cherchez ?

Il était tête nue et ses mèches rousses emmêlées lui tombaient sur le visage. Il tenait sa claymore de la main droite et portait Iyasou sur son bras gauche. L'enfant poussa des cris de terreur quand le Busard le leva haut. Il ne portait qu'une chemise de nuit légère remontée jusqu'à la taille qui découvrait ses petites jambes brunes et donnait des coups de pied frénétiques dans le vide.

— Est-ce là ce que vous cherchez ? beugla de nouveau le Busard en levant l'enfant au-dessus de sa tête. Alors, venez chercher le bambin.

Hal s'élança, frappa deux hommes pour se frayer un chemin avant d'atteindre le bas de l'échelle du gaillard d'avant. Le Busard le regardait venir. Il n'ignorait certainement pas qu'il était vaincu — son navire était en flammes, ses hommes abattus un à un et précipités par-dessus bord par les guerriers armés de piques — mais un rictus de gargouille lui déforma le visage.

— Je vais vous montrer un amusant petit tour, Sir Henry. Ça ressemble un peu au bilboquet.

D'un grand geste du bras, il envoya l'enfant à quinze pieds en l'air et leva la pointe de son sabre pour l'empaler.

— Non ! hurla Hal.

Au dernier moment, il écarta la pointe de sa lame et reçut Iyasou indemne sur son bras.

— Parlementons ! cria Hal. Rendez-moi l'enfant sans lui faire de mal et vous pourrez vous en aller librement avec votre butin.

— Belle affaire ! Mon navire est brûlé et mon butin avec.

— Ecoutez-moi, supplia Hal. Laissez partir le petit.

— Comment pourrais-je refuser la requête d'un confrère chevalier ? fit le Busard en riant. Vous allez avoir ce que vous demandez. Regardez !

D'un autre puissant mouvement du bras, il lança Iyasou par-dessus bord. L'enfant tomba et disparut dans l'eau noire avec un léger plouf.

Hal entendit Judith Nazet pousser un cri derrière lui. Il laissa tomber son épée sur le pont, atteignit le bastingage en trois enjambées et plongea tête la première. Il descendit à vingt pieds sous la surface puis se retourna pour remonter.

A cette profondeur, l'eau était claire. Il voyait la coque couverte d'algues du *Goéland* dériver au-dessus de lui et le reflet des flammes du vaisseau incendié danser sur les vaguelettes. Puis, entre lui et la lumière du feu, il aperçut une forme sombre. Le petit corps pirouettait dans le sillage de la coque en se débattant comme un poisson pris dans une nasse et des bulles argentées sortaient de sa bouche.

Hal nagea vers lui de toutes ses forces et l'atteignit avant qu'il soit emporté par le tourbillon. L'enfant serré contre sa poitrine, il regagna la surface à toute vitesse et tint le visage du garçonnet hors de l'eau.

Iyasou se débattait faiblement, toussant et s'étranglant, puis il laissa échapper un petit sanglot terrifié.

— Souffle fort, lui dit Hal avant de regarder autour de lui.

Daniel devait avoir rappelé ses hommes et coupé les cordes des grappins pour éloigner le *Golden Bough* du navire en flammes. Les deux bâtiments s'écartaient l'un de l'autre en dérivant. Assaillis par la chaleur de l'incendie, les marins du *Goéland* sautaient par-dessus bord tandis que la grand-voile prenait feu. Le navire commença à faire voile avec sa toile embrasée et personne à la barre. Il courait lentement vers l'endroit où se trouvait Hal, qui se mit désespérément à nager d'une main pour tirer Iyasou hors de son chemin.

Pendant une minute interminable, il crut qu'ils allaient être écrasés, puis un souffle de vent poussa l'étrave d'un quart et le *Goéland* passa à quelques mètres d'eux.

Avec stupéfaction Hal vit que le Busard était toujours sur le gaillard d'avant. Les flammes l'entouraient mais il ne semblait pas en sentir la chaleur. Sa barbe commençait à fumer et à noircir, mais il regardait Hal et s'étranglait de rire. Il essaya de prendre une inspiration et ouvrit la bouche pour lui crier quelque chose, mais à cet instant les écoutes complètement calcinées du foc lâchèrent et l'énorme voile vint recouvrir le Busard. Hal entendit un dernier hurlement sortir de dessous ce linceul ardent, les flammes jaillirent et, poussé par le vent, le *Goéland* emporta son maître au loin.

Hal le regarda jusqu'à ce que la houle cache à sa vue le navire transformé en brûlot. Puis une vague capricieuse les souleva, lui et l'enfant. Le *Goéland* était à une lieue de distance et le feu devait avoir atteint le magasin de munitions, car à cet instant, il explosa dans un bruit de tonnerre. Hal sentit l'onde de choc transmise par les flots lui presser la poitrine. Il vit des membrures et des planches en flammes projetées dans le ciel nocturne et plonger dans l'eau noire. Puis l'obscurité et le silence retombèrent sur la mer.

Le *Golden Bough* restait invisible dans la nuit. L'enfant pleurait pitoyablement et Hal ne connaissait pas un seul mot de guèze pour le consoler. Il lui parla donc en anglais :

— Voilà un bon petit garçon. Tu dois être courageux, car tu es né empereur et je sais qu'un empereur ne pleure jamais.

Mais les bottes et les vêtements trempés de Hal l'attiraient vers le fond et il lui fallait nager vigoureusement pour ne pas couler. Il parvint à tenir jusqu'au bout de cette longue nuit, mais à l'aube, il était à bout de force et l'enfant tremblait et sanglotait dans ses bras.

— Il n'y en a plus pour longtemps maintenant, Iyasou ; bientôt il fera grand jour, dit-il d'une voix rauque, la gorge brûlée par le sel, tout en sachant qu'aucun des deux ne tiendrait jusque-là.

— Gundwane !

Il entendit une voix bien-aimée l'appeler ; il n'ignorait pas qu'il délirait et il se mit à rire.

— Ce n'est pas le moment de me faire une blague, dit-il. Je n'ai pas le cœur à ça. Laisse-moi tranquille.

Puis, il vit une forme émerger de l'obscurité, entendit des avirons frapper l'eau et la voix appela de nouveau :

— Gundwane !

— Aboli ! Je suis là ! parvint-il à crier.

Des grandes mains noires le saisirent et le soulevèrent lui et l'enfant par-dessus le côté de la chaloupe. Dès qu'il fut à bord, Hal regarda autour de lui. Tous feux allumés, le *Golden Bough* était en panne à une lieue de là mais Judith se trouvait assise en face de lui à l'arrière. Elle prit l'enfant et l'enveloppa dans son manteau. Elle chantonna quelque chose à Iyasou et le consola, tandis que les hommes faisaient force de rames vers le navire. Avant qu'ils aient atteint le *Golden Bough*, Iyasou s'était endormi dans ses bras.

— Le Tabernacle ? demanda Hal à Aboli de sa voix enrouée. Est-il en sécurité ?

— Il est dans ta cabine, le rassura son compagnon, puis baissant la voix : Tout se passe comme l'avait prédit ton père. Les astres doivent maintenant te rendre ta liberté car tu as accompli la prophétie.

Hal éprouva un profond sentiment de contentement et son épuisement glissa de ses épaules comme un manteau dont on se débarrasse. Il se sentait léger et libre, comme si s'achevait une longue et pénible pénitence. Il tourna les yeux vers Judith, qui le regardait. Il y avait quelque chose dans son regard sombre qu'il n'arrivait pas à déchiffrer, et elle baissa les yeux avant qu'il ait pu y parvenir. Hal avait envie de s'approcher d'elle, de la toucher et de lui parler des sentiments étranges et puissants qu'il éprouvait, mais quatre rangs de rameurs les séparaient.

L'équipage du *Golden Bough* grimpé dans le gréement l'acclama à leur approche. La chaloupe fut amarrée contre le flanc du navire et Aboli tendit la main à Hal pour l'aider à gravir l'échelle, mais celui-ci l'ignora et monta tout seul. Il marqua un temps d'arrêt en voyant la longue rangée de corps enveloppés dans leurs linceuls de toile alignés sur le passavant et les terribles dégâts provoqués par les couleuvrines du *Goéland*. « Mais ce n'est pas le moment de s'attarder là-dessus, pensa-t-il. Ils confieraient les morts à la mer et les pleureraient plus tard, mais à présent, c'était l'heure de la victoire. »

— Eh bien, bande de voyous, vous avez largement rendu la monnaie de leur pièce à Cumbria et à ses assassins. Monsieur Tyler, mettez en perce le baril de rhum et versez double ration à chacun pour que nous souhaitions bon voyage en enfer au Busard. Puis faites route vers Mitsiwa.

Il prit l'enfant des bras de Judith Nazet et le porta dans sa cabine. Il l'étendit sur la couchette et se tourna vers Judith.

— C'est un solide petit garçon et il n'a pas de mal. Laissons-le dormir.

— Oui, dit-elle en levant vers lui ce même regard insondable.

Elle le prit alors par la main et le conduisit vers l'alcôve fermée par des rideaux où se trouvait le Tabernacle.

— Voulez-vous prier avec moi, El Tazar ? demanda-t-elle, et ils s'agenouillèrent tous les deux.

— Nous Te remercions, Seigneur, d'avoir épargné la vie de l'empereur, votre gentil petit serviteur, Iyasou. Nous Te remercions de l'avoir délivré des mains du blasphémateur. Nous Te demandons de lui donner Ta bénédiction dans le conflit qui s'annonce. Lorsqu'il aura remporté la victoire, nous Te supplions, Seigneur, de lui accorder un règne long et paisible. Fais de lui un monarque avisé et bienveillant. Pour l'amour de Ton nom, amen !

— Amen! répéta Hal en s'apprêtant à se lever, mais elle le retint en posant une main sur son bras.

— Nous Te remercions encore, Seigneur Dieu, de nous avoir envoyé Ton bon et fidèle Henry Courteney, sans la valeur et le dévouement duquel les impies auraient triomphé. Puisse-t-il être pleinement récompensé par la gratitude de tout le peuple d'Ethiopie, et par l'amour et l'admiration que Ta servante, Judith Nazet, a conçus pour lui.

Hal sentit le choc provoqué par ses paroles parcourir tout son corps et se tourna vers elle pour la regarder, mais elle avait les yeux clos. Il crut avoir mal compris, pourtant la main de Judith serra davantage son bras. Elle se releva et le tira pour qu'il se remette debout lui aussi.

Toujours sans le regarder, elle l'entraîna vers la petite cabine voisine, ferma la porte et poussa le verrou.

— Vos vêtements sont trempés, dit-elle, et comme une servante, elle entreprit de le déshabiller.

Ses mouvements étaient lents et posés. Elle toucha sa poitrine nue et caressa ses flancs de ses longs doigts. Puis elle s'agenouilla devant lui pour défaire sa ceinture et lui enlever ses hauts-de-chausses. Lorsqu'il fut complètement nu, elle fixa ses parties viriles d'un profond regard sombre, mais sans le toucher. Elle se redressa alors, le prit par la main et le conduisit jusqu'à la couchette. Il essaya de l'attirer vers lui, mais elle le repoussa.

Debout devant lui, elle commença à se déshabiller. Elle délaça sa cotte de mailles et la laissa tomber à ses pieds. Sous le lourd vêtement de guerrier, son corps était un paradoxe de féminité : peau ambrée, seins petits, mamelons fermes et rouge foncé comme des fruits mûrs, hanches fines qui s'achevaient par le galbe de la taille. La toison qui recouvrait son mont de Vénus était bouclée et d'un noir brillant.

Elle s'approcha enfin de Hal, se baissa et colla ses lèvres aux siennes. Puis elle poussa un petit cri pressant et d'un mouvement fluide se laissa tomber sur lui. Quand il la prit, il fut étonné par sa force et sa souplesse.

En fin d'après-midi, après une journée torride qui passa comme dans un rêve, ils furent réveillés par les pleurs de l'enfant dans la cabine voisine. Judith soupira, mais se leva immédiatement. Tout en s'habillant elle le regarda comme si elle voulait graver dans sa mémoire chaque détail de son visage et de son corps. Tandis qu'elle finissait de lacer son armure, elle vint près de lui.

— Oui, je vous aime. Mais, de même que Dieu vous a choisi, il m'a désignée pour accomplir une tâche. Je dois veiller à ce que le jeune empereur soit installé en sécurité sur le trône du Prêtre-Jean à Aksoum. Elle se tut un moment, puis ajouta à voix basse : Si je vous embrasse encore, je risque de perdre ma détermination. Au revoir, Henry Courteney. J'aurais tant aimé être une jeune fille comme les autres et qu'il pût en être autrement.

Elle se dirigea rapidement vers la porte et alla s'occuper de son roi.

Hal jeta l'ancre en rade de Mitsiwa et fit descendre la chaloupe. Daniel Fisher posa avec vénération le Tabernacle de Marie au fond de l'embarcation. Debout à l'avant, revêtue de son armure et coiffée de son casque, Judith Nazet tenait le petit garçon par la main. Hal prit la barre et les dix matelots tirèrent sur les avirons pour les conduire jusqu'à la plage.

L'évêque Fasilidès et cinquante chefs militaires les attendaient sur le sable rouge, tandis que dix mille guerriers étaient massés sur les falaises au-dessus. Quand ils reconnurent leur général et leur monarque, ils se mirent à les acclamer et leurs acclamations parcoururent la plaine, bientôt reprises par cinquante mille voix à travers les collines désertiques.

Les régiments qui avaient perdu courage et, se croyant abandonnés par leur général et leur empereur, étaient déjà sur le chemin du retour vers les montagnes et l'intérieur du pays entendirent les cris et revinrent sur leurs pas. Rang après rang, colonne après colonne, tous convergèrent en une foule puissante, qui, telle une marée humaine, redescendit des collines dans le nuage de poussière pourpre soulevé par les sabots de leurs chevaux, le scintillement de leurs armes au soleil et le chœur triomphal de leurs voix.

Fasilidès s'avança pour accueillir Iyasou qui mettait pied à terre en tenant Judith par la main. Les cinquante capitaines s'agenouillèrent dans le sable, levèrent leur épée et appelèrent la bénédiction divine sur sa tête. Puis ils s'avancèrent tous ensemble et se disputèrent âprement l'honneur de porter le Tabernacle sur leurs épaules. Chantant un hymne guerrier, ils s'engagèrent en procession dans le sentier qui gravissait la falaise.

Judith Nazet montait son étalon noir à barde de poitrail dorée et huppe en plumes d'autruche. Elle fit pivoter son cheval et le poussa, se cabrant et caracolant, jusqu'à l'endroit où se trouvait Hal au bord de l'eau.

— Si le sort des armes tourne en notre faveur, les païens tenteront de s'échapper par la mer. Répandez sur eux la colère et la vengeance divines avec votre fidèle navire, ordonna-t-elle. Si le sort nous est contraire, attendez ici avec le *Golden Bough*, prêt à conduire l'empereur en lieu sûr.

— Je vous attendrai, général Nazet, dit Hal en la regardant et en insistant sur les mots.

Elle se pencha de sa selle, les yeux sombres et ardents derrière le nasal de son casque, mais il ne sut trop si cette ardeur était due à sa fièvre guerrière ou à la perte de l'amant.

— Chaque jour de ma vie, je regretterai qu'il n'en ait pas été autrement, El Tazar.

Elle se redressa, poussa son étalon et gravit le sentier de la falaise. Dans les bras de l'évêque Fasilidès, Iyasou se retourna et fit au revoir à Hal de la main. Il cria quelque chose en guèze, et sa petite voix haut perchée parvint jusqu'à Hal, qui ne comprit pas un mot.

— Toi aussi, garçon! Toi aussi! cria-t-il en agitant la main à son tour.

Le *Golden Bough* prit la mer et, au-delà de la ligne des cinquante brasses, tête nue sous l'ardent soleil d'Afrique, ils confièrent leurs morts à la mer. Ils étaient quarante-trois dans ces linceuls de toile, hommes venus du Pays de Galles, du Devon et des terres mystérieuses riveraines du fleuve Zambéré, unis pour l'éternité.

Puis Hal ramena le navire dans les eaux abritées proches du rivage et mit tous les hommes au travail pour réparer les dégâts et réapprovisionner le magasin avec les munitions envoyées par le général Nazet.

Le troisième jour, avant l'aube, il fut réveillé par le son du canon. Il monta sur le pont immédiatement. Aboli se trouvait au bastingage sous le vent.

— L'affrontement a commencé, Gundwane. Le général a lancé son armée contre celle du Gragne pour la bataille finale.

Ils restèrent tous deux au bastingage, les yeux fixés sur le rivage obscur, où, au loin, les éclairs infernaux des armes à feu illuminaient les collines tandis qu'un immense voile de poussière et de fumée s'élevait lentement dans le ciel sans vent et tourbillonnait comme un nuage d'orage.

— Si le Gragne est battu, il essaiera de s'échapper en traversant la mer d'Arabie avec toute son armée, dit Hal à Ned Tyler et à Aboli pendant qu'ils écoutaient le roulement incessant du canon. Levez l'ancre et mettez le cap au sud. Nous allons nous rapprocher de la baie d'Adulis pour les attendre.

Il était midi passé quand le *Golden Bough* prit position à l'extérieur de la baie et réduisit sa toile. Les canons ne se taisaient jamais ; Hal monta en tête de mât et régla sa longue-vue sur la vaste plaine au-delà de Zula où les deux armées étaient engagées dans un combat à mort.

Il distinguait les cavaliers qui chargeaient et contre-attaquaient, formes minuscules et spectrales à travers les rideaux de poussière et de fumée. Il voyait les longs éclairs lâchés par les énormes canons, rouge pâle dans la lumière forte du soleil, et les régiments de fantassins qui ondulaient dans le brouillard rougeoyant comme des serpents agonisants, les pointes de leurs lances luisant telles des écailles de reptile.

Lentement, la bataille se déplaça vers la côte et Hal vit une charge de cavalerie balayer le haut des falaises et enfoncer un régiment d'infanterie à moitié débandé. Les sabres se levaient et s'abattaient et les fantassins s'égaillaient devant les cavaliers. Des hommes commencèrent à se jeter dans la mer depuis le haut des falaises.

— Qui sont-ils ? s'inquiéta Hal. Quels sont ces cavaliers ?

Alors, à travers sa longue-vue, il distingua la croix blanche de l'Ethiopie à la tête de la horde des cavaliers qui fonçaient vers Zula.

— Nazet les a battus, dit Aboli. L'armée du Gragne est en déroute !

— Envoyez un sondeur à l'avant, monsieur Tyler, et rapprochez-nous de la côte.

Le *Golden Bough* entra dans la baie en longeant le rivage à une encablure. Depuis la tête de mât, Hal vit le nuage de poussière et de fumée rouler lourdement vers la plage et la masse confuse de l'armée du Gragne refluer devant les escadrons de la cavalerie éthiopienne.

Ils jetaient leurs armes et descendaient en trébuchant vers le rivage pour essayer de s'échapper par mer. Une armada hétéroclite de dhaws de toutes tailles surchargés de fugitifs s'éloignait des plages qui entouraient le port embrasé de Zula vers l'ouverture de la baie.

— Doux Jésus! lança Daniel en riant. Ils sont si nombreux qu'on pourrait traverser la baie en passant de l'un à l'autre sans se mouiller les pieds.

— Sortez vos canons, je vous prie, maître Daniel, et voyons si nous pouvons leur mouiller un peu plus que les pieds, ordonna Hal.

Le *Golden Bough* s'ouvrit un chemin au milieu de cette immense flotte. Les petits bateaux tentaient de prendre la fuite, mais la frégate les rattrapait sans difficulté et ses canons commençaient à tonner. Les uns après les autres, ils volaient en éclats et chaviraient, précipitant dans les flots leur chargement de troupes épuisées et vaincues.

Le massacre était si terrible que les artilleurs ne poussaient plus leurs cris de guerre en sortant les pièces mais les servaient dans un silence lugubre. Hal parcourut les batteries et s'adressa à eux d'un ton grave :

— Je sais ce que vous éprouvez, les gars, mais si vous les épargnez maintenant, peut-être aurez-vous à les combattre demain et qui vous dit qu'ils vous feront quartier?

Lui aussi était écœuré par ce carnage et il attendait avec impatience le coucher du soleil ou quelque autre occasion de mettre fin à l'hécatombe. Celle-ci se présenta d'une façon inattendue.

Aboli quitta son poste à la batterie de tribord et courut vers le gaillard d'arrière où Hal faisait les cent pas. Celui-ci lui lança un regard sévère, mais avant qu'il ait pu le semoncer, Aboli lui montra quelque chose par tribord devant.

— Tu vois ce bateau à la voile rouge? Et l'homme debout à l'arrière. Tu vois, Gundwane?

Hal eut une sueur froide en reconnaissant la haute silhouette appuyée contre la barre du dhaw. Il avait rasé sa moustache et portait un turban jaune et le dolman richement brodé des nobles arabes sur un pantalon blanc bouffant et des bottes en cuir souple, mais la peau claire de son visage faisait tache au milieu des hommes à la barbe noire qui l'entouraient. Il n'était pas le seul à avoir ces larges épaules et cette allure athlétique mais personne d'autre n'avait au côté la même épée dans un fourreau d'or repoussé.

— Faites virer le navire, monsieur Tyler, et mettez en panne le long du flanc de ce dhaw à voile rouge, ordonna Hal.

Ned suivit la direction indiquée par son épée.

— Palsambleu, c'est Schreuder! Que le diable l'emporte!

En voyant la grande frégate venir sur eux, les marins du dhaw se précipitèrent au bastingage, sautèrent par-dessus bord et tentèrent de regagner la plage à la nage, préférant les sabres de la cavalerie éthiopienne aux couleuvrines du *Golden Bough*. Resté à l'arrière du dhaw, Schreuder jeta à la frégate un regard froid et implacable. A mesure qu'ils approchaient, Hal vit qu'il avait le visage maculé de poussière et de poudre, ses vêtements déchirés et sales.

Il marcha jusqu'au bastingage et lui rendit son regard. Ils étaient si près que Hal dut à peine lever la voix pour se faire entendre.

— Colonel Schreuder, c'est mon épée que vous avez.

— Eh bien, monsieur, voulez-vous prendre la peine de venir la chercher?

— Monsieur Tyler, amenez-moi contre le dhaw afin que je puisse sauter à bord et prenez le commandement du navire en mon absence.

— C'est de la folie, Gundwane, dit Aboli à voix basse.

— Que ni toi ni personne d'autre n'intervienne, répondit Hal en se dirigeant vers la coupée.

Il se laissa glisser le long de l'échelle, bondit par-dessus l'eau et atterrit avec légèreté sur le pont du petit dhaw qui dansait sur l'eau. Il tira son épée et regarda vers la poupe. Schreuder s'écarta de la barre et se débarrassa de son dolman d'une secousse.

— Vous êtes un sot romantique, Henry Courteney, murmura-t-il, et l'épée de Neptune glissa hors de son fourreau.

— Jusqu'à la mort? demanda Hal.

— Naturellement, acquiesça Schreuder d'un air grave, car je vais en effet vous tuer.

Ils s'affrontèrent avec la grâce de deux amants entamant un menuet. Leurs lames se rencontrèrent et se titillèrent, tandis qu'ils tournaient l'un autour de l'autre, pointes levées, leurs pieds jamais immobiles, yeux rivés à ceux de l'adversaire.

Ned Tyler maintint la frégate à une cinquantaine de mètres du dhaw, gardant cette distance grâce à d'habiles petits coups de barre et à une bonne orientation de sa toile réduite. Les hommes s'étaient alignés au bastingage. Rares étaient ceux qui comprenaient les finesses de style et de technique, mais ils ne pouvaient être insensibles à la beauté et à l'élégance du rituel de mort.

« Un œil fixé sur les siens! Lis à travers eux ce qu'il a au fond de l'âme. » Hal avait l'impression d'entendre la voix de son père lui donnant ses conseils.

Le visage de Schreuder restait grave, mais Hal vit la première ombre passer dans ses yeux bleu clair. Ce n'était pas de la peur mais du respect. Ces quelques touches légères avaient permis à Schreuder de jauger son adversaire. Ayant à l'esprit leurs précédentes rencontres, il ne s'était pas attendu à une telle force et à une telle habileté. Quant à Hal, il savait que s'il survivait à ce duel, jamais il ne danserait aussi près de la mort et ne sentirait son haleine comme il le faisait en ces instants.

Il lut dans les yeux de Schreuder son intention dans la seconde qui précéda son attaque : le Hollandais s'avança sur son pied droit et lui porta une série rapide de bottes. Hal recula, parant tous les coups mais sentant leur force. C'est à peine s'il entendait les grognements d'excitation de ses hommes sur le pont de la frégate, mais il observait les yeux de Schreuder et l'affrontait la pointe haute. Le Hollandais visa son cou, sa première attaque sérieuse, puis, au moment où Hal parait, il se désengagea d'un mouvement fluide et se fendit sur son genou droit fléchi en l'attaquant à la cheville pour tenter de l'estropier.

Hal sauta légèrement par-dessus l'étincelante lame dorée mais elle l'atteignit au talon, le déséquilibrant momentanément. Schreuder se redressa et, rapide comme un cobra, modifia l'angle de son épée et visa le ventre. Hal fit un bond en arrière mais la lame le toucha légèrement. Il riposta immédiatement en s'appuyant sur son pied gauche, cherchant à toucher l'œil du Hollandais. Il lut la surprise dans son regard, mais Schreuder pencha la tête et la pointe glissa sur sa joue.

Ils se reculèrent et recommencèrent à tourner l'un autour de l'autre, tous deux saignant à présent. Hal sentit le liquide chaud traverser le devant de sa chemise ; un filet écarlate coulait sur la joue de Schreuder et gouttait de son menton.

— J'ai fait couler le sang le premier, me semble-t-il, lança ce dernier.

— C'est juste, monsieur, concéda Hal. Mais serez-vous aussi le dernier ?

Ces mots n'avaient pas plus tôt franchi ses lèvres que Schreuder attaquait pour de bon. Sous les yeux des spectateurs qui poussaient des cris et trépignaient d'excitation, il obligea Hal à reculer jusqu'à la proue du dhaw et l'accula au bastingage. Les deux hommes avaient leurs épées croisées devant le visage, leurs yeux séparés d'une longueur de main. Leurs souffles se mêlaient et Hal voyait des gouttes de sueur perler sur la lèvre de Schreuder dans son effort pour le maintenir ainsi.

Hal se laissa exprès basculer au-dessus du bastingage et lut un éclair de triomphe dans les yeux du Hollandais, mais son dos était bandé comme un arc. Il se détendit brusquement et, de toute la force de ses jambes, de ses bras et de son buste, projeta Schreuder en arrière. Profitant de son élan, il poursuivit l'attaque et força son adversaire à battre en retraite jusqu'à la poupe.

Coincé contre la barre, Schreuder ne pouvait reculer davantage. Il remonta l'épée de Hal avec la sienne et l'obligea à l'engagement prolongé, le stratagème grâce auquel il avait tué Vincent Winterton et une douzaine d'autres avant lui. Leurs épées tournaient et crissaient, tourbillon argenté qui les séparait tout en les soudant l'un à l'autre.

Et le combat se poursuivait. En sueur, ils haletaient. Le premier qui rompait était un homme mort. Leurs poignets semblaient avoir été coulés avec le même acier que la lame de leur épée. Hal lut alors dans les yeux de Schreuder quelque chose qu'il n'avait jamais espéré y voir : la peur

Le Hollandais essaya de briser le cercle et de bloquer les lames comme il l'avait fait avec Vincent, mais Hal refusa et le força à continuer. Il perçut le premier signe de faiblesse dans le bras armé du Hollandais et le désespoir dans ses yeux.

Schreuder rompit alors et Hal lui porta un coup terrible à l'instant même où il laissait tomber sa pointe et ouvrait sa garde. Il le toucha à la poitrine et sentit la pointe heurter l'os et la garde tressaillir dans sa main.

Le rugissement que poussèrent les marins sur le pont de la frégate déferla sur eux comme une vague soulevée par la tempête. A l'instant où Hal sentit, dans un sentiment de triomphe, la lame pénétrer dans la chair de son adversaire, Schreuder se recula, leva à hauteur de ses yeux la lame damasquinée d'or de son épée et porta une botte.

Son mouvement en avant enfonça la lame de Hal plus profondément dans son corps mais Hal était sans défense face à la pointe de l'épée de Neptune dirigée à la vitesse de l'éclair vers sa poitrine. Il lâcha la garde de son arme et bondit en arrière mais ne put échapper à la pointe de l'autre épée.

Il sentit le coup sur le côté gauche de sa poitrine puis la lame glisser hors de sa chair. Il réussit à reprendre son équilibre et les deux hommes se retrouvèrent face à face, tous deux durement touchés, mais Hal était désarmé tandis que Schreuder serrait encore l'épée de Neptune dans sa main droite.

— Je crois que je vous ai tué, monsieur, murmura Schreuder.

— Peut-être, mais il me semble que j'ai fait de même, rétorqua Hal.

— En ce cas, je vais m'assurer de la réalité de ce que j'avance, grogna Schreuder.

Il effectua un pas incertain dans sa direction, mais ses jambes le trahirent, il s'affaissa en avant et tomba sur le pont.

Hal posa péniblement un genou au sol près du corps. De sa main gauche il étreignait sa poitrine, mais de la droite, il ouvrit de force les doigts morts de Schreuder pour reprendre l'épée de Neptune, puis se redressa et se tourna vers le *Golden Bough*.

Il tenait haut l'épée étincelante et ses hommes poussèrent des acclamations folles. Leur écho résonna étrangement aux oreilles de Hal, la lumière forte du soleil d'Afrique se voila et ses yeux se remplirent d'ombres et d'obscurité.

Ses jambes se dérobèrent et il s'assit pesamment sur le pont du dhaw, buste courbé sur l'épée posée sur ses genoux.

Il sentit mais ne vit pas la frégate, amenée par Ned Tyler, cogner contre le flanc du dhaw, puis les mains d'Aboli sur ses épaules.

— C'est fini, Gundwane. Tout est accompli, dit celui-ci d'une voix grave en le soulevant dans ses bras.

Ned Tyler pilota le navire vers le fond de la baie et jeta l'ancre dans les eaux calmes devant le port de Zula où la croix blanche de l'Ethiopie flottait à présent sur les murs endommagés par les tirs d'artillerie.

Hal resta étendu quatorze jours sur sa couchette, ne recevant que les seuls soins d'Aboli. Le quinzième jour, Aboli et Daniel le déposèrent dans un fauteuil en chêne et le transportèrent sur le pont. Les hommes vinrent un à un le saluer en se touchant le front et lui marmonner leurs compliments.

Sous ses yeux, ils préparèrent le navire à prendre la mer. Les charpentiers remplacèrent les parties en bois arrachées par les boulets et les voiliers raccommodèrent la toile déchirée. Daniel plongea sous la coque pour vérifier qu'elle n'avait pas subi de dégâts sous la ligne de flottaison.

— Elle est aussi intacte qu'une vierge, cria-t-il en refaisant surface de l'autre côté.

Il y eut de nombreuses visites. Gouverneurs, nobles et militaires apportaient des présents pour remercier Hal et le regardaient avec un immense respect. Quand il eut repris assez de force, il les accueillit debout sur le gaillard d'arrière. En même temps que leurs cadeaux, ils apportaient aussi des nouvelles.

— Le général Nazet a porté l'empereur en triomphe à Aksoum, lui dirent-ils.

— Dieu soit loué, l'empereur a été couronné, annoncèrent-ils plusieurs jours après. Quarante mille personnes ont assisté à la cérémonie.

Hal regarda avec nostalgie les lointaines montagnes bleutées et ne dormit guère la nuit suivante.

— Le navire est prêt à prendre la mer, capitaine, vint lui annoncer Ned Tyler le lendemain matin.

— Merci, monsieur Tyler, répondit Hal en se détournant et en le laissant sans lui donner d'ordres.

Avant qu'il ait atteint l'escalier des cabines, la vigie cria :

— Un bateau sort du port !

Hal retourna avec empressement au bastingage. Il scruta du regard les passagers à la recherche d'une silhouette mince en armure, de son visage bien-aimé encadré de boucles brunes. Il sentit la déception l'envahir en reconnaissant seulement celle, grande et mince, de l'évêque Fasilidès et sa barbe blanche flottant par-dessus son épaule.

Le vieux prélat franchit la coupée et fit le signe de la croix.

— Béni soit ce beau navire et tous les hommes courageux qui naviguent à son bord.

Les rudes marins se découvrirent et s'agenouillèrent. Quand il eut béni chacun d'eux, Fasilidès se dirigea vers Hal.

— Je viens en tant que messager de l'empereur.

— Que Dieu le bénisse ! répondit Hal.

— Je vous apporte ses salutations et ses remerciements à vous et à vos hommes.

Il se tourna vers l'un des prêtres qui le suivaient et prit la lourde chaîne d'or qu'il portait.

— Au nom de l'empereur, je vous consacre chevalier de l'Ordre du Lion d'Or d'Ethiopie, déclara-t-il en déposant la chaîne au médaillon orné de pierreries autour du cou de Hal. J'ai apporté avec moi la récompense que vous vaut votre vaillante participation à la guerre contre les païens ainsi que celle que l'empereur vous envoie à titre personnel.

Du dhaw, on amena un petit coffre en bois. Il était trop lourd pour être porté par l'échelle et il fallut quatre hommes pour le hisser sur le pont du *Golden Bough* avec cordes et poulies.

Fasilidès souleva le couvercle du coffre et l'or dont il était rempli étincela au soleil.

— Eh bien, mes amis, lança Hal à ses hommes, vous aurez de quoi vous acheter une bonbonne de bière quand nous accosterons dans le port de Plymouth.

— Quand comptez-vous appareiller? demanda Fasilidès.

— Nous sommes prêts au départ, répondit Hal. Mais dites-moi, avez-vous des nouvelles du général Nazet?

Fasilidès lui lança un regard malin.

— Aucune. Elle a disparu après le couronnement avec le Tabernacle. Certains disent qu'elle est repartie dans les montagnes.

Le visage de Hal s'assombrit.

— Je prendrai la mer demain matin avec la marée, Père. Et je vous remercie, vous et l'empereur, pour vos largesses.

Le lendemain matin, Hal était sur le pont deux heures avant le lever du soleil et tout l'équipage était réveillé. L'agitation qui entoure toujours les départs s'était emparée du *Golden Bough*. Seul Hal ne participait pas à l'effervescence générale, en proie à un sentiment de perte et de trahison. Bien qu'elle ne lui ait fait aucune promesse, il avait espéré de tout son cœur que Judith Nazet viendrait. Tout en effectuant son ultime tournée d'inspection, il se retenait de regarder vers le rivage.

Ned s'approcha de lui.

— La marée a tourné, capitaine! Et le vent va nous permettre d'éviter l'île Dahlak d'une seule bordée.

Hal ne pouvait temporiser davantage.

— Levez l'ancre, monsieur Tyler. Toutes voiles dehors. Cap au sud vers la lagune des Eléphants. Il nous reste des choses à y faire.

Ned Tyler et Daniel eurent un sourire à la perspective de récupérer leur part du trésor qui, comme ils le savaient, était caché là-bas.

Les voiles se gonflèrent, le *Golden Bough* s'ébroua et s'anima. Son étrave pivota et pointa vers l'entrée de la baie.

Debout les mains croisées dans le dos, Hal regardait droit devant lui. Aboli vint à lui avec une cape sur le bras. Lorsque Hal se retourna, il la leva haut pour la lui montrer.

— La croix pattée, celle que portait ton père au départ de chaque voyage.

— Où as-tu pris cela, Aboli?

— Je l'ai fait faire à Zula pendant que tu étais alité. Tu as gagné le droit de la porter, dit-il en l'étendant sur les épaules de Hal avant de se reculer pour apprécier. Tu ressembles à ton père le premier jour où je l'ai vu.

Ces mots firent à Hal un tel plaisir que son humeur sombre s'allégea un peu.

— Signal lancé du rivage!

Le cri de la vigie résonna dans l'air du petit matin. Hal se retourna rapidement, la cape déployée autour de lui. Au-dessus des murs de Zula, trois lumières rouges restèrent suspendues quelques instants dans le ciel de l'aube puis retombèrent gracieusement vers le sol.

— Trois fusées! s'exclama Aboli. Le signal du rappel.

— Envoyez, je vous prie, monsieur Tyler, dit Hal en allant au bastingage pendant que le navire virait.

— Un bateau sort du port! cria Aboli.

Hal regarda devant et vit la forme d'un petit dhaw émerger de l'obscurité pour venir à leur rencontre. Tandis que la distance entre les deux navires s'amenuisait et que la lumière augmentait, son cœur se mit à battre plus fort.

A l'avant se tenait une silhouette vêtue de façon inhabituelle, une femme en caftan bleu, coiffée d'un foulard de même couleur. Au moment où le dhaw vint se porter le long du *Golden Bough*, elle enleva son foulard, et Hal reconnut sa magnifique chevelure brune.

Quand elle arriva sur le pont, Hal l'attendait à la coupée et l'accueillit gauchement.

— Bonjour, général Nazet.

— Je ne suis plus général. Je ne suis plus qu'une jeune fille comme les autres nommée Judith.

— Bienvenue à bord, Judith.

— Je suis venue dès que j'ai pu, dit-elle d'une voix rauque et hésitante. Maintenant, Iyasou est couronné et le Tabernacle a retrouvé sa place dans les montagnes.

— J'avais désespéré de vous, dit-il.

— Non, El Tazar. Ne le faites jamais.

Hal vit avec surprise que le dhaw retournait déjà vers le rivage et n'avait laissé aucun bagage.

— Vous n'avez rien pris avec vous?

— Seulement mon cœur, répondit-elle à voix basse.

— Je fais route vers le sud.

— Où que vous alliez, mon seigneur, j'irai aussi.

Hal se tourna vers Ned Tyler.

— Virez et courez à contrebord, monsieur Tyler. Passez au large de l'île Dahlak, puis cap au sud vers Bab el Mandeb. Près et plein.

— Près et plein, capitaine, confirma Ned Tyler avec un large sourire en lançant un clin d'œil à Daniel.

Tandis que le *Golden Bough* partait à la rencontre de l'aube, Hal se tenait bien droit sur le gaillard d'arrière, sa main gauche posée légèrement sur le saphir du pommeau de l'épée de Neptune. De son autre bras, il attira à lui Judith Nazet. Elle n'opposa aucune résistance.

Achevé d'imprimer en juillet 1997
sur presse Cameron
*par **Bussière Camedan Imprimeries***
à Saint-Amand-Montrond (Cher)

N° d'édition : 6577. N° d'impression : 1/1906
Dépôt légal : août 1997
Imprimé en France